ISBN 978-0-428-04055-0
PIBN 11237631

# 1 MONTH OF
# FREE
# READING

at

# www.ForgottenBooks.com

By purchasing this book you are eligible for one month membership to ForgottenBooks.com, giving you unlimited access to our entire collection of over 1,000,000 titles via our web site and mobile apps.

To claim your free month visit:
www.forgottenbooks.com/free1237631

# Die

# örnerfressenden fremdländischen Stubenvögel,

## Hartfutter= oder Samenfresser.

Von

## Dr. Karl Ruß.

Mit 14 chromolithographischen Tafeln.

—◦—◦⧉◦—◦—

Hannover.

Carl Rümpler.

1879.

Druck von August Grimpe in Hannover.

# Vorwort.

Vier Jahre sind verflossen, zwischen dem Erscheinen der ersten Lieferung und der neunten, welche den Schluß dieses Bandes bildet. In wirklich zahllosen Briefen hat man mich nach den Ursachen der nur zu kargen Verzögerung gefragt. Den Betheiligten, die auf ein Buch als Belehrungsquelle warteten, war dies ja nicht zu verdenken; Denen, welche die Verhältnisse nicht kannten, dünkte das langsame Fortschreiten unerklärlich; nur die Wenigen, welche die Sachlage völlig zu überschauen vermochten, wußten zu ermessen, daß die Säumniß nicht in meinem Verschulden lag.

Als ich den Plan des Werks gemacht, hatte ich die Anzahl der in den Handel gelangenden fremdländischen Vögel wol überblickt, und als erfahrener Schriftsteller konnte ich überschlagen, daß ich die vorhandenen etwa 200 bis 250 Arten nebst ihren nächsten Verwandten mit voller Bequemlichkeit in dem Raume des Inhalts von 15 bis 16 Lieferungen in Groß-Lexikon-Format bei kompressem Satz schildern könne. Seitdem die erste Lieferung herausgekommen, sind jedoch ganz andere Verhältnisse auf diesem Gebiete eingetreten. Die Liebhaberei hat sich in nie geahnter Weise ausgebreitet, der Vogelhandel hat einen staunenswerthen Aufschwung gewonnen und die Anzahl der lebend eingeführten überseeischen Vögel ist auf nahezu 700 Arten gestiegen.

Man bezeichnet mich allenthalben als den, welcher durch Lebensschilderungen fremdländischer Stubenvögel in viel gelesenen Unterhaltungsblättern und Zeitungen, durch das „Handbuch für Vogelliebhaber" und die Zeitschrift „Die gefiederte Welt" zum größten Theile diese außerordentliche Verbreitung der Liebhaberei, bzl. die Ausdehnung des Vogelhandels hervorgerufen, meinetwegen auch verschuldet hat. Dies mag immerhin richtig sein — doch gerade ich habe unter diesen Verhältnissen leiden müssen, während sie allen Uebrigen nur Freude und Vortheil brachten.

Bereits bei der Arbeit an der zweiten Lieferung mußte ich einsehen, daß es geradezu unmöglich sei, das Werk in Rahmen des ursprünglichen Plans weiterzuführen. Keineswegs durfte ich eine bloße Aufzählung der Vögel bringen; ich wollte sie schildern nach eigenen Anschauungen und Erfahrungen. Alle neuen Erscheinungen des Vogelmarkts mußte ich nothwendigerweise anschaffen, eingewöhnen und verpflegen, wenn möglich auch züchten — die Zeit aber drängte, der Druck sollte vorwärtsgehen, während die Ergebnisse der Zucht bekanntlich doch nur äußerst mühsam zu erlangen sind.

Da plagten mich und den Herrn Verleger die eifrigen Liebhaber und Züchter wirklich unglaublich. Man wollte das versprochene Buch je eher desto lieber haben, und Bitten, Vorwürfe und Drohungen des Abspringens seitens der Subskribenten regnete es förmlich. Trotzdem verstrich bis zur Vollendung des ersten Bandes Jahr um Jahr!

Das größte Hinderniß des Fortgangs neuer Arbeit lag in der Beschaffung der Vögel. Wer die Verhältnisse kennt, wird wissen, daß alles frisch eingeführte (also erstrecht das in Handel noch nicht vorhandne, erst neu auftauchende) Gefieder fast ohne Ausnahme nur zu leicht zugrunde geht, daß man aber zugleich für alle seltenen Erscheinungen äußerst hohe Preise zahlen muß. Ohne günstigere Verhältnisse abwarten zu können, sah ich mich gezwungen, von jeder Art solcher Vögel ein oder auch wol einige Pärchen zu kaufen; letztres eben in der Voraussetzung, daß Verluste eintreten würden. Eine der größten Schwierigkeiten stellte sich mir schließlich in ner in den nothwendigen Verkauf der ausreichend beobachteten Vögel entgegen, zumal ich bei beschränktem Raume alljährlich mit der Bevölkerung der Vogelstube wechseln mußte. Ich konnte dies fast jedesmal nur mit bedeutender Einbuße erreichen; denn schriftstellerische Thätigkeit und kaufmännisches Geschäft lassen sich schlechterdings nicht vortheilhaft vereinen. Mein kleines Vermögen setzte ich für den Zweck einer gründlichen Kenntniß der fremdländischen Vögel gern ein; ich sagte mir ja, daß es selbst materiell gut angelegt sei, in den Erfahrungen, welche mich dazu befähigten, neue Zeitschrift herauszugeben, das Handbuch und dann dies größere Werk zu schreiben.

In aufrichtiger Dankbarkeit muß ich es anerkennen, daß wohlwollende Freunde und eifrige Liebhaber der Vogelwelt mir bereitwillig zur Förderung meiner Zwecke entgegengekommen. Eine der großartigsten

Sammlungen lebender fremdländischer Vögel besitzt Herr August F. Wiener in London und vermöge seiner weitreichenden geschäftlichen Beziehungen erlangt er gar manche seltne Art, welche Anderen unzugänglich bleibt. Er hat mir nicht allein über alle seine werthvollen Erfahrungen Bericht erstattet, sondern auch meine Sammlung hin und wieder mit absonderlichen Selten= heiten bereichert. In ähnlicher Weise kam mir Herr Direktor Dr. Bodinus entgegen, indem er mir zeitweise kostbare Vögel behufs Züchtung leihweise überließ. Der Prinz Ferdinand von Sachsen=Koburg=Gotha sandte mir ein Verzeichniß der von ihm seit vielen Jahren gehaltenen Vögel, nebst wichtigen Bemerkungen über die Eigenthümlichkeiten mancher Arten, welche sich in keiner andern Sammlung befinden. Die Herren Emil Linden in Radolfzell, Graf York von Wartenburg auf Schleibitz, Graf Rödern in Breslau, Dr. Franken in Badenbaden, K. Hendschel in Innleitenmühle bei Rosenheim und viele andere begüterte Liebhaber begünstigten mein Streben in der Weise, daß sie mich beauftragten, sehr werthvolle Vögel für sie zu beschaffen und vor der Uebersiedlung in ihre Sammlungen mehr oder minder geraume Zeit hindurch zu beobachten, bzl. zu züchten. Alle Genannten, sowie zahlreiche andere Liebhaber und Züchter ließen mir Mittheilungen ihrer Erfahrungen auf dem Gebiet der Vogelkunde in allgemeinen und der Vogelzucht in besondern zukommen. Reisende und Forscher gaben mir werthvolle Nachrichten inbetreff des Freilebens, so namentlich die Herren Theodor von Heuglin, Dr. Otto Finsch, Herman Schalow, H. Nehrling in Chikago, Dr. C. Hahn in Wyandotte, Georg Altona in der Kapstadt und auch Dr. A. Reichenow.

Mit vielem Dank muß ich des Entgegenkommens der Großhändler gedenken. Vor allen anderen war es Herr Karl Hagenbeck, der meine Bestrebungen unterstützte, indem er einerseits die seltensten und kostbarsten Vögel stets mir zuerst zukommen ließ und andrerseits für dieselben nur den Einkaufspreis berechnete. In gleicher Weise steht mir Fräulein Christiane Hagenbeck noch bis zum heutigen Tage zurseite und ähnlich auch die Herren Großhändler C. Reiche in Alfeld, Chr. Jamrach in London, K. Lintz und H. Möller in Hamburg, K. Gudera in Wien, K. Baudisch und Gaetano Alpi in Triest, Frau Poisson in Bor= deaux und neuerdings auch J. Abrahams in London. Selbst von den Händlern zweiter Hand habe ich manche höchst werthvolle Bereicherung

meiner Vogelstube erlangt, so besonders von den Herren W. Mieth,
F. Schmidt, D. Dufour in Berlin, f. Z. auch vom alten Bewig,
von E. Geipel in Leipzig und R. Hieronymi in Braunschweig.
Wenn ich hier und da noch bei Anderen mir eingeführte Vögel ge=
funden, so habe ich die Namen der Besitzer stets an btrf. Orte er=
wähnt. Herr L. van der Snickt in Brüssel erfreut die Liebhaberei
neuerdings durch ganz besondere Seltenheiten von Prachtfinken und ge=
währt derselben dadurch einen beachtenswerthen Vorschub. Gleich den
Händlern haben mir in Laufe der Zeit auch viele Liebhaber mancherlei
ihnen noch unbekannte Vögel zur Bestimmung zugesandt.

Zu ganz besonderm Dank verpflichtet fühle ich mich aber den Gelehrten,
welche mein Unternehmen durch Rath und Hilfe thatsächlich gefördert
haben, so vor Allen meinen verehrten Freunde Herrn Dr. Luchs, Badearzt
in Warmbrunn. Seine Theilnahme ermöglichte den Aufbau meines
populären Werks auf streng wissenschaftlichem Grunde, denn mit seinen
gründlichen Kenntnissen stand er mir stets zur Seite, wo es galt, die
Abstammung eines Worts zu ergründen, wissenschaftliche Benennungen
neu zu geben oder zu verändern oder nach dem Sinn des Worts einen
zutreffenden deutschen Namen aufzustellen. Auch die Uebertragung der
wissenschaftlichen Beschreibungen ins Lateinische hat er größtentheils
ausgeführt oder dieselben doch berichtigt. Die holländischen Namen, welche
ich theils den Verzeichnissen der btrf. zoologischen Gärten, theils aus den
Listen der Händler entnommen, wurden von den Herren Pastor O. Bourrit
in Vendeuvres und Dr. P. H. Maas, Advokat in Bergen o. Z. verbessert.
Herr Professor Dr. Peters gestattete mir jederzeit Zutritt in die Samm=
lung des Berliner zoologischen Museum und entweder persönlich oder
durch die Herren Kustoden gewährte er mir stets bereitwilligst Hilfe zur
Feststellung eines Vogels in allen zweifelhaften Fällen. In früheren Jahren
hat namentlich Herr Professor Dr. Cabanis immer auf das bereitwilligste
die neuangekommenen mir noch unbekannten Vögel bestimmt. In mancherlei
schwierigen Fragen ertheilten mir die Herren Dr. Otto Finsch, Dr. Bo=
dinus, Dr. K. Bolle und Professor Dr. R. Hartnann freundlicher-
weise Auskunft und Rathschläge. Die Eierbeschreibungen hat Herr Amt=
mann Nehrkorn auf Riddagshausen größtentheils nach Exemplaren aus
meiner Vogelstube, theils aber auch nach solchen aus seiner sehr großartigen
Sammlung aufgestellt. Bedeutsame Förderung gewann mein Werk durch

die Forschungen des Herrn Regierungsrath v. Schlechtendal in Merse=
birg, welcher eine der interessantesten Vogelsammlungen in Deutschland
besitzt, und des Herrn Gymnasiallehrer Fr. Schneider in Wittstock,
dessen ebenfalls großartige Sammlung namentlich inbetreff der Verfärbung
der Webervögel wichtige Ergebnisse geliefert hat.

Es wäre undankbar, wollte ich nicht auch meines Verlegers, des
Herrn Verlagsbuchhändler C. Rümpler, gedenken. Angesichts der über=
aus kostspieligen Herstellung gehört wahrlich kein geringer Opfermuth
dazu, um ein solches Unternehmen den erwähnten Verhältnissen entsprechend
zu erweitern und auszuführen. Wenn Herr Rümpler trotzdem mit allem
Vertrauen auf einen guten Erfolg neben mir steht, so darf auch ich die
Zuversicht nicht verlieren.

Die Beschreibungen aller Vögel, welche ich in Laufe der Zeit
besessen, sind in folgender Weise aufgestellt. Mit den lebenden Exemplar
in der Hand, habe ich die Beschreibung seitens eines Reisenden, der die
btrf. Art in ihrer Heimat erlegt oder seitens eines Gelehrten, der zahl=
reiche Exemplare in Museum vor sich gehabt, durchgenommen und Punkt
für Punkt verzeichnet, auch meinerseits dann noch die ausgestopften
Exemplare im Berliner Museum verglichen. Die unübertrefflichen Beschrei=
bungen der Herren Cabanis, Finsch, Hartlaub, Henglin und aller
übrigen in Text stets gewissenhaft angegebenen Ornithologen habe ich
für mein Werk einerseits nur soweit verändert, daß ich eine ganz
bestimmte, sorgfältig durchgeführte Reihenfolge der einzelnen Körpertheile
innehielt und daß ich sie andrerseits dort berichtigte, wo dem Ornithologen
entweder nur in Spiritus aufbewahrte oder infolge des Alters bereits
verblichene Exemplare vorgelegen; namentlich die Farbe der Schnäbel und
Füße konnte ich in vielen Fällen nach den Leben richtig angeben.

Als eine ganz neue Gabe hat mein Werk die Beschreibung der
Jugendkleider zahlreicher Vögel, welche noch in keinem andern vor=
handen sind, aufzuweisen, abgesehen davon, daß es den Nestbau, die
ganze Brutentwicklung und alle sonstigen Eigenthümlichkeiten derselben
in der Gefangenschaft schildert. Die große Anzahl der Vögel im Jugend=
kleide, welche das zoologische Museum von Berlin aus neiner Vogel=
stube erhalten hat, wird es den zukünftigen Gelehrten auf diesem
Gebiete darthun, daß die Beschreibungen in neinen Werke beachtens=
werthe Schätze für die Wissenschaft Ornithologie hinsichts der Kenntniß

zahlreicher tropischen Vögel gewähren. Um der Sache willen hat es mich
angenehm berührt, daß zahlreiche Vereine in Deutschland, in der Schweiz
und selbst im fernen Auslande mich zum Ehrenmitgliede ernannt, daß
neue gezüchteten Vögel auf zahlreichen Ausstellungen mit den höchsten
Preisen prämirt worden und daß mir sogar in London auf der Vogel=
ausstellung im Kryftallpalaft (1877) die große goldene Medaille zutheil
geworden.

Alle diese Auszeichnungen nehme ich lediglich als Beweise dafür
auf, daß einerseits die Vogelliebhaberei fortdauernd auf dem Boden der
regsten Entwicklung steht und daß andrerseits meine Thätigkeit erfreulich
immitten derselben wurzelt. Dies gibt mir den Muth, auf der be=
schrittenen Bahn unbeirrt weiter zu streben.

Noch bitte ich die Leser, die am Schluß dieses Bands gegebenen
Nachträge und Ergänzungen, sowie namentlich auch die Berichtigungen
nicht übersehen zu wollen. In der verzögerten Herstellung lag es ja
eben begründet, daß inbetreff manches Vogels noch wichtige Erfahrungen
gewonnen werden konnten, deren Ergebnisse eingeschaltet worden. Zugleich
habe ich mich benüßt, die Irrthümer, welche theils in Schreib= oder
Druckfehlern beruhten, theils in Angaben, die eine nähere Beobachtung
der Vögel widerlegt hat, noch rechtzeitig aufzuklären.

Für den Band, welcher die Papageien schildern wird, stehen mir
bereits jetzt reiche Schätze zu Gebote, denn die Züchtung der beliebtesten
Arten ist allenthalben schon vielfach gelungen und ich habe es erreicht,
faft aus jeder Gattung wenigftens eine Art nach ihren ganzen Wesen
hin, insbesondre aber nach ihrer Fortpflanzung ausreichend kennen zu
lernen. Auch die Schilderung der kerbthierfreffenden Vögel, welche ich
zuletzt folgen lassen werde, kann auf eine verhältnißmäßig große Fülle
von Erfahrungen fußen. Ueberaus ergibig aber ist das Gebiet beackert,
welches der Halbband umfaßt, der die Pflege und Zücht aller fremd=
ländischen Stubenvögel überhaupt behandeln soll. Somit hoffe ich, das
ganze Werk ohne weitere Unterbrechung beenden zu können.

Berlin=Steglitz, im Sommer 1878.

Dr. Karl Ruß.

# Inhalt.

Ende des ersten Bandes.

# Verzeichniß der Abbildungen.

# Verzeichniß

der

## Schriften über die fremdländischen Stubenvögel, welche vorzugsweise für diesen Band benutzt worden.

---

Audubon, J. J., „The Birds of America etc." (New-York 1844).

Baird, S. F., „The Birds of North-America", with the co-operation of J. Cassin and G. N. Lawrence (Philadelphia 1860).

Baird, S, F., Brewer, T. M. and Ridgeway, „A History of North-American Birds' (Boston 1874).

Baldamus, E., „Naumannia", Archiv für Ornithologie (Stuttgart 1851—1858).

Bonaparte, Ch. L., „Americau Ornithologie" (Philadelphia 1825—1833).

Bechstein, J. M., „Gemeinnützige Naturgeschichte Deutschlands, nach allen drei Reichen" (Leipzig 1785—1795; Vögel, Band II bis IV, 1791—1795).

Buffon, „Naturgeschichte der Vögel" (Paris 1765; Wiener Ausgabe).

Burmeister, H., „Systematische Uebersicht der Thiere Brasiliens" (Zweiter Theil: Vögel; Berlin, 1854—1856).

Cabanis, J., „Journal für Ornithologie" (Kassel und Leipzig, seit 1853).

Cabanis, J., v. d. Decken's „Reisen" III; Abtheilung Vögel (Leipzig und Heidelberg 1869).

Cabanis und Heine, „Museum Heineanum" I bis IV (Halberstadt, 1850—1863).

Chénu, „Encyclopédie d'Histoire naturelle" (Paris; Vögel, IV bis VI).

Darwin, Chs., The Zoology of the Voyage of H. M. S. „Beagle" (London 1840—43).

Desmarest, A. G., „Histoire naturelle des tangaras, des manakins et des todiers" (Paris 1805).

Finsch und Hartlaub, „Die Vögel Ostafrikas" (v. d. Decken's „Reisen" IV; Leipzig und Heidelberg 1870).

Gentry, G., „Life Histories of the Birds of Eastern Pennsylvania" (Philadelphia 1876).

Geßner's „Thierbuch" (Frankfurt a. M. 1669).

Giebel, „Thesaurus ornithologiae" (Leipzig 1874—1877).

Gould, J., „Handbook to the Birds of Australia'. I—II (London 1865).

Gray, G. R., „Handlist of Genera and Species of Birds". I—III (London 1869—1871).

Hartlaub, G., „System der Ornithologie Westafrikas" (Bremen 1857).

Hartlaub, G., „Ornithologischer Beitrag zur Fauna Madagaskars" u. s. w. (Bremen 1861).

Heuglin, Th., „Ornithologie Nordostafrikas, der Nilquellen und Küstengebiete des rothen Meeres und des Somallandes" (Kassel 1869—1874).

**Horsfield et Moore,** „A Catalogue of the Birds in the Museum of the Hon. East-India Company". I—II (London 1856—1858).

**Jerdon,** T. C., „The Birds of India" (Calcutta 1862—64).

**Layard,** L. E., „The Birds of South-Africa" (Captown 1867).

**Lichtenstein,** H., „Verzeichniß der Doubletten des zoologischen Museum zu Berlin" (Berlin 1824).

**Noll,** F. C., „Der zoologische Garten" (Frankfurt am M., seit 1850).

**Nuttall,** Th., „A Manual of the ornithologie of the United States of America and of Canada". l u. ll (Boston 1832—1834).

**Pelzeln,** A., „Reise der Fregatte Novara" (Vögel; Wien 1865).

**Pelzeln,** A., „Zur Ornithologie Brasiliens". Resultate von J. Natterer's Reisen (Wien 1871).

**Pelzeln,** A., „Jahresberichte über die Leistungen in der Naturgeschichte der Vögel" (Wien 1865).

„**Proceedings** of the Zoological Society of London" (1830).

**Reichenbach,** H. G. L., „Die Singvögel als Fortsetzung der vollständigsten Naturgeschichte" (Dresden und Leipzig).

**Rey,** E., „Synonymik der europäischen Brutvögel und Gäste" (Halle 1872).

**Ruß,** K., „Die gefiederte Welt" (Berlin, seit 1872).

**Ruß,** K., „Handbuch für Vogelliebhaber" (Hannover 1878; II. Auflage).

**Salvin,** O., und **Sclater,** Ph., „The Ibis" (London 1853).

**Schlechtendal,** E., „Monatsschrift des deutschen Vereins für Vogelkunde und Vogelschutz" (Halle, seit 1876).

**Sclater,** Ph. L., „Synopsis Avium Tanagrinarum" (London 1856).

**Sclater,** Ph. L., „List of the vertebrated animals, now or lately living in the gardens of the Zoological Society of London" (London 1862—1877).

**Stölker,** K., „Ornithologische Beobachtungen" (1874—1875).

**Tschudi,** J. J., „Untersuchungen über die Fauna Peruana" (St. Gallen 1844—1846).

**Vieillot,** „Les oiseaux chanteurs" (Paris 1790).

**Wallace,** W. B., „The Malay Archipelago" (London 1869); deutsch von Dr. A. B. Meyer (Braunschweig 1869).

**Wied,** M., Prinz zu, „Beiträge zur Naturgeschichte von Brasilien" (Weimar 1825—1833).

**Wilson,** A., „American Ornithologie" (Philadelphia 1808—1814).

# Einführung.

---

An Lehrbüchern der Vogelkunde ist in Deutschland kein Mangel; auch Handbücher, welche in Hinsicht der Verpflegung der Stubenvögel Rathschläge und Anleitungen gewähren, sind genug vorhanden. Die neuesten derartigen Werke behandeln zugleich die Züchtung der Vögel in der Gefangenschaft mit der gebührenden Sorgfalt.

Dennoch blieb bisher eine fühlbare Lücke, da es kein Buch giebt, welches die nach Europa aus allen übrigen Welttheilen in immer zunehmender Kopfzahl und Mannigfaltigkeit eingeführten Vögel eingehend schildert und in lebensvollen farbigen Abbildungen zeigt.

Ein solches Werk beabsichtige ich im Nachfolgenden zu schaffen, und um das volle Vertrauen meiner Leser zu gewinnen, sei es mir gestattet, zunächst zu berichten, wie dasselbe entstanden und in welcher Weise ich den reichen Stoff für seinen Inhalt gesammelt habe.

Seit meiner Jugendzeit habe ich mit der einheimischen Vogelwelt mich beschäftigt; ebenso wie Vater Bechstein und die meisten anderen Verfasser der Schriften über praktische Stubenvogel-Pflege, habe auch ich viele Jahre hindurch zahlreiche Vögel beherbergt. In neuerer Zeit wandte ich meine Aufmerksamkeit ausschließlich den fremdländischen Stubenvögeln zu. Eine beträchtliche Anzahl derselben hielt ich anfangs in Käfigen, dann aber richtete ich eine Vogelstube ein, von vornherein in der Absicht, möglichst viele fremdländische Vögel andauernd zu pflegen, um sie zu züchten. Selbstverständlich suchte ich dabei ihre Lebensweise und alle ihre Eigenthümlichkeiten, das ganze Wesen, die Liebesspiele, den Nestbau, die Form und Farbe der Eier, den Nestflaum und das Jugendkleid der Jungen, deren Verfärbung und Benehmen bis zur vollendeten Entwickelung kennen zu lernen. Bis jetzt sind über die Mehrzahl der zu uns gelangenden fremdländischen Vögel hinsichtlich ihres Freilebens in der Heimat erst sehr geringe Nachrichten bekannt geworden, weil die Reisenden und Forscher in

ferngelegenen unwirthlichen Gegenden nur selten Muße gehabt, diese Thiere aus=
reichend zu sehen und zu studiren. Da ich aber in meiner Vogelstube alle die=
jenigen Vögel, welche zur Brut geschritten sind, auf das gewissenhafteste beobachtet
habe, wie mir auch von vielen anderen erfahrenen und kenntnißreichen Vogel=
züchtern derartige Mittheilungen immerfort sehr reichlich zugekommen, so ist
zweifellos zu erwarten, daß in diesem Buche die Naturgeschichte vieler fremden
Vögel eine bedeutende Erweiterung finden wird.

Freilich kann das Leben der Vögel in der Gefangenschaft nur bedingungs=
weise als übereinstimmend mit ihrem Freileben angesehen werden. Während
manche Arten, namentlich die kleinsten Finken, wol ganz treu an ihren Gewohn=
heiten auch in der Vogelstube festhalten, so zeigen andere und allerdings
die meisten, ein durchaus verändertes Benehmen. In einer Hinsicht aber
kann kaum eine bedeutsame Abweichung stattfinden — in der Brutentwickelung
nämlich. Zwar mögen die dargebotenen, sehr fremdartigen Baustoffe dem Neste
ein ungleich anderes Aussehen geben; niemals aber wird die Gestaltung und
Form desselben die Erbauer verleugnen. Der Mangel irgend welcher nur in der
Heimat vorhandenen Nahrung kann bewirken, daß die Farbe oder Zeichnung der
Eier mehr oder minder bleich oder abweichend erscheint; mit dem Nestflaum und
dem Jugendkleide ist dies jedoch nicht der Fall. —

Vor allen Dingen ist es meine Absicht, die Liebhaber auf diejenigen Vögel
aufmerksam zu machen, welche unschwer, ohne große Mühe und Kosten zur Ver=
mehrung zu bringen und zugleich in allen ihren Eigenschaften so liebenswürdig
sind, daß sie allgemeine Verbreitung als Stubenvögel verdienen. Für ihre
Pflege in Käfigen und Gesellschaftsbauern, sowie für ihre Zucht, einerseits
freifliegend in einer Vogelstube und andererseits in Heckgebauern will ich
Rathschläge geben, die also auf die Erfahrungen der bewährtesten deutschen
Vogelwirthe gegründet sind.

Wol ist die Liebhaberei für die fremdländischen Vögel in Deutschland ebenso,
wie bei fast allen gebildeten Völkern überhaupt, bereits seit geraumer Zeit zu
Hause; manche Vogelarten, besonders Papageien, werden ja schon seit Jahr=
hunderten eingeführt. Trotzdem war diese Liebhaberei bis vor kurzem noch
gleichsam in den Kinderschuhen; denn der deutsche Vogelhandel bot noch keine
beachtenswerthe Fülle und Reichhaltigkeit, und von der Züchtung dieser Vögel war
kaum irgendwo die Rede.

Dr. Karl Bolle, der hochgeschätzte Naturforscher und Reisende, welcher zu
den ersten Vogelkundigen Deutschlands gehört, hat in der Zeitschrift „Naumannia"
(Jahrgang 1858, S. 332 ff.) ein Verzeichniß der Vögel gegeben, welche in jener
Zeit auf unsern Vogelmarkt gelangten. Es sind nur 51 Arten, unter ihnen
befinden sich aber sonderbarerweise fünf Arten, welche seitdem aus dem

Handel leider wieder völlig verschwunden sind.*) Die Züchtung fremdländischer Vögel versuchten damals nur wenige wohlhabende Freunde und Kenner dieses Gefieders. Im übrigen wurden solche Vögel gleichsam nur als Schmuck- und Ziergegenstände gekauft, und man entnahm daher die minder farbenreichen Weibchen, wie die von dem Nonpareil oder Papstfink, dem rothen Kardinal, dem Paradies-Widahfink u. a., niemals mit. Dieselben wurden entweder von vornherein nicht eingeführt oder sie blieben bei den Händlern zurück.

Seitdem ich Schilderungen fremdländischer Vögel in der „Gartenlaube", in der „Kölnischen Zeitung", der Wiener „Neuen Freien Presse" und vielen anderen Zeitungen und Zeitschriften veröffentlicht, gewann die Liebhaberei einen außerordentlichen Aufschwung und zugleich lenkte sie in eine ganz neue Bahn. Man legte Vogelstuben an oder richtete Käfige ein, lediglich für den Zweck der Züchtung in größerem oder geringerem Maßstabe. Hunderte, ja bald Tausende von Briefen mit Anfragen über alle Verhältnisse dieser Vogelliebhaberei liefen bei mir ein, und nahmen mich bald so sehr in Anspruch, daß ich den Entschluß faßte, ein Werk über die fremdländischen Vögel zu schreiben.

Hierzu konnte ich mich um so mehr berufen fühlen, da ich nicht allein tagtäglich meine eigenen Erfahrungen bereicherte, sondern auch von den immer zahlreicher auftretenden Vogelzüchtern und Vogelfreunden (deren Namen ich am Schlusse dieses Werkes als meine Mitarbeiter dankbar nennen werde) fortdauernd die Mittheilungen der ihrerseits gewonnenen Erfolge und Erfahrungen erhielt. Ein Buch aber, welches ausreichende und wirklich zuverlässige Anleitung zur Kenntniß und zum Einkauf, zur Verpflegung und Zucht aller hierher gehörenden Stubenvögel geboten hätte, gab es damals, wenigstens in deutscher Sprache, noch nicht.

Vieillot, der berühmte französische Gelehrte und Vogelkundige, welcher in der Mitte des vorigen Jahrhunderts lebte, hatte bereits eine große Anzahl exotischer Vögel selber gehalten und beobachtet, zum Theil auch gezüchtet, dann beschrieben und abgebildet. Dies Werk „Les Oiseaux chanteurs" (Paris, 1790) war seitdem in der Literatur aller Länder eine der Hauptquellen über diese Vogelwelt. Dasselbe ist jedoch seines hohen Preises wegen nur in wenigen großen öffentlichen Bibliotheken vorhanden und daher den meisten Vogelfreunden nicht zugänglich.

Von größerem Werth für die deutschen Liebhaber ist das Werk von G. H. Ludwig Reichenbach: „Die Singvögel, als Fortsetzung der vollständigsten Naturgeschichte" (Dresden und Leipzig, Selbstverlag), welches, mit Abbildungen reich ausgestattet, die Beschreibungen fremdländischer Stubenvögel

---

*) Auf das Verhältniß der steigenden Einfuhr fremdländischer Vögel, wie sich dasselbe im Laufe der letzten Jahrzehnte gestaltet hat, werde ich weiterhin eingehend zurückkommen.

bietet. Leider enthält dies Buch jedoch bei weitem nicht sämmtliche Vögel des Handels, dagegen zeigt es viele, welche noch nicht lebend nach Europa gekommen; dann sind seine Angaben auch gar zu kurz und die Abbildungen nicht genügend.

Die übrigen größeren und kleineren Naturgeschichten der Vögel, Hand- und Lehrbücher waren theils bereits veraltet, mindestens in Bezug auf die fremdländischen Stubenvögel, theils aber auch nicht stichhaltig genug; so z. B. das sonst mit Recht geschätzte Werk „Illustrirtes Thierleben" (Hildburghausen, 1864). Somit durfte ich mit gutem Muth an mein Unternehmen gehen.

Herr Verlagsbuchhändler Karl Rümpler in Hannover kam mir mit dem vollen Vertrauen entgegen, welches für die Ausführung eines solchen großartig angelegten Werkes durchaus nothwendig ist. Robert Kretschmer, damals unbestreitbar einer der hervorragendsten Meister auf dem Gebiete lebensvoller Darstellung der Vögel, wurde damit betraut, die Tafeln mit den farbigen Bildern dieser bunten und glänzenden Vogelwelt zu malen. Er machte die Studien dazu in meiner Vogelstube. Bedauerlicher Weise wurde aber durch die Erkrankung des Künstlers die Herstellung um volle drei Jahre verzögert und zuletzt ganz in Frage gestellt, da Herr Kretschmer, viel zu früh für die Wissenschaft und Kunst, einem Brustleiden erlag.

Die Anfragen der Vogelliebhaber und beginnenden Züchter, welche im Laufe der Zeit immer zahlreicher bei mir einliefen, veranlaßten mich, alle meine Erfahrungen zunächst noch immer weiter in den Zeitungen und Zeitschriften zu veröffentlichen. Da aber einerseits die Kenntniß der fremdländischen Stubenvögel bei uns in Deutschland, trotz der immer lebendiger erwachenden Liebhaberei, im allgemeinen eine nur zu geringe war, so daß bei Wahl und Ankauf gewöhnlich nur dem blinden Zufall gefolgt wurde, während zugleich in den Namen eine arge Verwirrung herrschte, und selbst die erste Anleitung zu einer naturgemäßen Verpflegung, wenigstens während der Nistzeit, mangelte, so gelangte ich bald zu dem Entschluß, vorläufig kurz gefaßte, doch für das Kennenlernen, die Haltung und Züchtung ausreichende Rathschläge in einer kleineren Schrift:

„Handbuch für Vogelliebhaber, -Züchter und -Händler" *)

herauszugeben. Dies Handbuch, das durch ein Bedürfniß hervorgerufen war, zeigte einen raschen, erfreulichen Erfolg.

Dennoch nahmen die Anfragen der Vogelfreunde und Züchter noch immerfort in steigendem Maße zu, und, um der so regsam erwachten, durch ganz Deutsch-

---

*) Das Handbuch für Vogelliebhaber, -Züchter und -Händler ist sodann in drei Theilen und zwar I. Fremdländische Stubenvögel, II. Die einheimischen Stubenvögel, III. Die Hof-, Park-, Feld- und Waldvögel (Verlag von Karl Rümpler in Hannover) erschienen.

land und natürlich auch in anderen Ländern verbreiteten Liebhaberei ein weiteres Genüge zu leisten, sah ich mich veranlaßt, eine eigene Zeitschrift für dieselbe unter dem Titel:

## „Die gesiederte Welt"

(begonnen seit Anfang d. J. 1872, im Verlage des Herrn G. Goßmann, Inhaber der Verlagshandlung Louis Gerschel in Berlin) zu begründen. Diese Zeitschrift für Vogelliebhaber, -Züchter und -Händler fand ebenfalls einen überraschend schnellen Eingang bei den Stubenvogel- und Geflügelwirthen; nicht in Deutschland allein, sondern auch in England, Schweden, Dänemark, Rußland, Frankreich, Italien, in der Schweiz und den Niederlanden, sowie in Nordamerika hat sie Leser — und dies zeugt von der erfreulichen Verbreitung der Vogelliebhaberei.

Die „Gesiederte Welt" erstreckt sich über alle Gebiete der Vogelkunde und Liebhaberei; sie berücksichtigt außer den fremdländischen auch die einheimischen Stubenvögel, das Leben, die Hegung und den Schutz der Vögel im Freien, und nicht minder giebt sie Auskunft über alles Hof- und Parkgeflügel, Hühner, Tauben und alle anderen Nutz- und Schmuckvögel; vorzugsweise verfolgt sie jedoch praktische Ziele, wie die Erwerbung, Behandlung und Züchtung der Vögel und all' dergleichen. —

Durch die Verzögerung, welche das Erscheinen des Werkes: „Die fremdländischen Stubenvögel" erlitten, sind nun aber bedeutsame Vortheile für dasselbe erwachsen. In diese Zeit fiel nämlich die Gründung des Berliner Aquarium, die Neugestaltung des zoologischen Gartens zu Berlin und die Neuschöpfung oder Vergrößerung ähnlicher Naturanstalten an mehreren anderen Orten — und durch alle dieselben ward die Empfänglichkeit für die Vogelliebhaberei in immer weiterem Umfange erweckt. Bald wurden zahlreiche Vogelstuben in ganz Deutschland eingerichtet, und ohne Anmaßung darf ich wol behaupten, daß auch mein Handbuch die Liebhaberei noch außerordentlich entfacht und in die weitesten Kreise getragen hat. Dadurch, namentlich aber durch die Wechselbeziehungen, welche die „Gesiederte Welt" unter allen Liebhabern wachgerufen, ist auch der Handel zu einer ungleich lebhafteren Entwickelung gelangt. Während nun die Züchtungen allenthalben viel eifriger betrieben werden, immer vielfältigere Ergebnisse liefern (durch deren freundliche und allseitige Mittheilungen der Stoff für das Buch desto reichhaltiger geworden), so hat zugleich der Vogelhandel in den letzten Jahren auch einen überraschenden Reichthum an bisher noch nicht herüber gebrachten, größtentheils sehr schönen und liebenswürdigen Arten geboten, die ich sämmtlich kennen zu lernen und zu schildern noch Muße genug gefunden.

Die bildliche Darstellung der lieblichsten und interessantesten Vögel für mein Werk hat jetzt Herr Emil Schmidt, der Schüler und Schwiegersohn Roßmäßler's, übernommen, und die bereits vorliegenden Tafeln geben den Beweis, daß dieser Künstler in durchaus lebensvoller und naturtreuer Ausführung seinem älteren Genossen auf diesem Gebiete wahrlich nicht nachsteht.

Die Tafeln werden in Farbendruck von der Kunstanstalt des Herrn Theo= dor Fischer zu Kassel hergestellt. Der große Ruf, den Herr Fischer durch seine bisherigen Leistungen für die höchststehenden wissenschaftlichen Werke sich erworben, bürgt dafür, daß meine Leser diese Vogelwelt ebenso schön als lebenswahr vor sich sehen werden.

*        *

Verschiedene Ursachen sind es bekanntlich, welche die einheimischen Vögel, insbesondere die Kerbthierfresser unter ihnen, zurück= und dafür die fremdländischen hervortreten lassen. Der seit geraumer Zeit andauernde Streit über die zweck= mäßigsten Maßnahmen des Vogelschutzes*) in Deutschland hat wenigstens soviel zur allgemeinen Ueberzeugung dargethan, daß die vorzüglichsten Singvögel nicht mehr durch Nesterausheben und massenweisen Fang vernichtet werden sollen. Wenn dies nun auch im allgemeinen der wirklichen Liebhaberei kaum Eintrag thun kann und die begeisterten Freunde des Vogelgesangs diese Vögel nach wie vor nicht zu entbehren brauchen, so ist es doch um so anerkennenswerther, wenn der harmlose Liebhaber seinerseits in keiner Hinsicht zur Verringerung der ein= heimischen Vögel beitragen, sondern lieber fremdländische halten will, welche doch zugleich namhafte Vortheile bieten.

Diese bestehen nämlich darin, daß nicht wenige fremdländische Vögel sich un= schwer und ergiebig züchten lassen; selbstverständlich jedoch nur in dem Falle einer zweckmäßigen Behandlung. Dann aber zeigt sich diese Vogelzucht auch recht lohnend. Nachdem ich bereits im Jahre 1868 die weitesten Kreise der Vogel= liebhaber zur Züchtung fremdländischer Stubenvögel angeregt, darf ich jetzt mit großer Genugthuung darauf hinweisen, daß von mehreren Arten, namentlich von Wellensittichen und Nymfen, sowie auch von manchen Prachtfinken, besonders Zebrafinken, Bandfinken und Karminfinken oder Amarantvögeln, schon gegenwärtig, wenigstens zeitweise, eine ungleich größere Anzahl hier gezüchtet, als aus ihren Heimatsländern eingeführt wird. Als die hauptsächlichsten Ziele und Zwecke solcher Vogelzucht, abgesehen von der Liebhaberei an und für sich, habe ich damals folgende hingestellt: Einerseits die Vermehrung und Verallgemeinerung der fremd= ländischen Stubenvögel als Ersatz für die einheimischen; andererseits vielleicht auch die Beschaffung einer Hülfsquelle für den Lebenserwerb unbemittelter Familien. Das erstere Ziel wird sich niemals vollständig erreichen lassen und dies ist auch nicht zu bedauern, denn jeder Gebildete wird der Liebhaberei nach allen Seiten hin volle Berechtigung zugestehen müssen. Dem andern Ziele rücken wir aber um

---

*) Vrgl. „Handbuch für Vogelliebhaber" II. S. 6—45.

so erfreulicher entgegen; denn trotz der Hunderte in den Vogelstuben und Hecken gezüchteten Wellensittiche, Zebrafinken, Amarantvögel u. a. ist an eine Entwerthung dieser Vögel noch gar nicht zu denken; im Gegentheil schreitet ja die Liebhaberei und damit das Begehren nach denselben in der lebhaftesten Weise noch immer weiter fort. Selbstverständlich werde ich auf diese Vogelzucht, ihre Ausbreitung und Erfolge weiterhin eingehen und namentlich die durch Erfahrungen bis jetzt festgestellten Mittel und Wege ihrer immer größeren Hebung und Vervollkommnung mittheilen. —

Die Einfuhr fremdländischer Vögel ist bekanntlich nicht auf wenige Arten oder auf Körnerfresser allein beschränkt; sie umfaßt zwar im wesentlichen dieselben oder nahe verwandte Familien, deren Mitglieder wir unter den einheimischen Vögeln als Singvögel vorzugsweise schätzen, und außerdem bietet sie noch zahlreiche andere, welche als Schmuck- oder gelehrige Vögel besonderes Interesse beanspruchen dürfen, wie z. B. die Papageien. In den Reihen der fremdländischen Singvögel finden wir eine Anzahl, die den unsrigen durchaus ebenbürtig sind. Belassen wir der Nachtigal, dem Sprosser und deren Verwandten den anerkannten vollen Werth, so steht neben ihnen die amerikanische Spottdrossel, und andere fremde Drossel- und Sängerarten u. dgl. bleiben nicht viel hinter ihnen zurück; schätzen wir den Gesang einheimischer Finken, des Hänflings und seiner Genossen auch immerhin sehr hoch, so dürfen wir doch wahrlich nicht geringer die Lieder afrikanischer Finkenvögel, des Graucdelfink (oder richtiger Graugirlitz), des weißkehligen, gelbstirnigen und des gelbbäuchigen Girlitz u. a., sowie die Gesänge nahestehender Amerikaner, des Purpurfink, Golddistelfink, Papstfink, Indigovogel, der westindischen Zeisige, der verschiedenen Pfäffchen und anderer, veranschlagen.

Da eine Sippschaft kleiner fremdländischer Vögel in ihrem bunten Gefieder, anmuthigen, liebenswürdigen und friedlichen Wesen, sowie durch leichte Züchtbarkeit ganz besondere Vorzüge zeigt, so ist es wol kein Wunder, daß sich dieselbe, die **Schmuck- oder Prachtfinken**, einer großen Beliebtheit erfreuen und badurch allgemeinen Eingang gefunden haben. Ihnen folgen die **Widahfinken**, fälschlich Witwen genannt, und die **Webervögel**, welche freilich weniger lieblich, dagegen durch den alljährlich regelmäßig eintretenden Wechsel der Verfärbung aus dem grauen und unscheinbaren Kleibe in das bunte und glänzende Prachtgefieder überaus interessant erscheinen und deren letztere auch in der Gefangenschaft sehr eifrig ihre kunstfertigen Nester erbauen, und daher ebenfalls großer Beliebtheit sich erfreuen. Die Prachtfinken, Widahfinken und Webervögel sind nicht allein die bei den deutschen Liebhabern verbreitetsten fremdländischen Stubenvögel, sondern sie bilden auch die bei weitem größte Mehrzahl derselben

Wer die Gabe des Gesanges von vornherein den bunten Farben vorzieht, hält sich lieber an die Reihen der übrigen Finkenvögel, in denen eigentliche Finken, Girlitze, Gimpel, Kernbeißer u. a. als tüchtige Sänger vertreten sind, von denen jedoch viele außerdem auch als recht bunte Schmuckvögel gelten können. Fremdländische Lerchen, Ammern und andere hierher gehörende, nahestehende Vögel kommen leider nur in unbeträchtlicher Anzahl in den Handel.

Die hervorragendsten Sänger treten uns, wie in der einheimischen so auch bei der fremdländischen Vogelwelt, unter den Kerbthier- oder Weichfutter-Fressern entgegen. Wir haben ihrer im Vogelhandel freilich keine so große Kopfzahl und Vielfältigkeit, als von den Körnerfressern, allein es befinden sich in ihren Reihen doch die herrlichsten der fremden und wol aller Singvögel überhaupt. Vornehmlich sind es die Drosseln, sodann aber auch einige den übrigen Sängern (Sylvia, *Latham*), besonders den Grasmücken, ferner den Meisen u. a. angehörende oder nahestehende Vögel, welche aus fernen Erdtheilen hergebracht werden. Recht zahlreich und in mehreren Arten giebt es sodann Starvögel und Verwandte (Stare, Trupiale oder Oriols); selbst von winzigen und überaus zarten Vogelarten, z. B. Honigsaugern, hat man neuerdings einige lebend bei uns eingeführt.

Die Papageien erscheinen nahezu ebenso viel und mannigfaltig auf dem Vogelmarkte, als die Finkenvögel und sie sind auch, zumal sie in ihren außerordentlich verschiedenartigen Geschlechtern mancherlei Ansprüche der Liebhaberei (Sprachgabe, Farbenpracht, Zahmheit, Liebenswürdigkeit und Züchtbarkeit) zu befriedigen vermögen, keineswegs minder gesucht und geschätzt.

Für besondere Liebhaber bieten sodann auch noch viele andere Vogelfamilien mindestens einzelne begehrte Gäste für den Käfig, die Vogelstube oder das Vogelhaus dar; so z. B. aus den Reihen der Krähenvögel, sogar der Raubvögel, der Klettervögel. Schließlich giebt es hier beliebte Erscheinungen aus den Sippschaften der Tauben, der Hühnervögel und selbst der Wasser- und Sumpfvögel, insofern man den Begriff der Stubenvogel-liebhaberei etwas weiter, bis auf das Vogelhaus im Garten, füglich doch mit Recht ausdehnen darf.

Alle diese fremdländischen Stubenvögel will ich also möglichst nach eigener Anschauung schildern. Ich habe im Laufe der Jahre die auf den europäischen Vogelmarkt gelangenden Prachtfinken, Widahfinken und Webervögel in meiner Vogelstube gehalten und kennen gelernt. Dasselbe darf ich von den anderen fremdländischen Finkenvögeln, Lerchen, Ammern und Verwandten sagen. Dagegen konnte ich nicht alle Weichfresser des Vogelhandels selber beherbergen, sondern nur die hervorragendsten Sänger und die farbenprächtigsten unter ihnen, so namentlich fast sämmtliche Tangaren. Die Starvögel wiederum hatte ich in fast allen Arten. Von den Papageien habe ich die Plattschweifsittiche (die australischen Prachtsittiche), Edelsittiche, Keilschwanzsittiche, Dickschnabelsittiche und Schmal=schnabelsittiche bis auf die seltensten und kostbarsten, sowie die allergrößten verpflegt; von den Kurzschwänzen, den Amazonen und anderen sprechen=lernenden Papageien hielt ich wenigstens die vorzüglichsten. Alle Zwergpapageien, soweit sie in den Handel gelangen, bewohnen beständig meine Vogelstube und von den Papageichen oder Fledermauspapageien und ebenso von den Lori's oder Pinselzünglern schaffte ich ebenfalls die Mehrzahl der in den letzten Jahren eingeführten an. Größere Vögel, welche zu den Krähenartigen, den Raubvögeln, Klettervögeln, Sumpf= und Wasservögeln gehören, konnte ich natürlich nicht selber halten. Dagegen habe ich die meisten Täubchen des Vogelhandels und auch von den Hühnervögeln, besonders von den kleineren Wachteln mehrere, längere Zeit hindurch beobachtet. Somit kenne ich die ganze reiche Vogelwelt, welche der Handel gegenwärtig für die Liebhaberei bietet, nach eigenen vieljahrelangen Erfahrungen; diejenigen Vögel aber, welche ich nicht selber erwerben konnte, fand ich in den zoologischen Gärten und im Berliner Aquarium und außerdem liegen mir in größter Fülle die Mittheilungen vor, über die Beobachtungen, welche meine Freunde und Mitarbeiter an allem diesem Gefieder seit geraumer Frist her gemacht haben.

In letzterer Zeit erschienene Werke, welche wol recht Vorzügliches bieten, zeigen doch einige Mißgriffe, durch die ihr Werth für den praktischen Gebrauch bedeutsam verringert wird. Man hat, im Eifer einer neueren Richtung folgend, eine fabelhafte Zersplitterung der Familien, Gattungen, Arten hervorgerufen, so daß der gebildete, jedoch nicht streng wissenschaftlich unterrichtete Liebhaber schwerlich in einem solchen Buche sich zurechtfinden kann. Auch bemühte man sich nur zu sehr, durch mehr oder minder glückliche Erfindung von neuen Namen die bereits herrschende Verwirrung noch ungleich größer zu machen. Dergleichen glaube ich vermeiden zu können.

Zunächst werde ich nur diejenigen Vögel ausführlich schildern, welche ich selber durch Anschauung kenne oder über die ich auf Selbstkenntniß und eigenem Studium beruhende Mittheilungen von bewährten Vogelkennern und Züchtern erhalten habe. Es bedarf wol nicht mehr des Hinweises, daß dies eben sämmtliche hierher gehörende Vögel sind, welche der Handel gegenwärtig nach Europa bringt. Denn einerseits stehe ich für diesen Zweck seit Jahren mit allen bedeutenden Vogelhandlungen Deutschlands, Englands und der Niederlande in Verbindung, und andererseits herrscht unter den deutschen Liebhabern ein wahrer Wetteifer darin, alle neu auftauchenden Erscheinungen des Vogelmarkts zu erwerben und kennen zu lernen. Die dann gesammelten Erfahrungen fließen mir fortdauernd für die „Gefiederte Welt" reichlich zu.

Da der Vogelhandel, wie bereits erwähnt, einen nie geahnten Aufschwung genommen, so daß er fortwährend neue Vogelarten uns zuführt, so werbe ich diejenigen fremden Vögel, welche bis jetzt noch nicht auf den europäischen Markt gekommen, aber den vorhandenen nahe verwandt sind oder solchen Gegenden entstammen, die uns schon reiche und noch immer zunehmende Ausbeute senden, selbstverständlich ebenfalls schildern; doch werbe ich den Sachverhalt jedesmal ausdrücklich angeben. —

In Hinsicht der Eintheilung aller Stubenvögel sei hier vorläufig nur bemerkt, daß ich jede unnöthige Zersplitterung unterlassen will. Auf dem wissenschaftlichen Grunde aller Forschungen der hervorragendsten unserer zeitgenössischen Ornithologen fußend, werbe ich die Anordnung der Gruppen, Ordnungen, Familien und Arten vornehmlich nach Cabanis: „Museum Heineanum" (Halberstadt, 1850—63) und nach Gray: „Hand-list of genera and species of birds" (London, 1869—71) treffen, im übrigen aber den Schriften der DDr. Professor Cabanis, Hartlaub und Finsch, Professor Schlegel, Sclater, Gould und Anderen folgen und auch die von ihnen gesichteten Namen festhalten.

Den deutschen Namen gegenüber erachte ich es als eine Pflicht, daß man nicht etwa in blinder Verbesserungssucht die doch einmal vorhandenen und allgemein eingebürgerten zu vernichten strebe. Im Gegentheil, ich will mich bemühen, die Bezeichnungen des Vogelhandels zu erhalten, soweit dieselben nur zutreffend und verständig sind. Wo es jedoch nothwendig ist, neue Namen zu geben, wird jeder gewissenhafte Vogelkundige einerseits soviel als möglich den bezeichnendsten Merkmalen, welche gewöhnlich in der lateinischen Benennung ausgedrückt sind, und andererseits auch den Aeußerungen des Volksmundes vorzugsweise Rechnung zu tragen suchen.

Einen Vortheil, sei es für den Einkauf bei Großhändlern, sei es bei Gelegenheit von Reisen oder schriftlichen Aufträgen an Freunde und Bekannte in der Ferne, soll mein Buch noch bieten, den nämlich, daß ich, außer dem wissenschaftlichen lateinischen und dem passendsten deutschen, nicht allein sämmtliche überhaupt noch vorhandenen deutschen, sondern auch die englischen, französischen und sonstigen Namen anführen werbe, soweit mir dieselben zugänglich sind.

Der Plan dieses Werkes zerfällt in drei Abtheilungen:

I. Die Beschreibung der Gruppen, Familien und jeder einzelnen Art aller fremdländischen Stubenvögel, nebst Schilderung ihrer Eigenthümlichkeiten im Freileben, wie in der Gefangenschaft. In der ersteren Hinsicht werbe ich mich nur auf die Mittheilungen solcher Forscher verlassen, die in dem durchaus unangetasteten Rufe der strengsten Wahrheitsliebe und vollen Ehrenhaftigkeit stehen. Berichte, welche aus verschiedenen Reisewerken zusammengetragen und dann wol gar als eigene Beobachtungen hingestellt sind, werde ich zu vermeiden wissen. Ebenso dürfen meine Leser davon überzeugt sein, daß in den Darstellungen des Gefangenlebens der Vögel jede Angabe von Anderen, sowie jede Annahme meinerseits, deren Thatsächlichkeit zweifelhaft sein könnte, von vornherein ausgeschlossen bleibt.

II. Rathschläge für den Einkauf, die Verpflegung und Züchtung aller fremdländischen Stubenvögel, nebst Beschreibung der Käfige, Züchtungsanlagen, Vogelstuben und Vogelhäuser und aller erforderlichen Geräthschaften und Hülfsmittel überhaupt, mit Angabe der besten Quellen für die Beschaffung derselben. Es ist wol überflüssig zu versichern, daß ich auf das gewissenhafteste mich bemühen werde, vorzugsweise in diesem Theile nur zuverlässige Anleitungen zu geben. Für dieselben sollen, außer den Ergebnissen der eigenen Erfahrungen und derer aller meiner Herren Mitarbeiter, auch die vorzüglichsten Schriften auf diesem Gebiete zu Rathe gezogen werden.

III. Eine Uebersicht, in welcher aus der großen Fülle der wissenschaftlichen Literatur wenigstens auf die hauptsächlichsten Werke zur weiteren Belehrung über jeden einzelnen Vogel hingewiesen ist. In dem ausführlichen Sachregister sodann soll jede Vogelart unter allen ihren Benennungen leicht aufzufinden sein.

Hiernach darf ich die Zuversicht aussprechen, daß mein Buch als ein verläßlicher Rathgeber nach allen Richtungen hin sich zeigen werde.

# I. Die körnerfressenden Vögel.

### (Hartfutter- oder Samenfresser).

**M**it gutem Recht, wenn auch freilich nicht im wissenschaftlichen Sinne, scheidet man alle Stubenvögel nach ihrer Nahrung in zwei große Gruppen, deren eine sich also von Sämereien und die andere von Kerbthieren und Gewürm in der Freiheit ernährt und dem entsprechend in der Gefangenschaft gefüttert werden muß. Allerdings ist diese Eintheilung, so bezeichnend sie auch erscheint, doch nicht durchaus stichhaltig.

Viele Samenfresser bedürfen in der Gefangenschaft, entweder zeitweise für sich selber, oder zur Fütterung ihrer Jungen, durchaus der Fleischnahrung (frische oder getrocknete Ameisenpuppen, Mehlwürmer oder als Ersatz hartgekochtes Hühnerei, Quarkkäse u. dgl.), und in der Freiheit leben manche von ihnen während der warmen Jahreszeit vorzugsweise von derselben; anderseits dagegen verzehren auch die meisten Kerbthierfresser zuweilen Beeren und Früchte, ja sogar Samen und nicht wenige von ihnen ernähren sich von Kerbthieren nebst Sämereien zugleich.

Dennoch haben die neueren praktischen Naturgeschichten der Vögel und Handbücher der Vogelpflege eine solche Gegenüberstellung gewählt.

Gewöhnlich begreift man als Körnerfresser jedoch nur die Finkenvögel allein; ich habe aber bereits in meinem „Handbuch" auch die Papageien, Hühnervögel und Tauben zu ihnen gezählt und diese einfache Eintheilung werde ich auch hier im größeren Werke beibehalten. Da die Tauben, Hühner und verwandte Vögel für die Stubenvogel=Liebhaberei weniger von Bedeutung sind, und da ich die Papageien erst in dem zweiten Bande dieses Buches behandele, so kommen also zunächst nur die Finkenvögel in Betracht.

Als Stubenvögel finden und verdienen diese Körnerfresser vorzügliche Beachtung. Ihre Ernährung und Haltung ist mit viel geringeren Mühen und Kosten verbunden, als die der Kerbthierfresser. Dazu gestattet es ihre Verträglichkeit, daß man Hunderte von ihnen in demselben Raume beisammen halten und

züchten kann (nur einzelne Arten ſind ſo ungeſellig oder bösartig, daß man ſie
abſondern muß). Sodann iſt vor allem die Reinlichkeit der Käfige und Vogel=
ſtuben, welche mit Körnerfreſſern bevölkert ſind, ungleich leichter zu ermöglichen.
Der Geſang vieler von dieſen Körnerfreſſern iſt ein ſo angenehmer, daß er auch
hohe Anſprüche wol zu befriedigen vermag. Zählt man dazu ihre Farbenpracht,
Liebenswürdigkeit und leichte Züchtbarkeit, ſo ſind dies doch reiche Vorzüge.
Mit gutem Recht und voller Sachkenntniß empfehle ich daher die körnerfreſſenden
Vögel hier nochmals*) als die begünſtigten und erklärten Lieblinge einer anſpruchs=
loſen Vogelliebhaberei. Dies iſt übrigens nicht meine Meinung allein, ſondern
eine ſehr verbreitete; denn keine andere Vogelgruppe erfreut ſich in ſo ausgedehntem
Maße der Bevorzugung von Seiten der Liebhaber, keine andere findet man ſo
vielartig und vielköpfig in den Käfigen und keine bildet einen ſo wichtigen
Gegenſtand des Vogelhandels aus fremden Zonen, ſowie zugleich des Vogelfangs
in der Heimat, als die Finkenvögel.

Der einfachen Ueberſicht wegen folge ich der Eintheilung in Prachtfinken,
Widahfinken, Webervögel, Finken, Gimpel, Kernbeißer, Ammern
und Lerchen. Alle Welttheile wetteifern darin, uns ihre prächtigen Finkenvögel
zu ſenden; in der größten Anzahl und in den meiſten Arten werden dieſelben
aus Afrika eingeführt, dann folgen die abſonderlich ſchönen Finken Auſtraliens,
darauf erſt die amerikaniſchen und oſtindiſchen, welche hinter denen der beiden
erſteren Welten bis jetzt noch an Zahl und Arten, doch keineswegs an Schönheit
der einzelnen Vögel zurückbleiben.

Ebenſo, wie die Finkenvögel über alle Gegenden der Erde, mit ganz geringen
Ausnahmen, in großer Mannigfaltigkeit verbreitet ſind, ſo bewohnen und beleben
ſie auch faſt jede Oertlichkeit; man ſieht ſie ſowol im Walde, als auch auf den
Feldern, auf Hochgebirgen und in flachen Ebenen, und nicht minder in der Nähe
der menſchlichen Wohnungen, als in Einöden und Wüſten. Die meiſten leben
geſellig, wenigſtens zu Zeiten des Wanderlebens, wenn ſie ziehen oder ſtreichen;
manche niſten auch geſellſchaftsweiſe beiſammen. Die Zugvögel unter ihnen treten
aber keine bedeutenden Reiſen an, ſondern ſchweifen ſelten bis in einen fremden
Erdtheil hinüber. Mehrere ſind Stanbvögel, welche allenfalls nur, von äußerſter
Kälte und Nahrungsmangel gedrängt, die Heimat für geringe Zeit und auf kurze
Strecken verlaſſen.

Ihre Nahrung beſteht in den verſchiedenſten Sämereien, Beeren und anderen
Früchten, ſowie auch in Pflanzentheilen, als Knospen, Blüten, Blättern, Wurzeln,
Rindenſtückchen u. dgl., und bei vielen, wie ſchon erwähnt, auch für gewöhnlich
oder zeitweiſe in Kerbthieren und Würmern. Sie bedürfen im allgemeinen einer

---

*) Vrgl. „Handbuch für Vogelliebhaber“, Band l. S. 265; Band ll. S. 248.

viel geringeren Nahrungsmenge, als die Insektenfresser. Dagegen ist Wasser zum
Trinken und Baden nicht allein eins ihrer wichtigsten Lebensbedürfnisse, sondern
sie müssen es auch in weit reicherem Maße zu erlangen suchen; deshalb em=
pfinden sie die Noth des Wassermangels ungleich eher und stärker, als jene.

Alle diese Verhältnisse des Freilebens der Vögel sind aber erklärlicherweise
für die Haltung und Züchtung von der weitreichendsten Bedeutung.

Nur der Vogelwirth, welcher die Eigenthümlichkeiten jeder Familie und jeder
Art durchaus genau kennt, wird nach denselben die naturgemäße und zweckentsprechende
Behandlung seiner Vögel zu regeln wissen. Dies ist nicht blos in Betreff der
Ernährung, Reinlichkeit und aller der Erfordernisse nothwendig, welche man ge=
wöhnlich als die allgemeinen Bedingungen sorgsamer Vogelpflege begreift; um
befriedigender Erfolge in der Vogelzucht sich zu erfreuen, ist es vielmehr auch
geboten, daß man die übrigen Lebensverhältnisse der Vögel, soweit es eben aus=
führbar ist, nachahmend herzustellen sucht. In den Abschnitten, welche die Ver=
pflegung und Zucht behandeln, komme ich hierauf noch eingehend zurück. Hier
sei nur zunächst ganz besonderer Nachdruck auf den Hinweis gelegt, daß der
Liebhaber nur dann seine Vögel vortrefflich gedeihen sehen und eben nur in dem
Falle Ergebnisse in ihrer Züchtung erzielen kann, wenn er das volle Leben, alle
Gewohnheiten und Bedürfnisse der betreffenden Arten kennt und berücksichtigt.

Von diesem Gesichtspunkte aus erscheint es also von vornherein erforderlich,
daß ein wirkliches Lehr= und Handbuch der Vogelpflege auch die ganze Lebens=
weise der Vögel ins Auge faßt, wie dieselbe einerseits von den Forschern und
Reisenden in den Heimatsländern erkundet und insofern sie andererseits durch
aufmerksame Beobachtung in der Gefangenschaft festgestellt ist. Eine solche nach
allen Seiten hin möglichst befriedigende Kunde der fremdländischen Vögel be=
absichtige ich eben in diesem Werke zu bieten.

Die Finkenvögel beleben, wie bei uns, so auch in anderen Welttheilen, durch
Farbenpracht, anmuthige Beweglichkeit und Gesang in gleicher Weise die Land=
schaft. Sie wohnen, d. h. nisten in den verschiedensten Oertlichkeiten; ebensowol
am Waldesrande, in Hainen und Gärten, als auch tief im Hochwald und in
flachen Ebenen, wie im Gebirge, in der Nähe, an und sogar in den menschlichen
Wohnstätten. Viele erbauen frei auf den Zweigen stehende oder an denselben
herabhängende Nester, welche nicht selten außerordentliche Kunstfertigkeit zeigen;
nicht wenige von ihnen sind Höhlenbrüter. Das Gelege besteht in drei bis
sechs, höchstens bis zehn verschiedenfarbigen Eiern und dieselben werden bei
diesen von dem Weibchen allein erbrütet, während bei jenen beide Gatten
des Pärchens im Brüten abwechseln; die Jungen werden gewöhnlich von
beiden gemeinsam gefüttert. Zwei bis drei Bruten in jedem Jahre darf man

bei den meiften als Regel erachten und daher ift ihre Vermehrung eine ziemlich
bedeutende.

Manche Finkenvögel find in ihren Heimatsländern fo überaus zahlreich,
daß fie die Erträge der Aderwirthfchaft und des Gartenbaues gefährden, während
andere auch wiederum durch die Vertilgung fchädlicher Kerbthiere oder Unkraut=
fämereien für das Gedeihen unferer Nutzgewächfe mehr oder minder nützlich fich
zeigen. Die große Fruchtbarkeit vieler fremdländifchen Finken ergiebt zugleich,
daß fie in reicher Anzahl und zu mäßigen Preifen nach Europa herübergeführt
und in den Handel gebracht werden; nicht wenige unter ihnen find in anfcheinend
unerfchöpflichen Schwärmen vorhanden, fo daß ihre Einfuhr für allezeit als gefichert
erfcheint; dies ift namentlich bei den kleinften und fchönften in Afrika der Fall.

Dennoch haben weitblickende Forfcher und Reifende, welche die Verhältniffe
durchaus kennen, die Befürchtung ausgefprochen, daß alle diefe Vögel, nach dem
Maßftabe des Fortfchreitens der Kultur, in längerer oder kürzerer Frift ihrer
Vernichtung und dem vollftändigen Ausfterben entgegengehen, wie dies ja bereits
mit manchen anderen Thieren gefchehen ift. Diefe Annahme dürfte umfomehr
begründet erfcheinen, feitdem man den unfchönen und keinenfalls werthvollen
europäifchen Sperling unvorfichtigerweife nach anderen Welttheilen geholt und
ihm dort die Gelegenheit für eine nur zu üppige Ausbreitung — und Verdrängung
der edleren Verwandten — geboten hat.

Gleichviel aber, mag jene Befürchtung fich, hoffentlich jedoch erft in fehr
ferner Zeit, bewahrheiten oder nicht — immerhin wird der Freund der lieblichen
Vogelwelt auch von dem Gefichtspunkte der möglichen Verringerung aus jenen
Umftand mit großer Freude begrüßen, daß viele und befonders die kleineren
überfeeifchen Finken auch in der Gefangenfchaft eine große, zuweilen geradezu
erftaunliche Vermehrungskraft entwickeln.

Die hierin begründete, zuweilen fehr einträgliche Züchtung folcher Vögel be=
rechtigt zu der Erwartung, daß mehrere und fogar zu den fchönften und liebens=
würdigften Arten gehörende fich unfchwer in unferen Käfigen und Vogelftuben
dem Kanarienvogel gleich einbürgern laffen, fo daß fie, ebenfo wie jener gelbe
Hausfreund, in den Befitz und die Pflege des Menfchen übergehen. Eine
Hauptaufgabe derartiger Verfuche wird es dann aber fein, bei denfelben Mißgriffe
und Unnatürlichkeiten und damit die Ausartung und das allmälige Verkommen
der Nachzucht zu vermeiden. In den fpäterhin folgenden Abfchnitten, welche die
Zucht der Stubenvögel behandeln, gelange ich auch zu den bezüglichen Maßnahmen.

Nur ganz beiläufig fei darauf hingewiefen, daß eine Anzahl fremdländifcher
Finkenvögel auch die Möglichkeit bietet, in unferer Heimat im Freien fich
afflimatifiren zu laffen. Vor allen gehört hierher der bekannte nordamerikanifche
rothe Kardinal. Herr Dr. Max Schmidt, Direktor des zoologifchen Gartens in

Frankfurt a. M., hat durch jahrelange Erfahrungen festgestellt, daß sogar afrikanische Webervögel in mehreren Arten dort den Winter hindurch draußen zu überdauern vermochten. Bei derartigen Versuchen kommen sodann folgende Gesichtspunkte zur Geltung. Einerseits die Möglichkeit der Einbürgerung überhaupt und andererseits der Werth der betreffenden Vogelart, sei es als Schmuckvogel für Wald, Flur und Garten, als Gegenstand des Jagdvergnügens oder als Vertilger schädlicher Thiere. Auch in Betreff der Akklimatisation der fremdländischen Finkenvögel werde ich im letzten Theile dieses Buches eine Uebersicht der bekannt gewordenen Versuche und etwaigen Erfolge geben. —

Alle Finkenvögel zeigen in der Niftzeit eigenthümliche Liebesspiele, welche in Gesang, Flugkünsten oder verschiedenen, sehr sonderbaren Geberden bestehen. Bei vielen hängen die Pärchen in innigster Zärtlichkeit aneinander und ihre Liebes= bezeigungen, wie Schnäbeln, Füttern aus dem Kropfe, Krauen im Gefieder u. s. w., sind zuweilen unerschöpflich. Der aufmerksame Blick des vogelkundigen Liebhabers vermag nicht selten bereits an diesen Aeußerungen ihres Liebeslebens zu erkennen, zu welcher Gruppe ein ihm sonst unbekanntes Vogelpärchen zu zählen ist. Daher erscheint es nothwendig zum gründlichen Kennenlernen der Vögel, auch auf diese Merkmale, welche hier nach andauernden Beobachtungen, sowol bei den Familien, als auch bei den einzelnen Arten angegeben sind, zu achten.

Der Gesang dieser Vögel ist, ebenso wie ihre Färbung, Lebensweise, Ernährung und ihr ganzes Wesen, mannigfaltig verschieden, und selbst bei den Nächstverwandten zeigt er sich sehr abweichend. Abgesehen von den Urtheilen der wenigen sachverständigen Kenner des Vogelgesanges, die es überhaupt giebt, wird bei allen anderen Liebhabern doch zweifellos gerade ihm gegenüber der persönliche Geschmack vorzugsweise zur Geltung kommen. Dies bewahrheitet nicht allein die Liebhaberei an den Vögeln in der Gefangenschaft, sondern es zeigt sich namentlich auch an den Urtheilen der Naturkundigen über den Gesang der Vögel im Freien. Wie sonderbar auseinandergehend und widersprechend sind z. B. die Schilderungen des Gesanges des vorhin erwähnten rothen Kardinals oder des wilden Kanarien= vogels! Den ersteren nennt der Eine mit Begeisterung die Virginische Nachtigal, während der Andere ihn nur als einen Stümper bezeichnet u. s. w. Ein Ornithologe, dessen Urtheil wirklich in rechter Kenntniß der Vogelwelt begründet ist, wird daher den Streit, z. B. über den größeren Werth des Finkenschlags oder des Kardinal= gesangs, für bedeutungslos und überflüssig erachten müssen.

Die Freude an manchen herrlichen Finken wird dem Liebhaber dadurch sehr verleidet, daß dieselben in der Gefangenschaft ihre lieblichen Farben verlieren; dies geschieht vornehmlich häufig mit dem Roth in allen Schattirungen und be= kanntlich ebensowol bei den fremdländischen, als auch bei den einheimischen Vögeln. Mit voller Sicherheit sind die Ursachen dieses Farbenverlustes bis jetzt

noch nicht ermittelt worden; vielseitige Erfahrungen haben jedoch bereits mancherlei Anhaltspunkte ergeben, von denen aus sich vielleicht eine so zweckmäßige
Behandlung dieser Vögel regeln läßt, daß dieselben auch in der Gefangenschaft in
ihren schönsten Farben erhalten werden können. Bei jeder einzelnen der hierher
gehörenden Vogelarten habe ich auch in dieser Hinsicht die mir mitgetheilten und
eigene Erfahrungen angegeben.

Bei nachlässiger oder unzweckmäßiger Verpflegung sind die Finkenvögel im
allgemeinen vielen Erkrankungen ausgesetzt; doch hat die Erfahrung längst festgestellt, daß dies bei den fremdländischen in viel geringerem Grade, als bei den
einheimischen der Fall ist. Und daher muß doch wol selbst der oberflächliche
Kenner die Vorliebe für die letzteren als ganz naturgemäß begründet erachten.
Wenn diese Vögel, namentlich die anscheinend doch so zarten Prachtfinken, unter
den ungünstigsten Verhältnissen die weite Reise aus ihren Heimatsländern hierher
zu überstehen vermögen, wenn sie sich aus dem traurigen Zustande, in welchem
sie meistens ankommen, überraschend bald erholen und durch eifriges Nisten beweisen, daß sie, trotz aller Entbehrungen und schlechter Behandlung, doch ihre
volle Lebenskraft behalten haben; wenn sie dann nicht in scheinbarer, sondern
wirklicher Anspruchslosigkeit viele Jahre hindurch gut ausdauern und sich durch
zahlreiche Generationen züchten lassen, so sollte man doch wol einsehen, daß sie
für die Stubenvögel-Liebhaberei geeigneter sind, als die meisten anderen Vögel.

Daher brauche ich die Finkenvögel wahrlich nicht weiter zu empfehlen; sie
haben sich ja in den Käfigen und Vogelstuben vieler Tausende von Liebhabern
durch die gesammte gebildete Welt verbreitet und eingebürgert. Wer sie noch
verdrängen und anstatt ihrer die insektenfressenden Vögel ebenso verallgemeinern
möchte — der gleicht jenem tapferen Kämpen, welcher den Kampf gegen die
Windmühlenflügel nicht verschmähte.

# Die Schmuck- oder Prachtfinken [Aeginthidae].*)

In neuerer Zeit hat ſich die Liebhaberei in Deutſchland, wie bereits er=
wähnt, ganz vorzugsweiſe dieſer Gemeinſchaft der kleinen Vögel zugewandt, welche
man als die Prachtfinken zu bezeichnen pflegt. Ihre Reihen zeigen zweifellos
auch die lieblichſten und liebenswürdigſten unter allen zu uns gelangenden fremd=
ländiſchen Finkenvögeln.

Die Prachtfinken, welche den meiſten unſerer einheimiſchen Sperlingsvögel,
namentlich aber den eigentlichen Finken ſehr ähnlich ſind, unterſcheiden ſich dennoch
in ſehr auffallender Weiſe von denſelben.

Ihre Größe wechſelt etwa von der des Goldhähnchens (c. 9,5 cm·; 3²/₃ Zoll) bis
zu der eines Sperlings (23,5—24,8 cm·; 9—9¹/₂ Z.). Unter einander zeigen ſie, trotz
der Zuſammengehörigkeit, doch mancherlei Verſchiedenheiten. Der Schnabel weicht in
Hinſicht ſeiner Dicke und mehr oder minder ſpitzen Form bei den einzelnen Arten ſehr
bedeutend ab; auch die Füße ſind ungleich, bei einigen klein und zart, bei an=
deren kräftig und verhältnißmäßig groß. Mittellange Flügel mit z e h n Schwung=
federn, ein theils gerundeter, theils ſtufenförmig zugeſpitzter Schwanz und ein
meiſtens ſehr buntes, nur bei wenigen ſchlichtfarbiges, immer jedoch angenehm
gefärbtes Geſieder bilden die übrigen äußeren Merkmale. Häufig ſind die
Männchen farbenprächtiger, als die Weibchen; bei manchen Arten erſcheinen
jedoch beide Geſchlechter völlig gleich und ſind dann nur an beſonderen, bei jeder
einzelnen Art angegebenen Kennzeichen zu erkennen.

Ein bemerkenswerthes Unterſcheidungszeichen der Prachtfinken von anderen
Finkenvögeln liegt darin, daß die Gatten eines Pärchens der erſteren ſich nur
ſchnäbeln und unter lebhaften Geberden gleichſam küſſen, niemals aber wie dieſe
ſich gegenſeitig aus dem Kropfe füttern. Sehr beliebt iſt bei ihnen das
gegenſeitige Krauen im Geſieder, wobei der leidende Theil ſtets in be=
haglichſter Weiſe das Köpfchen regungslos hinhält und dem Schnabel des Andern
zuwendet.

Mit Ausnahme der Brütezeit leben die meiſten von ihnen ſehr geſellig;
man kann Hunderte und zwar gleichviel derſelben oder verſchiedener Arten in

---

*) Die Erklärung der deutſchen und lateiniſchen Namen iſt am Schluſſe dieſes Abſchnitts
nachzuleſen.

den Käfigen der Vogelhändler dicht gedrängt sitzen sehen, wobei alle Augen=
blicke einer über den andern hinweghüpft, um an der andern Seite sich wieder
anzuschmiegen.

Nicht minder bezeichnend ist das Familienleben. Eine solche Zärtlichkeit,
als die, welche die Pärchen dieser kleinen Vögel zeigen, findet man kaum noch
bei irgend welchen anderen Thieren. Inseparables oder Unzertrennliche hat man
kleine Papageien genannt — doch noch viel inniger als diese hängen die Pracht=
finken in den Pärchen aneinander; nur dann frißt der eine, wenn der andere
ebenfalls zum Futter kommt, nur dann badet sich dieser, wenn auch jener im
Wasser sitzt und auf dem Ruheplätzchen hocken beide so dicht gedrängt anein=
ander, als könnten sie gar nicht innig genug sich berühren. Ihre Ehe währt
für das ganze Leben und unter vielen Hundert in einem Käfige befindlicher
Prachtfinken kann man immer die zusammengehörenden Pärchen unterscheiden.
Man kauft sie daher stets paarweise, da sie eben als die eigentlichen Unzertrenn=
lichen betrachtet werden müssen. In einem Gesellschaftskäfig in großer Anzahl
oder auch in einem kleinen Schmuckkäfig nur zu zweien beisammen, kann man
sie aber auch in verschiedenen Arten oder gleichen Geschlechtern recht gut er=
halten; sie sind dann nicht allein friedlich, sondern hängen fast ebenso innig an=
einander, als die wirklichen und gleichartigen Pärchen. Ganz einsam bleiben
sie jedoch für die Dauer nur selten am Leben.

Sobald die Nistzeit naht und zumal wenn ihnen wirklich Gelegenheit zur
Brut geboten wird, hat die Geselligkeit und Verträglichkeit gewöhnlich ein Ende,
indem eine hitzige Fehde der Männchen beginnt. Bei derselben handelt es sich
weniger um Liebeseifersucht, als um die Wahl des günstigsten Nistplatzes, der
Baustoffe für die Nester, sowie auch um das Futter u. dgl. Dennoch muß auch
die Eifersucht wol ins Spiel kommen, denn man kann sich leicht davon über=
zeugen, daß gewöhnlich nur die Männchen gleicher oder nahe verwandter Arten
einander bekämpfen, während ganz ungleichartige häufig auch in der Brutzeit
friedlich beisammen leben und ungestört dicht nebeneinander nisten. Im
allgemeinen wird die Behauptung wol zutreffend sein, daß zwei Vogelarten
eine desto größere Feindschaft der Männchen zeigen, um so näher sie ver=
wandt sind.

In Hinsicht des Gesanges läßt sich von diesen sonst so allerliebsten kleinen
Vögeln leider nicht viel Rühmliches sagen. Einige, z. B. der Tigerfink,
Karminfink, Schmetterlingsfink, lassen liebliche kleine Triller, eine melodische
Strophe oder doch einen wohlklingenden Lockruf hören, allein von einer wirklichen
Kunstfertigkeit kann keine Rede sein. Die meisten haben leise, langgezogene Töne,
welche einförmig wie das Murmeln eines Bächleins beim Silberfasänchen, quit=
schend wie das Rad eines Karrens beim Bandfink, langgezogen, gleichsam bauch=

2*

rednerisch beim Muskatvogel, schnurrend und spinnend bei den Elsterchen und
Nonnen, dem Klingen kleiner Glöckchen ähnlich beim Reisvogel, wie die Laute
einer Kindertrompete beim Zebrafink u. s. w. zu vernehmen sind. Fast sämmtliche
Prachtfinken begleiten diese Laute oder doch die Liebesbewerbungen mit sehr sonderbaren Bewegungen, tanzartigem Aufundniederhüpfen u. dgl. Auf alle diese Eigenthümlichkeiten komme ich natürlich bei jedem einzelnen Vogel zurück.

Alle ohne Ausnahme bauen entweder überwölbte Nester mit seitlichem Ein-
flug oder sie sind Höhlenbrüter. So mannigfaltig verschieden der Bau in der
Anlage und Gestalt des Nestes sich aber auch bei den einzelnen Arten zeigt,
immer läßt er auf den ersten Blick die allgemeinen, bezeichnenden Merkmale eines
Prachtfinkennestes erkennen. Der Bandfink trägt eine kunstlose Unterlage aus Heuhalmen und Federn in einem Nistkasten zusammen; der Zebrafink schleppt entweder frei ins Gebüsch oder auch in eine Höhle allerlei grobes Genist und formt
ein kunstloses Nest, an welchem die Kugelgestalt nur in Umrissen zu erkennen ist,
das jedoch innen aus Federn und Haaren eine geglättete Mulde hat; der graue
Astrild, das Orangebäckchen und der Amarantvogel formen aus dünnen biegsamen Halmen, Fasern und Fäden (besonders gern auch aus frischen Spargelzweigen) zierliche, kugelrunde und kunstvolle Nester, mit einem zirkelrunden, sehr
engen Schlupfloch. Und zwischen diesen stufen sich nun in großer Mannigfaltigkeit die Nester aller übrigen ab.

Das Nest wird gewöhnlich in der Weise errichtet, daß das Männchen die
Baustoffe herbeibringt und das Weibchen dieselben zum Kunstbau ordnet; zuweilen tragen auch beide Gatten des Pärchens die Fasern, Fäden, Halme u. dgl.
ein und formen ebenso gemeinschaftlich das Nest. Sonderbar erscheint die Eigenthümlichkeit, daß manche Arten, z. B. der Schmetterlingsfink, auch während der
Brut noch fortwährend an der Vervollkommnung des Nestes arbeiten, so daß
namentlich das Männchen niemals zur Ablösung kommt, ohne einen Halm oder
eine Feder mitzubringen.

Noch viel auffallender spricht für die Zusammengehörigkeit der Prachtfinken
der Umstand, daß sie sämmtlich einfarbig weiße Eier legen. So verschiedenartig
diese Eier in Hinsicht ihrer Größe und Form, sowie der Feinheit des Korns bei
aufmerksamer Betrachtung auch erscheinen, so dürften die Abweichungen doch wol
kaum ausreichend sein, um an denselben mit Sicherheit zu erkennen, von welcher
Art ein solches Ei herstammt. Nur die Eier des Zebrafinken, welche zwar auch
reinweiß sind, zeichnen sich durch einen bläulichen Schein aus.

Die Brutdauer beträgt bei den kleinsten Prachtfinken elf und bei den größten
dreizehn Tage. In der Regel brüten beide Gatten eines Pärchens abwechselnd,
nicht selten aber auch, insbesondere bei den kleinsten Arten, gemeinsam und unzertrennlich, so daß sie, ebenso wie für gewöhnlich, auch während der Brut immer

beiſammen ſind, zu derſelben Zeit auf den Eiern ſitzen, zum Futter und Waſſer herunterkommen und wieder zugleich in das Neſt hineinſchlüpfen.

Die ganz kleinen Jungen gleichen denen anderer Finkenvögel. Für den ge= übten Blick ſind ſie bereits im früheſten Alter, einerſeits an der Farbe des Neſt= flaums und andererſeits an der Färbung der kleinen Drüſen, welche die Wachs= haut zu beiden Seiten des Schnabels bildet, in den verſchiedenen Arten ſehr beſtimmt von einander zu unterſcheiden. Herrn Dr. Rey in Halle gebührt das Verdienſt, auf dieſe verſchiedene Farbe der Wachshautdrüſen zuerſt hingewieſen zu haben.

In etwa 16—22 Tagen ſind die Jungen ſo weit herangewachſen, daß ſie flügge werden; bei vielen Arten ſucht dann zur Nachtzeit die ganze Familie das Neſt immer wieder auf, bei anderen aber übernachten die Jungen nach dem Ausfliegen niemals mehr im Neſt. In etwa acht Tagen, während derer ſie von beiden Alten noch immer gefüttert werden, ſind ſie völlig ſelbſtſtändig und jene beginnen zum zweiten= oder drittenmale zu niſten. Jede Brut rundet ſich, vom erſten Ei bis zum Flüggewerden der Jungen, faſt regelmäßig auf vier bis fünf Wochen ab. In acht Monaten bis ſpäteſtens einem Jahre ſind die jungen Vögel ſelber niſtfähig; doch gehen die erſten Bruten, namentlich wenn ſie bereits früher begonnen werden, faſt immer zu Grunde.

Im Jugendkleide ſind die Jungen nahezu aller Prachtfinken von den Alten durchaus verſchieden, jedoch für den Kenner an ganz beſtimmten Merkmalen als Angehörige dieſer oder jener Art unſchwer feſtzuſtellen. Man kann ſich kaum etwas Hübſcheres denken, als wenn z. B. ein Paar der buntfarbigen, rothge= ſchnäbelten Zebrafinken die Brut hervorführen, im einfarbig licht= mäuſegrauen Gefieder, mit glänzend ſchwarzen Schnäbelchen.

Die Verfärbung aus dieſem Jugendkleide zum Altersgefieder beginnt im all= gemeinen ſchon in der dritten oder vierten Woche und iſt in der Regel in der fünften bis achten Woche ganz vollendet; ſie geht nicht durch eine Mauſer, alſo den Wechſel und die Erneuerung des Gefieders vor ſich, ſondern dieſelben, bleiben= den Federn nehmen nur eine andere Färbung an. Die Beobachtung dieſer Farben= veränderung iſt vorzugsweiſe intereſſant. Beim jungen Karminfink oder Amarant= vogel geht das fahle Graubraun allmälig immer mehr in reines Braun über; dann beginnt an der Bruſt oder an der Stirn hier und da eine Feder von der Spitze oder dem Grunde her ſich glänzend dunkelroth zu färben, die Farbe ver= breitet ſich über die ganze Feder und in dieſer Weiſe folgt an den verſchieden= ſten Körpertheilen eine Feder der anderen, bis die farbigen immer zahlreicher werden und das Roth ſich nach und nach über den ganzen Körper erſtreckt. Sehr ſonderbar ſieht ein junger Karminfink in dem ſcheckigen Gefieder der noch un= vollendeten Verfärbung aus. Bei dem jungen Zebrafink dunkelt der obere Theil des Gefieders, während der untere heller wird; allmälig treten sodann sehr fein, doch immer bemerkbarer die Umrisse der verschiedenen Farben hervor: in der Mitte der Brust scheidet ein schwarzer Streif den schneeweiß werdenden Bauch von der schön hellgraubunten Brust, die gelben Bäckchen und die bunte Seiten= zeichnung werden deutlicher, bis sie die vollen lebhaften Farben erlangen. Der Vorgang dieser Verfärbung vollendet sich keineswegs immer in einer be= stimmten gleichwährenden Frist, sondern er erstreckt sich, jedenfalls von dem ver= schiedenartigen Ernährungszustande des Vogels bedingt, über einen sehr verschie= den dauernden und wahrscheinlich nur in seinen äußersten Grenzen übereinstimmen= den Zeitraum. Uebrigens hat die Verfärbung der jungen Prachtfinken in ihrem Vorgange große Aehnlichkeit mit der, durch welche sich die Webervögel und Widah= finken auszeichnen. Bei jeder einzelnen Art werde ich den Vorgang noch näher beschreiben.

Auch in ihrem Verhalten unterscheiden sich die jungen Prachtfinken von denen aller übrigen Finkenvögel. Beim Futterempfangen oder Erbetteln rütteln sie keineswegs die Flügel wie jene, oder hüpfen in ungeschickten Sprüngen hinter den Alten her; mäuschenflink und gewandt, vom Verlassen des Nestes an, läuft der junge Zebrafink, allerdings auch unter großem Geschrei, auf das alte Männchen oder Weibchen zu, trippelt dann ebenso hurtig mehrere Schritte schnurgerade rückwärts, legt nun den Kopf schräge seitwärts gerichtet auf den Boden und sperrt das emporgehaltene Schnäbelchen schreiend auf, bis er die Nahrung empfängt. Doch ist dies Benehmen nicht immer übereinstimmend, und ich muß es mir ebenfalls vorbehalten, dasselbe bei den einzelnen Vögeln zu schildern.

Viele Prachtfinken sind gegen Kälte und Nässe außerordentlich empfindlich, so daß man im Freien, selbst bei Schutz gegen die rauhen Nord= und Ostwinde, doch nur wenige Arten dauernd erhalten kann. Die erste Folge ungünstiger Witterungseinflüsse, oft sogar der nur um wenige Grade sinkenden Wärme, ist das Erkranken der Weibchen beim Eierlegen. Am zuträglichsten habe ich es ge= funden, daß man die Wärme, zumal während der Brut, nicht viel unter 15 Grad R. (20 Grad C.) fallen und nicht über 22 Grad R. steigen lassen darf. Hiernach sind die Prachtfinken also bei gewöhnlicher Stubenwärme gut zu erhalten und auch glücklich zum Nisten zu bringen. Eine Anzahl zarterer Arten machen jedoch eine Ausnahme, indem ihre Bruten stets umkommen und die Weibchen fast regelmäßig sterben, wenn die Wärme nicht um einige Grade erhöht und zeitweiliges starkes Schwanken vermieden wird. Einige Züchter sollen guter Erfolge mit kleinen zarten Prachtfinken, z. B. dem Amarantvogel, sich er= freut haben, in einem ungeheizten Raume und zu einer Zeit, welche des Mor= gens eine Eiskruste in den Wassergeschirren zeigte. Ich habe alle solche Ver=

öffentlichungen sorgfältig gesammelt und werde sie bei den einzelnen Arten mit=
theilen.*)

Wenn man die allgemeinen Regeln der Vogelpflege nicht außer Acht läßt
und diese Vögel einerseits besonders gegen Kälte, Nässe und Zugluft behütet, sie
andererseits in geeigneter Oertlichkeit mit passenden Niststoffen versorgt, so kann
man sie viele Jahre hindurch munter und gesund im Käfige erhalten und züchten.
Die meisten Arten zeigen sich recht ausdauernd, natürlich nur dann, wenn sie
von den Anstrengungen der Reise sich erholt haben und lebensfähig in die Hand
des Besitzers gelangt sind.

Dabei beschränkt sich die Verpflegung in Hinsicht der Mühe und Kosten auf
ein außerordentliches Geringes; ungeschälte weiße Hirse und Kanariensamen oder
Glanz zum Futter, stets reines frisches Wasser zum Trinken und möglichst oft
auch zum Baden, trockener sauberer Stubensand auf dem Boden des Käfigs, nebst
Sepienschale und täglich oder mindestens hin und wieder ein wenig Grünkraut (am
besten Vogelmiere, Alsine media) — das sind die Bedürfnisse, deren sorgsame
Befriedigung in Verbindung mit der erforderlichen Reinlichkeit für die meisten Pracht=
finken als völlig ausreichend erscheint. Senegal- oder Kolbenhirse, sowie andere süd=
europäische und überseeische Hirsearten sind ihnen zur Abwechselung dienlich und
werden gern verzehrt. Auch allerlei kleine Grassämereien, den Samen von Wegerich
(Plantago major), Melde (Atriplex patula et A. hortensis) und anderen als
unschädlich bekannten Gewächsen darf man natürlich den Vögelchen anbieten und
Manches davon, namentlich die noch weichen, wie man zu sagen pflegt, in Milch
stehenden Gräsersamen fressen sie sehr gern.**) Zur Zeit des Nistens gehören
zur zweckmäßigen Verpflegung der Prachtfinken noch einige weitere, jedoch ebenfalls
nur geringe Erfordernisse; frische Ameisenpuppen und zerschnittene Mehlwürmer in
der warmen Jahreszeit, aufgequellte Ameisenpuppen mit Eierbrot oder hartgekochtem
Eigelb im Winter, sodann jederzeit eingequellte Sämereien sind zur Auffütterung
der Jungen nothwendig. (Vrgl. die Abschnitte über Fütterung und Pflege.)

---

*) Herr Graf Yorck von Wartenburg, in dessen Vogelstube die kleineren und zartesten
Prachtfinken sämmtlich vorzugsweise eifrig und mit den besten Erfolgen genistet haben, hält
beständig einen sehr hohen Wärmegrad. Somit ist es mir möglich, die bezüglichen jahrelangen
verschiedenartigsten Erfahrungen übersichtlich zusammenzustellen. (Vrgl. den Abschnitt über die
Züchtung.)

**) Bedenklich erscheint es dagegen, wenn Jemand das sogenannte Scheuergesäme für
die Prachtfinken zur Fütterung empfiehlt. Einerseits weiß jeder Sachverständige, daß unter
diesen Unkrautsamen zahlreiche vorhanden sind, welche giftige oder doch scharfe Bestandtheile
enthalten; andererseits wird jeder Vogelwirth, selbst wenn er im guten Glauben auf solche
Rathschläge den Versuch wagen sollte, sich doch bald davon überzeugen, daß diese Samen von
den Vögeln gar nicht berührt werden. Daher ist es um so verwunderlicher, daß die Empfehlung
des Scheuergesämes in manchen Lehrbüchern der Vogelpflege sich immer wiederholt, ohne daß
die Verfasser selber oder deren Freunde diese Fütterung jemals versucht haben.

Eine Aufforderung, den Prachtfinken noch größere Aufmerksamkeit zu schenken und für ihre immer weitere Verbreitung Sorge zu tragen, dürfte wol über= flüssig sein. Gerade ihre Vorzüge sind bereits viel mehr gewürdigt, als die aller übrigen Finkenvögel. Nicht allein die Farbenmannigfaltigkeit und Schönheit ihres Gefieders, die Anmuth ihrer Bewegungen, ihr harmloses und zutrauliches Wesen haben ihnen unter den Vogelliebhabern zahllose Freunde erworben, son= dern namentlich auch die Eigenthümlichkeit, daß sie so ungemein leicht ein lieb= liches Familienbild vor den Augen ihres Pflegers entfalten. Auch haben die deutschen Vogelzüchter bereits längst dafür Beweise geliefert, daß die Zucht man= cher Arten, falls man sie unter günstigen Verhältnissen und mit dem nöthigen Verständniß, der richtigen Auswahl, geeigneter Pflege u. s. w. betreibt, sehr lohnend sein kann. Obwol die Prachtfinken wenn möglich an der Brutzeit ihrer verschiedenen Heimatsländer festhalten und also dann in unseren Herbst= und Wintermonaten zur Brut schreiten, so sind sie doch auch unschwer an das Niften im Frühlinge zu gewöhnen. Dies hat die Züchtung vieler Vogel= freunde übereinstimmend durch zahlreiche Erfolge zu jeder Jahreszeit festgestellt und ferner, daß viele Arten ebenso im kleinen Käfige, als freifliegend in der Vogelstube mit nahezu gleichen guten Ergebnissen hecken. Die Erfahrung hat sodann auch gezeigt, welche von diesen Vögeln leicht und sicher, welche schwieriger und welche kaum oder gar nicht zu züchten sind. Alle diese Eigen= thümlichkeiten werben bei jeder einzelnen Art und auch in dem Abschnitt über Züchtung hier erörtert.

Von dem Freileben der Prachtfinken ist im allgemeinen bis jetzt erst sehr wenig bekannt, denn viele Arten haben, außer dem Namen und der wissenschaftlichen Feststellung, noch keinerlei weitere Auskunft geboten, und da= her zeigt sich die seltsame Erscheinung, daß manche von diesen Stubenvögeln in Hinsicht ihrer Lebensweise, Brutentwickelung und vieler anderen Eigenschaften in der Gefangenschaft bereits eingehend erkundet sind, während man über ihr Leben in der Heimat noch keinerlei Auskunft erhalten hat. Andere Arten sind aller= dings mehr oder minder eingehend durch Naturforscher und Reisende in ihrer Lebensweise geschildert worden.

Nach deren Angaben halten sich die meisten Prachtfinken vorzugsweise in Grasebenen, im Hochgras oder im niedrigen und dichten Gebüsch, vielfach auch in der Nähe von Getreidefeldern und manche auch in Rohr= und Schilfdickichten auf. Ihre Nahrung besteht in den Sämereien der verschiedensten Gräser. Fast alle, mit nur wenigen Ausnahmen, verzehren aber auch kleine weiche Kerbthiere und deren Larven. (Dies ist namentlich in der Gefangenschaft von den einzelnen Arten festgestellt und muß bei der Verpflegung, insbesondere aber bei der Züch= tung sorgsam beachtet werden.) Während der Niftzeit leben sie in kleinen Flügen

ober Familien von zwei bis etwa acht Köpfen beisammen, und erst nach Beendi=
gung des Nistens sammeln sie sich, gleich unsern Finkenvögeln, zu mehr oder
minder großen Scharen an, welche dann wol in die Getreidefelder einfallen und
erheblichen Schaden anrichten. Um sie, z. B. die Reisvögel, davon abzuhalten,
daß sie überaus große Verheerungen verursachen, bedient man sich eigener Vor=
richtungen zur Verscheuchung; doch tödtet man diese Vögel nirgends. Ebenso
werden sie nur verhältnißmäßig selten in ihren Heimatsländern als Käfigvögel
gehalten (z. B. der Tigerfink, den man in Ostindien seitaltersher sogar zu
Kampfspielen abrichtete); meistens ist man jedoch gleichgültig gegen die reizenden
Vögelchen und nicht selten sind sie erklärlicherweise sogar sehr verhaßt. Außer
den Vogelfängern, welche ihren Schwärmen allerdings durch massenhaftes Ein=
fangen großen Abbruch thun, werden sie auch noch von den Feinden aller übrigen
kleinen Vögel, den Raubvögeln und Raubsäugethieren verfolgt und die Schlangen
sollen nicht selten ihre Nester zerstören.

Die Heimat der Prachtfinken erstreckt sich nur auf die brei Erdtheile Afrika,
Asien und Australien; weder in Amerika noch in Europa ist bis jetzt eine zu
ihnen gehörende Art freilebend gefunden.

In sehr bedeutender, im Laufe der Zeit immer zunehmender Anzahl werden
sie nach Europa eingeführt. Der Fang geschieht vorzugsweise mit großen Netzen
bei der Tränke, und ich werde das verschiedene Verfahren desselben nach den Mit=
theilungen zuverlässiger Reisenden schildern. Die kleinen afrikanischen Pracht=
finken, welche in Hinsicht der Kopf=, aber nicht der Artenzahl, am meisten
die Käfige der Händler bevölkern, werden insgesammt als Senegalisten
oder Senegalvögel, auch fälschlich Bengalisten (richtiger Benguelisten) in den
Handel gebracht und von den Großhändlern gewöhnlich zu je einhundert Pärchen
mehrerer Arten untereinander an die Händler zweiter Hand abgesetzt. Die
Prachtfinken Asiens, unter denen die meisten dickschnäbeligen, die sogenannten
Nonnen u. a., sind viel weniger zahlreich; die australischen Prachtfinken, welche in
vielen und besonders buntfarbigen Arten zu uns gelangen, kommen ebenfalls
immer nur in geringerer Anzahl in den Handel. Manche Arten bleiben zu=
weilen längere Zeit, wol jahrelang, von dem europäischen Vogelmarkt fort und
tauchen dann plötzlich wieder auf. Die verschiedenen Verhältnisse dieser Einfuhr
sind in dem Abschnitt über den Vogelhandel zu finden.

Die Preise wechseln im allgemeinen von 1½—6 Thaler für das Pärchen;
seltene, namentlich schöne australische Arten sind noch so theuer, daß man sie wol
mit 25, 35, 50—100 Francs bezahlt. Der Durchschnittspreis der beliebtesten
Prachtfinken beträgt 3—4 Thaler für das Pärchen.

Gerade die Prachtfinken gehören zu den Vögeln, welche bereits seit sehr
langer Zeit und in großer Anzahl in Frankreich, England und den Niederlanden

und dann auch in Deutschland eingeführt wurden. Schon vor länger als hundert
Jahren waren sie in den Vogelhäusern wohlhabender französischer Liebhaber zahl=
reich zu finden und gerade sie wurden am meisten von reichen Holländern in
sehr zweckmäßig, unsern neueren Gewächshäusern ähnlich eingerichteten Vogel=
käfigen bereits gezüchtet. In einem später folgenden Abschnitt werde ich auf diese
geschichtliche Seite der Vogelliebhaberei auch in Betreff der Prachtfinken ebenfalls
zurückkommen. ——

Zur leichten Auffindung eines Vogels und zum ausreichenden Kennenlernen
ist eine zweckmäßige Eintheilung der Gruppen, Familien, Sippen und Arten
durchaus erforderlich. Eine solche zu geben, ist freilich auf keinem Gebiete
schwieriger, als in der Ornithologie, die bekanntlich in dieser Hinsicht ganz be=
sonders krankt. In einem Werke aber, welches sich die allverständliche und
wissenschaftliche Beschreibung zugleich zur Aufgabe gemacht, ist eine zweckmäßige
Uebersicht vorzugsweise nothwendig.

Nach Reichenbach wurden die fremdländischen Finkenvögel unter der Be=
zeichnung Webefinken in eine große Gruppe zusammengefaßt, und diese in
Prachtfinken, Witwenvögel oder Widahfinken und Webervögel eingetheilt. Seit=
dem man aber die ganze Familie der Finkenvögel viel einfacher in einzelne große
Unterfamilien scheidet (vrgl. S. 13), erscheint die Reichenbach'sche Zusammen=
stellung um so mehr überflüssig, da dieselbe von vornherein den Uebelstand zeigte,
daß den als Webefinken vereinigten Vögeln die innere Uebereinstimmung ein=
heitlicher Merkmale doch eigentlich völlig mangelte. Somit darf ich hier die
Prachtfinken ganz gesondert für sich als Unterfamilie innerhalb der großen Ge=
meinschaft der Finkenvögel hinstellen.

Auch die Eintheilung der Prachtfinken an sich ist wiederum nicht leicht aus=
zuführen. In mannigfaltiger Weise hat man es versucht, sie in übersichtlichen
Gruppen aneinander zu reihen; so wollte man sie in Streifenfinken, Kappen=
finken, Gürtelfinken, Grasfinken, Rothschnäbelchen und andere, mehr oder minder
wissenschaftlich begründete Sippen und Untersippen scheiden. Abgesehen aber von
der doch immerhin zweifelhaften Berechtigung solcher Aufstellungen, erscheinen
dieselben hier nicht allein überflüssig, sondern auch bedenklich, weil einerseits durch
solche Zersplitterungen das Kennenlernen der Vögel sehr erschwert wird und weil
andererseits die Merkmale solcher Scheidungen doch immer nur in den An=
schauungen des Einzelnen beruhen, so daß also jeder Vogelkundige von ganz ver=
schiedenen Gesichtspunkten aus seine besondere, von der des Andern völlig ab=
weichende Eintheilung macht. Bevor es also ein befriedigendes, von allen Orni=
thologen übereinstimmend anerkanntes System der Vogelkunde giebt, sollten in
den Schriften, welche vorzugsweise für die weitesten Kreise der Liebhaber und
praktischen Züchter bestimmt sind, alle Zersplitterungen, als die Ursachen nur zu

nahe liegender Verwirrungen, sorgfältig vermieden werden — und dies ist eben nur dadurch zu erreichen, daß man eine so einfache Uebersicht als möglich wählt.

Deshalb scheide ich die ganze große Gemeinschaft der Prachtfinken nur in zwei Gruppen, bei denen als Kennzeichen die Gestalt der Schnäbel maßgebend ist, und zwar in 1) die Schwach- und Kleinschnäbeligen und 2) die Stark- und Großschnäbeligen. Diese Eintheilung ist ja bekanntlich schon früher mehrfach eingeführt und hat sich dann im allgemeinen Gebrauch der Liebhaber und Händler und selbst theilweise in der wissenschaftlichen Literatur eingebürgert. Dennoch werde ich auf die Merkmale der allgemein anerkannten Gattungen ebenfalls eingehen, jedoch nur soweit, als dies zur Kenntniß der Vögel für gebildete Liebhaber wünschenswerth oder nothwendig erscheint. In Betreff der einzelnen Arten ist übrigens ganz besondere Vorsicht erforderlich, denn die Verschiedenheiten der Gefiederfärbung sind zuweilen sehr auffallend und stellen sich schließlich doch nur als Altersunterschiede oder allenfalls als Lokal-Eigenthümlichkeiten ein und derselben Art heraus.

Die bisher gangbaren lateinischen Namen sind zum Theil hinfällig geworden; so z. B. die Bezeichnung Amadina*), welche in den letzteren Jahren für die Prachtfinken im allgemeinen fast überall gebräuchlich war. Dies Wort entbehrt von vornherein jedes wissenschaftlichen Werthes und daher bin ich, in Uebereinstimmung mit meinen Herren Mitarbeitern, zu dem Entschluß gelangt, dasselbe und ebenso auch die lateinische Bezeichnung Astrilda für eine große Vogelgruppe ganz fallen zu lassen. An Stelle derselben wählten wir nach reiflichster Erwägung andere, passende und korrekte Benennungen; meine Leser wollen nun also die Eintheilung der hierher gehörenden Vögel in folgender Weise beachten:

**Schmuck- oder Prachtfinken** (bisher Amadinae), Aeginthidae;

Schwach- und kleinschnäbelige Prachtfinken oder Astrilde**),
 Aeginthinae;

Stark- und großschnäbelige Prachtfinken oder Spermestinen
 (bisher Amadinen), Spermestinae.

Hiernach nenne ich also jeden klein- und schwachschnäbeligen Prachtfink Aegintha***) und jeden stark- und großschnäbeligen Prachtfink Spermestes.†) —

---

*) Amadina, *Swainson*, soll vielleicht von amare (lieben) abgeleitet sein; es ist jedoch durchaus sinnlos.

**) Die von dem vaterländischen Namen eines Vogels herrührende Benennung Astrild muß in der Mehrzahl Astrilde und nicht, wie fälschlich allgemein eingebürgert, Astrilden heißen.

***) Aegintha, *Cabanis*. Dies schöne aristotelische Wort eignet sich vortrefflich zur Benennung der ganzen Gemeinschaft, da es ohne besondere Nebenbedeutung einen kleinen, in Hecken, Gebüschen u. dgl. lebenden Vogel bezeichnet, auch Gelegenheit bietet, dem großen Altmeister unserer Wissenschaft verdiente Ehre zu erweisen.

†) Spermestes *Sws*. Das Wort σπερμα bedeutet Samen. Die Endung εστης hat den Werth einer sogen. Personalbezeichnung. Spermestes ist also ein Vogel, der vorzugsweise Samen liebt, —

Zum Einlaufe bei den Vogelhändlern bediene man sich des deutschen Na=
mens, welchen ich als den gangbarsten oder passendsten in der Ueberschrift ange=
geben; aus den zoologischen Gärten und ähnlichen Anstalten bezieht man unter
dem danebenstehenden lateinischen Namen.    Beim Gebrauch dieses letzteren bitte
ich aber recht sorgfältig auf die zweite Bezeichnung zu achten, wie dies in der
wissenschaftlichen Anwendung ebenfalls geschieht, so daß man häufig nur diese
allein zur Nennung eines Vogels benutzt, so z. B. minima (Aegintha seu
Lagonosticta) der Karminfink oder Amarantvogel,  astrild (Aegintha s.
Habropyga) das Helenafäschen oder der gewellte Astrild, guttata (Spermestes
s. Stagonopleura) der Diamantvogel oder Tropfenfink.

Während sämmtliche Prachtfinken von den übrigen Finkenvögeln durch ganz
bestimmte und nicht leicht zu übersehende Eigenthümlichkeiten, wie z. B. die rein=
weißen Eier sich unterscheiden, so ist dagegen ihre Trennung in Astrilde und
Spermestinen leider keine durchaus verläßliche.   Denn das Unterscheidungsmerk=
mal der Schnäbel ist nur dahin zu fassen, daß man an sich sehr verschieden ge=
schnäbelte, einerseits schwach= und kleinschnäbelige und andererseits stark= und groß=
schnäbelige Prachtfinken als zwei von einander unterscheidbare Gemeinschaften
trennen kann.    Wo aber läßt sich eine sichere Grenze in der Größe und Dicke
dieser verschiedenen Schnabelformen auffinden?    Bestimmter, wenigstens für eine
oberflächliche Unterscheidung, könnte man allenfalls die geringere Körpergröße der
Astrilde erachten.

Dennoch kommen, freilich nur bei aufmerksamster Beobachtung, gewisse Unter=
schiede ganz bedeutsam zur Geltung.    Die im Körperbau, also in der weiteren
Gestaltung der Schnäbel, des Gefieders, besonders in der Länge und Form der
Schwänze u. s. w. sich ergebenden Abweichungen werde ich bei der Darstellung
jeder dieser beiden Hauptgruppen noch besonders anführen.    Hier sei zunächst
nur auf gewisse Unterschiede hingewiesen, welche sich im Verhalten und in der
Lebensweise dieser Vögel zeigen.

Jeder starkschnäbelige Prachtfink erscheint im Verhältniß zu seinen schwach=
schnäbeligen Verwandten in mehrfacher Hinsicht im Nachtheil.    Zunächst fällt der
Mangel an Zierlichkeit und Anmuth auf, welcher in der bei weitem geringeren
Beweglichkeit begründet ist.    Während der kleinere Prachtfink in jeder Schwanz=
bewegung, im Fluge und Hüpfen, wie in jeder Verrichtung überhaupt unnach=
ahmlich schön ist — erscheint der größere Prachtfink in allem durchaus plump
und ungeschickt.    Dazu kommt, daß, wie schon erwähnt, ein wirklicher Gesang
den Starkschnäbeln nicht allein fehlt, sondern daß ihre Laute auch, mindestens für
das durch die Lieder guter Sänger verwöhnte Ohr, nicht immer angenehm
und harmonisch ertönen, während die Kleinschnäbelchen wenigstens einen melodisch
erklingenden, wenn auch noch so kleinen Sang hören lassen.    Dagegen ist das

Singen der Spermeſtinen, gleich den daſſelbe begleitenden Bewegungen, in viel höherem Grade komiſch. Sodann treten auch Verſchiedenheiten im Neſtbau, in den Zärtlichkeitsbezeigungen der beiden Gatten eines Pärchens, in der Ernährung u. ſ. w. ſehr bemerkbar hervor.

## Die Aſtrilde
### oder klein= und ſchwachſchnäbeligen Prachtfinken.

Die kleinſten Prachtfinken oder Aſtrilde wechſeln in der Größe von 10ᶜᵐ· (3 Zoll) bis 13ᶜᵐ· (5¼ Z.) Länge und einige von ihnen erſcheinen daher faſt noch kleiner, als das europäiſche Goldhähnchen. Ihre Kennzeichen ſind: ſchlanke Geſtalt, zartes und weiches, lebhaft oder doch angenehm gefärbtes Gefieder, mittellange, mehr oder minder gerundete Flügel, in denen die zweite, dritte oder vierte Schwinge wechſelnd die längſte iſt; ein meiſtens langer, ſtufig geſteigerter oder keilförmiger, ſeltener kurzer, gerundeter oder gerade abgeſchnittener Schwanz; ein geſtreckter, kleiner und dünner, glänzender und bei vielen rother Schnabel, verhältnißmäßig hohe, zarte Füße mit kurzen Zehen. Die Färbung der Geſchlechter iſt theils von einander abweichend, theils aber auch völlig oder doch nahezu übereinſtimmend.

Mit Entzücken erzählen die Reiſenden von der anmuthigen Belebung mancher Landſchaften gerade durch dieſe kleinen Finken — und nicht minder ſchwärmen viele Vogelfreunde von der Schönheit und Liebenswürdigkeit dieſer ihrer kleinen Lieblinge im Käfige.

In der That ſind dieſe Kleinſchnäbelchen von vornherein als die beliebteſten aller Stubenvögel zu erachten. Sie zeichnen ſich aber auch durch viele empfehlenswerthe Eigenſchaften vor anderen aus. Ihre geringe Größe, Farbenſchönheit, lebhafte Beweglichkeit, Friedlichkeit, Geſelligkeit und gegenſeitige Zärtlichkeit, ihre Anſpruchsloſigkeit und Ausdauer laſſen ſie dem Liebhaber, der nicht die höchſten Anſprüche macht, vorzugsweiſe lieb und werth erſcheinen. Dazu kommen aber noch einige geſchätzte Eigenthümlichkeiten, und zwar ihr kleiner, munterer Sang, welcher wenigſtens niemals läſtig werden kann; ferner zeigen ſie ſich immer ſchmuck und glatt im Gefieder und die meiſten von ihnen entwickeln unſchwer vor unſern Augen ein liebliches Familienbild. Schließlich können gerade dieſe Vögelchen nicht leicht langweilig und überdrüſſig werden, da jeder einzelne oder doch jedes Pärchen für den Blick des aufmerkſamen und verſtändnißvollen Beobachters ganz entſchieden hervortretende perſönliche Eigenthümlichkeiten zeigt.

Während des Niſtens ſteigert ſich die Lebhaftigkeit der Schwachſchnäbelchen ganz außerordentlich und die Männchen der gleichen oder auch verſchiedener Arten

beginnen dann wol eine lebhafte Fehde.  Diese hindert jedoch nicht, daß mehrere
Pärchen in der Vogelstube und selbst in einem geräumigen Käfige unweit von
einander ihre Bruten mit besten Erfolgen aufbringen; eigentlich gesellig neben ein=
ander, wie z. B. die Webervögel, nisten sie jedoch nicht.  Die Männchen der
Astrilde zeigen das wunderliche Tänzeln der Prachtfinken in besonders an=
muthiger Weise und während sie die Eigenthümlichkeit gemeinsam haben, daß sie
bei diesem Liebestanze ein Hälmchen oder eine Faser im Schnabel tragen*), so
sind doch ihre Bewegungen bei demselben sehr verschiedenartig, wie ich dies bei
jeder einzelnen Art näher schildern werde.

Sie erbauen sämmtlich sehr zierliche, runde oder länglichrunde, nur selten
beutelförmige Nester aus Grashalmen, Bast, verschiedenen Fäden und namentlich
gern aus Agavefasern oder Pferdehaaren und frischen Spargelzweigen.  Manche
verschmähen Baumwollflöckchen und polstern die Nisthöhle nur mit weichen Federn
aus.  Das Schlupfloch zum Nest ist immer zierlich rund, sehr eng und zuweilen
ganz versteckt.  Einige Arten wechseln auch in der Gestalt der Nester und tragen
zuweilen thurmartige hohe Haufen zusammen, auf deren Spitze dann die Mulde
geformt wird; so z. B. das Grauvögelchen (der Astrild), welches sonst in der
Regel ein sehr künstliches Nest herrichtet.  Bei fast allen Kleinschnäbelchen bemerkt
man namentlich jene sonderbare Eigenthümlichkeit, daß das zur Brutablösung kom=
mende Männchen fast immer noch einen Halm, eine Feder oder dergleichen mitbringt.

Viele Arten entwickeln bei guter Pflege eine geradezu überraschende Frucht=
barkeit; man hat fünfzig, ja viel über hundert Eier von einem Pärchen gezählt,
und ich werde bei den einzelnen Vögeln von zuverlässigen Beobachtern mitgetheilte
Beispiele anführen, welche wahrhaft staunenswerth erscheinen.  Einige Kleinschnäbel=
chen nisten in der Gefangenschaft sehr ergiebig und sicher, andere sind nur unter
günstigen Verhältnissen mit Erfolg zu züchten und schließlich giebt es einige, denen
man bis jetzt noch nicht die nothwendigen Erfordernisse zu bieten vermag, welche
sie zur gedeihlichen Brut befähigen.  Dies verschiedenartige Verhalten werde ich
bei jeder einzelnen Art und außerdem auch in dem Abschnitt über Züchtung nach
den bis jetzt festgestellten Erfahrungen angeben.  Hier sei nur zunächst noch dar=
auf hingewiesen, daß eigentlich alle kleinschnäbeligen Prachtfinken in der Gefangen=
schaft unschwer zur Brut schreiten, daß aber bei vielen oder eigentlich leider bei
den meisten Arten die günstigen Verhältnisse und besonders die zum Auffüttern
der Jungen nothwendige Nahrung noch nicht ausreichend ermittelt ist.

In Betreff des Futters verweise ich hier einerseits auf das bei den Pracht=
finken im allgemeinen Gesagte und andererseits auf den Abschnitt über die Fütte=
rung überhaupt.  Man übersehe nur nicht, daß diese kleinen Prachtfinken auch

---

*) Vieillot sagte: wie einen Türkensäbel schwingen.

außer der Niftzeit Mehlwürmer, Ameisenpuppen oder dergleichen Fleischnahrung
bedürfen. Neuerdings haben namentlich die Züchter, welche Versuche im Großen
betreiben, mancherlei Nahrungsmittel gerade diesen Vögeln angeboten, und da find
denn auch bereits interessante und vielversprechende Ergebnisse festgestellt worden,
so z. B. die Fütterung mit Maden, die Zugabe von kleinen, besonders noch nicht
völlig reifen Grassämereien, die Darreichung des Gemisches aus hartgekochtem Eigelb
oder Eierbrot mit Ameisenpuppen u. f. w. Alle derartigen Erfahrungen, soweit sie
für die Züchtung der Vögel überhaupt beachtenswerth erscheinen, habe ich sorgfältig
gesammelt, und die in dem betreffenden Abschnitt zu findenden Mittheilungen dürften
daher so zuverlässig erscheinen, als dies bisher überhaupt zu erreichen möglich ist.

Weitere Erfahrungen müssen natürlich fortdauernd gemacht, von allen Seiten
veröffentlicht und dann beherzigt werden. Dies ist der einzige Weg, auf welchem
das durchaus nicht unmögliche Ziel erstrebt werden kann, daß man nämlich
alle Vögel (und Thiere überhaupt), welche in der Gefangenschaft zu erhalten
find, auch mit mehr oder minder feststehender Sicherheit zu züchten vermag. Die
Direktoren der zoologischen Gärten find im großen in dieser Hinsicht bereits
auf dem besten Wege und vornehmlich Doktor Bodinus in Berlin hat wahrhaft
bewundernswerthe und in überraschender Zahl und Mannigfaltigkeit zunehmende
Erfolge aufzuweisen. Streben wir Alle dahin, ähnliche Ergebnisse in der Vogel=
zucht zu erreichen, wo dieselben doch zweifellos viel eher als auf den meisten an=
deren Gebieten der Thierzucht zu erlangen find.

Alles Nähere hierüber, die Regelung des Niftens, das Erzielen der Bruten
nämlich in unserer milden Jahreszeit, wenn dieselben von natürlicher Wärme be=
günstigt werden und das allerzweckmäßigste Futter zur Aufzucht der Jungen,
kleine frische Ameisenpuppen u. dgl., unschwer zu erlangen find, finden die Leser
in einem besonderen Abschnitt behandelt.

Bei einigen Kleinschnäbelchen ist die Unterscheidung der Geschlechter außer=
ordentlich schwierig. Zwar habe ich bei jeder einzelnen Art die bisher festge=
stellten oder doch als verläßlich geltenden Unterscheidungsmerkmale angegeben;
allein dieselben find meistens nur für den scharfen Blick des Kundigen maßgebend.
Einen einfachen Weg, um in den Besitz richtiger Pärchen zu gelangen, empfehle
ich hier zunächst nach folgendem Verfahren. Man schafft von der betreffenden
Art mehrere Exemplare an, sperrt dieselben in einen Käfig, welcher mehrere Ab=
theilungen mit leicht verschließbaren Thüren hat und trennt dann Abends die in
jedem einzelnen Raum zusammensitzenden Pärchen. Auch kann man für diesen
Zweck wol einfach mehrere Käfige neben einander stellen. Durchaus zuverlässig
zeigt sich aber auch dies Verfahren eigentlich nur zur Brutzeit. Daß diese
letztere eingetreten, erkennt man bei aufmerksamer Betrachtung daran, daß die
Vögelchen sich im sogenannten Hochzeitskleide befinden, also ein lebhafter gefärbtes

Gefieder haben, namentlich aber, wie z. B. der graue Astrild und das Orange=
bäckchen am Unterleibe, Bürzel u. s. w. eine viel bemerkbarer hervortretende Fär=
bung zeigen.

Zu den auffallendsten Eigenthümlichkeiten dieser kleinen Vögel gehört die
schüchterne Aengstlichkeit. Daher werden sie wol zutraulich, niemals aber völlig
zahm, denn selbst wenn sie dem Pfleger einen Mehlwurm aus der Hand nehmen,
so geschieht dies doch regelmäßig mit aller möglichen Vorsicht, und irgend eine
hastige Bewegung oder sonst etwas Außergewöhnliches versetzt sie sofort in die
größte Aufregung, in welcher sich dann manche, so namentlich der Ringelastrild,
wie toll und unsinnig geberden.

Nicht minder bezeichnend für sie ist die Neugierde, und zwar gewähren alle
Kleinschnäbelchen das schönste Bild ihres anmuthig lebhaften Wesens, sobald
irgend etwas Fremdartiges, sei es ein neuer Vogel oder auch ein anderer, leb=
loser Gegenstand in ihre Nähe gebracht wird. Das schrille Zit! gewöhnlich zu=
erst des Orangebäckchens, ruft die ganze Gesellschaft herbei und mit hoch empor=
gerichteten Köpfchen, in allen möglichen Richtungen geschwippten Schwänzen und
unter fortwährendem verwunderten oder entrüsteten Gezirp und Gezwitscher um=
hüpfen sie die verdächtige Erscheinung wol stundenlang.

So einfach und anscheinend mühelos die Verpflegung dieser kleinen
Astrilde aber auch erscheinen mag, zu Zeiten bedürfen sie doch großer und ver=
ständnißvoller Sorgfalt. Wenn sie von der weiten Reise, bei vernachlässigter Be=
handlung, im trübseligsten Zustande ankommen, so erholen sich die meisten in den
Händen des Sachverständigen allerdings überraschend bald. Beim Einkauf der
Liebhaber in den Großhandlungen muß man aber fast immer auf das Ersterben
von mindestens Zweidrittheilen gefaßt sein. Zuweilen gehen auch in der ange=
messensten Behandlung sämmtliche Ankömmlinge ein, wenn sie infolge fahrlässiger
Pflege unterwegs in einem krankhaften Zustande sich befinden, welcher meistens in
Blutvergiftung beruht und gewöhnlich erst beim Wechsel der Fütterung und des
Wassers zum Ausbruch kommt. Es ist ein Jammer, mit anzusehen, in welcher
großen Anzahl dann zuweilen Karminfinken, Schmetterlingsfinken, Schönbürzel
u. a. in den Käfigen der Händler erkranken und umkommen, besonders wenn sie
die dann vorzugsweise nothwendige Wärme entbehren müssen.

Nicht sehr schwankende und niemals unter Stubenwärme sinkende Temperatur
ist auch zum erfolgreichen Nisten der meisten dieser überaus zarten Vögelchen durch=
aus erforderlich. Wenn Jemand auch zufällig einmal ein Pärchen Karminfinken
sogar bei einigen Graden Kälte unbeirrt nisten sah — so erscheint dies doch
offenbar, selbst für den Blick des oberflächlichen Kenners dieser Vögel, nur als
eine Ausnahme. Zahllose Erfahrungen haben es dagegen genügend festgestellt,
daß mindestens Stubenwärme zur glücklichen Aufzucht der Jungen aller und

insbesondere der kleinsten Prachtfinken unumgänglich nothwendig ist. Ebenso unrichtig, als eine gegentheilige Behauptung, würde es sein, wenn man die klein= sten und zartesten Astrilde zum Anschaffen für den Anfänger in der Vogelpflege empfehlen wollte. Denn einerseits sind doch manche von ihnen, wie namentlich das Rothbürzelchen, der Schmetterlingsfink und das Helenafasänchen, gegen un= günstige Einflüsse nur zu empfindlich und andererseits nisten mehrere, wie der Grauastrild, das Orangebäckchen und das Goldbrüstchen, entweder gar nicht oder nur unter den günstigsten Verhältnissen mit guten Erfolgen. Dies ist übrigens bereits ziemlich allbekannt, und wer diese Vögel jemals selber gepflegt und ge= züchtet hat, wird nichts Gegentheiliges behaupten können.

Ueber das Freileben der Aftrilde sind bis jetzt erst die allergeringsten Mittheilungen veröffentlicht worden, und dies ist um so mehr zu bedauern, da sie, wie mit Bestimmtheit angenommen werden darf und bei einigen Arten auch be= reits durch die Forscher und Reisenden ermittelt ist, eine sehr mannigfaltig von= einander abweichende Lebensweise führen. Die meisten halten sich freilich in grasreichen Ebenen oder in deren Nähe im Gebüsch, namentlich an den Ufern der Gewässer gesellschaftsweise auf, andere sollen aber auch tief im Urwald nur paarweise in Schilf · und Rohr, in Gärten und Getreidefeldern und einige sogar inmitten der menschlichen Ortschaften leben. Von ihnen sind nur wenige den Nutzpflanzen der Ackerbauer schädlich, ganz natürlich darum, weil sie sämmtlich doch kein eigentliches Getreide mit Ausnahme der Durrha=Hirse ver= zehren können; an jener sollen ihre zahlreichen Schwärme allerdings zuweilen erheblichen Schaden verursachen. Solche großen umherschweifenden Scharen be= stehen gewöhnlich in mehreren Arten, welche in ihrer geselligen Lebensweise im ganzen wol mit unseren heimischen Finkenvögeln übereinstimmen. Ihre Nahrung sind die kleinsten Sämereien der Gräser und sodann auch weiche kleine Kerbthiere und Gewürm.

Ebenso wie die Lebensweise, sind auch die Nistorte verschieden. Die meisten von ihnen nisten wol in dem mit Gras durchwachsenen Gebüsch, in keiner be= deutenden Höhe vom Boden, einige in Baumhöhlungen und manche sollen auch innerhalb der oder an den menschlichen Wohnungen nach Art unserer Sper= linge ihre Nester errichten. Sehr sonderbar erscheint es dabei, daß manche Reisenden von mehreren dieser Prachtfinken, so namentlich von dem Karmin= astrild, behaupten, daß sie kunstlose Nester bauen sollen, während zunächst ich, dann Dr. Rey in Halle und nachher noch zahlreiche andere aufmerksame Be= obachter festgestellt haben, daß dieselben Vögel in der Gefangenschaft fast immer vorzugsweise künstliche und zierliche Nester herstellen. Die Form dieser Nester ist in der Regel länglichrund, seltener kugelrund oder beutelförmig. Das Gelege be= steht aus drei bis acht, gewöhnlich aber nur aus drei bis vier sehr kleinen rein=

weißen Eiern, welche von beiden Gatten des Pärchens gemeinsam oder abwechselnd erbrütet, wie auch ebenso die Jungen aufgefüttert werden. In der Freiheit wird jedes Pärchen wol zwei bis drei Bruten hinter einander ausführen, denn in der Gefangenschaft erfolgen ihrer wol vier bis sechs, und wenn diese verunglücken, so nisten die Vögel nicht selten Jahr und Tag hindurch ununterbrochen fort.

Zu welcher Zeit die Mauser dieser kleinen Vögel im Freileben eintritt, ist von den Reisenden auch noch nicht festgestellt worden. In der Gefangenschaft mausern sie sonderbarerweise nicht regelmäßig, denn die meisten erhalten sich wol mehrere Jahre lang in demselben schönen und vollständigen Federkleide, welches allmälig, also in einer kaum wahrnehmbaren, immerwährenden Mauser erneuert wird. Andere dagegen, namentlich schlecht gepflegte Vögel, kommen wol plötzlich zum Verlust ihrer Federn, welcher sich nicht selten über den ganzen Körper erstreckt und nur äußerst langsam, besonders an Kopf und Schultern zuweilen erst nach vielen Monaten, wieder ersetzt wird. Solche Vögel gehen bei stärkerem Temperaturwechsel und mangelnder Pflege fast immer zu Grunde.

In den Käfigen der Händler und auch in denen der Liebhaber, welche diese kleinen Prachtfinken nicht zweckmäßig versorgen, verliert das Gefieder bei vielen Arten (z. B. Goldbrüstchen und Tigerfink) die schönen lebhaften Farben und verwandelt sich in düsteres Schwarzbraun bis Schwarz. Die Ursache dieser Erscheinung dürfte vorzugsweise im Mangel an Sonnenlicht, frischer Luft, sowie auch an nothwendigen Nahrungsstoffen begründet sein. Wenn solche Vögel in einer Vogelstube bei angemessener Verpflegung freifliegen, so erhalten sie nach längerer oder kürzerer Frist durch allmälige Erneuerung des Gefieders die naturgemäßen Farben wieder.

Die Farbenpracht des Federkleides dieser Vögel ist eine für das ganze Leben währende, sobald sie aus der Umfärbung des Jugendkleides sich gebildet hat. Sie nimmt mit dem höheren Alter zu, ist aber, mit nur wenigen Ausnahmen (wie namentlich beim Tigerfink) Veränderungen nach dem Wechsel der Jahreszeit nicht unterworfen.

Die Astrilde werden in der größten Anzahl von Westafrika, weniger von Süd- und Ostafrika und in den geringsten Sendungen von Australien und Asien in den Vogelhandel gebracht. Die Preise, zu welchen sie im Durchschnitt käuflich sind, habe ich bei jeder einzelnen Art angegeben. Um jeden dieser Vögel ausreichend kennen zu lernen, bitte ich zunächst das ausführliche Lebensbild, mit Berücksichtigung sämmtlicher Eigenschaften und der in diesen begründeten Hinweise für Pflege, Züchtung u. s. w., sodann aber auch die Abschnitte über Einkauf, Behandlung und Zucht aller Vögel überhaupt nachlesen zu wollen.

**Die eigentlichen Aſtrilde.** Im Sprachgebrauch kennt man einen Blut= und Karmin=
aſtrild, Dornaſtrild, Grauaſtrild, Ringelaſtrild u. a., welche keineswegs ſämmtlich zu der
Gattung gehören, die bei einigen Autoren ausſchließlich den Namen Astrilda*] trägt. Die
Vogelkundigen ſind darüber uneinig, ob man die hierher gehörenden Vögel zu einer größeren
Sippe vereinigen oder noch in mehrere Unterſippen theilen darf. Auch ſtimmen ſie keineswegs
darin überein, welche Arten ſie zu dieſem oder den nahe verwandten Geſchlechtern zählen. Ca=
banis und Reichenbach führen etwa neun bis zehn Arten als Aſtrilde auf; G. R. Gray dehnt
ſein Geſchlecht Estrelda über fünfzehn Arten aus (von denen einige allerdings fraglich ſind);
ein populärer Schriftſteller reiht in die Sippſchaft der Aſtrilden mehr als zwanzig Arten.
Durch ſolche Meinungsverſchiedenheiten wird eine große Verwirrung hervorgerufen und ich muß
die Leſer ſehr um Geduld bitten, wenn ich dieſelbe noch in einigen Beiſpielen veranſchauliche,
indem ich die verſchiedenen Benennungen der hervorragendſten Autoren neben einander ſtelle.
So heißt

    bei C a b a n i s („Museum heineanum“):
      der Grauaſtrild — Habropyga cinerea,
      das Goldbrüſtchen — Sporaeginthus subflavus,
      der Karminaſtrild — Lagonosticta minima,
      der Schmetterlingsfink — Uraeginthus phoenicotis;

    bei F i n ſ ch und H a r t l a u b („Die Vögel Oſt=Afrikas“):
      der Grauaſtrild — Habropyga cinerea,
      der Karminaſtrild — Pytelia minima,
      der Schmetterlingsfink — Pytelia phoenicotis;

    bei Th. v. H e u g l i n („Ornithologie Nordoſt=Afrikas“):
      der Grauaſtrild — Habropyga cinerea,
      das Goldbrüſtchen — Habropyga subflava,
      der Karminaſtrild — Lagonosticta minima,
      der Schmetterlingsfink — Uraeginthus phoenicotis;

    bei R e i ch e n b a ch („Die Singvögel“):
      der Grauaſtrild — Astrilda cinerea,
      das Goldbrüſtchen — Pytelia subflava,
      der Karminaſtrild — Lagonosticta minima,
      der Schmetterlingsfink — Mariposa phoenicotis;

    bei G r a y („Hand-List“):
      der Grauaſtrild — Estrilda [Estrelda] cinerea,
      das Goldbrüſtchen — Estrilda [Sporaeginthus] subflava,
      der Karminaſtrild — Estrilda [Lagonosticta] minima,
      der Schmetterlingsfink — Estrilda [Mariposa] bengalus.

Selbſt ein gebildeter Laie, ſowie der eifrigſte Vogelliebhaber wird ſich in dieſem Labyrinth
der Benennungen nur mühſam oder gar nicht zurecht finden können. Deshalb hatte ich mit der
Vereinfachung der Nomenklatur bereits begonnen, indem ich in meinem „Handbuch“ I alle
dieſe ſchwach= und kleinſchnäbeligen Prachtfinken als Aſtrilden und auch unter der Bezeichnung
Astrilda zuſammenfaßte. Dieſe Eintheilung habe ich, wie vorhin dargelegt, auch jetzt noch
feſtgehalten; nur mußte ich, um der Verwechſelung zwiſchen den Angehörigen des wiſſen=
ſchaftlich aufgeſtellten Geſchlechts Astrilda und der populären Bezeichnung Aſtrilde vorzu=
beugen, eine andere lateiniſche Benennung für die Kleinſchnäbelchen wählen.

---

  *] Loxia astrild *Linné*; Habropyga *Cabanis*; Estrelda *Gray*; Estrilda *Swainson*;
Astrilda *Reichenbach*. Die Bezeichnung Astrilda iſt jedenfalls von dem vaterländiſchen
Namen eines Vogels abgeleitet.

## Der graue Aſtrild [Aëgintha cinerea].*)
### Tafel I. Vogel 1.

Unter allen Prachtfinken erſcheint auf unſerm Vogelmarkt keiner ſo oft und iſt keiner ſo gern geſehen, als gerade dies Vögelchen. Selbſt wenn eine Vogel= handlung ihrer Hunderte erhält, ſo währt es gewöhnlich gar keine lange Zeit, bis ſie ſämmtlich Käufer gefunden haben. Dieſe Beliebtheit des kleinen, ſchlanken und zierlichen Vogels liegt ebenſowol in ſeiner lieblichen, wenn auch ſchlichten Färbung, als auch in ſeinem anmuthigen, ungemein lebhaften Weſen begründet.

Das obere Gefieder des grauen Aſtrild iſt dunkel aſchgrau, mit einem Ton ins Bräunliche; die untere Seite iſt heller aſchgrau und an Unterbruſt und Bauch roſenroth überhaucht. Dabei iſt das Gefieder ſehr zart und kaum ſichtbar, zu= weilen auch gar nicht dunkel gewellt; der Schwanz iſt ſchwarz. Von dem hoch= rothen Schnäbelchen zieht ſich durch das bunkle Auge, daſſelbe oben und unten umſäumend, faſt bis zum Ohr ein ſchmaler, glänzend rother Streifen, welcher dem beweglichen Köpfchen ein ungemein keckes Anſehen giebt. Im Hochzeitskleide verbreitet ſich der rothe Anflug, wie zart überhaucht, über den ganzen Unterleib, die Bruſt und zuweilen ſogar über Mantel und Hinterrücken und verſtärkt ſich zwiſchen den Beinen zum ſchönſten Roſenroth. Die Größe ſtimmt nahezu mit der des deutſchen Zaunkönigs überein.

Die Heimat des grauen Aſtrild erſtreckt ſich wahrſcheinlich ſo ziemlich über ganz Afrika, mit Ausnahme des Nordens. Ueber ſein Freileben ſind erſt geringe Mittheilungen veröffentlicht; namentlich fehlen alle Nachrichten über das Niſten — und der allererſte unſerer Stubenvögel gehört daher zu denen, welche die ſelt= ſame Erſcheinung zeigen, daß ihre Brutentwickelung zuerſt in der Gefangenſchaft beobachtet und beſchrieben wurde.

Th. von Heuglin fand dieſen Aſtrild nur in der Zeit von Januar bis Mai in Südnubien, Kordofan, Sennar und im Gebiet des weißen Nil, weſtwärts bis zum Koſanga=Fluß bis zur Höhe von etwa 2000 Meter hinauf, meiſtens in großen, ziemlich dicht zuſammenhaltenden Flügen, welche, wie es ſcheint, ein ſehr unſtätes Wanderleben führen und ſich unter beſtändigem, nicht ſehr lautem Schwätzen und Piepen auf trockenem Hochgras in Hecken und Gebüſch, namentlich längs der Regenbetten lebhaft umhertreiben, gern zu baden ſcheinen und ſich von feinen Grasſämereien ernähren. Rüppel und Lefebvre ſahen dieſen Vogel in Abeſ= ſinien; Heuglin bemerkte ihn dort nicht. Dagegen iſt es ſehr intereſſant, daß Dr. H. Dohrn den grauen Aſtrild auf den Kapverdiſchen Inſeln gefunden. Er

---

*) Alle deutſchen, ſowie die lateiniſchen, engliſchen, franzöſiſchen und ſonſtigen fremd= ländiſchen Namen, ferner die wiſſenſchaftliche Beſchreibung und alle weiteren derartigen An= gaben ſind immer am Schluſſe der Schilderung eines jeden einzelnen Vogels zu finden.

erzählt, daß er in einigen Thälern mit reichem Pflanzenwuchs auf Santjago diese niedlichen Vögel in kleinen Scharen gesehen und meint, daß auch mehrere andere Arten (Schmetterlingsfink, Goldbrüstchen, Orangebäckchen u. a.) auf diesen Inseln zu finden sein werden. Ich will aber gleich darauf aufmerksam machen, sagt er, daß sie nur durch einen Zufall dorthin gelangt sind. Als ich nämlich im März d. J. 1865 in S. Vicente war, kam hier ein französischer Vogel= händler von Gorea mit Tausenden dieser Finken an, um nach Europa weiter zu reisen. Unglücklicherweise für ihn war aber der Postdampfer an der brasi= lianischen Küste gescheitert, und während seines wider Willen um mehrere Wochen verlängerten Aufenthalts entkamen ihm Hunderte dieser kleinen Vögel, so daß anzunehmen ist, es werden sich wenigstens einige vor den Angriffen der Raubvögel gerettet haben, um sich in der neuen Heimat einzuleben und zu vermehren.

Der graue Aftrild und der ihm nahe verwandte gewellte Aftrild (Helena= fasänchen) gehören zu den fremdländischen Vögeln, welche schon seit länger als hundert Jahren in Europa eingeführt worden. Die älteren Schriftsteller ver= wechseln meistens beide oder auch mehrere nahe verwandte Arten, so Buffon und dann selbst noch Bechstein, während doch schon Edwards (1751) eine gute erkennbare Abbildung des ersteren giebt. Vieillot hat den grauen Aftrild unter dem Namen Le Bengali cendré (*Oiseaux chanteurs* p. 6) beschrieben und abgebildet; er sagt jedoch nur sehr wenig über ihn. Schon damals war dieser kleine Vogel in Frankreich beliebt und häufig bei den Liebhabern; doch hielt er ihn für zarter als andere, z. B. den Schmetterlingsfink, und rieth daher, ihm große Sorgfalt und Wärme, namentlich dann nicht fehlen zu lassen, wenn er sehr entfedert soeben von der Reise angekommen oder wenn er nistet.

Nach allseitigen Erfahrungen ist dieser Prachtfink jedoch viel weniger weich= lich, als zahlreiche andere und entfedert sieht man ihn fast niemals. Um dieser Vorzüge willen, und weil er zugleich ausdauernder als viele nahe verwandte Arten sich zeigt, schätzen ihn auch die Vogelhändler sehr hoch, und empfehlen ihn besonders den Anfängern in der Vogelliebhaberei, welche noch nicht Züch= tungsversuche anstellen wollen.

Ein Pärchen grauer Aftrilds gehörte zu denjenigen fremdländischen Vögeln, mit welchen ich meine Züchtungsversuche begann. Gleich in den ersten Tagen hatte ich Ursache, die wirklich seltsame Hurtigkeit dieser Vögelchen zu bewundern, denen ein Käfig von nur einem Viertelzoll (c. 7 $^{mm}$.) Drahtweite zum Ent= schlüpfen für den Nothfall nicht zu eng war. Sobald ich den grauen Aftrild im Laufe der Zeit näher kennen lernte, fand ich allerdings, daß er das Wohlgefallen der Vogelliebhaber in hohem Maße verdiene; denn seine allerliebste Lebhaftig= keit, zierliche Anmuth und Zutraulichkeit, kurz und gut, sein ganzes überaus lieb=

liches Wesen muß ihn ja jedem Freunde dieser kleinen Vögel sehr werth
machen.

Einen wirklichen Gesang hat dieser Prachtfink nicht; beide Gatten des
Pärchens lassen leise, wohlklingende Locklaute und ein leises Geflüster, und das
Männchen bei den tänzelnden Liebesbewerbungen lautschmetternde Flötenrufe hören.

Wie bei vielen Thieren und namentlich den Vögeln, ist auch vorzugsweise
bei den kleinsten Prachtfinken der Schwanz der Perpendikel oder Zeiger, welcher
ihre Gefühle erkennen läßt. Dies zeigt sich dem Beobachter in sehr interessanter
Weise. Am kühlen Morgen kauert das Pärchen im Gebüsch, dicht aneinander
gedrängt und mit regungslosen Schwänzen; sobald die Sonne wärmere Strahlen
herabsendet und die Gesellschaft der Kleinschnäbelchen lebendiger wird, gerathen
zunächst die Schwänze in Bewegung und fast möchte ich behaupten, daß jede
wechselnde Empfindung durch verschiedenartiges Schwippen mit dem Schwanze
ausgedrückt werde. Jetzt fliegen sie zum Futterkorb, heißa! lustig wippen da die
Schwänze schief aufwärts auf und nieder. Dann eilen sie zum Trinknapf, von
wo ein Webervogel sie zurücktreibt und in ängstlichem Herunterschwippen des
Schwanzes zeigt sich wiederum ein anderes Empfinden. Nachdem sie getrunken,
flattern sie im Gebüsch umher, unruhig huschend und suchend. Jetzt scheinen sie
das Gesuchte gefunden zu haben; ein Nestkörbchen ist es, in einem großen Draht-
bauer hängend, und während das Männchen auf dem Rande des Körbchens und
das Weibchen im Eingange des Bauers steht — wie anders wippen da wiederum die Schwänze; wagerecht von rechts und links gehen die zierlichen Bewegungen und augenscheinlich sind die beiden Vögel in eifrigster Erwägung und
Berathung darüber, ob das Nestkörbchen wol zweckmäßig sei und allen Anforderungen genüge. Endlich ist die Wahl getroffen und das Männchen beginnt jetzt in
förmlicher Hast die Baustoffe zur Errichtung des Nestes herbeizuschleppen, während das Weibchen anfangs anscheinend theilnahmlos dabeisitzt, nun aber in
das bald gerundete Nest hineinschlüpft und den innern Ausbau vollendet. Dann,
in der Mittagszeit, wenn die beiden grauen Astrilds, wie die meisten übrigen
Prachtfinken, dicht aneinander gedrängt Ruhe gehalten haben, fliegt das Männchen plötzlich empor, erhebt das Köpfchen hoch und keck und beginnt nun ein
drolliges Auf- und Niederhüpfen. Während es aber bei diesem Liebestanze
seinen lautklingenden, melodischen dreisilbigen Ruf erschallen läßt und diesen vielmals wiederholt, flüchtet das Weibchen von dannen, wird tanzend und rufend
verfolgt, eingeholt, und stürmisch im Flattern erfolgt die Begattung. Dr. Luchs
schildert ein Pärchen Grauastrilds, welche seit vier Jahren bei einfacher Pflege
sich wohl fühlen, als bewegliche kleine Gesellen, die schüchtern jedem andern
kleinen Vogel ausweichen, ihren einfach zirpenden Ton beim Herumhüpfen oft
hören lassen und sich, namentlich zur Nachtzeit, durch rege Wachsamkeit aus-

zeichnen. Ohne unruhig und ſtörend zu werden, ſind ſie die erſten, welche ihr Schlafplätzchen verlaſſen, ſobald ein Licht dem Käfige ſich nähert.

Wenn man ein Pärchen graue Aſtrilds freifliegend niſten laſſen will, ſo ſchreiten ſie in den Monaten Auguſt und September und, wenn ſie dann geſtört werden, wieder im März und April mit außerordentlichem Eifer zur Brut. Sie erbauen verſchiedenartige Neſter. Aus feinen grünen Spargeläſtchen, die ſie ſehr geſchickt ſelbſt abzurupfen verſtehen, formen ſie in einem Körbchen, oder auf einer andern Unterlage, ſeltener frei im Gebüſch, zuweilen ſogar im Raſen auf der Erde, ein kugelrundes, ungemein zierliches Neſt, mit ſeitlichem, ſehr engem und glatt gerundetem Schlupfloch, in welchem die Mulde mit zarten Grasriſpen, Haaren, Baumwolle und weichen Läppchen ausgepolſtert wird. Dies Neſt iſt ein wahres Kunſtwerk. Zu anderer Zeit, da es keine friſchen Spargelzweige gab, häuften ſie aus allerhand Bauſtoffen einen förmlichen Thurm zuſammen, welcher gegen ſechs Zoll (15,7 cm.) hoch vom Neſtkörbchen aus bis zur Decke des (offenſtehenden) Bauers reichte, und auf dieſem Thurm brachten ſie eine ganz kleine, ſchwachumwölbte Mulde an. Dann wiederum bauten ſie aus Agave-faſern, Baſt und Gras ebenfalls ſehr künſtliche Neſter, mit oder ohne eine angehängte, wol drei Zoll (7,8 cm.) lange Einflugröhre, deren Schlupfloch zu-weilen durch Faſern und Pferdehaare völlig verdeckt erſchien. Sonderbar erſcheint es, daß ſie ſehr eifrig kleine Stückchen Sepienſchale, kleine Muſcheln, Eiſchalen u. dgl. ins Geniſt tragen und gleichſam zum Schmuck darin verweben. Wunderlich iſt es ferner, daß ein Pärchen nicht ſelten mehrere, zuweilen zahlreiche Neſter an verſchiedenen Orten, oft dicht über einander erbaut, bevor es endlich zur wirk-lichen, erfolgreichen Brut gelangt. Das Gelege beſteht in drei bis fünf ſehr kleinen, länglichen und ſpitzen, glänzend weißen Eiern, welche in elf Tagen von beiden Gatten des Pärchens abwechſelnd erbrütet werden.

So weit hatte ich das Niſten dieſer kleinen Prachtfinken in meiner Vogel-ſtube bereits oft beobachtet; jedesmal aber brüteten ſie vergeblich oder ließen die ſoeben erbrüteten Jungen ſterben. Als die Deutſche Ornithologiſche Ge-ſellſchaft in Berlin bei ihrer Jahres-Verſammlung zu Anfang Octobers d. J. 1868 meine Vogelſtube gemeinſam beſuchte, mußte ich den Herren bedauernd erklären, daß ich die Zucht des grauen Aſtrild in der Gefangenſchaft der regel-mäßigen Mißerfolge wegen kaum für möglich hielt. Darüber kam der Winter heran und ſchon zu Ende des Decembers konnte ich in einer Sitzung jenes Ver-eins berichten, daß ich dennoch auch eine Brut dieſes Vogels von fünf Jungen flügge werden geſehen. Noch dazu gab es in dieſer Zeit gar nicht einmal die beſte Nahrung zur Aufzucht aller dieſer jungen Vögel, friſche Ameiſeneier näm-lich, ſondern die Aſtrilds fütterten ihre Jungen, ebenſo wie die Amarantvögel und viele andere, mit einem Gemiſch aus getrockneten aber eingequellten Ameiſen-

puppen und hartgekochtem, feingeriebenem Eigelb, an welches sie sich inzwischen
gewöhnt hatten, auf. Neuerdings giebt man lieber gutes Eierbrot anstatt des
Eigelbs. Uebrigens ist, außer etwaiger nicht befriedigender Fütterung, besonders
die Schüchternheit und Aengstlichkeit dieser kleinen Prachtfinken als die vornehm=
lichste Ursache des Verlorengehens ihrer Bruten zu erachten. Sie entwickeln
dann aber nicht selten eine so große Fruchtbarkeit, daß man fünf bis sieben,
ja acht bis zwölf Gelege mit 5 bis 8 Eiern jedesmal bei ihnen gezählt hat.

Meine Freude war sehr groß, als nach den vielen Fehlbruten, in denen
drei Astrild=Pärchen recht friedlich nebeneinander Jahr und Tag hindurch beinahe
ununterbrochen gewetteifert, endlich die ersten Jungen flügge wurden. Später
haben sodann zwei Pärchen mehrere Bruten und zu verschiedenen Zeiten glücklich
erzogen. Wol darf ich annehmen, daß ich auch den grauen Astrild, gleich vielen
anderen fremdländischen Vögeln, zuerst in der glücklichen Brutentwickelung be=
obachten und schildern konnte. Später ist derselbe von den Herren Emil Linden
in Radolfzell, H. Leuckfeld in Nordhausen, Dr. Rey in Halle, Freiherr von
Beust auf Werthheim, Dr. Baldamus in Köthen und vielen Anderen gezüchtet
worden, und meine Darstellung beruht daher zugleich in der Betheiligung aller
meiner Mitarbeiter. Wir Alle stimmen darin überein, daß die Bemerkung
in meinem „Handbuch für Vogelliebhaber“ I: Der graue Astrild nistet
unschwer in der Gefangenschaft, erzieht jedoch nur selten die Jungen
glücklich, bis jetzt noch keineswegs durch gegentheilige Erfahrungen widerlegt ist.

Freifliegend in einer Vogelstube gelangt ein Paar dieser Vögelchen also
wol einmal zur ergiebigen Brut, im Käfige dagegen, sei er auch noch so vortheil=
haft eingerichtet, hängt der Erfolg immer nur von einem seltenen, glücklichen Zu=
fall ab. Am besten läßt man die grauen Astrilds erst im Frühjahre, sobald es
frische, ganz kleine Ameisenpuppen giebt, nisten, beachtet sorgfältig eine Wärme
von 15—16 Grad R., welche auch zur Nachtzeit nicht tiefer sinken darf, und
bietet ihnen Nistgelegenheiten an stillen Orten, wo sie keinen Störungen von anderen
Vögeln oder Menschen ausgesetzt sind. Dazu wählt man am geeignetsten ein ge=
wöhnliches Heckgebauer, in welchem mindestens 3—4 Zoll (7,8 — 10,5 cm.)
hoch von der Decke einige Nestkörbchen angebracht sind, während man den oberen Boden
mit Pappe bedeckt hat. Wenn man die Vögelchen frei fliegen läßt, kann dieses
Bauer hoch oder niedrig hängen, denn sie nisten ebenso gern in der Nähe des
Fußbodens, als nahe an der Zimmerdecke. Doch versäume man nicht, nach
verschiedenen Seiten hin mehrere Drahtsprossen zu Schlupflöchern auszu=
biegen, weil die kleinen ängstlichen Wichte durch die Annäherung jedes größeren
Vogels leicht so erschreckt werden, daß sie in blinder Furcht sich zwischen die
Drahtstäbe festzwängen und sich beschädigen oder umkommen. Will man ein
solches Pärchen in einen Käfig zur Hecke einsperren, so muß der Draht sehr eng,

weiteſtens dreiachtel Zoll (c. 10 mm·) geflochten und außerdem nicht zu dünn und biegſam ſein. Dieſe Niſtvorrichtung, alſo den Prachtfinken=Heckkäfig von ungefähr 14—15 Zoll (36,6—39,2 cm·) Höhe, 12—18 Z. (31,4—47 cm·) Länge und 10—12 Z. (26,2—31,4 cm·) Tiefe, hängt man an einer von der Mittags= oder Morgenſonne getroffenen Stelle an der Wand, lieber etwas hoch, keinen= falls aber zu niedrig, auf; nöthigenfalls muß man dann aber einen kleinen Schirm aus Birkenruten an der einen Seite der Innenwand anbringen, hinter welchen die Vögelchen vor den zu heißen Sonnenſtrahlen flüchten können.

(Da eine ſolche Einrichtung und Anordnung des Heckkäfigs eigentlich für alle kleinen Prachtfinken gilt, ſo habe ich hier vorläufig wenigſtens das Noth= wendigſte angegeben. Eingehende Mittheilungen und Rathſchläge für die Züch= tung ſind ſelbſtverſtändlich weiterhin in den betreffenden Abſchnitten zu finden.)

Die jungen Aſtrilds zeigen einen ſehr ſchwachen bläulichen Neſtflaum und ſind an der ſchön blauweißen Wachshaut oder vielmehr den kleinen Drüſen zu beiden Seiten des Schnabels ſogleich zu erkennen. Das Jugendkleid beim Ver= laſſen des Neſtes iſt in folgender Weiſe gefärbt: Oberkopf und Rücken ſind dunkel mäuſegrau, Bruſt und Bauch heller bräunlichgrau, der hintere Unterleib iſt gelbbraun; der Schwanz bräunlichſchwarz; das Schnäbelchen iſt glänzend ſchwarz; die Füße ſind ſchwärzlichbraun, die Augen dunkel. Der rothe Augen= brauenſtreif, der roſenrothe Anflug des unteren Körpers, ſowie die wellige Zeich= nung des Gefieders fehlen gänzlich.

Die Verfärbung zum Alterskleide findet in der Weiſe ſtatt, daß das Ge= fieder gleichmäßig dunkler und hervortretender reingrau wird. Der rothe Augen= brauenſtrich erſcheint allmälig ſehr fein und wird nach und nach ſtärker, während das Schnäbelchen heller zu werden beginnt und durch Fahlgelb und Gelbroth in das ſchöne Hochroth übergeht. Für den ſcharfen Blick werden dann auch die Wellenlinien allmälig ſichtbar, während die roſenrothe Färbung des untern Kör= pers aber erſt viel ſpäter bei der Parung der Vögelchen eintritt. Gewöhnlich beginnt dieſe Verfärbung etwa nach der dritten Woche vom Zeitpunkte des Flüggewerdens und iſt mit der fünften bis achten Woche ſo weit vollendet, daß auch das Roſenroth, wenn dann gerade die Niſtzeit trifft, ſchon ſchwach hervortritt.

Baſtardzüchtungen von verſchiedenen Arten dieſer kleinen Prachtfinken ſcheinen ziemlich leicht und erfolgreich zu ſein. So hat Herr Ingenieur Karl Hendſchel in München eine ſolche Brut zwiſchen Aſtrild=Weibchen und Orangebäckchen= Männchen von zwei Pärchen mehrmals flügge werden geſehen; dieſe Miſchlinge werde ich beim Orangebäckchen beſchreiben. Herr Dr. Rey erhielt Miſchlinge vom grauen und gewellten Aſtrild.

Beim grauen Aſtrild hält es außerordentlich ſchwer, die Geſchlechter mit Sicherheit zu unterſcheiden. In unſeren Herbſtmonaten, in denen dieſe kleinen

Afrikaner selbst in den Käfigen der Vogelhändler ihren Frühling mit der Ver=
färbung zum Hochzeitskleide feiern, erkennt man die Männchen wol an der leb=
hafteren und umfangreicheren Röthe des Unterleibes und dem etwas breiteren
Augenstreif; allein zu anderer Zeit und bei jüngeren Vögeln sind die Weibchen
dann doch nicht so leicht herauszufinden. Dazu ist die Liebebedürftigkeit dieser
Vögel so groß, daß, wie schon in der Uebersicht der Prachtfinken gesagt, ihrer zwei
von gleichem Geschlecht in einem Käfige gehalten, gewöhnlich die ganze Zärtlichkeit
eines richtigen Paares zeigen. Dies ist aber zweifellos eine der Hauptursachen,
an denen die glückliche Zucht des grauen Astrilds scheitert. Wenn man sicher
gehen und nicht auf den Scharfblick des Vogelhändlers allein vertrauen will, so
muß man ihn bitten, daß er von den auch im großen Vorrathskäfige immer
nebeneinander weilenden Pärchen sich eins genau merke und zusammen heraus=
fange. Oder man verfährt in der bereits Seite 31 angegebenen Weise. Dabei
bleibt es dennoch immer rathsam, daß man, sobald ein Pärchen im Laufe von
drei bis vier Monaten nicht nisten will, das Männchen oder Weibchen davon
austausche.

Ohne zu nisten ist der graue Astrild bei gewöhnlicher Stubenwärme sehr
gut zu erhalten und dauert, sowol paarweise im kleinen Käfige, als auch im Ge=
sellschaftsbauer, wo er zu den verträglichsten gehört, viele Jahre hindurch sehr
gut aus. Wenn die Wärme etwas tiefer sinkt, so ist es für diese kleinen Afri=
kaner nothwendig, daß sie zur Nacht einen wärmeren Schlupfwinkel haben. In
der Vogelstube benutzt das Pärchen dann eins der selbstgebauten oder auch
fremden Nester, und während das Weibchen brütet, übernachtet das Männchen
auch in einem solchen. Es ist daher nothwendig, daß man auch den im Schmuck=
käfige gehaltenen Astrilds dergleichen Gelegenheiten für die Nachtruhe bietet.
Beim Einkauf achte man sorgfältig auf die späterhin angegebenen Gesundheits=
zeichen; wenn die Astrilds etwa sehr entfedert sind, so braucht man sich, bei
sonstiger Gesundheit, nicht daran zu stoßen. Der Preis wechselt für das Pärchen
zwischen 2½ und 3 Thlr. in den Vogelhandlungen und beträgt oft nur 5 bis
6 Francs (1 Thlr. 10 Sgr. bis 1 Thlr. 18 Sgr.) bei den Großhändlern.

Den grauen Astrild mußte ich so ausführlich als möglich behandeln; denn
einerseits ist er in der Reihenfolge der kleinsten Prachtfinken der erste und zugleich
einer der beliebtesten und daher gilt das von ihm Gesagte zum Theil auch für die
übrigen, so daß ich in den Schilderungen der letzteren mich vielfach auf ihn
berufen kann; andererseits aber gebe ich alle diese Darstellungen fremdlän=
discher Vögel gewissermaßen in dem Sinne einer Geschichte derselben und ver=
zeichne also ihre Einführung und weitere Verbreitung, namentlich aber ihre Züch=
tung nach eigenen Erfahrungen und den Mittheilungen meiner Mitarbeiter zu=
gleich. Hiernach wird also der Abschnitt über jeden einzelnen Vogel je nach dem

Maßstabe unserer Kenntniß und der Fortschritte, welche seine Einbürgerung und Züchtung unter den Liebhabern bereits gemacht, länger oder kürzer gefaßt werden.

Der graue Aftrild heißt auch Grauaftrild, Grauvögelchen, graues Fa=fänchen, kleines Faſänchen, graues Rothſchnäbelchen oder blos Aftrild.

Astrilde ordinaire (Vekemans in Antwerpen); Astrilde gris, Bec de corail ordinaire, Astric (bei den franzöſiſchen Händlern; letztere Bezeichnung ist aber falſch); African Waxbill, Common Waxbill (bei Jamrach in London); auch The ashcoloured Aftrild (bei andern Londoner Händlern).

Nomenclatur: Fringilla cinerea *Vieillot*; Fringilla troglodytes *Lichtenstein*; Estrelda cinerea et rubriventris *Gray*; Astrilda cinerea *Reichenbach*; Habropyga cinerea *Cabanis, v. Heuglin* etc. (Die weitere Angabe der Literatur ist am Schluſſe dieſes Bandes nachzuleſen.)

Wiſſenſchaftliche Beſchreibung. Oberhalb, Oberkopf, Rücken und ganzer Mantel bräunlichgrau, ungemein fein, nur bei ſcharfem Blick bemerkbar und zuweilen gar nicht, dunkler gewellt; Kopfſeiten, Kehle und Oberhals hell bräunlichgrau, röſenroth überhaucht, die ganze übrige Unterſeite blaß braungrau, von der Bruſt bis nach dem hintern Unterleibe zunehmend roſa überlaufen, beim Männchen in der Niſtzeit lebhaft roſenroth; Flügelſchwingen bräunlich= ſchwarz, mit helleren Außenſäumen; obere Schwanzdecken ſchwarz, die beiden äußerſten Schwanz=federn mit weißer Außenfahne, untere Schwanzdecken weiß; Schwanz gerundet. Durch das Auge an beiden Seiten bis über die Mitte des Kopfes hinaus ein rother Brauenſtreif; Auge gelbbraun, Schnabel glänzend hochroth, Füße braun. Weibchen wie S. 41 angegeben. Jugendkleid S. 40.

Aegintha cinerea. Supra dilute griseo-rufescens, subtus pallidior, magis rubens, minutissime (interdum vix conspicue) fusco fasciolata et vermiculata; stria oculari coccinea; cauda cuneata nigra; abdomine medio roseo tincto; subcau-dalibus albis; remigibus pallide brunneis; pogonio rectricum lateralium externo albo; rostro rubro.

Länge c. 9 cm. (3 Zoll 6 Linien), Flügel c. 4,4 cm. (1 Z. 8 L.), der gerundete Schwanz c. 3,9 cm. (1 Z. 6 L.).

Juvenis vertice dorsoque murinis; pectore ventreque dilutius subfusco cinereis; crisso testaceo; cauda subfusco nigra; rostro nigro, nitente; pedibus nigrescente fuscis; iride obscure fusca; *stria oculari et afflatu corporis inferioris rosaceo picturaque plumarum undulata prorsus nullis.*

Beſchreibung des Eies: Farbe reinweiß, glänzend, Geſtalt eiförmig mit deutlicher Spitze. Länge 15,5 mm., Breite 12 mm.

Ovum pure album, nitens; ovatum apice distincto.

## Der gewellte Aftrild [Aegintha astrild].
### Tafel I. Vogel 2.

Heiß brennt die Mittagsſonne durch das Fenſter in die Vogelſtube. Unter den ſonſt ſo beweglichen gefiederten Bewohnern iſt faſt regungsloſe Stille ein=getreten. Viele von den Vögeln haben ſchattige Plätze zur Ruhe aufgeſucht, die meiſten liegen aber auf dem Fußboden im Sande oder vor den Fenſtern ausge=ſtreckt, mit geſpreizten Flügeln und geſträubten Federn, um ihr Gefieder von den Sonnenſtrahlen ſo recht durchwärmen zu laſſen.

Plötzlich schallt ein lautklingender Ruf, der, mehrmals wiederholt und durch gleichsam vibrirende Töne verbunden, als ein eigenthümlicher, fast metallisch schrill lautender und doch nicht unmelodischer Sang ertönt, etwa wie dabädsih, dabädsih! Das Vögelchen, welches aus der Ruhe sich erhoben und ebenso sein Weibchen aufgescheucht hat, umhüpft oder umtanzt dies letztere in komischen Bewegungen.

Es ist der gewellte Astrild, von den Händlern Helenafasänchen genannt. Sein ganzes Gefieder erscheint dunkelgrau, unterhalb heller, an Backen und Kehle am hellsten weißlichgrau, und durchgängig sehr fein und zierlich dunkelbraun gewellt; Brust und Bauch sind schön dunkel rosenroth überlaufen; der Unterschwanz und hintere Theil des Unterleibes sind sammtschwarz; der Oberschwanz ist hellbraun und ebenfalls fein gewellt. Durch das Auge zieht sich ein blutrother Streif, vom glänzend korallenrothen Schnabel bis zum Ohr. Seine Größe ist etwas beträchtlicher, als die des nächstverwandten grauen Astrild. Das Weibchen ist unschwer zu erkennen; Größe bemerkbar geringer, Unterkörper weniger lebhaft roth, hinterer Unterleib nicht schwarz, sondern fahl gelblichgrau, die Wellenzeichnung überall matter.

Für den aufmerksamen Blick ist der gewellte Astrild an den stärkeren Wellenlinien, dem dunkleren Roth, dem längeren stufigen, oberhalb hellbraunen Schwanze und der bedeutenderen Größe von dem grauen Astrild von vornherein zu unterscheiden; auch erscheint er etwas ruhiger und minder hurtig.

Dies Vögelchen ist nicht allein überaus zart und reizend gefiedert, sondern auch in seinem Wesen unendlich lieblich. Immer beweglich, glatt, schmuck und reinlich in den Federn, niemals dummscheu, sondern, wenn auch sehr ängstlich doch zutraulich und bald sehr zahm, erwirbt es sich die Zuneigung der Vogelliebhaber und besonders die der Frauen im vollsten Maße. Fasänchen nennt man es, weil es bei dem Liebesgesang und Tanz einen fasanenartigen Anstand, wie Vieillot sagt, zur Schau trägt.

Auch der gewellte Astrild wurde von Edwards beschrieben und zuerst gut abgebildet, doch nahm dieser Schriftsteller fälschlich an, der Vogel sei aus Ostindien nach Lissabon gekommen, von wo man ihn in London erhalten hätte. In Lissabon soll, nach Seligman's Angaben, der Ritter Georg Shelroke zuerst im Besitz dieser kleinen Vögel von verschiedenen verwandten Arten gewesen sein. Die Einführung der sogenannten Senegalisten oder kleinen afrikanischen Prachtfinken nach Europa als Zier- und Schmuckvögel in immer zunehmender Anzahl dürfte also gegen die zweite Hälfte des vorigen Jahrhunderts hin begonnen haben. Brisson und Buffon hatten den gewellten Astrild zwar schon früher als Edwards, aber mit fehlerhaftem Schwanze und daher jedenfalls nicht nach eigener Anschauung bildlich dargestellt; Beide berichten auch mancherlei Irrthümer, doch geben fie bereits richtig Afrika als seine Heimat an, während wiederum Bechstein fälschlich auch die Kanarischen Inseln als dieselbe nennt.

Vieillot ist des Lobes voll über die Anmuth und Liebenswürdigkeit dieses Vogels, doch sind seine Angaben im übrigen nur gering. Er sagt schon, daß der Senegali rayé bei sorgsamer Pflege und namentlich nicht mangelnder Wärme ein Alter von neun bis zehn Jahren erreiche. Dies haben spätere Erfahrungen allerdings bestätigt und mehrfach gezeigt, daß die meisten kleinen Prachtfinken ein Jahrzehnt und darüber ganz vortrefflich in der Gefangenschaft ausdauern können.

Ueber das Freileben des gewellten Aftrild ist ebenfalls erst wenig bekannt. Die Forscher und Reisenden (Guarney, Ayres, Layard, Zelebor u. A., besonders aber Th. von Heuglin) haben im ganzen Folgendes berichtet. Im Natallande ist er die gemeinste Finkenart, welche im Winter in unermeßlichen Zügen erscheint. Er besucht auch hier gern kultivirten Boden und ernährt sich von den Sämereien der Unkräuter. Auch soll er geflügelte Ameisen im Fluge fangen. Heuglin beobachtete ihn während der trockenen Jahreszeit von October bis Mai in denselben Gegenden als den grauen Aftrild, wo er ebenfalls beständig zu wandern schien. Kleinere oder größere Scharen trieben sich zuweilen gemeinsam mit Gattungsverwandten im Hochgras der Steppen und Sümpfe, in Hecken, Baumwollfeldern und im Gebüsch längst der Gewässer umher, jedoch nicht in wasserlosen Gegenden. In Habesch waren solche Flüge noch in einer Höhe von mehr als 2—2500 Meter über dem Meere zu finden. Alle jene Gebiete dürfte aber auch diese Art nicht als Niftvogel bewohnen. Die einzelnen Gesellschaften halten eng zusammen und schwärmen zirpend von Busch zu Busch und von einem Grasschopf zum andern; oft läßt sich ein ganzer Flug auf einem Grashalm nieder, auch sieht man sie unter dem Gesträpp auf der Erde nach ausgefallenen Sämereien emsig umhersuchen. Sie sind sehr lebhaft, unruhig und zuweilen recht mißtrauisch, oft aber auch, namentlich in der Nähe von Gehöften, wieder so wenig scheu, daß man sich ihnen bis auf wenige Schritte nähern kann. Im Kaplande, wo diese Vögelchen nicht selten in großen Scharen in das Getreide einfallen und erheblichen Schaden anrichten sollen, werden sie von den Landbauern mit Sämereien, die durch Arsen oder Strychnin vergiftet sind, in großer Anzahl vertilgt.

Noch weniger ist über das Niften des gewellten Aftrilds in der Heimat berichtet worden; man weiß nur, daß er nahe am Erdboden zwischen hohen und dichten Gräsern ein länglichrundes, überwölbtes Nest mit seitlichem Einflugloch aus zarten Halmen, Gräsern, Fasern und dergleichen formt.

Bis jetzt ist die Verbreitung dieser Art noch nicht sicher ermittelt, doch dürfte sich dieselbe besonders über die Wendekreisländer Afrikas und darüber hinaus, so ziemlich über den ganzen Süden, Osten und Westen dieses Erdtheils

erstrecken. Außerdem ist er eingeführt, größtentheils wol ebenso durch Zufall, als
der graue Astrild, auf Madagaskar, Bourbon, Maurizius und den Maskarenen
überhaupt, sowie auf St. Helena, und auf diesen Inseln, namentlich aber der
letzteren, hat sich das Vögelchen so günstig vermehrt, daß es dort bereits in sehr
großer Anzahl gefangen und in den Handel gebracht wird. Von dieser Insel
hat es auch den Namen St. Helenafasänchen erhalten.

Als ich die Züchtungen fremdländischer Vögel begann, waren in Berlin die
Helenafasänchen zeitweise außerordentlich selten und dann so theuer, daß man
ein Pärchen wol mit dem doppelten Preise bezahlen mußte.*) Sie nisteten in
meiner Vogelstube zuerst im Spätsommer und wählten die obere Decke eines
Drahtbauers, welches von einem Paar jener kleinen Papageien, die man Unzer=
trennliche nennt, bewohnt war, und trugen in einer von Gesträuch begrenzten
Ecke Genist zusammen. Dies bestand zu meiner Verwunderung nicht, wie bei
den grauen Astrilds, aus feinen Fasern, Bast= und Heufäden, Pferdehaaren u. dgl.,
sondern aus gröberen Stoffen, wie trocken gewordener Vogelmiere, dicken Heu=
halmen und Läppchen, und hieraus häuften sie einen sehr hohen Thurm zusammen.
Dieses Nest wurde von den Papageien zerstört und die Fasänchen machten vor=
läufig keine weitere Anstalt zur Brut. Erst im nächsten Frühlinge, als ich
einige frische Gesträuche in die Vogelstube brachte, begannen sie wieder und zwar
in einem hochangebrachten großen Wermutbusch ein Nest zu bauen. Wiederum
trugen sie dasselbe Genist zusammen und errichteten einen Thurm von nahezu
zwei Handbreiten Höhe, welcher fast an die Zimmerdecke hinaufreichte. Hier
formten sie aus Baumwollfäden, langen Pferdehaaren, Federn und Watte eine
zierlich geglättete Nestmulde, welche sie aber nicht mehr mit einem Dache über=
wölbten. Dann hatten diese Vögel wiederum Unglück, denn sie wurden von einem
Paar Schmetterlingsfinken aus dem fertigen Nest vertrieben. Diese letzteren

---

*) Durch den bedeutenden Aufschwung, welchen der Vogelhandel in der letzteren Zeit ge=
wonnen, ist der Einkauf der Händler jetzt ungleich besser geregelt. Alljährlich im Spätsommer
entnehmen die Kleinhändler, besonders vom Direktor Vekemans in Antwerpen oder von
den Großhändlern in Bordeaux und anderen west= und südeuropäischen Hafenstädten, bedeutende
Vorräthe an ‚gefiederter Waare‘, d. h. vorzugsweise afrikanische Prachtfinken, aber auch Wellen=
sittiche, graue und grüne Kardinäle u. a. In der übrigen Zeit des Jahres werden sie durch
die deutschen Großhändler Hagenbeck oder Linz in Hamburg, Reiche in Alfeld, Gudera
in Leipzig und Hieronymi in Braunschweig versorgt, welche theils selber einführen, theils
von Chs. Jamrach in London, Vekemans oder Anderen entnehmen. Wenn trotzdem
einzelne der gewöhnlichsten Arten gegen das Frühjahr hin zu mangeln beginnen, so
werden solche nicht selten bereits durch bedeutende Züchtungen in deutschen Vogelstuben ersetzt
und die Händler mit ihnen aus denselben zuweilen reichlich versehen. Diesen ganzen Verkehr
vermittelt zum größten Theile die „Gefiederte Welt“ und in den Abschnitten über Vogelzucht
und Vogelhandel sind auch hier nähere Mittheilungen über denselben zu finden.

richteten sich sodann in demselben häuslich ein und erbrüteten und erzogen aus einem bereits von dem Fasänchen gelegten Ei glücklich ein Junges.

Die Helenafasänchen nisteten dann an einer andern Stelle weiter und ich fand reichlich die Gelegenheit, ihre Bruten kennen zu lernen. Auch sind sie bereits mehrfach in anderen Vogelstuben gezüchtet worden.

Der Nestbau wird ebenfalls in der Weise ausgeführt, daß das Männchen die äußere Gestalt des Nestes formt, dann nur das Genist herbeiträgt, während das Weibchen den innern Ausbau herstellt. Ebenso brüten beide Gatten des Pärchens abwechselnd und oft stundenlang gemeinschaftlich, in der Regel aber so, daß das Weibchen von dem Männchen immer nach etwa zwei Stunden auf eine halbe bis höchstens eine ganze Stunde abgelöst wird. Ueber Nacht brütet das Weibchen allein, während das Männchen dicht vor oder im Eingange des Nestes, bei kühlem Wetter auch in demselben sitzt. Das Nest gleicht gewöhnlich dem des grauen Aftrild, doch ist es größer, weniger kunstvoll, hat niemals eine Flugröhre und auch kein sehr enges oder zierlich gerundetes Schlupfloch. Das Gelege aus 3 bis 5 Eiern wird in 11 Tagen erbrütet und die Fütterung der Jungen besteht anfangs in weicher Fleischnahrung, sowie aus feinen, späterhin größeren gequellten Sämereien nebst Grünkraut.

Der Nestflaum der Jungen ist bläulich und die kleinen Drüsen an den Schnabelseiten sind blauweiß. Im Jugendkleide erscheint das Gefieder an Oberkopf und Rücken aschgrau, Flügelschwingen und Oberschwanz dunkel schwärzlichgrau, Kehle weißlichgrau, Brust und Bauch hell aschgrau, bereits sehr schwach rosenroth überhaucht, und das ganze Gefieder zart gewellt, bis auf den fahlbraunen hintern Unterleib und dunkelbraunen Unterschwanz. Der rothe Streif um das Auge und den Schnabel ist lebhaft, jedoch sehr zart angedeutet. Auge schwarzbraun, Schnabel glänzend schwarz, die starken Füße bräunlichschwarz. Bei der Verfärbung tritt das Roth an Unterbrust und Bauch immer kräftiger hervor, während ebenso die dunkeln Wellenlinien deutlicher werden und dadurch das Gefieder weniger aschgrau und immer mehr dunkelbraun erscheint. Etwa in der fünften Woche beginnt der Schnabel lichter zu werden und geht dann durch immer hellere Schattirungen zum schönen Korallenroth über. In allem übrigen stimmt die Brutentwickelung mit der des grauen Aftrild überein.

Die Anmuth und Lieblichkeit des Helenafasänchens entfaltet sich namentlich, wenn man ein Pärchen frei in einer Vogelstube fliegen lassen kann. Dann gehören sie nicht allein zu den schönsten, sondern auch zu den liebenswürdigsten und friedfertigsten aller dieser kleinen Vögel. Ebenso verträglich und harmlos sind sie im Gesellschaftskäfige, wie im kleinen Bauer paarweise, auch im gleichen Geschlecht oder mit einem andern, nahverwandten Prachtfink zusammen. Dennoch darf man nicht zwei oder mehrere Pärchen in einem Raume nisten lassen;

die Männchen befehden sich zur Brutzeit gewöhnlich so heftig, daß keines der
Pärchen zur erfolgreichen Aufzucht der Jungen gelangt. Auch hat man diesem
Vögelchen etwas recht Böses nachgesagt. Herr Hauptmann von Schlegell in
Altona beobachtete nämlich, daß die Helenafasänchen zuweilen ganz kleine, manchmal noch lebende Junge umhertrugen, und Herr Graf Yorck von Wartenburg
bestätigte dies. Allein es ist nicht festgestellt worden, ob das Pärchen diese
Jungen aus fremden Nestern gestohlen oder ob es die eigenen Jungen, wie dies
auch andere Vögel leider nicht selten thun, aus dem Nest geworfen und fortge-
tragen. Da dieser Prachtfink nach entsprechender Fleischnahrung, vornehmlich
Mehlwürmern, sehr lüstern ist, so liegt die Vermuthung nahe, daß ein Pärchen,
welchem dies nothwendige Futter vielleicht fehlt, die eigenen oder fremde Jungen
tödtet, um seine Gier zu befriedigen. Immerhin würde dies dann aber nur die
absonderliche Untugend einzelner Vögel sein.

An einem Pärchen dieser Vögel, welche mich in meinem Arbeitszimmer aus der
Vogelstube nebenan häufig besuchten, machte ich die Beobachtung, daß sie sehr gern und
reichlich Stearin von einer Kerze naschten, und auch hieraus erhellt, wie nothwendig
für sie, und natürlich alle Prachtfinken überhaupt Fett, am besten ein gewöhnliches
Talglicht zur naturgemäßen Ernährung ist. Ebenso bemerkte Freiherr von
Beust in Karlsruhe, daß die Helenafasänchen besonders mit frischen halbreifen
Gräsersamen ihre Jungen glücklich durchfütterten.

In der weiteren Verpflegung, sowie in allen anderen, nicht besonders erwähnten
Eigenthümlichkeiten stimmt der gewellte Astrild mit seinem nächsten Verwandten,
dem grauen Astrild, überein. Doch wolle man darauf achten, daß das Helenafasänchen im Käfige nur selten zur erfolgreichen Brut gelangt, wenn derselbe
nicht sehr groß und das Pärchen vor Beunruhigungen und Störungen geschützt
ist. Als beste Nistvorrichtung giebt man ein umgekehrtes Harzerbauer, aus
welchem man die obere und die eine schmale Seite fortgebrochen, so daß es oben
und vorn offen ist.

Auch von diesem Prachtfink hat man bereits mehrfach Bastardbruten mit
verwandten Arten erzielt. Herr Dr. Rey in Halle erzog vom gewellten und
grauen Astrild Junge, Herr Baron von Freyberg vom gewellten und gelb-
bäckigen Astrild. Noch ungleich interessanter ist aber die Bastardbrut von
einem männlichen Helenafasänchen und einem weiblichen Schmetterlingsfink, welche
in der Vogelstube des Herrn Fabrikant Werner in Aarhuus in Dänemark
flügge geworden. Diese Vögelchen waren im Jugendkleide oberhalb, an Kopf,
Rücken und Flügeln dunkel schwarzgrau, Schwanz blauschwarz; unterhalb etwas
heller, nur dunkelgrau mit röthlichem Anflug, besonders an dem noch lichteren
Bauch; Schnabel dunkel blaugrau, mit himmelblauen Wärzchen der Wachshaut.
Nach der Verfärbung erschienen die Männchen in folgendem wunderlichen Ge-

fieber: oberhalb die Farbe des Helenafaſänchens, doch eine Schattirung dunkler und faſt ohne Wellenzeichnung; dieſelbe tritt nur verwaſchen und unregelmäßig auf. Unterhalb, an Unterbruſt, Bauch und Unterſchwanz iſt der Vogel dunkel blaugrau, nach den Seiten zu röthlich und an der Bruſt geht das Blau in Blauroth über. Von dem glänzend korallenrothen Schnäbelchen zieht ſich, wie beim Helenafaſänchen, ein breiter ſchön rother Streif ums Auge, der aber in einen etwas heller rothen, breiten Backenfleck ſich erweitert. Die Weibchen ſind einfarbig, fahlröthlichgrau mit ſehr feinen dunklen Wellenlinien und unterhalb mit bläulichem Anflug. Noch ungleich intereſſanter erſcheint aber die Baſtard= zucht zwiſchen Helena= und Silberfaſänchen, welche dem Herrn Drenckmann in Wernigerode geglückt iſt. Auf die aus derſelben hervorgegangenen Vögelchen werde ich in der Schilderung des Silberfaſänchens zurückkommen.

Der gewellte Aſtrild heißt auch blos Aſtrild oder Faſänchen, großer Aſtrild, großes Faſänchen, rothbäuchiger Aſtrild, Rothbauch=Aſtrild, Helenafaſänchen, Helenavogel, Helenavögelchen, Korallenſchnäbelchen.

Astrild de St. Hélène (Vekemans); Astrild, Astrild undulée, Astrild du Sénégal, St. Hélène. Bec de cire, Bec de coraille undulée (bei den franzöſiſchen Händlern); St. Helena-Waxbill (Jamrach), auch The undulée (bei den übrigen Londoner Händlern); St. Helena-fazantje (niederländiſch); Red-bellied Waxbill (List of the animals in the Gardens of the Zoological Society of London).*)

Nomenclatur: Loxia astrild, *Linné*; Linaria cinerea orientalis, *Seligmann*; Se- negalus striatus, *Brisson*; Fringilla astrild et rubriventris, *Vieillot*; Estrelda astrild et rubriventris, *Gray*; Habropyga astrild, *Cabanis, Heuglin, Finsch et Hartlaub*: Astrilda undulata, *Reichenbach*.

Wiſſenſchaftliche Beſchreibung. Oberhalb, ganze Oberſeite, obere Schwanzdecken und Schwanzfedern hellbraun, mit feinen dunkleren Querlinien, welche auf dem Oberkopfe, Hinterkopfe und an den Halsſeiten am zarteſten und wenigſten ſichtbar, auf den Schwanzfedern ſtärker, aber an der Außenfahne verwaſchen ſind; Schwingen dunkelbraun, mit ſehr ſchmalen helleren Säumen an der Außenfahne; Zügelſtreif hoch ſcharlachroth, das Auge ober= und unter= halb umſäumend; Kopfſeiten, Kinn und Oberkehle bräunlichweiß; im übrigen unterhalb hell= braun mit dunklen feinen Querlinien wie auf der Oberſeite und blaß roſenroth überlaufen; Kehle und Kopf deutlicher roſenroth, in der Mitte der Unterbruſt und des Bauches mehr oder weniger lebhaft ſcharlachroth; untere Schwanzdecken ſchwarz; untere Flügeldecken blaß rothgelb= lich=iſabellfarben; Schwanz ſtufenförmig, ſtark geſteigert; Auge gelbbraun, Schnabel korallen= roth, Füße dunkelbraun. Weibchen wie S. 43 angegeben. Jugendkleid S. 46.

Aegintha undulata. Supra pallide brunnea; tenuissime fusco fasciolata, subtus pallidior, similiter signata; crisso et subcaudalibus nigris; alis caudaque fuscis; rostro, striola per oculum mediisque pectoris et epigastrii coccineis; pedibus nigris; notaeo et gastraeo totis certa sub luce roseo lavatis.

---

*) Hier iſt noch nachzutragen, daß der graue Aſtrild in der Liſte des Londoner zoologiſchen Gartens Common Waxbill und in den Verzeichniſſen der niederländiſchen zoologiſchen Gärten Grauwe St. Helena-fazantje benannt iſt.

Länge 10,5 ᶜᵐ· (4 Zoll), Flügel 4,6 ᶜᵐ· (1 Z. 9 Linien), Schwanz 4,4 ᶜᵐ· (1 Z. 8 L.)

Juvenis: pileo dorsoque cinereis, remigibus et rectricibus nigro-cinereis; gula albido-cinerea, pectore abdomineque dilute cinereis, obsoletissime roseo-afflatis; plumis omnibus praeter crissum lurido-fuscum et subcaudales obscure fuscas, subtiliter undulatis; stria circa oculum rostrumque laete rubra, attamen tenuissima; iride nigro-fusca; rostro nitente, nigro; pedibus fortibus, subfusco-nigris.

Beschreibung des Eies: Länge 16 ᵐᵐ·, Breite 12 ᵐᵐ· Farbe weiß, glänzend; Gestalt lange Eiform.

Ovum album, nitens, longiusculum.

––––––

Reichenbach führt sodann noch einen schwarzschwänzigen Astrild (A. nigricauda, *Rchb.*) an, welcher jedoch von dem grauen Astrild in Wirklichkeit sich nicht unterscheidet. Ferner hat man einen rothbäuchigen Astrild (A. rubriventris, *Vieill.*) beschrieben, welchen bereits Vieillot besessen und gezüchtet. Dieser l'Astrild à ventre rouge ist jedoch nur ein recht schönes, am Unterkörper lebhafter und kräftiger rothes Männchen des gewellten Astrild im Hochzeitskleide. Ebenso zeigt die westliche Lokalrasse (A. occidentalis, *Jard.*) keine wesentliche Abweichung von dem letzteren. Dagegen giebt es noch einige nahverwandte Arten, welche hier aufzuführen sind, obwol sie bisher noch nicht lebend in den europäischen Vogelhandel gelangten. Dies kann über kurz oder lang jedoch geschehen und ist, angesichts der immer lebhafter sich entwickelnden Liebhaberei für die kleinen Prachtfinken, wol sicher zu erwarten.

Der **Zügelastrild** [Aegintha rhodopýga] ist dem gewellten und noch mehr dem grauen Astrild sehr ähnlich und nur an den rothen oberen Schwanzdecken, rothgerandeten großen Flügeldecken und Armschwingen, sowie den an der Wurzelhälfte rothen Steuerfedern zu erkennen. Auch fehlt ihm der rosenfarbene Anflug an der Unterseite und das Roth am hintern Unterleibe völlig. Heuglin sagt, daß er ein Pärchen bei Keren an der Nordgrenze von Abessinien im dichten Gebüsch eines Regenbettes erlegt habe und daß der Vogel in Nordostafrika sehr selten sei. Weitere Nachrichten fehlen und daher bedarf es nur dieser beiläufigen Erwähnung.

(Habropyga rhodopyga, *Sund., Gray, Finsch et Hartlaub;* Fringilla frenata et effrenata, *Licht.;* Habropyga frenata, *Cab., Heugl.;* Habropyga leucotis, *Heugl.;* L'Astrild bridé; The bridled Astrild).

Der **rothbärtige Astrild** [Aegintha rufibarba] ist dem grauen Astrild ähnlich, doch etwas größer. Färbung oberhalb satter graubräunlich, ohne röthlichen Anflug, überall mit Ausnahme des Scheitels fein, doch sehr bemerkbar quergestreift; Kehle, Wangen und Unterschwanz grau-, fast reinweiß; unterhalb heller, ganz ohne rosenrothen Anflug und rothen Bauchfleck; Schwanz bläulichschwarz, obere Schwanzdecken schwarz, zuweilen fein hochroth gespitzt. Heuglin meint, daß dies Vögelchen im Nilgebiet nicht vorkomme. Im Berliner Museum sind von

Ehrenberg und Hemprich im südarabischen und abessinischen Küstenlande
eingesammelte Exemplare vorhanden. Weiteres ist über den Vogel nicht bekannt.
Sobald uns Afrika mehr aufgeschlossen wird, dürfen wir auch die Einkehr solcher
seltenen Gäste in unsere Vogelstuben erwarten. Uebrigens kann ich nicht be=
greifen, weshalb man diesen Vogel eigentlich den rothbärtigen Astrild
benannt hat.

(Fringilla rufibarba et buccalis, *Ehrbg.*; Habropyga rufibarba; *Cab.*,
*Heugl.*; Estrilda rufibarba, *Gray.* L'Astrild à barbe rouge; The red-bearded
Astrild).

## Der orangebäckige Astrild [Aegintha melpóda].
### Tafel I. Vogel 4.

Es gehört jedenfalls ein aufmerksamer und zugleich liebevoller Blick dazu,
um die Gewohnheiten dieser Vogelwelt so zu erforschen, daß man selbst bei den
zahlreichen nahverwandten Arten an jeder einzelnen diejenigen Eigenthümlichkeiten
aufzufinden vermag, welche als charakteristische Unterscheidungsmerkmale in Hinsicht
der Lebensweise und des ganzen Wesens überhaupt gelten dürfen. Recht schwer
hält dies namentlich bei diesen allerliebsten kleinen Prachtfinken. Hier sieht selbst
der Kenner gewöhnlich keinen andern Unterschied, als die allerdings sehr auf=
fallende und mannigfaltig verschiedene Färbung des Gefieders. Dennoch muß
ich, da das oben genannte Ziel als eine der Hauptaufgaben aller Vogellieb=
haberei zu erachten ist, dahin streben, das Lebensbild eines jeden einzelnen Vogels
den Lesern in diesem Sinne vorzuführen.

Wenn gegen die Dämmerung hin die Bewohnerschaft der Vogelstube und
insbesondere die Prachtfinken noch eine ungemeine Rührigkeit entfalten, indem sie
entweder zuguterletzt den Futterplatz emsig bevölkern oder bereits um die bequemste
Ruhestätte sich zanken, so erscheint der orangebäckige Astrild, von den Händlern
Orangebäckchen genannt, als einer der lebhaftesten. Die ganze Gesellschaft
ist harmlos mit ihren verschiedenen Verrichtungen beschäftigt, da macht der
Beobachter eine unwillkürliche hastige Bewegung — und mit schrillem zit, zit!
jagt das männliche Orangebäckchen alle Genossen sofort in die Flucht. Es ist
nämlich der Warner unter diesen Vögeln. Förmlich mit Argusaugen scheint es
über die Sicherheit der ganzen Gemeinschaft zu wachen; wenn das Fenster einer
vorüberfahrenden Droschke einen plötzlichen Lichtschein an die Decke der Vogelstube
wirft, wenn ein Papierdrachen oder ein Taubenschwarm in die Luft sich erhebt,
namentlich aber bei jeder ungewöhnlichen Erscheinung in der Nähe, — als z. B.
eine Besucherin ihren Muff mitgebracht — immer schreckt der Warnungsruf des
Orangebäckchens diese ganze gefiederte Welt aus ihrer Gemüthlichkeit auf und
versetzt sie nicht selten in stundenlange Unruhe. Dennoch durfte ich den kleinen

4*

Störenfried nicht entfernen, da ich doch auch ihn züchten, seine Brut und Ent=
wickelung beobachten wollte.

Uebrigens muß ich nebenbei bemerken, daß fast immer irgend ein Mitglied
einer solchen Gesellschaft dies Wächteramt in mehr oder minder eifriger und
auffallender Weise übernimmt, wie dies ja auch bei den Herden und Scharen
freilebender Thiere vielfach beobachtet werden kann. Die in der Vogelstube ge=
haltenen und beisammen lebenden Vögel müssen sich also ebenfalls gleichsam als
eine gesellige Gemeinschaft betrachten. Nachdem ich das Orangebäckchen späterhin
nach glücklicher Züchtung und Erreichung meines Ziels entfernt hatte, um die
fortwährenden Störungen abzustellen, welche für alle übrigen Bruten natürlich
sehr schädlich sich zeigten — übernahm das Amt des Warners sogleich ein
Hartlaubszeisig, zu anderer Zeit wiederum ein weiblicher Schmetterlingsfink,
dann ein Männchen der grauköpfigen Zwergpapageien u. s. w.

Der orangebäckige Astrild ist einer der zierlichsten aller dieser kleinen Afri=
kaner. Sein Vorderkopf ist bläulichaschgrau, der Hinterkopf bräunlichgrau,
das ganze obere Gefieder ist dunkler aschgrau mit schwarzbraunem Schwanz und
glänzend fuchsrothem Bürzel. Dazu stehen die dunkel orangegelben Wangen nebst
rothem Augenbrauenstreif, die grauweißliche Kehle und die fleischrothen Füße dem
Vogel ungemein hübsch. Das Weibchen ist vom Männchen nur durch die viel
weniger lebhafte Farbe der Bäckchen, Augenbrauen und des Bürzels zu unter=
scheiden. In der Größe stimmt auch dieser Prachtfink mit dem grauen Astrild
überein, nur erscheint er schlanker.

Auch in seinen gewandten Bewegungen ist das Orangebäckchen jenem nahen
Verwandten durchaus ähnlich, nur lebhafter und unruhiger, immer munter und
regsam. Die angenehme Färbung mit den allerliebsten orangegelben Bäckchen,
die schlanke, zierliche Gestalt und die Liebenswürdigkeit des Benehmens lassen dies
Vögelchen wiederum zu den beliebtesten zählen. Dabei ist es durchaus nicht
weichlich, sondern gehört zu den kräftigsten und ausdauerndsten unter diesen
kleinen Prachtfinken. In einer Schmuckvolière und im Gesellschaftskäfige zeigt es
eben jene anmuthige Beweglichkeit, welche viele Freunde der Prachtfinken sehr
lieben. Sein zwitschernder Gesang ist von keiner Bedeutung, allein wenn das
Männchen, den Schwanz zierlich ausbreitend und taktmäßig hin und her bewegend,
den Kopf in die Höhe streckend, mit knixenden Bewegungen und unter lautem
Geschmetter seinen Liebestanz aufführt, so entfalten auch diese Vögelchen ein aller=
liebstes Bild. Aeußerste Aengstlichkeit, gepaart jedoch mit einer gewissen Keckheit
und vielwagenden Neugierde, dürften die bezeichnendsten Eigenthümlichkeiten dieses
Vogels sein. Dr. Luchs rühmt vorzugsweise seine Sauberkeit und das immer
glatte und volle Federkleid. In interessanter Weise schildert er die Neugierde
eines Pärchens. Jede fremde Erscheinung umhüpfen sie schwanzwippend und jeden

ungewöhnlichen, auffallenden Laut beantworten sie mit einem mehrmals schnell wiederholten Srisrisrisri!

Vieillot sagt über den Bengali aux-joués orangées sehr wenig; erhielt ihn für sehr weichlich und deshalb 22 bis 25 Grad Wärme bei seiner Züchtung für nothwendig. Reichenbach theilt auch beinahe nichts über ihn mit, als die unrichtige Behauptung, daß er einen zarten, lieblichen Gesang hören lasse. Ebenso haben die Afrikareisenden bis in die neuere Zeit hinauf über das Freileben dieses Vogels kaum erwähnenswerthe Angaben gemacht, und dies scheint um so mehr verwunderlich, da sie alle darin einig sind, daß dieser Aftrild zu den zahlreichsten Finken Afrikas gehört. Seine Verbreitung dürfte nahezu die des grauen Aftrild sein, sich jedoch vielmehr über den Westen Afrikas erstrecken. Beobachtet ist er am Senegal, Kap Lopez, in Angola u. s. w.; neuerdings fand ihn Dr. Reichenow häufig in den Ebenen an der Goldküste. Dieser Forscher meint, daß er nicht ins Gebirge hinaufgehe.

Wenn keine Störung eintritt oder überhaupt kein Gegenstand vorhanden ist, über den die Orangebäckchen in Entrüstung und Furcht gerathen können, so zeigen sie ebenfalls ein ungemein liebenswürdiges Benehmen. Ihre ausdrucksvollen Schwanzbewegungen erscheinen namentlich interessant bei der Wahl des Nistorts. Da wippen die Schwänze nicht hastig auf und ab, sondern von einer Seite zur andern in einem gewissen Bogen und diese Bewegungen drücken zweifellos die Gefühle der erwägenden und prüfenden Wahl aus. Die Oertlichkeit des Nestes muß immer dem hervorstechendsten Charakterzuge, eben der Aengstlichkeit, entsprechen; es steht entweder frei im sehr dichten Gebüsch oder ist in dem Korbnest eines hochhängenden, offenstehenden Käfigs angelegt. Hier wird nun in eifrigster Weise eingetragen und zwar schleppen beide, Männchen und Weibchen, mit gleichem Eifer eine ungeheure Masse von Baustoffen zusammen und formen daraus ein außerordentlich künstliches, kugelrundes Nest mit einem sehr engen, kreisrunden und zierlich geglätteten Schlupfloch, ohne angehängte Einflugröhre. Giebt es in der Vogelstube frische Spargelzweige, so baut das Orangebäckchen mit Vorliebe aus diesen, andererseits aber auch aus mancherlei anderen dünnen und biegsamen Stoffen, wie besonders gern aus Aloë- oder Agavefasern, welche den Webervögeln geboten werden.

Mit Bestimmtheit darf ich nicht behaupten, daß ich auch diesen Prachtfink zuerst in der Gefangenschaft gezüchtet; außer meiner Vogelstube ist er in denen der Herren Linden, Dr. Rey, Freiherr von Beust, Hendschel u. A. zum erfolgreichen Nisten geschritten, und in Uebereinstimmung mit den genannten Züchtern beschreibe ich dasselbe.

Die Brut besteht fast regelmäßig aus drei bis vier, jedoch auch bis zu sieben Eiern. Soweit gedeiht dieselbe übrigens sehr häufig, denn einerseits sind diese kleinen Prachtfinken, ihrem hurtigen Wesen entsprechend, außerordentlich flink mit der Errichtung des Nestes fertig und andererseits entwickeln sie ebenfalls eine staunenswerthe Fruchtbarkeit. Allein zum glücklichen Ausfliegen der Jungen kommt es doch nur höchst selten. Sobald irgend eine wirkliche oder vermeintliche Störung, nur ein unbestimmtes Geräusch wahrnehmbar wird, huschen sie vom Nest herunter und wol stundenlang scheltend und zirpend durch das Gebüsch, bevor sie es wagen, wieder hineinzuschlüpfen — um im nächsten Augenblick ebenso davon zu flüchten. Nach der übereinstimmenden Meinung aller erfahrenen Vogel= wirthe gehört dieser Vogel daher zu denen, welche am schwierigsten zu züchten sind; denn selbst als ich ein Pärchen gezähmt und ganz zutraulich gemacht hatte, vermochten sie es durchaus nicht, diese seltsame Aengstlichkeit zu überwinden, so daß auch aus ihrer Brut kein erfreuliches Ergebniß hervorging.

Beide Gatten des Pärchens brüten auch gemeinschaftlich, denn sie hängen so innig aneinander, daß sie sich kaum für Augenblicke trennen mögen. Die Brut= dauer und Entwickelung der Jungen ist der des grauen Astrild gleich. Der Nest= flaum der Jungen erscheint gelblichgrau mit reinweißen Schnabeldrüsen. Das Jugend= kleid ist oberhalb hell aschgrau, unterhalb noch heller grau, mit bräunlichem Grundton, Schwanz= und Flügelfedern dunkler, schwach röthlichgrau, Bürzel röthlichgelb, nur wie angehaucht, Bäckchen schwach hellgelb; Schnabel und Füße schwarz. Die Verfärbung beginnt schon in der dritten Woche, durch immer deutlicheres Hervor= treten der farbigen Abzeichen, und ist in der fünften Woche so weit vollendet, daß das Schnäbelchen durch immer hellere Schattirungen glänzend roth geworden.

In allem übrigen ist der orangebäckige dem grauen Astrild durchaus gleich, auch im Preise. Bei den Großhändlern, besonders in Antwerpen, stehen die Orangebäckchen fast regelmäßig etwas höher und gelten meistens 6—8 Frcs. Sie kommen jedoch nur selten entfedert in den Handel und sind fast immer zu haben.

Die Seite 41 erwähnten Mischlinge aus einer Brut vom männlichen Orange= bäckchen und weiblichen grauen Astrild hatten folgendes Jugendkleid: Kopf, Hals und ganze Oberseite fahl aschgrau, Brust und Bauch weißlichgrau, letzterer schwach rosa angehaucht. Rings um das Auge war eine zarte rosenrothe Färbung bemerkbar, welche den Bäckchen des alten Männchens entspricht. Schwanz schwarz, Bürzel zimmtbraun; Schnabel schwarz mit weißer Wachshaut. Nach der Ver= färbung glichen die jungen Vögel in Gestalt und Farbe vollständig dem grauen Astrild, nur zeigte sich unterhalb des etwas breiteren rothen Augenbrauenstreifs die Backenzeichnung des Orangebäckchens, aber nicht in gleicher Farbe, sondern schön rosenroth und auf dem Bürzel hatten sie das volle Fuchsroth des Orange= bäckchens, während der Unterleib kräftig rosenroth überhaucht war. Die gleichen Mischlinge haben außer Herrn Hendschel auch noch andere Vogelliebhaber, be= sonders Herr Freiherr von Beust auf Wertheim, gezogen.

Der orangebäckige Aftrild heißt auch Orangebäckchen, Orangewange, orangebäckiges Fasänchen, Gelbbäckchen und gelbwangiger Aftrild.

Joué orangé (bei Vekemans und den französischen Händlern); Orange-cheeked Waxbill (bei Jamrach und in der Liste des Londoner zool. Gartens); Bengueli au Melpoda à joués orangées (Parifer Händler); Orangé cheeked Melpoda (Londoner Händler); Oranje-backed Astrild (niederländisch).

Nomenclatur: Fringilla melpoda, *Vieillot;* Fringilla lippa, *Lichtenstein;* Habro-pyga melpoda, *Hartlaub, Cabanis etc.;* Estrilda melpoda, *Gray;* Melpoda lippa, *Reichenbach.*

Wissenschaftliche Beschreibung. Oberhalb, Rücken und Flügel röthlichhellbraun, Ober= und Hinterkopf bläulichaschgrau; Augenbrauenstreif, ober=, und unterhalb des Auges gelblichroth; Wangen lebhaft orangeroth; Kehle grauweiß; unterhalb zart bräunlichaschgrau, nach hinten zu und an den Schenkeln dunkler, an der Brust und Bauchmitte heller aschgrau; hinterer Unterleib zart orangegelb; Schwanz dunkelbraun mit fuchsrothem Bürzel. Schnabel glänzend roth; Auge goldbraun, Füße bräunlichgrau. Weibchen wie Seite 52 angegeben; doch namentlich durch das Fehlen oder die viel schwächere Färbung des gelben Bauchflecks zu erkennen. Jugendkleid Seite 54.

Aegintha melpoda. Supra dilute brunnea, pileo dilute cinereo; cauda plumbea, tectricibus caudae superioribus coccineis; macula ante-oculari striolaque supraciliari laete miniato-aurantiacis, genis magis aurantiacis; subtus canescens, gula et pectore albidioribus, abdomine magis brunnescente; rostro rubro.

Länge 10 cm. (3 Z. 6 L.), Flügel 4,8 cm. (1 Z. 8 L), der gerade abgeschnittene Schwanz 4,2 cm. (1 Z. 6 L.).

Juvenis supra dilute cinerea, subtus fuscescente cana; remigibus et rectricibus obscurioribus, rufescente cinereis; uropygio obsolete vitellino; genis flavo-afflatis; rostro pedibusque nigris.

Beschreibung des Eies: Farbe reinweiß, matt; Gestalt länglich mit deutlicher Spitze. Länge 16 mm., Breite 12 mm. Ovum pure album; opacum, sublongum, apice distincto.

---

**Der Sumpfaftrild** [Aegintha paludicola]. Heuglin erwähnt, als dem orangebäckigen Aftrild sehr nahestehend, diesen Vogel, von dem es ihm jedoch nur gelungen ist, einige Weibchen zu erlegen. Da er eine vorzügliche Abbildung gegeben, nach welcher dieser Aftrild mit keinem andern übereinstimmend erscheint, so will ich ihn hier wenigstens mitzählen, voraussetzend, daß demnächst Weiteres über ihn bekannt, bezüglich daß er auch lebend bei uns eingeführt werde. Der Reisende sagt über ihn Folgendes. Dieser Vogel steht dem orangebäckigen Aftrild am nächsten, ist aber abweichend gefärbt von allen hierher gehörenden Verwandten. Sein Mantel ist ziemlich lebhaft hirschbraun, ohne Beimischung von Grau und die Querstreifung ist noch feiner, als beim grauen Aftrild. Ich konnte nur wenige Weibchen dieser zweifellos neuen Art einsammeln und zwar in den Monaten Februar, März und April. Sie hielten sich im Hochgras der Sümpfe längs des Gazellenflusses auf der Insel Req, in Bongo und Dembo auf. Es sind recht muntere, geschwätzige Vögelchen, die sehr geschickt im Schilf und auf Gras=

stengeln umherklettern, sich wiegen und wenn sie aufgescheucht werden, niedrig, rasch und lärmend abstreichen, um auf dem nächsten Grasbusch wieder einzufallen. Die Locktöne bestehen in ziemlich leisem Zirpen und Schwätzen.

Da der Naturforscher keine Männchen davon erlegt hat, so verlohnt es sich nicht, eine nähere Beschreibung zu geben. Sollte das Vögelchen vor dem Schluß dieses Bandes noch auf den Vogelmarkt gelangen, so werde ich eine solche im Anhange bringen.

Nomenclatur: Habropyga paludicola, *Heuglin;* Estrelda paludicola, *Hgl.*
*Cab. Journ. 1868 pag. 9 tab I fig 2. ♀*

**Der grüne Aſtrild** [Aegintha viridis]. Reichenbach giebt auch eine Ab= bildung von dem Bengali vert Vieillot's, welchen der Letztere in zwei lebenden Exemplaren bei M. Becoeur gefunden hatte. Dies Vögelchen soll in der Mitte eines niedrigen Busches aus feinen Kräutern, Haaren und Federn sein Nest er= bauen. Da aber Hartlaub bei gelegentlicher Erwähnung hinzusetzt, daß es eine, von ihm nie gesehene, erst weiterer Bestätigung bedürfende Art sei, und da alle übrigen Afrikareisenden den Vogel gar nicht mitzählen, so darf ich wol die Annahme aussprechen, daß hier eine Verwechslung vorliege — und zwar glaube ich, daß zu derselben der kürzlich von Hagenbeck eingeführte sogenannte grüne Bengalist oder richtiger gelbgrüner Aſtrild [A. formosa] geheißen, die Veranlassung gegeben. Die Schilderung desselben erfolgt weiterhin.

Nomenclatur: Fringilla viridis, *Vieillot;* Estrelda viridis, *Hartlaub, Gray;* Astrilda viridis, *Reichenbach.*

## Der ſchwarzköpfige Aſtrild [Aegintha atricapilla].

In einer Sendung afrikanischer Vögel von Ch. Jamrach in London er= hielt ich einen kleinen, düster gefärbten Prachtfink mit schwarzer Kopfplatte und bräunlich scharlachrothem Unterleibe. Es ist der von Verreaux zuerst be= schriebene, in Westafrika, namentlich Gabon heimische Schwarzkopf=Aſtrild, welcher bis jetzt lebend noch nicht nach Europa gebracht sein dürfte. Denn meine Anfragen haben ergeben, daß man ihn weder in den größten zoologischen Gärten jemals erhalten, noch daß die Großhändler ihn bisher gesehen hatten. Das un= scheinbare Vögelchen fällt nur besonders durch den schön rothen Bürzel ins Auge. Es steht dem grauen Aſtrild augenscheinlich sehr nahe, denn es zeigt durchaus die Lebensweise desselben, auch paarte sich das einzeln in meiner Vogelstube vor= handene Männchen sogleich mit einem Grauaſtrild=Weibchen.

Der schwarzköpfige Aſtrild ist oberhalb dunkelgrau, überall fein schwarz quer= gestreift, auf den Flügeln am stärksten, doch sind die großen Schwingen ungestreift schwarzbraun und der Oberschwanz reinschwarz; Kopfplatte reinschwarz; Bürzel und obere Schwanzdecken dunkelroth. Unterhalb, Gesicht, Backen, Kehle und Ober= brust hellgrau, Unterbrust dunkler aschgrau, Bauch, Unterleib und Unterschwanz schwarzgrau; Bauchseiten und Schenkel düster scharlachroth. Auge goldbraun; Schnabel schwarz mit gelber Wurzel des Unterschnabels; Füße dunkelbraun; Größe des gewellten Astrild.

Ueber die Lebensweise des Vogels in der Heimat ist fast gar nichts bekannt. Verreaux beschreibt ihn nur ganz kurz und auch die übrigen Forscher fügen nichts Weiteres hinzu. Auf den ersten Blick macht das Vögelchen den Eindruck, als sei es ein im engen, düstern Käfig schwarz geworbener Grauastrild und daher mag es wol zuweilen bei den Großhändlern vorhanden sein, aber übersehen werden.

Nomenclatur: Estrelda atricapilla, *Verreaux, Hartlaub, Gray*.
Wissenschaftliche Beschreibung (siehe oben).

Aegintha atricapilla. Cinerea, supra minutissime undulatim fasciolata; subtus tota cinerea; crisso nigricante; pileo, cauda, rostro pedibusque nigris; tergo, uropygio, supracaudalibus et hypochondriis dilute coccineis.

Länge 9 cm. (3½ Z.); Flügel 4,6 cm. (1 Z. 10,5 L.); Schwanz 3,3 cm. (1 Z. 8 L.).

## Der schwarzbäckige Astrild [Aegintha Dufresnei].
### Tafel III. Vogel 15.

Im Jahre 1869 erhielt Hagenbeck in Hamburg in einem Käfige mit seltenen australischen Vögeln zusammen zum erstenmale diesen kleinen Afrikaner, ein zierliches Vögelchen von der Größe des grauen Astrild. In meinem „Handbuch" habe ich ihn nach Reichenbach als Scharlachbürzel aufgeführt; richtiger ist jedoch die obige Benennung, weil es unter den Prachtfinken mehrere giebt, welche einen rothen Bürzel und Oberschwanz haben, so daß also leicht Irrthümer eintreten könnten.

Der schwarzbäckige Astrild fällt durch sein schwärzes Gesicht, mit weißlicher Kehle und gleichem Oberhals, bei angenehm grüngrauem Gefieder und glänzend scharlachrothem Bürzel, nebst schwarzem Ober= und rothem Unterschnabel, als eine liebliche Erscheinung ins Auge. In seinen anmuthigen Bewegungen ist er den nächsten Verwandten, Grauastrild und Orangebäckchen sehr ähnlich, doch etwas ruhiger.

Dies Vögelchen gehört zweifellos zu den seltensten Erscheinungen auf dem Vogelmarkt. Unter den Preisverzeichnissen der größten Handlungen führt ihn nur das von Ch. Jamrach in London auf, und meine Bemühungen, ihn noch einmal zu erlangen, waren bis zum Frühjahre 1874 durchaus vergeblich. Dann erst empfing ich wiederum von Hagenbeck zwei Männchen.

Die Literatur theilt über diesen Vogel äußerst wenig mit, obwol er in allen Museen vorhanden und wahrscheinlich in seiner Heimat gar nicht so sehr selten ist. Vieillot hat ihn in seinem großen Bilderwerk noch nicht aufgenommen, dagegen in dem systematischen Werke beschrieben.

Die Heimat des schwarzbäckigen Astrild erstreckt sich über Süd= und West=afrika. Die Reisenden haben ihn in Trupps von 8—10 Köpfen in Grasdickichten gefunden, deren Sämereien seine Nahrung bilden. Das Nest soll dem des Grau=astrild ähnlich sein und etwa bis zur zweifachen Manneshöhe stehen. Weiteres ist über die Lebensweise nicht bekannt.

Heuglin beschreibt ein hierher gehörendes Vögelchen [A. Ernesti], welches er für eine vom schwarzbäckigen Astrild verschiedene Art hält, während Finsch beide als übereinstimmend erklärt. Für die Liebhaberei fallen sie jedoch ganz entschieden zusammen und daher sei die Schilderung des ersteren Reisenden hier angeführt.

Ein äußerst liebliches, munteres Vögelchen, das wir paar= und gesellschafts=weise in den Bogos=Ländern, Tigrie, Semien, bei Gondar und im Wololande etwa zwischen 1,33—3,33 Tausend Meter Meereshöhe sahen. Es lebt vorzüglich an sonnigen Gehängen, in deren Nähe Gewässer sind, auf Felsen, Büschen und im Hochgras, und scheint Standvogel zu sein, der von uns in den Monaten August bis April beobachtet wurde. Im September fanden wir Junge und im Januar noch ein Nest mit sechs reinweißen Eiern in einer Felsritze. Es war nicht eben kunstreich, ähnlich dem des kleinen Karminastrild, angelegt. Die jungen Vögelchen gleichen den alten, sind aber viel blasser, an der Unterseite mehr isabellfahl gefärbt. Dieser Vogel ist scheu und flüchtig und daher nicht leicht zu erlegen. Sein Gesang (?), obwol nicht laut, ist recht lieblich und abwechselnd, der Lockton ein leises Zirpen. Der Magen enthielt Grassämereien.

Die ersten schwarzbäckigen Astrilde, von denen ich zwei richtige Pärchen er=hielt, trugen sämmtlich den Todeskeim in sich und starben in wenigen Tagen, wie dies bei soeben angekommenen Vögeln ja leider nur zu häufig geschieht. Es ist wenig Hoffnung vorhanden, daß dieser kleine Prachtfink jemals in größerer An=zahl eingeführt werden könnte; er wird immer eine Seltenheit des Vogel=markts bleiben.

Der schwarzbäckige Astrild wird auch Schwarzbäckchen, Dufresne's Scharlachbürzel oder blos Scharlachbürzelchen genannt.

In Ch. Jamrach's Preisliste steht er als Dufresni's Waxbill; in der Liste d. zool. Gart. v. London Dufresne's Waxbill; Schwart-baccen Astrild (niederländisch).

Nomenclatur: Fringilla Dufresnei, *Vieillot*; Fringilla neisna, *Lichtenstein*; Estrilda melanogenys, *Sundeval*; Estrelda Dufresnei, *Hartlaub*; Coccopygia Dufresni, *Reichenbach*. — Red-rumped Finch, *Brown*; The black-eared Veaver-Finch; Le tisserin Dufresne; Tisserin melanotis ou melanogenys.

Wissenschaftliche Beschreibung. Kopf, Oberhals und Ohrgegend dunkel grünlich=grau; Mantel und Schultern olivengrün mit zarten dunkleren Querlinien; Flügelschwingen braun mit gelblichgrünen Außenrändern; Schwanz schwarz, jede Feder fein heller gesäumt;

Hinterrücken, Bürzel und Oberſchwanzdecken ſchön ſcharlachroth. Unterhalb, Geſicht, Backen und Kehle tiefſchwarz; Halsſeiten und Kropf weißlichgrau; Bruſt, Bauch, Hinterleib und Unter⸗ ſchwanz aſchgrau bis bräunlichgrau, zart ockergelb überhaucht. Oberſchnabel ſchwarz, Unter⸗ ſchnabel gelblichroth; Füße ſchwärzlichbraun; Auge dunkelbraun. Das Weibchen zeigt dieſelben, jedoch matteren Farben und iſt an Backen und Kehle nur ſchwärzlich grüngrau, auch iſt der Bürzel weniger lebhaft roth.

Länge 10,5 cm. (4 ℨ.); Flügel 4,6 cm. (1³/₄ ℨ.); Schwanz 3,9 cm. (1¹/₂ ℨ.).

Aegintha Dufresnei. Pileo, regione parotica, unchaque obscure glauco-cinereis; interscapilio humerisque olivaceo-viridibus, subtiliter obscurius undulatis; remigibus fuscis, extus flavoviride marginatis; rectricibus nigris, tenuiter dilutius limbatis; tergo, uropygio tectricibusque supracaudalibus late puniceis; facie, genis gulaque atris; colli lateribus, guttureque incanis; pectore, abdomine crisso et tectricibus infracaudalibus cinereis subochraceoafflatis; maxilla rostri nigra, mandibula fulva; iride obscure fusca; pedibus piceis. Femina itidem, sed obsoletius colorata genis gulaque solis nigricante glaucis; uropygio pallidius rubro.

## Der rothſchwänzige Aſtrild [Aegintha coerulescens].
### Tafel I. Vogel 3.

In Hinſicht ganz abſonderlicher Schönheit, welche ſo recht die Farbenpracht der Tropen wiederſpiegelt, ſteht der bei den Liebhabern und Händlern als Schön⸗ bürzel oder Grisbleu allbekannte Bengali grisbleu Vieillot's unter allen dieſen kleinen Prachtfinken hoch obenan.

Dies Vögelchen iſt am ganzen Körper, mit Ausnahme des Schwanzes, Bürzels und Hinterrückens, ſchön blaugrau, hinterwärts dunkler grau, und vorn erſcheint er gleichſam wie weiß bereift, während jene erwähnten Theile prachtvoll dunkel blutroth ſind. Das Schnäbelchen iſt dunkelroth, ein feiner Streif durchs Auge iſt ſchwarz und die Weichen ſind beiderſeits mit einigen weißen Pünktchen gezeichnet.

Vieillot ſagt über ihn, daß er ebenſo als die nächſten kleinen Verwandten dazu geeignet ſei, ſich bei uns einzubürgern und in der Gefangenſchaft fort⸗ zupflanzen. Er verlange dieſelbe Sorgfalt und hohe Temperatur, als die anderen zarten Arten, auch ſolle man ihm Gebüſch zum Aufenthalt geben.

Wiſſenſchaftlich unterſcheidet man drei hierher gehörende, einander überaus ähnliche Vögel. Der eigentliche rothſchwänzige Aſtrild [A. coerulescens] hat rothen Ober⸗ und Unterſchwanz, ſowie rothen Bürzel und Unterrücken. Der zweite, welcher hier Natalaſtrild [A. incana] benannt ſei, zeigt nur die oberen Schwanzdecken, Bürzel und Hinterrücken roth, während die Schwanzfedern dunkel⸗ olivenbraun ſind. Rothbürzel [A. Perreini] iſt die paſſendſte Bezeichnung für den letzten, welcher ſich dadurch unterſcheidet, daß ſeine unteren Schwanzdecken und der hinterſte Theil des Unterkörpers ebenfalls ſchwarz gefärbt ſind. Nach meiner Anſicht handelt es ſich bei dieſen drei Vögeln wol nur um die verſchiedenen Altersſtufen oder allenfalls um Abänderungen mehrerer Lokalraſſen. In der er⸗

steren Annahme bestätigt mich das weiterhin beschriebene Jugendkleid und die Ver=
färbung. Da jedoch in den ausschließlich wissenschaftlichen Lehrbüchern alle drei
als besondere Arten auseinandergehalten werden, so muß ich dieser Anschauung
hier natürlich Rechnung tragen. Für die Liebhaber und Züchter aber haben die
Verschiedenheiten drei so übereinstimmender Vögel keine weitere Bedeutung. Ich
schildere daher das von den deutschen Vogelwirthen vielfach gehaltene und auch
hier und da gezüchtete Rothschwänzchen oder Schönbürzelchen im allgemeinen und
bemerke, daß dasselbe in allen drei Arten oder Varietäten in den Handel gelangt,
am meisten der eigentliche Rothschwanz und viel seltener die beiden anderen.

Beim Beginn meiner Zuchtversuche hatte ich gerade mit diesem Vogel absonder=
liches Unglück. Nachdem ich fünf Pärchen zugleich angeschafft und dadurch auf dem
schon mehrfach erwähnten Wege richtige Heckpaare erhalten, fand ich zunächst die Be=
hauptung der Händler bestätigt, daß dieser Prachtfink vorzugsweise zart und weich=
lich sei. Gewöhnlich kommen die Rothschwänzchen in besonders entfedertem und
kläglichem Zustande von den Transportschiffen aus in die Großhandlungen, und dann
gehört bei den weiteren Versendungen nur wenig Nässe, Zugluft oder plötzliche
Temperaturveränderung dazu, um den zarten Lebensfaden der Vögelchen zu ver=
nichten. Haben sie sich jedoch erst einigermaßen erholt und wieder ein volles Ge=
fieder erlangt, so sind sie gegen die Kälte doch nicht ganz so empfindlich, als
manche andere Art, z. B. der Schmetterlingsfink.

Wenn der rothschwänzige Astrild aber wieder völlig erstarkt ist und mit
den Vorbereitungen zum Nisten beginnt, so zeigt er sich erst in seiner vollen
Schönheit. Dann kann man sich kaum ein lieblicheres Vogelpärchen denken,
als gerade dieses. Anmuthig und zierlich in jedem Thun, sind sie den ganzen
Tag hindurch in beständiger Regsamkeit. Dabei erscheinen sie ungleich zarter
im Wesen, schüchterner und doch zutraulicher als der graue Astrild und die
übrigen Verwandten. Es hält durchaus nicht schwer, diese Vögelchen so zu
gewöhnen, daß sie nach kurzer Frist auf die Hand kommen und einen Mehlwurm
aus den Fingern holen. Der Flug ist mehr schwebend und keineswegs so hurtig
und hart, als bei den anderen. Auch ihre leisen wispernden Locktöne oder ihre
hellen Flötenrufe erklingen sanft und melodisch, nicht schrill und gellend. Einen
wirklichen Gesang hat auch dieser Astrild nicht.

Die Rothschwänzchen, welche sich in meiner Vogelstube sehr gut erholt hatten,
begannen dann bald einander auf das hitzigste zu befehden, so daß ich bis auf
ein Pärchen alle übrigen herausfangen mußte. Dieses fing sogleich an zu
nisten. Beide Vögelchen trugen zarte Spargeläste, Bastfasern und Fäden in ein
sehr hochhängendes Harzer Bauerchen, welches ein mit Leinewand ausgenähtes
Körbchen enthielt, und in diesem formten sie ein kugelrundes Nest mit einem sehr
engen, so kleinen Schlupfloch, daß man fast glauben mußte, der Vogel könne gar

nicht hindurch gelangen. Da gerade zu dieser Zeit noch sehr schöne Herbsttage einkehrten, so öffnete ich zwei große Fensterflügel der Vogelstube, welche mit einem Gitter aus Drahtgaze ausgestattet waren. Obwol der Rahmen des Gitterfensters an der einen Wand nur einen ganz geringen Zwischenraum hatte, so mußte ich doch annehmen, daß meine reizenden Schönbürzel durch diese Oeffnung entschlüpft seien, denn sie waren von jenem Tage an durchaus verschwunden. Ich bedauerte nun nicht allein das vor wenigen Tagen fertige verlassene Nest, sondern auch und noch viel mehr meine armen, den schon sehr rauhen Herbstnächten im Freien preisgegebenen Rothschwänzchen.

Der Ort, an welchem das Harzer Bauerchen hoch oben in der Nähe der Zimmerdecke sich befand, war sehr schwer zugänglich, weil unterhalb viel dichtes, gerade reichlich mit Nestern besetztes Gebüsch angebracht war. Bis zum Ausfliegen der Jungen aus einigen dieser Nester mußte ich die Untersuchung der Roth= schwänzchenbrut also verschieben. Als ich aber dazu kam, jenes Harzer Bauerchen herunterzunehmen — wer beschreibt da meine Verwunderung und meinen Aerger! Zunächst fand ich das Nest der Rothschwänzchen völlig verschlossen, so daß ich nirgends eine Oeffnung entdecken konnte, und als ich das Schlupfloch ausräumte, sah ich, daß es mit den Rispen verschiedener zum Nestbau dienender Gräser fest verstopft war. Darinnen waren die beiden Vögelchen kläglich ver= hungert über fünf nahezu ausgebrüteten Eiern.

Weitere Beobachtung ließ mich dann zu folgendem Ergebniß gelangen. In der Vogelstube befand sich auch ein Pärchen Pfaffenvögel oder Gürtelgrasfinken, welche ebenso wie manche anderen Vogelarten die Gewohnheit haben, ein Nest nach dem andern in größter Emsigkeit auszubauen, dann zu verlassen, um schleunigst ein neues zu beginnen. So treiben sie es eine geraume Zeit hindurch, bis sie zuletzt ernsthaft nisten. Diese Vögel hatten nun, während die Rothschwänzchen sich bereits sehr frühe des Abends zur Ruhe begeben, das enge Schlupfloch hinter ihnen ganz ausgefüllt, indem sie die Gräserfahnen u. dgl. hineindrängten. Hätte ich eine Ahnung von dem Vorgange gehabt, so wären die eingesperrten Vögel noch wol zu retten gewesen; allein gerade in jenen Tagen konnte ich nicht Muße finden, anhaltend und aufmerksam wie sonst zu beobachten, weil ich von dringenden Arbeiten sehr in Anspruch genommen war.

Die rothschwänzigen Astrilde sind im Vogelhandel immer nur zeitweise zu haben und fehlen zuweilen Jahr und Tag völlig; auch werden sie überhaupt niemals in größerer Anzahl eingeführt. Da meine übrigen Pärchen inzwischen sämmtlich gestorben waren, so konnte ich in geraumer Frist keine anderen erhalten. Endlich überraschte mich Herr Dr. Bodinus, Direktor des zoologischen Gartens von Berlin, damals noch von Köln aus, mit einem Paar. Nachdem diese beiden Vögel mehrere Monate hindurch in meiner Vogelstube gelebt, ohne Neigung zur

Brut zu zeigen, begannen sie allmälig verschiedene Nistgelegenheiten zu durch=
spähen und dann trugen sie mit einmal beide sehr eifrig weiche Grasrispen, Bast
und Fäden (Spargelzweige gab es jetzt im Frühjahr nicht) in das Erkerchen eines
großen, auch sehr hoch hängenden Käfigs ein. Das Nest war in fünf Tagen
fertig und wurde mit Baumwollflöckchen und weichen Federn ausgepolstert.
Das ebenfalls äußerst enge,- vollkommen kreisrunde Schlupfloch war mit Agave=
fasern und Pferdehaaren zierlich gerundet und 'geglättet. Die Eier, wiederum
fünf Stück, waren verhältnißmäßig nicht klein. Die Jungen haben einen dunkel=
bläulichen Flaum, blauweiße Wachshaut und sind gleich nach dem Ausschlüpfen
aus den Eiern sonderbar winzig und häßlich.

Das Jugendkleid erscheint dem der Alten ähnlich und doch bedeutend ab=
weichend. Flügel matt bläulichaschgrau, Kopf und Hals noch fahler grau, Backen
fast silbergrau, Unterflügel dunkel silbergrau, Brust und Vorderrücken (gewöhnlich
ganz kahl) hell mäusegrau, Hinterrücken dunkel mäusegrau, Bürzel, Ober = und
Unterschwanz schwärzlichroth; Schnabel am Grunde düster gelblich fleischfarben,
an der Spitze röthlich, Wachshaut sehr groß und schön bläulichweiß; Auge
schwarz; Füße oberhalb röthlich horngrau, unterhalb (Sohle) fahl horngrau,
Knöchel gelblich.

Nachdem die Rothschwänzchen in meiner Vogelstube sodann mehrfach genistet,
theilten mir nach und nach auch Herr Emil Linden, Ingenieur C. Hendschel,
Graf York von Wartenburg und Herr Dr. Rey mit, daß auch sie dies
Vögelchen gezüchtet hatten. Herr Freiherr von Beust, einer der glücklichsten
Züchter aller dieser kleinsten Prachtfinken, schrieb dagegen, daß sie bei ihm noch
niemals zur Brut geschritten, sondern mit dem Eintritt der kälteren Jahreszeit
regelmäßig gestorben seien. Herr Dr. Rey hat aber sogar Mischlinge vom Roth=
schwänzchen und kleinen Amarantvogel gezogen.

In allen übrigen Eigenschaften, sowie in der weiteren Brutentwickelung,
Verpflegung u. s. w. stimmt der rothschwänzige Astrild vollständig mit dem Grau=
astrild überein. Seine Züchtung ist selbst freifliegend in der Vogelstube schwierig
und dürfte im kleinen Käfige kaum gelingen. Dieser Prachtfink gehört im
Gesellschaftskäfige, wie einzeln gehalten, zu den liebenswürdigsten und verträglichsten
aller Stubenvögel; nur während der Nistzeit werden die Männchen gegen einander,
nicht aber gegen andere Vögel zänkisch. Man kauft das Pärchen gut gefiederte
und eingewöhnte Rothschwänzchen für 5 bis 6 Thlr., soeben angekommene und
sehr entfederte für 3 bis 4 Thlr., und in den Handlungen erster Hand stehen
sie mit den Grauastrilds in gleichem Preise. Sie sterben aber nach· der Ankunft
gewöhnlich nur zu zahlreich, so daß man mindestens auf die Hälfte, oft auf Neun=
zehntel an Todesfällen unter ihnen gefaßt sein darf. Bei den Händlern zweiter und
dritter Hand stellt sich noch der große Uebelstand heraus, daß die Vögelchen in engen

Käfigen zu vielen beisammen, sich gegenseitig nur zu sehr kahl rupfen, so daß sie dann jeder kühleren Temperatur um so leichter erliegen. In der Vogelstube oder im geräumigen Flugkäfige bei angemessener Verpflegung befiedern sie sich sehr bald wieder, auch zeigt sich hier das Kahlwerden überhaupt nur selten. Dagegen ist es auch mir vorgekommen, daß zum Beginn der kälteren Jahreszeit ein ganzer Flug selbstgezogener Rothschwänzchen, die sehr kräftig und gut gefiedert waren, nach und nach, ohne bemerkbare Veranlassung gestorben sind. Die Vogelstube war damals sehr vielköpfig bevölkert und die Rothschwänzchen wurden von größeren Vögeln aus den Webernestern vertrieben. Dies erachte ich als die einzige etwaige Ursache ihrer Erkrankung. Man sollte daher diese zarten Vögel nicht allein in der Vogelstube, sondern auch im Gesellschaftsbauer und in den Käfigen der Händler immer mit geeigneten Zufluchtsorten zur kühleren Nacht versorgen. Die Händler könnten dadurch, daß sie diesen und den verwandten kleinen Vögeln Nestkörbchen, welche mit Grasrispen gefüllt sind, bieten, viele von ihnen am Leben erhalten.

Die Verbreitung des rothschwänzigen Astrild erstreckt sich fast über ganz Westafrika, besonders Senegambien und Gabon. Der Natalastrild ist dagegen nur in Natal, Südmozambique, Inhambane und in der unteren Kafferei gefunden. Der Rothbürzel ist wiederum in Westafrika, Kasamanze und Kongo heimisch.

Diese drei Vögel zusammen werden auch Schönbürzel, Rothbürzel, Rothschwänzchen, blaugraues Rothschwänzchen, grauer Rothschwanz benannt und im Handel sind sie am bekanntesten unter der Bezeichnung Grisbleu.

Bengali grisbleu (Befemans); Grey Waxbill (Jamrach); Queue de vinaigre (französische Händler); Cinereous Waxbill (Liste des Londoner zoologischen Gartens); Kleine Roodstaart-astrild of Grisbleu; Bengueli grisbleu, Cul beau cendré, Cul beau grison, Cul beau de port Natal; Cinereous bengueli, Cinerous fair-rump, Natal fair-rump, Black bellied fair-rump, Grey fair-rump.

Nomenclatur: Fringilla coerulescens, *Vieillot, Swainson, Bonaparte etc.*; Lagonosticta coerulescens, *Cabanis, Gray*; Estrelda coerulescens, *Swainson, Hartlaub*; Habropyga coerulescens et fimbriata, *Reichenbach*; Pytelia coerulescens, *Hartl. et Finsch, Reichenbach.* — Estrilda incana, *Sundevall*; Fringilla coerulescens, *Vieill., Bianconi*; Estrelda coerulescens ex Mozambique, *Lichtenstein*; Habropyga natalensis, *Cab.*; Habropyga natalensis et incana, *Reichenb.*; Pytelia incana, *Hartl. et Finsch.* — Fringilla Perreini, *Vieill.*; Estrelda melanogastra, *Swains., Bonap.*; Habropyga Perreini, *Cab., Reichb.*; Estrelda Perreini, *Gray, Hartl.*; Pytelia Perreini, *Hartl. et Finsch.*

Wissenschaftliche Beschreibung. Der rothschwänzige Astrild ist aschgrau; Backen, Kinn und Oberkehle weißgrau; Unterleib und Hinterkörper dunkler schwärzlichgrau; Zügelstreif schwarz und über demselben ein verlaufener weißlicher Streif; an den Weichen einige kleine weiße Pünktchen. Hinterrücken, Bürzel, obere und untere Schwanzdecken und Schwanzfedern scharlachroth. Schnabel schwärzlichroth, dunkler an der Spitze. Füße dunkelbraun, Auge braun. — Der Natalastrild unterscheidet sich von dem vorigen nur dadurch, daß die Schwanzfedern dunkel olivenbraun sind, die Flügelschwingen ebenfalls olivenbraun, an den Außenfahnen grau gefäumt, der Schnabel dunkelröthlichgrau und die Füße heller grau. — Der Rothbürzel dagegen ist an den unteren Schwanzdecken und am hinteren Unterleibe schwarz, sonst mit dem vorigen durchaus übereinstimmend, hat also nur rothe obere Schwanzdecken und Schwanzfedern.

Aegintha coerulescens. Coerulescente-cinerea; gula pectoreque albidis; hypochondriis abdomineque imo obscurioribus; tergo, uropygio, tectricibus caudae superioribus et inferioribus, retricibus mediis totis pogonioque lateralium externo coccineis; maculis hypochondriorum perpaucis albis; rostro rufo-nigricante, pedibus fuscis. — Aegintha incana. Coerulescente-cinerea; uropygio et supra-caudalibus intense coccineis; gula pallida, mento striolaque lori atris; cauda gradata nigra; crisso nigro-fusco; subalaribus albidis; rostro et pedibus nigris. — Aegintha Perreini. Coerulescente-cinerea; gula albicante; loris nigris; crisso, subcaudalibus caudaque nigricantibus; tergo, uropygio et tectricibus caudae superioribus obscure coccineis; rostro obscure coccineo, apice nigricante; pedibus pallidis.

Länge 9,9 cm. (3¾ 3.); Flügel 4,4 cm. (1 3. 8 2.); Schwanz 3,6 cm. (1 3. 5 2.).

Juvenis adultae similiter picta, sed capite colloque lividioribus; genis canescentibus, alis supra dilute subcoeruleo-cinereis, infra obscurioribus; pectore dorsoque (plerumque denudatis) dilutius tergo obscurius submurinis; uropygio caudaque tota nigrescente rubris; basi rostri lurido-carnea, apice rubente; cera valde extensa, laete subcoeruleo-alba; iride nigro-picea; pedibus rufescente corneis, planta sordius cornea; malleolis tarsalibus flavido-incarnatis.

\* \* \*

Die Schönfinken oder Amandaven. Von den eigentlichen Astrilden unterscheiden sich mehr oder weniger, sowol im Körperbau, als auch in der Lebensweise, die nächstfolgenden kleinen Prachtfinken, welche in allem Wesentlichen so übereinstimmen, daß sie sich wieder zu einer einheitlichen Gruppe aneinander reihen lassen. Hierher gehören die Geschlechter Amandave [Sporaeginthus, *Cabanis*], Gürtelaftrild [Zonogastris, *Cab.*] und Pünktchenastrild [Lagonosticta, *Cab.*]. Ich fasse sie unter der Bezeichnung Schönfinken zusammen, weil sie nicht blos zu den anmuthigsten, sondern auch zu den farbenreichsten unter allen diesen kleinen Vögeln zu zählen sind. Uebrigens sei noch darauf hingewiesen, daß derartige populäre Zusammenstellungen in Gruppen keinenfalls einen weiteren Werth beanspruchen können, als den, mindestens einen Anhalt für das leichtere Kennenlernen und einen Hinweis auf die naturgemäße Zusammengehörigkeit der wissenschaftlich aufgestellten Gattungen zu gewähren. Als eine wirkliche Eintheilung ist diese Gruppirung aber, wie schon Seite 35 bemerkt, jedenfalls nicht zu betrachten.

## Der getigerte Astrild [Aegintha amandava].
### Tafel II. Vogel 9.

Bereits frühe dunkelt der Herbstabend heran und mit ihm erstirbt das muntere beweglliche Leben in der Vogelstube. Geschäftig und emsig wispern die kleinen Prachtfinken im Gebüsch umher, denn sie müssen ja die Brut in den Nestern noch reichlich satt füttern, damit sie die lange Nacht hindurch ausdauern kann. Außer den heisern Tönen der eifrig die Schnäbelchen aufsperrenden und zirpenden Jungen herrscht jetzt aber nahezu völlige Stille im halbdunkeln Raum. Die meisten Vögel haben ihre Schlafstätten schon aufgesucht, das Lärmen, Krächzen, Schreien und Zischen der Papageien, Starvögel, Weber und anderen ist verstummt und die Lieder der eigentlichen Sängerwelt lassen sich in dieser

Zeit nicht hören. Je mehr die Dämmerung überhand nimmt, um ſo fühlbarer wird die Stille. Da ertönt plötzlich neben uns ein lieblicher zarter Triller, dann wieder mit einer kleinen Abänderung und nochmals in etwas anderer Weiſe. Eine Familie Tigerfinken iſt es, deren Mitglieder dort im Dickicht nebeneinander ſitzen, ganz regungslos, während von Zeit zu Zeit der eine oder andere, gleichviel Männchen oder Weibchen, ſich erhebt und ſeine wohlklingende Strophe erſchallen läßt. Eine einzige Strophe iſt es nur und doch erklingt ſie ſo allerliebſt, daß ſie ſchon manchen Freund des Vogelgeſangs innig erfreut hat. Jene Sänger ſind kleine Aſtrilde, welche unter der Benennung Tigerfinken, im Vogelhandel wie bei den Liebhabern, allgemeiner Beliebtheit ſich erfreuen.

Dazu kommt, daß auch das Gefieder dieſer Vogelart ungemein lieblich erſcheint. Ein altes Männchen im Hochzeitskleide iſt am ganzen Oberkörper gelbbraun, mehr oder weniger dunkel gefärbt und gleichſam wie mit einem blutrothen bis dunkel goldrothen Ueberwurf gezeichnet. Der Unterkörper iſt gelblichbraun bis dunkel ſchwarzbraun. Ein großer Theil des ganzen Körpers, insbeſondere die Flügeldecken, Bruſt- und Bauchſeiten und auch der ſchöne rothe Bürzel ſind mit zahlloſen weißen Tüpfeln überſäet. Der Schnabel iſt glänzend roth, das Auge ſchön bernſteinbraun und von einem gelben Ringe umgeben. Das Weibchen iſt ſchlicht einfarbig gelblichbraun, oberhalb dunkler und unterhalb heller braun bis lichtgelb. In der Größe und im Weſen ſtimmt der getigerte Aſtrild mit dem Granaſtrild überein, nur iſt er weniger ſchlank und wenn auch ebenſo lebhaft, doch nicht ſo hurtig und beweglich.

Dabei iſt das Federkleid des getigerten Aſtrild ſo ſehr veränderlich, daß er nicht allein in den Geſchlechtern und verſchiedenen Altersſtufen, ſondern auch nach den Jahreszeiten fortwährend mit der Färbung und Zeichnung wechſelt. Lange Zeit bei den Händlern vorhandene Vögel dieſer Art, ſowol Männchen als auch Weibchen, werden mit der Zeit immer dunkler, zuletzt bis tief ſchwarzbraun gefärbt. —

In früheren Jahren fehlten auch die Tigerfinken zeitweiſe und oft für lange Friſt bei den Berliner Vogelhändlern*), und ich konnte im Beginn meiner Züchtungen nur zwei dunkelbraun gewordene Weibchen erhalten, deren Gefieder faſt gleichmäßig düſter und nur auf den oberen Flügeldecken mit wenigen weißen Punkten getüpfelt war; auch das Roth des Bürzels war in ein dunkles verloſchenes Rothbraun übergegangen, doch die Schnäbelchen erſchienen lebhaft roth. Ich brachte mir aus Paris ein Pärchen und zwei Männchen in Prachtkleidern mit und ließ alle ſechs frei in der Vogelſtube fliegen. In wenigen Tagen hatten

___

*) Neuerdings iſt dies nicht mehr zu befürchten, denn namentlich die Vogelhandlung von K. Baudiſch & Comp. in Trieſt führt ſie in überaus großer Anzahl ein und verſendet ſie an die Händler und Liebhaber.

Karl Ruß, Die fremdländiſchen Stubenvögel.

fich die brei Paare georbnet und bildeten nun, gefellig zufammenhaltend, einen lieblichen Flug, in welchem die fehr verfchiedenen Färbungen diefer Vogelart vertreten waren. Denn ebenfo wie das mitgebrachte Weibchen unterhalb hell bräunlichgelb und oberhalb gelblichbraun war, einen lebhaft rothen Bürzel und zahlreiche weiße Punkte zeigte, fo hatte ich andererfeits unter den Männchen nur das eine im vollen dunkelrothen Altersfleide, die beiden andern dagegen in verfchiedenen Uebergangsfärbungen gewählt, in denen der rothe Ueberwurf bei dem einen erft fpärlich, bei dem andern etwas mehr über den Oberförper fich verbreitet, während auch die gelbbraune Grundfärbung abweichende Schattirungen zeigte. Die Vögel verhielten fich fehr ruhig etwa bis zum Mai, doch trat eine Erfcheinung ein, die zweifellos ebenfo intereffant als auffallend ift. Die beiden alten Weibchen wurden, anfangs faum merflich, doch ftetig fortfchreitend, im ganzen Gefieder lichter, zugleich traten die weißen Punkte immer ftärker hervor, vermehrten fich und auch das Roth des Bürzels erfchien allmälig lebhafter. Etwa im Beginn des Aprils fchon war das Federfleid diefer beiden Vögel vollftändig umgewandelt und glich dem oben befchriebenen normalen des Tigerfinfen-Weibchens durchaus; nur erfchien es fräftiger gefärbt, als das des mitgebrachten Weibchens und ebenfo war auch das Roth der beiden älteren Männchen noch viel voller geworden. In der Mitte des April begannen fie ihre Liebesfpiele.

Bei der Schilderung derfelben muß ich zunächft auf den Gefang näher eingehen. Schon an den beiden alten Weibchen, fo lange ich fie allein hatte, war es mir aufgefallen, daß jedes diefer Vögelchen fehr emfig fleine allerliebfte Triller erfchallen läßt, welche bei jedem Einzelnen etwas verfchieden find. Späterhin, wenn fie alle zufammen faßen, trillerten faft nur die Männchen, aber etwas lauter und volltöniger. Jetzt, im Beginne ihrer Liebeszeit, erhebt fich das Männchen fchon mit dem erften Morgengrauen, hüpft mit erhobenen Flügeln auf einen hervorftehenden Zweig, fträubt das Schwänzchen, flappt mit den Flügeln fortwährend auf und ab und ruft immerfort fein tillit! Dabei zeigt daffelbe eine ungemeine Lebhaftigfeit; es jagt ununterbrochen jeden fleineren Vogel aus der Nähe des Weibchens fort und greift felbft jeden größeren tapfer an. Das Liebesfpiel befteht blos in einem ziemlich ungefchickt erfcheinenden Umhüpfen des Weibchens von feiten des Männchens mit ausgebreitetem Schwanze und erhobenem Kopfe.

Nun begannen die beiden älteren Pärchen faft zu gleicher Zeit mit dem Neftbau und brachten auch ihre Bruten glücklich auf. Sie bauen je nach der Gelegenheit verfchieden, doch ftets niedrig über dem Boden, und ich will zwei folche von einander abweichende Nefter befchreiben, von denen das eine frei ins Gebüfch, das andere in einer Ecke auf felbftgefchichteter Unterlage erbaut war. Das erftere beftand aus Papier- und Baftftreifen, Pferdehaaren, Agavefafern,

Baumwollfäden, jedoch ohne Gras= und Heuhalme, obwol ich ihnen die mannig=
faltigſten Gräſer und auch Papyrusfäden geboten hatte. Es war zu einem
hängenden, ziemlich tiefen Beutel geformt und mit einem, vorzugsweiſe aus
Baumwollflocken und darüber aus Baſtſtreifen, Fäden u. dgl. hergeſtellten Dache
überwölbt. Zwei Schlupflöcher, von denen das eine ſehr rund, das andere an
der Wand befindliche, weniger ebenmäßig, führten, das erſtere ſeitlich von unten,
das zweite von oben hinein und waren beſonders mit ſehr zahlreichen, rund umge=
legten Pferdehaaren gefeſtigt. Das Lager der Eier bildeten Baumwolle, weiche
Papierſchnitzel und Haare. Das zweite Neſt, welches tief im Düſtern hinter
einem großen Bauer ſtand, enthielt im weſentlichen dieſelben Bauſtoffe, jedoch zu=
gleich viele Heuhalme, zugleich hatte dieſes eine ſo entſchieden abweichende Form, daß
man es gar nicht als derſelben Vogelart zugehörig erachten möchte. Im Gegen=
ſatze zu jenem luftigen, zierlichen Beutel bildete es einen ſehr großen, unor=
dentlich zuſammengeſchichteten Haufen, mit einer ſonderbar weiten Neſtmulde,
welche nur halb überwölbt war. Als dieſes Paar zum zweitenmale an einer
ähnlichen Oertlichkeit, in deren Nähe ich täglich die Fütterungen beſorgen mußte,
niſten wollte, führte das Männchen ein halb überhängendes Dach in der Weiſe aus,
daß das brütende Weibchen vor meinen Blicken geſchützt war und dann ungeſtört ſitzen
blieb, gleichviel, während ich dicht daneben die Geſchirre fortnahm und hinſtellte. Wie
bei faſt allen dieſen Prachtfinken iſt das Männchen der eigentliche Baukünſtler;
daſſelbe ſammelt und trägt mit ſtaunenswerthem Eifer die Neſtſtoffe herbei, flicht
und webt ſie auch zuſammen, während das Weibchen, gewöhnlich inmitten des
Baues ſitzend, nur ordnet, glättet und rundet.

Sobald der Niſtplatz gewählt iſt und der Neſtbau angefangen wird, ent=
wickeln dieſe ſonſt ſo friedlichen Vögel eine grenzenloſe Unruhe und Unduldſamkeit;
namentlich das Männchen verhält ſich keinen Augenblick ſtille. Ein Pärchen
hatte ſein Neſt gerade unterhalb eines Strauches angebracht, in deſſen dichten
Zweigen der gewöhnliche Schlafplatz für eine große Anzahl der Bewohner der
Vogelſtube war. Hier nun mußte der arme geplagte Wicht nicht allein über Tag
die unabläſſig ankommenden Beſucher vertreiben, ſondern auch die ganze Däm=
merung hindurch, wenn das Weibchen längſt ſtill auf den Eiern ſaß, ſich mit ihnen
herumjagen. Namentlich die kleinſten queckſilbernen Aſtrilde, Grauaſtrild, roth=
ſchwänziger und goldgelber Aſtrild machten ihm unendlich viel zu ſchaffen, indem
ihrer fünf bis ſechs in hurtigſter Gewandtheit vor ihm herhüpften und ſich nur
ſchwierig fernhalten ließen; doch duldete er ſie, wie alle übrigen kleinen, durchaus
nicht und auch von den größeren Vögeln ließ er nur die unangefochten, welche
keinen Spaß verſtehen, wie die Sperlingspapageien, verſchiedene Sittiche, Weber=
vögel und andere. Die Befehdung der kleinſten Verwandten von ſeiner Seite iſt jedoch
immer nur als eine harmloſe anzuſehen, denn wirklich bösartig iſt er keinenfalls.

Dabei erfüllt er dennoch treu und zuverlässig seine Gattenpflichten, welche darin bestehen, daß er einen großen Theil des Tages hindurch das Weibchen beim Brüten ablösen und späterhin die Jungen mit füttern muß. Das Gelege bestand jedesmal aus vier weißen länglichrunden Eiern. Der Nestflaum der Jungen ist hell gelbgrau, mit weißen Wachshautdrüsen. Das Jugendkleid erscheint in folgender Weise gefärbt: Brust gelbgrau, Bauch weißlichgelb, Hinterleib ein wenig dunkler, Kehle hellgrau, Kopf und Oberrücken bräunlichgrau, Flügel und Schwanz noch dunkler, letzterer schwärzlich. Als Kennzeichen der Art ist zu bemerken, daß die Spitzen der Flügeldeckfedern bräunlichgelbe Halbmonde zeigen, welche beim Stillsitzen des Vögelchens drei gleichmäßige Reihen von großen Tüpfeln bilden. Das Schnäbelchen ist glänzend schwarz, das Auge einfarbig dunkel und die Füße sind dunkelgrau. Schon in der dritten Woche beginnt die Verfärbung damit, daß der Schnabel heller, das Gefieder des unteren Körpers ebenfalls heller und das des oberen dunkler wird. Im Ganzen sind die Farbenübergänge so wechselvoll, daß der Vogel das beschriebene Prachtkleid erst nach zwei Jahren vollständig zeigt, während dieser Zeit aber immerfort in allen Theilen des Gefieders sich verändert. Nach acht Wochen etwa hat der Schnabel die lebhaft rothe Farbe angenommen, und von nun an dürfte, wie ich beobachtet, auch die Geschlechtsreife eintreten.

Sehr interessant entwickeln sich die ersten Verfärbungs=Uebergänge; wenn nämlich in der achten oder neunten Woche, nachdem der Schnabel schon roth geworden, beide Geschlechter aber noch durchaus sich gleichen und zwar mit lebhaft hellbräunlichem bis weißlich aschgrauem Unterkörper und dunkelbraunem Oberkörper, auf welchem letzteren die beschriebenen Halbmondchen verschwunden und dafür weiße runde Tüpfel erschienen sind, während das Roth des Bürzels bedeutend kräftiger geworden, wenn dann auf der Brust des Männchens die schöne rothe Färbung in den ersten versprengten Flecken zum Vorschein kommt, dann schattirt sich das Gefieder durch gelb, braun, roth und weiß in verschiedenen Nüancen, bis der herrliche rothe Ueberwurf und die regelmäßig stehenden weißen Pünktchen immer mehr sich geltend machen. Dabei ist der Vogel jedoch als Tiger= astrild, von der Verfärbung an bis zum vollen Dunkelwerden, stets zu erkennen und wird auch von seinen vielen Liebhabern in allen diesen Kleidern gekauft.

Die Nistzeit beginnt nach mehrjährigen Erfahrungen in meiner Vogelstube im Herbst (September) und erstreckt sich etwa bis zum Januar hin auf drei bis vier Bruten; doch sind die Tigerfinken auch unschwer in unsern Frühlings= und Sommermonaten zur Hecke zu bringen, wenn man ihnen im Herbst die Nist= gelegenheiten entzieht. —

In den Mittheilungen der älteren Schriftsteller über diesen Vogel sind vor= zugsweise viele Irrthümer vorhanden, und diese finden eben darin ihre Erklärung, daß man die Exemplare mit den wechselnden Kleidern der Altersstufen und

Jahreszeiten immer für verschiedene Arten gehalten hat. Da der getigerte Ben=
galist, wie man ihn noch jetzt am häufigsten nennt, einerseits zu den ersten unter
allen diesen kleinen Finken gehört, welche im Käfige gehalten worden und da er
andererseits infolge der Gefangenschaft noch mannigfaltigeren Farbenveränderungen
unterworfen ist, so hat er nicht allein, wie gesagt, zur Aufstellung jener zahlreichen
Arten Veranlassung gegeben, welche in neuerer Zeit sämmtlich als völlig überein=
stimmend auf eine zurückgeführt sind, sondern er zeigt auch den Vorzug vor den
meisten seiner Verwandten, daß über ihn eine ausnahmsweise reiche Literatur sich
angesammelt hat.

Buffon und Brisson haben einen Bengali piqueté und einen Bengali
brun beschrieben und abgebildet und der erstere außerdem noch einen hier=
her gehörenden Vogel, welchen er (nach Kommerson) Serevan benennt.
Vieillot schildert auch noch einen Amandava en habit d'hiver, welcher auch
nur ein gewöhnlicher Tigerfink ist, der in der Gefangenschaft weiße Flügel= und
Schwanzfedern bekommen hat — eine Erscheinung, die jedem aufmerksamen Vogel=
züchter bekannt ist. Hiernach haben denn auch die neueren Schriftsteller und
selbst G. R. Gray noch mancherlei Arten [z. B. Estrelda mystacea] aufgestellt,
die natürlich alle zusammenfallen.

Vieillot preist den Amandava als einen überaus herrlichen Vogel, welcher
mit hübschem Gesang ein schönes Gefieder vereinigt. Zugleich beklagt er bereits die
vielen Irrthümer, welche der Wechsel der Farben verursacht. Er hält diesen
Prachtfink übrigens für besonders weichlich und empfiehlt für seine Hegung und
Züchtung 25 bis 30 Grad Wärme; auch soll man ihm zum Nisten grüne Apri=
kosenbäume bieten. Dieser Forscher kannte schon die Eigenthümlichkeit dieser Vogel=
art, daß das Weibchen einen eben so schönen, wenn auch schwächeren Gesang,
als das Männchen hören läßt. Sieben bis acht Jahre hatte er ihn im Käfige
erhalten und daher meint er, daß dies noch weit länger der Fall sein könne,
wenn man ihm nur einen recht warmen Aufenthalt gewähre.

Der Missionär T. Philipps berichtet, daß diese Vögel in Indien während
der Regenzeit etwa für zwei Annas der Kopf verkauft werden. Einige Raja's,
sagt er, halten sich die Männchen, um diese kleinen Geschöpfe zum Kampfe ab=
zurichten; auch sind sie dort um ihres prächtigen Gesanges willen geschätzt.
Im Winter sterben sie oft von der Kälte und sind schwer durchzubringen. Daher
ist es rathsam, ihnen das Nest eines Bayawebers zu bieten, in welches sie
hineinkriechen und sich gegenseitig erwärmen. Sie werden leicht in Netzen gefangen.
Auch Reichenbach hält den Tigerfink für vorzugsweise zart und weichlich und
fügt Folgendes hinzu: In einer kostbaren, auf Java und andern Inseln Ost=
indiens mit großer Mühe und Sorgfalt zusammengebrachten Sammlung von
Gruppen derartiger Vögel, welche ich von meinem seit vielen Jahren um das

Naturhiſtoriſche Muſeum in Dresden und um meine Kentniſſe hochverdienten Freunde und Landsmanne Herrn Oberſt von Schierbrandt erhielt, befindet ſich auch ein Pärchen dieſer Vögel nebſt ihrem Neſte mit Eiern, welche ich den reichen Dresdener Sammlungen aus allen Welttheilen eingereiht habe.... Für diejenigen Vogelfreunde, welche den Tigerfink erziehen, d. h. zur Fortpflanzung bringen wollen, wird es nicht ohne Intereſſe ſein, zu erfahren, wie er im Vaterlande ſein Neſt baut. Daſſelbe befindet ſich zwiſchen hohen Gräſern, unſerm Queckengras ähnlich. In geringer Höhe iſt das ovale, oben zugewölbte Neſtchen angebracht zwiſchen den Halmen und Blättern, mit denen es durch feinere Hälmchen verbunden iſt. Es hat etwas über 12$^{cm}$· Höhe, nur etwa 7$^{cm}$· im Querdurchmeſſer und an der einen Seite, nahe der Deckenwölbung, ein länglichrundes Flugloch von 6$^{cm}$· Höhe und 4$^{cm}$· Breite. Schmale Grasblätter und feine Halme ſind die Bauſtoffe, aus deren Zuſammenbeugung das Neſt hergeſtellt iſt, und innerlich folgt eine Lage aus den zarten, faſt haarartigen Rispen eines Schilfgraſes. Somit können wir auch die feinen Grasrispen der bei uns einheimiſchen Schilf=, Strauß=, Lieſchgräſer dem Vogel darbieten, wenn wir ihm vorher locker zuſammengebundene Büſchel von Queckengras als Unterlage gegeben. Federn habe ich im Neſte nicht gefunden; doch gewähren die dicht zuſammengelegten Schilfgrasrispen durch ihre feinen Haare ein ſo weiches Lager, daß die Federn erſpart werden können.

Dieſe Darſtellung ergänzt Dr. H. A. Bernſtein von Java aus in Folgendem: Dieſer kleine, ungemein niedliche Vogel bewohnt in der hieſigen Gegend vorzüglich die weiten, ſtillen Alang=Alang=Wildniſſe, ſowie die mit kurzem Geſtrüpp und dergleichen bedeckten Gegenden, kommt dagegen in der durchweg bebauten nächſten Umgebung meines Wohnortes nur ſelten vor. Sein Neſt habe ich mit Hülfe einiger in meinen Dienſten ſtehenden Eingeborenen dreimal gefunden, und zwar ſtets in geringer Höhe über dem Boden in den Zweigen eines niedrigen, im dichten Alang=Alang ſtehenden Strauches. Dieſe Neſter haben eine vollkommen kugelförmige Geſtalt, mit ſeitlichem Eingang, welcher eng und eben nur groß genug iſt, um die Vögel hindurch zu laſſen. Sie ſind ziemlich regelmäßig aus Halmen und wolletragenden Grasrispen erbaut· und ihre innere, gut ausgerundete Höhlung iſt mit feiner Graswolle gefüttert. In dieſes weiche und warme Neſt legt das Weibchen ſeine fünf bis ſechs glänzend weißen Eier. An den kürzlich ausgekrochenen Jungen fällt der Umſtand auf, daß die ſchwarze Farbe des Schnabels und der inneren Mundtheile erſt in einer Anzahl zerſtreuter Flecken vorhanden iſt und von dieſen aus ſich allmälig weiter entwickelt, ſo daß dieſe im übrigen fleiſchfarbenen Theile ſchwarz gefleckt und geſprenkelt erſcheinen und dadurch ein eigenthümliches Ausſehen zeigen.

Auch Jerdon giebt nur wenig näheres über den Vogel an. Er fand ihn häufig in Südindien, in buſchigen Gründen und auf Wieſen, aber auch nicht

selten in Gärten, besonders bei solchen Städten, in deren Nähe Wälder sind.
Hier ernähren sich die Schwärme von Sämereien, welche sie in großen Massen
vernichten und Schaden dadurch verursachen. Am zahlreichsten sollen sie in einigen
Theilen von Mysore sein. Nach Elliot ist der Tigerfink allgemein verbreitet in
Dharwa; besonders sieht man ihn in den Zuckerrohrfeldern in großen Flügen,
mit dem Nonnenvogel von Malakka gesellig. Inbetreff des Nestes bestätigt
Jerdon die Angaben von Bernstein und fügt noch hinzu, daß es gewöhnlich
zwischen den Stengeln der Ravala hängt. Man fängt die Tigerfinken in manchen
Gegenden in großer Anzahl mit den Nonnenvögeln und andern zugleich.
Auch Jerdon erzählt, daß die Eingeborenen dies Vögelchen gern in Käfigen
halten und zum Kämpfen abrichten. Blyth fand den getigerten Aftrild in vielen
Theilen Indiens in ungeheuren Scharen und F. B. Hamilton vorzugsweise längs
der Fluß- und Stromufer in den Rohrdickichten während der Regenzeit in
Schwärmen umherstreichend. Blyth giebt auch an, daß dieser Prachtfink zwei-
mal im Jahre mausere und daß nach Beendigung der Brut das Männchen die
Farbe des Weibchens annehme.

Die Brutzeit des getigerten Aftrild fällt in den Monat Oktober und
seine Heimat erstreckt sich fast über das ganze Festland und die Inseln Ost-
indiens.

Seit dem letzten Jahre ist im Handel eine zweite Art oder vielleicht nur
Lokalrasse zuerst von Baudisch in Triest und dann auch von Hagenbeck in
Hamburg eingeführt worden, der hochrothe Tigerfink [Aegintha punicea],
welcher sich von dem ersteren durch ungleich dunkler rothe Färbung, zahlreichere und
größere Pünktchen, ein wenig bedeutendere Größe, namentlich aber durch einen
weißen Streif unterhalb des Auges, den beide Geschlechter zeigen, unterscheidet und
eine längere und lauter erklingende Strophe hören läßt. Für die Liebhaberei und
Züchtung hat diese Trennung in zwei Arten, selbst wenn sie als solche geschieden
werden müßten, keine weitere Bedeutung. Da die Männchen der letzteren aber
schöner erscheinen, so wählte ich ein solches hier für die bildliche Darstellung.

Abgesehen von jenen harmlosen Befehdungen anderer Vögel während des
Nistens, gehört der Tigerfink zu den verträglichsten und gemüthlichsten unter allen
Aftrilden, sowol in der Vogelstube, als auch im Gesellschaftskäfige. Er ist
ausdauernd in diesem, wie auch im kleinen Käfige parweise gehalten und es ist
fast unbegreiflich, weshalb die älteren Schriftsteller gerade für ihn so hohe Wärme-
grade verlangen. Selbst unter sehr ungünstigen Verhältnissen, in den Schau-
fenstern der Händler erhält er sich besser, als viele andere, und da er immer
gern gekauft wird, so zählt er zu den Lieblingen der Vogelhändler, wie aller
Freunde dieser kleinen Vögel. Dr. Luchs rühmt den Tigerastrild vornehmlich
wegen der lieblichen Gesangsart, die das Männchen vom Januar bis in den

August (aber auch zu jeder andern Zeit) recht fleißig ertönen läßt, eine einfache,
melancholisch weich flötende Strophe, etwa wie bibibibibadobodoh! gewissermaßen
erinnernd an den Gesang unseres heimischen Tannenlaubvogels (Ficedula rufa,
*Lath.*). Nur ein großer Uebelstand bleibt zu beklagen, die Veränderlichkeit seines Ge-
fiebers nämlich. Wenn die Vögelchen gewöhnlich noch jung und alle übereinstimmend
gelbgrau ankommen, so beginnen die Männchen bald das Prachtkleid anzulegen;
dann zeigen sich unter beiden Geschlechtern hier und da weißgescheckte und weiß-
schwänzige und in den Vogelstuben wird wol einer im zweiten oder dritten
Jahre ganz oder doch theilweise schneeweiß. In engen Käfigen aber, namentlich
wenn diese an düstern oder dumpfigen Orten stehen, wird das Gefieder allmälig
gleichmäßig immer dunkler, tief braun bis schwarz. Dabei wachsen die Nägel
der Zehen, wenn sie nicht zeitweise verschnitten werden, zu ungeheuerlichen Gebilden heran. Noch schlimmer aber arten die Schnäbel aus, denn entweder
wächst der obere oder untere weit über den andern hinaus oder beide wuchern
lang hervor und zersplittern an der Spitze kron= oder pinselförmig. (Näheres
hierüber in dem Abschnitt: Krankheiten.)

Bei der dunkeln Färbung kommt zweifellos der Mangel an Licht zur Wirkung. Denn einerseits sind die bereits dunkel gewesenen Tigerfinken, welche ich
von den Händlern zur Beobachtung entnommen, nachdem sie sich in meiner Vogelstube licht gefärbt hatten, niemals wieder dunkel geworden, und andererseits kann
man unschwer feststellen, daß die Vögelchen auch im engen Käfige, wenn dieser
nur an einer hellen Wand hängt, nicht ihre hellen Farben verlieren. Wol aber
verändert sich nach beendigter Brutzeit das Gefieder in der Weise, daß es in allen
Schattirungen immer matter wird und sich zu einem schlichtgrauen Winterkleide
entfärbt; der Schnabel behält jedoch immer dasselbe glänzende Roth.

In dem „Handbuch für Vogelliebhaber" hatte ich angegeben, daß der Tigerfink leicht und zuverlässig niste, und zwar nach den Erfahrungen, die ich an den
ersten drei Pärchen gemacht, deren Nachkommen sodann auch in einzelnen Paaren
in Käfigen Junge erzogen. Im Weiteren scheinen die Züchter dann aber durchgängig nicht so gute Erfolge erreicht zu haben; zahlreiche Mittheilungen von verschiedenen Seiten sprechen Klagen darüber aus, daß gerade diese Vogelart unter
den günstigsten Verhältnissen gar nicht nistet oder in den seltenen Fällen doch die
Jungen sterben läßt. Daher ist dieser Astrild bis jetzt nur sehr selten gezüchtet worden. Vielleicht täusche ich mich nicht in der Annahme, daß die in den
letzteren Jahren wol ausschließlich bei den Händlern vorhanden gewesene hochrothe
Lokalrasse ungleich schwieriger zur Brut schreitet, als die andere. Nächst mir hat
dann Dr. Rey von dem getigerten Astrild glücklicher Züchtung sich erfreut und sogar
Mischlinge von demselben und dem Schmetterlingsfink erzielt. Zu allererst haben
die Tigerfinken bei Herrn Dr. Bodinus, damals noch in Köln, genistet.

Zur Züchtung im kleinen empfehle ich die beim Grauaſtrild Seite 41 be=
ſchriebene Vorrichtung, doch muß der Heckkäfig etwas größer ſein, damit man
einen kleinen dichten Buſch darin anbringen kann.  Denn die Tigerfinken niſten
faſt regelmäßig in einem frei ins Gebüſch gebauten Neſt und nur im Nothfall in
einem Harzer Bauerchen.  In Hinſicht der übrigen Behandlung ſind nur dieſelben
Maßregeln, die bei allen kleinen Prachtfinken vorgeſchlagen und beſonders beim
Grauaſtrild angegeben, zu beachten.

Der Preis beträgt bei den Händlern zweiter und dritter Hand zwiſchen
3 und 4 Thlr. für das Pärchen - und im Großhandel 4 bis 6 Frcs., doch ge=
langen ſie in manchen Jahren nur in geringer Anzahl auf den Markt, und dann
koſten ſie ſelbſt beim Maſſeneinkauf 7 bis 8 Frcs.

Der getigerte Aſtrild heißt auch Tigerfink, Tigeraſtrild, Tigerbengaliſt,
Tigervogel, getigerter Bengaliſt*) und Amandava.

Bengali piqueté (Vekemans); Amandave, Bengali piqueté (Pariſer
Händler); Amaduvade Finch (Jamrach und Verzn. d. zool. Grt. v. London);
Getygerde Amandava (holländiſch); Lal or Lal Munia (Hindoſtan, nach
Hamilton, Jerdon u. A.); Menyiring, Java Amaduvade (Horsfield); Ussing
der Sundaneſen (Bernſtein).

Nomenclatur: Fringilla amandava, *Linné*; Estrelda amandava, *Jerdon, Hartlaub, Gray*; Sporaeginthus amandava, *Cabanis*. — Fringilla punicea, *Horsfield*;
Estrelda punicea, *Blyth, Gray, Bonaparte*; Fringilla mystacea, *Vieillot*. — Amandava
piqueté ou pointillé; Amanduvade Weaver-Finch; Amandava rouge vif; Carmin Weaver-
Finch.

Wiſſenſchaftliche Beſchreibung. An Stirn, Schultern und Mantel dunkelbraun, mit
deutlich hervortretenden rothen Federrändern, Flügelſchwingen und =Decken ſchwarzbraun, Ober-
und Unterſchwanz ſchwarz, jede Feder am Außenrande weiß geſäumt; unterhalb, mit Einſchluß
des Geſichts, an Kehle, Bruſt, Bauch und Seiten hellbraun bis tief ſchwarzbraun, jede Feder
ſchön gelblich= bis zinnoberroth breit gerandet, (ſo daß beim vollgefärbten alten Männchen,
Tafel 11, Vogel 9, das ganze Gefieder dunkelgelbroth erſcheint, während die braune Färbung der
unteren Federtheile wie feine Schuppen hervortritt); Bruſt= und Bauchſeiten, Bürzel, obere Flügel=
und obere Schwanzdecken weiß getüpfelt (dieſe runden weißen Pünktchen ſind auf den Flügel=
decken am größten und ſtehen hier auch gleichmäßig reihenweiſe). Vom Oberſchnabel aus zieht
ſich, jedoch nur bis dicht um das Auge, ein ſchwarzer Streif (bei der hochrothen Varietät
unterhalb deſſelben noch ein weißer Streif). Auge ſchön bernſteinroth; Schnabel glänzend hochroth mit ſchwarzer Firſte; Füße fleiſchroth.  Das Weibchen iſt oberhalb dunkel gelblichbraun,
an Flügeldecken und Schwanz ſchwarzbraun; unterhalb heller bräunlichgelb, an Bruſt= und
Bauchmitte zuweilen weißgelb, Bürzel und obere Schwanzdecken gelbroth, Seiten und Flügel=
decken weiß gepunktet. Jugendkleid wie Seite 68 angegeben.

Aegintha amandava: fronte, humeris et interscapilio obscure fuscis,
plumis distincte rubro-marginatis; remigibus et alarum tectricibus nigro-fuscis;
cauda superiore et inferiore nigra, rectricibus singulis exterius albo-limbatis; subtus:
facie, gula, pectore, abdomine et hypochondriis brunneis, ipsis nigro-fuscis,

---

*) Im Gegenſatz zu dieſen eigentlichen Bengaliſten müſſen die verwandten afrikaniſchen
Prachtfinken in richtiger Bezeichnung alſo Bengueliſten genannt werden.

margine plumae cujusque lato luteo, quin imo zinnabarino. [♂ plane adultus
Tab. II, av. 9 itaque totus obscure aurantio-ruber partibus interioribus plumarum
emissis squamulas effingentibus fuscas]; pectoris abdominisque lateribus, uropygio, tectricibus alar., caudaeque superioribus albo-punctatis [punctis albis
tectricum praesertim alarum majoribus atque ordinatim dispositis]; loris annuloque
orbitali nigris [var. rubicunda sub hac stria nigra offerens albam; iride rubente
lutea; culmine rostri sanguinei nigro nitido; pedibus rubente carneis. — Femina:
supra subtestaceo-fusca; tectricibus al. caudaque nigro-fuscis; subtus fuscante
gilva; mediis pectoris abdominisque interdum albido-flavis; uropygio et supracaudalibus fulvis; hypochondriis alarumque tectricibus albo-punctulatis.

Länge 9 cm. (3 ♂. 6 ♀.), Flügel 4,4 cm. (1 ♂. 8 ♀.), Schwanz faſt gerade abgeſchnitten
3,9 cm. (1 ♂. 6 ♀.).

Juvenis: capite dorsoque subfusco-cinereis, alis obscurioribus, maculis terminalibus earum tectricum semilunaribus ferrugineis, series punctorum avis quiescentis
magnorum tres componentibus, iisque signa specifica offerentibus; cauda nigricante;
gula incana; pectore flavo-cinereo; abdomine albido-flavo, crisso paululum obscuriore;
rostro nigro nitido; iride picea; pedibus obscure cinereis.

Beſchreibung des Eies: Farbe reinweiß, glatt und glänzend, Geſtalt kurzoval.
Länge 14 mm., Breite 12 mm.,

Ovum pure album, nitens, breviovatum.


## Der gelbgrüne Aſtrild [Aegintha formosa].

Dieſer Aſtrild hat ſich in allen Vogelſtuben bereits das Bürgerrecht
erobert, obwol er doch nur ſeit kurzer Friſt (Spätſommer d. J. 1873) durch
die Hagenbeck'ſche Großhandlung zuerſt in Deutſchland eingeführt worden. In
der Geſtalt, Größe und im Weſen iſt er dem nächſten Verwandten, dem all=
bekannten Tigerfink, ſehr ähnlich, doch zeigt er ſich ungleich ruhiger und ſtiller.

Seine Färbung iſt anſprechend, ſo daß er mindeſtens zu den ſchöneren Pracht=
finken gezählt werden muß: oberhalb dunkel olivengrün, Flügel und Schwanz dunkel
grünlichbraun, durch grüne Außenſäume der Federn, namentlich an den Schwingen;
unterhalb blaßgelb, an Bruſt, Bauch und dem hinteren Unterleib ſchön lebhaft
gelb; Bruſt= und Bauchſeiten dunkelbraun, weiß und gelb gebändert. Auge gelb=
braun, Schnabel glänzend roth, Füße grau. Das Weibchen unterſcheidet ſich nur
dadurch, daß die gelbe Färbung an Bruſt, Bauch und Unterleib viel blaſſer iſt.

Karl Hagenbeck ſchreibt: meines Wiſſens iſt der grüne Bengaliſt bis jetzt
weder im Vogelhandel, noch in den zoologiſchen Gärten vorhanden geweſen; er
dürfte daher bei uns in der Gefangenſchaft noch nicht beobachtet ſein. —
In gleicher Weiſe bietet auch die Literatur nur geringe Angaben über ihn (Ver=
reaux, Jerdon) und ſelbſt der Katalog des Muſeums der Oſtindiſchen Geſellſchaft
führt ihn nicht einmal auf. Hartlaub ſah ihn zwar ſchon zu Anfang der
ſechsziger Jahre einmal lebend in London, giebt aber nichts Näheres an. Ueber
ſeine Lebensweiſe im Freien iſt nichts bekannt, als daß er in ſeiner Heimat,
Centralaſien und insbeſondere Mittelindien, zahlreich ſein ſoll. In Indien hält

man ihn vielfach im Käfige und es iſt um ſo mehr verwunderlich, daß er noch
nicht früher und häufiger zu uns gelangte.

Die gelbgrünen Aſtrilde in meiner Vogelſtube leben recht friedlich beiſammen.
Gewöhnlich ſitzen ſie alle, vier Männchen und drei Weibchen, in einer halbdunkeln
Ecke tief hinten und etwa mannshoch im Gebüſch regungslos dicht nebeneinander
oder ſie hüpfen eben ſo geſellig nahrungſuchend an der Erde umher. Dann erſcheinen ſie wol lebhaft, beweglich und anmuthig, während ſie ſonſt den Eindruck
ſehr ſtiller und ruhiger Vögel machen. Auch zur Niſtzeit werden ſie nicht auffallend erregt und ihrer Schüchternheit und verſteckten Lebensweiſe halber ſind ihre
beſonderen Eigenthümlichkeiten ſchwierig zu bemerken. Das Liebesſpiel beſteht nur
im Umhüpfen des Weibchens, ganz ebenſo wie es der Tigerfink zeigt; das
Männchen ſucht auch mit ſehr ähnlich klingendem, zirpendem Geſchrei jeden andern
Vogel aus der Nähe der Brut zu vertreiben. Doch wagt es ſich nur an
kleinere Genoſſen und ſchlüpft auch ſogleich furchtſam-ſtill ins tiefere Gebüſch,
ſobald ein Menſch ſich regt. Das erſte Neſt war faſt nur aus weichen Baſtſtreifen mit weichen dicken Sackfäden, in der Form eines gegen drei Handbreiten
hohen, ſchiefſtehenden Thurmes, deſſen Eingang von oben hinab führte, kunſtlos
errichtet. Nachdem das Pärchen aus demſelben durch Diamantvögel vertrieben
war, erbaute es ein zweites Neſt aus gleichen Stoffen, aber in kugelrunder
Form und mit ſeitlichem Flugloch. Zum erfolgreichen Niſten iſt es jedoch noch
nicht gekommen, weil die Vögelchen zu ängſtlich ſind und ſich von allen andern
verſcheuchen laſſen. Ein Züchtungsverſuch in dem Seite 41 beſchriebenen Pracht-
finken-Heckkäfig wird wahrſcheinlich zum guten Ergebniß führen. Mir iſt ein
ſolcher freilich noch nicht gelungen.

Neuerdings hat Herr Baudiſch in Trieſt dieſen Aſtrild in größerer Anzahl
auf den Vogelmarkt gebracht. Der Preis iſt noch ziemlich hoch, 4 bis 5 Thlr.
für das Pärchen .

Der gelbgrüne Aſtrild erfreut ſich ebenfalls bereits mehrerer Benennungen
und zwar, grüner Bengaliſt, grünes Gelbbrüſtchen, Schönfink und nach Reichenbach recht unpaſſend weißſeitiger Aurora-Senegali. (In den Preisverzeichniſſen
der auswärtigen Händler iſt er noch nicht aufgeführt.)

Nomenclatur: Estrelda formosa, *Verreaux*; Estrelda lateralis, *Verr.*, *Bnp.*,
*Hartl.*; Pytelia formosa, *Gray*; Pytelia lateralis, *Reichb.*; Harrelal der Hindoſtaner.
Wiſſenſchaftliche Beſchreibung (ſiehe oben).
Aëgintha formosa. Supra dilute olivaceo-virens, remigibus nigris, dorsi
colore limbatis; gutture pallide ex olivaceo-cinerascente; pectore et abdomine
medio sulfureo-flavis; lateribus pulchre et late olivaceo- et albido-fasciatis; subalaribus albidis; subcaudalibus flavis, basi albidis; rostro corallino; pedibus
carneis; rectricibus nigris, mediis canescentibus.
Länge 9cm. (3 Z. 6 L.), Flügel 4,6cm. (1 Z. 9 L.), Schwanz 3,9cm. (1 Z. 6 L.).

## Der goldbrüstige Astrild [Aegintha sanguinolenta].
### Tafel I. Vogel 5.

Kaum beginnt der Tag zu grauen, da erschallt ein leises schiep! von Zeit zu Zeit sich wiederholend, immer lauter und lebhafter und immer schneller auf= einander folgend, bis es zuletzt in einen eintönigen, doch nicht mißlautigen Mor= gengesang übergeht. Wenn fünf bis sechs dieser kleinen Sänger zugleich in einer Vogelstube sich hören lassen, so ähnelt ihr Geschrei dem Frühlingskonzert der Sperlinge in der Fliederlaube; nur ungleich zarter, weniger schrill und dafür lieblicher ist es, als der Sang der Spatzen.

Dieser Prachtfink, unter dem Namen Goldbrüstchen allbekannt, ist einer der kleinsten, aber auch der schönsten und wiederum beliebtesten unter allen. Am ganzen Oberkörper ist er olivengrünlichbraun, am Unterkörper schön citronengelb und beim alten Männchen ist die Brust herrlich orange= oder goldroth. Dazu der karminrothe Augenbrauenstreif und das glänzend rothe Schnäbelchen, die unbe= schreibliche Anmuth und Zierlichkeit — und in der That, dies Vögelchen verdient wol, ein Liebling aller Welt zu sein.

Das Goldbrüstchen ist eine der gewöhnlichsten Erscheinungen im Vogelhandel und da es sich jahrelang, selbst in den Käfigen der Händler bei angemessener Pflege gut erhält, so ist es auch fast allenthalben immerwährend käuflich zu haben. Um seiner Schönheit willen wird es ebensowol in allen Vogelstuben, als auch in Gesellschaftskäfigen oder kleineren Sammlungen und selbst parweise im kleinen Bauer ungemein viel gehalten.

Die Heimat des goldgelben Astrild erstreckt sich vornehmlich über Westafrika, doch dürfte er so ziemlich über den ganzen Erdtheil verbreitet sein; auch ist er auf Madagaskar und einigen andern der nächsten, sowie auf den Capverdischen Inseln eingeführt (vrgl. S. 37). Dennoch haben die Forscher (Lefebre, Verreaux, Layard u. A.) nur ganz kurze Angaben über sein Freileben gemacht. Am aus= führlichsten berichtet Heuglin. Er fand diesen Vogel in zwei sehr fern von einander gelegenen Gegenden und zwar in der Dembea=Ebene und Provinz Fogara und dann auf der Reqinsel im Quellsee des Gazellenflusses, jedesmal im Monat März. Kleine Familien von fünf bis zehn Köpfen, unter denen nur wenige alte Männchen an ihrer lebhaften Färbung schon von weitem zu erkennen waren, strichen flüchtig um Gehöfte und trieben sich auf Stoppelfeldern und im Hoch= grase, auch auf Rohrstengeln umher und fielen seltener in Gebüsche oder auf niedrige kahle Baumgipfel ein. Im Tana=Becken hielt sich die Art gesondert, während sie am Reqsee zuweilen mit Grauastrilds und andern Verwandten ge= meinschaftlich flog. Auch dieser Reisende meint, daß die Goldastrilds im Geschrei, im Fluge und in ihren Zusammenrottungen den Feldsperlingen gleichen.

Vieillot sagt über den Senegali auroré sehr wenig, auch hat er ihn nicht gezüchtet. Reichenbach bemerkt: ich kann nach eigener Beobachtung angeben, daß die jungen Vögel ganz olivengrau sind und deshalb habe ich einen solchen im Uebergangskleide abgebildet, wie er hier verstorben war. Ob derselbe jung aus Afrika herübergekommen oder in Deutschland erbrütet ist, hat er nicht mitgetheilt. Es ist aber bekannt, daß sehr viele junge Prachtfinken, z. B. Elstervögelchen, noch im grauen Jugendkleide oder in der begonnenen Verfärbung eingeführt werden, und daher könnte dies auch wol mit dem Goldbrüstchen der Fall gewesen sein.

Da ein Pärchen der goldbrüstigen Astrilde ebenfalls zu den ersten fremd= ländischen Vögeln gehörte, welche ich, anfangs in einzelnen kleinen Heckkäfigen und dann in der Vogelstube hielt, so wird auch diese Art wol zu denen zu zählen sein, die ich zuerst gezüchtet habe. Bald darauf hat sie dann auch in zahlreichen andern Vogelstuben und Heckkäfigen genistet — und nun zeigt auch dieser Vogel die seltsame Erscheinung, daß seine Entwickelung in der Gefangenschaft eingehend erkundet ist, während man sie in der Freiheit noch keineswegs kennt.

Die Goldbrüstchen nisten ebensowol im kleinen Käfige, als auch frei= fliegend in der Vogelstube fast immer überraschend bald. Mein erstes Pär= chen brachte es aber in mehreren Bruten hintereinander nicht weiter, als bis zu Eiern oder ganz kleinen Jungen, die am ersten bis spätestens sechsten Tage regelmäßig starben. Von den abwechselnd brütenden beiden Gatten suchte der abgelöste, Männchen oder Weibchen, um die Zeit, wenn die Brut soeben aus den Eiern gekrochen, jedesmal mit sichtbarer Angst rastlos nach irgend etwas Fehlendem umher. Sie kamen dann, sobald die Thür der Vogelstube ge= öffnet wurde, in das Zimmer nebenan und durchstöberten mit förmlich fieberhafter Hast die Gewächse des Blumentisches. Ich bot alles Mögliche auf, um dieses mir leider unbekannte Bedürfniß zu befriedigen. Eingequellte Ameisenpuppen, weicher Käse oder Quark, eingeweichtes altbackenes Weißbrot, feinzerhacktes Rin= derherz, hartgekochtes Hühnerei u. dgl. wurde gegeben, doch nichts davon nahmen die Vögel an. Das Männchen ließ sich gewöhnlich mit einer weichen Feder abfinden. Es gehört nämlich zu den Prachtfinken, welche die Gewohnheit haben, daß sie nicht allein zum Ausbau des Nestes, sondern auch, besonders wenn die Jungen soeben aus den Eiern geschlüpft sind, immer noch Federn und andere weiche Baustoffe herbeischleppen und nie ohne etwas dergleichen im Schnabel zur Ablösung beim Brüten kommen. Das Weibchen aber gab sich nicht zufrieden, bis endlich das ängstliche Umherflattern Beider zeigte, daß die Brut wiederum zugrunde gegangen.

Zunächst blieb mir nichts weiter übrig, als noch zwei Pärchen dieser Vögel anzuschaffen, um festzustellen, ob vielleicht blos die individuelle Unfähigkeit des ersteren die Schuld an den Mißerfolgen trage. Alle drei Pärchen nisteten nun

in rastloser Emsigkeit — und alle brei vermochten keine einzige Brut aufzu=
bringen.   Sobald aber der Sommer nahte, bot der Berliner Vogelmarkt frische
Ameisenpuppen, und als von diesen recht kleine, zarte gefüttert wurden, gelangte
das erste Paar, welches bereits siebenmal vergeblich genistet, doch noch zur Er=
ziehung von fünf Köpfen.   Auch die andern erfreuten sich dann gleicher Erfolge.
Späterhin, als die Goldbrüstchen mehr eingewöhnt waren, fütterten die Alten
sowol, als auch die von mir gezüchteten jungen Pärchen ihre Bruten mit einem
Gemisch aus getrockneten, aber eingequellten Ameisenpuppen, darüber geriebenem
Eierbrot und zerschnittenen Mehlwürmern fast immer glücklich groß.   Darin
stimmen nun alle Züchter überein, daß dieser Vogel trotz des eifrigen Nistens
doch nur selten die Jungen glücklich zum Flüggewerden bringt.
      Das Eheleben der Goldbrüstchen ist ein vorzugsweise interessantes.   Dicht
gedrängt, zärtlich aneinandergeschmiegt vielmehr, sitzen die beiden Vögelchen re=
gungslos; oder sie krauen sich gegenseitig im Gefieder, namentlich am Kopfe herum,
wobei der leidende Theil in komischer Weise dem andern den Kopf ausgestreckt
hinhält, ihn langsam drehend und wendend, damit jener doch ja recht bequem
alle Seiten durchnesteln kann.   Dann fliegen sie beide herab zur Erde, huschen
hier in anmuthiger Beweglichkeit nahrungsuchend umher, schwingen sich wieder
empor und nun beginnt der Liebestanz des Männchens, welcher drolliger als
bei den meisten andern Prachtfinken ist.   Es streckt den ein wenig geöffneten
Schnabel tief zum Boden hinab, hält den Hals dabei sonderbar umgedreht, mit
gesträubten Federn, breitet den Schwanz fächerartig aus und erhebt hin und
wieder das Köpfchen zur wunderlich=gravitätischen Verbeugung.   Dabei läßt
es einen schrillklingenden Sang ertönen.   Die Begattung des Goldbrüstchens
unterscheidet sich dadurch von denen aller übrigen Verwandten, daß sie sehr
häufig wiederholt wird; besonders die im kleinen Käfig gehaltenen Pärchen üben
sie wol unzählige Male im Tage aus, und es gibt vielleicht keinen andern
Vogel, der in dieser Hinsicht das Goldbrüstchen übertrifft.   Nur in der
Zeit der Liebe, bis zum beginnenden Brüten, wol auch bis zum Auskommen
der Jungen erhebt das Männchen täglich seinen Morgengesang.   Es hockt dann
auf einem der höchsten Zweige, oft vom Nest weit entfernt und zirpt unaufhörlich,
je nach der Jahreszeit bis gegen sieben oder acht Uhr.   Förmlich andächtig sitzt
der kleine goldgelbe Sänger da und läßt sich durchaus nicht dadurch beirren, daß
die meisten Vögel schon längst an den Futterkörben sich versammelt haben.   Wenn
es mehrere Goldbrüstchen sind, so sucht jedes die andern zu überschreien.   Plötzlich
erstirbt das Lied, sie eilen zum Futterplatze, jagen hier alle Genossen und selbst
viel größere Vögel aus dem Wege, sättigen sich in augenscheinlicher Hast und
lösen dann ihre Weibchen in den Nestern ab.   Ziemlich regelmäßig von zwei zu
zwei Stunden wechseln Männchen und Weibchen beim Brüten.

Während der goldbrüstige Aftrild zur Ernährung doch zweifellos auf die Sämereien niedriger Gräser an der Erde angewiesen ist, dürfte mit Sicherheit anzunehmen sein, daß er sich am liebsten auf den Spitzen mittelhoher Bäume aufhält. In der Vogelstube wählen ebensowol die nicht nistenden Pärchen, als auch die Männchen, deren Weibchen brüten, immer die höchsten freistehenden, dünnen Zweige zur Nacht- oder Mittagsruhe. Auch das Nest wird stets in der Höhe angebracht; die drei alten Pärchen und später auch die jungen schon heckenden bewohnten immer hochhängende Harzer Bauerchen, überflochtene Strohkörbchen oder die kleinsten, vorn offenen Frühauf'schen Nistkasten; niemals fand ich ein Nest niedrig oder frei im Gebüsch stehend. Im Gegensatz zu den andern nahverwandten Prachtfinken, erbauen die Goldbrüstchen stets nachlässig, aus Papier- und Baststreifen, Baumwollfäden, Agavefasern und Heuhalmen sehr lose zusammenge- schichtet, überwölbt, mit seitlichem, weiten und kaum gerundeten Flugloch, innen dagegen einigermaßen sorgfältig geglättet, mit Pferdehaaren, Watteflöckchen und Federn ausgepolstert.

Das Gelege besteht meistens aus drei bis vier, doch auch sieben und sogar bis neun Eiern. Der Nestflaum ist weiß; die Schnabelwarzen sind gelblich. Das Jugendkleid ist schlicht hell gelbgrau, oberhalb etwas dunkler, die Flügelfahnen und Schwanzfedern sind dunkelbraun, auf dem Bürzel läßt ein schwaches, doch deutlich wahrnehmbares Röthlichgelb die Art erkennen, der rothe Augenbrauenstreif fehlt aber, das Schnäbelchen ist glänzend schwarz, die Augen sind dunkelbraun, die Füße schwarzbraun. Bereits im Alter von drei Wochen beginnt die Verfärbung. Das ganze Gefieder blaßt sich merklich ab, auch der Schnabel wird heller, mehr und mehr treten zugleich an den Seiten die weißlichen Flecke und dunkeln Zeichnungen hervor. In fünf Wochen ist das untere Gefieder hell gelblich, das obere dunkler braun geworden; erst nach acht Wochen ist die Verfärbung in der Weise vollendet, daß das Gelb schönen Glanz und Tiefe angenommen und das durch Fahlgelb in Röthlichbraun wechselnde Schnäbelchen schön glänzend roth geworden. Auch der etwa in der sechsten Woche sichtbar werdende Augenbrauenstreif ist in der achten Woche vollkommen ausgebildet. Dann ist der Vogel fortpflan- zungsfähig. Erst im zweiten Jahre zeigt sich das lebhafte Orangeroth des Männ- chens an der Brust; es dehnt sich so aus, daß es im fünften Jahre zuweilen Hals, Brust und den oberen Bauch gleichmäßig überdeckt. So schön gefärbte Männchen sind aber sehr selten. Bei denen, welche die Vogelstuben bevölkern oder in den Vogelhandlungen vorhanden sind, bildet das Orangeroth an der Oberbrust gewöhnlich nur eine mehr oder minder breite Binde.

Wenn die Bruten des Goldbrüstchens glücken, so zeigt es eine sehr beträcht- liche Vermehrung, und man wird keinenfalls fehlgreifen in der Annahme, daß dies Vögelchen in der Freiheit alljährlich drei- bis viermal niste und jedesmal

zwischen vier bis sechs Junge erziehe. Gehen aber die Bruten in der Gefangenschaft fehl, sei es durch Störung oder weil die angemessene Nahrung zum
Auffüttern der Jungen mangelt, so entwickeln diese Vögel eine seltsame oder
geradezu widernatürliche Fruchtbarkeit. In der Vogelstube des Herrn Dr. Rey
in Halle erbrütete ein Paar Goldbrüstchen im Laufe eines Jahres 54 Junge
und außerdem wurden ihnen 67 Eier fortgenommen, so daß das Weibchen also
121 Eier gelegt hatte. Natürlich kommt bei einer solchen übermäßigen Erzeugung
der Vogel um. Es ist daher eine hochwichtige Aufgabe der rationellen Züchtung, diese erstaunliche Leistungsfähigkeit in naturgemäße Bahnen zu lenken.

Ebenso wie der getigerte, wird auch der goldbrüstige Astrild bei den Vogelhändlern mit der Zeit regelmäßig tief braunschwarz gefärbt. Ganz in derselben
Weise, wie ich diese Farbenveränderung S. 72 beschrieben, findet sie auch bei
diesem Vogel hin und zurück statt.

Im großen Gesellschaftskäfige mit verschiedenen Vögeln zusammen, wie bei
den Händlern oder in kleinen Gebauern in wenigen Pärchen, immer zeigen sich
die goldbrüstigen Astrilde sehr sanft, verträglich und untereinander ungemein
zärtlich. Während des Nistens aber und namentlich im Beginn desselben werden
auch sie zu Raufbolden, die mit jedem andern Vogel anbinden und nur
der Uebermacht weichen. Ihre Befehdung ist aber niemals eine gefährliche;
junge oder kranke Vögel greifen sie nicht an. Für den kleinen Schmuckkäfig sind
sie um ihrer Lieblichkeit willen sehr zu empfehlen; den Sperlingsgesang lassen sie
in demselben nicht hören und selbst ein nistendes Männchen, welches jedoch außerhalb der Vogelstube ein Heckbauer bewohnt, stimmt dieses Lied nicht an.

Obwol das Goldbrüstchen, wie erwähnt, zu den Prachtfinken gehört, welche
am beliebtesten sind und am häufigsten gekauft werden, so steht es doch unter
denen, die man gleichsam als die Märtyrer der Liebhaberei ansehen kann, hochobenan. Diese zarten Zier- und Schmuckvögel werden vorzugsweise von den Frauen
gern in eleganten Käfigen in den Salons gehalten, wo sie dann zum Leidwesen
der empfindsamen Besitzerinnen nur zu bald einem kläglichen Schicksal erliegen.
Beiläufig möchte ich daher auf die Uebelstände des Haltens solcher Luxusvögel
einmal hinweisen.

Einige ganz einfach-alltägliche Verhältnisse sind es, die vielen Stubenvögeln,
besonders den weichlicheren, nur zu verhängnißvoll entgegentreten. Das Reinigen
der Zimmer des Morgens, so nothwendig es für das menschliche Wohlergehen
auch ist, wird doch für die Vögel verderbenbringend. Das dabei erforderliche
Oeffnen der Fenster bewirkt, selbst wenn direkter Zug vermieden werden kann,
ein plötzliches Sinken der Temperatur um mehrere Grade, durch das Abstäuben,
Fegen, Sprengen oder gar Dielenscheuern wird eine stauberfüllte, naßkalte, kurz
und gut ungesunde Luftmischung erzeugt, welche Erkältung, Schnupfen, Lungen-

entzündung u. dgl. ebenfo bei den Vögeln, wie bei den Menſchen hervorruft. Da wundern ſich dann die Vogelliebhaberinnen nicht ſelten darüber, daß ihre Vögel bei beſter Pflege, ohne alle Veranlaſſung, wie ſie meinen, frank geworden und eingegangen — und lediglich dieſe Unachtſamkeit und Unkenntniß trägt die Schuld daran, daß die Vogelliebhaberei gar viele Anhänger, bezüglich Anhängerinnen, wieder verliert. Als die wichtigſte Regel einer erſprießlichen Verpflegung ſei auch bei dieſer Gelegenheit die Nothwendigkeit hervorgehoben: daß wir jedes Thier zunächſt recht kennen lernen müſſen, bevor wir es ſchätzen, lieben und angemeſſen verpflegen können. —

Das Goldbrüſtchen gehört zu den billigſten unter allen Bengueliſten oder afrikaniſchen Prachtfinken. Man kauft das Pärchen in den Vogelhandlungen für 2½ bis 3 Thlr. und im Frühjahr, wenn die kleinen Afrikaner knapp ſind, für 3½ bis höchſtens 4 Thlr. Bei den Großhändlern wechſelt der Preis zwiſchen 4, 5 und 6 Frank. Es kommt faſt niemals entfedert in den Handel, auch ſterben gewöhnlich nicht ſo viele nach der Ankunft als von den verwandten Arten.

Der goldbrüſtige Aftrild heißt auch Goldaftrild, Goldbrüſtchen, Citronvögelchen, Auroravögelchen, Aurora-Senegaliſt, Goldblättchen.

Bengueli zébré oder Zébrés, deutſch Gelbborſten (Vekemans); Zebra Waxbill (Jamrach und Liſte des Lond. zool. Gart.); Sénégali ventre jaune, Astrild ventre orange (Pariſer Händler); Little Aurore-Senegali (andere Londoner Händler); Oranje of Zebra-senegali (holländiſch).

Nomenclatur: Fringilla sanguinolenta, *Temmink*; Estrelda sanguinolenta, *Lichtenstein, Swainson*; Fringilla subflava, *Vieillot*; Estrelda subflava, *Gray, Layard*; Sporaeginthus subflavus, *Cabanis, Hartlaub*; Habropyga subflava, *Heuglin*; Pytelia subflava, *Reichenbach*; Dwarf-Finch, *Latham*.

Wiſſenſchaftliche Beſchreibung. Oberhalb olivengrünlichbraun, Flügelſchwingen wenig dunkler braun, Schwanzfedern ſchwärzlichbraun, Bürzel und vorderer Oberſchwanz gelblichroth; unterhalb, Kehle, Bruſt und Bauch ſchön citronengelb, mit orangerother Bruſtbinde und gleichem Hinterleib, beim alten Männchen die Bruſt und zuweilen auch der Bauch herrlich orangeroth; Bruſt- und Bauchſeiten olivengrünlichgrau, mit zarten weißen Mondflecken und bräunlichen Bändern gezeichnet; Unterſchwanz ſchwärzlich, jede Feder mit weißem Endſaum. Ein Augenbrauenſtreif, welcher das Auge umſchließt und bis zum Hinterkopf ſich zieht, ſcharlachroth; das ſchön gelbbraune Auge hat bis zu dem korallenrothen Schnabel einen feinen ſchwarzen Zügelſtreif; die Füße ſind röthlich. Das Weibchen iſt oberhalb ebenfalls olivengrünlichbraun mit röthlichgelbem Bürzel, unterhalb bräunlichgelb, Kehle, Bruſt- und Schenkelſeiten graugelb, mit dunkleren Wellenlinien; untere Schwanzdecken röthlichgelb.

Aegintha sanguinolenta. Supra olivaceo-fusca, subtus rubro-aurantia; superciliis et uropygio rubris; gula, pectoris ventrisque lateribus flavis; hypochondriis dorso concoloribus, albo-undulatis; cauda nigra, albo-terminata rostro et pedibus rubris.

Länge c. 8,5 ᶜᵐ. (3¼ 3.), Flügel 4,3 ᶜᵐ. (1⁷/₁₀ 3.), der gerundete Schwanz 3,5 ᶜᵐ. (1²/₅ 3.).

Juvenis flavido-canescens, subtus obscurius; remigibus et rectricibus obscure fuscis; uropygio afflatum offerente rubidogilvum, signum velut specificum; rostro nigro, nitido; iride nigro-fusca; pedibus nigro-fuscis.

Karl Ruß, Die fremdländiſchen Stubenvögel.

Beschreibung des Eies: Farbe weiß, schwach glänzend, Gestalt länglich-eiförmig, mit undeutlicher Spitze. Länge 13,5 bis 14 ᵐᵐ., Breite 10,5 bis 11,5 ᵐᵐ.

Ovum album, subnitens, sublongo-ovatum, apice indistincto.

## Der kleine rothe Astrild [Aegintha minima].

### Tafel II⅝, Vogel 6.

Draußen toben die ersten Herbststürme. Alles Milde, Trauliche und Schöne rüstet sich zum Scheiden und wir nehmen trauernd Abschied von dem muntern Leben und Weben in der freien Natur. Gerade in dieser Zeit — im Verlaufe des Monats September — pflegt sich in der Vogelstube eins der lieblichsten Bilder traulichen Familienlebens eines Vogelpärchens zu entfalten.

Dies ist der unter dem Namen Amarantvogel oder kleiner Amarant allen Liebhabern wohlbekannte Prachtfink. Seine Grundfarbe ist blutroth bis karminroth, am Oberrücken und Oberschwanz, sowie an den Flügeldecken röthlich dunkelbraun mit olivengrünlichem Ton. Der glänzend rothe Schnabel mit schwarzer Firste, ein schöngelber Augenring und zierliche weiße Pünktchen an den Brustseiten verschönern sein Ansehen, und, namentlich wenn sein Gefieder in den Sonnenstrahlen glänzt, erscheint auch er uns als einer der lieblichsten Tropen= vögel, welche lebend nach Europa eingeführt werden. Das Weibchen ist schlicht einfarbig dunkelbraun, unterhalb heller, und an dem rothen Bürzel, Oberschwanz und Augenbrauenstreif zu erkennen; auch hat es die Seitenpünktchen. In der Größe ist er dem Grauastrild gleich, in der Gestalt aber gedrungener.

Der Karmin= oder Blutastrild, wie er von den Reisenden gewöhnlich genannt wird, gehört zu den fremdländischen Vögeln, über welche, namentlich durch Hart= mann, v. Heuglin und Speke die ausführlichsten Nachrichten veröffentlicht worden.

Seine Verbreitung erstreckt sich insbesondere über Mittelafrika, von der Ostküste bis zum Westen, doch ist er auch im Nordosten und südlich bis zum 10. Grade n. Br. gefunden. Somit dürfte er gleich dem grauen Astrild im ganzen tropischen Afrika heimisch sein. In den Nilländern ist er überall zu finden und besonders häufig in Dongola, Nubien, Kordofan, Senar, Abessynien, Bogosland, Tigreh, Bongo u. s. w.

Professor Dr. Robert Hartmann vergleicht ihn mit unserm Haus= und Feldsperling, weil er vorzugsweise gern an den menschlichen Wohnungen und selbst innerhalb derselben nistet und z. B. in Südnubien und im Ostsudan in keiner Ortschaft fehlen soll. Auch seine Lebensweise stimmt mit der unserer Sperlinge überein. Außer der Brutzeit trifft man ihn gewöhnlich nahe bei den Gebäuden, in den Gärten und auf den Feldern, aber ebenso auch in den Steppen und im Urwalde mit Schmetterlingsfinken, Stahlfinken und anderen zusammen, oft in großen Schwärmen. Der genannte Forscher beobachtete im Mai ganze Wolken

von Karminfinken am blauen Nil, und Heuglin ſah außerordentlich große Scharen
bei oder innerhalb der Stadt Dongola. Familienweiſe lebt dieſer Aſtrild in den
Dörfern, ſeltener in unbewohnten Gegenden und im Gebirge, wo er z. B. in
Abeſſynien bis zu 3000 Meter (9000 Fuß) Meereshöhe hinaufgeht. Heuglin
ſagt: die Blutfinken ſind liebe, muntere Vögelchen, welche zutraulich in die
Stallungen und ſelbſt in die Zimmer kommen, um Körnchen, Brocken u. dgl.
aufzupicken. Der Lockton beſteht in lebhaftem Zirpen, der Geſang iſt einfach,
aber nicht ohne Melodie. Auf Bäumen und Gebüſch bemerkte ich dieſe Vögelchen
über Tag ſelten; ſie halten ſich lieber auf der Erde, an Bewäſſerungsgräben,
Düngerhaufen, ſowie auf Mauern, Dächern und in Fenſtern auf und verlaſſen
ihre einmal eingenommenen Standorte ſehr ungern, ſolange Menſchen in der Nähe
hauſen. Im Schutz und in der Kühle der Citronenbäume pflegen ſie ſich allabendlich, wenigſtens im Hochſommer zur Nacht einzufinden. Unter eifrigem,
feinen Piepen und Gezwitſcher ſammeln ſie ſich gegen Sonnenuntergang und
lärmen noch eine gute Zeit fort, ehe ſie zur Ruhe kommen.

Das Neſt ſteht auf Dachſparren, unter Strohdächern, in Mauerlöchern und
ſogar in Mattenzelten, auch ſoll es beſonders häufig in den einſamen ver-
laſſenen und verfallenden Hütten, ſeltener dagegen im Gebüſch und Graſe
am Boden zu finden ſein, oder wol gar auf Bäumen; doch iſt die letztere Behauptung noch nicht erwieſen. Ein wenig zuverläſſiger Reiſender giebt auch an, daß
ſolche Neſter, gleichviel ob er ſie in und an den Gebäuden oder im Freien auf
der Erde im dürren Graſe geſehen, aus großen Halmen roh zuſammengefügt
geweſen, mit einem flachen Neſtnapf aus Gräſern u. dgl. Heuglin behauptet
freilich ebenfalls, daß er von dieſem Vogel kunſtloſe Neſter gefunden.*) Hiermit
ſtimmen die Beobachtungen keineswegs überein, welche die Züchter ſeit Vieillot
gerade am Amarant in aufmerkſamſter Weiſe und mit übereinſtimmenden Er-
gebniſſen gemacht.

Schon der genannte franzöſiſche Forſcher hat den Petit senegali rouge
mit Erfolg gezüchtet und ſchildert ihn in folgender Weiſe. Dieſe Vögelchen ſind
ſanft und zutraulich und untereinander ſo zärtlich, daß ſie ſtets geſellig und am
liebſten dicht gedrängt zuſammen ſitzen, beſonders die Nacht hindurch. -Zur
Parungszeit aber ſondern ſich die einzelnen Pärchen ab und bekämpfen ſich gegenſeitig, ſo daß man ſie trennen muß. Jedes Männchen lebt jetzt nur für ſein
Weibchen; vor der Begattung ſetzt es ſich in ſeine Nähe mit einem Hälmchen

---

*) In den Schriften der übrigen Afrikaforſcher, wie *Antinori* „Catalogo descrittivo di
una Collezione di Uccelli fatta nell' interno dell' Africa centrale norte“, *Andersson*
„Birds of the Damara Land“, *Layard* „Birds of South Africa“, *Blanford* „Geology
and Zoology of Abyssinia“, welche des Vogels erwähnen, iſt über ſeine Niſtweiſe leider
ebenfalls nichts Näheres angegeben.

im Schnabel, hüpft in kleinen Sprüngen empor, tritt abwechselnd mit den Beinen auf den Zweig, auf dem es sitzt, und singt nun zum Vorspiel seines Genusses. Der angenehme, doch sehr kleine Gesang wird mehrmals munter und freudig wiederholt. Erfolgt aber die Parung durch die Weigerung des Weibchens nicht, so wird das Männchen ärgerlich und treibt es umher. Beide bauen gemeinsam das Nest, außen von Hälmchen und Moos und innen mit Federn und Pflanzen= wolle ausgepolstert, etwa so groß wie ein Straußenei, mit dem Flugloch seitwärts in der Mitte. Zur Brutzeit verlangen diese Vögel 25 Grad Wärme und sie nisten vorzugsweise in unserm Winter. Durch Trennung der Geschlechter kann man die Niftzeit wol hinausschieben, doch machen sie dann höchstens zwei Bruten. Will man ihre Zucht betreiben, so bleibt es immer Regel, mehr Weibchen als Männchen anzuschaffen, weil die ersteren leichter sterben. Alle diese und weitere Angaben Vieillot's vermag ich noch bedeutsam zu ergänzen.

Der Amarant gehört zu den Vögeln, welche auch bei den deutschen Züchtern vielfach und mit dem besten Erfolge genistet haben. In meiner Vogelstube war er einer der ersten, die mit besonderm Glück ihre Jungen großzogen. Vor= nehmlich auf diesen Aftrild (nächst Bandfink und Zebrafink) gründeten sich meine Erfahrungen, als ich in der „Gartenlaube“ die erste Anregung zur Einbürgerung und Züchtung dieser lieblichen Vögel in der Häuslichkeit gab. Obwol ich aber den Amarant mit außerordentlichem Erfolge gezogen, so glaube ich doch nicht behaup= ten zu dürfen, daß auch er bei mir zuerst genistet hat. Unter den vielen Vögeln, die Herr Leuckfeld in Nordhausen, einer der frühesten und glücklichsten deutschen Vogelzüchter, flügge werden gesehen, war auch der Amarant. Außerdem haben dann die Herren Emil Linden, Graf York von Wartenburg, Freiherr v. Beust, Instrumentfabrik=Besitzer Grimm in Stettin, Baron v. Freyberg, Dr. Rey und andere diesen Prachtfink freifliegend und selbst in kleinen Käfigen vielfach gezüchtet.

Der rothe Aftrild ist ein Kosmopolit, der sich in jede Lage zu schicken und immer aus ihr den möglichsten Vortheil zu ziehen weiß. Auch seine eigenthüm= liche Schwanzbewegung spricht für einen ruhigen, bedächtigen Charakter. Nicht seitwärts hin= und herschwankend, sondern gleichsam nachdenklich erwägend auf und ab geht der Schwanz, und nur bei starker Erregung zeigt er ein ruckweises, heftiges Emporschnellen. Das erste Pärchen in meiner Vogel= stube schlüpfte täglich mit unglaublicher Dreistigkeit beim Oeffnen der Thür uns über die Köpfe in die Wohnstube, um hier irgend einen mangeln= den Baustoff oder von den vielen Blumentöpfen Würmchen u. dgl. zu suchen. Noch viel verwunderlicher war es aber, daß diese Vögel durch die der anderen wegen nur ganz wenig geöffnete Thür wieder zurückkehrten. Dies habe ich nur bei wenigen Arten außer ihnen, wie Goldbrüstchen und Grauaftrilds, beobachten können, während andere, sonst sehr schlaue Vögel, z. B. die kleinen Elsterchen, wenn sie sich in ein anderes Zimmer verflogen, selbst bei viel weiter geöffneter Thür gar nicht leicht zurückfinden können.

Das Nest erbaut dieser Aftrild mit ähnlicher Weltweisheit an den verschieden= sten Oertlichkeiten, sobald ihm diese nur günstig erscheinen; er wählt ebensowol Harzbauerchen als auch geschlossene Niftkasten, irgend welche Höhlen oder ganz offene Niftkörbchen, wenn diese nur unter überhängendem Strauchwerk verborgen sind; ganz frei im Gebüsch steht das Nest niemals. Die Unterlage des Nestes ist aus gröberen Halmen, selbst trockenen Blättern oder solchem Vogelkraut ge= schichtet, die Wände und die Ueberwölbung sind aus weichen und langen Papier= und Baftstreifen, allerlei Fäden, Pferdehaaren oder Agavefasern und Heuhalmen aufgebaut und das Lager für die Eier ist aus Baumwollflöckchen, kurzen weichen Haaren, Hede, Federn, Läppchen u. dgl. hergestellt. Immer ist das Nest oben überwölbt, kugelrund von Gestalt, mit einem seitlichen, sehr kleinen und zierlich gerundeten, zuweilen ganz verdeckten Schlupfloch. Im Spätsommer, wenn man den Vögeln frische Spargelzweige bieten kann, führen sie fast ausschließlich von den langen weichen Aestchen derselben einen ungemein künstlichen Bau aus.

Alle Züchter dieses Vogels haben darauf hingewiesen, daß gerade sein Nest zu den vorzugsweise kunstvollen gehöre; insbesondere Dr. Rey und Baldamus schildern dasselbe als solches und der erstere vergleicht es mit dem des Laub= sängers. Gern benutzt der Amarant fremde Nester und man kann ihn daher mit Erfolg zur Brüt anregen, wenn man alte wohlgesäuberte Sperlingsnester u. a. in der Vogelstube in Niftkörbchen oder Harzerbauerchen steckt. Er gehört auch zu den Prachtfinken, die während der Brut bei der Ablösung und besonders wenn schon kleine Junge vorhanden sind, immer noch eine Feder mitbringen.

Das Gelege besteht in brei bis sieben, fast regelmäßig aber in vier Eiern. Der Neftlaum der Jungen ist bräunlichweiß und an den Schnabelwinkeln stehen je zwei weiße und ein blaues Wärzchen. Das Jugendkleid ist oberseits bräunlich fahlgrau, unterseits etwas heller bräunlichgrau; nur das zarte, noch düftere Roth am Bürzel bis zum Mittelschwanz und an den Außenfahnen der Steuerfedern läßt die Art mit Bestimmtheit erkennen. Der Schnabel ist glänzend schwarz; das Auge ist dunkel ohne gelbe Lider; ebenso fehlen die Pünktchen an den Seiten. Die Verfärbung beginnt in der dritten bis fünften Woche und ist in sechs Wochen, oft aber auch erst nach Monaten vollendet. Ihre Dauer hängt von dem Fütterungszustande, namentlich aber von der Witterung ab; je höher der Wärme= grad in der Vogelstube, um so schneller und besser verfärben sich die jungen Prachtfinken. Mit einzelnen rothen Federn an Stirn, Hals und Brust be= ginnend, schreitet die Farbe über den ganzen Körper fort, während das Schnäbelchen sich ebenfalls allmälig röthet. Beim Weibchen geht in gleicher Weise das Graubraun in Gelblichbraun über.

Im übrigen gleicht die ganze Brutentwickelung wiederum der des grauen
Aſtrild und auch die Verpflegung iſt übereinſtimmend. Der Amarant gehört
zu den Prachtfinken, welche vorzugsweiſe leicht auch im kleinen Heckkäfige
ihre Bruten aufbringen und in der Seite 41 angegebenen Vorrichtung mit
beſtem Erfolge zu züchten ſind. Nur wolle man eine Bedingung nicht außer
Acht laſſen, die ausreichender Wärme nämlich. Zwar muß ich als Kurioſität
beiläufig erwähnen, daß in der Vogelſtube des bekannten Eierkundigen, Dr. Bal=
damus, ein Pärchen dieſer Vögel niſtete und die Jungen glücklich erzog, während
an jedem Morgen das Waſſer zu Eis gefroren war. Wenn man nun aber von
einem Ausnahmefall ohne weiteres darauf ſchließen wollte, daß dieſe zarten
Tropenvögel ſämmtlich in ungeheizten Stuben bei unſerm Winter ihre Jungen
erziehen können, ſo beruht das nur in Unkenntniß. Nach den übereinſtimmenden
Erfahrungen aller namhaften Züchter iſt es nicht zu bezweifeln, daß das leider
nur zu häufige räthſelhafte Erkranken der Weibchen, welches ſchon Vieillot
beklagt, ſowie das Erſterben der Jungen trotz der beſten Verpflegung lediglich in
der mangelnden Wärme oder ſtark ſchwankenden Temperatur des Züchtungsraumes
begründet iſt. Herr Graf Yorck von Wartenburg, welcher in ſeiner Vogelſtube
gleichmäßig mindeſtens 16 Grad R. erhält, hat ſich ohne Frage in Deutſchland
der glücklichſten Züchtungsergebniſſe mit den kleinen Prachtfinkenarten zu erfreuen.
Näheres bitte ich in dem Abſchnitt über Züchtung nachzuleſen.

Von beſonderer Wichtigkeit iſt eine hohe, nicht ſchwankende Wärme aber
während der Verfärbung der jungen Amarantvögel. Auch in dieſer Hinſicht ſind
weiterhin im genannten Abſchnitt eingehende Rathſchläge zu finden.

Der Amarant iſt wiederum einer der beliebteſten Prachtfinken. Er hält
ſich, einmal eingewöhnt, viele Jahre hindurch vortrefflich. Sowol in der Vogel=
ſtube als auch im kleinen Schmuckkäfige gehört er zu den verträglichſten. Zwar
befehdet er während der Brut die nächſten Verwandten, goldbrüſtige, getigerte,
gelbgrüne u. a. Aſtrilde eifrig, jedoch unſchädlich. In meiner Vogelſtube niſteten
alle dieſe Arten in zahlreichen Pärchen, ohne einander weſentlich zu ſtören. Der
Amarant lebt auch mit ſeinen Jungen von mehreren Bruten familienweiſe
friedlich beiſammen. Dr. Luchs rühmt ſeine Liebenswürdigkeit in folgender
Weiſe. In einem Schwarm verſchiedener kleiner Aſtrilde im Geſellſchafts=
käfige zeigt er ſich als der ruhigſte und ſanftmüthigſte. Wenn des Morgens
beim Füttern die kleine Geſellſchaft in emſiger Haſt herbeieilt und auf dem
ſandigen Boden die verſtreuten Körnchen aufzupicken beginnt, ſo geht dies be=
ſcheidene Vögelchen jedem andern aus dem Wege und macht weder am Futter=
kaſten, noch am Trinknapf oder an der Badewanne einem den Vorrang ſtreitig.
Sein Ruheplätzchen iſt immer das, welches die anderen ihm übrig laſſen, und
wenn ſich das Federvölkchen zur Nacht zurechtſetzt und auf den Stangen dicht

gedrängt aneinander reihet, dann iſt dem geduldigen Amarant faſt immer die
Rolle des Flügelmanns beſchieden, während die anderen, ſelbſt wenn ſie einmal
aus der Linie heraushüpfen, ſich keck und dreiſt wieder in dieſelbe hineindrängen.
Sehr ſchön iſt der Anblick, wenn in der bunten Reihe der Zufall dem karmin=
rothen Vögelchen den hell gelbgrünen Aſtrild oder den himmelblauen Schmetterlings=
fink nachbarlich zugeführt hat; entzückend aber, wenn eben dieſe zu dreien eine
bunte Kette darſtellen. — Nach der Ausfärbung bleibt das Gefieder immer gleich=
mäßig ſchön. Von einem wirklichen Geſange kann freilich nicht viel die Rede
ſein; er beſteht nur in einem hellklingenden dreiſilbigen Ruf, der mehrfach
wiederholt wird.

Die Vogelhändler halten den Amarant für einen der weichlichſten unter den
kleinen Vögeln, und dies iſt bedingungsweiſe in der That richtig, indem er
beſonders bald nach der Ankunft ungünſtigen Einflüſſen, wie Zugluft, naßkaltem
Wetter u. dgl., gar zu leicht erliegt. Dazu kommt noch die Gewöhnung von
der Senegalhirſe an unſere weiße Hirſe, ferner der Wechſel des Trinkwaſſers,
die häufige Beunruhigung durch das Herausgreifen — und die ſoeben importirten
Vögel, namentlich aber die Amarant=, Schmetterlingsfinken und Rothſchwänzchen
ſterben gewöhnlich in nur zu großer Anzahl. Um gegen ſolche Verluſte ſich zu
bewahren, ſollte man ſie in einem recht geräumigen Käfige oder beſſer freifliegend
in einem Kämmerchen, dieſes wie jener reichlich mit Strauchwerk und auch mit
warmen Neſtern ausgeſtattet, in gleichmäßiger warmer Temperatur recht reinlich
halten und mit beſter weißer Hirſe, wenn möglich nebſt Senegal= oder Kolbenhirſe,
verpflegen. Nothwendige Erforderniſſe ſind noch trockener, nicht zu kalter Sand
und Sepienſchale oder anderer Kalk. Außer den bereits genannten ſchädlichen
Einflüſſen ſind die Vögelchen dann aber auch vor eiskaltem Trinkwaſſer, ſowie
vorläufig vor Grünkraut, Quellfutter und anderen Beigaben zu bewahren.

Eine ebenſo ſonderbare als betrübende Erſcheinung iſt die, daß die ſchönſten
und kräftigſten alten Amarantvögel auffallend leicht zu Grunde gehen, wenn ſie aus
der Vogelſtube gefangen und in einen Käfig gebracht werden. Ob die Beängſtigung
oder ein unüberwindlicher Freiheitstrieb die Urſache — wer kann es wiſſen!
Immerhin aber iſt es rathſam, daß man die größtmöglichſte Vorſicht beachtet.

Der Preis für den Rothaſtrild wechſelt zwiſchen drei bis vier Thaler für das
Pärchen und beträgt bei den Großhändlern vier bis ſechs Franken. Sehr kahle
Vögel dieſer Art einzukaufen iſt immer gewagt; mindeſtens achte man auf die
im Abſchnitt über den Einkauf gegebenen Vorſichtsmaßregeln. In allem übrigen
verweiſe ich nochmals auf das beim Grauaſtrild Geſagte.

Der kleine rothe Aſtrild heißt auch Amarantvogel, Amarant, kleiner oder
kleinſter Amarant, kleinſter Senegaliſt, Zwergfink oder Zwergaſtrild, Karminfink
oder Karminaſtrild, Blutaſtrild, Rothaſtrild, Tauſendſchön und Feuervögelchen.

Amaranthe und Amarante (Vekemans und die französischen Händler); Firefinch und Firebird (Jamrach in London); Kleine Vuurvogeltje of Amaranthe (niederländisch).

Nomenclatur: Fringilla minima, *Vieillot, Heugl.*; Fringilla senegala, *Lichtst.*; Estrilda minima, *Rüppell*; Estrelda minima, *Gray, Sclater, Bonp., Hartl.*; Lagonosticta minima, *Cab., Antin., Hartm., Heugl., Reichb.*; Lagonosticta ignita et L. senegala, *Reichb.*; Pytelia minima, *Hartl.* et *Finsch.*

Fringilla senegala, *Linné*; Senegalus ruber, *Brisson*; Le Senegali, *Büffon.*

Wissenschaftliche Beschreibung. Kopf, Hals, Bürzel, obere Schwanzdecken und ganze Unterseite dunkel purpurroth, an den Brustseiten mit kleinen weißen Pünktchen; Mantel und Schultern rehbraun, roth verwaschen (jede Feder mit purpurnem Endsaum), Schwingen- und Deckfedern dunkel rehbraun mit schwach purpurrothen Außensäumen, Oberschwanz tiefbraun, jede Feder mit rother Außenfahne; untere Flügeldecken, Hinterleib und untere Schwanzdecken blaß rehbraun, Unterschwanz bräunlich schwarz. Schnabel roth, mit schwarzer Firsten- und Dillenkante; Auge dunkelbraun mit nacktem gelben Ring umgeben; Füße röthlich fleischfarben. Das Weibchen ist rehbraun, unterhalb an Bauch und Seiten okerbräunlich; Brustseiten mit einzelnen größeren weißen Pünktchen; Flügelschwingen und Schwanzfedern braunschwarz, letztere am Grunde der Außenfahne purpurroth, untere Schwanzdecken düster weiß; Zügel und Augenbrauenstreif; Bürzel und obere Schwanzdecken purpurroth. Schnabel wie beim Männchen.

(Die weißen Pünktchen fehlen zuweilen ganz, die rothe Färbung erscheint mehr oder minder hell und dehnt sich wol über den ganzen Mantel und die Flügeldecken aus, während andererseits bei manchen die olivenbraune Färbung sich über die ganze Oberseite mit Einschluß der Stirn erstreckt. Da ich von zwei ungepunkteten Eltern mehrere Bruten von Jungen mit den Pünktchen gezogen und da sowol der intensive Ton, als auch die Ausdehnung der rothen Färbung vom Alter und von dem Verpflegungszustande abhängt, so fallen sicherlich die abgezweigten Arten oder Lokalrassen [wie Estrelda lateritia, *Heugl.*] als übereinstimmend fort.)

Aegintha minima. Capite, collo, uropygio, supracaudalibus latereque toto inferiore saturate coccineis; pectoris lateribus albo-punctulatis; interscapilio humerisque ochraceo-fuscis, rubro-lavatis [limbo terminali plumae singulae coccineo]; remigibus et tectricibus al. subochraceo-fuscis, exterius coccineosublimbatis; pogoniis exteris rectricum fuscarum coccineis; tectricibus subalaribus, abdomine et infracaudalibus dilute fuscescentibus; rectricibus infra subfusco-nigris; culmine gonateque rostri rubri nigris; iride picea; superciliis nudis laete flavis; pedibus rubido-carneis. — ♀: lurido-fusca, abdomine, lateribus, sparsim albo-punctulatis; remigibus et rectricibus fusco-nigris, harum basi pogonii coccinea; subcaudalibus albidis; loris, stria ophthalmica, uropygio et supracaudalibus coccineis; rostro maris.

Länge c. 9$^{cm}$. (3 Z. 6 L.), Flügel c. 4,4$^{cm}$. (1 Z. 8 L.), der gerundete Schwanz c. 3,3$^{cm}$. (1 Z. 3 L.).

Juvenis: supra lurido-cinerea, subtus dilutius; rubedine uropygii usque caudam mediam et pogoniorum rectricum externorum obsoletissima, eaque signo certe specifico; rostro nigro nitido; iride obscura; annulo superciliari flavo punctulisque hypochondriorum albidis adhuc nullis.

Beschreibung des Eies: Farbe kalkweiß, wenig glänzend, Struktur feinkörnig; Gestalt eiförmig mit stumpfer Spitze. Länge 15$^{mm}$., Breite 12$^{mm}$.

Ovum cretaceum, subopacum, granulosum, ovatum apice obtuso.

Der **rothbrüstige Astrild** [Aegintha rufopicta] unterscheidet sich von dem vorigen durch die olivenbraune Oberseite, während nur die Stirn, Kopfseiten und die ganze Unterſeite weinroth gefärbt ſind; die Größe iſt übereinſtimmend. Von dem nächſtfolgenden dunkelrothen Aſtrild, dem er ebenfalls ſehr nahe ſteht, iſt er durch helle untere Schwanzdecken und weinrothe Stirn verſchieden. Ich habe im Lauf der Jahre ſorgfältig darauf geachtet, ob unter den zahlloſen, von den Großhändlern eingeführten kleinen Amarantvögeln dieſe Art wol einmal vorhanden ſein würde, allein es iſt mir niemals ein Exemplar vorgekommen. Der Vogel iſt daher für die Liebhaberei vorläufig noch nicht zugänglich, doch wird er dem= nächſt wol ebenfalls eingeführt werden. Eine Seltenheit dürfte er immerhin bleiben, denn Heuglin fand nur wenige Köpfe in Bongo und Wau in Central= afrika, vor und nach der Regenzeit auf Gebüſch unfern von Gewäſſern. Auch an der Goldküſte hat man ihn beobachtet und ſeine Verbreitung ſoll ſich über das weſtliche Mittelafrika erſtrecken. Ueber ſeine Lebensweiſe iſt Näheres nicht bekannt. Die meiſten Afrikareiſenden und Schriftſteller erwähnen ihn gar nicht die übrigen nur kurz (Allen, Sharpe, Fraſer, Hartl. und Finſch). Eine ſchöne Abbildung hat Fraſer und nach derſelben auch Reichenbach eine gegeben.

Rothbrüſtiger Aſtrild, rothbrüſtiger Senegali, rothbrüſtiger Amarant, Rothbruſtamarant. Estrelda rufopicta, *Fraser*; Lagonosticta rufopicta, *Hartl., Sharpe, Heugl.*; La- gonosticta lateritia, *Finsch, Heugl.*; Estrelda lateritia, *Heugl.*

## Der dunkelrothe Aſtrild [Aegintha rubricata].
### Tafel II. Vogel 8.

Für den begeiſterten Freund dieſer kleinen Vögel giebt es gewiß nichts Verlockenderes, zugleich aber auch Täuſchungsreicheres, als eine Anzahl derſelben, welche gleichſam als gaukelnde Irrlichter auftauchen, den Wanderer erfreuend, um dann plötzlich zu verſchwinden und nichts zurückzulaſſen, als das Bedauern über die leider nur zu bald dahingeſchwundene Erſcheinung — über den Tod des ſchönen Vogels und über den materiellen Verluſt zugleich. Solche Vögel hat der Handel in letzterer Zeit recht viele gebracht, und wir dürfen bei dieſer Gele= genheit mit Freude und Stolz darauf hinweiſen, daß bei uns in Deutſchland die Vogelliebhaberei und mit ihr das auf die Erforſchung der Naturgeſchichte gerichtete Streben wahrlich nicht minder lebhaft iſt, als in anderen Ländern. Derartige Selten= heiten des Vogelhandels gelangen gegenwärtig nicht mehr wie früher blos zu= fällig aus Unkenntniß der Großhändler hierher, ſondern ſie werden vielmehr in den betreffenden Hafenplätzen, beſonders aber in Hamburg, London, Bordeaux im regſten Wetteifer der Händler aufgekauft und jetzt gerade vorzugsweiſe nach Deutſchland eingeführt. Durch die lebhafte Nachfrage ſind aber auch die Preiſe in nur zu bedeutende Höhe geſtiegen. —

Den erſten dunkelrothen Aſtrild, ein Männchen, erhielt ich von Herrn Geupel=White in Leipzig. Dieſer Vogel iſt lebhaft dunkelroth, viel düſterer als der kleine Amarant und am Oberkopf, wie an Rücken, Flügeln und ganzem

Oberkörper dunkel braungrau, am Steiß und den unteren Schwanzdecken rein schwarz; Zügelstreif, Bürzel und Oberschwanz sind lebhaft roth. Die Größe ist bedeutender als die des kleinen rothen Astrild.

Das Vögelchen blieb lange einsam in der Vogelstube und schloß sich seinen kleineren Verwandten nicht an; auch als ich nur ein einzelnes Weibchen derselben fliegen ließ, parte es sich nicht mit diesem. Es starb plötzlich im schönsten Gefieder, ohne ermittelbare Veranlassung. Dann sandte mir Fräulein Hagenbeck mehrere Köpfe dieser Art. Sie waren kürzlich erst angekommen und sehr schlecht gefiedert. Auch waren sie noch nicht völlig ausgefärbt, sondern am Rücken bedeutend heller, mit einem Ton ins Grünliche; an den Seiten hatten sie größere weiße Pünktchen, während das alte Männchen, welches ich ebenfalls schlecht gefiedert erhalten, das sich aber sehr gut herausgemustert hatte, die Punkte auch in voller Bekleidung gar nicht zeigte.

Vieillot schildert den Sénégali rouge als einen munteren und lebhaften Vogel, dessen Gesang, wenn mehrere in einem Käfig beisammen sind und sich gegenseitig zu überbieten suchen, als ein harmonisches, liebliches Konzert erschalle. Sie sollen so unverträglich sein, daß man die einzelnen Pärchen durchaus absondern oder sie wenigstens in einem sehr großen Käfige halten muß. Das Nest stehe inmitten sehr dichter Gebüsche, hauptsächlich aus Gräsern und Moos erbaut und enthalte gewöhnlich vier Eier. Gegen Kälte sei dieser Vogel während der Niftzeit und der Mauser so empfindlich, daß man die Wärme nicht unter 22 bis 25 Grad R. sinken lassen dürfe. Für gewöhnlich aber halte er sich sogar in einer Temperatur von nur 10 bis 15 Grad recht gut.

Die Heimat dieses Astrild ist Südafrika; gefunden ist er besonders in Natal und Kaffernland, doch überall nur selten und in wenigen Köpfen. Heuglin sah ihn im Gebiet der Bogos in 13—1700 Meter (4—5000 Fuß) Meereshöhe, zur Regenzeit parweise flüchtig über buschiges Felsen= und Hügelland schweifend. Auch in den warmen, tiefen Thälern des Gala=Landes beobachtete er ihn. Weitere Mittheilungen haben die Reisenden und Forscher über ihn nicht gemacht. Außer meiner Vogelstube, erhielten ihn noch die Sammlungen der Herren Emil Linden, Graf York von Wartenburg, Apotheker Jaenicke in Hoyerswerda und A. F. Wiener in London. Es ist ein stilles, sehr heimlich im dichten Gebüsch lebendes Vögelchen, das außer seiner Schönheit keinerlei auffallende Eigenthümlichkeiten zeigt. Das Liebesspiel ist dem des kleinen Amarant fast völlig gleich, nur breitet er den Schwanz dabei fächerartig aus. Zum Nestbau und zu näherer Beobachtung des Brutgeschäfts ist es bei mir leider nicht gekommen. Die meisten, besonders die Weibchen, starben bald nach der Ankunft und auch die Männchen, welche die Mauser glücklich überstanden, erlagen eins nach dem andern plötzlich, ebenso wie das erste, ohne daß ich die Ursache ergründen konnte. Dasselbe be=

klagt Herr Graf York. Herr Jaenicke schreibt mir noch ergänzend: Mein dunkler Amarant lebt seit drei Jahren. Es ist ein gewandter Vogel, der flüchtig durch die Zweige hüpft und überall neugierig durchsucht. Sein Gesang besteht nur in wenigen Strophen, die er aber oft und ziemlich laut wiederholt. Er scheint eine, wenn auch nur laue Freundschaft für ein Weibchen des Schmetterlings=fink, nicht aber für das des kleinen Amarant zu haben.

Der dunkelrothe Astrild wurde auch dunkler oder unrichtig dunkelrother, besser blos dunkler Amarant, schönrother Senegali und Karminastrild (ebenfalls fälschlich) benannt.

(In den Preislisten der Großhändler ist er noch nicht mitgezählt, obwol er von Zeit zu Zeit in den Vogelhandel gelangt. Die Verzeichnisse der großen zoologischen Gärten führen ihn ebenfalls noch nicht auf.)

Nomenclatur. Fringilla rubricata, *Lichtenstein*; Estrelda rubricata, *Gray, Licht.*, *Vieillot, Layard, Bonp., Ayres, Hartl.* et *Finsch*; Lagonosticta rubricata, *Cabanis, Reichb., Heugl.*; Lagonosticta rhodopareia, *Heugl.*

Wissenschaftliche Beschreibung. Oberkopf, Nacken und Kopfseiten olivengrünlich graubraun, übrige Oberseite dunkel olivengrünlich braun, obere Schwanzdecken und der Grund der äußeren Schwanzfederfahnen dunkel purpurroth, die übrigen Schwanzfedern unter= und oberseits schwarz; Zügel, Halsseiten, Kinn, Kehle, Brust und Bauchseiten dunkel weinroth, Brust= und Bauchmitte blaßbräunlich, Schenkel und Hinterleib dunkler braun, untere Schwanzdecken schwarz; die rothen Federn der Brustseiten mit einzelnen weißen Pünktchen. Schnabel dunkel=bräunlich horngrau, der untere mit hellerem Grunde; Auge dunkelbraun, von einem gelben Liderringe umgeben; Füße bräunlich bleigrau.

Aegintha rubricata: pileo, cervice, interscapilio et alarum tectricibus saturate cinnamomeo-canis; loris, antiis, collo antico, pectore et abdomine laete rubris; pectoris lateribus et hypochondriis large albo-punctulatis; crisso, subcaudalibus et rectricibus nigerrimis; uropygio, tectricibus caudae superioribus et margine rectricum externa basin versus laete rubris; genis roseo-indutis; rostro plumbeo, apice nigro; pedibus fusco-plumbeis; iride fusca.

Länge 10,5cm. (4 3.), Flügel 4,8cm. (1 3. 10 L.), Schwanz c. 3,9cm. (1 3. 6 L.)

----

Der **Larvenastrild** [Aegintha larvata] gehört wiederum zu denen, welche bis jetzt nur ausgestopft in den Museen vorhanden sind, obwol er doch in Westafrika und namentlich in Abessynien, also in den bekannteren Gegenden dieses Erdtheils heimisch sein soll. Er ist an Ober= und Hinterkopf bräunlichgrau und an der übrigen Oberseite düsterroth, die oberen Schwanzdecken und Steuerfedern sind dunkel purpurroth; das Gesicht und die Kopfseiten, Kehle, Bauchmitte, Unterleib und Unterschwanz sind schwarz, die ganze übrige Unterseite ist schön und lebhaft weinroth; die Brustseiten sind mit herzförmigen weißen Fleckchen geziert. Schnabel bleigrau; Auge braun; Füße dunkel bleigrau. Heuglin sagt, die purpurne Färbung ist zuweilen mehr oder weniger lebhaft und die Unterschwanzdecken sind auch purpurfarben überlaufen. Der Vogel ist so selten, daß man ihn erst in wenigen Museen (Frankfurt, Leyden, Stuttgart) findet, und das Weibchen ist noch gar nicht bekannt. Rüppell fand den Larven=astrild in den Thälern von Semión und Heuglin in West=Abessynien im Ja=nuar und April auf 13—1700 Meter (3000 bis 5000 Fuß) Meereshöhe im

Bambusgebüsch, wo er sehr scheu und flüchtig, still und verborgen lebt und sich
von feinen Grassämereien ernährt.

[Amadina larvata, *Rüppell;* Habropyga larvata, *Bonap.;* Lagonosticta larvata,
*Hartl., Heugl.*]

Der **schwarzkehlige Astrild** [Aegintha nigricollis], welchen Heuglin beschreibt,
ist dem vorigen sehr ähnlich; er soll sich nur durch rothen Scheitel, weniger lebhaft
rothen Nacken und rothgrauen Unterleib (und schwarzen oder schwärzlichen Hals?)
unterscheiden. Sie dürften also wol zusammenfallen, und was der Reisende über die
Lebensweise sagt, wird für beide, sowie auch für die folgenden Nächstverwandten
Geltung haben. Dieser reizende Astrild findet sich paarweise und in kleinen Gesell=
schaften bis zu fünf Köpfen im dichten und hohen Grase, auf Lichtungen in Wau,
Djur und Bongo in Centralafrika und ist hier wol Standvogel, obgleich wir ihn
während der eigentlichen Sommerregenzeit nicht beobachteten. Schüchtern und
flüchtig treibt er sich in den undurchdringlichen Gräserdickichten umher. Im Mai
sind die Männchen lebhaft weinroth angehaucht und singen recht laut und
angenehm; dann muß wol die Parungszeit sein. *Cab. Journ. 1868 Tab. I fig. 18*

[Estrelda nigricollis, *Heugl.;* Lagonosticta nigricollis, *Heugl.*]

Der **weinrothe Astrild** [Aegintha vinacea] von Westafrika unterscheidet sich
von dem Larvenastrild wiederum nur durch grauen Scheitel, weinrothe Färbung
des Rückens und weit geringere Größe [Estrelda vinacea, *Hartl.;* Lagonosticta vi=
nacea, *Cab., Heugl.*]. — Sehr nahe verwandt oder vielleicht ganz übereinstimmend
ist ein in Südafrika und Madagaskar heimischer Astrild [Aegintha margaritata],
über welchen jedoch noch nichts weiter bekannt geworden, als daß ihn Hartlaub
und Heuglin beiläufig anführen.

**Hartlaub's Astrild** [Aegintha Hartlaubi] wird in dem Decken'schen Reise=
werk mitgezählt und mag auch hier erwähnt sein. Professor Bianconi beschreibt
ihn nach einem von Fornasini aus Südmosambik eingesandten Exemplare:
Oberseite dunkelgrün, Schwingen braun, außen grünlich, innen weißlich gesäumt, Schwanz=
federn wie der Rücken; Vorderhals grau, etwas grünlich verwaschen, Brust und Bauch
auf grauschwärzlichem Grunde mit weißen runden Flecken geziert, jede einzelne Feder
trägt am Ende, durch den Schaft getrennt, zwei weiße Flecke; After und untere Schwanz=
decken schmutzig weiß. Schnabel kurz, schwarz mit horngelber Basis; Beine röthlich.
Länge 9 cm. [Amadina Hartlaubi, *Bianconi;* Pytelia Hartlaubi, *Finsch* et *Hartl.*]

**Reichenow's Astrild** [Aegintha Reichenowi], eine sehr ausgezeichnete Art,
wurde leider nur in einem Exemplare von Dr. Anton Reichenow in
den Camerunbergen gesammelt und von Dr. Hartlaub beschrieben: Kopf, Hals
und Unterseite des Körpers sind gelbolivengrün, Rücken, Bürzel und Oberschwanzdecken bräun=
lich karminroth, Deckfedern und letzte Armschwingen bräunlichroth außen gesäumt. Länge 12 cm.
Pytelia Reichenowi, *Hartl.*] *Cab. Journ. 1875 pl. II fig. 1.*

*            *            *

Als **Schmetterlingsaftrilden** läßt sich wiederum eine Gruppe absondern, welche sich
ebenfalls durch mancherlei Merkmale auszeichnet. Ein schwebender, in der Luft gleichsam
gaukelnder Flug hat dem Hauptvertreter derselben, dem blauen rothbäckigen Aftrild, den
volksthümlichen Namen Schmetterlingsfink gebracht, und ich glaube nicht fehlzugreifen, wenn
ich ihn und seine nächsten Verwandten, mit Hinweis auf die Darlegung Seite 64, zusammen=
fasse. Es sind die Angehörigen der Geschlechter **Granataftrild** [Uraeginthus, Cabanis]
und **Keilschwanzaftrild** [Uropytelia, Finsch], welche hierher gehören.

## Der blaue Aftrild [Aegintha phoenicotis].
### Tafel II. Vogel 10.

Die bereits erwähnte, naheliegende und doch so scharfsinnige Bemerkung,
daß die Schwanzbewegung eines Thieres für seine Charaktereigenthümlichkeit be=
zeichnend sei, bestätigt sich auch wiederum bei diesem blauen Aftrild, den alle
Liebhaber als Schmetterlingsfink oder Cordon bleu kennen, und läßt ihn
als einen ebenso ruhigen und sanften, wie hübschen Vogel erscheinen.

Sein Gefieder ist auf der ganzen Oberseite bräunlichfahlgrau, an Gesicht,
Brust, Seiten und Schwanz aber himmelblau. Ein schön karminrother, läng=
lichrunder Fleck ziert jede Backe und giebt dem Gesicht, mit dem schwärzlichrothen
Schnabel und dem gelblichen Augenringe, ein ganz absonderliches Aussehen. Das
Weibchen hat dieselbe, nur viel mattere Färbung, auch fehlt ihm der Wangenfleck.

Männchen und Weibchen sitzen wol stundenlang dicht nebeneinander und
liebkosen, d. h. nesteln und krauen sich im Gefieder, ohne jemals in ihrer Zärt=
lichkeit stürmisch zu werden. Dasselbe stille Wesen kennzeichnet sie am Futter=
und Trinknapf, selbst am Neste und beim Liebesspiel. Ja, sogar dann, wenn
zwei Männchen kämpfend in der Luft sich umeinander drehen und unter erzürntem
Zit, zit! sich befehden, ist die Erregung keine sehr große. Dabei entbehren
sie indessen keineswegs der Anmuth; im Gegentheil, auch dieser Vogel gewährt
uns ein ungemein liebliches Bild in seinem furchtlosen und zutraulichen Wesen,
mit seinen harmonisch schönen Farben, wenn er den scharfen und doch so wohl=
lautigen Lockton Zit, zit! oder sein entrüstetes Täk, täk, täk! erschallen läßt, sobald
wir dem Neste nahen oder wenn eine auffallende Erscheinung sich zeigt. Auch
sein einfacher Sang, der freilich nur in etwas schrillen, doch melodisch klingenden
Rufen besteht, ist angenehm.

Jetzt schwebt er schmetterlingsartig gaukelnd über dem Niftgebüsch, plötzlich
huscht er auf einen hohen, hervorragenden Zweig, läßt seine Rufe erschallen und
verschwindet schnell im Dickicht, um nach einer Weile wieder hervorzukommen
und dasselbe Spiel zu wiederholen. Dann hüpft das Weibchen herbei, das
Männchen fliegt davon, kehrt aber sogleich mit einem Halm im Schnabel zurück,
und nun beginnt das ebenso reizende als komische Liebesspiel, welches dem des
kleinen rothen Aftrild gleicht. Während desselben sitzt das Weibchen regungslos,

nur mit Schwanz und Flügeln leise zitternd da, bis die Begattung erfolgt. Diese geschieht nicht, wie bei vielen Finken schnell abbrechend, sondern dauert wol eine bis drei Minuten, während derer das Männchen sich flatternd über dem Weib= chen erhält. Eine wahrhaft rührende Zärtlichkeit fesselt auch diese beiden Vögel= chen aneinander, so daß sie immer in unmittelbarer Nähe beisammenweilen und zur Nacht sich so dicht aneinander drängen, daß sie fast einen gemeinsamen Feder= ball bilden. Ebenso wie bei den Tigerfinken pflegen auch bei diesen die Weib= chen, besonders die alten, einsamen, sehr emsig zu singen. Bevor ich aber mit der Schilderung ihrer Lebensweise in der Gefangenschaft fortfahre, muß ich auf die Mittheilungen über das Freileben eingehen.

Die Zeit wird uns Alles lehren und uns zu Beobachtungen führen, welche jeden Zweifel zerstreuen können. Diese Worte Buffon's, die er inbetreff der kleinen afrikanischen und ostindischen Prachtfinken (Senegalis und Bengalis) ge= schrieben, bewahrheiten sich als eine herrliche Prophezeihung, denn die Beobach= tung in der Gefangenschaft gewährt in der That bereits mehr Anhalt für die Naturgeschichte dieser Vögel, als bisher das Studium ihres Freilebens geboten. Nachdem der genannte Schriftsteller darüber geklagt, daß wegen der Veränder= lichkeit der Farben die sichere Feststellung der Arten so ungemein schwierig sei, fügt er hinzu, daß die Schilderung wol am besten daran thue, sich wenigstens nach der Wahrscheinlichkeit zu richten. Doch er erkennt das Trügerische dieses Weges sehr wohl und meint, man müsse den Pinsel ergreifen und die Vögel zugleich lebensvoll vors Auge führen. In dieser Unsicherheit liegt nun aber vor= zugsweise der bedauerliche Umstand begründet, daß die ältesten und älteren Schrift= steller im ganzen doch ungemein wenig über die Lebensweise dieser fremdländischen Vögel mittheilen, und daß hier und da eine werthvolle Beobachtung kaum zu benutzen ist, weil man nicht mit Sicherheit weiß, welche Art der Verfasser gerade meint.

Ueber den blauen Astrild herrschten vornehmlich sonderbare Irrthümer und Streitigkeiten. Von Brisson wurde er als Le Bengali, aus Bengalen her= stammend beschrieben und diese unrichtige Meinung theilten Le Vaillant, Daudin u. A. Sodann hatte man diesen Vogel in zwei Arten geschieden, deren eine als Mariposa mit dem rothen Wangenfleck, die andere als Kordonbleu ohne den= selben bezeichnet wurde. Buffon meint, daß dies wol richtig sein müsse, weil die Vögel ohne rothen Wangenfleck viel zahlreicher als die rothbäckigen seien. Doch läßt er es sich bereits von P. Martin durch den Hinweis widerlegen, daß eben sehr viele noch nicht ausgefärbte Junge eingeführt werden, welche jene Färbung erst später erhalten. Prinz Bonaparte, also ein Schriftsteller der neueren Zeit, nimmt den Irrthum aber wieder auf und führt das eine Geschlecht als Frin= gilla bengala und das andere als F. angolensis an. Bruce und dann Swain= son, welche den Vogel in seiner Heimat beobachteten, wissen die Geschlechter

richtig zu unterscheiden.  Martin fügt auch die Angabe hinzu, daß alle diese
kleinen Finken damals namentlich durch die Portugiesen, von ihren Kolonien an
der Küste von Angola aus, nach Europa gebracht wurden.

Die Verbreitung des blauen Aftrild dürfte sich über faft ganz Afrika er=
ftrecken; wohin bisher die Reisenden und Forscher vorgedrungen, überall haben
sie ihn gefunden.  Zugleich gehört er zu den Aftrilden, welche Dr. Dohrn, wie
Seite 36 erwähnt, auf den Kapverdischen Inseln beobachtete.  Dennoch ist bis
jetzt auch sein Freileben erst wenig bekannt; am ausführlichften hat dasselbe
v. Heuglin geschildert.  Dieser zarte Vogel, sagt er, lebt in Abessynien bis zu
2300 Mtr. (7000 Fuß) Meereshöhe; ich fand ihn ferner in Takah, Senar, am weißen
Nil und in Kordofan.  Nirgends gerade häufig, rottet er sich nicht, gleich seinen Ver=
wandten, in größere Gesellschaften zusammen, sondern zeigt sich meist nur einzeln
und parweise, sowol in Dornhecken um Dörfer und Gehöfte, als auch in der
Waldregion, namentlich in der Nähe von Gewässern.  Er ist Standvogel und
brütet in eigenthümlichen Neftern, die, oberflächlich betrachtet, keine beftimmte
Form haben und einem im Gebüsch hängengebliebenen Strohschöpfchen gleichen,
auch wirklich nur sehr lose zwischen den Zweigen der Bäume oder in Hecken sitzen
und zwar in einer Höhe von $1{,}25$—$2{,}5$ Mtr. (4—8 F.).  Das ganz geschlossene Nest
beftehht äußerlich aus sehr feinen trockenen Strohhalmen, deren Spitzen gewöhnlich
nach einer beftimmten Richtung schräg nach oben hin zusammenlaufen; ein ver=
stecktes, kleines Schlupfloch führt in die mit Gräsern, Federn und Wolle sehr
zart ausgefütterte Nefthöhle.  Vor, nach und während der Regenzeit sah ich
darin drei bis sechs reinweiße, etwas walzenförmige Eier, die durch das Bebrüten
undurchsichtig und milchig werden.  Wahrscheinlich benutzt dieser Aftrild zuweilen
die Nefter kleinerer Webervögel, wie dies das Silberschnäbelchen ebenso zu
thun pflegt.  Trotz jener gegentheiligen Behauptung hat Profeffor Hartmann
aber im Urwalde von Nordostafrika hier und da recht große Flüge beobachtet,
und es erscheint doch auch von vornherein unwahrscheinlich, daß dieser Vogel unter
seinen Verwandten eine Ausnahme machen und sich dort, wo er zahlreich vorhanden
ist, nicht ebenfalls zeitweise zusammenscharen sollte.  Diesen blauen Aftrild ver=
gleicht der letztgenannte Forscher, ebenso wie den rothen, mit unseren Sperlingen.

Auch dieser Prachtfink gehört zu den Vögeln, mit denen man bereits im
vorigen Jahrhundert eifrige Züchtungsversuche gemacht hat.  Vieillot, Briffon,
Laurence u. A. haben ihn zur Brut gebracht und bei uns in Deutschland ist
er neuerdings von den meisten Züchtern ebenfalls mit mehr oder minder gün=
stigen Ergebnissen gezogen und beobachtet worden.  Schon Vieillot beschreibt
das Nest, und da seine Angaben mit denen der späteren Züchter übereinstimmen,
so will ich die Leser nicht durch Wiederholungen ermüden, sondern eine Schilde=
rung von Herrn Hermann Leuckfeld in Nordhausen anfügen.  Wol selten

hat ein Vogelfreund mit solcher innigen Liebe für seine Pfleglinge und mit so vollem
Verständniß des Vogellebens beobachtet, als der Genannte, und deshalb glaube
ich zugleich eine Pflicht der Pietät gegen den verstorbenen Freund zu erfüllen,
wenn ich seine ausführliche Darstellung hier mittheile. Dieselbe wird insbeson=
dere ein beherzigenswerthes Beispiel des Scharfsinns und der unermüdlichen Aus=
dauer zeigen, welche diejenigen Züchter, die namhafter Erfolge sich erfreuen, zum
Erringen derselben aufzubieten pflegen.

Von einem herumziehenden Vogelhändler, erzählt er, kaufte ich ein Paar
Schmetterlingsfinken unter dem ächt menagerie=wissenschaftlichen Namen: indische
blaue Zaunkönige. Ich hielt sie in einem geräumigen Käfige, hatte aber wenig Ver=
gnügen an ihnen, da sie sich zu ruhig verhielten und trotz ihrer nach Vogelanschauung
jedenfalls gemüthlichen Wohnung durchaus nicht zum Nisten entschließen wollten.
Nachdem ich eine große, luftige und sonnige Vogelstube eingerichtet und in diese
das Pärchen gebracht, zeigten sie sich munterer, das Gefieder wurde schöner, wie
man es niemals bei den in engen Käfigen zusammengepferchten Vögeln findet;
leider jedoch starb bald das Männchen an der Abzehrung. Rührend war es an=
zusehen, wie sich das gesunde Weibchen neben den unbeweglich mit gesträubtem
Gefieder hockenden Kranken setzte, sich dicht und innig anschmiegte, als ob es
durch die eigene Wärme ihm neues Leben geben wollte; wie es den Bedauerns=
werthen zärtlich am Kopfe kraute und dann zuweilen, wol ärgerlich über sein
gleichgültiges Benehmen, ihn mit dem Schnabel anstieß, hin und wieder über
ihn forthüpfte, um an der andern Seite die leider nutzlosen Versuche zu wieder=
holen. Endlich eines Morgens fand ich das Männchen todt.

Durch die Güte eines bekannten Ornithologen, der meine Leidenschaft in
betreff der Züchtungsversuche mit fremdländischen Vögeln kannte, erhielt ich
dann wieder ein Paar Schmetterlingsfinken mit dem Bemerken: Sie werden
an diesen Vögeln wenig Freude haben, da sie selten nisten und sehr zarter Natur
sind. Dies Pärchen machte sich zunächst in seinem neuen Aufenthaltsorte gründ=
lich bekannt; zaunkönigsähnlich durchschlüpfen sie beide die Tannengebüsche, lockend
und schnätternd. Schon in einigen Tagen begannen sie sich inniger zu liebkosen,
indem sie sich dicht aneinander drängten, sich schnäbelten, gegenseitig krauten und
an dem Kopfe herum knabberten. Ein zärtlicher Stoß mit dem Schnäbelchen
unterbricht von Zeit zu Zeit das Wohlgefühl des Gekrauten, der vor Behagen
die Augen schließt und das Köpfchen an allen Seiten dem Schnabel des andern
zuwendet. Dann erhebt das Männchen seine Stimme zum schmetternden Ge=
sange und beginnt das Weibchen umherzujagen, bis schließlich die Begattung
dem Spiele ein Ende macht.

Bald begann das Pärchen in einem dicht gezweigten Tannenbaum mit dem
Nestbau, bei dem beide die Stoffe zutrugen. Das fertige Nest hatte eine kugel=

förmige Geſtalt, ein ſehr enges rundes Schlupfloch, welches ſeitwärts ſich befand und zwar ſo, daß der Eingang von unten hinaufführte. Es ſtand nur etwa einen Fuß hoch über dem Erdboden. Nach Vollendung des Baues und des Ge= leges verſchwand das Weibchen auf etwa 10—14 Tage im Neſte, während wel= cher Zeit das Männchen treulich dabei Wache hielt, aber nur auf ganz kurze Friſt, wenn das Weibchen zum Futter flog, hineinſchlüpfte. Sobald ich mich näherte, zeigte es die vermeintliche Gefahr ſogleich mit ſchnätternder Stimme an, mit einem Täk, täk, täk! welches an das der Meiſen erinnert. Mehrere Bruten gingen zu Grunde, bis ich endlich davon überzeugt zu ſein glaubte, daß das dargereichte Futter zur Aetzung für die Jungen nicht geeignet war. Nur über friſche Ameiſenpuppen fielen die Alten mit wahrer Gier her. Konnte ich dieſelben aber nicht bieten, ſo durchmuſterten die Schmetterlingsfinken alles übrige vorhandene, verſchiedenartige Futter; doch vermochten ſie augenſcheinlich nichts davon für die Jungen zu verwenden. Ich ſann nun darüber nach, ob nicht ein gedeihliches Erſatzmittel zu finden ſei und machte einen Verſuch, welcher den beſten Erfolg zeigte. Hartgekochtes Eigelb hatten die Vögel bis jetzt immer verſchmäht. Ich gewöhnte ſie nun in folgender Weiſe daran. Sehr fein zerrieben vermiſchte ich es ſo mit ganz friſchen Ameiſenpuppen, daß an jeder ein= zelnen der letzteren ein wenig Eigelb haften bleiben mußte. Während die Vögel getrocknete Ameiſenpuppen, ſelbſt wenn ſolche in Milch oder Waſſer aufgequellt worden, durchaus unberührt ließen, dagegen die friſchen mit großem Eifer verzehrten, mußten ſie jetzt ſtets Eigelb mitſchlucken, dadurch fanden ſie bald Geſchmack daran und fraßen es dann auch allein, in Ermangelung der Ameiſen= puppen mit demſelben Heißhunger.*) Sie brüteten jetzt abermals, und zu meiner Freude bemerkte ich, daß in den erſten Tagen nach dem Entſchlüpfen der Jungen, während das Weibchen das Neſt gar nicht verließ, das Männchen die ganze Fa= milie mit dem Eigelb fütterte, bis dann auch das Weibchen ſich daran betheiligte und beide gemeinſam die Jungen zum glücklichen Ausfliegen brachten. Es waren diesmal nur zwei, dann aber zogen ſie ſogar eine Brut von ſieben Köpfen auf. Der Naturfreund und Vogelliebhaber kann ſich kaum ein reizenderes Bildchen als dieſe Familie denken; die allerliebſten, ſämmtlich gleichmäßig ausſehenden Kleinen, umflattert von den Alten in zärtlichſter, ſtets beſorgter Liebe. —

Aus meiner Vogelſtube habe ich dieſe Mittheilungen noch in Folgendem zu ergänzen. Mit wenigen Ausnahmen ſtehen die Neſter der Schmetterlings= finken immer frei im Gebüſch, keineswegs jedesmal niedrig, ſondern ge= wöhnlich hoch oben an der Decke. Die Form iſt faſt regelmäßig ein runder,

---

*) Nähere Mittheilungen über dieſe Fütterung in verſchiedenen Gemiſchen ſind weiter= hin in dem betreffenden Abſchnitte zu finden.

Karl Ruß, Die fremdländiſchen Stubenvögel.

flacher Beutel, mit einem seitlichen, meistens von überhängenden Grasrispen
u. dgl. völlig verdeckten Schlupfloch. In der Regel trägt das Männchen die
Baustoffe allein herbei, während das Weibchen das Nest formt. Die Unterlage,
wie auch die Seitenwände bestehen aus Heuhalmen, Bastfäden, Papierstreifen
und wenigen Pferdehaaren oder Agavefasern und die Auspolsterung ist aus
Streifen von Seidenpapier, Baumwollfäden und Federn hergestellt. Während
das Nest von außen unordentlich erscheint, ist es innen sehr sorgsam gerundet
und künstlich ausgelegt. Gewöhnlich wird der Nestbau in 7—9 Tagen vollendet;
aber noch immer, wenn das Weibchen längst brütet, trägt das Männchen Halme
und Federn herzu und kommt niemals ohne diese oder jene zur Ablösung. Bei
manchen Paaren brüten die Männchen viel anhaltender als bei andern.

Die Jungen haben einen blaugrauen Flaum und bläulichweiße Wärzchen
am Schnabel. Das Jugendkleid ist überall gleichmäßig schlicht fahlgrau, an
der ganzen Unterseite etwas heller; nur die Brust, die Seiten und der Bürzel
und Oberschwanz lassen durch ein sehr mattes Blau, das an ersterer Stelle am
bemerkbarsten hervortritt, den Vogel als seine Art erkennen. Das Schnäbelchen
ist schwarz, das Auge schwarz, die Füße sind dunkelgrau; der rothe Wangenfleck
fehlt beiden Geschlechtern. In der fünften bis achten Woche beginnt die Ver=
färbung, indem an den betreffenden Stellen ein immer kräftiger werdendes Blau
erscheint und bei den Männchen ebenso die rothe Wangenzeichnung zum Vorschein
kommt. Sobald dieser Vogel vollkommen ausgefärbt ist, behält er dasselbe Kleid
für immer bei.

Der blaue Astrild, obwol beiweitem nicht der kleinste, ist doch zweifellos
der zarteste unter allen Prachtfinken. Die Weibchen sterben vorzugsweise leicht
beim Eierlegen, zumal dann, wenn die Wärme in der Vogelstube beträchtlich
sinkt oder schwankt. Unmittelbar nach der Ankunft bei den Großhändlern und
von diesen aus in den kleineren Vogelhandlungen oder bei den Liebhabern stirbt
dieser Vogel oft noch zahlreicher als der Amarant, und das bei jenem
Gesagte erscheint diesem gegenüber namentlich beherzigenswerth. Bei guter Pflege
dauert er aber ebensowol im kleinen Schmuckkäfige, als auch in der Vogelstube
ebenfalls eine Reihe von Jahren hindurch aus. Auch er gehört zu den be=
liebtesten Prachtfinken, ist aber als weichlich bekannt und erliegt den beim Gold=
brüstchen erörterten Uebelständen der gewöhnlichen Liebhaberei besonders leicht. Seine
Züchtung im Käfige gelingt eher, als die mancher andern Prachtfinken, doch sind
als durchaus erforderliche Bedingungen die beim Grauastrild angegebene geeignete
Fütterung und eine hohe gleichmäßige Wärme niemals außer Acht zu lassen.
Näheres über die Verpflegung und Züchtung, sowie auch über die Legenoth u. s. w.
ist weiterhin in den schon mehrfach erwähnten Abschnitten zu finden. Der Preis
wechselt für das Pärchen zwischen 9—12 Reichs=Mark (3—4 Thlr.) und steht

in den Großhandlungen mit dem des Grauaſtrild gleich. Der Vogel iſt faſt das ganze Jahr hindurch bei den Händlern zu haben.

Noch muß ich die bereits S. 46—47 berührte intereſſante Erfahrung er=zählen. Ein Blauaſtrild=Pärchen hatte ein Paar Helenafaſänchen aus ſeinem Neſt vertrieben und niſtete darin ungeſtört weiter. Als die Zeit des Ausfliegens der Jungen heranrückte, fiel mir das ſehr laute, ſonderbare Geſchrei auf, welches ich von jungen Schmetterlingsfinken noch niemals gehört hatte. Ich wartete jedoch geduldig ab und ſah ſobann aus dem Neſte ein junges Helenafaſänchen hervorkommen. Die Eltern deſſelben, von denen bis dahin noch keine Brut bei mir flügge geworden, hatten alſo, bevor ſie von den Schmetterlingsfinken vertrieben waren, bereits ein Ei gelegt und dieſes war von den Pflegeeltern, deren eigene Eier nichts taugten, ausgebrütet, und das Junge ward mit großer Sorgfalt erzogen. Es gewährte einen ſonderbaren Anblick, dieſe drei Vögel, von denen der eine doch ein ganz fremder, zärtlich dicht aneinander geſchmiegt ſitzen zu ſehen oder wie das Faſän=chen, um das ſeine wirklichen Eltern ſich niemals kümmerten, mit großem Ge=ſchrei von den Schmetterlingsfinken ſeine Nahrung empfing.

Der blaue Aſtrild heißt auch Kordonbleu, Schmetterlingsfink, Schmetterlings=aſtrild, fälſchlich blauer Bengaliſt, richtiger Bengueliſt, blaues Rothbäckchen, Blau=bäuchchen und Mariposa (v. Heuglin nennt ihn fälſchlich Granataſtrild).

Bengali cordon-bleu *(Vekemans)*; Cordon-bleu (franzöſiſche Händler); Crimson-eared Waxbill *(Jamrach* und Verzeichniß des zoologiſchen Gartens von London); Blauwe Astrild of Bengali (holländiſch); Azulinha (portugieſiſch).

Nomenclatur: Estrelda phoenicotis Swainson, *Hartl., Bp., Sclat., Hartm., Heugl., Antin.;* Fringilla bengalus, *Briss., Gml., Lath., Shaw, Vieill.;* Fringilla angolensis et bengalus, *Linné, Bechst.;* Estrelda bengbala, *Gray;* Uraeginthus phoenicotis, *Cab., Heugl.;* Mariposa phoenicotis, *Rchb.;* Pytelia phoenicotis, *Hartl.* et *Finsch.*

Blue-bellied Finch, *Latham;* Pinçon à ventre bleu; Mariposa a jones de carmin; The crimson eared Bengueli.

Wiſſenſchaftliche Beſchreibung. Oberhalb rehbraun, ſchwach röthlich angehaucht; Bürzel und obere Schwanzdecken, Zügel, ſchmaler Augenbrauenſtreif, Kopfſeiten und alle unteren Theile lebhaft himmelblau, Schwanzfedern düſterer blau, am Rande der Innenfahne ſchwärzlich grau; Bauch, After und untere Flügeldecken zart röthlich rehbraun, ebenſo die unteren Schwanz=decken, mit Ausnahme der längſten, welche blau ſind; an der Ohrgegend ein großer länglicher, lebhaft purpurrother Fleck. Der Schnabel iſt ſchwärzlichroth mit ſchwärzlichen Schneiden=rändern und ſchwärzlicher Spitze; die Füße ſind gelblich horngrau. Das Auge iſt hellbraun, von einem ſchmalen gelben Rande umgeben. Das Weibchen ſtimmt faſt völlig überein, nur iſt das Blau nicht ganz ſo lebhaft und der rothe Wangenfleck fehlt. Das Jugendkleid iſt Seite 98 beſchrieben.

*Aegintha phoenicotis.* Supra dilute brunnea, cauda gradata; uropygio, supra-caudalibus et corpore subtus pallide coeruleis; abdomine medio crissoque cervinis; macula parotica circumscripte lilacino-coccinea; rostro et pedibus rubentibus, illius apice et tomiis nigricantibus. ♀ pallidior; macula parotica coccinea nulla.

Länge 10,5 cm. (4 3.), Flügel 5 cm. (c. 2 3.), der stark gestufte Schwanz 5,3 cm. (c. 2 3.).

Juvenis ubique unicolor lurido - cinerea, subtus dilutius; colore pectoris distinctius; laterum caudaeque obsoletius subcoeruleo, eoque signo velut specifico; rostro irideque nigris; pedibus obscure cinereis, macula sexus utriusque coccinea adhuc nulla.

Beschreibung des Eies: Länge 10—15 mm., Breite 12 mm., Farbe schwach gelblich= weiß, glänzend, Gestalt stumpf eiförmig.

Ovum flavido-album, nitidum, obtuse ovatum.

## Der granatrothe Aſtrild [Aegintha granátina]. *Aus. e×e∙. p6 75*

Während der vorhin geschilderte Schmetterlingsaſtrild bekanntlich zu den gemeinſten Erſcheinungen des Vogelmarkts gehört, war ſein nächſter Verwandter, der Granataſtrild, bis jetzt wenigſtens nach Deutſchland wol noch nicht lebend eingeführt. Zwar hat Bechſtein ihn mitgezählt, doch giebt dieſer Schrift= ſteller als das Vaterland fälſchlich Braſilien an und nennt ihn braſiliſchen Fink. Zuerſt bekannt wurde der Vogel durch Edwards, welcher eben und nach ihm Latham u. a. den Irrthum verbreiteten, daß er aus Amerika herſtamme. Seeligmann erzählt: dieſer wunderbare und noch unbeſchriebene Vogel gehörte der Frau Scrafton zu Lonbon; er kam von Braſilien, wo er ſelten und theuer iſt. Briſſon bezeichnet ſodann richtig Afrika als ſeine Heimat und beſchreibt ihn auch ſehr eingehend. Buffon benannte ihn Grenadin de la côte d'Afrique.

Der Granataſtrild iſt röthlich kaſtanienbraun mit violetten Wangen, an Stirn, Bürzel und unterm Hinterleib glänzend kornblumenblau, und mit rothem Schnäbelchen. Es iſt ein ganz abſonderlich ſchöner Prachtfink. In Geſtalt und Weſen iſt er dem Schmetterlingsaſtrild durchaus gleich; die Größe iſt ein wenig beträchtlicher.

Der erſte lebende Vogel dieſer Art, welcher nach Europa gebracht worden, dürfte der ſein, welchen die Marquiſe de Pompadour in Paris 1754 erhielt. Sie war bekanntlich eine begeiſterte Freundin frembländiſcher Vögel und hatte dieſen Aſtrild brei Jahre hindurch am Leben.

Vieillot ſchildert den Grenadin als einen der ſchönſten und zierlichſten, aber auch weichlichſten aller dieſer kleinen Finken; er preiſt ſein ſanftes und doch ſo lebhaftes Weſen und ſeinen lieblichen Geſang. In Hinſicht deſſelben ſind ältere und neuere Schriftſteller, ſo namentlich Vieillot, nach ihm Reichenbach und dann auch v. Heuglin, wirklich recht anſpruchslos, denn ſie loben faſt regel= mäßig dieſe kleinen Prachtfinken als treffliche Sänger. Ich führe ſolche An= gaben ſelbſtverſtändlich jedesmal an; in allen den Fällen jedoch, in welchen nach dem übereinſtimmenden Urtheile aller Züchter und Beobachter in der Gefangen= ſchaft der betreffende Vogel nicht oder kaum nennenswerth ſingt, habe ich dies einfach als Thatſache hingeſtellt. Das Neſt ſteht in niedrigem Gebüſch, allenfalls 1,75 m. (etwa 4—5 Fuß) hoch und iſt aus zartem Moos, Grashalmen und

Pflanzenwolle gebaut. In der Brutentwickelung wird der granatrothe wahr= scheinlich, ebenso wie in der Lebensweise, mit dem blauen Aftrild durchaus über= einstimmen. Der genannte französische Forscher warnt bringend, den Vogel namentlich während der Brut, welche ebenfalls am häufigsten in unserm Spät= herbst und Winter beginnt, sowie auch in der Mauser den Einwirkungen von Nässe und Kälte auszusetzen; die Wärme dürfe niemals unter 16 Grab R. sinken. Auch er weist immer wieder darauf hin, daß alle diese Aftrilde neben dem Körnerfutter zugleich Fleischnahrung, also Ameisenpuppen oder Mehlwürmer, bekommen müssen, und daß dies wenigstens zur Aufzucht der Jungen durchaus nothwendig ist.

Im Spätherbst des Jahres 1874 erhielt ich von dem Händler Herrn Fockelmann in Hamburg ein Männchen und zwei Weibchen Granatastrilde, und dies werden jedenfalls die ersten sein, welche jemals lebend hier vorhanden ge= wesen. Denn Dr. Bolle („Naumannia" 1858) führt diese Art in dem Ver= zeichniß der fremdländischen Vögel, welche im deutschen Vogelhandel vorkommen, nicht auf und seitdem dürfte sie schwerlich eingeführt sein.*)

Die Verbreitung des granatrothen Aftrild erstreckt sich so ziemlich über ganz West= und Südafrika. In der neueren Literatur (Henderson, Anderson) ist so viel als garnichts über ihn vorhanden, und wir müssen daher hoffen, daß er demnächst häufiger lebend herübergebracht und dann in der Gefangenschaft beobachtet und beschrieben werde. Wenn dieser Wunsch auch wirklich in Erfüllung gehen sollte, so wird der Vogel doch niemals in großer Anzahl auf den Vogelmarkt kommen, da er in der Heimat wahrscheinlich nicht zahlreich vorhanden ist.

Sollte mir die Züchtung gelingen, so werde ich die Schilderung des Brut= verlaufs nebst der Abbildung des Vogels im Nachtrage bringen.

Schon die älteren Schriftsteller erwähnen, daß diese Art in vielfachen Ab= änderungen vorkommt. Daudin beschreibt ein Exemplar mit mattschwarzem Unterleibe, von welchem man noch nicht festgestellt, ob es eine Varietät oder bloße Lokalrasse ist. Der von Vieillot geschilderte **dreifarbige Aftrild** (dreifarbige Mariposa, L'Azurouge; Aegintha tricolor) dürfte ebenfalls nur eine Varietät oder vielleicht gar ein Mischling sein, denn der Vogel, den der genannte Forscher von Bécoeur erhielt und den alle späteren Schriftsteller anführen, ist seitdem nirgends wieder aufgefunden worden. Dieser Hinweis genügt daher für ihn. —

Der granatrothe Aftrild, Granatastrild, Granatfink, Granatvogel, rother Schmetterlingsaftrild, ist lange vor seiner Einführung in den deutschen

---

*) Soeben schreibt mir Herr A. F. Wiener in London Folgendes: Der Granatfink ist trotz seiner Seltenheit doch bereits in meinem Besitz gewesen. Vor etwa vier Jahren taufte ich zu= fällig drei Köpfe ganz billig auf einer Reise nach Liverpool, aber sie gingen leider bald sämmt= lich ein. Seitdem habe ich dies Vögelchen freilich niemals wieder lebend gesehen.

Vogelhandel gleichsam als unsichtbarer Gast in allen Schriften und Handbüchern über diese Vögel mitgezählt worden. Die Preisverzeichnisse der deutschen Händler führten ihn ebenfalls fast regelmäßig auf. In der Liste der Vögel des zoologischen Gartens von London ist er aber ebensowenig vorhanden, als in denen der übrigen größeren und kleineren derartigen Anstalten. Die Verzeichnisse von Jamrach und Vekemans enthalten ihn auch nicht.

Nomenclatur: Fringilla granatina, *L.*, *Vieill.*; Granatinus, *Briss.*; Estrelda granatina, *Hartl.*; Uraeginthus granatinus, *Cab.*; Mariposa granatina, *Rchb.*

Le Grenadin; The Granat-Finch; Pinson rouge et bleu.

Capitaine d'Orénoque (früher bei den Portugiesen und vielleicht auch noch gegenwärtig).

Wissenschaftliche Beschreibung. Oberhalb, an Stirn, Kopf, Nacken, bis zu den Schultern und fast der ganze Unterkörper einfarbig zimmtbraun; schmaler Stirnrand, Bürzel, obere und untere Schwanzdecken ultramarinblau; Schwingen fahl erdbraun, noch heller gesäumt; Oberschwanz mattschwarz, Unterschwanz wenig heller und marmorirt; Backenfleck vom Auge bis zum Ohr violett; Kinn und obere Kehle reinschwarz; Auge dunkelbraun; Schnabel blutroth; Füße röthlichgrau. Weibchen: oberhalb, an Kopf und Hinterhals fahl röthlichbraun, Rücken und Flügel fahlbraun, Bürzel hellblau; ganze Unterseite hellgelblichbraun; Wangenfleck hellviolett.

Aegintha granatina: castanea; genis pulchre et circumscripte violaceis; fronte et uropygio cyaneis; gula, abdomine imo caudaque longa et valde gradata nigris; rostro rubro; pedibus carneis.

Länge 12,3 cm. (4³/₄ Z.), Flügel 5,3 cm. (2¹/₄ Z.), der gestufte Schwanz 6,2 cm. (2¹/₂ Z.).

## Der Buntaftrild [Aegintha melba].

Dieser Vogel gehört zu denen, welche seit altersher aus ihren Heimatsländern nach Europa herübergebracht worden, aber bis zur Gegenwart nur höchst selten zu haben und theilweise sogar aus dem Vogelhandel wieder verschwunden sind (vrgl. S. 2). Die ältesten Schriftsteller erwähnen ihn regelmäßig, später wird er aber nicht mehr lebend eingeführt; Dr. Bolle zählt ihn in seiner Liste ebenfalls nicht mit.

Buffon, Brisson und die noch früheren Naturforscher, wie Seeligmann u. a., bringen über diesen Prachtfink vorzugsweise viele falsche Angaben, insbesondere dahin, daß sie als Vaterland Amerika oder Asien angeben. Derartige Irrthümer, welche sich ja bei zahlreichen Vögeln wiederholen, haben sich leider bis in ganz neuere Schriften hinauf erhalten. Erklärlich scheint es bei diesem Vogel wol dadurch, daß er einerseits den meisten der älteren Autoren nicht aus Anschauung bekannt gewesen, und daß andererseits auch die zeitgenössischen Ornithologen bis jetzt in mancher Hinsicht in Zweifel über ihn waren. Erst ganz kürzlich haben Finsch und Hartlaub mit Sicherheit festgestellt, daß die bisher getrennten Arten (f. Nomenclatur) sämmtlich in eine einzige zusammenfallen.

Es würde überflüssig sein, diesen Aftrild hier eingehend zu besprechen, weil er bis zur neuesten Zeit eine der allerseltensten Erscheinungen des Vogelmarkts iſt. Allein gerade er darf wol entſchieden als der farbenreichſte unter allen gelten\*) und zugleich bietet ſich die Ausſicht, daß er demnächſt recht häufig unſere Vogel= ſtuben bevölkern werde. Denn er iſt über den größten Theil Afrikas verbreitet und in ſeiner Heimat auch zahlreich zu finden. Im Gebiete der Kapkolonie fehlt er; dagegen iſt er auf Madagaskar, Bourbon und Mauritius heimiſch ge= worden. Durch Zufall verſchleppt, hat er ſich auf dieſen Inſeln eingebürgert und vermehrt. Sein Fehlen, bezüglich ſeine Seltenheit im europäiſchen Vogel= handel erſcheint daher von vornherein verwunderlich.

Der Buntaſtrild iſt oberhalb olivengrünlichgelb, jede Feder an der Außen= fahne gelb gerandet, die Schwanzfedern ſind ſchwarzbraun mit düſter ſcharlach= rother Außenfahne, die beiden mittelſten Federn einfarbig ſcharlachroth, obere Schwanzdecken glänzend ſcharlachroth; Stirn, Backen und das übrige Geſicht, auch die Oberkehle ſind lebhaft dunkel zinnoberroth, die Unterkehle bis zur Unter= bruſt iſt orangegelb, jede Feder mit zwei ſchmalen dunkeln Querlinien und zwei rundlichen weißen Flecken gezeichnet, die Bruſtſeiten ſind mit weißen Tropfen= flecken geziert, die übrige Unterſeite iſt weiß, dunkel bräunlich quergebändert, der hintere Unterleib und Unterſchwanz ſind weiß mit verlaufenen dunkeln Quer= linien. Auge roth, Schnabel glänzend korallenroth, Füße hellbräunlich. Das Weibchen iſt an Kopf, Nacken und Hinterhals düſter grau, Mantel und übrige Oberſeite ſind düſter olivengrün, Schwingen olivengrünlichbraun, Oberſchwanz= decken und Schwanzfedern düſter roth; Geſicht hellgrau, Unterſeite weiß, dunkel= braun quergewellt, am breiteſten an den Bauch= und Schenkelſeiten, an der Kehle einige weiße Tropfenflecke, Bauch und untere Schwanzdecken weiß.

Vieillot ſagt, daß man zu ſeiner Zeit nur das Männchen kannte und daß auch dieſes äußerſt ſelten war. Er hielt den ſchönen Vogel zugleich für ungemein weichlich und verlangte, daß man ihm für gewöhnlich, nur um ihn am Leben zu erhalten, Wärme von 20 Grad R. bieten müſſe; zum Niſten könne er aller= höchſtens in einem Gewächshauſe gelangen.

Heuglin fand dieſen Aſtrild in den wärmeren Theilen des nordöſtlichen Afrika faſt überall. Er hält ihn für einen Standvogel, deſſen Sommer= und Winterkleid kaum verſchieden iſt. Man ſieht ihn immer, ſagt er weiter, nur einzeln und paarweiſe unter Baumgruppen, im dichten Gebüſch und in Hecken; trockene, ſandige Gegenden ſagen ihm mehr zu als andere, und er führt ein ſehr ſtilles, wenig bemerkbares Leben. In den Gipfeln hoher Bäume habe ich ihn

---

\*) Dieſe Meinung drücken die Schriftſteller aller Völker und Zeiten übereinſtimmend in den ihm beigelegten Namen aus: Beau Marquet, *Buffon*, *Vieillot*; Beautiful Finch, *Latham*; Green Goldfinch, *Edwards*, Fringilla elegans, *Schaw.*; u. ſ. w. Ich glaube da= her ſowol dieſen Benennungen, als auch denen des Handels am beſten zu genügen, wenn ich ihm den Namen gebe, welcher allen dieſen Bezeichnungen möglichſt entſpricht.

nie gesehen, ebensowenig im Steppengras; obgleich er sich gewöhnlich kaum einige
Fuß hoch über dem Boden herumtreibt, so kommt er doch nur für Augenblicke
auf die Erde herab und läuft dort nicht viel umher. Er ist von sehr sanfter
Natur, durchaus nicht scheu und läßt nur selten seinen leisen, einfachen Gesang
aus den kahlen Dorngebüschen her ertönen. Ueber das Brutgeschäft kann ich
leider nichts mittheilen. —

Wenn zum Beginn des Monats September hin Direktor Vekemans in
Antwerpen auch zahlreiche kleine Vögel in den verschiedensten Arten herbeischafft,
um die alljährliche Versteigerung so großartig als irgend möglich erscheinen zu
lassen, so pflegt er jedesmal einige Erwerbungen darunter vorzuzeigen, welche
noch nicht oder doch nur selten auf dem Vogelmarkt vorhanden sind. Hierzu ge=
hörten auch mehrmals einige Pärchen Buntastrilde, die, aber der deutschen Lieb=
haberei bisher kaum zugänglich gewesen, sondern fast immer nach England oder
nach den Niederlanden vorweg und zu recht hohen Preisen verkauft wurden.
Im Jahre 1874 hatte Gudera in Leipzig zum erstenmal eine kleine Anzahl
dieser Prachtfinken nach Deutschland eingeführt und daher ist auch diese Art jetzt
in manchen unserer Vogelstuben zu finden. In seinem Wesen erscheint er dem
Schmetterlingsastrild sehr ähnlich; weiterhin kann ich aber sein Gefangenleben
nicht schildern, denn das Pärchen, welches ich erhielt, war krankhaft und ist so=
gleich gestorben. Vor dem Abschluß dieses Werkes darf ich aber eine nähere Dar=
stellung im Nachtrage wol versprechen, denn einerseits besitzen diesen Astrild mehrere
meiner Herren Mitarbeiter, namentlich Dr. F. Franken in Baden=Baden, und
andererseits hoffe ich auch selber baldigst wieder ein neues Pärchen zu erhalten.

Der Buntastrild oder die bunte Pytelie (v. Heuglin), zierlicher Aurora=
Senegali (Reichenbach), Zierfink, oder grüner Stieglitz der älteren Schrift=
steller, ist in den Preisverzeichnissen der meisten Händler noch nicht zu finden.

L'élégante *(Vekemans)*; Crimson-faced Waxbill *(Jamrach* und Liste
des zoologischen Gartens von London).

Nomenclatur: Fringilla melba, *Linné, Seeligm., Gml., Vieill.;* Fringilla spe-
ciosa, *Bodd.;* Fringilla elegans, *Gml., Lath., Vieill., Bechst., Hgl.;* Estrilda elegans,
*Rüpp.;* Pytelia melba, *Strickl., Gray, Rchb., Hartl. et Finsch;* Pytelia speciosa, *Gray;*
Zonogastris elegans et melba, *Cab., Hartm., Heugl.;* Pytelia citerior [et P. afra], *Hartl.,*
*Hgl.;* Zonogastris citerior, *Hgl.;* Pytelia elegans, *Antin., Bp., Mont., Rchb.;* Mar-
quetia elegans, *Rchb.*

Wissenschaftliche Beschreibung siehe oben.

Aegintha melba: supra dilute olivacea; fronte, loris, regione ophthalmica,
mento gulaque superiore miniato-scarlatinis; gula reliqua et pectore dilute flavis;
pileo et cervice pallide brunneo-fasciolatis; subcaudalibus albis; cauda cum tectricibus
superioribus conspicue rubra; rostro rubente; pedibus pallidis.

Länge 12 cm. (4½ Z.), Flügel 5 cm. (2 Z. 2 L.), der gerade abgeschnittene Schwanz 4,4 cm.
(1 Z. 9 L.).

**Der rothrückige Aſtrild** [Aegintha erythronóta]. Seit Bieillot's l'Astrild à moustaches noires ſchleppen die Schriftſteller einen wunderlichen Vogel von einem Werke in das andere, während derſelbe in Wirklichkeit garnicht vorhanden iſt oder allenfalls auf einer Verwechſelung beruht. Dieſe Reichenbach'ſche Brunhilda, von einem der neueren populären Naturhiſtoriker geſchildert, als eine der ſeltenſten Arten der Gruppe, welche Südweſt= und Innerafrika bewohnt und bis jetzt wahrſcheinlich lebend noch nicht nach Europa gebracht worden, iſt gewiß kein anderer, als der Seite 92 beſchriebene ſchwarzkehlige Aſtrild Heuglin's. Man vergleiche nur bei Reichenbach, nicht die phantaſtiſche Abbildung T. II Nr. 13, ſondern T. XVIII Nr. 158 und dann Bieillot, „Oiseaux chanteurs“ T. XLV mit Heuglin's Darſtellung im „Journal für Ornithologie“, 1868 T. I Fig. 1, und meine Vermuthung wird nicht ungerechtfertigt erſcheinen.

\* \*

**Wachtelaſtrilde** oder Wachtelfinken [Ortygospiza, Sund.] hat man recht bezeichnend eine Prachtfinkenfamilie genannt, welche ſich von allen übrigen durch ſehr auffallende Merkmale unterſcheidet und der Aufmerkſamkeit in hohem Maße werth iſt. Schon der erſte Blick belehrt uns, daß wir es hier mit ganz eigengearteten Vögelchen zu thun haben, und noch mehr überzeugt uns davon ihre Lebensweiſe, welche von der aller Verwandten abweicht. Ich werde dies bei der Beſchreibung weiter ausführen.

## Der Rebhuhnaſtrild [Aegintha atricollis].

Als ich im Sommer des Jahres 1874 in Hamburg zur Geflügelausſtellung als Preisrichter anweſend war, fand ich bei dem Händler Herrn Fockelmann ein Pärchen dieſes kleinen Vogels vor, den ich wol als Wachtelfink erkannte, da ich ſchon im Januar von Herrn Wiener in London einen geſtorbenen, nahe verwandten erhalten hatte; doch wußte ich nicht, welche Art es ſei. Herr Dr. Finſch, der ebenfalls von Bremen herüber gekommen, ſtellte ihn als die obengenannte feſt. Die Wachtelaſtrilde gehören zu den ſeltenſten Erſcheinungen des Vogelhandels und werden auch nur immer in wenigen Pärchen eingeführt, die dann größtentheils krankhaft ſind, angegriffen von der Reiſe oder durch ſchlechte Behandlung, und regelmäßig bald eingehen. Das Vögelchen iſt auf den erſten Blick zwar unſcheinbar, zeigt ſich aber ſehr niedlich. Oberhalb fahlbraun, jede Feder mit dunklerer Mitte, die Federn der Flügelſchwingen grauweiß geſäumt, Schwanzfedern ſchwärzlich braun, weiß geſpitzt; Geſicht, alſo Stirn, Kehle bis zur Oberbruſt, ſchwarz; letztere ſchwärzlich grau, weiß quergeſtreift (mit Halbmöndchen gezeichnet), Bruſt= und Bauchſeiten ebenſo, aber auf heller grauem Grunde; Bruſtmitte roſtbraun, Bauch weißlich gelb, untere Flügel= und Schwanzdecken fahl bräunlich gelb. Auge röthlich braun; Schnäbelchen roth mit ſehr breiter ſchwarzer Firſte; die hochbeinigen Füße roſenroth mit langer, gerader, ſpornartiger

Kralle an der Hinterzehe. Weibchen ganz gleich, bis auf den Mangel des schwarzen Gesichts, anstatt dessen eine weiße Kehle, ferner weißer Zügel= und Augenbrauenstreif. Die Größe stimmt etwa mit der des grauen Astrild überein, doch ist die Gestalt gedrungener, gleichsam runder.

Ueber das Freileben sagt Heuglin, daß er sich in kleinen Trupps von fünf bis acht Köpfen flüchtig und scheu auf kahlem, steinigem Hügellande oder auch in der Nähe von Gewässern, zuweilen in Gesellschaft von Graugirlitzen, umher= treibe, niedrig und schwirrend fliege, rätschend auf Steinhaufen einfalle und nicht zu bäumen scheine. Lefebvre fand ihn im Mai zahlreich auf Wiesen, längs der Wildbäche und auf Getreidefeldern. Rüppell erwähnt ihn nur und auch die übrigen Reisenden geben nichts näheres über ihn an. Die Heimat erstreckt sich von Westen aus bis tief in das innere Afrika.

In der Vogelstube fällt der Rebhuhnastrild durch seine Lebensweise sogleich auf. Ich hatte mit einer Sendung kleiner Prachtfinken in verschiedenen Arten von Herrn Poisson in Bordeaux noch vier Köpfe erhalten. Alle bleiben in einer Schar beisammen, halten sich fast nur an der Erde auf und wenn sie aufgejagt werden, so kreisen sie mit wachtelartigem, doch ungleich leich= terem Flügelschlage hoch an der Decke einigemale durch den Raum und lassen sich meistens auf bestimmten Stellen, nur selten aber auf einem starken Ast oder auf dem Fensterbrett, sonst immer auf dem Boden, nieder. Hier laufen sie, nicht finkenartig hüpfend, sondern lerchenartig trippelnd geschäftig hin und her und lagern sich gern in die glattgedrückten Vertiefungen der an einer Seite des Rau= mes befindlichen Grasrasen. So macht dieser Prachtfink nun in der Gestalt, selbst in der Zeichnung und im Laufen den Eindruck eines winzigen Feldhühn= chens, und der erwähnte französische Händler benennt ihn daher auch nicht unpassend Perdrix. Hühnerartiges Scharren, wie es bekanntlich auch manche Finkenvögel zeigen, ist bei ihm freilich nicht zu bemerken, auch trinkt er nicht hühnerähnlich schlürfend und dann den Kopf emporstreckend. Zweifellos nistet er aber an der Erde, wo er auch den größten Theil des Lebens zubringt. Wenn man für ein solches Pärchen Gräser und Gestrüpp auf dem Boden in der Vogelstube herrichtet und wenn sie von größern Vögeln nicht gestört sind, so werden sie wol unschwer zur Brut schreiten. Im Käfige dagegen dürften sie niemals sich wohl befinden, weil sie eines weiten Raumes zum Umherlaufen bedürfen und bei jeder Be= ängstigung wachtelartig empor, mit dem Kopfe nach der Decke hüpfen. In einer kurzen populären Beschreibung ist gesagt, daß dieser Vogel ein widerwärtig knar= rendes Geschrei habe. Die meinigen lassen nur einen einsilbigen, lauten, aber nicht unangenehm klingenden Lockruf hören. Der sehr emsig vorgetragene Gesang besteht in dem mehrmals zwitschernd wiederholten Lockton, während das Vögelchen sich vom Sitz erhebt und den Kopf emporrichtet.

Der Rebhuhnaſtrild iſt auch als ſchwarzkehliger Wachtelfink oder Mohr=
wachtelfink bezeichnet worden. In den Preisliſten der Großhandlungen und ebenſo
in den Verzeichniſſen der zoologiſchen Gärten iſt er nicht zu finden. Jamrach
nannte ihn brieflich Quail-Finch und bei den franzöſiſchen Händlern dürfte
er wol allgemein L'Astrild perdrix heißen.

Nomenclatur: Fringilla atricollis, *Vieillot, Less.*; Estrelda polyzona, *Mus. Berol.,
Lefeb.*; Amadina polyzona, *Rüpp., Hartl., Gray*; Ortygospiza atricollis, *Bocg., Sund.,
Cass., Heine, Rchb., Heugl.*; Amadina lunulata, *Temm., Hrtl.*

Wiſſenſchaftliche Beſchreibung ſ. oben.

Aegintha atricollis: pallide brunnea; facie gulaque nigricantibus; alis
et cauda brevi brunneis; subtus fasciolis irregularibus, interruptis albidis, obscure
marginatis; pectore inferiore medio concolore, dilute cinnamomeo; abdomine imo
medio, crisso et subcaudalibus isabellinis, his fusco-marginatis; rostro rubente;
pedibus pallidis. ♀ obsoletius tincta, fasciolis inferioribus latioribus, minus distinctis.

Länge 9,1 cm. (3¹/₂ З.); Flügel 4,8 cm. (1 З. 10 Л.); Schwanz 3,3 cm. (1 З. 3 Л.).

## Der Wachtelaſtrild [Aegintha polyzóna].

Dieſer Vogel ſoll von dem vorigen nur dadurch verſchieden ſein, daß er
um das Auge ober= und unterhalb weiße Striche und eine ebenſolche Kehle hat.
Doch ſind die Beſchreibungen ſo unbeſtimmt, daß die Annahme nicht zu fern
liegen dürfte, beide ſeien ein und dieſelbe Art und nur Geſchlechtsunterſchiede.
Die Zukunft muß es feſtſtellen, ob dies ein Irrthum iſt. Der von Herrn
Wiener in London mir überſandte Vogel war leider auf der Poſt unterwegs zu
ſehr zerquetſcht, ſo daß ich ihn nicht mehr mit Sicherheit unterſuchen konnte.
Auch im Berliner Muſeum vermag ich aus den wenigen Exemplaren mir kein
feſtes Urtheil zu bilden. Für die Liebhaberei iſt übrigens die Scheidung in
zwei Arten auch hier gleichgültig. Die Lebensweiſe wird ebenſo wie die Geſtalt
und Färbung nahezu, wenn nicht völlig übereinſtimmend ſein. Eine nähere
Beſchreibung als die des Weibchens vom Rebhuhnaſtrild, allenfalls mit mehr
oder minder ſchwärzlichem Geſicht, weiß ich von dieſem Wachtelaſtrild auch nicht
zu geben; dagegen füge ich die lateiniſche Beſchreibung an.

Aegintha polyzona: supra fusco-cinerascens, subtus nigricante alboque
fasciolata; mento et periophthalmiis albis; gula genis et fronte nigris; pectore subrufescente; subcaudalibus albidis; cauda brevi angusta, albo-terminata;
maxilla nigricante, mandibula rubente.

Länge 9,1 cm. (3¹/₂ З.); Flügel 5,2 cm. (2 З.); Schwanz 4,6 cm. (1 З. 9 Л.).

Nomenclatur: Fringilla polyzona, *Temminck*; Ortygospiza polyzona, *Snd., Bnp.,
Hrtl.*; *Rchb.*; Fringilla multizona, *Lefb.*

\* \* \*

Als eigentliche **Aeginthinen** oder Dornaſtrilde faſſe ich eine Anzahl vornämlich auſtra=
liſcher Prachtfinken zuſammen, welche ſowol im Körperbau, als auch in der Lebensweiſe einander
gleichen, während ſie von den Syſtematikern allerdings in zahlreiche Sippen getrennt ſind.
Einige von ihnen nähern ſich bedeutend den Spermeſtinen oder Dickſchnäbeln, doch darf ich ſie
mit Sicherheit noch hierher zählen, weil namentlich ihre größere Beweglichkeit und ihr lebhafteres,

zierlicheres Liebesspiel sie von jenen bedeutsam unterscheidet. Als Gegensätze stehen sich hier z. B. der **Ringelastrild** [Aegintha annulosa] und der **Zebrafink** [Spermestes castanotis] recht bezeichnend gegenüber, wie ich dies weiterhin ausführen werde.

## Der Dornastrild [Aegintha temporalis].
### Tafel III. Vogel 12.

In der Einführung des fremdländischen Gefieders auf den europäischen, bezüglich deutschen Vogelmarkt liegt immerhin auch ein gewisses historisches Interesse. Die ältesten Erscheinungen sind und bleiben manchmal die seltensten; andere tauchen plötzlich auf, überschwemmen den Handel in Hülle und Fülle, um dann wieder für immer zu verschwinden; noch andere, die vorher niemals, selbst nicht einmal in einzelnen Köpfen vorhanden gewesen, werden hergebracht, erhalten sich dauernd in den Vogelhandlungen und bürgern sich in allen Vogelstuben ein. Gewöhnlich haben wir Ursache, den Wetteifer der Großhändler zu bewundern, zuweilen spielt aber auch der Zufall in wunderlicher Weise mit.

Der Dornastrild wurde nicht auf dem regelmäßigen Wege durch den Großhandel, sondern durch die bedeutendste Handlung zweiter Hand in Berlin von W. Mieth zuerst in größerer Anzahl eingeführt. Etwa zehn Pärchen waren in Antwerpen unmittelbar von einem Schiffe aus gekauft. Herr Mieth wußte den Vogel nicht richtig zu benennen,. hieß ihn schlichtweg australisches Rothbürzelchen, und so fanden die auf den ersten Blick unscheinbaren Astrilde um so weniger Käufer, als damals, vor ungefähr einem Jahrzehnt, die Liebhaberei für die seltenen Erscheinungen des Vogelmarktes in Deutschland noch keineswegs lebhaft erwacht war. Bevor ich aber meine eigenen Erfahrungen mittheile, muß ich wiederum auf die Naturgeschichte des Vogels eingehen.

Dieser einfarbig graugrüne Prachtfink wird ungemein verschönt durch die lebhaft rothen, sehr breiten Augenbrauenstreifen und den prächtig rothen Bürzel; das Schnäbelchen ist glänzend roth, mit schwarzer Firste.

Shaw und Latham hatten den Vogel bereits beschrieben, als ihn Vieillot noch für unbekannt hielt, in dem großen Bilderwerke unter der Bezeichnung Le Sénégali quinticolor darstellte und in seinen herrlichen fünf Farben pries. Außer der Beschreibung giebt er aber keine weitere Nachricht über ihn. Gould in den „Birds of Australia" schildert ihn als einen der verbreitetsten Vögel von Neusüdwales und Südaustralien, wo er überall in den Gärten und auf den offenen Weideländereien zu finden ist und sich von den Sämereien der Gräser und Kräuter ernährt. Besonders zahlreich zeigt er sich in der Umgebung von Sydnei und auch im dortigen botanischen Garten. Trotz seiner großen Lebhaftigkeit ist er leicht zu zähmen, so daß sogar alt eingefangene Vögel in einigen Tagen ganz zutraulich wurden. Im Herbst sammeln sich große Scharen und treiben sich streichend umher. Gegen das Frühjahr hin trennen sie sich in einzelne

Pärchen und erbauen ihre großen, leicht bemerkbaren Nester aus trockenen Grä=
sern und mit Distelwolle ausgepolstert in niedriges Gebüsch. Das Gelege besteht
in fünf bis sechs weißen, schön fleischfarben durchscheinenden Eiern. Die Brut=
entwickelung ist von Caley beobachtet worden. Nach Angaben von F. W. Hut=
ton ist er von europäischen Kolonisten nach Neuseeland gebracht und hat sich
dort bereits stark vermehrt.

Das Bolle'sche Verzeichniß zählt den Dornastrild noch nicht mit. Die
zoologischen Gärten Deutschlands haben ihn nur selten aufzuweisen und in Paris
fand ich ihn weder in den großen zoologischen Anstalten, noch bei den Händlern.
In den deutschen Vogelhandlungen ist er immer nur zeitweise und in wenigen
Pärchen zu haben. Chr. Hagenbeck führt ihn ziemlich regelmäßig alljährlich,
jedoch nur in geringer Anzahl ein; Hieronymi in Braunschweig brachte ihn
manchmal aus England mit und C. Gudera in Leipzig erhält ihn zuweilen.
Ch. Jamrach in London hat ihn in jedem Jahre, wenn die großen austra=
lischen Transporte kommen, und hin und wieder ist er auch von Bekemans zu
beziehen. Diese Angaben gelten, nebenbei bemerkt, im allgemeinen auch für alle
selteneren australischen Vögel überhaupt.

Zu den vier Dornastrilden, welche ich von Mieth entnommen, schickte mir
Hagenbeck kurz darauf noch zwei Köpfe unter der Bezeichnung australische
Fasänchen, und diese sechs Vögel waren durchaus übereinstimmend gefärbt und
gezeichnet, ganz gleich groß und ließen sich garnicht von einander unterscheiden.
Gegen das Frühjahr hin konnte ich aber bemerken, daß zwei von ihnen sich auf=
fallend veränderten, indem das matte, fahle Aschgrau an Brust, Hals und Sei=
ten mit einem schönen Bläulichweiß gleichsam überhaucht wurde. Aus dem Be=
nehmen war sodann unschwer zu erkennen, daß diese beiden Männchen und die
vier übrigen Weibchen waren. Sie lebten aber ganz friedlich beisammen, und
nachdem ich ein Pärchen davon an den sehr glücklichen Züchter Herrn Leuckfeld
(vrgl. S. 95) abgegeben, fing das zurückbehaltene Paar im Herbst an zu nisten.
Leider wurde die erste Brut durch Webervögel zerstört und eine neue begannen
sie erst im Juni des nächsten Jahres.

Obwol Gould von der außerordentlichen Lebhaftigkeit des Dornastrild
spricht, erschienen sie in der Vogelstube sämmtlich als sehr stille, phlegmatische
Vögel. Anfangs glaubte ich, daß dies in einem gewissen krankhaften, durch
schlechte Behandlung hervorgerufenen Zustande begründet sei; nachher aber
zeigten sich alle, welche ich im Laufe der Zeit angeschafft, in derselben ruhigen
Lebensweise. Während der Liebeszeit waren sie allerdings etwas lebendiger
geworden, doch steht ihre Lebhaftigkeit mit der des Grauastrild u. a. in keinem
Vergleich. Beim Liebesspiel sitzt das Weibchen regungslos da und wird vom
Männchen mit schief seitwärts gehaltenem Schwanze in drolligen Sprüngen

umhüpft. Außer einem einsilbigen, wispernden Lockton ließ er nichts, geschweige denn einen Gesang hören. Von dem Benehmen in der Vogelstube schließe ich auf die Lebensweise in der Freiheit dahin, daß der Vogel keineswegs dichtes Buschwerk und Dornen, sondern im Gegentheil freie sonnige Plätze liebt. Das Nest in der Vogelstube wurde aus Grasrispen, Fasern und Halmen, fast kugel= rund und innen sorgfältig geglättet, doch von außen anscheinend liederlich, ähnlich dem des blauen Astrild, welches ich S. 97 beschrieben, gebaut. Es steht gewöhn= lich in einem freihängenden Harzer Bauerchen, nur sehr selten blos in lichtem Gebüsch. Das Männchen schleppt allein die Baustoffe herbei und führt den äußeren Bau auf, das Weibchen dagegen schlüpft dann erst hinein und ordnet innen und rundet aus. Das Gelege enthält bis zu acht Eiern und die Brutdauer beträgt zwölf Tage. Das Brüten geschieht abwechselnd und die Jungen werden mit Eigelbfutter, doch am besten mit frischen Ameisenpuppen und zerschnittenen Mehlwürmern auf= gefüttert. Sie sind ungemein zart und wachsen sehr langsam. Der Nestflaum ist bläulichgrau. Das Jugendkleid ist am ganzen Oberkörper düster fahlgrau, schwach olivengrünlich schimmernd, am Unterkörper fahl gelblichgrau, mit grauschwarzem Ober= und Unterschwanz. Die rothe Färbung der Augenbrauen und des Bür= zels ist bereits vorhanden und läßt den Vogel als die Art erkennen, allein sie ist nur ganz zart und schwach angedeutet. Die Verfärbung vermag ich leider nicht zu anzugeben, weil die Jungen stets vor derselben gestorben. In meiner Vogelstube — jedenfalls zuerst in der Gefangenschaft — sind im Lauf der Jahre zwei Bruten glücklich flügge geworden und späterhin hat ihn dann auch Herr Linden in Radolfzell gezüchtet. Weitere glückliche Erfolge sind mir aber nicht bekannt geworden.

Dieser Prachtfink macht durchaus nicht den Eindruck eines sehr zarten Vogels und da auch fast alle verwandten Australier bekanntlich nicht zu weichlich sind, so hielt ich das häufige Sterben der meisten frisch eingeführten nur für eine Folge der Vernachlässigung auf der Ueberfahrt. Dann ist es mir aber vorgekommen, daß in einer ausnahmsweise kalten Nacht zu Anfang des Monats Juni zwei soeben flügge geworbene Junge gestorben und zugleich das alte Weib= chen an Unterleibsentzündung erkrankt war. Vorsichtiger Schutz gegen mangelnde Wärme während der Brut und nicht minder so lange die Mauser dauert, dürfte daher doch dringend rathsam erscheinen. Die krankhaft angekommenen Dornastrilde habe ich mit gutem Erfolge mit wässeriger Rhabarbertinktur behandelt. Näheres bitte ich über dies Verfahren im Abschnitt Vogelkrankheiten nachzulesen.

Wenn das australische Fasänchen, unter welchem Namen dieser Prachtfink am bekanntesten ist, auch nicht zu den allerschönsten gehört, so macht es doch einen sehr angenehmen Eindruck in seinen harmonischen Farben und sowol in der Vogelstube, als auch im Gesellschaftskäfige gehört es zu den sanftesten und fried=

fertigsten unter allen kleinen Vögeln. Der Preis beträgt 18 — 24 Mark (6—8 Thlr.) für das Pärchen und selbst im Großhandel 11—12 engl. Schillinge. Da der Vogel in seiner Heimat nicht selten ist, so läßt sich wol annehmen, daß er mit der Zeit immer häufiger eingeführt und bei zweckmäßiger Behandlung auch lebensfähig ankommen und unsere Vogelstuben bevölkern wird.

Der Dornaftrild, Augenbrauen=Dornaftrild (*Rehb.*), oder das austra=lische Fasäuchen wird von den kleineren Händlern auch grünes Rothschwänzchen und australischer Rothbürzel genannt.

L'Aeginthe (*Vekemans*); Australian Waxbill (*Jamrach* und £. b. zool. Grt. v. London); Red-eye-browed Finch (*Gould*); Temporal Finch (*Latham*); Red-Bill (Kolonisten); Goo-lung-ag·ga (Eingeborne von Neusüdwales); Roode Venkbrauw-Astrild (holländisch).

Nomenclatur: Fringilla temporalis, *Latham, Vig. Jard.;* Fringilla quinticolor, *Vieill.;* Amadina temporalis, *Gray, Mitch.;* Estrelda temporalis, *Gould;* Aegintha tem-poralis, *Cabanis, Gld.*

Wissenschaftliche Beschreibung. Oberhalb olivengrünlichgrau; Stirn, Hinterkopf und Backen reiner grau; Halsseiten bis an die Schultern mit lebhaft grünlichgelbem Schein; Flügelschwingen braun, jede Feder mattgrünlichgelb gesäumt; Oberschwanz bräunlichschwarz; Kehle weißlichgrau; Hals, Brust, Seiten unterhalb der Flügel und Unterschwanz hellgrau; Brust= und Bauchmitte, Hinterleib und untere Flügeldecken grünlichgrauweiß; Zügel und breiter Augen=streif, Bürzel und obere Schwanzdecken scharlachroth; Auge dunkelbraun; Schnabel glänzendroth mit schwarzer First= und Dillenkante; Füße gelblichweiß. Das Weibchen ist düsterer, ohne den bläulichen Färbungston an Brust und Seiten; es ist aber schwierig und nur dann zu unterscheiden, wenn das Männchen, etwa vom März bis Juli, das Hochzeitskleid trägt. Jugend=kleid wie Seite 110 angegeben.

Aegintha temporalis: supra olivaceo-cinerea fronte, occipite genis-que cinereis; colli lateribus usque ad humeros viride flavo-imbutis; remigibus fuscis, virente flavido-limbatis; cauda cana; collo, pectore et infracaudali-bus cineraceis; tectricibus subalaribus subglauco-canis; loris, stria lata ophthalmica, uropygio et supracaudalibus puniceis; culmine gonateque rostri nitidi rubri nigris; iride picea; pedibus gilvis. ♀ dilutior afflatu colli laterum viride flavo ac pectoris laterumque coerulescente carens (nonnisi a ♂ nuptialem a Martio usque ad Julium vestem gerente distincta).

Länge 13 cm. (5 Z.); Flügel 5,8 cm. (2½ Z.); Schwanz 5,4 cm. (2 Z.).

Juvenis: supra lurido-cinerascens, obsolete olivaceo-micans; subtus gilvo-cinerea; cauda tota nigrescente; superciliis uropygioque obsoletissime puniceis, iisque signis jam specificis.

Beschreibung des Eies: Farbe reinweiß, glatt und glänzend, fleischfarben durch=scheinend; Gestalt länglichrund; Länge 16 mm.; Breite 14 mm.

Ovum albissimum, laeve, nitidum, carneo-pellucidum et longiusculum.

## Der Sonnenaftrild [Aegintha Pháëthon].
### Tafel II. Vogel 7.

Die Strahlen der Morgensonne dringen durch das hohe Fenster bis zur Rückwand der Vogelstube und erhellen hier selbst das dichteste, mit Nestern besetzte Gebüsch. In dieser Beleuchtung, welche nur im Frühjahr und dann wiederum im Herbst früh und abends eintritt, dünkt uns die hier versammelte Vogelwelt in erhöhter Schönheit und Pracht. Dann verdient der Vogel, den ich jetzt beschreiben will, seinen Namen Phaëthon*) im vollen Sinne des Worts. Er ist einfarbig, oberhalb dunkler, unterhalb reiner roth und erglänzt nun, als wäre er von lauterem Golde, wenn er auf einem Zweige sich wiegend sein Liebes= spiel beginnt.

Als ein wahrhaft bewundernswerthes Wesen müßte dieser Sonnenvogel uns erscheinen, wenn seine Schönheit zugleich mit herrlichem Gesange verbunden wäre. In Wirklichkeit aber läßt er nur ein mehr komisches, als wohllautendes Schnur= ren erschallen, bei welchem er, den Kopf hoch erhebend und den Schnabel im größten Eifer bewegend, den langen, gestuften Schwanz fächerförmig ausgebreitet, sich gleichsam gravitätisch von einer Seite zur andern wendet und dann diesen Liebestanz plötzlich mit einem lauten, flötenden Ruf abbricht.

Dieser Prachtfink wurde zuerst von Hombron und Jacquinot im Jahre 1841 beschrieben und abgebildet und zwar nach der Sammlung, welche die Mannschaften der Korvetten L'Astrolabe und La Zélée mitgebracht hatten. Dann giebt Gilbert eine Schilderung und schließlich stellt ihn Gould in aus= führlicherer Weise dar. Der Vogel ist ein Bewohner von Grasebenen, besonders solchen, auf denen Pandanus oder Schraubenfichten stehen. Er ernährt sich von Grassämereien und fliegt aufgescheucht immer zu denselben Bäumen. Vom Juli bis November sammeln sich dichte Scharen, zuweilen zu mehreren Hunderten, unter denen jedoch nur sehr wenige Männchen im ausgefärbten Gefieder sind. Zum Ende des Novembers hin sondern sie sich in Pärchen oder kleinen Flügen von höchstens sechs Köpfen und die Männchen erscheinen dann im vollen rothen Prachtkleide. Näheres über die Lebensweise und das Nisten theilen die Reisen= den nicht mit. Die Heimat dürfte sich nahezu über ganz Nord= und Ostaustra= lien erstrecken. Umsomehr ist es verwunderlich, daß er im Vogelhandel so außer= ordentlich selten sich zeigt.

Der Sonnenastrild soll zuerst im Mai 1861 von Sidney aus lebend nach London in den zoologischen Garten gebracht sein. Seitdem dürften ihn auch die bedeutenderen Händler von Zeit zu Zeit wenigstens in kleiner Anzahl erhalten haben, denn die meisten führen ihn in den Preisverzeichnissen regelmäßig auf. Unter der Bezeichnung australischer Amarant, sandte mir Karl Hagenbeck etwa in der Mitte der sechsziger Jahre ein Pärchen, von welchem das Weibchen leider sogleich starb. Das Männchen war lange Zeit der schönste Astrild in meiner Vogelstube; doch gelang es mir nicht, wieder ein Weibchen zu erlangen. Mit einem andern Verwandten aber parte er sich niemals, sondern lebte einsam

---

*) φαεθων leuchtend, auch Beiname des Sonnengottes.

und als ziemlich bösartiger Störenfried in der damals nur aus Prachtfinken beſtehenden Geſellſchaft. Für gewöhnlich war er zwar verträglich, doch zeit= weiſe fuhr er boshaft auf die kleinen Vögel los und wehe dieſen, wenn ſie ihm nicht rechtzeitig aus dem Wege zu ſchlüpfen vermochten; ſie wurden dann, insbeſondere noch unbeholfene Junge, arg zerzauſt. Ich gab dies einzelne Männ= chen daher an Herrn Emil Linden in Radolfzell ab. Bald darauf ließ mir Herr Hagenbeck zwei Pärchen zukommen, und die Verehrer ſolcher lieblichen Vogelwelt werden meine Freude gerade über dieſe Ankömmlinge zu ermeſſen wiſſen — aber auch meine Betrübniß, als ich ſah, daß dieſelben und die mit ihnen zugleich angekommenen übrigen auſtraliſchen Prachtfinken ſämmtlich von der Reiſe her todtkrank waren. Nur ein Männchen blieb am Leben und dieſes zeigte ſich in ſpäteren Jahren wol ebenſo prächtig als das erſte, aber bedeutend fried= licher und nach ſeinem ruhigen Weſen zu ſchließen, würde dieſer Vogel wol unſchwer in der Gefangenſchaft niſten. Obwol ich bis jetzt kein anderes Weib= chen für ihn bekommen konnte, und er ſich auch nicht mit den nächſtverwandten Arten, wie Dornaſtrild parte, ſo baute er doch für ſich allein ſehr häufig nach und nach mehrere Neſter und zwar auffallend unordentlich, nur aus groben Halmen, Baſt und Agavefaſern, doch nach Prachtfinkenart gerundet und mit Federn und Baumwollflocken ausgepolſtert. Sie waren in irgend einem paſſen= den Winkel angebracht, hinter einem großen Käfige u. ſ. w., und ich glaube kaum, daß dieſelben den im Freien errichteten entſprechen werden, da es doch nur Ver= gnügungsneſter eines einzelnen Männchens waren. Herr Linden beſitzt ein Pärchen, doch iſt daſſelbe nicht zur Brut gekommen und meines Wiſſens hat den Vogel bis jetzt noch überhaupt Niemand gezüchtet. Sobald Auſtralien mehr auf= geſchloſſen wird, iſt die zahlreichere Einfuhr auch dieſer Art wol zu erwarten und damit werden wir einen der herrlichſten Stubenvögel gewinnen.

Im deutſchen Vogelhandel iſt der Sonnenaſtrild immer nur zufällig für den Preis von 36—45 Mark (12—15 Thlr.) für das Pärchen zu erhalten. Ein Großhändlerpreis iſt wol nicht anzugeben. In Paris koſtete das Pärchen 80 Frcs.

Der Sonnenaſtrild oder auſtraliſche Amarant, von Reichenbach Karmin= phaëton genannt, heißt auch Rubinvogel.

Le Phaëthon (*Vekemans*); Le Rubin d'Australie (Pariſer Händler); Crimson Finch (*Jamrach* und L. b. zool. Grt. v. London); Vuurvink (hol= ländiſch); Red Finch (Anſiedler von Port=Eſſington); Jng-a-däm-oon (Ein= geborene von P.=E.)

Nomenclatur: Fringilla Phaëthon, *Hombron* et *Jacquinot*; Estrelda Phaëthon, *Gould*; Neochmia Phaëthon, *Gray, Rchb.*
Karl Ruß, Die fremdländiſchen Stubenvögel.

Wissenschaftliche Beschreibung. Oberkopf dunkelgraubraun; Hinterhals, Rücken und Bürzel bräunlichgrau, jede Feder fein roth gerandet; Flügeldecken dunkelgraubraun, mit breiten rothen Rändern; Flügelschwingen schwärzlichbraun, mit feinen rothen Federsäumen; das ganze Gefieder des Oberkörpers erhält durch die rothe Säumung der Federn einen röthlichen Ton; Oberschwanz roth, jede Feder bräunlich fein gesäumt; Zügel, Gesicht, Kopfseiten, obere Schwanz= decken, Kehle, Brust und Bauchseiten dunkelscharlachroth; Brustseiten fein weißpunktirt; Bauch= mitte, Hinterleib und Unterschwanz tiefschwarz; Schnabel glänzend karminroth, mit röthlich= weißem Grund des Unterschnabels; Auge dunkel bernsteinbraun; Füße röthlichfleischfarben. Weibchen: oberhalb graubraun, röthlich überhaucht; Gesicht und Kinn, Oberschwanzdecken und oberer Schwanz matt scharlachroth; Brust und die weißgepunkteten Seiten röthlich braun= grau; Bauchmitte und Hinterleib bräunlichgelb.

Aegintha Phaëthon. Pileo cinereo-fusco; cervice, dorso et uropygio subfusco-cinereis, plumis eorum subtiliter rubro-marginatis; tectricibus al. cinereo-fuscis, late rubro-marginatis, remigibus nigricante fuscis, subtiliter rubro-limbatis; plumis rubro-limbatis afflatum lateri toti superiori afferentibus rubentem; loris, facie tota, gula, pectore, hypochondriis et supracaudalibus intense pu-niceis; pectoris lateribus minutim albo-punctulatis; abdomine medio, crisso et infracaudalibus aterrimis; rectricibus ambabus mediis sanguineis, externis fuscis, his exterius rubro-limbatis; rostro coccineo, nitido, basi mandibulae rubente albida; iride rubiginosa; pedibus rubente carneis. ♀ cinereo-fusca, rubente imbuta; facie, mento, supracaudalibus, caudaque rectricibus ambabus mediis dilute sangui-neis; pectore et hypochondriis ferrugineo-cinereis, his albo-punctulatis, ventre crissoque sordide flavis.

Länge 12 cm. (4²/₃ 3.); Flügel 5,₂ cm. (2 3.); der stark gestufte Schwanz 6,₃ cm. (2¹/₂ 3.).

## Der Ceresastrild [Aegintha modesta].

### Tafel III. Vogel 13.

Erst im Jahre 1872, nachdem mein „Handbuch für Vogelliebhaber" I erschienen war, wurde ein Prachtfink nach Deutschland gebracht, welchen Reichen= bach seines einfachen und doch so ansprechenden Gefieders halber als Sinnbild der Bescheidenheit*) bezeichnete. Da einige Händler ihn auch unter der Benennung Bänderbürzelfink ausboten, so gab dieser Vogel zu vielfachen Verwechselungen (na= mentlich mit dem Ringelastrild) und Irrthümern Anlaß. Ich beschrieb ihn als neue Erscheinung des deutschen Vogelmarkts in der Zeitschrift „Gefiederte Welt", Jahr= gang 1873, Nr. 10. und gab ihm den obigen Namen. Herr August F. Wiener in London schickte mir dann ein gestorbenes Männchen und schrieb: der Vogel gehört jedenfalls zu den zartesten australischen Finken, denn er hat bei mir nie= mals Anstalt zur Brut gemacht, obwol ich mehrere Pärchen besitze, und zweimal ist es mir vorgekommen, daß die anscheinend ganz gesunden Ceresastrilde plötzlich

---

*) Aidemosyne modesta. Das griechische ai geht nach üblicher Latinisirung der griechi= schen Wörter immer in æ über; es muß also: Aedomósyne heißen, wobei der Accent auf dem o nicht zu übersehen ist, denn die Gefahr falscher Betonung liegt hier nahe. Es lautet also wörtlich: bescheidene Bescheidenheit. Rchb. hat überhaupt kein Glück mit seinen Namen. Wenn er z. B. den goldbrüstigen Astrild kleinen Aurora=Senegali benennt, so ist das eben nichts weniger als gut erfunden.

vorzugsweise in den mehligen Sämereien der mannigfaltigen Gräser und ver=
wandten Krautgewächse, und manche von ihnen dürften, wie ich dies aus dem
Leben der Vogelstube schließe, weder Kerbthiere noch Früchte genießen.

Die Nistorte sind, soweit dieselben bisher von den Reisenden erforscht worden,
nicht so mannigfaltig verschieden gewählt, als die der kleinsten Verwandten. Die
vorhin erwähnten Dickichte, seltener höheres Gesträuch oder Baumhöhlen, nehmen
die Nester auf, welche bei vielen, z. B. dem Silberfasänchen, kleinen Elsterchen
und Bandfink, durchaus kunstlos, bei anderen, wie den Nonnen und den austra=
lischen Prachtfinken, in großen, aber wenigstens überwölbten Ballen bestehen.
Eine besondere Kunstfertigkeit im Nestbau zeigt keine von den Amandinen.

In der Brutentwickelung, Verpflegung der Jungen u. s. w. stimmen sie
mit den Kleinschnäbelchen überein. Ueber die Verfärbung der Jungen im Freien,
sowie über die Mauser der alten Vögel ist noch nichts ermittelt worden; nur
die Beobachtung in der Vogelstube gewährt über manche Arten in dieser Hin=
sicht Auskunft. Ihre Färbung wechselt im Alterskleide nicht mehr. In den
Käfigen der Händler verlieren auch viele von ihnen die Farbe und werden
schwarz; so besonders die Bandamandine, der Muskatfink und Reisvogel.

Die Einfuhr der Amandinen geschieht im umgekehrten Verhältniß zu den
Astrilden in ungleich mehreren Arten aus Asien und Australien als aus Afrika.
Eine Uebersicht dieser Einführung gebe ich in dem Abschnitte über den Vogel=
handel.

## Die Bandamandine [Spermestes fasciata].

### Tafel VIII. Vogel 32.

Allbekannt unter dem Namen Bandfink oder Bandvogel, ist dieser Pracht=
fink eigentlich als das Urbild der Sippschaft der Amandinen anzusehen. Seine
Eigenthümlichkeiten, die ich eingehend schildern werde, wiederholen sich bei allen
übrigen Verwandten mehr oder minder wahrnehmbar. Zugleich gehört er zu
den fremdländischen Stubenvögeln, welche zu allererst, wie noch jetzt, meistens
von Dongola und Kordofa her, nach Europa eingeführt, schon sehr frühe von
den Holländern und von Vieillot gezüchtet worden, sich bis zur Gegenwart
herab allgemeiner Beliebtheit erfreuen und stets in größter Anzahl die Käfige
der Händler bevölkern.

Obwol die Bandamandine zu den am schlichtesten gefärbten Tropenvögeln
gezählt werden muß, so darf man sie doch nicht unschön nennen. Die Grund=
farbe ihres Gefieders ist angenehm rehbraun, oberhalb dunkler und unterseits
lichter, überall aber schwarzbraun gewellt und hell gefleckt. Diese gleichmäßige
schuppenartige Zeichnung wird verschönert durch ein karminrothes, breites Hals=
band, welches über die weiße Kehle läuft. Eine fernere Zierde ist der an den

Bruftschild des Rebhuhns erinnernde rothbraune Fleck auf der Unterbruft. Das
Weibchen hat weder das rothe Halsband noch den braunen Schild. Alle bisher
geschilderten Prachtfinken übertrifft dieser bedeutend in der Größe, denn er ist
dem einheimischen Zeifig gleich, doch kräftiger und gedrungener gebaut.

Die Verbreitung erftreckt sich wahrscheinlich nahezu über den ganzen Erd=
theil und namentlich ist er in Mittelafrika allenthalben häufig zu finden. An=
tinori, Heuglin, R. Hartmann und andere Reifende haben ihn beobachtet
und über sein Freileben mancherlei mitgetheilt. Daffelbe dürfte im allgemeinen
dem des rothen Aftrild gleichen, wie beide auch faft immer in denfelben Dert=
lichkeiten angetroffen werden. Während der Niftzeit, welche je nach dem Theile
Afrikas vom September bis Januar beginnt, findet man sie parweise und nach
der Regenzeit schlagen sie sich in der Weise anderer Finkenvögel zu mehr oder
minder großen Flügen zusammen und schwärmen umher.

Dr. Karl Bolle hat den Bandfink im Jahre 1859 wol zuerst bei uns
in Deutschland gezüchtet und in seiner geiftvollen Weise geschildert. Es ist, sagt
er, nach dem Reisfink vielleicht der verbreitetfte fremdländische Vogel in den
europäischen Käfigen. Man trifft ihn tief im Binnenlande, wie ich ihn unter
anbern selbft in Süddeutschland*) und auf dem Vogelmarkte zu Mailand fand.
Ich sah diese Vögel auf den Kanarischen Inseln sich mit der größten Leichtigkeit
vermehren und auch in Deutschland ist ihr Hang zum Niften ein faft unwider=
ftehlicher. — In neuerer Zeit haben alle Vogelfreunde und Züchter, welche ich
hier bereits mehrfach genannt, theils in großen Anlagen, theils aber auch in
engen Käfigen glückliche Bruten der Bandamandine erzielt.

Gerade dieser bekanntefte und gemeinfte der Prachtfinken giebt auch den
schlagendften Beweis für die hochwichtigen Dienfte, welche unter Umftänden die
Züchtung eines Vogels in der Gefangenschaft zur Erforschung seiner Natur=
geschichte leiften kann. Ueber das Brutgeschäft hat bis jetzt kein Afrika=
reifender Auskunft gegeben. Alfred Brehm, der foeben von Hamburg abge=
gangen und die Direktion des Berliner Aquarium übernommen und mit dem
ich damals verkehrte, wunderte sich höchlich darüber, als ich ihm eine in meiner
Vogelftube flügge gewordene Bandamandinen=Brut zeigen und ihn darauf auf=
merkfam machen konnte, daß die jungen Männchen bereits mit dem rothen Kehl=
band das Neft verlaffen. Es erscheint daher auch weiter nicht auffallend, daß
der genannte Schriftfteller in seiner Naturgeschichte mancherlei irrthümliche An=
gaben macht und zwar nach dem Reichenbach'schen Werke, in welchem gefagt
ist, der Bandfink lege roth gepunktete Eier und das junge Männchen erhalte erft
im ausgefärbten Zuftande das Halsband und den Bauchfleck. —

_____

*) Angefichts der gegenwärtigen Verbreitung der Vogelliebhaberei ist dies dort glücklicher=
weise nicht mehr als eine Seltenheit anzufehen; im Gegentheil.

Gleich manchen der kleinen Astrilde gehören auch einige Amandinen zu den Vögeln, welche in der Gefangenschaft dunkel bis tief schwarzbraun gefärbt werden, und unter ihnen der Bandfink. Das erste Pärchen, welches ich anschaffte, waren solche mißfarbigen, im Gefieder sehr abgestoßenen und zerlumpten Exemplare, die sich aber, freifliegend in der Vogelstube, binnen ganz kurzer Zeit erholten und das naturgemäße Aussehen wieder erlangten. Sie begannen auch sogleich zu nisten. Während sie bis dahin harmlos und friedlich unter den anderen Vögeln gelebt, zeigten sie jetzt mit einmal ein ganz verändertes Betragen; sie zerstörten nämlich zahlreiche Nester. Herausgefangen und in einen ziemlich geräumigen Käfig mit einem angehängten Niftkasten eingesperrt, bezogen sie den letzteren schleunigst. Sie schleppten nur wenige grobe Baustoffe, dicke Heuhalme, Fasern, Fäden u. dgl., hinein, trugen einige Federn dazu und auf diesem unordentlichen Lager erstand eine Brut von vier Jungen. Zu meinem großen Bedauern wurden diese aber lebendig aus dem Neste geworfen, und wenn ich sie auch zurückbrachte, so hatten sie immer wieder dasselbe Schicksal. Dies wiederholte sich bei mehreren Bruten, obwol ich den Vögeln alle möglichen, zum Auffüttern der Jungen etwa geeigneten Nahrungsmittel, wie aufgequellte Ameisenpuppen, zerschnittene Mehlwürmer, hartgekochtes Eigelb, Eierbrot, weichen Käse oder Quark u. s. w., anbot. Dann wechselte ich das Weibchen, aber auch in der neuen, ebenfalls bald erfolgenden Brut wurden die Jungen getödtet. Endlich bemerkte ich, daß jedesmal das Männchen der Unhold war, welcher gleichsam mit wichtiger Miene, aber ganz geheimnißvoll, die gesunden, lebensfrischen Jungen vernichtete. Nach den an anderen Vögeln erzielten glücklichen Ergebnissen lag mir nun doch viel daran, auch vom Bandfink unter allen Umständen eine Brut flügge werden zu sehen und diese eingehend zu beobachten. Ich ließ daher ein anderes Paar frei fliegen, selbst auf die Gefahr hin, daß sie viel Unheil stiften würden. Dies geschah unmittelbar nach einer neuen Einrichtung der Vogelstube zuanfang des Monats Oktober. Obwol nun zahlreiche Pärchen zum nisten sich rüsteten, verursachten die Bandfinken doch diesmal keine Störung. Sie hatten es sehr eilig und bauten sofort in einer wagerecht hängenden Arzneiglas-Schachtel (Papphülse) aus denselben groben Stoffen ihr Nest. Im Verlaufe der bereits begonnenen Brut sind die Bandamandinen, ganz ebenso wie für gewöhnlich in der Vogelstube oder im Käfige, durchaus verträglich.

Der Vorgang der Brut ist folgender: Das Männchen schleppt alle Baustoffe selbst herbei, während das Weibchen sich zuerst nicht darum bekümmert; dann aber ordnet das letztere den innern Ausbau, soviel oder sowenig vielmehr von einem solchen die Rede sein kann. Die Bandamandine gehört nämlich zu den Prachtfinken, die beim Nestbau garkeine Kunstfertigkeit entwickeln. Sie wählt vorzugsweise gern einen bis auf das Flugloch ganz geschlossenen

Kasten oder das schon gewölbte Nest eines geschickter bauenden Verwandten. In den erstern werden nur wenige grobe Halme und Fasern eingetragen und eine vorsorgliche Ueberwölbung des Lagers ist dann nicht nothwendig. Die Eier werden einen Tag um den andern gelegt. Brutdauer 12 Tage; beide Gatten des Pärchens brüten abwechselnd, das Weibchen bei Nacht allein, bei Tage aber das Männchen längere Zeit als jenes. Die Jungen haben einen spär= lichen bläulichen Nestflaum, weiße Wachshautdrüsen und sehen zuerst ganz weiß, später schwärzlichblau aus. Das Jugendkleid ist dem des alten Weibchens fast gleich, nur viel heller, beinahe weißlichgrau, ohne den bräun= lichen Ton. Das Männchen hat auf der weißen Kehle bereits das schöne rothe, jedoch noch sehr zarte und nicht so breite Band, als bei dem alten Vogel. Auch die Rebhuhnzeichnung auf der Unterbrust ist in zartem und hellem Braun angedeutet; der Schnabel ist dunkelgrau und Füße sind weißgrau. Die Ver= färbung geschieht in der Weise, daß alle Farben allmälig hervortreten.

Sobald die erste Brut der Bandfinken dem Flüggewerden nahe war, trieben die alten wieder den vorhin erwähnten argen Unfug; sie zerstörten ein fremdes Nest nach dem andern, bis sie schließlich, nach dem Ausfliegen der eigenen Jungen, doch wieder in ihrem alten Niftkasten sich einrichteten. In dieser Zeit offenbart sich der Charakter dieses Vogels von einer recht gemeinen Seite. Als einen Strolch, nach des Dichters Wort: einen Schelm und Dieb, darf man ihn ansehen. Schon seine ganze Erscheinung ist die der verkörperten Unverschämtheit und zugleich Feigheit. Jetzt sitzt er nebst seinem Weibe regungslos auf einem Aste oder läßt seinen schnurrenden Sang hören, plötzlich stoßen sie beide ihren Sperlingsruf aus und stürzen sich in das Nest eines kleinen Verwandten, in welchem sie herumwirthschaften, als sei es ihr Eigenthum. Dennoch gefällt es ihnen nicht, sie verlassen es nach wenigen Minuten, um auf ihren Sitz zurück= zukehren. Nun möchten sie gern in das Nest des Zebrafinken dringen, allein sie wagen es nicht, denn der gefürchtete ist in der Nähe. Kaum aber fliegt er fort, so huschen sie hurtig herbei, und wehe jetzt seinen Jungen oder Eiern; sie würden erdrückt und hinausgeworfen, wenn er nicht wachsam wäre und die Strolche sofort wieder vertriebe. Wenn die Zebra=Amandine aber ergrimmt herbei= eilt, flüchten die beiden Feiglinge ängstlich davon und lassen sich mehrmals durch die ganze Vogelstube jagen, obwol der Verfolger wenig mehr als halb so groß ist. Nur gegen die kleinen, sehr zarten Aftrilde ist der Bandfink frech und tyran= nisch. Jeden Widerstand fürchtet und flieht er dagegen, sodaß z. B. das noch kleinere, aber tapfere Elstervögelchen ihn stets siegreich in die Flucht schlägt.

Jedenfalls ist aber der Schaden, welchen ein Bandamandinen=Paar die Niftzeit hindurch in der Vogelstube anzurichten vermag, ein sehr beträchtlicher. Dennoch mußte ich den meinigen die Freiheit lassen, um auch diese Art in ihrer

ganzen Entwickelungsgeschichte kennen zu lernen. Dieser Vogel giebt auch besonders
ein Beispiel für die Züchtungserträge, welche man unter günstigen Verhältnissen von
manchen und vielleicht von den meisten Prachtfinken erzielen kann. Die erste Brut
des Pärchens, von neun Eiern, ging durch einen Zufall verloren; dann brachten sie
am 8. November zwei, am 25. Dezember vier, am 13. Februar drei, am
2. April vier, am 15. Mai fünf und am 20. Juni nochmals drei Junge zum
Flüggewerden. Dazu kann ich noch angeben, daß dasselbe Pärchen im nächsten
Jahre in einem Käfige noch schneller hintereinander, wenn auch nur viermal nistete.
Bei anderen habe ich später beobachtet, daß günstigenfalls die Brut im Käfige
ganz ebenso ertragsreich als in der Vogelstube ist. Nach meiner Anleitung züchtete
dann Herr A. Schuster in Löwenberg die Bandfinken im großen und mit
bedeutendem Erfolge. Frau Geheimsekretär Hedwig Proschek in Wien erzog
von einem Pärchen, welches drei Jahre hindurch ununterbrochen nistete und
während dieser ganzen Zeit keine Mauser zeigte, in 45 Bruten mit mehr als
240 Eiern 176 Junge. Erst beim Beginn der 46. Brut starb das Weibchen
an Legenoth, an welcher es übrigens schon früher gelitten. Im Alter von zwei
bis drei Monaten waren die jungen Weibchen schon nistfähig. Die gezüchteten
Männchen sangen in einer Weise, die von der eingeführter durchaus verschieden
ist. — Dennoch ist diese Vogelzucht leider nicht so einträglich, als sie sein könnte,
weil nämlich in jedem Jahre, namentlich zur Herbstzeit, in den zahlreichen Vogel=
sendungen aus Afrika vorzugsweise viele Bandfinken sich befinden, wodurch der
Preis so fällt, daß sich der Verkauf der gezogenen Jungen kaum verlohnt.

Bei mäßigen Ansprüchen kann die Bandamandine, sowol durch ihr hübsches
Aussehen als auch durch ihr komisches Betragen viel Vergnügen machen. Gleich=
viel, ob in der Brutzeit oder nicht, läßt das Männchen seinen Sang unzählige=
mal im Tage hören. Dr. Bolle vergleicht denselben sehr treffend mit dem
der Rauchschwalbe; im übrigen lautet er etwa wie das Quitschen eines im
Sande mahlenden Karrens; doch macht er keinen unangenehmen Eindruck,
sondern stimmt so recht harmonisch mit dem wunderlichen Liebestanze überein.
Der Vogel erhebt sich auf dem Aste, wendet den Kopf singend rechts und links
und begleitet dies Schnurren mit knixenden Bewegungen, welche von wahrhaft gro=
tesker Grazie sind. In der Zärtlichkeit beider Gatten des Pärchens, in den Lieb=
kosungen und dem fortwährenden Beisammensein sind sie den kleinsten Pracht=
finken gleich. Wenn sie einander aus den Augen verloren haben, lassen sie
sogleich den sperlingsähnlichen Lockruf erschallen und wird der eine herausgefangen,
so ertönt das schiep des andern immer ängstlicher und schriller, bis der ver=
mißte sich wieder eingefunden hat. Eine leidenschaftliche Naturanlage, sagt der
genannte Forscher, und die Heftigkeit von oft nichts weniger als platonischen
Wallungen verleiten das Männchen nicht selten dazu, seinem Weibchen übel zu

9*

begegnen, wenn dasselbe sich den Anforderungen seiner Sinnlichkeit nicht unbe=
dingt fügen will. Ich sah ihn demselben Gewalt anthun zu einer Zeit, da es
kränkelnd sich nach Ruhe sehnet.

Der Bandfink hält in der Gefangenschaft mehr als zehn Jahre aus. Von
seiner Züchtung in der Vogelstube rathe ich entschieden ab. Dagegen nistet er
im Käfige, selbst zu mehreren Pärchen beisammen, ohne alle Umstände. Die
Ursache des Zugrundegehens der Bruten sind nach meinen Erfahrungen vornehm=
lich Störung, unpassende Fütterung und mangelnde Wärme. Bei einem auf=
fallenden Geräusch, einer ungewohnten Erscheinung und namentlich bei der Unter=
suchung des Nestes gebehrden sie sich, besonders das Weibchen, fast immer wie
unsinnig, und am wunderlichsten ist es, daß nach einer solchen Störung in den
meisten Fällen die Brut verloren ist. In Hinsicht der Fütterung glaube ich,
daß die Gewöhnung an Ameisenpuppen, Eigelb, Eierbrot u. dgl. (wie im Ab=
schnitt über Züchtung angegeben) beizeiten geschehen muß. Daraus mag dann
freilich das trübselige Umbringen der Jungen sich herschreiben, weil das zu üppige
Männchen die nächste Brut nicht geduldig abwarten will. Allein es geschieht
nur ein= oder höchstens zweimal und dann erzielt dasselbe Pärchen gewöhnlich
noch vier bis fünf glückliche Bruten. Ich schlage vor, die beiden ersten Ge=
lege von vornherein fortzunehmen. Dr. Stölker verhinderte dadurch die Un=
that, daß er das Männchen, sobald Junge vorhanden waren, aus dem Käfig
entfernte, jedoch in demselben Zimmer beließ, sodaß sie einander locken konnten.
Das Weibchen erzog die Brut allein und ein Junges, welches vorher schon
etwa $1\frac{1}{2}$ Fuß tief herabgeworfen und bereits ganz kalt war, erholte sich doch
noch und blieb am Leben. Was die Wärme anbetrifft, so kann ich mit Be=
stimmtheit behaupten, daß die Bandfinken, sobald die Temperatur unter $10^0$ R.
sinkt, die Brut verlassen. Zuweilen geschieht dies, wie ich schließlich noch be=
merken will, auch aus Ursachen, auf die man nicht so leicht kommt. So hat das
Männchen die Gewohnheit, jedesmal zur Brutablösung einen Halm oder dgl.
mitzubringen und wenn nun solche Baustoffe im Käfige gerade fehlen, so kann
auch dies wol die Ursache zum Verderben der Brut werden. Alles übrige
inbetreff der Zucht ist weiterhin zu finden. Der Preis beträgt für gutgefiederte
Vögel 2, $2\frac{1}{2}$ bis 3 Thlr. für das Pärchen, und im Großhandel, bei Entnahme
von 100 Paar verschiedener Prachtfinken zusammen, manchmal nur 3—$3\frac{1}{2}$ Francs.

Die Bandamandine oder Halsbandamandine heißt auch Bandfink, Bandvogel,
Halsbandvogel und gebänderter Kernbeißer (Bchst.), Halsband=Weberfink (Rchb.).

Le Cou-coupé (Vekemans); Cou-coupé, Grivelin à cravatte, Collier rouge,
Gorge-coupée, Collerette (Pariser Händler); Fasciated Finch (Jamrach);
Cut-throat Finch (List of the Zoological Gardens of London); Band-
vogeltje (holländisch); Degollado (spanisch).

Nomenclatur: Loxia fasciata, *Gml.*; *Vieill.*; Fringilla detruncata, *Licht.*, *Rpp.*; Loxia jugularis, *Shaw*; Amadina fasciata, *Ant.*, *Lefb.*, *Sw.*, *Bp.*, *Gr.*, *Brw.*, *Hgl.*, *Hrtl.*, *Bll.*, *Rchb.*; Sporothlastes fasciatus, *Cabanis*, *Hyl.*

Fasciated Grosbeak, *Brown*; Le Cou-coupé, la Loxie fasciée, *Vieillot*.

Wissenschaftliche Beschreibung. Oberhalb fahl röthlichbraun, jede Feder mit einer schwarzen querlaufenden Zickzacklinie gezeichnet, am Oberkopf und Nacken sehr schmal und dicht, nach abwärts zu immer breiter; Flügelschwingen dunkelbraun, jede Feder mit fahlem Außen=saum, die kleinen Flügeldeckfedern heller braun mit röthlichgelbem Rande und einer schwärzlichen Bogenlinie; Oberschwanz dunkelbraun, weiß gespitzt, die mittelsten Federn einfarbig braun; Kinn und oberer Kehlrand weiß; über die Kehle von einem Ohr zum andern ein breites karminrothes Band; an der Unterbrust eine breite, matt kastanienbraune Binde; unterhalb röthlichbraun, Brustseiten und Unterschwanzdecken mit schwärzlichen Zickzacklinien, Bauchmitte und hinterer Unterkörper reinweiß, untere Schwanzseite bräunlichweiß. Schnabel röthlichweiß mit bläulicher Spitze, Auge braun, Füße fleischfarben. Das Weibchen hat weder das rothe Halsband, noch die braune Brustzeichnung, die Kehle ist schwach bräunlichweiß und die Brust=mitte weiß mit zarten dunkeln Querlinien; im übrigen stimmt die Färbung mit der des Männchens überein.

Spermestes fasciata. Dilute fulvo-cervinus, lineolis brevibus nigricantibus variegatus et fasciatus; mento gulaque albis; fascia gulari coccinea; abdomine medio rufo; rectricibus lateralibus fumoso-nigricantibus, extimorum apice margineque extero conspicue albis; rostro dilute plumbeo; pedibus rubellis; iride umbrina. ♀ fascia gulari coccinea et macula abdominali rufa nullis.

Länge 12,5$^{cm}$. (4³/₄ Zoll); Flügel 6,5$^{cm}$. (2 Z. 5 L.); Schwanz 4$^{cm}$. (1 Z. 7 L.).

Juvenis: feminae adultae fere concolor, sed dilutior, canescens; ♂ semiannulo gulari rubro, angusto obsoletissimo; pectore subfusco-vario; rostro obscure cinereo; pedibus canescentibus.

Beschreibung des Eies: Länge 19$^{mm}$., Breite 14$^{mm}$. Farbe kalkweiß, matt. Gestalt stark gewölbt mit stumpfer Spitze.

Ovum cretaceum, opacum, convexissimum apice obtuso.

### Die Rothkopf=Amandine [Spermestes erythrocéphala].

In der Gestalt und nahezu auch in der Größe, welche etwas beträchtlicher ist, sowie im ganzen Wesen, gleicht der Rothkopf dem Bandfink. Daher wun=derte ich mich gar nicht darüber, als er fast denselben schnurrigen Sang, nur leiser erschallen ließ, begleitet von ebensolchem Tänzeln. Die älteren Schriftsteller und selbst noch Buffon und Latham waren in dem Irrthum befangen, daß dieser Vogel in Amerika heimisch sei. Zuerst Edwards und dann Vieillot bezeichneten Afrika richtig als das Vaterland und gaben Abbildung und Be=schreibung. Der letztgenannte Forscher hat den Grivelin oder Moineau de paradis lebend besessen und damals soll derselbe in Paris und London keines=wegs überaus selten gewesen und sogar bereits mehrfach gezüchtet worden sein. Vieillot rühmt die Zutraulichkeit in der Gefangenschaft, sein leichtes Nisten und hält ihn nicht für weichlich; doch warnt er vor jeder Störung und Beun=ruhigung, weil namentlich die Weibchen sehr ängstlich sind und leicht das Nest verlassen. Näheres theilt er aber nicht mit.

Heuglin hat die Rothkopf=Amandine niemals selber beobachtet. Lefebvre
sammelte sie im Mai d. J. 1841 in Abessynien, wo sie jedoch nur zeit= und
strichweise vorkommen soll. Zahlreicher ist sie in Südafrika, wo ganze Scharen
die Gärten besuchen. Die Heimat soll sich nur über den Süden des Erdtheils
erstrecken, doch hat man sie ja auch mehrfach in Westafrika gefunden. Eingehen=
dere Mittheilungen sind nicht veröffentlicht worden.

Dr. Bolle zählt sie in seinem Verzeichniß nicht mit. Auf der Reise nach
den Kanarischen Inseln hat er sie aber in Lissabon gesehen und meint, daß dieser
Vogel Angola's dort häufiger zu haben sei als in Deutschland. Und in der That,
die beiden Männchen, welche ich von Fräulein Hagenbeck erhielt, dürften wol
die ersten sein, welche jemals bei uns eingeführt worden. Nachdem ich diese
Art in meiner Zeitschrift „Die gefiederte Welt" (Nr. 4, 1874) als neue Er=
scheinung des deutschen Vogelmarktes beschrieben, theilte mir Herr C. F. Wiener in
London folgendes mit: „Ihre Rothkopffinken sind mir wohlbekannt, denn ich hätte
sie, bevor sie von hier nach Hamburg gebracht wurden, beinahe gekauft. Sie
kamen von Paris hierher und ihrer Seltenheit wegen hat der Besitzer sie in
Frankreich, England und in den Niederlanden vielfach auf Ausstellungen geschickt.
Sie sind schon eine lange Zeit in Europa und als sie jetzt endlich verkäuflich
waren, habe ich sie nicht erworben, weil ich sie für zu alte Knaben hielt."

Dennoch machte ich mit ihnen einen Züchtungsversuch in der Weise, daß
ich ihnen Weibchen der am nächsten stehenden Art und zwar der Bandamandine
zur Gesellschaft gab. Die beiden Männchen kümmerten sich zunächst um die
Weiber nicht; dann fingen sie an, dieselben mit Schnabelhieben zu verfolgen,
während sie doch sonst gegen die gesammte Bewohnerschaft der Vogelstube nur
Gleichgültigkeit zeigten. Wiederum nach einer Frist aber geriethen die beiden
Alten in einen bis dahin wol noch niemals stattgefundenen, eifrigen Hader.
Einer verjagte den andern und der schwächere schloß sich nun mit einmal den
Bandfinkenweibern innig an. Jetzt aber begannen diese eine ebenso heftige Fehde,
das eine von ihnen wurde ebenfalls vertrieben — und das Ende vom Liede
war, daß sich die ganze Gesellschaft in zwei Pärchen theilte, welche seitdem fried=
lich neben einander leben. Das eine Paar brütet rastlos, aber vergeblich; das
andere jedoch hat bereits mehrere Bruten glücklich aufgebracht.

Das Jugendkleid des männlichen jungen Bastards ist oberhalb der jungen
Bandamandine im Jugendkleide gleich, nur matter gefärbt, alle größeren Federn
sind breit fahl gesäumt, namentlich die Schwanzfedern; der Kopf ist mäusegrau,
dunkler geschuppt, an der Stirn bis etwa zur Hälfte hinauf, ist jedes Federchen
roth geschuppt; das Kinn ist grau, dunkler geschuppt, dann folgt ein weißliches
Band, darauf abwärts ein rothes Band aus zarten Schüppchen der grauen
Federn bestehend, dann wieder ein weißliches Band mit dunklen Schuppen. Die

Rebhuhnzeichnung an der Bruſt iſt nur ſchwach angedeutet, der Bauch iſt reinweiß. Das Schnäbelchen iſt glänzend ſchwarz; Auge ſchwarz, Füße weißlich horngrau.

Im Herbſt d. J. 1874 wurden die Rothkopf-Amandinen von Bekemans und Gudera in mehreren Pärchen in den Handel gebracht und natürlich ſogleich verkauft. Ein Paar gelangte in die reich bevölkerte Vogelſtube des Herrn Graf Rödern und ein ſolches auch in die meinige. Auch dieſe Vögel waren leider ſämmtlich nicht in voller Geſundheit und bis jetzt iſt die Züchtung noch nicht gelungen. Die oben erwähnte Baſtardzucht dagegen geht in lebhafter Weiſe fort und ich will demnächſt verſuchen, die alten Rothkopf-Männchen mit jungen Baſtard-Weibchen zu paren, um wenn möglich davon weitere Nachzucht zu erzielen. Indem ich nämlich vorausſetze, daß die rothköpfige Amandine nicht ſobald wieder eingeführt wird, hoffe ich durch ergiebige Züchtung der ſo überaus naheverwandten beiden Arten einen ſtehenden Vogelſchlag heranzuziehen, der für die Liebhaberei immerhin intereſſant erſcheinen wird.

Ebenſo wie die Bandamandine, iſt auch der Rothkopf in der Vogelſtube ein übler Gaſt. Das eine alte Männchen niſtet zwar ruhig, ohne andere Neſter zu behelligen, doch überfällt es nicht ſelten einen kleineren Vogel und rauft ihm wüthend Federn aus; ein jüngeres Männchen aber trieb das unheilvolle Neſterzerſtören ebenſo arg als der Bandfink. In Hinſicht der Verpflegung und Züchtung ſind beide übereinſtimmend.

Die Rothkopf-Amandine oder Paradies-Amandine wird auch rothköpfige Amandine (Amadine), Paradies-Sperling und Rothkopf genannt.

Le Moineau de paradis (Bekemans und franzöſiſche Händler). In der Preis-Liſte von Jamrach, ſowie in dem Verzeichniß des zoologiſchen Gartens von London iſt er nicht vorhanden. Roodkopvogeltje (holländiſch).

Nomenclatur: Loxia erythrocephala, *L.*; Amadina erythrocephala, *Swns.*, *Smth.*, *Bp.*, *Lrd.*, *Hrtl.*, *Edw.*; Sporothlaſtes erythrocephalus, *Cab.*, *Hgl.*; [Loxia braſiliana *Gml.*, *Vieill.*; Cardinalis angolenſis, *Briſſ.*; Loxia maculosa, *Burch.*; Fringilla reticulata, *Vogt*].

Wiſſenſchaftliche Beſchreibung. Ganzer Kopf nebſt Nacken und Kehle hochroth; im übrigen oberhalb bräunlichgrau, Bürzel und Oberſchwanzdecken reingrau, Deckfedern der Flügel, Hinterſchwingen und Schwanzfedern mit weißem Endfleck gezeichnet, wodurch über dem Flügel zwei weiße Binden gebildet ſind; Bruſt und Bauch fahlbraun, jede Feder mit einem länglichen, dunkler braunen, fein ſchwarz geränderten Querfleck; Unterbruſt kaſtanienbraun, heller geſchuppt. Schnabel röthlichweiß; Auge hellbraun; Füße lichtfleiſchfarben. Das Weibchen iſt etwas dunkler, ohne rothen Kopf, mit weißlicher Kehle und hellgrauem, zart dunkel geſchupptem Unterkörper.

Das Jugendkleid ſoll nach *Rchb.* aſchgraubraun ſein, jede Flügeldeck- und Schwanzfeder mit grauem Endfleck, die Schwingen mit bläulichgrauen Außenſäumen und die Unterſeite mit weniger zahlreichen Flecken. Bei dieſer Beſchreibung iſt aber der rothe Kopf vergeſſen, denn ich bin davon überzeugt, daß das junge Männchen, ebenſo wie der Bandfink im weſentlichen ausgefärbt, alſo mit bereits rothem Kopfe das Neſt verläßt. Ich habe deshalb eine ausführliche Beſchreibung des Miſchlings im Jugendkleide S. 134 gegeben.

Spermestes erythrocephala. Supra saturate cinerascens, subtus
albida, squamatim nigro-maculata, lateribus rufescentibus; pileo, genis et gula
dilute coccineis; alis albido bifasciatis; rectricibus lateralibus apice albis;
rostro brunnescente, subtus pallidiore, rubente; pedibus dilute carneis; iride.rufes-
cente-fusca. ♀ paulo minor, capite dorso concolore, nec coccineo.

Länge 13,6 cm. (5¼ 3.), Flügel 7,2 cm. (2¾ 3.), Schwanz 5,3 cm. (2 3.)

## Die Reisamandine [Spermestes oryzívora].

### Tafel VIII. Vogel 33.

Ein hübsch gefärbter Vogel, an Kopf und Kehle reinschwarz mit weißen
Backen. Das ganze übrige Gefieder ist bläulichaschgrau, mit Ausnahme der
dunkleren Flügelschwingen, des rosenröthlichen Unterleibes und schwarzen Schwan=
zes. Der freilich zu groß und fast plump aussehende Schnabel ist glänzend
rosenroth. Die Größe ist etwa die des einheimischen Feldsperlings.

Auch der Reisfink gehört zu den bekanntesten und seit ältester Zeit her nach
Europa eingeführten überseeischen Stubenvögeln. Buffon erwähnt ihn nur
ganz kurz. Vieillot sagt, daß der Padda sowol seines entsprechenden Gefie=
ders, welches wie mit einem pflaumenartigen Duft überhaucht erscheint, als auch
seiner Sauberkeit und Schmuckheit wegen allgemein beliebt sei und daß er daher
zahlreich über's Meer gebracht werde. Er sei aber weichlich und nur zwei bis
drei Jahre am Leben zu erhalten. Nur wenn man ihm eine wärmere Tempe=
ratur biete und ihn außer Hirse und Kanariensamen auch mit Reis füttere,
könne er wol sechs bis sieben Jahre ausdauern. Das Weibchen habe keine
weißen Backen und der junge Vogel braune. Diese letzteren Angaben sind Irr=
thümer, welche bei den älteren Schriftstellern allverbreitet waren.

Die Heimat der Reisamandine erstreckt sich über Java, Sumatra, Borneo
und Malakka. Wallace fand sie auf Lombok. Die massenhafte Ausfuhr des
Vogels nach allen Weltgegenden hin ist die Ursache, daß er, ebenso wie manche
anderen Finken in mehreren fremden, jedoch seiner Heimat entsprechenden Ländern
einheimisch wurde. So lebt er nach Jerdon jetzt in großer Anzahl wild bei
Madras und nach Swinhoë's Angaben ist er in Südchina eine gewöhnliche
Erscheinung. Bernstein vermuthet, daß er auf Sumatra, wo er nur in der
Umgegend von Padang vorhanden sein soll, ebenfalls durch Einfuhr eingebürgert
wurde. Von Bourbon (Réunion) und Mauritius ist dies durch Newton und
Maillard mit Bestimmtheit festgestellt. Jedenfalls ist die Ansiedelung auf den
genannten Inseln schon in einer frühen Zeit geschehen, denn der von Buffon be=
schriebene Calfat (von Commerson auf Isle de France beobachtet) ist wol
nur auf den Reisvogel zu beziehen. Kirk und v. d. Decken erlegten ihn
auch auf der Insel Sansibar, wo er ebenfalls durch Zufall oder Absicht ein=
geschleppt worden, und deshalb haben Finsch und Hartlaub ihn als afrika=

nischen-Vogel in dem großen Reisewerk aufgenommen, aus welchem ich die obigen
Angaben entlehne. Nach einer Mittheilung von Masson sollte er auch in der alge=
rischen Sáhara vorkommen, doch hält man dies für einen Irrthum, der auf Ver=
wechselung mit einem andern weißbäckigen Vogel beruht. Dagegen ist er, wie
F. W. Hutton sagt, nebst vielen Vögeln aus allen Welttheilen auf Neu=
Seeland durch europäische Kolonisten ausgesetzt worden, er gehört aber nicht zu
denen, welche sich dort sogleich vermehrt haben.

Hochinteressant ist die Schilderung, welche Dr. H. A. Bernstein von dem
Freileben des Reisvogels in seiner eigentlichen Heimat, der Insel Java giebt:
Gleich unserm europäischen Feldsperlinge bewohnt er ausschließlich die bebauten
und kultivirten Landstriche und in diesen ist er eine der gewöhnlichsten Finken=
arten. Männchen und Weibchen unterscheiden sich äußerlich nicht von einander;
die Jungen kann man an ihrem mehr einförmigen, graulichen Gefieder leicht er=
kennen. Während der Zeit, in der die Reisfelder unter Wasser gesetzt sind,
d. h. in den Monaten November bis März oder April, in denen der ange=
pflanzte Reis heranwächst und der Ernte entgegenreift, halten sie sich parweise
oder in kleinen Familien in Dorfgehölzen und Gebüschen auf und ernähren sich
hier von mancherlei Sämereien, kleinen Früchten und wol auch von Insekten
und Würmern. Sobald aber die Reisfelder sich gelb zu färben beginnen und
durch Ablassen des Wassers trocken gelegt werden, begeben sich diese Vögel oft
in großen Scharen dorthin und verursachen nicht selten merklichen Schaden, so
daß man sie in aller möglichen Weise zu vertreiben sucht. In den Gegenden,
die besonders von diesen gefiederten Dieben zu leiden haben, erbaut man in der
Mitte des Feldes ein auf vier hohen Bambuspfählen ruhendes kleines Wacht=
haus, von dem aus nach allen Richtungen hin- zahlreiche Fäden zu den in
gewissen Entfernungen durch das ganze Feld gesteckten, dünnen Bambusstöcken
laufen, an denen große dürre Blätter, bunte Lappen, Puppen, hölzerne Klappern
u. dgl. hängen. Wenn nun der in dem Wachthäuschen, wie eine Spinne in
ihrem Gewebe sitzende Eingeborene an den Fäden zieht, dann rasseln alle trocke=
nen Blätter, zappeln die Puppen, ertönen die Klappern und erschrocken fliehen
die ungebetenen Gäste. Auch nach der Ernte haben die Vögel auf den bis
zum Eintritt der Regenzeit, d. h. bis gegen den November hin brachliegenden
Reisfeldern reichliche Nahrung. In dieser Zeit sind sie ziemlich fett und liefern,
besonders die Jungen, ein beliebtes Gericht, weshalb ihnen eifrig nachgestellt
wird. Das Nest fand ich bald im Gipfel mancher Bäume, bald zwischen den
zahlreichen, die Stämme der Arengpalmen bedeckenden Schmarotzergewächsen und
zwar in Größe und Gestalt verschieden, auf den Bäumen meistens größer und
ziemlich regelmäßig halbkugelförmig, an den Palmstämmen aber kleiner und von
weniger bestimmter Form in der Mitte nur unbedeutend vertieft. Alle sind

aber faſt ausſchließlich aus Gräſerhalmen und eben nicht ſehr feſt geflochten, ſo
daß der ganze Bau keine ſehr große Sicherheit hat. Das Gelege beſteht in
6 bis 8 Eiern. —

Bis zum regſamen Beginn der Züchtung fremdländiſcher Stubenvögel in
Deutſchland, welcher ſich doch eigentlich erſt ſeit der Mitte oder vielmehr dem
Ende der ſechsziger Jahre herſchreibt, hatte man ſich wol hier und da bemüht,
auch dieſen Prachtfink zur glücklichen Brut zu bringen, immer jedoch vergeblich.
Nur in einem äußerſt ſeltenen Falle gelangte ein Pärchen zum Neſtbau, zu
Eiern oder gar Jungen, niemals aber kam es zum Ausfliegen der letzteren.
Herr Dr. Stölker in St. Fiden war es wol zuerſt, dem dieſer Erfolg zu
Theil geworden und nach ihm erfreuten ſich deſſelben dann die Herren
Graf York von Wartenburg, A. Steinbock in Pulverkrug bei Frank=
furt a. d. O. und Frau A. Kierſtein in Frankfurt. Der erſtere ſchildert den
Verlauf der Hecke im „Journal für Ornithologie“ in folgender Weiſe. Die
Reisfinken wurden nicht freifliegend in der Vogelſtube, ſondern in einem
Kiſtenkäfige von 80 cm. (2½ Fuß) Länge, 65 cm. (2 Fuß) Tiefe und 50 cm.
(1½ Fuß) Höhe gehalten, in welchem an der Rückwand ein halb offenes und
ein nur mit engem Schlupfloch verſehenes Niſtkäſtchen befeſtigt waren. Sie wählten
immer das erſte zum Schlafen. Nach mehreren Fehlbruten ſchienen beide Weibchen
zu ſein, und das eine ſtarb dann. Zwei angeſchaffte Männchen kämpften ſehr
heftig um das Weibchen, bis das ſchwächere, kahlköpfig gerupfte, herausgenommen
wurde. Eine Gelege wurde dadurch verdorben, daß das Männchen noch Niſtſtoffe
eintrug und die bereits angebrüteten Eier verdeckte. Anfangs November ver=
ſchwand das Weibchen wieder im Niſtkaſten und obwol es ſo vorzüglich feſtſaß,
daß es nur mit Gewalt von den Eiern zu entfernen war, ſah Dr. Stölker
doch niemals im Neſt nach, um durchaus nicht zu ſtören. Des völlig gleichen
Gefieders wegen iſt es unmöglich, feſtzuſtellen, ob beide Geſchlechter brüten.
Der auf den Eiern befindliche Vogel wird von dem andern oft beſucht und
gefüttert. Einmal täglich verläßt er jedenfalls das Neſt, um ſich zu ent=
leeren. Auch ſind ſie, gewöhnlich des Morgens, beide zu ſehen. Am 22. No=
vember hörte ich im Neſte leiſe piepen, doch wagte ich nicht zu unterſuchen, wie
viele Junge ausgekommen waren. Einer von den Alten blieb beſtändig im Niſt=
kaſten: Die Stimmen der Jungen waren nur dann zu vernehmen, wenn ſie gefüt=
tert wurden. Um zu verhindern, daß die kleinen Vögelchen in den langen
Nächten ohne Nahrung zugrunde gingen, ſtellte ich morgens früh ein Licht in
das Zimmer und dann begann ſogleich die Aetzung. Zum Futter gab ich außer
Hirſe, Kanarienſamen und wenig Hanf auch noch Brot, Rüben und Ameiſen=
puppen. Am 17. Dezember zeigte ſich zuerſt ein Junges am Flugloch und
in den nächſten Tagen fingen ſie an, aus= und einzuſchlüpfen. Vier Köpfe waren

glücklich flügge geworden, und im Neste lag noch ein verdorbenes Ei. Die Füt=
terung geschah immer noch innerhalb des Nestes. Am 24. Dezember versuchten
sie selber zu fressen und am 27. Dezember waren sie fast völlig selbstständig.
Jetzt wurde der Nistkasten gereinigt. Die Jungen waren wohlgenährt und schrieen
erbärmlich, als sie gegriffen wurden. Abends entstand ein schreckliches Gewim=
mer, weil sie in den leeren Nistkasten nicht hineinwollten. Unter beständigem
Geschrei hüpften und flatterten sie umher und die Alten halfen schelten. Als ich
dann etwas Heu in das Kästchen gab, wurden sie ruhig und gingen sämmt=
lich hinein. Im nächsten Januar erfolgte wieder eine Brut. Die Eier wurden
Morgens zwischen 7 und 8 Uhr gelegt, am 1. Jan. das erste und am 5. Jan.
begann das Brüten. Erst im April aber zogen sie in einer abermaligen Brut
noch sechs Junge glücklich auf. Späterhin erhielt ich noch eine von einem andern
Pärchen. Die Jungen flogen nicht zusammen aus dem Nest, sondern wahr=
scheinlich in den Zwischenräumen, in welchen die Eier gelegt worden. In der
Vogelstube des Herrn Graf York nisteten sie in verschiedenen Gelegenheiten,
in Frühauf'schen Papageien=Nistkästchen, ausgehöhlten Baumstämmen, Zigar=
renkisten u. dgl. Herr Steinbock bemerkte, daß die Alten, sobald die Jungen
die Eischale durchbrechen, anfangen Ameisenpuppen zu fressen, welche sie sonst nie=
mals berühren. Eine weitere Fortpflanzung der selbstgezüchteten Vögel ist bis
jetzt noch nicht erzielt worden.

Das Nest wird nach übereinstimmenden Beobachtungen immer aus groben
Stoffen, Stroh, Heu, Federn, kunstlos, doch meistens überwölbt, hergestellt.
Das Jugendkleid des Reisvogels weicht von dem des alten sehr ab; es hat
keine ausgeprägte Zeichnung. Oberhalb ist es dunkel mäusegrau, unterhalb hell
gelblichgrau, nach dem Schwanze zu noch heller, jedoch nicht reinweiß; die
Wangen sind hell gefärbt, wie die Unterseite, doch nicht scharf abgegrenzt, son=
dern allmälig nach oben und hinten in's Dunklere übergehend; die Schwung=
und Schwanzfedern sind stark dunkelgrau; der Schnabel ist schwarz, mit weißen
Wülsten (Wachshaut); das Auge ist schwarz und von einer gelblichfahlgrauen
Haut umgeben; die Füße sind lichtfleischfarben.

Die Verfärbung geht in der Weise vor sich, daß das Gefieder schon
acht Tage nach dem Ausfliegen heller zu werden beginnt, oberhalb allmälig
mohnblaugrau und unten röthlich, und der Farbe der Alten sich immer mehr
nähert, indem auch die Wangen heller, die Oberbrust dunkler und der Scheitel
am dunkelsten erscheinen. Der Schnabel lichtet sich an der hinteren Hälfte, bis
er nach fünf Wochen schon deutlich fleischroth ist. Dann ist auch das Auge be=
reits bräunlichroth und die Füße sind röthlich fleischfarben. Im April kamen die
jungen Vögel in die Mauser und im Juni waren sie den Alten in Färbung
und Größe vollkommen gleich (Dr. Stölker).

Inbetreff der Züchtung sagt derselbe: Die Frage liegt nahe, warum die Züchtung des Reisvogels jetzt leichter gelingt, als in früherer Zeit. Ich glaube zur Beantwortung zwei Anhaltspunkte zu haben. Wie man bis zur Gegenwart von vielen fremdländischen Vögeln die ausgefärbten oder singenden Männchen allein in den Handel brachte, so wurden gewiß auch nur die schönsten, alten Reisvögel eingeführt, während jetzt, der größeren Nachfrage wegen, auch junge, noch nicht ganz vermauserte (ausgefärbte) zu uns gelangen und diese sind zur Einbürgerung natürlich geeigneter, als alte. Andererseits hat sich die Pflege der finkenartigen Vögel insofern sehr verbessert, als man ihnen jetzt möglichst verschiedenartige Nahrung bietet; früher aber (und merkwürdigerweise beharrlich noch jetzt von einzelnen Züchtern) wurden sie ausschließlich mit Körnern versorgt. Wie wohlthätig gemischte Fütterung aber auf das Gedeihen auch der sogen. Körnerfresser wirkt, bedarf wol keiner Erklärung mehr. Soll ich Rathschläge geben, wie Reisfinken am ehesten zu züchten sind, so seien es folgende. Man verschaffe sich junge Vögel und zwar mehrere Köpfe zusammen; scheidet sich später ein Pärchen durch sein Benehmen aus, so setze man dasselbe allein in einen mäßig großen, mit einem Nistkasten versehenen Käfig, welcher an einem Orte hängt, wo die Vögel möglichst wenig gestört werden. Das Futter sei in der ganzen Zeit recht mannigfaltig und bestehe außer den gewöhnlichen Sämereien auch in Hanf, Weißbrot, Rüben, Ameisenpuppen, Grünzeug und Sepia. —

Ueber den Werth des Reisvogels für die Liebhaberei sind die Meinungen getheilt. Obwol Vieillot und nach ihm Reichenbach oft den Gesang des einen oder andern Astrild rühmen, sprechen sie diesem Dickschnabel denselben von vornherein ab. Ich hielt mehrere Pärchen jahrelang, um ihre Entwickelung zu beobachten, doch muß ich gestehen, daß ich auf den Gesang nicht sonderlich gelauscht. Dann machte mich zuerst Herr Apotheker Jänicke in Hoyerswerda aufmerksam, daß derselbe doch gar nicht so übel sei und dies trifft namentlich zu, wenn viele beisammen ihre Töne erschallen lassen, welche dem Läuten winziger Glöckchen ähnlich erklingen. Im übrigen hat der Reisvogel nur die Vorzüge, daß er ausdauernd, immer schmuck und glatt und ebenso im Käfige, als in der Vogelstube harmlos und friedlich ist; ungerechtfertigterweise galt er als boshaft und zanksüchtig. Vielmehr zeigt er sich feige, ängstlich und sehr mißtrauisch, und hierin mag hauptsächlich die Ursache begründet liegen, daß er nur selten zum nisten schreitet, weil er sich nicht sicher genug fühlt. Seine Zucht muß einer besondern Liebhaberei überlassen bleiben, da er nicht allein ein undankbarer Brutvogel, sondern auch in seiner Heimat so zahlreich und schädlich ist, daß seine Ausfuhr zu sehr billigen Preisen das bei uns vorhandene Bedürfniß für ihn als Stubenvogel vollständig deckt. Häufig findet man in den Vogelhandlungen Exemplare ohne weiße Backen, also mit ganz schwarzem Gesicht und diese wurden früher fälschlich für die Weibchen gehalten; sie erscheinen dagegen in der S. 72 erwähnten Mißfärbung. Man kauft das Pärchen zu dem schwankenden Preise von 6, 7,5 bis 9 Mark (2, 2½ bis 3 Thlr.) und im Großhandel kostet es zuweilen nur 3½ bis 4 Francs.

Die Reisamandine wird auch Reisvogel, Reisfink, Reisfresser, Reismäher, indischer und chinesischer Reisvogel und Gatterer genannt, und in England heißt er Sperling von Java.

Le Padda oder L'oiseau de riz (Vekemans); Java Sparrow (Jamrach u. Vrzn. d. zool. Gart. v. London); Calfat, Galfa, Galfa de Java (Französische Händler; die beiden letzten Bezeichnungen sind verstümmelt); Riistvogeltje of Padda (holländisch); Padda (Eingeborene von Südasien); Glate (Java); Gelatik (Sumatra) Glastik-betul (Malaien und Sundanesen).

Nomenclatur: Loxia oryzivora, L., Lth., Bchst. etc.; Coccothraustes sinensis cinerea, Brss.; Padda, Edw., Slgm.; Loxia javensis, Gml., Sprrm.; Coccothraustes orizivora, Vieill.; Fringilla oryzivora, Hrsf., Rffl., Sws.; Amadina oryzivora, Gray; Munia oryzivora, Bp., Jrd., Swnh., Nwt., Scl., Wllc., Schlg., Hrtl.; Oryzornis oryzivora, Cab., Fnsch. et Hrtl. — Java Grosbeak, Lth.; Calfat, Buff.

Wissenschaftliche Beschreibung. Schön aschgrau; Schwingen dunkelbraun mit aschgrauen Säumen an der Außenfahne; Oberkopf, Zügel und Kinn schwarz; Kopfseiten und Ohrgegend weiß, vom Kinn aus von einer schmalen schwarzen Linie umgrenzt; Bauch, Bauchseiten und Hinterleib zart fleischfarben, grau angehaucht; untere Schwanzdecken weiß, untere Flügeldecken weißlich; obere Schwanzdecken und Schwanz schwarz. Schnabel purpurroth, nach der Spitze zu blaß rosenroth; Auge blutroth; Füße licht fleischroth. Weibchen nicht verschieden. Jugendkleid S. 139.

Spermestes oryzivora. Dilute cinerea; pileo, mento et cauda nigris; capitis lateribus circumscripte albis; abdomine dilute carneo-rubente; subcaudalibus albis; rostro roseo; pedibus pallidis; iride rubra.

Länge 14,4 cm. (5½ Zoll); Flügel 6,7 cm. (2 3. 7 L.); Schwanz 4,4 cm. (1 3. 8 L.).

Juvenis: adulta valde discolor, pictura distincta carens; supra subfusco-cinerea, subtus gilvo-canescens; caudam versus albicans; genis lateri inferiori concoloribus, sursum et retrorsum obfuscatis; remigibus et rectricibus subnigro-cinereis; rostro nigro, cera albente; iride nigra, lurido-cincta; pedibus dilute carneis.

Beschreibung des Eies: Farbe reinweiß, glänzend, Gestalt länglich. Länge 21 mm., Breite 14 mm.

Ovum albissimum, nitidum, longiusculum.

**Der schneeweiße Reisvogel** oder die weiße Reisamandine [Spermestes oryzívora, varietas alba]. In Asien ist der Reisvogel offenbar seit vielen Jahrhunderten in der Gefangenschaft gehalten und gezüchtet worden. Dies beweist nicht allein sein häufiges Vorkommen auf uralten chinesischen Gemälden, sondern auch die vollständige äußere Umwandlung, welche er im Laufe der Zeit erlitten. Aus dem vorhin beschriebenen bunten Vogel ist ein schneeweißer geworden, welcher theilweise in gleicher Reinheit des Gefieders sich fortpflanzt, nicht selten aber auch mehr oder minder auf die Stammeltern zurückschlägt, sodaß die

Färbung vom tadellosen Weiß zum blauen Anflug und bis zum völligen Schecken=
bunt wechselt.

Während es mir niemals gelungen ist, von dem Wildling in meiner Vogelstube
eine Brut flügge werden zu sehen, habe ich von dieser schneeweißen Spielart zahlreiche
Junge erhalten. Die Entwickelung stimmt mit der des Stammvaters überein, nur
nistet der weiße Reisvogel ungleich leichter und sicherer. Der Nestflaum ist
gelblichweiß und das Jugendkleid sogleich reinweiß mit schwach rosenröthlich weißem
Schnabel und schwarzen Augen. Es ist also kein Albino oder Kakerlak, vielmehr
eine durch Züchtung erzielte Varietät oder Spielart, ganz ebenso wie die weiße
Haustaube oder der gelbe Kanarienvogel, welche ebenfalls von blauen, bezüglich
grünen Stammeltern gezogen sind. Die weißen Reisvögel werden in Japan
erfolgreich gezüchtet und neuerdings vorzugsweise durch G u d e r a in Deutschland ein=
geführt. Herr A. P. R e y e r in Triest schrieb mir, daß die Japanesen zur
Wiener Weltausstellung unter anderen schönen Vögeln auch diese und weiße
Mövchen mitgebracht, die aber sämmtlich in einer kalten regnerischen Nacht zu=
grunde gegangen, weil man sie auf dem Verdeck des Schiffes stehen gelassen.

In Hinsicht der Verpflegung rathe ich, neben den gewöhnlichen Sämereien
auch rohen und in Wasser abgesottenen Reis, aufgeweichtes und gut ausgedrücktes
Eierbrot, sowie auch frische oder gequellte Ameisenpuppen zu geben. Sie halten
sich dann vortrefflich, bedürfen nur gewöhnlicher Stubenwärme und nisten sehr
ergiebig, besonders wenn Störungen sorgfältig abgewendet werden.

Die reinweiße Reisamandine ist ein überaus prächtiger Vogel; ihre zarte
Schönheit des Gefieders mit dem glänzend rosenrothen Schnabel, welcher gar
nicht so sehr auffallend oder ungeschickt hervortritt, und den rosenrothen Füßen
lassen sie ganz absonderlich lieblich erscheinen. Ihr Preis ist noch immer ein
ziemlich hoher (80—100 Francs für das Paar), da sie bisher erst wenig ge=
züchtet und auch nicht zahlreich in den Handel kommt. Eine solche Hecke ver=
lohnt sich daher wol, zumal sie auch kosten= und mühelos ist.

Die braune Reisamandine [Spermestes fuscata], von V i e i l l o t als Le
Padda brun beschrieben, in allen Lehr= und Handbüchern mitgezählt und auch
Zimmtreisvogel benannt, darf wol gestrichen werden, denn sie ist weder lebendig
noch als Balg weiter vorgekommen. Ich habe im Jahre 1867 in Paris bei
dem Händler Mr. Beretta zwar eine Vogelart gesehen, welche als brauner Reis=
vogel bezeichnet wurde, doch konnte ich nicht mehr die Zeit gewinnen, sie zu be=
stimmen und der Preis von 100 Francs für ein Paar dünkte mir zu hoch.
Es waren kleinere Vögel und, soviel ich mich erinnere, dürfte es der Maskenfink
[Fringilla alario] gewesen sein.

Die **Elster=Amandinen** oder Elstervögel. Unter dieser bei den Vogelhändlern und Lieb=
habern allgemein eingebürgerten Benennung gelangen mehrere nahverwandte Starkschnäbelchen
zu uns, unter denen einige als sehr beliebte Prachtfinken geschätzt sind. Die letzteren gehören
allerdings zu den niedlichsten und zugleich am leichtesten nistenden Stubenvögeln, während ihre
schlichte Färbung hinter der vieler anderen zurücksteht. Sie werden auch Erzamandinen genannt.

### Die größte Elster=Amandine [Spermestes fringillina].*)
#### Tafel V. Vogel 23.

Im Jahre 1868 sandte mir Gudera in Leipzig einen einzelnen Vogel
unter dem Namen doppeltes oder Riesenelsterchen. Es war wahrscheinlich der erste
seiner Art, welcher jemals lebend in Europa vorhanden, auch fand ich ihn im
Berliner zoologischen Museum noch nicht. Der Händler hatte mit seiner Be=
zeichnung ganz recht, denn dies größte ist dem allbekannten kleinsten Elsterchen
[S. cucullata] sehr ähnlich, nur ist es beträchtlich größer und kommt nahezu der
Bandamandine gleich.

Diese seltene Art ist bis jetzt nur im Westen und Osten Afrikas (Liberia,
Senegal, Sansibar) erlegt worden. Reichenbach giebt auch Indien als Heimat
an, doch fehlt jeder Nachweis. Der merkwürdige, weberähnliche Schnabel
hat dazu geführt, daß man sie von den übrigen Erzamandinen absonderte, und
der letztgenannte Ornithologe möchte sie sogar bei den Webervögeln untergebracht
wissen. Doch sind, sagen Finsch und Hartlaub, erst Nachrichten über die
Lebensweise abzuwarten.

Hier kann ich wieder mit Freude und Stolz darauf hinweisen, welche Be=
deutung die Vogelliebhaberei und Züchtung der wissenschaftlichen Vogelkunde
gegenüber beanspruchen darf, indem sie durch aufmerksame und gewissenhafte Be=
obachtungen dieselbe wesentlich zu fördern vermag. Sie hat sehr bald mit Sicher=
heit dargethan, wohin dieser neue Ankömmling im System zu stellen ist. Ob=
wol es gewiß Niemand einfallen wird, Reichenbach's scharfsinnige und
kenntnißreiche Annahme von vornherein zu bezweifeln, so konnte ich mich doch
der Einsicht nicht verschließen, daß der hochgeachtete Schriftsteller hier im Irr=
thum sei. Den ersten Beweis dafür, daß dieser Vogel ein Prachtfink
und seinem kleineren Ebenbilde sehr nahe verwandt ist, fand ich darin, daß
der einzelne in meiner Vogelstube sich gerade einem Pärchen kleinster Elsterchen
sogleich anschloß; auch geschah dies in einer so innigen Weise, wie es bei sämmt=
lichen Webervögelchen niemals der Fall ist. Nach kurzer Zeit erhielt dann
Fräulein Hagenbeck eine größere Sendung Riesenelsterchen, und nun bevölkerten sie
nach und nach alle Vogelstuben. Zuerst nisteten sie bei Herrn Emil Linden, dann
bei Herrn Graf York von Wartenburg und in meiner Vogelstube. Die Lebens=
weise des Vogels, namentlich die Brutentwickelung, gab nun aber den ganz entschie=

---

*) S. fringilloïdes [Lafr.] ist ein Barbarismus, der ausgemerzt werden muß.

denen Beweis, dafür, daß er zu den Prachtfinken gehört. Das Pärchen hält un=
zertrennlich zusammen und das Männchen führt genau den schnurrigen, hüpfenden
Liebestanz des kleinen Elsterchens auf. Das Nest wird in irgend einer Höhlung
oder auch frei im Gebüsch angelegt, im letztern Falle ziemlich geschickt in runder
Gestalt und mit engem, seitlichem Schlupfloch aus Bast, Fäden, Halmen erbaut,
und mit Grasrispen, auch wol weichen Läppchen, Watte u. dgl. ausgepolstert.
Das Gelege besteht in vier bis sechs reinweißen Eiern. Das Jugendkleid
ist oberhalb düster, einfarbig chokoladenbraun, unterhalb weißlich graubraun;
Schnabel schwarz, Füße schwärzlichbraun. Die Verfärbung beginnt etwa in der
sechsten Woche, indem das Gefieder oberhalb dunkler und unterhalb heller bis
zuletzt reinweiß wird. Erst nach einem Jahre zeigen die Kopffedern den Metall=
glanz und dann ist auch der sehr langsam hervortretende gelbbraune Seitenfleck
(s. wissenschaftliche Beschreibung) vollständig ausgebildet. Manche Pärchen nisten leicht
und ergiebig, andere dagegen machen in Jahr und Tag keine Anstalt zum Nestbau.

Die größte Elsteramandine, oder das Riesenelsterchen, heißt auch
größtes Elsterchen, Kuttenelsterchen und Kuttenweber (fälschlich von Rchb.).

La Nonnette d'Afrique, la plus grande Nonnette (Bekemans und französi=
sche Händler); Pied Grass-Finch (Jamrach und Brzn. d. zool. Grt. v. Lon=
don; nach dem letztern ist der Vogel zuerst im Februar 1871 gekommen).

Nomenclatur: Amadina fringilloïdes, *Gray, Hrtl.*; Munia fringilloïdes, *Bp.,*
*Lss.*; Amauresthes fringilloïdes, *Rchb., Hrtl. et Fsch.*

Wissenschaftliche Beschreibung: Kopf, Hals, Kinn, Kehle, Bürzel, obere Schwanz=
decken und Schwanz schwarz mit stahlgrünem Schein, im Nacken, auf dem Bürzel und an den oberen
Schwanzdecken purpurviolet schimmernd; Schwingen und Deckfedern dunkelbraun; Mantel, Schul=
tern und Hinterrücken rothbraun, jede Feder in der Mitte dunkler und mit hellerm Endsaum,
wodurch auf der Schulter fünf bis sechs kleine weiße Streifen gebildet werden; Kropf und
übrige Unterseite, nebst den unteren Flügeldecken weiß; hinterer Unterleib gelbbräunlichweiß;
an den Brustseiten ein großer, schwarzer und hinter diesem, bis nach den Weichen, ein läng=
licher, hell leberbrauner Fleck. Der große 1,5 cm. (7 Linien) lange Schnabel dunkelblau, Unterschnabel
hell bleigrau; Auge dunkelbraun; Füße bleigrau. Weibchen fast völlig gleich, nur an dem
kleinern braunen Seitenfleck*) und kaum geringerer Größe zu unterscheiden.

Spermestes fringillina. Supra intense fusca, alarum tectricibus albo-
striolatis; capite, collo, macula utrinque pectorali, uropygio caudaque cum tectricibus
superioribus nigris, nitore subchalybeo; corpore inferiore reliquo, subalaribus et subcaudalibus albidis; rostro ploceino nigro-caerulescente, subtus pallidiore; pedibus
nigricantibus.

Länge 11,8 cm. (4½ Z.); Flügel 5,7 cm. (2 Z. 2 L.); Schwanz 3,5 cm. (1 Z. 4 L.).

Juvenis: supra unicolor, obscure brunnea; subtus subfusco-cana; rostro nigro;
pedibus nigricante fuscis.

Beschreibung des Eies: Farbe mattweiß, Gestalt länglich. Länge 18 mm., Breite 12 mm.
Ovum cretaceum, longiusculum.

---

*) Dieser große, in die Augen fallende, leberbraune Fleck ist in allen bisher vorhandenen
Beschreibungen (Reichenbach, Finsch und Hartlaub u. A.) sonderbarerweise nicht erwähnt.

## Die kleine Elster=Amandine [Spermestes cucullata].
### Tafel V. Vogel 21.

Das kleinste Elsterchen ist einer von den Prachtfinken, welche sich am leichtesten in der Gefangenschaft fortpflanzen und einbürgern. Dasselbe wird jedoch erst seit kaum einem Vierteljahrhundert lebend eingeführt und war Vieillot und den übrigen älteren Schriftstellern nicht bekannt. Gegenwärtig gehört es zu den Afrikanern, welche in der größten Anzahl' herübergebracht werden, fortwährend in allen Vogelhandlungen zu haben, sehr einträglich züchtbar und überall beliebt sind. Die Färbung erscheint unansehnlich, schwärzlichbraun und weißbunt; um so liebenswürdiger ist das Benehmen. Größe des grauen Astrild, aber ge= drungener und kräftiger.

Die Verbreitung erstreckt sich über das ganze tropische Afrika. Auf Por= torifo ist es, nach H. Bryant, angesiedelt, wie der europäische Spaz auf Ha= vanna. Ich traf, sagt Heuglin, diesen lebhaften und niedlichen Prachtfink unmittelbar vor und während der Regenzeit an zwei Oertlichkeiten, in West= abessynien meist im Bambusgebüsch, und in Zentralafrika mehr im Hochgras und auf niedrigen Bäumen, in der Nähe von Lichtungen und Büschelmaisfeldern. Er scheint Standvogel zu sein und lebt gewöhnlich in kleinen Familien von vier bis acht Köpfen beisammen, die sich selten trennen. So schwärmen sie, lärmend und emsig nach Grassamen suchend, beständig umher. Im raschen Fluge und immer dicht zusammenhaltend, unter pfeilschnellen Wendungen und Zickzackbewe= gungen streicht die Schar zur Tränke, wo sie schwätzend badet und dann ebenso eilig wieder zu ihren Standorten zurückkehrt; auch läßt sie sich, nament= lich in den Abendstunden, dicht an einander gedrängt, schwirrend auf schwanken Aesten nieder. Der Gesang ist nicht laut, etwas rätschend, girlitzartig. Das Nisten in der Freiheit hat Dr. H. Dohrn in den „Proceedings of the Zool. Soc. of London“ 1872 beschrieben, und mit demselben stimmt der schon früher vom Di= rektor des zoologischen Gartens in Breslau, Dr. Schlegel, dann von mir, ferner von Dr. Rey, Dr. Stölfer u. A. in der Gefangenschaft beobachtete und ge= schilderte Brutverlauf durchaus überein.

Das Vögelchen nistet ebensowol in dem S. 41 erwähnten Käfige, als auch freifliegend in der Vogelstube und das Nest wird regelmäßig in einer Höhlung mit engem Schlupfloch, einem Nistkasten oder mit Papier überklebten Harzer Bauerchen, aus Heuhalmen, Bast, Baumwollfäden, weichen Läppchen u. dgl. kunst= los aufgehäuft und mit Haaren und Baumwolle, niemals aber mit Federn aus= gepolstert. Beide Gatten des Pärchens tragen ein und mit solchem Eifer, daß das Nest in einigen Tagen fertig ist. Sie brüten nicht abwechselnd, sondern ge= meinsam, immer zu gleicher Zeit und lassen sich nicht leicht stören, so daß man die Eier oder Jungen dreist besichtigen darf. Die Brutdauer währt 12 Tage; die Jungen verlassen zwischen dem 16. bis 18. Tage das Nest und der Verlauf der Brut vom ersten Ei bis zum Ausfliegen rundet sich auf nahezu fünf Wochen ab. Soeben ausgeflogen benehmen sich die Jungen ähnlich, wie S. 22 von den Zebra= finken angegeben. Die Fütterung beschreibt Dr. Rey sehr interessant: „Sechs Junge saßen in einer Reihe und sobald der erste Schreier befriedigt war, hüpfte die Alte diesem auf den Rücken, um von hier aus den zweiten zu versorgen. So rückte sie immer weiter, bis die ganze Reihe gesättigt war." In der Regel nisten sie drei= bis viermal hintereinander und jedes Gelege besteht in 4 bis 7 Eiern; doch muß man die flüggen Jungen entfernen, weil diese die Alten im nisten stören. Im September beginnt die Heckzeit und dauert bis zum Januar; im Frühlinge erfolgen gewöhnlich auch noch einige Bruten.

Das Jugendkleid ist fast gleichmäßig chokoladenbraun, oberhalb dunkler, unterhalb heller gelblichbraun; Unterflügel hell bräunlichgelb, Schwanz schwarz= braun; Schnabel schwarz. Die Verfärbung tritt, wenn die Vögelchen gut gefüttert sind, von der vierten Woche an allmälig ein und ist etwa nach drei Monaten vollendet. Zuweilen verlangsamt sie sich aber auch, sodaß die aus Afrika eingeführten jungen Vögel bei den Händlern oft sehr zahlreich noch im Jugendkleide und mehr oder minder fleckig, in allen möglichen Uebergangsstufen zu sehen sind.

Im Gesellschaftskäfige ist das kleine Elsterchen zänkisch und tyrannisch gegen alle übrigen; in der Vogelstube vertreibt es selbst viel größere Vögel, z. B. die Reisamandine, tapfer vom Futterplatz und sogar aus deren Nestern. Lieb= haber der Prachtfinken schätzen besonders seine Munterkeit, Hurtigkeit und sein komisches Wesen. Beim Liebesspiel krächzt das Männchen mit weit aufgesperrtem Schnabel seinen schnurrenden Sang und hüpft während desselben mit gleichsam wichtiger Geberde taktmäßig auf und ab, bleibt aber auf derselben Stelle sitzen und wendet sich nur singend rechts und links. Zu der Beliebtheit des Vogels trägt auch der Umstand bei, daß er überall, nach Schlegel wol gar auf dem Schreibpult oder Nähtisch, im kleinsten Käfige heimisch zu machen ist. Als die erste Brut bei uns flügge wurde, befand ich mich gerade in Paris, um die Weltaus= stellung des Jahres 1867 zu sehen, und meine Frau verzeichnete sorgfältig den ganzen Vorgang. Die Nistvorrichtung war oberhalb des Ofens in der Wohnstube angebracht und den Vögelchen zuliebe wurde nur durch Gazefenster gelüftet. Bewundernswerth erschien insbesondere die Geschicklichkeit, mit welcher die Alten jedes einzelne Junge geleiteten, damit es beim ersten Ausfluge nicht verunglückte. Als nach der beendeten Brut das Nest untersucht wurde, bot dasselbe keine geringe Ueber= raschung. Meine Frau hatte es sich gar nicht zu erklären gewußt, wo eine zeit= lang mancherlei kleine Dinge des täglichen Gebrauchs, welche räthselhafter Weise

verſchwanden, geblieben ſein könnten. Jetzt kamen dieſelben ſämmtlich zum Vor=
ſchein, und zwar eingefädelte Nähnadeln, nebſt ganzen Knäuelchen, Bandſtückchen,
Beſätze und was ſonſt noch zu derartigen Kleinigkeiten gehört. Alles hatten die
kleinen Schelme mit Haſt und Eifer in ihr Neſt getragen, heimlich, ſobald
Niemand im Zimmer anweſend war. Trotz all' der Nadeln aber erfreuten
ſich die Jungen doch der vortrefflichſten Entwickelung. Nach meinen Er=
fahrungen, welche ſpäterhin durch die anderer Züchter beſtätigt worden,
niſten die hier gezogenen Elſterchen ebenſo ergiebig als die Wildlinge.
Unter beiden giebt es hier und da ein Pärchen, welches durchaus nicht zur Brut
ſchreiten will. In dem betreffenden Abſchnitt komme ich auch auf dieſe Zucht
weiterhin zurück. Die Verpflegung ſtimmt mit der für die kleinſten Aſtrilde an=
gegebenen überein; ſie bedürfen zum Aufziehen der Jungen auch Ameiſenpuppen,
Eierbrot u. dgl. Bei guter Pflege zeigen ſie ebenfalls eine erſtaunliche Frucht=
barkeit. Bemerkt ſei noch, daß mehrere Männchen in der Vogelſtube beiſammen
anfangs zwar eifrig einander bekämpfen, dann aber ungeſtört niſten. Bei
Herrn Dr. Rey heckte ein Männchen erfolgreich mit zwei Weibchen. Graf
Yorl von Wartenburg erzog Miſchlinge von kleinen Elſterchen mit dem
braunbunten japaneſiſchen Mövchen und Herr Möckel in Hamburg ſolche vom
kleinen und Glanz=Elſterchen.

Die Unterſcheidung der Geſchlechter iſt ſehr ſchwierig. Wenn zwei Elſterchen
nebeneinander ſitzen, ſo iſt das kaum bemerkbar kleinere mit reinweißer Bruſt ſtets
das Männchen, während das Weibchen an den Bruſtſeiten noch mehr oder min=
der gefleckt erſcheint. Außerdem iſt das Liebestänzeln das einzig ſichere Kenn=
zeichen des erſteren. Alle übrigen Merkmale, wie das Fehlen oder die geringere
Umfang des metallgrünen Schulter= und Seitenflecks ſind nicht ſtichhaltig. Um
ein richtiges Pärchen ſicher zu erhalten, verfahre man wie beim Reisvogel an=
gegeben. Zuweilen gelangen die Elſterchen in großer Anzahl nach Europa und
ſind dann zu 7,5—9 Mark für das Pärchen feil. Manchmal werden ſie aber
auch in längerer Zeit gar nicht oder nur ſpärlich eingeführt und dann bezahlt
man die hier gezüchteten mit 12—15 Mark. Im Großhandel koſten ſie im
Durchſchnitt 5 Francs und in den Hafenſtädten bei Entnahme von 100 Paar
3½ Francs. Sie kommen ſelten entfedert und erbärmlich in den Handel, und
halten ſich auch beſſer als die meiſten Aſtrilde; doch ſind auch ſie manchmal von
einer anſteckenden Krankheit befallen.

Die kleine Elſter=Amandine heißt auch U. Erzamandine oder Kappen=
fink, kleinſtes Elſterchen, Elſtervogel, Hirundelchen und bronzefleckiger Kappen=
Weberfink (Rchb.).

La Bandelette (Vekemans); Hirondelle, Nonnette de Calcutta, Nonne
franzöſiſche Händler); Hooded-Finch (Vrzn. d. zool. Grt. v. London und Jamrach's

Liſte; fälſchlich in den Briefen Jamrach's auch Bronze-Maniken of Africa); Monnikskap-amadina (holländiſch); Naháidsche (Inhambane, nach Prof. Peters).

Nomenclatur: Amadina cucullata, *Sndv.*, *Gray*, *Hrtl.*; Spermestes cucullata, *Sws.*, *Bp.*, *Mll.*, *Cab.*, *Css.*, *Hrtl.* *Sclt.*, *Mntr.*, *Ptrs.*, *Rchb.*, *Dhrn.*, *Hgl.*, *Fnsch.* et *Hrtl.*; Loxia prasipteron, *Lss.*; Spermestes [Coccothraustes] scutatus, *Hgl.*, *Cab.*

Wiſſenſchaftliche Beſchreibung. Kopf, Kinn, Kehle und Kropf ſchwarz mit leb= haftem, purpurkupferbraunem Metallſchimmer, Oberkopf ſtahlgrün ſchimmernd; Nacken, Hals= ſeiten und übrige Oberſeite braun, Schwingen an der Außenfahne ſehr ſchmal bräunlich geſäumt, an der Innenfahne breiter roſtfahl gerandet; die kleinen Schulterdecken metallgrün; Bürzel und obere Schwanzdecken bräunlichweiß mit ſchmalen ſchwärzlichen Querlinien; unterhalb reinweiß, Unterbruſtſeiten metalliſchſchwarzgrün, Bauch und Schenkelſeiten braun mit breiten weißen Querlinien, welche nach hinten zu immer ſchmaler werden; untere Flügeldecken roſtfahl, untere Schwanzdecken weiß mit ſchmalen, weit abſtehenden, dunkelbraunen Querlinien, Schwanz ſchwarz. Schnabel ſchwarz, Unterſchnabel hell bleigrau; Auge dunkelbraun; Füße dunkel hornbraun. Weibchen überſtimmend. Jugendkleid ſ. S. 146.

Spermestes cucullata. Supra brunnescens; capite et gutture nigris, nitore purpurascente-aeneo; uropygio et supracaudalibus albido-fuscoque-fasciolatis; macula utrinque pectorali fusco-aenea, altera scapulari aeneo-virescente; abdomine albo; hypochondriis et subcaudalibus fusco-fasciolatis; cauda cuneata nigra; rostro caerules- cente nigro, mandibula pallidiore; pedibus fuscente plumbeis; iride fusca.

Länge 9,1 ᶜᵐ· (3½ 3.), Flügel 4,8 ᶜᵐ· (1 3. 10 L.), Schwanz 2,8 ᶜᵐ· (13 L.).

Juvenis: fere unicolor brunnea, supra obscurius, subtus dilutius, flavicante fusca; subalaribus subfusco-gilvis; cauda nigro-fusca; rostro nigro.

Beſchreibung des Eies: kalkweiß, feinkörnig, nett. Geſtalt ſehr länglich, mit deut= licher Spitze. Länge 14 ᵐᵐ·, Breite 11 ᵐᵐ·

Ovum cretaceum, granulosum, sublongum apice distincta.

## Die zweifarbige Elſter=Amandine [Spermestes bicolor].
### Tafel V. Vogel 22.

Dies reizende Vögelchen, welches an der ganzen oberen Seite rein und glänzend bläulichſchwarz und unterhalb weiß iſt, kommt immer nur in einigen Pärchen in den Handel. Nach und nach hat es ſich jedoch in den meiſten Vogel= ſtuben eingebürgert. Wer dieſe Art zuerſt eingeführt und wann dies geſchehen, vermag ich nicht anzugeben. Im ganzen Weſen gleicht ſie dem kleinen Elſterchen, doch niſtet ſie nicht ſo leicht und ſicher. Zuerſt erzielte Herr Major von Bomsdorf in Berlin in einem großen Heckkäfige, welchen verſchiedene Prachtfinken bewohnten, eine glückliche Brut, und dann wurden auch zwei ſolche in meiner Vogelſtube flügge. Späterhin iſt dies Elſterchen noch mehrfach, von den Herren Ingenieur Hendſchel, Graf York von Wartenburg u. A. gezüchtet worden; doch gehört es zu denen, welche nur in einzelnen Pärchen gut, in den meiſten aber weder ergiebig noch zuverläſſig hecken, auch bringt jedes Pärchen ge= wöhnlich nur einmal Junge zur vollen Entwickelung.

Das Jugendkleid iſt oberhalb dunkel blaugrau, an Kopf und Kehle ſchwärzlich, unterhalb bräunlichgrauweiß; Schnäbelchen bläulichſchwarz, Füße ſchwarzbraun. Die S. 147 erwähnten Miſchlinge glichen im Jugendkleide völlig

wie diese Jungen aus. Ausgefärbt ist ein solcher, welchen ich besitze, dem zwei=
farbigen Elsterchen gleich, nur an den Seiten und am Bürzel wie das kleine
Elsterchen gezeichnet.

In Hinsicht des Nistens und der Brutentwickelung, Verpflegung u. s. w.
stimmt das zweifarbige mit dem kleinen Elsterchen überein. Frau Cäcilie
Lottermoser in Warmbrunn theilte mir zuerst die böse Erfahrung mit, daß
ein Paar dieser Elsterchen in einem Versandtbauer einem Helena=Astrild wäh=
rend der Fahrt einen Fuß vollständig abgebissen hatten, und dergleichen Fälle
haben sich dann wiederholt. In der Vogelstube zeigt es sich jedoch feige und
beiweitem nicht so lebhaft als der kleinere Verwandte. Das Männchen tänzelt
und schnurrt in derselben Weise und dies ist das einzige Unterscheidungsmerkmal
der Geschlechter.

Der Preis pflegt zwischen 12 bis 18 Mark (4—6 Thlr.) für das Paar zu
schwanken und im Großhandel sind sie in beträchtlicher Anzahl wol noch nicht
zu haben.

Die Verbreitung erstreckt sich wahrscheinlich nur über Westafrika, denn bis
jetzt ist der Vogel blos an der Goldküste gefunden. Ueber das Freileben ist
noch gar nichts bekannt und in der gesammten wissenschaftlichen Literatur ist
außer der Beschreibung über ihn nichts vorhanden.

Die zweifarbige Elster=Amandine oder das zweifarbige Elsterchen wird auch
Glanz=Elsterchen und sonderbarerweise Doppelfarb genannt.

Le Bicolore (Vekemans und die französischen Händler; in Jamrach's Liste und
dem Vrzn. d. zool. Grt. v. London nicht aufgeführt; auch in den holländischen
Listen nicht vorhanden).

Wissenschaftliche Beschreibung. Oberhalb, an Kopf, Rücken, Flügeln nebst Kehle,
Oberbrust und Seiten schwarz; unterhalb von der Unterbrust bis zu den Unterschwanzdecken
nebst den Unterflügeln weiß; an den Brust= und Bauchseiten tritt die schwarze Färbung zackig
unter dem Flügel hervor. Schnabel dunkel bleiblau; Auge braun, Füße bläulichschwarz.
Weibchen gleich. Jugendkleid S. 148.

Spermestes bicolor. Corpore supra, gutture, pectore et lateribus nigris;
abdomine, subalaribus, crisso et subcaudalibus albis, rostro caeruleo-nigricante; pedibus nigris.

Länge 10,5 cm. (4 Z.), Flügel 5,2 cm. (2 Z.), Schwanz 3,8 cm. (1½ Z.).

Nomenclatur: Amadina bicolor, Fraser; Spermestes bicolor, Bp., Hrtl., Rchb.

Juvenis: supra obscure glauca, capite gulaque nigricantibus; subtus subfusco-
canescens; rostro subcoeruleo-nigro; pedibus nigris.

Beschreibung des Eies: schwach glänzend weiß; Gestalt sehr länglich mit deutlicher
Spitze. Länge 14,2 mm., Breite 11,4 mm.

Ovum album, subnitidum, longiusculum, apice distincto.

Die gitterflügelige Elster=Amandine [Spermestes poënsis], ein nahverwandter
Vogel, welcher nur dadurch von dem vorigen verschieden ist, daß er auf dem Mittel=
flügel eine breite, fast dreieckige, weiß und schwarz gegitterte, und auf dem Unter=

rücken und Bürzel eine weiß= und schwarzstreifige Zeichnung hat. Sonst stimmt er in allem übrigen mit jenem überein. Die Heimat ist Westafrika und über das Freileben ist nichts bekannt. Obgleich man in einem Handbuch gesagt, daß diese Art in unseren Käfigen sehr selten sei, also vorkomme, so habe ich sie doch noch niemals erhalten; auch sämmtliche Großhändler kennen sie gar nicht. Jene Angabe wird daher wol auf Irrthum oder Verwechselung beruhen.

Die gitterflügelige Elsteramandine wurde auch Gitter= und Netzflügel oder Kappen=Weberfink von Fernando=Po (Rchb.) benannt. — In allen Preisverzeichnissen der Händler, sowie in den Listen der zoologischen Gärten ist das Vögelchen nicht vorhanden. — Amadina poënsis, *Fraser*; Spermestes poënsis, *Bp.*

Wissenschaftliche Beschreibung: Glänzend schwarz, Vorderschwingen klein und dicht weißgetropft, zweite Reihe, Bürzel und Bauchseiten weiß gebändert, Bauch, Unterschwanz= decken und Unterflügel weiß; Schnabel schwarzblau, Beine schwarz. Das Jugendkleid giebt *Rchb.* wie folgt an: oberhalb dunkelbraungrau, Schwanz und Flügel schwärzer, Kinn und Kehle aschgraulich, Bauch und Unterschwanzdecken blaßröthlichgelb, Schnabel bleifarbig.

Die rothrückige Elster=Amandine [Spermestes rufodorsalis]. Diese Art, die der vorigen wiederum sehr nahe steht, entdeckte Herr Professor Peters in Inham= bane in Südmozambik und später wurde sie auch vom Baron v. d. Decken in Mombas und Sansibar erlegt. Sie unterscheidet sich von dem gitterflügeligen Elsterchen durch braune Färbung der oberen Theile. Lebend ist sie noch nicht eingeführt worden. In der Heimat wird der Vogel Tengatenga genannt (Ptrs.).

[Spermestes rufodorsalis, *Ptrs., Licht., Cab., Fnsch. et Hrtl.*; Amadina puncti= pennis, *Bnc.*].

Wissenschaftliche Beschreibung: Kopf, Hals, Kinn, Kehle und Kropf kohlschwarz, übrige Oberseite schön braun; größte obere Flügeldecken mit weißen Schaftstrichen; Schwingen braunschwarz, an der Außenfahne mit feinen weißen Randflecken, an der Innenfahne breit weiß gerandet; Bürzel und obere Schwanzdecken schwarz, fein weiß gepunktet; Unterseite und untere Flügeldecken weiß, Brustseiten schwarz, Bauch= und Schenkelseiten schwarz und weiß gepunktet; Schwanz schwarz; Schnabel bläulichweiß; Füße bräunlich. Jugendkleid: oberhalb braun mit etwas rothbraun verwaschener Mantelmitte; Schwingen und Schwanzfedern braunschwarz, die ersteren an der Außenfahne fahlweiß gerandet; Kinn und Kehle rothbräunlich; übrige Unter= seite weiß. Uebergangskleid: Kopf und Bürzel noch braun, die schwarzen Federn der Schenkel= seiten noch mit weißen Punkte; auf dem schwarzen Kropfe stark mit braunen und fahlen Federn gemischt. (Fnsch. und Hrtl. nach den von Peters und v. d. Decken gesammelten Exemplaren.)

Die Zwergelster=Amandine [Spermestes nana]. In der Uebersicht der Vögel Madagaskars giebt Dr. Hartlaub die Beschreibung des Zwergelsterchens, welches in den Museen von Paris und Philadelphia vorhanden und nach Sganzin, der es le petit Marteau nennt, auf jener Insel nicht selten sein soll. Es ist nur 7,8 cm. (3 Zoll) groß, oberhalb bräunlich, unterhalb dunkelgrau mit olivengrünen Oberschwanzdecken und schwarzem Schwanz. Hoffentlich wird es demnächst lebend herüber gebracht, da wir ja zahlreiche Vögel von Madagaskar erhalten. [Pyrrhula nana, *Pucher*; Spermestes nana, *Bp., Hrtl.*]

**Bronzemännchen, Silberfäfänchen** und **Muskatvögel** nennt man im Vogelhandel eine Anzahl indischer und afrikanischer Prachtfinken, mit welchen fich die Liebhaberei feit den älteften Zeiten her beschäftigt, und die fich trotz der Unscheinbarkeit ihrer Farben bis heutigen Tages großer Beliebtheit erfreuen. Büffon und andere ältere Schriftsteller faßten fie unter den Bezeichnungen Jacobin und Domino zusammen, gaben aber keine klare Ueberficht, sodaß man aus den Schilderungen kaum oder nur schwierig erkennen kann, welche Art gemeint ift. Prof. Cabanis zählt fie fämmtlich zu der Gattung Lanzenschwänzchen [Uroloncha]; andere Schriftsteller theilen fie in mehrere Geschlechter. Das Freileben aller diefer Arten ift ziemlich bekannt. Dagegen haben fich einige noch nicht in der Gefangenschaft vermehrt; andere werden in Japan schon feit vielen Jahrhunderten, dem Reisvogel gleich, gezüchtet. In der Heimat leben fie in der Weise anderer Finkenvögel, zur Niftzeit parweife und nach derselben in großen Scharen beifammen. Dann werden fie auf den Reisfeldern und an anderen Nutzgewächfen schädlich. Alle find Zugvögel. Ihre großen ballförmigen Nefter aus Gräfern, Rispen und Fasern stehen in Gebüschen von Bambusrohr, Schilf, wilden Rosen u. dgl. Sie find vorzugsweise Samenfresser, die wol kaum oder nur zur Fütterung der Jungen Infekten verzehren. (Nach Hodgfon, mit deffen Angaben auch die Lebensweise der afrikanischen Arten übereinstimmt.)

## Die geftreifte Bronze = Amandine [Spermestes striata].

Das Bronzemännchen ift ein düfter gefärbter, oberhalb brauner, unterhalb weißer Vogel mit schwarzem Kopf, deffen ganzes oberes Gefieder. heller geftrichelt erscheint. Seine. Größe ift etwas beträchtlicher als die des kleinen Elsterchens. Er ift auf dem ganzen Festlande von Oftindien und Ceylon heimisch und fehr häufig. Jerdon fagt, daß er ihn an der Malabarküste in den Kornfeldern und auf offenen Stellen des‘ dichten Buschwaldes, gelegentlich auch an den Landstraßen und fogar auf den Höfen neben und in den Stallungen gesehen, wo fich Flüge von fechs bis acht Köpfen umhertreiben und nach Sämereien suchen. Obwol diefer Prachtfink zu den schlichtesten gehört, ift er doch nicht ungern gesehen und daher .in vielen Vogelstuben zu finden. Er ift im Wesen nicht fo beweglich, flink und anmuthig als ein Elsterchen, fonst aber ebenso anspruchslos und ausdauernd und durchaus friedfertig. Seinen komischen, schnurrenden Sang trägt er vor, während er den Schwanz fächerförmig spreizt und den Kopf gravitätisch hin und her wendet. Die Geschlechter find nicht verschieden gefärbt und das Männchen ift nur durch fein Schnurren festzustellen.‘ Manche Pärchen hecken fehr leicht felbst im Käfige, andere aber gar nicht. In der Vogelstube bauen fie in einem Harzerbauerchen‚ oder in irgend einem Winkel das Neft. Die Brutentwickelung ift mit der des kleinen Elsterchens übereinstimmend. Das erste Pärchen, welches in meiner Vogelstube niftet, war ungleichartig, ein geftreiftes und ein schwarzbürzeliges Bronzemännchen. Die Jungen fahen aber wie die anderer Paare aus.

Das geftreifte Bronzemännchen oder der weißrückige Haarstrichfink hat noch keine weiteren deutschen Namen. In der Reihe der starkschnäbeligen Prachtfinken benenne ich es geftreifte Bronze=Amandine.

.Le Domino (Vekemans und die französischen Händler); Striated Finch (Jamrach und Brzn. d. zool. Grt. v. London); Gestreepte Amadina (holländisch);

Schakari-Munie (Bengalen); Tau-tesa (in Arakan; bedeutet nach Blyth (Waldsperling).

` Gross-bec de l'Ile Bourbon (Brisson); Jacobin ou Domino (Buffon); Striated Grosbeak (Latham).

Nomenclatur: Loxia striata, *L.*; Amadina striata, *Blth., Gr.*: Munia striata *Blth.*; Uroloncha striata, *Cab.*; Trichogrammóptila striata, *Rchb.*; Fringilla leuconota, *Tmm.*

Wissenschaftliche Beschreibung: Oberhalb dunkelbraun, jede Feder mit bräunlich-weißem Schaft, wodurch das Gefieder hier fein gestrichelt erscheint; Vorderkopf, Gesicht, Kehle und Kropf bräunlichschwarz, ganze übrige Unterseite, sowie Unterflügel und Bürzel weiß mit schwachem bräunlichen Anflug; Ober- und Unterschwanzdecken röthlichdunkelbraun, Schwanz rein schwarzbraun; Schnabel bläulichschwarz; Auge braun; Füße schwärzlichgrau.

Spermestes striata: Supra fusca, scapo plumae singulae fuscante albo, notaeum exhibente tenuiter lineolatum; sincipite, facie, gula juguloque subfusco-nigris; gastraeo reliquo, subalaribus et uropygio albis fuscante imbutis; supra-et infra-caudalibus badiis, cauda nigro-fusca; rostro subcoeruleo-nigro; iride fusca; pedibus nigricante cinereis.

Jugendkleid einfarbig dunkel bläulichgrau, unterhalb heller, düster weißlichgrau; Schnabel schwarz; Füße grau.

Juvenis: unicolor coerulescente cinerea, subtus dilutius, sordide incana; rostro nigro; pedibus cinereis.

Beschreibung des Eies: mattweiß; Länge 15 mm., Breite 11,5 mm.

Ovum: album, opacum.

## Die schwarzbürzelige Bronze-Amandine [Spermestes melanopygia]. •

### Tafel V. Vogel 24.

Diese der vorigen sehr nahverwandte Art unterscheidet sich nur dadurch, daß die ganze Oberseite keine weißen Schaftstriche erkennen läßt und daß der Bürzel nicht weiß, sondern wie die ganze Oberseite braun ist. Die Heimat beschränkt sich auf Java und Borneo und der Vogel kommt blos zuweilen in einigen Köpfen in den Handel. Zur Brut ist er meines Wissens bei uns in der Ge-fangenschaft außer dem S. 151 erwähnten Mischpaar noch nicht gelangt. Reichen-bach erhielt vom Oberst von Schierbrand drei Pärchen mit ihren Nestern, welche melonenförmig, 16 cm. hoch und 10 cm. breit, aus feinen Hirsegräsern mit langen haarartigen Rispen gebaut, theils im Schilf, theils zwischen Astgabeln eingezwängt hängend und mit den Blättern der Pflanzen bedeckt oder von den Ranken eines Schlinggewächses umwunden sind. Von außen bestehen sie aus den locker zu-sammengebogenen Zweigen der Gräser und innen sind sie mit den feinen Rispen einer Zuckerrohrart ausgepolstert, welche aus dem seitlich in der Mitte befindlichen 4 cm. weiten Flugloch hervorragen. In der Lebensweise, Brutent-wickelung und in allem übrigen gleicht dies Bronzemännchen dem gestreiften durch-aus. Als Herr Emil Schmidt in meiner Vogelstube die Studien für die Ent-würfe der Abbildungen machte, war hier gerade nur diese seltenere Art vor-handen und daher wurde sie auf der achten Tafel dargestellt.

Das schwarzbürzelige Bronzemännchen oder die schwarzbürzelige Bronze=
Amandine ist auch weißbäuchige oder Weißbauchnunie und weißrückiger Haarstrich=
Weberfink (Rchb.) benannt.

Le Domino (Bekemans und die französischen Händler; ebenso bei Jamrach und den
übrigen Händlern mit d. v. übereinstimmend); Prit (auf Java, nach Horsfield).
Nomenclatur: Loxia melanopygia, *L.*; Amadina melanopygia, *Gray*; Uroloncha melanopygia, *Cab.*; Trichogrammóptila melanopygia, *Rchb.*; Spermestes leuco-
gastroïdes, *Moore*.

Wissenschaftliche Beschreibung: Oberhalb röthlich chokoladenbraun, haarfein gelb=
lichweiß gestrichelt; Stirn, Gesicht, Kropf und Brust tiefschwarz; Unterbrust und Bauch weiß,
Bürzel und Schwanzdecken schwarzbraun, Schwanz heller röthlichbraun.

Spermestes melanopygia: Supra brunnea, tenacissime flavo - lineolata;
fronte, facie, jugulo pectoreque nigerrimis; abdomine albo; uropygio et
supracaudalibus e fusco nigris; cauda dilute brunnea.

Das Ei ist mattweiß; 16 mm. lang, 11½ mm. breit.

Ovum: album, opacum.

## Die spitzschwänzige Bronze=Amandine [Spermestes acuticauda].

Auch dieses Bronzemännchen ist dem gestreiften so ähnlich, daß man es
kaum für eine besondere Art halten dürfte. Ich habe mehrere Exemplare neben
jenem gehabt und könnte einen Unterschied allenfalls nur darin finden, daß
das Weiß des Unterkörpers schmutzig braun und bei genauem Blick fein
schuppenartig dunkelbraun gezeichnet erscheint, Kehle und Oberbrust sind sehr
fein weiß gestrichelt. Hodgson beobachtete den Vogel in Tenassarim in großen
Scharen immer auf dem Boden. Die Heimat erstreckt sich über den Osten
Indiens, Japan, Südchina und die Inseln Formosa und Heinan. Obwol dies
Bronzemännchen ein sehr weites Verbreitungsgebiet hat und dort sehr gemein
ist und trotzdem es von den Japanesen schon seit vielen hundert Jahren in zahl=
reichen Varietäten gezüchtet wird, so ist es in der ursprünglichen Art im
Handel bei uns doch keineswegs häufig. Im Laufe der Jahre habe ich nur
einmal fünf Köpfe erlangen können; das gestreifte Bronzemännchen dagegen
ist bei Hagenbeck und Jamrach alljährlich zu haben. Eine Brut vom Spitz=
schwänzchen konnte ich nicht erzielen, während doch gerade seine Geschichte, wie
ich weiterhin mittheilen werde, dasselbe bereits vollständig als Hausthier ein=
gebürgert betrachten läßt.

Das spitzschwänzige Bronzemännchen oder die spitzschwänzige
Bronze=Amandine ist auch Spitzschwanznunie benannt worden.

Le Domino (Bekemans und die französischen Händler); Sharptailed-Finch (Jamrach
und Brzn. d. zool. Grt. v. London). In den übrigen Preisverzeichnissen nicht vorhanden. —
Sharptailed - Munia (Hodgson); Petap Penang (Malaien nach Blyth).
Nomenclatur: Spermestes acuticauda, *Hgds.*; Munia acuticauda [leuconota,
molucca], *Hgds.*; Amadina acuticauda, *Blyth*; Uroloncha molucca, *Cab.*
Wissenschaftliche Beschreibung: Oberhalb dunkelbraun, kaum bemerkbar heller

gestrichelt; Flügelränder-fahl bräunlichgelb; Kopf, Kehle und Kropf schwarzbraun, Kehle bis zur Oberbrust mit weißen Schaftstrichen; unterhalb weiß, schuppen- oder bogenartig dunkelbraun quergebändert. Das Weibchen ist nicht verschieden.

**Spermestes acuticauda**: Supra fusca, vix dilutius lineolata; marginibus alar. luride ochraceis; capite, gula juguloque nigro-fuscis; scapis plumarum a gula usque ad pectus albidis; subtus alba, squamatim sive arcuatim usco-fasciata. ♀ hand distincta.

**Die japanesischen Mövchen.** In gleicher Weise, wie S. 141 vom Reisvogel angegeben, hat man in Japan auch vom Bronzemännchen durch Züchtung, die schon vorhin erwähnten Spielarten erzeugt, welche dem ursprünglichen Vogel gar nicht mehr gleichen. Vekemans brachte im Jahre 1871 kleine weiß- und braunbunte Prachtfinken in den Handel, welche Herr Professor Dr. Cabanis sogleich als eine gleichsam künstlich erzogene Varietät einer Art der Gattung Lanzenschwänzchen bestimmte. Diese Japanesischen Mövchen, wie ich sie benannt, fanden bei uns in Deutschland bereitwillige Aufnahme und wurden bald in überaus großer Anzahl, zunächst in der braunbunten, dann in einer schneeweißen und schließlich auch in einer gelbbunten Spielart eingeführt.

Die Japanesen, welche solche Spielereien bekanntlich lieben und ebenso wie in der Zwergbaum- und Blumenzucht und künstlichen Fischzucht, auch in der Geflügel- und Schmuckvögelzucht erstaunlicher Leistungen sich erfreuen, haben gerade in der letzteren die überraschendsten Erfolge aufzuweisen.

Herr Reyer in Triest berichtet über dieselben folgendes: „Man soll nicht glauben, daß die Reisvögel und Bronzemännchen, gleicherweise wie der Kanarienvogel in Europa, eines Zeitraums von 300 Jahren bedurften, um solche durchgreifenden Veränderungen zu erleiden. Zwar wird dort, wie alle Kultur überhaupt, so auch die Vogelzucht, wol gewiß seit Jahrtausenden sich herschreiben, aber nicht das Alter der Züchtung, sondern vielmehr die Art und Weise derselben ist es, welche die Veränderung hervorbringt. Der japanesische Züchter vermag vom rohen Wildling in wenigen Generationen die vollkommen schneeweiße Kulturrasse zu erzielen. Das Verfahren dieser Züchtung besteht darin, die Vögel durch die reichlichste Verpflegung zur Brut zu bringen und die letztere unter den günstigsten Verhältnissen zur üppigsten Entfaltung, bei welcher sodann gar keine besondere Zuchtwahl nothwendig ist, indem die Vögelchen ganz von selber in der mannigfaltigsten Weise ausarten."

Es machte mir ganz besonderes Vergnügen, diese japanesische Zucht nun in meiner Vogelstube fortzusetzen, und ich habe dabei folgende Ergebnisse gewonnen. Ich hatte eine große Anzahl dieser Vögel von allen drei Färbungen angeschafft, und zunächst zeigte es sich, daß die reinweißen ungemein zart und ein echtes Erzeugniß der künstlichen Züchtung sind. Die meisten können das freie Fliegen in der Vogelstube nicht ertragen. Nur wenige erhalten sich frisch und munter am Leben, während die Mehrzahl nicht die Kraft und Gewandtheit besitzt, sich tapfer durchzuschlagen; sie verunglücken im Badewasser, fallen irgendwo hinein in der Bauer u. dergl. oder bleiben im dichten Gebüsch hängen und kommen elend um. Im Käfige dagegen sind sie sehr ausdauernd und nisten auch leicht und ergiebig. Als eine durch menschliche — leider nur zu wenig naturgemäße — Pflege hervorgerufene Kulturrasse erscheinen sie aber zugleich darin, daß sie zahlreichen Krankheiten ausgesetzt sind und unter ungünstigen Verhältnissen namentlich leicht erblinden. Die gelbbunte Varietät ist etwas kräftiger und die braunbunte steht in dieser Hinsicht bereits dem ursprünglichen Vogel sehr nahe. Alle drei Varietäten arten aber leicht aus und ihre Nachkommenschaft wechselt daher fortwährend in dem äußern Aussehen. Die braunbunten, welche ich zuerst züchtete, ergaben mehrfach ganze Bruten oder doch einzelne Junge reinweiß. Sodann zogen die reinweißen mitunter auch ein gelbbuntes oder braunbuntes Junges auf, und in einem Nest der gelbbunten wurden einmal Junge flügge, welche gelb- und braunbunt zugleich gescheckt waren. Nicht selten fielen auch Rückschläge; so befand sich in einem Nest der reinweißen ein Junges, welches sich von einem wildgefangenen

Bronzemännchen nur durch eine weiße Kehle unterschied. Auch Bastarde kommen vielfach vor. In einer Brut der braunbunten Mövchen war ein junger Vogel ganz einfarbig chokoladenbraun, und bei aufmerksamer Beobachtung bemerkte ich sodann, daß eine sehr kräftige schwarzköpfige Nonne mit den alten gemeinsam die Brut fütterte. Das seltsame junge Vögelchen starb leider unmittelbar nach dem Ausfliegen und ging im Gebüsch verloren.

Das weiße Japanesische Mövchen (Spermestes acuticauda, *varietas alba*; Tafel V, Vogel 25) ist eine liebliche Erscheinung, von rein- und zart-weißem Gefieder mit röthlichweißem Schnabel, dunkelbraunen Augen und rosen-rothen Füßen. — Das gelbbunte Japanesische Mövchen (S. acuticauda, *var.* flavo-maculata) stimmt mit dem vorigen überein, nur ist das weiße Federkleid mit unregelmäßigen kaninchengelben Flecken gezeichnet. — Das braun-bunte Japanesische Mövchen (S. acuticauda, *var.* griseo-maculata) ist wiederum dem letztern gleich, aber braun gescheckt, wobei an den braunen Federn die helleren Rippen deutlich hervortreten und die ursprüngliche Abstammung er-kennen lassen.

Vekemans nannte die Mövchen anfangs Muscades blanches et pa-nachés (übrigens war der Irrthum viel verbreitet, daß diese wunderliche Varietät vom Muskatvogel gezüchtet sei); späterhin wurden sie von Vekemans und den französischen Händlern auch als Bengalis blancs et panachés be-zeichnet. Bei Jamrach hießen sie von vornherein white, yellow or nanking and grey Bengalies; von den deutschen Händlern werden sie als graubunte, oder auch schwarzbunte, gelbbunte und schneeweiße Bengalisten und neuerdings ganz allge-mein als dergleichen Japanesische Mövchen ausgeboten.

### Die Silberschnabel-Amandine [Spermestes cantans].
Tafel VI. Vogel 26.

Mit einem Fasan hat das allbekannte sog. Silberfäschen keine Aehnlichkeit. Seine Benennung ist daher jedenfalls aus der französischen Bec d'argent, Silber-beckchen, d. i. Silberschnäbelchen, entstanden. Linné hieß diesen Vogel: den singenden. Doch verdient er diese Bezeichnung weniger eines etwaigen vorzüglichen Gesanges, als der Eigenschaft wegen, daß er in eifrigster Weise sein Liedchen leise und zwitschernd, ununterbrochen, gleichsam wie ein rinnendes Bächlein, ertönen läßt. Ebenso an-spruchslos erscheint auch die Färbung des Gefieders. Die ganze Oberseite ist hell leberbraun, dunkel gestrichelt und gewellt. Flügelschwingen, Schwanz und Bürzel sind schwärzlich und die ganze Unterseite ist düster weiß; der Schnabel ist hell bleigrau — also etwa silberfarben.

Dieser Prachtfink ist erst seit dem Jahre 1776 bekannt, von Pierre Brown beschrieben und abgebildet. Ueber sein Freileben berichtet von Heug-lin: Ich sah ihn paarweise und in kleinen Flügen, die sich nach der Regenzeit immer mehr zusammenrotteten. Für die zwischen 3—5 Eier enthaltende Brut werden häufig verlassene Webervogelnester benutzt und nach Bedürfniß ziemlich dicht mit Federn, Haaren und Wolle ausgefüttert. Die Nistzeit fällt in die Monate August bis Oktober; Vierthaler entdeckte aber auch ein Nest im Januar. Es scheint ein echter Tropenvogel zu sein, der wol nicht über 5—6000 Fuß hoch steigt und nicht wandert. Er lebt am Ufer von Gewässern, auf Inseln, um Maisfelder, Baumwollpflanzungen und Gehöfte und selbst an Wasserbrunnen, aber nirgends gerade in auffallender Anzahl. Selten treiben sich diese Lanzenschwänzchen auf der Erde herum, mehr in Hecken, Gebüsch und auf kahlen Birnbäumen. Die Verbreitung erstreckt sich sehr weit über das nordöstliche und Mittelafrika.

Vieillot schildert la Loxie grise in folgendem: Weniger empfindlich gegen Witterungseinflüsse als andere Tropenvögel, genügt unsere Sommerwärme dazu, daß sie sich fortpflanzt, und wenn sie gegen Winterkälte geschützt ist, neun bis zehn Jahre am Leben bleibt. Diese Vögel sind so verträglich, daß nicht selten vier bis fünf Pärchen in einem Nest beisammen brüten und die Jungen erziehen; man findet dann bis achtzehn Eier in demselben. Aber es ist besser, daß man die Pärchen gesondert hält, da in den Gesellschaften doch wol Mißhelligkeiten vorkommen, die größeren Jungen die kleineren erdrücken oder die stärkeren den schwächeren die Nahrung vor den Schnäbeln fortschnappen. Es ist fraglich, ob diese Lebensweise in der Gefangenschaft der in der Freiheit gleicht oder ob dort die einzelnen Pärchen sich trennen. Ich habe beobachtet, daß, je geräumiger der Käfig, desto geringer die Zahl derjenigen war, welche gemeinschaftlich nisteten; aber in der kalten Jahreszeit vereinigten sie sich stets alle während der Nacht und auch fast immer bei Tage. Ich habe drei Bruten hintereinander von ihnen flügge werden gesehen und die letzte erforderte nicht größere Sorgfalt, als die anderer Finken.

Inbetreff der Zucht giebt dieser Forscher sodann Rathschläge, die aber zu besorgt sind, da dies Vögelchen zu denen gehört, welche namentlich freifliegend in der Vogelstube ohne alle weiteren Umstände und auch meistens mit gutem Erfolg nisten.

Zuerst hat Dr. Karl Bolle das Silberfasänchen gezüchtet und eingehend geschildert: „Die Vögelchen lieben es parweise oder zu mehreren dicht an einander geschmiegt auf einem Aste zu sitzen und die ganze Gesellschaft ist wahrhaft unzertrennlich. Von einander abgesondert rufen sie mit ängstlich zirpenden, zuletzt scharf und ungeduldig klingenden Tönen. Ihre kurzen Flügel gestatten ihnen in der Heimat wol keinen weiten oder besonders hohen Flug; dafür schlüpfen sie mit der Behendigkeit einer Maus durch das Gezweig. Am Boden hüpfen sie mit schief nach oben gerichteten Schwänzen umher. Einer Höhlung bedürfen sie zu jeder Zeit, auch wenn sie nicht nisten, zur Nachtruhe. Das Männchen ist allein der Baumeister des Nestes; niemals habe ich gesehen, daß das Weibchen auch nur einen Halm herzutrug; es begnügt sich damit, ruhig im Neste oder vor demselben sitzend, die Huldigungen des thätigen Gatten entgegen zu nehmen. Diese Eigenthümlichkeit stellt diese und einige nahverwandte Amandinen auf die höchste Stufe unter den finkenartigen Vögeln; denn nirgends tritt das Gefühl der elterlichen Liebe so stark und fürsorglich bei dem Geschlechte auf, welches es sonst mit den ehelichen Pflichten leichter zu nehmen pflegt. Ist die Nisthöhlung weit, so wird sie mit einem fabelhaften Wust angefüllt. Alles ist dem Vogel dazu recht, Heu, Moos, Baumwolle, Zwirn, Papierstückchen, ja selbst frisches Grün, wie Vogelmiere u. dgl. In einem geräumigen Nistkasten oder einem Harzer Bauerchen, auch wol ganz frei im Gebüsch, wird ein überwölbtes Nest gebaut; eine enge Höhle wird nur mit möglichst weichen Stoffen ausgepolstert. Bei jedem lauten Geräusch streichen die Vögel vom Nest, um bald vorsichtig zurückzukehren. Die Jungen sind anfangs fast ganz kahl und sehr häßlich, schwärzlichroth, mit gelben Wachshautwärzchen. In den ersten sechs bis neun Tagen entwickeln sie sich langsam, nachher um so schneller. Sie bleiben lange nackt, nehmen allmälig eine bläuliche Färbung an und man möchte sie dann eher für kleine ekelhafte Amphibien, als für Vögel ansehen. Ameisenpuppen werden zur Fütterung ganz verschmäht und ebenso Grünkraut. Man kann daher diesen Prachtfink, nebst seinen nächsten Verwandten, zu den ausschließlichen Körnerfressern zählen, welche nicht einmal ihre Jungen mit Fleischnahrung ätzen. Brutdauer 11 Tage. Am 21. Tage verlassen die Jungen das Nest und 25 Tage alt fressen sie selber. Alljährlich folgen bis fünf Bruten hintereinander.

Das Jugendkleid ist dem der Alten fast völlig gleich, nur erscheint es fahler und verwaschener, weil die Wellenlinien der Rücken= und Flügelfedern noch gar nicht zu bemerken sind; das Schnäbelchen ist glänzend bläulichschwarz. Die Verfärbung beginnt bereits in der zweiten Woche durch Hervortreten der Wellenzeichnung und Hellerwerden des Schnabels. Mit fünf Wochen ist der junge Vogel ausgefärbt. Dr. Bolle zog auch vom Silber= und dem nächstverwandten Malabar=Fasänchen Mischlinge, und solche wurden dann auch in meiner Vogelstube flügge.

Das Silberfasänchen gehört zu den verträglichsten und ausdauerndsten Bewohnern der Vogelstube und des Gesellschaftskäfigs. Sein komisches Singen, bewegliches, anmuthiges und sanftes Wesen, so wie auch sein hübsches Aussehen, besonders aber sein leichtes und dankbares Nisten haben es auch in neuerer Zeit sehr beliebt gemacht; zugleich zählt es zu denen, welche seit alters her bis jetzt regelmäßig in überaus großer Anzahl eingeführt werden und beständig in allen Vogelhandlungen zu haben sind. Die Geschlechter sind schwierig zu erkennen, und selbst das ist ein trügerisches Zeichen, daß die Männchen eine gelbere Kehle und Vorderbruft haben; für einen scharfen Blick erscheint der Schnabel des Männchens, viel dunkler bleigrau, während der des Weibchens heller silbergrau ist; ein sicheres Merkmal ergiebt aber nur das erwähnte, ziemlich laute Singen des Männchens. Der Preis beträgt im Kleinhandel 7,5—9 Mark für das Pärchen und im Großhandel zu 100 Paar sind sie für 2, 3½—5 Francs verkäuflich.

Die Silberschnabel-Amandine oder das Silberfasänchen, auch Silberbeckchen oder Silberschnäbelchen genannt, heißt sonst noch blos Silberschnabel, Lanzenschwänzchen, und afrikanischer Sänger-Weberfink (Rchb.).

Le Bec d'argent (Vekemans und die französischen Händler); African Silver-bill (Jamrach und Vrzn. d. zool. Grt. v. London); Zilverbekje (holländisch).

Nomenclatur: Loxia cantans, *Gml.*, *Lth.*, *Bchst.*, *Rpp.*; Coccothraustes cantans, *Vll.*, *Hgl.*; Amadina cantans, *Gray, Strckl., Bp. Hgl., Jrd., Hrtl., Hrtm., Antn., Bll., Vrth.*; Uroloncha cantans, *Cab., Hgl., Kng., Wrth.*; Euodice cantans, *Rchb.*; Spermestes cantans, *Fnsch.* et *Hrtl.*

Wissenschaftliche Beschreibung: Oberhalb hellbraun, Ober- und Hinterkopf mit verwaschenen dunklen Längsflecken; Mantel, Schultern und Bürzel mit undeutlichen, schmalen, dunkelbraunen Querlinien; Kopf- und Halsseiten gelblichbraun; Schwingen dunkelbraun, an der Innenfahne roftisabell gerandet; Deckfedern der Schwingen zweiter Ordnung, hinterer Bürzel und Oberschwanzdecken schwärzlichbraun; Kinn und Oberkehle gelblichbraun, übrige Unterseite weiß, auf dem Kropfe, an den Seiten und untere Flügeldecken schwach roftbräunlich; Schwanz dunkel schwärzlichbraun. Schnabel bläulichsilberweiß; Auge braun, Füße bleifarben. Weibchen S. 157. Jugendkleid f. oben.

Spermestes cantans. Supra pallide brunnea, obsolete fasciolata; subtus albida; mento et gula brunneo-rufescentibus; uropygio caudaque cum tectricibus superioribus nigricantibus; rectricibus tenuiter rufescente-limbatis, mediis longioribus, acutis; colli et pectoris lateribus pallide rufescentibus; rostro argenteo; iride fusca; pedibus plumbeis.

Länge 11,8 cm. (4½ 3.), Flügel 5,2 cm. (2 3.), der zugespitzte Schwanz 3,8 cm. (1½ 3.).

Juvenis: adultae fere concolor, nisi luridior et obsoletius, lineolis undulatis dorsi alarumque adhuc nullis; rostro nitido subcoeruleo-nigris.

Beschreibung des Eies: Stumpf, eigestaltig, gelblich durchscheinend; Länge 15 mm., Breite 11,2 mm.

Ovum: flavido-pellucens obtuso ovatum.

## Die Malabar-Amandine [Spermestes malabarica].
### Tafel VI. Vogel 27.

Die meisten Liebhaber verwechseln das Malabar-Fasänchen mit dem Silber-fasänchen und doch läßt dieses sich auf den ersten Blick erkennen. Es ist oberhalb hell chokoladenbraun, am Oberkopf dunkler braun, Schwingen und Schwanz sind schwärzlich, letzterer mit purpurnem Schimmer, der Bürzel ist weiß; unterhalb, von der Kehle bis zum Hinter-leib, ist es bräunlichweiß, an den Seiten mit zarten chamois Mondfleckchen gezeichnet. Schnabel bläulichgrau; Auge braun; Füße bläulichfleischfarben. Das Weibchen ist nicht verschieden.

Die Heimat erstreckt sich über ganz Indien und Ceylon.

In der Lebensweise und dem ganzen Wesen, sowie auch im Gesange gleicht

dieser Vogel seinem afrikanischen Verwandten, und ebenso ist das nur etwas
rauhere und kürzere Schnurren des Indiers kaum zu unterscheiden, wenn man ihn
nicht sieht. Der Lockruf erschallt ziemlich laut cheet cheet (schiht). Auch die
Brutentwickelung ist übereinstimmend. Das Jugendkleid ist fast einfarbig sehr
dunkel bräunlichgrau, unterhalb kaum merklich heller; Schnäbelchen glänzend
schwarz. Diese beiden Amandinen sind so nahe verwandt, daß sie in der Vogel=
stube immer zusammenleben und nisten. Dr. Bolle hatte schon Mischlinge ge=
zogen, und in meiner Vogelstube wurden solche ebenfalls flügge, trotzdem beide
Geschlechter von dieser, wie von jener Art vorhanden waren. Das Jugendkleid
eines solchen Bastards ist oberhalb chokoladenbraun mit schwärzlich geschupptem Oberkopf; unter=
halb gelblichgraubraun; der Bürzel ist rosenroth; Schnabel bleigrau; Füße hell fleischfarben.
Nach der Verfärbung sind die Jungen kaum von dem alten Malabar=Fasänchen verschieden,
allenfalls etwas lichter und gelblicher gefärbt; aber der Bürzel ist schwarz und weiß gescheckt,
indem jede schwarze Feder eine weiße, zuweilen auch rosenrothe Spitze hat.

Ueber das Freileben der Malabar=Amandine haben die Reisenden ziemlich
ausführliche Nachrichten gegeben. Das Nest ist rund mit einer seitlichen Oeff=
nung, aus zarten Gräserfasern und Blütenrispen von Seidengras manchmal sehr
zierlich gewebt und mit Federn oder weichen Rispen ausgefüttert; nicht selten ist
es aber auch grob und unordentlich, kaum gerundet. Sykes fand es in dem
Gabelzweige einer Mimose und Theobald in einem dornigen Busch dicht am
Wege, unversteckt; nach dem ersteren bewohnen sie auch häufig die verlassenen
Nester der Webervögel. Die Angaben der Beobachter schwanken zwischen 6,
10 bis 25 Eier in jedem Gelege; im letztern Falle hatten aber mehrere Weibchen
zusammen ein Nest bezogen. Burgeß meint, daß sie jährlich zwei Bruten machen,
weil er solche im März und November gefunden und Theobald auch noch im
Oktober und Dezember. Dies stimmt mit dem Verhalten in der Vogelstube
überein, denn die meisten Prachtfinken nisten hier entweder vom September bis
Dezember oder vom März bis zum Juli, oft auch zu den beiden Zeiten.

Nach Hamilton's Mittheilung wird dies Vögelchen in Kalkutta häufig ge=
zähmt und parweise im Käfige gehalten. Man bringt das Pärchen hinaus, be=
festigt den einen an einer Schnur und läßt den andern fliegen; dieser kehrt
jedoch stets zurück und setzt sich zu seinem Gefährten.

Obwol der Vogel in Indien nirgends selten und in Bengalen recht häufig
ist, kommt er doch nur wenig herüber, und wenn die Händler ihn kennen, hat
er einen Preis von 10,5 bis 12 Mark.

Das Malabar=Fasänchen oder die Malabar=Amandine wird auch Blei=
schnäbelchen und Malabarfink genannt.

Le Bec de plomb (Vekemans und die französischen Händler); Indian
Silverbill (Jamrach u. Vzn. d. zool. Grt. v. London); in den niederländischen

Liften nicht vorhanden.  Piduri (Bengalen); Sar Munia (Bengalen); Chorga (Hindus); Churchura (Indien).

Nomenclatur: Loxia malabarica, *L.*; Munia malabarica, *Blth.*, *Bp.*, *Thbld.* Amadina malabarica, *Jrd.* et *Slb.*, *Blth.*, *Gray*, *Hrtl.*; Eudice malabarica, *Rchb.*; Loxia bicolor, *Tick*; Lonchura Cheet, *Lyk.*; Spermestes Cheet, *Jrd.*, *Brg.*   Malabar Grosbeak, *Lth.*, *Hrtl.*

Wissenschaftliche Beschreibung: s. eingangs.

Spermestes malabarica: Supra brunnea, pileo obscuriore; remigibus caudaque nigricantibus, hac pulchre purpureo-micante; uropygio albo; gastraeo genisque subfusco-albis; lunulis hypochendriorum tenuibus gilvis; rostro sub-coeruleo-cinero; iride fusca; pedibus coerulescente carneis.  ♀ concolor. — Länge 10,5 cm. (4 3.), Flügel 5,2 cm. (2 3.), Schwanz 3,3 cm. (1¼ 3.).

Jugendkleid: s. S. 159.

Juvenis: fere unicolor fusco-nigricans; subtus vix dilutior; rostro nigro, nitido.

Beschreibung des Eies: Eiförmig mit stumpfer Spitze, kalkweiß, fast glanzlos; Länge 15 mm., Breite 12 mm.

Ovum: cretaceum, subopacum, ovatum apice obtuso.

### Die Muskat=Amandine [Spermestes punctularia].

Tafel VI. Vogel 28.

Der Muskatvogel gehört zu den häufigsten Prachtfinken des Handels und zugleich zu denen, welche seit altersher eingeführt worden.  Schon seit dem Beginn des vorigen Jahrhunderts ist er bekannt und wurde von Klein als chinesischer oder rostbrauner Sperling beschrieben und dann von Albin im Jahre 1834 zuerst abgebildet.  Edwards hieß ihn Gowry-, or Coury-Bird, weil er nach den Angaben des Schatzmeisters der ostindischen Compagnie für die kleine Gowry genannte Schnecke gekauft werden konnte.  Brisson stellt ihn als Gros-bec tacheté de Java fehlerhaft dar und auch Buffon und Vieillot geben schlechte Abbildungen.  Der letztere hatte den Domino und Gros-bec épervin nicht gezüchtet und behauptet irrthümlich, daß das Weibchen unterseits ungefleckt weiß sei, während die Geschlechter durchaus nicht verschieden ge-färbt sind.

Es sind vier Arten oder wol nur Lokalraffen, welche ich unter der Ge-sammtbezeichnung Muskatvogel zusammenfassen darf.  Sie stimmen in der Größe, nahezu auch in der Färbung und vollständig in der Lebensweise überein.  Um sie unterscheiden zu können, lasse ich zunächst die Beschreibung folgen.

Der gepunktete Muskatvogel [S. punctularia] ist oberhalb röthlichbraun, Stirn, Kopfseiten, Kinn und Kehle sind dunkelbraun, Wangen, Flügeldeck= und Schwungfedern verwaschen dunkler gewellt; Bürzel dunkel aschgraubraun, rostgelblich quergebändert, Schwanz schwärzlichgraubraun; unterhalb weiß, dunkelbraun geschuppt, Unterbauch, Hinterleib und untere Flügeldecken einfarbig schmutzig weiß.  Schnabel bläulichschwarz, Unterschnabel heller; Auge braun; Fuß horngrau.  Das Weiben ist gleichgefärbt.  Seine Verbreitung erstreckt sich über Java, Malakka, Flores, Lombok und Timor; auf Mauritius ist er verwildert. — Der gewellte Muskatvogel [S. undulata] ist mit dem vorigen fast völlig gleich, nur oberhalb etwas fahler braun, sehr fein, aber deutlich heller gestrichelt, der Bürzel erscheint schwach grünlichgelb überhaucht und ebenso sind die äußeren Schwanzfedern gesäumt. Der Schnabel ist ganz dunkel .horngrau. Er ist in ganz Indien, besonders aber im Osten und Norden, sowie auf Ceylon heimisch. — Der gelbschwänzige Muskatvogel [S. topela; diese Bezeichnung ist einem vaterländischen Namen des Vogels entlehnt] ist oberhalb und an der Kehle etwas dunkler, fast chokoladenbraun und auf dem ganzen Mantel fein und kaum bemerkbar weißlich gestrichelt; die Oberschwanzdecken und der Schwanz sind fahl grünlichgelb. Als seine Heimat ist Südchina nebst den Inseln Formosa und Heinan bekannt. — Der röthbraune Muskatvogel [S. fuscans] ist einfarbig dunkel chokoladen= braun, Oberkopf fein heller gestrichelt, an Stirn, Gesicht, Kehle und Brust, sowie Oberschwanz schwärzlichbraun; die ganze untere Seite ist einfarbig braun. Schnabel bräunlichschwarz, Unter= schnabel mit gelblicher Spitze und Wurzel; Fuß bräunlichgrau. Man hat ihn bisher nur auf der Insel Borneo entdeckt. — Die gleiche Größe aller vier ist beträchtlicher, die Gestalt gedrungener als die des Silberfasänchens; erstere übertrifft ein wenig die des einheimischen Zeisigs.

Für die Liebhaberei ist die Scheidung des Muskatvogels in jene vier Arten überflüssig, zumal auch die Lebensweise, soviel oder so wenig dieselbe nämlich erkundet worden, durchaus nicht von einander abweichend sich zeigt. Dieser niedliche, fein gezeichnete Prachtfink, sagt Bernstein von dem auf Java lebenden, ist hier merklich seltener, als die ihm nahverwandten Nonnen und ich habe daher keine reichen Beobachtungen über sein Freileben sammeln können. Die Nahrung besteht in den Samen von mancherlei Pflanzen, vorzugsweise von Gräsern; reife Reis= körner sind für ihn zu hart und daher gehen die Gefangenen, welche man wie die Reisvögel damit zu erhalten hofft, sehr bald zugrunde, es sei denn, daß man den Reis in Wasser eingeweicht oder halb gelocht hätte. Das Nest habe ich mehrmals gefunden. Es stand immer in ansehnlicher Höhe über dem Boden, zwischen den die Stämme der Arengpalmen bedeckenden Schmarotzergewächsen, einmal sogar in der Fruchttraube einer solchen Palme. Es hat eine mehr oder weniger rundliche Gestalt mit weitem, schief nach einer Seite gerichteten Eingange. Zur Herstellung des nicht sehr festen, besonders von außen ziemlich lockern Baues werden ausschließlich Halme, Rispen und Blätter verschiedener Gräser benutzt. Das Gelege bilden 4—6 weiße Eier. Auch berichten Jerdon, Pearson und Hodgson über das Freileben und deren kurze Angaben gehen dahin, daß dasselbe mit dem der Malabar=Amandine übereinstimmt.

Des ·hübschen Gefieders wegen wird der Muskatvogel überall, namentlich von Anfängern in der Liebhaberei, häufig gekauft und er ist in den Vogel= handlungen fast immer zu haben. Er ist in jeder Gesellschaft harmlos und friedlich; auch läßt er einen kleinen Sang erschallen, welcher bauchrednerisch erklingt und bei dem javanischen Vogel mit einem lautern Akkord schließt. Dennoch wird man seiner gewöhnlich bald überdrüssig, weil er ein stilles, nichts weniger als anmuthiges Wesen hat. Obwol er kräftig, ausdauernd und nicht scheu ist, gehört er in der Gefangenschaft zu denen, die am schwierigsten zu züchten sind. Während die meisten Pärchen jahrelang in der Vogelstube oder in einem Käfige leben, ohne zu niſten, kommt ein ſolches dann doch wol einmal dazu, ein Neſt zu erbauen und allenfalls auch Eier zu legen, allein flügge Junge ſind höchſt ſelten.

In meiner Vogelſtube errichteten javaniſche Muskatvögel theils frei in dem Gebüſche, theils in einem geräumigen Käſtchen oder auf der Decke eines hoch an der oberen Wand hängenden Drahtbauers mehrere Neſter, welche von außen wie ein wirrer Haufen von allerlei grobem Geniſt ausſahen, innen jedoch mit Federn und Baumwolle ſorgfältig ausgepolſtert waren. Der Brutverlauf gleicht dem des Silberfaſänchens. Ich habe im Laufe der Jahre nur zwei= mal Junge erzielt, von denen jedoch nur eins am Leben geblieben. Das Jugendkleid iſt einfarbig fahl graubraun; Schnabel, Auge und Füße ſind ſchwarz. Man kauft das Paar für 7,5 bis 10,5 Mark.

Unter den Hunderten von Muskatvögeln, welche alljährlich von Bordeaux, Antwerpen, London und Hamburg aus in den Handel gebracht werden, habe ich ſtets nur zwei Raſſen einigermaßen ſicher unterſcheiden können, und zwar den gepunkteten und den gewellten, deren Kennzeichen ſchon von Horsfield am zutreffendſten dahin feſtgeſtellt worden, daß der letztere am Schwanz und an den oberen Schwanzdecken dunkel braunroth, der erſtere dagegen weißlich= oder gelblichgrau iſt. Die beiden anderen konnte ich niemals finden. Die Muskat= vögel, welche ſich längere Zeit bei den Händlern befinden, werden ebenſo wie bekanntlich manche anderen Vögel ſchwarz, dagegen faſt gleichmäßig dunkel= braun gefärbt, und dieſe gleichen vollſtändig der rothbraunen Muskat=Amandine von Borneo. Sollte es daher nicht wahrſcheinlich ſein, daß die letzteren, nur unterwegs auf der Ueberfahrt im Käfige ſchwarz geworden, in ihrer Heimat aber mit den übrigen übereinſtimmen? In der Literatur ſind darüber keine ſicheren Angaben vorhanden.

Die Muskat=Amandine oder der Muskatvogel, auch Domino (Topela, Röthelmunie) genannt, heißt nach Bernſtein auf Java Peking; Tela-Munia (Hindoſtan), Simbaz (Maſuri), Sing-baz or Sheene-baz (Hindoſtan), Shubz Munia (Bengalen.)

Le Domino (Vekemans und Pariſer Händler); Nutmeg-bird (Jam= rach und Vrzn. d. zool. Grt. v. London); Muskaatvogel (holländiſch).

Nomenclatur: Loxia punctularia, *L.*; Munia punctularia, *Blth.*; Fringilla punctularia, *Hay*, *Blth.*, *Gray*; Uroloncha punctularia, *Cab.* — Loxia undulata, *Lth.*; Munia [Amadina] undulata, *Blth.*, *Gray*; Amadina punctularia, *Pears.*, *Blth.*, *Strckl.*; Lonchura nisoria, *Syk.*; Spermestes nisoria, *Jrd.*; Munia lineiventris, *Hodgs.* — Munia topela, *Swinhoë.* — Munia fuscans, *Cass.*
Wiſſenſchaftliche Beſchreibung ſ. oben.
Spermestes punctularia: Supra ferrugineo-fusca; fronte, facie, mento gulaque obscure fuscis; genis, remigibus et alar. tectricibus elute obscurius

undulatis; uropygio cinereo - fusco, subferrugineo fasciolato; cauda nigricante fusca, subtus albida, fusco-squamulata; abdomine crisso et tectricibus subalaribus unicoloribus, sordide albis; rostro subcoeruleo-nigro; mandibula dilutius; · iride fusca; pedibus corneis. ♀ fere concolor. Länge 12 cm. (4⁷/₁₂ 3.); Flügel 5,₂ cm. (2 3.); Schwanz 3,₃ cm. (1¹/₄ 3.)

    Jugendkleid f. S. 162.

Juvenis: unicolor, luride cinereo - fusca; rostro, iride pedibusque nigris.

Beschreibung des Eies: Reinweiß, länglichrund; Länge 1 mm., Breite 11 mm. Ovum: albissimum, oblongum.

\*    \*    \*

**Nonnen** [Dermophrys, *Hodgson;* Maia, *Reichenbach*] werden von den Händlern einige zusammengehörende Prachtfinken genannt, welche sämmtlich als sonderbare Vögel erscheinen, mit starken Schnäbeln und Krallen, mit theils schönem, theils seltsamem Gefieder und von stillem, gleichsam geheimnißvollem Wesen. Bis vor kurzem waren die meisten von ihnen ziemlich selten im Handel, jetzt sind sie gemein. Ihre Gestalt und Größe ist nahezu die der Muskatamandine. Als Stubenvögel zeichnen sie sich weder durch Gesang noch besondere Anmuth aus, auch lassen sie sich von allen Prachtfinken am schwierigsten züchten, und daher verdienen sie keineswegs, daß die Liebhaberei sich vorzugsweise mit ihnen beschäftige.

### Die weißköpfige Nonnen = Amandine [Spermestes Maja].\*)

Unter allen kleinen fremdländischen Vögeln dünkt namentlich dem beginnenden Liebhaber der Prachtfink, welchen die Händler weißköpfige Nonne nennen, sehr wunderlich. Dies liegt jedoch weniger in seinem Benehmen, als vielmehr in seinem Aussehen. Sein ganzer Körper, mit Ausnahme des Kopfes und Halses, ist einfarbig angenehm braun. Kopf und Hals aber sind reinweiß oder doch wenigstens grau= oder bräunlichweiß. Dieses eigenthümliche Aussehen zeigen Männchen und Weibchen im Alter in nahezu gleicher Weise, und je älter sie sind, desto reiner wird das Weiß des Kopfes.

Die weißköpfige Nonne wurde im Jahre 1752 durch Osbeck's Reise bekannt. Vieillot sagt über Le Majan nur wenig, so daß man voraussetzen kann, er habe sie noch nicht selber beobachtet. Reichenbach fügt folgendes hinzu: „In neuerer Zeit wurden diese Vögel oft aus Ost= und Südindien, insbesondere aus Sumatra und Borneo zu uns gebracht. Sie sind durch ihre Sanftmuth und hübschen Anstand mehr, als durch ihren schwachen Gesang beliebt. Ich erhielt kürzlich aus Sumatra vier Pärchen mit ihren Nestern und Eiern und ein fünftes Nest befand sich schon in der Thienemann'= schen Sammlung. Die großen, melonenförmig zwischen Schilfgräsern erbauten Nester haben ein länglichrundes Flugloch von 5 cm. Querdurchmesser. Sie sind

---

\*) Bei den Indiern die weibliche Hälfte der großen Urgottheit, war Maja in der griechischen Götterlehre die Tochter des Atlas und die Mutter des Merkur. Welchen Zusammenhang der Naturforscher (Linné) aber zwischen diesen Bedeutungen und dem harmlosen Vögelchen gefunden, ist wol schwer zu erklären.

aus hirſenartigen Gräſern ſehr unordentlich und locker zuſammengeflochten, außen mit vielen ſchmalen und breiten Grasblättern umwunden und inwendig wieder mit dem überaus feinen ſeidenhaarigen Königszuckergras dick ausgefüttert und durchwebt. Die zwei bis drei Eier ſind mattweiß. In dem einen Neſte iſt das Flugloch etwas hoch angebracht und der Vogel hat hier von dem Unterrande der Oeffnungen faſt 12 cm. (4 Zoll) tief, wo die Eier liegen, geſeſſen.“ — Näheres über das Freileben iſt noch nicht veröffentlicht, doch wird daſſelbe im allgemeinen mit dem aller verwandten Dickſchnäbel und im beſondern mit dem der nächſt= folgenden eingehend geſchilderten Art übereinſtimmen.

Die in meiner Vogelſtube befindlichen Pärchen bewohnten ein ſehr dichtes Ge= büſch über dem Ofen, huſchten bei jedem Geräuſch ſogleich in ihre Schlupfwinkel, waren oft tagelang gar nicht zu ſehen und nur an ihren einſilbigen flötenden Locktönen zu bemerken. Dabei zeigten ſie ſich jedoch keineswegs ſtürmiſch wild. Allmälig be= lauſchte ich, daß ſie eifrig, jedoch immer nur zeitweiſe Geniſt in das Rohr= und Grasdickicht auf dem Ofen trugen. Dies geſchah auch ſo heimlich, daß es ſtets unterblieb, wenn ich oder ein Anderer in der Vogelſtube anweſend war, und ich konnte es nur beobachten, wenn ich geraume Zeit hindurch mich dort ganz regungs= los verhielt. In dieſer Zeit beſuchte mich Alexander von Homeyer, deſſen geübter Blick aus dem Benehmen der Vögel ſogleich erkannte, daß ſie dort oben niſteten. Einige Tage ſpäter ſah ich nach und fand in der That ein Neſt, welches, in dem Röhricht ſtehend, aus groben Niſtſtoffen unordentlich zuſammen= geſchichtet war. Die Grundlage war aus dicken Grashalmen, Papierſtreifen, Moos u. drgl. zuſammengetragen und darauf von etwas handlicheren Halmen ein ſehr geräumiges Gewölbe mit ungeſchicktem, weit offenen Flugloch, welches faſt von oben nach unten führte, errichtet und innen faſt nur mit Baumwoll= flöckchen ausgefüttert. Das Gelege beſtand in drei Eiern. Brutdauer 12 Tage. Die Jungen verließen erſt am 25. und 26. Tage das Neſt. Schon mit dem Anfang der Brut begannen die alten Nonnen eingequellte Sämereien und Ameiſenpuppen mit Eigelb zu freſſen und hiermit fütterten ſie auch vornehmlich die Jungen heran.

Das Jugendkleid iſt oberhalb fahlbraun, unterhalb matt bräunlichweiß, Schnäbelchen glänzendſchwarz. Dieſe Jungen waren ſo unbeholfen, daß ſie faſt acht Tage hindurch, nachdem ſie aus dem Neſte geſchlüpft, regungslos auf der Erde in den düſterſten Winkeln und im dichten Gebüſche zerſtreut ſaßen. Dann aber fingen ſie an, ſchnell und geſchickt zu fliegen.

Die Verfärbung tritt erſt nach vollen vier Monaten ein, in der Weiſe, daß einzelne Federn auf der Bruſt und am Halſe in das ſchöne, glänzende Braun übergehen, während der hintere Theil des Körpers allmälig dunkelt und nach und nach braunſchwarz wird. Sehr wunderlich erſcheinen die jungen, weiß und braun gescheckten Vögel inmitten des Farbenwechsels. Ob trotz der zahlreichen Versuche auch anderwärts noch eine Brut zur Entwickelung gelangt ist, weiß ich nicht anzugeben. Herr Linden hat eine solche in seinem Vogelhause zwar flügge werden gesehen, leider jedoch nichts darüber mitgetheilt.

Das Liebesspiel des Männchens ist ein besonders komisches. Beide Vögel sitzen eine geraume Zeit hindurch still nebeneinander auf einem Ast und lassen nur hin und wieder den kurzen, pfeifenden Lockton erschallen. Dann erhebt sich das Männchen schwerfällig, streckt den Kopf schief in die Höhe, breitet das kurze Schwänzchen aus und beginnt einen äußerst eifrigen Gesang, bei dem man Kehle und Schnabel in emsigster Bewegung sieht, der aber nicht wie beim Bandfink von auf- und niederhüpfendem Tänzeln, sondern nur von einem leisen, gleichsam automatischen Hin- und Herbewegen des Kopfes begleitet wird. Vergeblich strengte ich mich aber an, diesen Gesang zu hören. Um ihn kennen zu lernen, stellte ich ein Pärchen in einem Käfig eine geraume Zeit hindurch auf meinen Schreibtisch und beobachtete es anhaltend. Da diese Vögel nichts weniger als munter sind, so könnten sie trotz ihrer absonderlich hübschen Färbung doch jedenfalls als äußerst langweilig gelten, allein jetzt stimmt das Männchen seinen Gesang an, welcher ihm zweifellos unser Interesse gewinnen muß. Es setzt sich jetzt auf den Fußboden, erhebt wie würdevoll den Kopf und singt im größten Eifer. Man sieht den Schnabel in der lebhaftesten Bewegung, nicht minder die Muskeln der Kehle, doch so aufmerksam man immerhin lauscht, es ist durchaus kein Laut zu vernehmen. Dieser sonderbare, inwendige Gesang währt etwa Minute, dann schließt er mit einem melodischen, ziemlich lauten Titit!

Obwol die weißköpfige Nonne nicht zu den seltensten Vögeln gehört, so ist sie in den Vogelhandlungen doch immer nur in wenigen Pärchen vorhanden. Sie wird am meisten mit anderen ostindischen Vögeln zusammen von Hagenbeck in Hamburg eingeführt. Der Preis beträgt zwischen 7,5 bis 12 Mark für das Pärchen und im Großhandel aus erster Hand 3 bis 6 Schillinge.

Die weißköpfige Nonnen-Amandine oder weißköpfige Nonne heißt auch Maja, weißköpfige Maja, Nonne, Nonnenvogel, Nonnenfink, Nonnen-Weberfink (Rchb.).

La Nonnette à tête blanche (Vekemans); Capucin à tête blanche, Mahian à tête blanche (französische Händler); White-headed Finch (Jamrach); Maja Finch (Vrzn. des zool. Grt. v. London); Nonnetje (holländisch). Boudol (Java); Pipit (Sumatra); Petap Whobun (Malaien).

Nomenclatur: Loxia Maja, L., Lth., Vieill.; Munia Maja, Blth., Bp.; Amandina Maja, Gray, Blth., Rchb.; Fringilla Maja, Hrsf.; Dermophrys Maja, Cab. [Maia sinensis, Brss.; Loxia leucocephala, Rffll.]. Malacca Grosbeak, Edw.; the white-headed Grosbeak, Lth.

Wissenschaftliche Beschreibung: Kopf weiß, abwärts nach der Kehle und dem Nacken zunehmend bräunlich überlaufen; Ober- und Unterkörper lebhaft kastanienbraun; Bauch, Hinterleib und Unterschwanzdecken schwarzbraun; Unterflügel röthlichbraun. Schnabel hell blaugrau; Auge braun; Füße bleigrau. Das Weibchen ist an Stirn und Wangen nicht so reinweiß; sicher ist das Männchen aber nur an dem Liebesspiel zu erkennen. Länge 10,5 cm. (4 3.), Breite 5,2 cm. (2 3.), Schwanz 3,3 cm. (1¼ 3.).

Spermestes Maja: Capite albo, cleorsum gulam cervicemque paulatim subfuscius imbuto; notaeo et gastraeo laete badiis; abdomine, crisso et infracaudalibus nigro-fuscis; subalaribus ferrugineo-fuscis; rostro subcoeruleocano; iride fusca; jondibus plumbeis. ♀ fronte genisque sordide albis. Jugendkleid S. 164.

Juvenis: supra luride-fusca, subtus fuscante albida; rostro nigro, nitido.

Beschreibung des Eies: Reinweiß, Gestalt länglich, Länge 14 mm., Breite 10 mm.

Ovum: albissimum, longiusculum.

## Die schwarzbrüstige Nonnen-Amandine [Spermestes ferruginosa].

### Tafel VI. Vogel 29.

Die weißköpfige Nonne mit schwarzer Kehle unterscheidet sich von der vorigen im wesentlichen nur dadurch, daß sie von der Kehle bis zum Hinterleib tief schwarz gefärbt ist.

Die Heimat beschränkt sich auf Java und Flores; ob sie auch auf Borneo vorkommt, ist noch nicht mit Sicherheit festgestellt. Ueber das Freileben berichtet Bernstein: „Dieser Vogel ist in den bebauten Gegenden Javas eine sehr gewöhnliche Erscheinung. Die Geschlechter sind nicht verschieden, allenfalls zeigt das alte Männchen etwas kräftigere Färbung. Während die Reisfelder bestellt und unter Wasser gesetzt sind, bewohnt die Nonne kleine Feldhölzer, Gebüsche und Hecken längs der Wege zwischen Feldern und Wiesen, zumal aber die aus Alangalang und kurzem Gebüsch gebildeten Wildnisse. Sobald der Reis zu reifen beginnt, fällt sie in großen Scharen auf die Felder ein und richtet merklichen Schaden an. Kleiner und in ihren Bewegungen gewandter als der Reisvogel, ist sie in der Gefangenschaft ebenso kräftig und ausdauernd, auch verträglich gegen andere Vögel. Sie wird daher hier auch häufig als Stubenvogel gehalten. Ihre Lockstimme ist ein helles wit, wit, wit! Einen Gesang habe ich nicht gehört, dagegen fand ich oft das Nest. Dasselbe steht immer niedrig, höchstens einige handhoch über dem Boden, in einem kleinen Strauche oder im Grase, von den Halmen gestützt und getragen, niemals jedoch unmittelbar auf der Erde. Es hat eine rundliche Form mit seitlichem Einflugloch, ausschließlich aus den Halmen und Rispen wolltragender Gräser hergestellt, ist es von außen lose, zerzaust, auch aus gröberen Stoffen nebst Alangblättern, innen dagegen sorgfältiger geflochten und mit weicher Graswolle reich ausgepolstert. Das Gelege besteht aus vier, häufiger 6—7 Eiern. Im übrigen gleicht die Lebensweise dieser Nonne dem der bisher geschilderten Dickschnäbel."

Dr. Bolle zählt den Vogel in seinem Verzeichnisse bereits mit; Reichen= bach hat ihn aber nicht lebend gesehen und den älteren Schriftstellern war er nicht bekannt. Ich erhielt das erste Pärchen im Jahre 1869, nachdem diese Nonne seit sehr langer Zeit im Handel gefehlt hatte. Damals betrug der Preis 24 bis 30 Mrk., seitdem wird sie häufiger eingeführt und man kauft sie für 9 bis 12 Mrk. Doch gehört sie immer noch zu den selteneren Vögeln. Bei mir hat sie nicht genistet, und ich glaube auch nicht, daß sie bis jetzt in der Gefangenschaft gezüchtet ist.

Die schwarzbrüstige Nonnen-Amandine, schwarzbrüstige Nonne oder weißköpfige Nonne mit schwarzer Kehle heißt auch schwarzbrüstige Maja.

La Nonnette à tête blanche et à poitrine noire (Bekemans und die französischen Händler); Javan Maja-Finch (Jamrach und Brzn. d. zool. Grt. v. London); Zwartkeel-nonnetje (holländisch); Bondol (Sundanesen).

Nomenclatur: Loxia ferruginosa, Sprrm.; Fringilla majanoïdes, Tmm.; Munia ferruginea, Bp., Brnst.; Dermophrys ferruginea, Cab.; Munia ferruginosa, Rchb.

Wissenschaftliche Beschreibung: Oberhalb lebhaft kastanienbraun; Kopf weiß, nach dem Nacken hin zart rostbraun überhaucht; Kinn, Kehle, Brust bis zum Hinterleib tief= schwarz, nach den Seiten und hinterwärts in Braun übergehend. Schnabel hell blaugrau; Auge braun; Füße bleigrau. Das Weibchen hat einen weniger reinweißen Kopf, Kehle und Brust sind mehr bräunlichschwarz. Länge 10,5 cm. (4 3. 7 L.), Flügel 5,2 cm. (2 3.), Schwanz 3,3 cm. (1¹/₄ 3.).

Spermestes ferruginosa: Supra laete badia capite albo, cervicem versus subtiliter ferrugineo afflato; gastraeo nigerrimo, hypochondria crissumque versus fuscescente; rostro dilute glauco; irride fusca; pedibus plumbeis. ♀ capite sordide albo; gula pectoreque fuscante nigris.

Das Jugendkleid ist nach Rchb. oberhalb erdbraun, unterhalb hell rostgelb. Es wird wol mit dem der vorigen übereinstimmen.

Juvenis: prioribus certe concolor, sec. Rchb. supra cinereo-fusca, subtus dilute ferruginea.

Beschreibung des Eies: Rein mattweiß, Gestalt länglich, Länge 15 mm., Breite 11 mm.

Ovum: opacum album, longiusculum.

## Die schwarzköpfige Nonnen-Amandine [Spermestes sinensis].

Tafel VI. Vogel 30.

Die schwarzköpfige Nonne ist im Äußern als ein Gegenstück, im Wesen aber als die nächste Verwandte der beiden vorhergehenden Amandinen zu betrachten. Ihre Färbung ist eben so schön und tief braun, an Kopf und Hals aber rein= schwarz. Die Größe ist kaum merkbar beträchtlicher.

Die Heimat ist fast ganz Ostindien, Ceylon und Sumatra. Am häu= figsten sieht man sie im Süden, wo sie wie ihre Verwandten an den Flußufern, im Hochgrase und in Zuckerrohrfeldern lebt und sich nach der Brut in großen Schwärmen umhertreibt. Das Nest ist nach Hodgson groß und ballförmig, mit einer kleinen seitlichen Oeffnung und aus Gräsern und Fasern der langblätterigen Fichte gewebt. Die Eier sind zahlreich.

Der Vogel wurde von Edwards i. J. 1743 zuerst beschrieben. Vieillot sagt über den Mungul wenig; man solle ihn seiner Empfindlichkeit wegen im warmen Gewächshause halten. Dies ist jedoch nicht nöthig, da diese, wie alle Nonnenvögel überhaupt, sobald sie eingewöhnt, keineswegs weichlich sind.

Diese Nonne ist früher immer nur selten eingeführt worden. Dr. Bolle hatte sie bei der Aufstellung seines Verzeichnisses noch nicht gesehen. Ich konnte anfangs ebenfalls kein Pärchen bekommen, obwol die älteren Berliner Händler, wie Mieth und Schmidt, behaupten, daß sie dieselbe zuweilen genug er= halten haben. In Paris fand ich sie vielfach. Neuerdings hat sie Hagenbeck zeitweise in großer Zahl empfangen, sodaß sie jetzt fast immer in den Vogel= handlungen zu haben ist. In meiner Vogelstube wurden im Laufe der Zeit nur zwei Bruten von einem und zwei Jungen flügge und diese verschwanden so spurlos im Gebüsch, daß ich sie nicht mehr beschreiben konnte. Zum Nest war jedesmal die geräumige Brutstätte eines Diamantvogels benutzt und nur durch hineingeschleppte Grasrispen verengt worden. Das Männchen ist übrigens ein eifriger Sänger, der seinen eintönigen, langgezogenen, lauten Sang wol stundenlang erschallen läßt.

Die schwarzköpfige Nonnen=Amandine oder schwarzköpfige Nonne wird auch Mongole, Chinese und Chineserfink genannt.

Le Mungul, Capucin à tête noire (Vekemans und die französischen Händler); Black-headed Finch (Jamrach und Vrzn. d. zool. Grt. v. London); Jacobijen (holländisch).

Nomenclatur: Coccothraustes sinensis, *Brss.*; Munia sinensis [et rubronigra], *Blth.*, *Hdgs.*, *Cat.*, *Rchb.*; Amadina sinensis, *Gray*; Loxia atricapilla, *Vieill.*; Lonchura melanocephala, *Mc. Clelland*; Spermestes melanocephalus, *Hdgs.*, *Blth.* — Chinese Sparrow, *Edw.*; Malacca Grosbeak, *Lth.*

Wissenschaftliche Beschreibung: Oberhalb lebhaft kastanienbraun, der ganze Kopf, Nacken und Oberbrust reinschwarz; Schwanz und Oberschwanzdecken kastanienbraun; unterhalb ebenfalls braun, Bauch und Hinterleib schwarz; Unterflügel fahlbraun. Schnabel - hell blaugrau; Auge braun; Fuß bleigrau.

Spermestes sinensis: Supra saturate badia, capite toto, cervice pecto- reque nigerrimis; cauda et supracaudalibus badiis, abdomine crissoque nigris; subalaribus luride fuscis; rostro subcoeruleo-cano; iride fusca; pedibus plumbeis. Länge 12 cm. (4 7/12 3.), Flügel 5,2 cm. (2 3.), Schwanz 3,3 cm. (1 1/4 3.). Jugendkleid nicht bekannt.

## Die dreifarbige Nonnen=Amandine [Spermestes malaccensis].

Tafel VI. Vogel 31.

Die dreifarbige Nonne oder schwarzköpfige Nonne mit weißem Bauch ist der schönste aller dieser Dickschnäbel. Sie gleicht der vorigen völlig, nur mit dem Unterschiede, daß sie unterhalb, von der Unterbrust bis zu den Bauchseiten nebst Unterflügeln, reinweiß, während der Bauch, untere Hinterleib nebst Unterschwänz reinschwarz sind. Schnabel, Augen und Füße, sowie die Größe sind ebenfalls übereinstimmend.

Die Verbreitung erstreckt sich über den Süden Indiens bis zum Westen, über Ceylon und Java. Das Freileben schildert wiederum Bernstein. Nicht weniger zahlreich als der Reisvogel und die schwarzbrüstige kommt auch die dreifarbige Nonne im westlichen Java überall in den bebauten, sowie in den mit Gras und kurzem Gesträpp bewachsenen Gegenden vor. Im dichten Hochwalde dagegen wird man alle diese Vögel vergeblich suchen. Sie ist ein harmloses, liebes Vögelchen, das, die Fortpflanzungszeit ausgenommen, in kleinen Gesellschaften lebt. Da sie wenig scheu ist, kann man ganz nahe herankommen und ihr Thun und Treiben genau beobachten. Der Lockruf, welchen sie besonders beim Auffliegen hören läßt, klingt fein und sanft, pikt! oder auch piüht! und nach ihr ist der malayische Name gebildet. Das Nest wird in geringer Höhe angelegt, in den Zweigen eines Strauches, oft dicht an vielbetretenen Pfaden. Es ist mehr oder weniger rundlich mit seitlichem, von oben hinabführendem Flugloch, aus feinen Wurzeln, Halmen und Stengeln außen nur lose, innen fester gewebt. Das Gelege besteht in 4—7 Eiern.

Vieillot giebt über den Jacobin wenig an. Reichenbach sagt, daß diese Art schon seit langer Zeit lebend eingeführt worden und Dr. Bolle, der sie irrthümlich Bronzemännchen nennt, zählt sie ebenfalls mit. Im deutschen Vogelhandel hat sie lange gefehlt oder sie ist doch nur zeitweise vorhanden gewesen. Ich erhielt sie erst nach dem Erscheinen des „Handbuch für Vogelliebhaber" und seitdem hat sie Hagenbeck alljährlich in beträchtlicher Zahl in den Handel gebracht. Trotzdem ich aber beständig mehrere Pärchen in der Vogelstube habe, ist noch nicht ein einziges Mal eine Brut von ihnen begonnen.

Die dreifarbige Nonnen=Amandine, dreifarbige Nonne oder schwarzköpfige Nonne mit weißem Bauch wird auch Jakobin, Malakkafink, Malakkamunia und fälschlich auch Elstervogel oder Bronzemännchen (Rchb.) genannt. Le Jacobin, Nonnette à tête noire, à ventre blanc et noir (Vekemans und die französischen Händler); Black-headed Finch (Jamrach und Vrzn. d. zool. Grt. v. London); Jakobijn (holländisch). Uebrigens wird sie in allen diesen Verzeichnissen mit der vorigen verwechselt. Burung prit (Malayen und Sundanesen, Brnst.); Nukl-nore (Hindostaner, Jrd.).

Nomenclatur: Loxia malacca, *L.*, *Rffl.*, *Lth.*, *Vll.*; Munia malacca, *Blth.*, *Bp.*; Spermestes malacca, *Jrd.*; Amadina malacca, *Blth.*, *Gray*; Dermophrys malacca, *Cab.*; [Coccothraustes javensis, *Brss.*; Amadina sinensis *Blth.*]. — White-breasted Indian Sparrow, *Edw.*; Malacca Grosbeak, *Lth.*; Black-headed Finch, *Jrd.* Wissenschaftliche Beschreibung S. 169.

Spermestes malaccensis: Poriori concolor, nisi subtus a pectore usque ad hypochondria cum subalaribus albissima, abdomine et infracaudalibus nigerrimis; rostro, iride, pedibus corporisque magnitudine plane prioris. Länge 12 cm. (4⁷/₁₂ 3.), Flügel 5,₂ cm. (2 3.), Schwanz 3,₁ cm. (1¹/₄ 3.).

Das Jugendkleid ist nicht bekannt.

Beschreibung des Eies: Glänzend weiß; Länge 14—15 mm., Breite 10—11 mm. Ovum: nitidum album.

## Die Schilf=Amandine [Spermestes castanóthorax].

### Tafel IV. Vogel 19.

Zu den indischen Dickschnäbeln stellen die Forscher als nahverwandt auch eine australische Gattung, und die Beobachtung ergiebt in der That, daß die Schilf= finken als Nonnen anzusehen sind. Die Heimat derselben soll sich über den Nordosten Australiens erstrecken.

Der Schilffink ist auf den ersten Blick ein hübscher Vogel. Am Oberkopf und Nacken bräunlichgrau, dunkler gestrichelt; die übrige Oberseite röthlichbraun, Schultern etwas heller, Bürzel fahl gelblichbraun, Schwanzfedern dunkelbraun, gelb gesäumt; Wangen schwärzlich= fein braun, hell gestrichelt, Kehle bräunlichschwarz; die Brust hebt sich von der letzteren hell kastanien= braun scharf ab und wird von dem weißen Bauch durch einen schwarzen Gürtel getrennt, welcher sich an beiden Bauchseiten als zackige Einfassung fortsetzt, bis zum ebenfalls schwarzen Hinterleib. und Unterschwanz. Schnabel hell blaugrau; Auge braun; Füße graubraun. Das Weibchen ist kaum zu unterscheiden; das Brustschild ist matter gelblichbraun und der schwarze Gürtel unterhalb desselben schmaler. Größe und Gestalt der Nonnen.

Gould hat den Schilffink im Freileben nicht kennen gelernt. Er empfing nur wenige Exemplare von B. Bynöe und den Offizieren des Schiffes ‚Adler‘ oder fand sie im Museum zu Sydnei. Ueber die Lebensweise konnte er nur erfahren, daß der Vogel im Schilf an den Fluß= und Seeufern wie die Bartmeise umher= klettere. Von anderer Seite ist seitdem auch noch nichts näheres mitgetheilt worden.

Bis vor wenigen Jahren war der Schilffink im Handel noch sehr selten und nach dem zoologischen Garten von London, also nach Europa überhaupt, ist er erst seit dem Jahre 1860 eingeführt worden. Gegenwärtig gehört er zu den gewöhnlichen Erscheinungen des Handels, ist alljährlich zu haben, wenn auch nie= mals in bedeutender Anzahl. Gleich manchen anderen Australiern zeigt er sich unmittelbar nach der Ankunft fast regelmäßig so weichlich, daß die Mehrzahl stirbt. Da jedoch die übrigen sich jahrelang vortrefflich halten, so steht es fest, daß diese, wie leider auch beinahe alle Vögel überhaupt, während der langen Ueberfahrt schlecht verpflegt werden und fast immer krankhaft ankommen. Uebrigens gehen manche Schilfamandinen selbst nach langer Zeit und obwol sie anscheinend ganz gesund sind, nicht selten plötzlich ein. Die Todesursache ist dann immer eine in Fettsucht entartete Leber.

Der bauchrednerisch langgezogene Sang wird sehr eifrig vorgetragen und schließt mit lautem, hohen tih! ab. Bei Herrn Linden in Radolfzell nistete ein Pärchen mit gutem Erfolge; die meinigen dagegen ließen mehrere Jahre vergeblich warten, bis dann endlich zwei Paar zu gleicher Zeit in Harzer Bauerchen und Papp-kästchen aus groben Niststoffen, Halmen, Seegras, Fasern, getrockneter Vogel-miere ein kunstloses Nest formten und mit Federn auspolsterten. Die Jungen starben vor der Verfärbung.

Die Schilf-Amandine oder der Schilffink, kastanienbrüstiger Schilffink, braunrückiger Schilffink (Rchb.), könnte am passendsten Schilfnonne genannt werden.

Le Tisserin à poitrine châtaine (Vefemans); Diamant brun, Diamant à bavette châtaine (französische Händler); Chestnut-breasted Finch (Jam-rach); Chestnut-eared Finch (Vrzn. d. zool. Grt. v. London); Kastanjevink (holländisch).

Nomenclatur: Amadina castaneothorax, *Gld.;* Donacola castaneothorax, *Gld. Rchb.* [Donacola bivettata, *Rchb.*].

Wissenschaftliche Beschreibung S. 170.

Spermestes castanóthorax: Pileo et cervice e fusco cinereis, obscurius lineolatis; notaeo reliquo ferrugineo-fusco, humeris dilutioribus; uropygio luride subfusco; rectricibus fuscis, flavente limbatis; genis nigricante fuscis tenuiter dilutius lineolatis; gula subfusco-nigra; pectore circumscripte dilute badio; cingulo inter hoc et abdomini albo interjecto nigro, per hypochondrium utrumque ad crissum nigrum in limbum dentatum transiente; infracaudalibus nigris; rostro sub-coeruleo-cano; iride fusca; pedibus cinereo-fuscis. ♀ vix distincta, nisi clipeo pectorali obsoletius ferrugineo, cinguloque vicinante nigro angustiore. Länge 10,5 cm. (4 J.), Flügel 5,5 cm. (2⅛ J.), Schwanz 3,3 cm. (1¼ J.)

Das Jugendkleid ist einfarbig fahl graubraun, oberhalb dunkler, unterhalb heller. Die Verfärbung kann ich nicht angeben, da die Jungen vor derselben starben.

Juvenis: unicolor subcinereo-fusca; subtus dilutius.

Beschreibung des Eies: glänzend weiß; Länge 15 mm., Breite 11 mm.

Ovum: album, nitidum.

### Die weißbrüstige Schilf-Amandine [Spermestes pectoralis].

Ein Vogel, welcher nur höchst selten im Handel vorkommt und den ich gar nicht als eingeführt mitzählen würde, wenn er nicht in den Vogelsammlungen der Herren E. Linden und A. F. Wiener lebend vorhanden wäre. Gould erhielt ihn zuerst von E. Dring, Offizier des Schiffes ‚Adler‘, welcher ihn von der Nordwestküste Australiens brachte, ohne jedoch über sein Freileben etwas mit-zutheilen. Kopf, Mantel und Flügel sind graubraun, Flügeldeckfedern an den Spitzen klein weiß-gefleckt; Schwanz schwärzlichbraun; Kehle und Gesicht vom Oberschnabel bis unter's Auge und zum Ohr tiefschwarz; über die Brust ein breites Band aus schwarzen, weißgespitzten Federn,

Bruſt- und Bauchſeiten mit ſchwarzen, weißgeſäumten Halbmöndchen gezeichnet; Bauch und Unterſchwanz röthlich weißgrau; Schnabel hell horngrau; Auge braun; Füße fleiſchfarben. Länge 11,8 cm. (4¹/₂ Zoll); Flügel 5,9 cm. (2¹/₄ Zoll); Schwanz 4,6 cm. (1³/₄ Zoll). In der Gefangenſchaft hat der Vogel nicht geniſtet und ſeine Lebensweiſe iſt der des vorigen gleich.

Nomenclatur: Amadina pectoralis, *Gould;* Donacola pectoralis, *Gld.; Rchb.* — White-breasted Finch, *Gld.*

Spermestes pectoralis: Capite, interscapilis alisque cinereo-fuscis; tectricibus alar. minutim albo terminatis; cauda nigricante-fusca; gulâ facieque a maxilla usque ad regionem auricularem nigerrimis; fascia pectorali lata nigra, albo-lineolata; pectore et hypochondriis lunulas nigras, albolimbatas gerentibus; ventre crissoque rubente incanis rostro pallide carneo; iride fusca; pedibus carneis.

**Die gelbe Schilf-Amandine** [Spermestes flaviprymna]. Nur beiläufig ſei dieſer Vogel erwähnt, da Gould blos ein einziges Exemplar erhalten konnte, und ſeitdem auch andere Forſcher die Art nicht wieder aufgefunden haben. Es muß ein ſehr hübſcher Prachtfink ſein: Kopf hell rehbraun, Rücken und Flügel licht kaſtanienbraun; ganze Unterſeite hell röthlichgelb; Oberſchwanzdecken wachsgelb, Unterſchwanz- decken ſchwarz, Schwanz braun. Schnabel blaugrau; Auge roth; Füße braun. Länge 11,8 cm. (4¹/₂ Zoll); Flügel 5,9 cm. (2¹/₄ Z.); Schwanz 4,6 cm. (1³/₄ Z.). In der Geſtalt ſteht er ebenfalls den Nonnen nahe, doch dürfte er ungleich lebhafter ſein und in der Lebensweiſe eher mit der Bartamandine übereinſtimmen.

Die gelbe Schilfamandine nennt Reichenbach gelbbürzeliger Schilf- Weberfink und Gelbbürzel. — Donacola et Munia flaviprymna, *Gld.;* Der- mophrys flaviprymnus, *Cab.*

### Die Zebra-Amandine [Spermestes castanôtis].
#### Tafel IV. Vogel 16.

Kein anderer unter den auſtraliſchen Prachtfinken iſt ſo beliebt und überall ein- gebürgt als einer der kleinſten, allbekannt unter dem Namen Zebrafink. Nicht allein ein ſehr hübſches, buntes Gefieder zeichnet ihn vor vielen anderen aus, ſondern er hat auch außerdem noch Eigenſchaften, welche als ganz beſondere Vorzüge zu erachten ſind.

Oberhalb an Kopf, Hals und Rücken iſt er bräunlichaſchgrau, die Flügel ſind braun- grau, jede Feder heller breit geſäumt; der Oberſchwanz iſt ſchwarz und jede Feder hat drei große, querovale weiße Binden, die in den weißen Bürzel übergehen; jede Wange iſt auf zart perlgrauem Grunde mit einem röthlichkaſtanienbraunen runden Fleck geziert, neben welchem vom Auge aus ein vertikaler ſchwarzer, dann ein breiter weißer und wieder ein feiner ſchwarzer Streif das braune Bäckchen von dem glänzend gelblichrothen Schnabel trennen; Kehle Hals und Oberbruſt ſind perlgrau, fein ſchwarz gewellt und durch eine ſchmale ſchwarze Binde begrenzt; Unterbruſt, Bauch und Hinterleib ſind reinweiß; an den Seiten, unterhalb der Flügelränder, zieht ſich eine lebhaft kaſtanienbraune, fein weißgepunktete Binde an beiden Seiten hin; Auge braunroth; Füße gelblichroth Das Weibchen iſt oberhalb fahlbraun, Flügel- ſchwingen und Schwanz ſchwärzlichgraubraun; Backenſtreif ſchwarz und daneben ein weißer Streif vom Schnabel bis zur Kehle; unterhalb gelblichgrauweiß; der ſchöne Wangenfleck, die Seitenfärbung und die perlgraue Bruſt fehlen.

Der Zebrafink wird wol über das ganze innere Australien verbreitet sein. Gould und andere Reisende fanden ihn in den Ebenen mit zerstreuten Bäumen und vielem Graswuchs zwar immer nur in kleinen Flügen, doch sehr zahlreich, in der Nähe des Bodens nach der in Grassämereien bestehenden Nahrung suchend. Die Lebensweise dürfte der verwandter Prachtfinken, insbesondere der Elster-Amandinen ähnlich sein. Näheres hat Gould aber nicht mitgetheilt. Vieillot hat den Vogel gezüchtet und giebt auch eine Abbildung des Jugendkleides. Ob aber der Bengali moucheté derselbe Vogel ist und ob also die Molukkischen Inseln nur fälschlich als Vaterland genannt waren, hat man bis jetzt noch nicht feststellen können.

In der Vogelstube ist die Lebensweise und Brutentwickelung dieser Amandine bereits so eingehend erforscht, wie dies kaum bei irgend einem andern Vogel der Fall sein dürfte. Bis vor wenigen Jahren waren auch die Zebrafinken immer nur zeitweise käuflich vorhanden. Einerseits brachten die Großhändler, am meisten noch Hagenbeck in Hamburg, zuweilen, namentlich in den Frühjahrsmonaten, einen Schub in den Handel, der aber niemals recht vielköpfig war, und andererseits züchtete Bekemans in Antwerpen u. a. diese Vogelart oder kaufte sie von anderen belgischen Züchtern auf, und aus diesen beiden Quellen wurden die Händler in Deutschland versorgt. Nicht selten mangelte die Art dann gänzlich und wol für längere Zeit in den Handlungen. Der Preis betrug damals noch 24 Mark für das Pärchen und ging erst, nachdem gerade diese Vogelart immer reichere Ergebnisse lieferte, bis auf 18 Mark hinab. Als die Züchtung der Prachtfinken in weiterem Umfange sich ausbreitete, war es wol ganz natürlich, daß alle Welt vorzugsweise nach dem Zebrafink griff; er zeigte sich ja als der dankbarste von allen. Die an ihm gemachten Erfahrungen sind zugleich maßgebend für die gesammte Stubenvogelzucht, und ich will sie daher so schildern, wie ich sie selber gemacht habe, indem ich davon überzeugt bin, daß dieselben in allen Vogelstuben und Einzelhecken ziemlich übereinstimmend sein werden.

Von Hagenbeck erhielt ich drei Pärchen eingeführter Wildlinge und von Bekemans drei Paar gezüchteter. Um zunächst ihre Eigenthümlichkeiten kennen zu lernen, ließ ich sie, nachdem ich die ersteren sämmtlich gekennzeichnet hatte, frei in der Vogelstube fliegen. Wie ich vorausgesetzt, hatten sich bereits während der Hersendung die Pärchen zusammengefunden, so daß ich ganz nach Wunsch beobachten konnte. Kaum waren einige Tage vergangen, als sämmtliche Pärchen schon mit großem Eifer zu nisten begannen. Das eine Paar wählte ein Harzer Bauerchen mit Korbnest, das zweite eine Pappschachtel, das dritte ein hölzernes Kästchen, das vierte erbaute aus freier Hand ins Gebüsch ein Nest — kurz und gut, jede Gelegenheit war ihnen recht. Auch in Hinsicht der Baustoffe waren sie nicht wählerisch, sonderbarerweise wurden sogar immer die gröbsten Dinge, kleine Reiser, Stroh= und Heuhalme, trockene und selbst frische Vogelmiere, Moos u. dgl., zusammengeschleppt, zum unordentlichen, keineswegs künstlichen Haufen geformt und darin ward dann eine Höhlung mit Federn, Baumwolle, Haaren ausgepolstert. Das eine Pärchen der Wildlinge brachte vier und ein Paar der ge= züchteten sogar sieben Jungen glücklich zum Ausfliegen; die Bruten aller übrigen aber gingen zugrunde. Dies wiederholte sich mehrmals. In einer auffallenden, nur ihnen eigenthümlichen Rastlosigkeit erbaut jedes Pärchen sein Nest, das Weibchen legt ein bis zwei Eier, häufig auch gar keins, dann verlassen sie das Nest und beginnen sogleich ein neues zu errichten. Dies währt zuweilen monate= lang und manche Pärchen kommen so gar nicht zur Brut. Da ist es dann am besten, ihnen die Nistgelegenheit ganz zu entziehen und sie etwa sechs bis acht Wochen in einem Käfige ganz abgesondert zu halten. Das erwähnte Wildlingspaar brütete fünfmal und das Antwerpener zweimal mit gutem Erfolge. Immer wird man die Er= fahrung machen, daß unter den Zebrafinken einige Pärchen überaus ergiebig, andere aber nur zu unzuverlässig nisten. Vermag man mit Scharfblick und Sorgfalt recht gute Heckvögel auszuwählen, so kann man einen überraschend reichen Ertrag erzielen. Fünf Bruten mit durchschnittlich vier Jungen sind gar nicht außergewöhnlich und manchmal bringt ein Paar wol dreißig Junge ohne eine Pause zu machen hervor.

Der Zebrafink, das Männchen sowol als auch das Weibchen, macht von vornherein einen angenehmen Eindruck. Seine bunten Farben kommen um= somehr zur Geltung, da er durchaus nicht scheu, sondern vielmehr dreist und zutraulich ist, und zwar ebenso der Wildling, wie der in der Gefangenschaft ge= züchtete Vogel. Obwol sie keineswegs gesellig zusammenhalten, leben die Pärchen doch ungestört nachbarlich, weil sie sich gegenseitig nichts anhaben können. Ihre Befehdungen sind ganz schnurrig. In sichtbarer Entrüstung laufen sie einander entgegen, stellen sich dicht gegenüber und nicken im größten Eifer mit den Köpfen, mit den Schnäbeln hackend, ohne sich aber im geringsten zu be= rühren; keiner weicht dem andern und ein eintöniger, oft wiederholter Ruf giebt ihren Aerger kund — bis sie ebenso wieder auseinanderfliegen. Der Lockton ist ein sonderbarer, einsilbiger Laut, den man allenfalls mit dem Ton einer Kinder= trompete, wie tä, tä, vergleichen könnte. Munter wird er drei= bis viersilbig wieder= holt, und ein wenig langgezogen, ist dies auch der ganze Gesang des Männchens. Ebenso komisch erscheint das Liebesspiel. Beide Gatten eines Paares hüpfen irgendwo im Gezweige, augenscheinlich in größtem Eifer und voller Wichtigkeit unaufhörlich hin und her, und zwar in der Weise, daß einer am andern fort= während vorüberrennt, wobei die Trompetentönchen auf das lustigste erschallen, bis die Begattung erfolgt. Eine drollige Beweglichkeit, welche aber von der an= muthigen Flüchtigkeit der kleinen afrikanischen Astrilde himmelweit verschieden ist, während er dagegen im ganzen Wesen gleichsam eine gewisse Würde zur Schau trägt, kennzeichnet den Zebrafink in allem Thun. In der Vogelstube, wie im kleinen Käfige ist er verträglich, nur darf man in der Vogelstube nicht mehrere Pärchen halten, weil sie die Nester anderer Vögel gar gern einnehmen und in der Weise der Bandamandine, doch nicht ganz so arg, zerstören.

So niedlich und liebenswürdig ein Pärchen dieser Vögel auch ist, so unleidlich kann dasselbe aber in der Wohnstube durch seine eintönigen, den ganzen Tag hindurch unzähligemal hintereinander ausgestoßenen Trompetentöne werden. Dies ist jedoch nur der Fall, wenn man ihnen die Gelegenheit zum nisten versagt; während desselben aber rufen sie beiweitem nicht so laut und anhaltend.

Der naturgeschichtliche Verlauf der Zebrafinken = Brut ist folgender. Das Gelege besteht in 4 bis 7 Eiern. Brutdauer 11 Tage. Beide Gatten des Pärchens brüten abwechselnd, das Männchen mehr am Vormittage, und zur Nacht sitzen sie beide, sowie auch späterhin die bereits ausgeflogenen Jungen, welche noch geraume Zeit hindurch gefüttert werden, alle zusammen im Nest. Der Nestflaum ist gelblichweiß. Das Jugendkleid ist einfarbig fahl gelblich mäusegrau; unterhalb kaum heller grau; ein breiter weißer Streif trennt den glänzend schwarzen Schnabel vom Auge; Kopfseiten und Kehle fahlgrau; Flügelschwingen dunkelgrau, heller gesäumt; Schwanz schwärzlich, weiß gebändert; Füße fleischfarben. Das Benehmen der Jungen ist bereits S. 22 geschildert. Gar komisch sieht es aus, wenn eine ganze Schar dieser Kleinen unter gewaltigem Zirpen das Futter von den Alten erbettelt. Die Verfärbung geht in folgender Weise vor sich. In der fünften Woche wird an der Brust eine feine schwarze Linie bemerkbar, welche allmälig immer mehr hervortritt, von derselben unterwärts wird das Gefieder immer heller, bis es durch Schmutziggelb in reines Weiß übergeht, das obere Gefieder dunkelt immer mehr und nimmt einen schwach bräunlichen Ton an. Jetzt kommen nach und nach die Umrisse aller Zeichnungen zum Vorschein; der Bürzel scheidet sich mit reinem Weiß von dem schwarzen Oberschwanz, auf welchem die größerwerdenden weißen Pünktchen Querstreifen bilden. Von dem weißen Backenstreif sondert sich ein tiefschwarzer ab und ebenso werden immer kräftiger die röthlichbraunen Bäckchen sichtbar, an den Seiten wird die kastanienbraune Färbung sichtbar, auf der die weißen Tüpfel sich bilden, Hals und Brust werden perlgrau und fein schwarz gebändert. Der Schnabel blaßt ab und geht durch fahlgelb in rothgelb über. Bei dem Weibchen beschränkt sich die Verfärbung auf das Erscheinen des schwarzen Backenstreifs neben dem weißen, das obere Gefieder dunkelt, der Bauch wird reinweiß, sowie der Schnabel rothgelb. Gewöhnlich ist diese Verfärbung in etwa acht Wochen vollendet und dann beginnen die jungen Vögel auch sogleich zu nisten.

Jetzt tritt aber ein großer Uebelstand ein, denn diese jungen Vögel entfalten eine solche Rastlosigkeit, daß sie die alten Pärchen und auch andere nur zuviel stören; sie müssen daher herausgefangen und in einen besondern großen Käfig gebracht werden, wo man ihnen aber jedenfalls Nistkästchen mit Baustoffen bieten muß, weil sie andernfalls des Nachts sich erkälten und erkranken.

Die Zucht der Zebra = Amandinen ist überaus leicht und außerordentlich ergiebig, wenn man ihnen nur die nöthige Sorgfalt zuwendet. Ihre Fruchtbarkeit ist fast ebenso groß als die der Goldbrüstchen, nur mit dem Unterschiede, daß fie kräftiger find und die Jungen beffer großziehen. Herr Maler Dr. Robert Geißler erzählt: „Winters und Sommers ohne Unterlaß fetzen fie ihre fchwarz= fchnäbeligen Jungen in die Welt, und kaum verfärben fich nach 6 bis 8 Wochen deren Schnäbel roth, fo fchleppen auch diefe fchon wieder Baumaterial in irgend einen neftartigen Winkel und legen Eier. Sonderbares kann ich von einem kaum 8 Monate alten Pärchen berichten. Daß daffelbe bereits vier lebensfräftige Junge erzogen, ift an fich fchon bemerkenswerth; dann aber wurde das in einem Reifigdickicht ftehende Neft immerfort vergrößert, ohne daß die Vögel zu einer wirklichen Brut gelangten. Durch die reichliche Fütterung mit Ameifenpuppen und hartgekochtem Hühnerei waren die Vögelchen zu üppig geworden, und als wir endlich den immer mehr anfchwellenden Neftbau unterfuchten, fanden wir darin 34 Eier. Als die Eifütterung dann etwas eingefchränkt wurde, kam wie= der eine regelmäßige Brut zu Stande. Nun wimmelt es in meiner Vogelftube von trompetenden Zebrafinken und diefer ganze Segen ift einem einzigen Pärchen in kurzer Zeit entfproffen. Denn ‚als der Großvater die Großmutter nahm‘, das ift erft 1³/₄ Jahre her“. Herr Baron von Freyberg in Regensburg züchtete in drei Bruten 19 Junge. Eine intereffante Erfahrung machte Herr Apotheker E. Meier in Thorn, die nämlich, daß ein Männchen die Jungen, von welchen das Weibchen geftorben war, glücklich allein auffütterte. Auffallend ift es, daß diefer dreifte, durchaus nicht fcheue Vogel fehr leicht die Eier ver= läßt, wenn man das Neft berührt oder auch nur hineinfieht. Vor jeder Störung fei daher dringend gewarnt. Der Verfuch, die Eier anderer, werthvoller Vögel von den fo leicht niftenden Zebrafinken erbrüten zu laffen, ift bisher noch nie= mals geglückt; dennoch dürfte ein Erfolg wol zu ermöglichen fein.

In dem Abfchnitt über Vogelzucht werde ich feine Züchtung vorzugsweife eingehend fchildern. Diefelbe bietet ja immerhin noch die Ausficht auf einen guten Ertrag. Nachdem die Anzahl der hier gezüchteten, die der eingeführten Zebra=Amandinen — obwol von allen auftralifchen Prachtfinken gerade diefer am reichlichften herübergebracht wird — bereits ganz bedeutend übertrifft, fo find die Preife für die letzteren zwar fchon bis auf 9 Mark und für die erfteren auf 7,5 M., wol gar bis auf 6 M. herabgegangen; dennoch ift es günftigenfalls fehr einträglich, wenn man die eben fo koften= als mühelofe Zucht im mehr oder minder großartigen Maßftabe fachgemäß und dann auch mit Glück betreibt. Und wer nur ein Pärchen zum Vergnügen und aus Freude an der Thierwelt halten will, kann wahrlich keine dankbarere Vogelart wählen.

Die Zebra=Amandine oder der Zebrafink heißt auch braunwangiger Bänderfchwanzfink, braunöhriger Bandbürzler (Rchb.), Zebra=Diamant.

Le Moineau mandarin (Bekemans und franzöfifche Händler); Diamant zébré, Zébré d'Australie (franzöfifche Händler); Chestnut-eared Finch (nach

Gould, Jamrach u. Brzn. d. zool. Grt. v. London); Zebra-Finch (Jamrach brieflich); Zebravink (holländisch).

Nomenclatur: Loxia guttata, *Vieill.*; Amadina castanotis, *Gould, Gray*; Stagonopleura castanotis, *Cab.*; Taeniopygia castanotis, *Rchb.*

Wissenschaftliche Beschreibung s. S. 172.

Spermestes castanótis: Supra capite, collo dorsoque subfusco-cinereis; remigibus fuscescentibus, dilutius limbatis; tectricibus caudae superioribus nigris, singulis fascias ovales ternas exhibentibus albas, in uropygium album transientes; genis cinnamomeis; lineola verticali nigra regionem inter rostrum aurantio-rubrum et oculum albam utrinsecus terminante; gula, collo pectoreque incanis, subtilissime nigro-undulatis, hoc fasciam angustam nigram gerente; abdomine crissoque albis; stria laete badia praeter hypochondrium utrumque albo-punctulata; iride rufa; pedibus fulvis. ♀ supra luride fusca; remigibus caudaque nigricante fuscis; stria juxta genas nigra, inde regione reliqua usque ad rostrum gulamque alba; subtus luride albida macula genarum laete cinnamomea coloreque pectoris incano nullis.

Jugendkleid s. S. 175.

Juvenis: supra concolor, luride cineracea remigibus al. obscure cinereis, pallidius limbatis; subtus vix dilutius cinerea; capitis lateribus gulaque sordide cinerascentibus; cauda nigricante, albo-fasciata; stria lata, rostro nigro nitido oculoque interposita alba; pedibus carneis.

Beschreibung des Eies: Gestalt länglich mit zarter, glatter Schale, Farbe auffallend bläulichweiß; Länge 15 mm., Breite 13 mm.

Ovum: longiusculum, e coeruleo album; testa tenui, laevi.

## Die Diamant=Amandine [Spermestes guttata].

### Tafel IV. Vogel 17.

Eine Anzahl der von Australien zu uns gelangenden Prachtfinken wird von Frankreich her im Vogelhandel mit der Bezeichnung von Edelgesteinen bedacht; unter ihnen ist der bekannteste und zugleich einer der schönsten, der gewöhnliche Diamantvogel.

Sein Oberkörper ist bräunlichgrau, Stirn, Oberkopf und Nacken sind heller weißlichgrau, so daß ihn Vieillot blaßköpfiger Fink [Fringille leucophore] und Latham sogar weißköpfiger Fink [White-headed Finch] benannten. Der Unterkörper ist schneeweiß und ein sehr breiter sammtschwarzer Gürtel umgiebt die Brust und beide Seiten. An dem letzteren heben sich große weiße Punkte von dem tiefen Schwarz schön ab. Prachtvoll aber erscheint das glänzende Scharlachroth am Unterrücken und Bürzel. Der Schnabel ist dunkelroth. Die Verbreitung erstreckt sich, soweit bis jetzt erforscht, über Südaustralien. Gould fand ihn hier an verschiedenen Orten, in Neusüdwales und auf den Liverpool=Ebenen, vorzugsweise in trockenen, steinigen, mit einzelnen Bäumen und wenig Gesträuch bewachsenen Gegenden. Im nahen Fluge leuchtet die rothe Stelle des Unterrückens prächtig hervor. Das nach Prachtfinkenweise runde, gewölbte, aus Gräsern gebaute, sehr große und seitwärts mit einer kurzen Ein-

flugröhre ausgestattete Nest steht gewöhnlich in den Zweigen von Gummi= oder
Apfelbäumen und enthält 5 bis 6 Eier. Gould erzählt, daß er es auch mehr=
mals im Unterbau eines Adlerhorstes gesehen, wie es ja auch bei uns vorkommt,
daß Sperlinge scharenweise den großen Strauchbau eines Storchnestes bewohnen,
ohne daß dieser arge Räuber ihrer Brut habhaft werden kann. Am 23. Oktober
erstieg Natty, Gould's schwarzer Begleiter, ein Nest auf einer hohen Kasuarina,
auf welchem der Adler brütete, während der Fink daneben auf den Reisern saß,
und brachte die Eier beider Vögel herab.

Der Diamantvogel ist schon seit dem Jahre 1792 bekannt, zuerst abge=
bildet im Museum Leverianum. Vieillot hält ihn für weniger weichlich als
die übrigen australischen Arten, doch hat er ihn nicht selber gezüchtet, auch be=
schreibt er das Weibchen falsch. Der Vogel war damals überaus selten. Seit=
dem ist er immer von Zeit zu Zeit lebend in Europa vorhanden gewesen.
Nach Bechstein befand er sich in der Sammlung des Herzogs von Meiningen
— der wol zu den ersten gehörte, welche in Deutschland viele fremdländische
Stubenvögel hielten — noch nicht. Dr. Bolle zählt ihn in seinem Verzeichniß
aber mit, obwol doch der Zebrafink in demselben fehlt. Bis zur Gegenwart
war der erstere dennoch im Handel recht selten und nur zeitweise zu haben; erst
seit kurzem wird er von Hagenbeck und besonders von Jamrach alljährlich in
sehr großer Anzahl eingeführt.

In der Vogelstube erscheint die Diamant=Amandine weder so anmuthig=be=
weglich als die kleinsten Astrilde, noch so lebhaft als der Zebrafink. Sie ist
ruhiger und stiller als die meisten Verwandten. Eine besondere Eigenthümlichkeit
zeigt sie darin, daß sie nicht in der Weise anderer Finkenvögel trinkt, nach jedem
Wasserschluck mit hochgerichtetem Kopfe schlürfend, sondern taubenähnlich schluckend.
Ein tief flötender Lockton, welcher in seiner Sonderbarkeit am stillen Abend fast
wie ein Aufschrei aus tiefer Brust hallt, und dann einige sonore Baßlaute
sind alles, was sie hören läßt. In den letzteren besteht auch der Liebesgesang.
Das Männchen setzt sich neben das Weibchen auf einen Ast, erhebt sich, läßt
den Körper wieder herabfallen und wiederholt dies Knixen gleichsam taktmäßig,
indem die wunderlichen Baßtöne erschallen, welche von dem Weibchen mit den
langgezogenen melancholischen Flöten beantwortet werden. Während des Knixens
hält das Männchen den Kopf sehr komisch nach unten gerichtet, so daß der
Schnabel fast die Brust berührt. Das Nest wird am liebsten auf der Decke
eines hochhängenden, mit lichtem Gesträuch belegten Käfigs erbaut; seltener
wählen sie ein großes Harzer Bauer, einen hohlen Baumast oder sonst eine
Höhlung. Sie schleppen allerlei grobes Genist, vorzugsweise gern aber lange
weiche Baststreifen und Strohhalme, zum großen thurmartigen Haufen zusammen
und polstern innen mit Federn, Baumwolle und Haaren aus. Die Brutdauer

beträgt 12 Tage. Beide Gatten des Pärchens brüten abwechselnd und die Jungen entwickeln sich sehr langsam, so daß sie erst nach etwa 24 Tagen das Nest verlassen. Jede Brut ist in etwa fünf Wochen vom ersten Ei bis zum Flüggewerden vollendet. Das Jugendkleid ist an Oberkopf, Hals, Nacken und Rücken tief braungrau; Kehle, Brust, Bauch und Unterschwanz graulichweiß; Brustgürtel, Seiten und Schwanz schwärzlich dunkelgrau; Bürzel zart, doch bereits lebhaft roth; Schnäbelchen glänzend schwarz mit bläulichweißer Wachshaut. An der rothen Farbe des Bürzels, sowie an den übrigen Zeichnungen ist die Art sogleich zu erkennen und die Größe bleibt wenig hinter der des alten Vogels zurück. Bei der Verfärbung erscheinen zuerst an den weißen Seiten aschgraue Punkte angedeutet, dann tritt an der Oberbrust und neben dem Schnabel am Auge allmälig Schwarz hervor, an Kehle und Bauch wird das Weiß immer reiner; der Oberkörper dunkelt und nimmt den bräunlichen Ton an, das Roth wird kräftiger; der Schnabel röthet sich zuerst an der Wurzel (s. Tafel XX. Vogel 100; in dieser Verfärbungsstufe etwa im Alter von 6 bis 8 Wochen, beschreibt Gould den jungen Vogel); das Schwarz wird dann immer voller und die weißen Seitenpunkte runden sich ab.

Die Züchtung der Diamant=Amandine ist nicht so leicht, als die der nächstverwandten Arten. Um ein glückliches Ergebniß zu erzielen, bedarf es zunächst der größten Geduld und Ausdauer. Wenn diese Prachtfinken soeben von der Ueberfahrt anlangen, sind sie oft in einem unendlich kläglichen Zustande. Entfedert wie kaum eine andere Art und durch und durch krankhaft, gehen sie regelmäßig in bedeutender Anzahl zugrunde, wenn man sie nicht in sachgemäßer Weise behandelt. Ich komme darauf in einem besondern Abschnitt zurück. Als die nöthigste Pflege sei nur angeführt, daß man ihnen dann jedenfalls die Gelegenheit bieten muß, um sich Schlafnester erbauen zu können, in welchen sie des Nachts die erforderliche Wärme finden. Sie tragen sogleich mit Hast und Eile namentlich weiche Bastfasern ein, polstern emsig mit Federn und Rispen aus und sitzen wol zu vier bis sechs Köpfen dicht aneinander gedrängt des Nachts und auch den größten Theil des Tages hier warm und weich. Dabei erholen sie sich gewöhnlich recht gut, und bewohnen viele Monate, ja wol jahrelang das immer mehr ausgebaute Nest, bis endlich hin und wieder ein Weibchen Eier zu legen beginnt. Aber auch dann kommen sie keineswegs immer zur glücklichen Brut. Ich habe in einem solchen gewaltigen Nestballen Dutzende von verdorbenen Eiern gefunden. Manchmal aber, ehe man es sich versieht, ist ein Nest voller Jungen glücklich flügge. Dies würde viel häufiger geschehen, wenn nicht der große Uebelstand sich zeigte, daß die Vögel in der guten Pflege sich bald zu fett fressen und dann zum Nisten untauglich sind. In den Abschnitten über Züchtung werde ich dies nach den Erfahrungen aller meiner Herren Mitarbeiter, sowie nach meinen eigenen näher erörtern.

Wie ich mit Bestimmtheit anzugeben vermag, haben auch die Herren Graf York von Wartenburg, Emil Linden und Robert Grimm glückliche Bruten erzielt. Der erstere beobachtete, daß sie zuweilen das große Nest in zwei Abtheilungen erbauen, in deren hinterer das Weibchen brütet. Die

12*

Alten tragen, folange es irgend geht, die Entleerungen der Jungen forgfältig fort und daher bleibt das Neft verhältnißmäßig fauber. Zur Aufzucht der Jungen bedürfen fie durchaus Fleischnahrung, aufgeweichtes Eierbrot, Eigelbfutter, frische Ameifenpuppen oder kleingeschnittene Mehlwürmer.

Bei diefem Vogel find die Geschlechter befonders schwer zu unterscheiden; dem scharfen Blicke erscheint das Weibchen kaum merklich kleiner und neben dem Männchen läßt es unmittelbar oberhalb des Schnabels von einem schwarzen Zügelftreif zum andern eine merklich blaffere, faft weißgraue Stirnbinde erkennen, während das Männchen hier wie am ganzen Oberkopf gleichmäßig. grau gefärbt ift. Zuverläffig ift dies Merkmal aber nur bei ganz alten Vögeln, denn die jüngeren haben fämmtlich die blaffere Stirn.

Im Gefellschaftskäfige ift die Diamant=Amandine harmlos und friedlich, in der Vogelftube dagegen fehr bösartig gegen alle kleineren, welche ihrem Nefte nahen, ohne daß fie jedoch andere in deren Brut ftört; im Heckkäfige aber, und mag derfelbe noch fo groß fein, gehört der Diamantfink zu den ärgften Rauf= bolden. Als eine der schönften unter allen Amandinen darf ein Pärchen übrigens wol in keiner Sammlung fehlen.

Die Diamant=Amandine, der Diamantvogel oder Diamantfink, ift auch Tropfenfink, blos Diamant oder Diamantfperling genannt.

L'oiseau Diamant (Vekemans); diamant ordinaire (franzöfische Händler); Spotted-sided Finch (nach Gould, Jamrach und Vrzn. d. zool. Grt. v. London); Diamant-Sparrow (Jamrach brieflich); Diamantvogeltje (holländisch). — Spotted Grosbeak, *Lewin;* White-headed Finch, *Lath.;* Spotted-sided Grosbeak, *Lath.*

Nomenclatur: Loxia guttata, *Shw.;* Fringilla Lathami, *Vg. et Hrsf.;* Fringilla leucocephala, *Vieill., Lth.;* Amadina guttata, *Gray, Mtch.;* Amadina Lathami, *Gld.;* Stagonopleura guttata, *Cab., Gld., Rchb.*

Wiffenfchaftliche Befchreibung. Oberkopf und Nacken bis zum Rücken schwach bräunlichgrau, Mantel und Flügel dunkler braungrau, Bürzel und Schwanzdecken glänzend fcharlachroth; ein breiter Zügel vom Schnabel bis ans Auge und ebenfo eine breite Binde zwifchen Hals und Bruft tieffchwarz; Backen grauweiß; Kehle, Hals, fodann Unterbruft, Bauch und Hinterleib reinweiß; die tieffchwarzen Seiten mit großen weißen Tropfenflecken gezeichnet, Unterflügel bräunlichweiß; Schwanz reinfchwarz; Schnabel blutroth mit lilafarbenem Grunde; Auge röthlichbraun von einem rofenrothen, fein geperlten Ringe umgeben; Fuß fchwärzlichbraun.

Spermestes guttata: Pileo et cervice subfusco-canis; interscapilio alisque fusco-cinereis; uropygio et supracaudalibus laetissime puniceis; loris latis et fascia pectorali lata atris; genis incanis; gula, collo, abdomine crissoque albis; guttis albis hypochondriorum atrorum amplis; subalaribus sordide canis; cauda nigra; basi rostri sanguinei lilacina; iride subrubra; annulo palpebrali subroseo, granuloso; pedibus e nigro fuscis.

Jugendkleid f. S. 179.

Juvenis: supra fuscante cinerea; gula, pectore, abdomine et infracaudalibus sordide albidis; cingulo pectorali, hypochondriis caudaque nigricante cinereis; uropygio jam laete rubente; hocce et reliquis picturis avicula facile dignoscenda, etiam ab adultae magnitudine parum discrepans.

Beschreibung des Eies: Gestalt rundlich, Farbe glänzend weiß, Schale glatt und feinkörnig; Länge 19 mm., Breite 15 mm.

Ovum: subrotundum, nitidum, album, laeve, granulosum.

## Die Feuerschwanz=Amandine [Spermestes nitida].

Von Fräulein Hagenbeck erhielt ich einen Prachtfink, welcher durch seine zarte Schönheit, noch mehr durch sein zahmes, ungemein zutrauliches Wesen mich entzückte. Oberhalb gelblichbraun, unterhalb aschgrau, ist es auf den ersten Blick unscheinbar, allein das ganze Gesieder ist zart, oberhalb schwarz und unterhalb weiß querwellenförmig gezeichnet, an Stirn, Nacken und Kehle am feinsten, nach den Flügeln, sowie nach der Brust und dem Bauch hin mit immer breiteren Wellenlinien. Ein breiter Zügelstreif, schmaler Ring ums Auge und eben solches Stirnband schwarz; die unteren Schwanzdecken reinschwarz und der obere Schwanz bräunlichschwarz; Bürzel und obere Schwanzdecken bis fast zur Hälfte der Außenfahnen an den mittleren Schwanzfedern prachtvoll glänzend scharlachroth; Schwanz im übrigen schwärzlichbraun, unterhalb aschgrau, die äußeren Federn mattschwarz quergestreift. Schnabel blutroth; Auge braunroth; Füße horngrau.

Die älteren Schriftsteller bezeichneten diese Amandine vorzugsweise als die schöne [Fringilla bella, *Vigors*, *Horsfield;* Loxia bella, *Latham*, *Vieillot*]. Auf mich machte das Vögelchen einen ganz eigenthümlichen Eindruck, mehr noch seines Benehmens, als seines Aussehens wegen. Sobald ich in die Vogelstube trat, kam es sogleich herbeigeflogen, mir auf den Arm und versuchte fortwährend, in den Rockärmel oder in die hohle Hand zu kriechen. Dabei war es augenscheinlich von fieberhafter Unruhe getrieben; es suchte immerfort nach irgend einem Futter oder dergleichen, welches ich ihm leider nicht zu bieten vermochte, und ließ dabei seine langgezogenen, tieftraurig ertönenden, flötenden Rufe hören. Mit Betrübniß sah ich ein, daß der Feuerschwanz zugrunde gehen werde, und nachdem ich ihm jedes mögliche Futter, alle Sämereien, welche ich nur beschaffen konnte, Apfelsinen, Feigen und andere Früchte, fein gehacktes Fleisch und allerlei Weichfutter u. s. w. vergeblich gereicht, starb er nach einigen Tagen wirklich. Herr Wiener, welcher mich aus London bald darauf besuchte, gab eine Erklärung dahin, daß die Schiffskapitäne manche Vögel aus irgend einem Grunde im Dunkeln zu halten pflegen und daß dieser Prachtfink vielleicht gerade dadurch umgekommen, daß ich ihn frei in der Vogelstube fliegen ließ. In meinem Besitz ist diese Art jedoch lange genug gewesen, um mich beurtheilen zu lassen, daß er ebenso im Körperbau, wie in der Lebensweise der Diamant=Amandine sehr verwandt ist.

Nachdem der Feuerschwanz bereits von den älteren, vorhingenannten Ornithologen beschrieben worden, gab Gould eine treffliche Abbildung und Schilberung. Die Heimat erstreckt sich über Vandiemensland und Neusüdwales, wo er wahrscheinlich als Standvogel in Scharen von 6 bis 12 Köpfen in den Ebenen und an lichten Waldstellen lebt, bis in die Gärten der Kolonisten kommt und sich von Grassämereien ernährt. Im pfeilschnellen Fluge leuchtet das schöne Roth des Unterrückens wie beim Diamantfink auffallend hervor. Sein schwermüthiger Lockton erschallt noch länger gezogen und trauriger als der des letzteren. Seiner Zutraulichkeit, Anmuth und schönen Färbung wegen sehen die Ansiedler das Vögelchen sehr gern. Das Nest, welches Gould in Vandiemensland häufig sah, stand ganz frei, ohne irgendwie verborgen zu sein, im Gezweige niedriger Bäume, zu mehreren beisammen, etwa in fußbreiter Entfernung von einander. Es ist aus Gräsern und Pflanzenstengeln kuppelförmig gewölbt, mit dem Flugloch ziemlich von oben herab. Das Gelege besteht in 5—6 Eiern.

Es wäre wünschenswerth, daß dies liebliche Vögelchen demnächst oft und zahlreich eingeführt werde, und dies läßt sich vielleicht erwarten, sobald der Vogelhandel zwischen dem fünften und ersten Erdtheil besser geregelt und namentlich in Hinsicht der Verpflegung des kleinen Gefieders verständiger betrieben wird.

Die Feuerschwanz-Amandine oder der Feuerschwanz wird von Rchb. bürzelglänzender Gürtelastrild, von Gould mit der Bezeichnung der Ansiedler von Vandiemensland feuerschwänziger Fink (Fire-tailed Finch) und von den Eingebornen auf Neusüdwales Wee-bong genannt.

Die Preislisten der Händler, sowie das Verzeichniß des zoologischen Gartens von London führen diesen Vogel noch nicht auf.

Nomenclatur: Loxia bella et nitida, *Lth.*; Loxia bella, *Vieill.*; Fringilla bella, *Vg.* et *Hrsf.*; Amadina nitida, *Gray* et *Mtch.*; Estrelda bella, *Gould, Gray*; Zonaeginthus nitidus, *Cab., Rchb.*; Zonaeginthus bellus, *Gould.* — Black-lined Grosbeak, *Lath.*

Wissenschaftliche Beschreibung s. S. 181.

Spermestes nitida. Supra flavente fusca, tenuiter nigro-undulata; subtus cinerea, albo-undulata; undulis frontis, cervicis gulaeque subtilissimis, deorsum dilatantibus; stria lororum lata, annulo oculari angusto fasciaque frontali nigris; infracaudalibus nigris; cauda supra fuscante nigra, subtus cinerea; uropygio, supracaudalibus dimidioque basali pogonii rectricum intermediarum externi igneo-puniceis; rectricibus reliquis nigrescente fuscis, subtus cinereis, exteris transversim subnigro-fasciolatis; rostro sanguineo; iride badia; pedibus corneis.

Beschreibung des Eies (nach Gould): Schön fleischfarbenweiß, Gestalt länglich; Länge 8½ Linien (18,5 mm.), Breite 6½ L. (14,2 mm.).

Ovum: pulchre carneo-album, longiusculum.

### Die rothohrige Amandine [Spermestes oculea].

In der Färbung sowol als auch im Wesen und in der Lebensweise steht dieser Vogel dem vorigen durchaus nahe. Gould fand ihn nur im Gebiet des Schwanenflusses an der Westküste Australiens hier und da recht häufig in offenen, von Dickicht begrenzten Grasebenen mit Moorboden in der Nähe von Landseen und Flüssen, ebenfalls als Standvogel. Mr. Gilbert beobachtete ihn an einsamen, stillen Orten im Dickicht. Gleich den beiden vorher geschilderten läßt auch er den langgezogenen, melancholischen Lockton erschallen. Im Munde der

Eingeborenen von Westaustralien giebt es eine Sage, daß dieser Vogel einst einen Hund gestochen, sein Blut getrunken und davon den rothen Schnabel be= kommen habe.

Ich erhielt ein leider todt angekommenes Männchen mit anderen australischen Vögeln zusammen von Fräulein Hagenbeck i. J. 1873 und vermuthe, daß auch dieser Prachtfink wol schon früher zuweilen lebend herübergekommen. Zahlreich dagegen dürfte er niemals im Vogelhandel werden. Die rothohrige Amandine wird von Rchb. augenfleckiger oder rothöhriger Gürtelastrild, und auch Sperlingsastrild geheißen. — In den Preislisten der Händler und in den Verzeichnissen der zoologischen Gärten ist er nicht vorhanden.

Nomenclatur: Fringilla oculea, *Quoy* et *Gaim.*; Zonaeginthus oculeus, *Cab.*, *Gld.*, *Rchb.* — Red-eared Finch, *Gld.*; Native Sparrow (einheimischer Sperling) der An= siedler am Schwanenfluß; Jée-ree der Eingeb. im Flachland und Dwér-den-ngool-gnán= neer bei den Eingeb. der Gebirgsgegenden von Westaustralien.

Wissenschaftliche Beschreibung. Grundfarbe des vor., doch oberhalb mehr grau= braun, Flügel und Schwanz kräftig und das übrige zart dunkel quergebändert; Kinn und Kehle fahlbraun mit feinen Querlinien; Auge von einem vom Schnabel bis zum Ohr reichenden, schwarzen Streif umgeben, neben welchem vom Auge bis hinters Ohr ein glänzend scharlachrother ovaler Fleck sich erstreckt; Hinterrücken, Bürzel, Oberschwanzdecken und der Grund der mittleren Schwanzfedern glänzend scharlachroth; unterhalb bräunlichschwarz mit großen, weißen Tropfenflecken. Schnabel blutroth, am Grunde perlgrau; Auge braunroth; Füße gelb= grau. Weibchen dem Männchen gleichgefärbt. Länge 12,5 cm. (4³/₄ Zoll); Flügel 5,5 cm. (2 Zoll); Schwanz 5 cm. (etwa 2 Zoll).

Spermestes oculea: Colore prioris, at supra magis in cineraceum vergente; alis caudaque distinctus, reliquis tenuiter obscurius fasciatis; mento gulaque luride fuscis, transverse lineolatis; stria a rostro usque ad aurem, oculum includènte nigra; subter hanc macula ovali usque ad aurem posticam saturate punicea; subtus e fusco nigra, albo-guttata; basi rostri sanguinei incana; iride badia; pedibus e flavido cinereis. ♀ haud distincta.

## Die Gürtel=Amandine [Spermestes cincta].
### Tafel IV. Vogel 18.

Mit dem S. 57 beschriebenen Schwarzbäckchen zugleich führte Karl Hagen= beck den Bartfink, wie diese Amandine gewöhnlich genannt wird, im Frühjahr 1869 zuerst ein. Die wenigen, damals vorhandenen Pärchen starben jedoch sämmtlich an einer ansteckenden Krankheit, und dann fehlte der Vogel fast noch zwei Jahre, bis er endlich wieder erschien. Seitdem wird er fast alljährlich regelmäßig, ebenso wie der Diamantvogel herübergebracht. Theils durch diese Sendungen von Australien, theils durch recht ergiebige Züchtung hier, hat er sich so verbreitet, daß er gegenwärtig in jeder Vogelstube zu sehen ist. Nach dem zoologischen Garten von London gelangte er schon im Juni 1861 mit einem von Sidney kommenden Schiffe. In der Gestalt und Größe dem Diamantfink außerordentlich ähnlich, ist er in der Färbung wie im Benehmen ganz bedeutend verschieden. Dennoch sind beide Vögel sehr nahe verwandt. Dies zeigt sich nicht allein im Körperbau und durch das überaus leichte Zusammenparen, sondern auch durch das eigenthümliche S. 178 erwähnte Wassertrinken. Das Gefieder der Gürtelamandine ist am Oberkopf, Oberhals und an den Backen aschgrau, an den letzteren etwas heller bläulichgrau; ein breiter schwarzer Streif zieht sich vom Schnabel zum Auge, und von der Unterseite des ersteren dehni sich über die Kehle und den ganzen Vorderhals eine tief sammtschwarze Färbung in der Form eines breiten, zugerundeten Brustlatzes aus; Brust, Bauch und Hinterrücken sind hell kastanienbraun, Flügel dunkelbraun und jede Feder am Außenrande zart heller gesäumt; von dem tiefschwarzen Unterrücken aus erstreckt sich ein eben solcher Gürtel oberhalb der Beine um den Unterleib; Bürzel, Ober- und Unterschwanzdecken nebst Hinterleib reinweiß; Schwanz schwarz. Schnabel glänzendschwarz; Auge dunkelbraun; Füße rosenroth. Das Weibchen ist kaum merklich kleiner, in den Farben düsterer und nament- lich an dem etwas schmaleren, matter schwarzen Gürtel zu erkennen.

Goulb beobachtete den gebänderten Grasfink, wie er ihn nennt, vielfach in den Liverpool-Ebenen und in den nördlichen offenen Gegenden, selten jedoch nach der Küste hin und in Neusüdwales nur einmal. Zweifellos, meint er, sind die großen Ebenen im Innern die eigentliche Heimat und die Verbreitung ist bis jetzt noch nicht bekannt. Auch über die Lebensweise vermochte der Forscher nichts näheres anzugeben, doch wird dieselbe wol mit der aller Verwandten übereinstimmen.

In der Gefangenschaft erscheint er ungleich anmuthiger und beweglicher als der Diamantvogel und läßt einen kleinen, unter beständigem Kopfnicken vorgetragenen Gesang nebst den langgezogenen Lockrufen sehr oft hören. Auch das Weibchen nickt fortwährend, wenn sie beide in großer Geschäftigkeit, und fast regelmäßig sogleich nach der Ankunft in der Vogelstube, mit dem Nestbau beginnen. Gerade wie bei den Zebrafinken hecken manche Pärchen leicht und ergiebig, mit Gelegen von vier bis neun und sogar zwölf Eiern in mehreren Bruten hintereinander, während andere im größten Eifer zahlreiche Fehlbruten machen. Sie wählen mit Vorliebe ein Harzer Bauer, eine eingerichtete Kokosnuß oder dgl. und er- bauen aus Bast- und Agavefasern ein kugelrundes Nest, welches mit Federn und Watteflöckchen ausgestopft wird. Herr G. Schmey in Koburg beschreibt eine Brut in folgender Weise:

„Im Februar d. J. 1871 brachte ich drei Pärchen Bartfinken aus Hamburg mit, welche wol von der ersten größeren Einfuhr dieser Vögel nach Deutschland herrührten. Trotz der empfindlichen Kälte kamen sie ganz gesund hier an. Der Käfig mit einem Pärchen stand im Wohnzimmer dicht neben dem Klavier, auf welchem täglich gespielt wurde und auf eine Brut zählte ich garnicht, weil ich annahm, daß die Vögel durch das Spiel gestört würden. Zu meiner Freude schleppte das Männchen jedoch trotzdem sofort Grashalme, Würzelchen, am meisten aber Kokosfasern und Schafwolle herbei und binnen wenigen Tagen hatte das Weibchen daraus in einem offenen Korbnest ein rundes, ziemlich festes Nest mit seitlichem Flugloch geformt, zu dessen Ausfütterung sehr gern Schwanenfedern genommen wurden. Das Gelege bestand in vier Eiern, aus denen beide Vögel abwechselnd in zwölf Tagen die Jungen erbrüteten. Gegen Störung sind sie nicht empfindlich, denn ich durfte den Käfig selbst in ein anderes Zimmer bringen, ohne daß sie sich beunruhigt zeigten. Nach 22 Tagen verließen die Jungen das Nest und folgten den Alten mit lautem, bettelnden Geschrei. Drei Bruten folgten in Zwischenräumen von wenigen Wochen hintereinander. Das alte Pärchen war so eifrig, daß es bereits die dritte Hecke anfing, als die Jungen der zweiten noch nicht völlig selbstständig waren. Diese wurden von den mitleidigen älteren Geschwistern mitgefüttert. Aus dem vierten Gelege wurde nichts mehr."

Bei Herrn Apotheker Jänicke in Hoyerswerda zogen die Pfaffenvögel ihre Jungen in einer Voliere im Freien, troß aller Störungen durch Weber- und andere große Vögel, auf. Seitdem ist diese Art von zahlreichen Züchtern mit mehr oder minder guten Erfolgen zur Brut gebracht, so namentlich auch von Herrn Buchhändler Fiedler in Agram und dem Königl. Tänzer Freysing in Berlin. Nach einer Mittheilung des Herrn Ministerial-Sekretär E. Schmalz in Wien hat aber Frau Hedwig Proschek neben vielen anderen gerade diese Vögel mit fabelhaftem Glück gezüchtet. Von einem Pärchen, welches zwei Jahre hindurch fast ununterbrochen nistete, erzielte sie die wirklich staunenswerthe Zahl von 92 Jungen. In dem betrff. Abschnitt werde ich diese Züchtung, welche nur parweise in Einzelkäfigen betrieben wird, eingehend schildern. Jugendkleid: Kopf schmutzig-mäusegrau; Halsseiten lichter bläulichgrau; Kehle und Brustlaß, sowie der Gürtel braun-schwarz; Rücken und ganzer Mantel matt lichtbraun, Schwanzdecken und Unterleib düsterweiß; Schwanz braunschwarz; Schnabel grauschwarz; Füße röthlichgrau. Herr Fiedler sagt: „Die ganze Erscheinung des jungen Vogels ist, als wenn ein alter durch einen feinen durchsichtigen, grauen Schleier gesehen würde." Die Verfärbung geht ähnlich der beim Zebrafink beschriebenen in der achten bis zwölften Woche vor sich, indem besonders das Blaugrau des Kopfes, das Schwarz der Kehle und das Schwarz und Weiß des Hinterleibes kräftiger und schärfer getrennt neben einander hervortreten.

In Hinsicht der Verpflegung, sowie in allem übrigen stimmt der Bartfink mit dem Diamantvogel überein.

Die Gürtel-Amandine oder der Bartfink wird auch Pfaffenvogel, Gürtel-grasfink und Gürtel-Rasenweber-Fink (Rchb.) genannt.

Le tisserin du gazon à ceinture (Vekemans); Diamant à bavette (fran-zösische Händler, falsch); Banded Grass-Finch (Jamrach u. Vrzn. d. zool. Grt. von London; nach Gould); Gebande Grasvink (holländisch).

Nomenclatur: Amadina cincta, *Gould*; Poëphila cincta, *Gould*, *Rchb*.
Wissenschaftliche Beschreibung s. S. 184.
Spermestes cincta. Pilco, genis, nuchaque cinereis; lateribus ca-pitis collique canis; loris latis, gula, mentoque instar subuculae atris; pectore, abdomine dorsoque dilute badiis; alis fuscis, margine remigum extero dilutius limbato;

cingulo a tergo circa femora ventremque nigro; uropygio, supra- et infracaudalibus albis; cauda nigra; rostro nitido nigro; iride fusca; pedibus subrubris.  ♀ vix minor, obscurior cingulo nigro angustiore, dilutiore.

Jugendkleid f. S. 185.

Juvenis: Capite luride cinereo; colli lateribus dilute caesiis; gula, subucula
cinguloque fusco-nigris; interscapilio dorsoque fuscantibus; abdomine caudaeque
tectricibus sordide albis; cauda e fusco nigro; rostro cinerascente nigro; pedibus
rubente cinereis.

Beschreibung des Eies: rundlich, glänzend weiß, glattschalig, Länge 18 mm.,
Breite 15 mm.

Ovum: subrotundum, nitidum, album, laeve.

**Gould's spitzschwänzige Gürtel=Amandine** [Spermestes Gouldi]*) ist der
vorigen sehr ähnlich und unterscheidet sich auf den ersten Blick nur durch den
spitzen, in zwei einzelne lange Federn auslaufenden, schwalbenähnlichen Schwanz.
Kopf, Nacken und Kopfseiten sind bläulichaschgrau; Rücken und Flügel gräulichbraun; Schwingen
fahl braungrau; ein Streif vom Schnabel bis zum Auge, sowie Kinn und Kehle reinschwarz;
Unterseite lebhaft röthlichbraun; wie bei der vorigen zieht sich ein breites, schwarzes Band zwischen
dem Unterrücken und reinweißen Bürzel hinab und scheidet auch hier den Unterleib vom eben=
falls weißen Hinterleib und den weißen Unterschwanzdecken; Schwanz schwarz und seine beiden
haarfein zugespitzten Mittelfedern doppelt so lang als die anderen. Schnabel röthlichgelb; Auge
braun; Füße gelb. Das Weibchen ist kaum verschieden. Länge 15 cm. (5³/₄ Zoll); Flügel
6,₂ cm. (2³/₈ Z.); Schwanz 9,₈ cm. (3³/₄ Z.) Die Heimat erstreckt sich über das nörd=
liche und nordöstliche Australien.

Gould's spitzschwänzige Gürtel=Amandine ist auch Spitzschwanzfink oder spitz=
schwänziger Grasfink genannt worden. — Amadina acuticauda, Gld.; Poëphila acuticauda,
Gld., Rchb.; Spermestes Gouldi, Russ. — Long-tailed Grass-Finch, Gould.

**Die Masken=Gürtel=Amandine** [Spermestes personata] steht wiederum den
beiden vorigen sehr nahe. Oberhalb lichtzimmtbraun; rund um den Schnabel, an der
Stirn schmal bis zum Auge und etwas breiter an der Kehle, ein tiefschwarzes Band;
Flügeldecken dunkler braun, Schwingen mit gelben Außensäumen; Unterrücken, Bürzel, Hinterleib
und Unterschwanzdecken weiß, letztere fein schwarz längsgestrichelt; Schwanz bräunlichschwarz,
ebenfalls mit verlängerten, jedoch nicht haarfein ausgezogenen Mittelfedern; unterhalb heller
gelbbraun; von einem Schenkel zum andern, aber nicht über den Rücken, eine breite schwarze
Binde. Schnabel orangegelb; Auge roth; Füße fleischroth. Das Weibchen ist gleichgefärbt.
Länge 8,₂ cm. (3¹/₈ Zoll); Flügel 5,₉ cm. (2¹/₄ Zoll); Schwanz 5,₂ cm. (2 Zoll). Die Ver=
breitung dürfte sich nur über den Nordwesten Australiens ausdehnen. Gilbert
sah bei Port Essington Flüge von 20—40 Köpfen, welche schwache Rufe, wie
twit und einen melancholischen Lockton hören ließen.

„Es ist nicht minder lehrreich", sagt Reichenbach, „die Uebereinstimmung
derjenigen Arten zu verfolgen, welche entgegengesetzte Gegenden eines großen

---

*) Um Doppelnamen innerhalb der Familie der Aeginthiden zu vermeiden, muß ich für
die bereits S. 153 vorhandene Bezeichnung Spermestes acuticauda hier eine andere wählen;
ich thue dies, indem ich dem Forscher die gebührende Ehre erweise.

Welttheils, wie z. B. die von Australien, bewohnen, als zu beobachten, wie schön jeder eigenthümliche Charakter in den Arten einer jeden natürlichen Gruppe sich ausspricht. Die drei neuentdeckten Arten der Gattung Gürtel= oder Gras= Amandine bieten ein schlagendes Beispiel dafür; sie haben nicht nur eine Aehnlichkeit in der tief reh= und zimmtbraunen Färbung ihres Gefieders, sondern auch in dem auffallenden schwarzen Bande, welches sich hinten um den Leib schlingt." Gould erhielt den letztern Vogel in der Sammlung vom Schiffe ‚Adler' durch Mr. Bynoë, dessen Eifer ihn in den Stand setzte, so manche Arten der australischen Fauna kennen zu lernen, und er rühmt mit Recht den Eifer der Offiziere des mehrfach erwähnten Schiffes, welche durch Naturbeobachtungen ihr An= denken verewigt haben, so die Herren Charles Darwin*), Kapitän Wickham, Kapitän Stokes, Dring u. A. — Ueber die Lebensweise dieser Vögel ist nichts bekannt, doch stehen sie jedenfalls in derselben, ebenso wie im Aeußern, dem Bartfink nahe. Lebend eingeführt wurden diese beiden Arten wol noch nicht, denn sie sind meines Wissens noch in keinem zoologischen Garten zu finden.

Die Masken=Gürtel=Amandine oder der Masken=Grasfink (Rchb.) wurde von Gould Masked Grass-Finch benannt. — Poëphila personata, *Gld.*, *Rchb.*

## Die weißbäckige Gürtel=Amandine [Spermestes leucótis].

Unter anderen seltenen Vögeln, welche Herr R. Hieronymi in Braunschweig in den englischen Hafenstädten von kleinen Händlern und Schiffern aufgekauft hatte und mir zur Bestimmung übersandte, befand sich auch ein einzelnes Männchen dieser reizenden Art. Sie gleicht in der Gestalt und im Wesen durchaus dem Bartfink, auch zeigt sie dasselbe sonderbare Kopfnicken, nur weicht sie in der Färbung bedeutend ab und erscheint fast noch schöner. Oberkopf, Mantel und Flügel kastanienbraun, letztere etwas dunkler; von der Stirn zieht sich rings um den Schnabel und über die Oberkehle ein tiefschwarzes Band, neben demselben, unter dem Auge bis hinters Ohr, erstreckt sich ein runder, reinweißer Backenfleck; Unterkörper, von der Kehle bis zum Bauch, licht röthlichbraun; Unterrücken, Bürzel, obere und untere Schwanzdecken weiß, erstere außen zackig schwarz gesäumt; vom Rücken aus reicht ein sehr breites, tiefschwarzes, unterhalb fein weiß gesäumtes Band um den Unterleib; Schwanz schwarz; Schnabel gelbgrau; Auge braun; Füße roth. Weibchen übereinstimmend. Länge 12,4 cm. (4³/4 Zoll); Flügel 5,9 cm. (2¹/4 Zoll); Schwanz 5,4 cm. (2¹/4 Zoll). Dieser Prachtfink gehört zu denen, welche auf Dr. Leichardt's Expedition von der Moreton=Bay nach Port Essington entdeckt wurden. Gilbert erlegte ihn in der Nähe des Flusses Lynd am 3. Juni 1845 und bemerkte in seinem Tagebuch, daß die Art mit der Masken=Amandine sehr

---

*) Bemerkenswerth muß es für jeden Vogelfreund erscheinen, daß auch der berühmte Forscher Darwin hier zuerst als eifriger Ornithologe auftritt.

nahe verwandt ist, sich aber durch die Färbung bedeutsam unterscheidet. Ueber die Lebensweise wird nichts angegeben. Mir ging das Vögelchen, nachdem es mit einem Bartfink sich gepart, leider in der Mauser zugrunde, während es so federlos war, daß es nicht einmal zum Ausstopfen taugte.

Die weißbäckige Gürtel-Amandine wurde auch Weißbäckchen oder weißöhriger Gras= fint (Rchb.) benannt. In den Listen der Händler und dem Brzn. d. zool. Grt. von London nicht vorhanden. — Poëphila leucotis, *Gld.*, *Rchb.* — White-eared Grass-Finch, *Gld.*

Spermestes leucotis. Pileo, interscapilio alisque badiis, hisce paullulum obscurioribus; fascia circa rostrum gulamque atra, juxtim macula genarum rotunda alba usque ad aurem posteriorem vergente; subtus dilute rufa; tergo, uropygio, infra- et supracaudalibus albis, hisce exterius serratim nigro-limbatis; fascia perampla atra a dorso abdomini circumdata, infra tenuiter albo-limbata; cauda nigra; rostro luride cinereo; iride fusca; pedibus rubris. ♀ haud distincta.

**Frau Gould's Amandine** [Spermestes Gouldae]. Eine der herrlichsten aller Prachtfinkenarten hat der berühmte Naturforscher ganz besonders aus= gezeichnet, indem er sie dem Andenken seiner Gattin, Mistreß Gould, wid= mete, jener muthigen Frau, welche ihn auf seinen Reisen begleitete, alle Gefahren mit ihm theilte und ihm treu und immer heiter zur Seite stand; die sich aber namentlich dadurch ein unsterbliches Verdienst erwarb, daß sie, als eine hervor= ragende Künstlerin, die Vögel für seine Prachtwerke malte. Dieser Vogel ist ober= halb an Flügeln und Mantel schön dunkelgrün; Hinterkopf, Halsseiten und ein Band über den Kopf hellgrün; Vorderkopf, Gesicht bis zum Ohr und Kehle tiefschwarz; Oberbrust lila, fast rosenroth; Unterbrust, Bauch nebst Schwanzdecken lebhaft dunkelgelb; Oberschwanz schwarz; Unter= flügel und Unterschwanz aschgrau. Schnabel gelblichroth, an der Spitze blutroth; Füße fleischroth. Länge 9,8 cm. (3¾ Zoll); Flügel 6,5 cm. (2½ Zoll); Schwanz 6,5 cm. (2½ Zoll), mit zwei wenig verlängerten Spitzen. Das Jugendkleid ist oberhalb licht olivengrün; Vorderschwingen und Schwanz braun; Kopf einfarbig grau mit weißem Kinn; Unterseite düster leberbraun; Auge dunkelbraun. Die Heimat dürfte sich nur auf das Gebiet des Viktoria=Flusses an der Nordwestküste Australiens beschränken. Das erste Männchen, von Mr. Bynoë dort und zwei junge Vögel von Mr. Gilbert zu Port Essington erlegt, waren anfangs die einzigen, welche Gould erhalten konnte. Gilbert beobachtete sie zu 4—7 Köpfen am Rande der Mangle=Dickichte, wo sie ungemein flüchtig und scheu sich umhertrieben und immer in die Spitzen der höchsten Gummibäume flogen, wie dies keine anderen verwandten Prachtfinken zu thun pflegen. Die Stimme ist ein klagender Ton, ein langgezogenes, zweisilbiges twit. Ihre Nah= rung besteht in den Samen der hohen Gräser u. a. Gewächse.

Frau Gould's Amandine nennt Reichenbach: Gould's Gras=Weberfink; er spricht die Hoffnung aus, daß diese schöne Art dereinst für Sammlungen und Vogelhäuser ein beliebter Gast sein werde. Bis jetzt ist der Vogel jedoch noch niemals lebend nach Europa gelangt. — Amadina Gouldiae, Poëphila*) Gouldiae, *Gld.*; Chloëbia Gouldiae, *Rchb.* —

---

*) Daß die Wortbildung Poëphila, Chloëbia falsch ist, und richtig Poóphila, Chloóbia lauten müßte, sei nur bemerkt, ohne Aenderung dieser Wörter in der Synonymik.

Spermestes Gouldae. Supra, interscapilio alisque laete obscure viridibus; ocoipite, colli lateribus vittaque supra caput dilute viridibus; sincipite, facie usque ad aurem gulaque atris; jugulo e roseo lilacino; pectore, abdomine et infracaudalibus laete luteis; subalaribus cineraceis; cauda nigra, subtus cinerea; apice rostri aurantii sanguineo; pedibus carneis. — Juvenis: supra dilute olivacea; remigibus exterioribus caudaque fuscis; capite unicolore cinereo; mento albo; subtus obscure hepatica; iride fusca.

**Die wunderſchöne Amandine** [Spermestes mirabilis]. Dieſer Prachtfink dürfte noch herrlicher ſein, als der vorige. Oberhalb iſt er ebenfalls lebhaft grün; Oberkopf und Wangen karminroth, von einem ſchmalen ſchwarzen Bande umzogen, welches ſich vorn verbreitert und die Kehle bedeckt, darauf folgt ein himmelblaues Band, das am Nacken breiter iſt; Oberbruſt lila, durch einen orangefarbenen Streif vom gelben Bauch getrennt; Bürzel und Oberſchwanzdecken hellblau; Schwanz grünlichſchwarz und die beiden mittelſten Federn zu fadenförmigen Spitzen bedeutend verlängert. Schnabel röthlichweiß; Füße fleiſchroth. Länge etwa 11 cm. (4¼ Zoll); Flügel 5,9 cm. (2¼ Zoll); Schwanz 3,8 cm. (1½ Zoll). Die Naturforſcher Hombron und Jacquinot erlegten drei Exemplare in der Raffles-Bay an der Nordweſtküſte Auſtraliens, wo der Vogel nur ſelten vor-kommt, ſodaß ſie ſeine Lebensweiſe nicht kennenlernen konnten. Daher verfielen ſie in den Irrthum, daß die vorherbeſchriebene grünköpfige Art das Weibchen dieſer rothköpfigen ſei. Durch Forſchungen von Mr. Gilbert und beſonders von Mr. Elſey iſt dieſe Annahme jedoch widerlegt worden. Letzterer fand am Viktoria-Fluß Hunderte von Vögelchen dieſer beiden Arten und ſtopfte zahlreiche für das Londoner zoologiſche Muſeum aus, ſodaß alſo keine Ungewißheit mehr möglich iſt. Lebend iſt auch dieſe Amandine noch nicht eingeführt worden und ob die beiden farbenreichſten Arten aller Prachtfinken wol jemals unſere Vogelſtuben bevölkern werden — wer kann es wiſſen?

Die wunderſchöne Amandine heißt Reichenbach den wunderſchönen Gras-Weber-fink. — Poëphila mirabilis, *Hmb.* et *Jcq.*, *Gld.*; Chloëbia mirabilis, *Rchb.* — Beautiful Grass-Finch, *Gld.* — Spermestes mirabilis. Supra laete viridis, fascia angusta atra-pileum cum genis definiente gulaeque superinduta, juxtim vitta coerulea in cervicem versus dilatante; fascia aurantia pectori et abdomini interjecta; uropygio et supra-caudalibus dilute coeruleis; cauda virescente nigra, rectricibus ambabus intermediis in apices perlongos filiformes eductis; rostro rubente albo; pedibus carneis.

**Papagei-Amandinen** darf man eine Gruppe ganz abſonderlich erſcheinender Pracht-finken nennen, deren hauptſächliches Kennzeichen ein grünes, mehr oder minder buntes Gefieder iſt. In jener Benamung folge ich dem Forſcher Gmelin, welcher der einen Art die Be-zeichnung S. psittacea beigelegt hat. Reichenbach heißt ſie Scharlach- oder Stummelſchwänze [Erythrura, *Swns.*; Acalanthe, *Vieill.*; Amblynura, *Rchb.*]; in einer neueren Naturgeſchichte ſind ſie als Sittichfinken angeführt. Nur das eine dieſer Vögelchen gelangt lebend nach Europa, während alle übrigen im Handel wol noch niemals vorgekommen.

## Die lauchgrüne Papagei=Amandine [Spermestes prásina].

### Tafel IV. Vogel 20.

Der von den Händlern als ostindischer Nonpareil ausgebotene Prachtfink ist oberhalb tief grün, an Stirn, Gesicht und Kehle bis zum Kropf lebhaft blau; Flügel= schwingen schwärzlichbraun, außen schmal olivengrün gesäumt und innen fahlgelb gerandet; Brust, Bauch und Seiten bräunlichgelb, roth angehaucht und an der Brust= und Bauchmitte in volles Scharlachroth übergehend; Schwanz schwärzlichbraun, jede Feder mit breitem, rothem Außenrande, die beiden mittelsten sehr verlängerten Federn und die oberen Schwanzdecken scharlachroth. Schnabel schwarz; Auge braun; Füße fleischroth. Dem Weibchen fehlen das blaue Gesicht, der rosenrothe Brustanflug und die scharlachrothen langen Schwanzfedern. Es ist oberhalb düster grün, unterhalb fahl bräunlichgelb mit rothbraunem Schwanz. Im Alter tritt das Blau um den Schnabel schwach hervor, auch verlängern sich die beiden mittelsten Schwanzfedern ein wenig. Größe des Riesenelsterchens.

Wer die Abbildung betrachtet, wird zugeben, daß ein kurzer, treffender Namen für diesen Vogel schwer zu geben ist; Scharlachschwanz (Rchb.) ist nicht stichhaltig, weil nur die beiden mittleren Schwanzfedern scharlachroth sind. So= mit hielt ich mich an das lateinische Wort prasina, zumal auch unter den Amandinen die grüne Färbung nicht oft bemerkt wird.

Mit Sicherheit ist wol kaum festzustellen, seit welcher Zeit dieser Prachtfink zuerst nach Europa gebracht worden. Vieillot hat ihn kurz erwähnt, Bech= stein war er unbekannt, Bolle zählt ihn nicht mit und bis zur neuesten Zeit ist er immer nur selten im Handel zu haben. Viele der ältesten und erfahrensten unter den jetzt lebenden Händlern kennen ihn gar nicht. Das erste Pärchen, welches ich sah, hatte Herr C. Lintz in Hamburg an den alten Bewig in Berlin gesandt, bei welchem früher manchmal gar seltene Vögel zu finden waren. Später bezog man die eben so schöne als seltene lauchgrüne Amandine zuweilen von Herrn Dr. Funk in Köln und gegenwärtig wird sie hin und wieder von Karl Hagenbeck oder Vekemans eingeführt. Auch sie kommt leider regel= mäßig in den meisten Exemplaren todtkrank an*) und die wenigen, welche ich am Leben behielt, waren immer nur Weibchen. Es ist eine sonderbare Erscheinung, daß von manchen Vogelarten oft nur ein Geschlecht gut oder doch besser als das andere die Reisebeschwerden übersteht.

In der wissenschaftlichen Literatur ist fast gar nichts über diesen Vogel vorhanden. Die Heimat beschränkt sich nur auf die Inseln Java und Sumatra. Raffles sagt, daß er auf der letztern gemein ist und in den Reisfeldern be=

---

\*) Dieser überaus bedeutsame Uebelstand in der Einfuhr fremdländischer Vögel verdient eine ernste Besprechung; dieselbe soll ihm in diesem Werke weiterhin zutheil werden.

deutenden Schaden verursacht. Im übrigen soll die Lebensweise der anderer Prachtfinken gleichen, und die Nahrung besteht hauptsächlich in Gras- u. a. kleinen Samen. Das Nest soll in Felsenlöchern oder zwischen Steinhaufen kunstlos gebaut sein. Näheres ist aber nicht mitgetheilt.

Als Bewohner der Vogelstube würde der Vogel, wenn häufiger zu haben, seines wirklich herrlichen Gefieders wegen, sich wol allgemeiner Beliebtheit er= freuen, umsomehr da er harmlos und verträglich, sowie ausdauernd zugleich ist und wahrscheinlich auch überaus leicht zur Brut schreitet. Einen Gesang habe ich nicht gehört, da mir die Männchen zu früh starben. Der Lockton ist ein schrilles zit. Die Fütterung, Verpflegung und Züchtung wird von der verwandter Finken= vögel nicht abweichen, welche für gewöhnlich nur Sämereien fressen, zur Nistzeit aber auch Ameisenpuppen u. dgl. verbrauchen. Der Preis ist hoch, etwa 42—45 Mark und im Großhandel mindestens 24 Mark.

Die lauchgrüne Papagei-Amandine, der sog. ostindische Nonpareil, Scharlach= schwanz oder lauchgrüner Scharlachschwanz, wurde auch Vierfarb benannt. Quadricolor (Veke= mans); Fire-tailed Finch (Jamrach und Brzn. d. zool. Grt. v. London); Roodstaart-vink (holländisch). In den Listen der deutschen Händler als Scharlachschwanz oder ostindischer Nonpareil angeführt.

Nomenclatur: Fringilla prasina, *Sparrmann, Hrsf., Vll.;* Loxia prasina, *Rffl.;* Amadina prasina, *Gray;* Erythrina prasina, *Blth.;* Erythrura prasina, *Sprrm., Hrsf., Hrtl., Rchb.;* Erythrura viridis, *Swns.;* Emberiza quadricolor, *Gml.;* Lonchura quadri-color, *Lyk.;* Fringilla sphenura, *Tmm.* — Binglis (auf Java, *Hrsf.*); Rannas (Malayen auf Sumatra, *Rffl.*). — Grosbec de Java, *Buff.;* Red-rumped Bunting, *Lath.*

Wissenschaftliche Beschreibung s. S. 190.

Spermestes prasina. Supra saturate viridis; mento, facie gulaque usque ad jugulum laete coeruleis; remigibus nigricante fuscis, exterius olivaceo-limbatis, interius luride marginatis; pectore, abdomine et hypochondriis fulvis, rubente afflatis; pectore abdomineque mediis saturate puniceis; rectricibus nigrescente fuscis, singulis late rubro-marginatis; supracaudalibus et rectricibus ambabus intermediis subelongatis puniceis; rostro nigro; iride fusca; pedibus carneis. ♀ facie coerulea et afflatu pectoris roseo et rectricibus ambabus longis puniceis nullis; ceterum supra sordide viridis; subtus luride fulva; cauda rufescente; grandior aevo circa rostrum subcoerulea. Länge 12 cm. (4 7/12 Z.), Flügel 5,6 cm. (2 1/6 Z.), Schwanz 6,2 cm. (2 1/3 Z.).

Jugendkleid (nach Sprrm.): Oberhalb bräunlich, Flügelfedern fahl gesäumt; unterhalb ganz fahl.

Reichenbach beschreibt nach Hartlaub („Proceedings" 1858) eine Anzahl hierher gehö= render Amandinen, welche jedoch für die Liebhaberei keine Bedeutung haben, weil ihre Einfüh= rung kaum zu erwarten ist. Manche derselben sind noch nicht sicher als Arien festgestellt und fallen wol mit anderen zusammen. Einige mag Vieillot besessen haben und dieselben sind dann, wie ja überhaupt auch nicht wenige andere überseeische Vögel, seit jener Zeit aus dem Handel leider wieder völlig verschwunden.

Die **dreifarbige Papagei-Amandine** [Spermestes trichroa], ein Prachtfink, der vorzugsweise geringe Aussicht einer Einführung im lebenden Zustande bietet, weil er sogar in den meisten Museen noch kaum vorhanden ist, sei hier dennoch an=

gefügt, da der Reisende von Kittlitz eine Schilderung seines Freilebens gegeben, mit welchem das aller Verwandten, namentlich das der nächststehenden lauchgrünen Amandine, zweifellos übereinstimmen wird: „Dieser schöne, kleine Vogel ist in seiner Heimat, der Insel Ualan weniger selten, als er seiner Schlauheit und versteckten Lebensweise wegen erscheint. Er lebt einzeln (wol pärchenweise) fast überall, wo Pflanzungen von Bananen u. dgl. sind, hält sich hier gern niedrig an der Erde im Verborgenen. Wenn er aufgescheucht wird, fliegt er sehr weit und läßt dabei seinen Lockton, ein scharfes und feines zitt, zitt, hören. Einen Gesang vernahm der Forscher nicht. Seine Nahrung sind kleine Sämereien, besonders die Samen einer Distelart. Die Geschlechter scheinen nicht verschieden zu sein. Das Gefieder ist einfarbig schön papageigrün mit blauen Wangen und düster blutrothem, keilförmig zugespitzten Schwanz. Schnabel schwarz; Auge dunkelbraun; Beine hell fleischfarben. Größe 12 cm. (4⁷/₁₂ Z.) — Fringilla trichroa, *Kttl.*; Erythrura Kittlitzii, *Bp.*, *Hrtl.*; Estrelda trichura, *Gray;* Erythrura trichroa, *Bp.*, *Hrtl.*, *Rchb.*

**Die eigentliche Papagei=Amandine** [Spermestes psittácea] oder der eigentliche und schönste Papageifink ist prächtig dunkelgrün, am ganzen Kopf bis zum Halse und ebenso am Bürzel und Schwanz glänzend scharlachroth; Schnabel braunschwarz, Auge orangeroth, Füße braun. Seine Heimat ist Neukaledonien, sein Freileben nicht bekannt. Vieillot hat ihn abgebildet, doch nichts über ihn angegeben. Rchb. nennt ihn Papagei=Weberfink und Br. Sittichfink. — Fringilla psittacea, *Gm.*; Fringilla pulchella, *Frstr.*; Estrelda psittacea, *Gr.*; Erythrura psittacea, *Bp.*, *Hrtl.*; Acalanthe psittacea, *Vll.*, *Rchb.*; Poëphila Paddoni, *Gllr.* — Parrot-Finch, *Lath.*; Chardonneret acalanthe, *Vll.* — Tenie (Eingeb. von Neukaledonien); Dumbeea und Guerubeea (Eingeb. der Insel Nu).

**Die kurzschwänzige Papagei=Amandine** [Spermestes cyanóvirens]. Dem vorigen ähnlich und vielleicht noch schöner, mit scharlachrothem Kopf, prächtig blaugrünem Rumpf und blutrothem Schwanz, bedarf dieser, selbst in seiner Heimat, den sogenannten Schiffer= oder Feehn=Inseln nur selten vorkommende Vogel hier wol blos der Erwähnung. — Geospiza cyanovirens Pealei; Erythrura cyanovirens, *Hrtl.* et *Fnsch;* Amblynura cyanovirens, *Rchb.*

„Als noch Segelschiffe an der Westküste von Afrika häufig anlegten, empfingen wir von dort zahlreiche schöne Vögel, deren manche seitdem aus dem Handel völlig fortgeblieben sind, so z. B. der Granatastrild und die rothköpfige Amandine." Diese Klage des alten, vielerfahrenen Linz trat mir lebhaft vor Augen, wenn ich im Laufe der Zeit hin und wieder einen Samenknacker [Spermospiza, *Gray*] erhielt, einen Vogel aus jener Gruppe, welche einige Ornithologen zu den Kernbeißern, andere aber und wol mit größerm Recht zu den Prachtfinken stellen.

**Die rothbrüſtige Samenknacker-Amandine [Spermestes haemátina]**

und

**Die geſchuppte Samenknacker-Amandine [Spermestes Luchsi].** *)

Zu verſchiedenen Zeiten ſandte mir Fräulein Hagenbeck einen einzelnen dieſer Dickſchnäbel. Es ſind ſtattliche, tiefſchwarze Vögel mit glänzend ſcharlach= rother Bruſt, die letztere Art mit weißgeſchupptem Unterleibe. Die Größe iſt der unſeres Feldſperlings etwa gleich.

Vieillot ſah die Loxie mouchetée nur ausgeſtopft in Perreine's Sammlung und ſchildert ſie ganz kurz. Die Richtigkeit ſeiner Behauptung aber, daß die Samenknacker einen angenehmen Geſang hören laſſen, ein halbkugeliges, oben offenes Neſt erbauen und blaue, rothgefleckte Eier legen, iſt zu bezweifeln, obwol andere Schriftſteller dieſelbe kaum mit Vorbehalt nachgeſchrieben haben. Entweder gehören die Vögel zu den Prachtfinken, zu welchen ſie von jenen doch ohne weiteres gezählt werden, dann aber hätte eine ſolche Angabe von vorn= herein als unrichtig bezeichnet werden müſſen; oder Hartlaub hat Recht, indem er die Samenknacker zu den Kernbeißern ſtellt, welche letzteren aller= dings farbige Eier legen und mehr oder minder gut ſingen. Nach meiner Ueber= zeugung ſind ſie jedoch Amandinen.

Die Heimat beider Arten erſtreckt ſich über Weſtafrika, doch iſt die Ge= ſammtverbreitung noch keineswegs bekannt. Reichenow fand die letztere dieſer beiden Arten in den Kamerunniederungen und Bergen häufig, ſowie auch in Aguapim.

In meiner Vogelſtube hielten ſich die Samenknacker jahrelang vortrefflich und alle zeigten ſich im Weſen übereinſtimmend, als ſtille, ſehr dreiſte, doch durchaus nicht zutrauliche, gewöhnlich im dichten Gebüſch ſich verbergende Vögel. Einen Geſang habe ich niemals vernommen, und da ich immer nur zeitweiſe einen einzelnen hatte, ſo kann ich über das Niſten u. ſ. w. leider nicht berichten. Sobald der Vogelhandel ſich dem Weſten Afrikas wieder regſamer zuwendet, werden wir, neben vielen anderen ſchönen Vögeln, auch die Samenknacker wol häufiger ſehen, da ſie nach den Mittheilungen der älteſten Großhändler früher nicht ſelten eingeführt worden.

Die rothbrüſtige Samenknacker-Amandine iſt auch, wenig paſſend, Blutknacker und blutbrüſtiger Samenknacker (Rchb.) benannt. — Blue-beaked Weaverbird (Jamrach und Vrz. des zool. Grt. v. London). In Paris hatte die Vogelhandlung von Ruspini ein Exemplar unter dem Namen le Rouge-noir.

Nomenclatur: Loxia haematina, Vll.; Fringilla punctulata, Voigt; Spermophaga cyanorhyncha, Sws., Jrd., Slb.; Spermospiza haematina, Gray, Hrtl., Rchb. — Crimson-breasted Grosbeak, Lath.; la Loxie haematine, Vieill.

---

*) Auch für dieſen Vogel mußte ich einen andern Namen ſuchen, da die Bezeichnung S. guttata bereits früher für die Diamant-Amandine, S. 177, vergeben war. Ich wählte die Bezeichnung meinem Freunde Dr. Luchs in Warmbrunn zu Ehren, der als liebevoller Züchter und gelehrter Forſcher zugleich eine ſolche Anerkennung verdient.

Wiſſenſchaftliche Beſchreibung. Oberhalb einfarbig tiefſchwarz, Wangen und Halsſeiten fahler bräunlichſchwarz; Kehle, Unterhals und ganze Bruſt glänzend ſcharlachroth, das Roth zieht ſich an den Bauchſeiten mehr oder minder tief herab; Unterflügel und Unterſchwanz grauſchwarz. Schnabel bläulichſchwarz, Spitze und Schneidenränder roth; Auge dunkelbraun; Füße hornfarben. — Weibchen oberhalb dunkel braungrau; Kehle, Vorderhals, Bruſt und Seiten ſcharlachroth, Stirn und Wangen matter roth, Oberſchwanzdecken glänzendroth, Bauch dunkel grau= braun mit vielen weißen Flecken.— Jugendkleid bräunlichſchwarz, unterhalb etwas heller, auf der Bruſt einige ſcharlachrothe und auf den Oberſchwanzdecken dunkelröthliche Federn (nach Caſſin).

Spermestes haemátina: supra unicolor atra genis collique lateribus fus-cante nigris; gula, jugulo, pectore et hypochondriis fulgide puniceis; subala-ribus et infracaudalibus cineraceo-nigris; tomiis apiceque rostri coeruleo-nigri rubris; iride fusca; pedibus corneis. Länge 13,9 cm. (5 1/3 Z.); Flügel 5,4 cm. (2 1/12 Z.); Schwanz 2,8 cm. (1 1/12 Z.).

Die geſchuppte Samenknacker=Amandine wurde auch blos Samenknacker oder weiß= betropfter Samenknacker (Rchb.) geheißen.— Blue-beaked Weaverbird (Brzn. b. zool.G.v.London).

Nomenclatur: Loxia guttata, Vll., Vrr.; Spermospiza guttata, Gray, Hrtl., Rchb., Rchn.; Spermestes Luchsi, Rss. — Crimson-breasted Grosbeak, Lath.

Wiſſenſchaftliche Beſchreibung. Sie iſt der vorigen ganz gleich, nur zieht ſich das Scharlachroth höher bis zu den Backen hinauf, bildet auch einen Zügelſtreif und erſtreckt ſich zugleich über die oberen Schwanzdecken; der Bauch iſt bräunlichſchwarz mit zahlreichen kreisrunden weißen Doppelpunkten. Schnabel glänzend ſchwarzblau, Schneidenränder und Spitze roth; Auge braunroth mit weißen Lidern; Füße ſchwärzlichfleiſchfarben mit gelben Zehenſohlen. — Das Weibchen iſt oberhalb mehr braunſchwarz und die rothe Färbung iſt etwas beſchränkter, auch düſterer; die weißen Punkte ſind kleiner. — Jugendkleid bräunlichſchwarz mit einigen ſcharlach= rothen Federchen an Kehle und Bruſt, Oberſchwanzdecken glänzendroth (nach du Chaillu). Beim jüngeren Vogel: Auge dunkel; Schnabel ſchwarzblau mit gelbbraunen Kanten; Füße ſchwarz oder grünlich ſchwarzgrau (Rchn.).

Spermestes Luchsi: praecedenti simillima, at colore puniceo altius usque ad genas vergente; loris angustis et supracaudalibus puniceis; punctis bifariis albis abdominis fuscante nigri crebris; tomiis apiceque rostri nitidi subcoeruleo-nigri rubris; iride fusca; pedibus obscure carneis. ♀ supra magis subfusco-nigra, parcius rubro-signata, maculis albis minoribus. Länge 13,9 cm. (5 1/3 Z.); Flügel 6,3 cm. (2 5/12 Z.); Schwanz 4,8 cm. (1 5/6 Z.). — Nach Rchn. Länge 14—15 cm.; Flügel 6,5 cm.; Schwanz 5 cm.

Dem Plane meines Werkes gemäß, glaube ich in den vorſtehenden 50 Arten alle Pracht= finken geſchildert zu haben, welche bisher lebend nach Europa eingeführt worden. Es ſind 23 Aſtrilde und 27 Amandinen. Daran habe ich 13 Aſtrilde und 11 Amandinen gereiht, welche noch nicht im Vogelhandel vorhanden geweſen, die jedoch den erſteren nahe verwandt ſind oder die Ausſicht bieten, daß ſie demnächſt ebenfalls in unſeren Käfigen und Vogel= ſtuben erſcheinen werden. Die obige Darſtellung dieſer ebenſo beliebten als liebenswürdigen Vogelfamilie dürfte nun wol die ausführlichſte ſein, welche bis jetzt veröffentlicht worden; dennoch kann ſie keineswegs ſchon als eine vollſtändige, durchaus erſchöpfende gelten. Sobald einerſeits noch wenig bekannte Striche, namentlich im Innern Afrikas und Auſtraliens nebſt mehreren Inſeln, der Forſchung und dem Weltverkehr weiter erſchloſſen ſein werden und wenn andrer= ſeits der Großhandel zahlreiche unzugängliche oder wieder vernachläſſigte Gegenden lebhaft eröffnet, ſo dürfen wir nicht allein darauf hoffen, daß die zoologiſchen Muſeen noch mit mancher neuentdeckten Art bereichert werden, ſondern auch darauf, daß die Einfuhr über= ſeeiſcher Vögel nach Europa beiweitem mannigfaltiger wird. Dann aber können wir erſt eine vollendete, wiſſenſchaftliche und allverſtändliche Beſchreibung aller Prachtfinken erwarten. Selbſtverſtändlich werde ich diejenigen Arten, welche bis zum Schluß dieſes Buches noch ein= geführt werden ſollten, in einem Anhange nachholen.

# Die Widafinken [Viduae].

Von dem westafrikanischen Landstrich Wida trägt eine Familie sehr auffallend gestalteter Finken den Namen, welcher eine wunderliche Auslegung gefunden. Linné hat ihn in Vidua\*) verwandelt und die Uebertragung dieses Wortes in alle Sprachen wurde im Handel und in der Liebhaberei um so leichter eingebürgert, da die meisten der hierher gehörenden Vögel in dunklen Farben und mit langen Schlepp= schwänzen erscheinen; man nennt sie daher volksthümlich überall Witwenvögel.

Obwol die Widafinken im allgemeinen, in der Lebensweise, Ernährung u. s. w., mit den Prachtfinken übereinstimmen, so zeigen sie doch auch sehr bedeutsame Unter= schiede. Sie haben sämmtlich ein anspruchsloses, graues Federkleid, welches aber mit der Brutzeit in ein glänzendes, buntes Prachtkleid übergeht und sich nach beendetem Nisten wieder zum grauen Gefieder zurückverfärbt; dies geschieht theils durch Farbenwechsel, theils durch eine beschränkte Mauser. Zugleich verlängern sich dann die mittleren Schwanzfedern um das doppelte bis dreifache der Länge des ganzen Körpers und nehmen dabei eine dach= oder pultartig gewölbte, schwert= förmige oder hahnenschwanzartige Gestalt und ein marmorirtes Aussehen an.\*\*) Diese langwallenden Schwanzfedern, sowie die schönen Farben verleihen dem Vogel eine ganz absonderlich malerische Pracht. Wenn das Gefieder grau zu werden anfängt, so fallen die langen Schwanzfedern, aber nur sie allein, aus und in einigen Wochen wachsen an ihrer Stelle andere nach, welche vorläufig jedoch nur die gewöhnliche Länge des Schwanzes erreichen und grau sind.\*\*\*)

---

\*) Mit Berücksichtigung der Sitte, daß für die Genusnamen doch nur altklassische Worte gewählt werden dürfen und daß es am wenigsten thunlich erscheint, eine Linné'sche Bezeichnung umzustoßen, wenn man nicht einen vollgültigen Ersatz für dieselbe findet, wagte ich nicht, das Wort Vidana (also Widavogel) unterzuschieben. Möge lieber die Meinung zur Geltung kommen, daß die schwarze, weiße und braune Färbung des Prachtkleides und der schleppenartige Schwanz wirklich einen Hinweis auf die Erscheinung einer menschlichen Witwe gestatte und mögen also diese Vögel immerhin volksthümlich Witwen benannt werden.

\*\*) Die Bildung der Schwanzfedern der im Vogelhandel als Paradieswitwen bekannten Vögel (Steganura) schildern Finsch und Hartlaub in folgender Weise: „Die vier mittleren Schwanzfedern zeichnen sich durch eine höchst merkwürdige Gestaltung aus. Sie haben eine sehr breite, aufrechtstehende Fahne und fühlen sich hornartig an. Die beiden mittelsten sind breiter, aber bedeutend kürzer als das fünfte Paar, von elliptischer Form mit fadenförmig vorragendem nackten Schaft. Das fünfte Paar ist außerordentlich verlängert und verschmälert sich vom breiten Grunde bis zu der stumpfen Spitze allmälig."

\*\*\*) In der übersichtlichen Schilderung der Webervögel werden die Leser eine eingehende Beschreibung des Vorgangs der Verfärbung finden.

In ihrem Aeußern, in der Haltung und den Bewegungen stehen die Wida=
finken den Ammern und Lerchen nahe (schon Linné stellte sie zu den ersteren),
doch haben sie eine abweichende, besondere Eigenthümlichkeit, indem sie nämlich
beim Futtersuchen auf der Erde hühnerähnlich scharren. Wenn der Vogel hin=
und hertrippelt, fährt er plötzlich blitzschnell vor= und rückwärts und dies wieder=
holt sich von Zeit zu Zeit, indem er hin und wieder ein Körnchen aufpickt.

Alle Widafinken sind nur in Afrika heimisch. Ihr Freileben wird zweifellos
dem anderer Finkenvögel gleichen; es ist überaus wenig bekannt. Die meisten
Arten bewohnen vorzugsweise sumpfige Gegenden, Wiesen, Ufer u. dgl. Einige
sollen zuzeiten an Hirse u. a. Getreide recht schädlich werden. Männchen
und Weibchen leben nicht in der zärtlichen Ehe, welche die Prachtfinken zeigen,
sie kümmern sich vielmehr anscheinend garnicht um einander. Die Brutzeit hin=
durch findet man sie jedoch parweise und späterhin in mehr oder minder großen
Scharen beisammen. Von verschiedenen Seiten ist die Behauptung aufgestellt worden,
daß sie in Vielehe leben, und diese Annahme dürfte, sei es nur bei einigen oder bei
allen Arten, immerhin zutreffend sein. Während der Liebeszeit sind die sonst stillen,
harmlosen Vögel sehr erregt und erscheinen dann durch ihre tanzartigen Bewegungen
in der Luft sehr auffallend. Ueber ihre Fortpflanzung haben die Reisenden bis jetzt
noch fast garkeine Mittheilungen gemacht, und umsomehr ist es zu bedauern, daß bis=
her auch noch keine nennenswerthen Zuchterfolge erlangt sind. Die Größe wechselt
von der eines Zeisigs bis zu der eines Stars. Ihre Nahrung in der Freiheit
besteht, mit der aller verwandten Finken übereinstimmend, in kleinen Sämereien
von Gräsern und Kräutern, sowie auch fraglos in Kerbthieren. Im Käfige
füttert man sie mit Hirse und Spitz= oder Kanariensamen nebst Zugabe von
Ameisenpuppen, Mehlwürmern und derartigen Gemischen.

Die Verfärbung geschieht, dem Frühlinge ihrer Heimatsstriche entsprechend,
bei den meisten Arten mit dem Beginn unserer Herbstmonate, und nur in dieser
Zeit können sie auch zur Brut schreiten. Ihr Nisten läßt sich daher nicht, wie
das der Prachtfinken, durch Entziehung der Gelegenheiten bis zu unserer warmen
Jahreszeit verschieben; sie gelangen in das Hochzeitskleid, gleichviel ob sie Ge=
legenheit zur Hecke finden oder nicht. In dieser Frist werden die Männchen,
welche allein den Farbenschmuck anlegen, auch in der Gefangenschaft außer=
ordentlich stürmisch. Ihre Liebestänze führen sie nicht auf der Erde oder auf
einem Zweige sitzend, sondern, wie schon erwähnt, fliegend in der Luft aus,
indem sie über ihren Weibchen oder auch über anderen Vögeln einige Minuten
schnell auf= und niederhüpfend flattern. Dabei wird der lange Schwanz malerisch
auf= und niedergeworfen, während sie ein lautes, nicht besonders melodisches
Geschrei erschallen lassen. Im übrigen ist ihr Gesang, welchen sie auch außer
der Nistzeit, vornehmlich aber im Prachtgefieder sehr eifrig hören lassen, für

ein nicht zu sehr verwöhntes Ohr keineswegs unangenehm; in der Liebeszeit wird er
aber zu viel von gellenden Tönen unterbrochen. Ueberhaupt gerathen die Männchen
dann in eine förmlich fieberhafte Unruhe, fliegen den ganzen Tag mit wehenden
und wallenden Schwänzen hin und her und zwar gewöhnlich ein und denselben
Strich. Im grauen Gefieder sind die Männchen und Weibchen gleicherweise
harmlos und gegen alle übrigen Vögel friedfertig; im Prachtkleide dagegen zeigen
einige Arten eine nur zu große Unverträglichkeit, sodaß man sie im Gesellschafts=
käfige oder gar in der Vogelstube, wo viele Pärchen nisten, nicht halten darf.
Schon durch die fortwährende Unruhe, das hastige Fliegen, namentlich aber durch
das Wehen der langen Schwänze, werden alle übrigen Vögel in Furcht gejagt,
die kleineren und kleinsten oft in tödtliche Angst und selbst große in arge Unruhe.
Keinenfalls darf man einen Widafink im Prachtgefieder plötzlich in eine Vogel=
stube bringen, wenn man nicht auf überaus viel Unheil gefaßt sein will. Die
Dominikaner=Wida sollte man in einem von Prachtfinken u. a. kleinen Vögeln
bewohnten Raum garnicht halten, weil sie, wie ich weiterhin ausführen werde,
zu bösartig ist. Die harmlose Paradieswida dagegen darf man wol in der Vogel=
stube halten, wenn man nur die Vorsicht beachtet, daß man sie im grauen Kleide
fliegen läßt, sodaß sie das Prachtgefieder allmälig anlegt.

Unter allen fremdländischen Stubenvögeln hält es, nach den übereinstimmen=
den Erfahrungen aller Vogelwirte, am schwersten, die Widafinken zu züchten.
Selbst, wenn man das Opfer bringt, es zu dulden, daß ein Pärchen dieser
Vögel lange Zeit hindurch andere in den Bruten stört, so erreicht man dennoch
kaum jemals den Erfolg, daß sie selber nisten, und wenn dies auch wirklich ein=
mal geschieht, so bringen sie doch schwerlich die Jungen zum Flüggewerden. Ein
Zuchtversuch im Käfige hat von vornherein keine Aussicht auf Gedeihen, wenn der
letztere nicht sehr umfangreich ist, sodaß er dem Männchen freien Raum für seine
stürmischen Bewegungen gewährt. Die Ursachen der erschwerten Züchtung dieser
Vögel liegen aber nicht allein in der Lebhaftigkeit der Männchen, sondern auch
in der außerordentlichen Schüchternheit der Weibchen begründet; hauptsächlich aber
wol darin, daß wir ihnen irgend einen nothwendigen Nahrungsstoff, oder vielleicht
richtiger, die geeignete Nistgelegenheit und die passenden Dinge zum Nestbau
nicht zu bieten vermögen. Bevor die Naturforscher in der Heimat dieser Vögel
eingehende Studien über die Ernährung und Brutentwickelung gemacht, ist an
ihre Züchtung kaum zu denken. Anleitung zu Züchtungsversuchen mit ihnen in
Gewächshäusern — wie solche schon Vieillot vorgeschlagen und wie sie in Holland
bereits im vorigen Jahrhundert angestellt worden — werde ich weiterhin geben.

Im übrigen sind die Widafinken als Stubenvögel sehr geschätzt und zwar mit
Recht. Sie vereinigen mit der Schönheit des Gefieders eine große Anspruchs=
losigkeit, sodaß sie sich bei einfacher Pflege im Käfige, wie in der Vogel=

stube viele Jahre hindurch munter und ziemlich ausdauernd zeigen; im allge=
meinen sind sie freilich etwas weichlicher als die Prachtfinken. Besonders wenn
sie soeben eingeführt worden, sterben sie oft in nur zu großer Anzahl, an Krank=
heiten, deren Keim die Reiseanstrengungen gelegt und welche namentlich durch das
veränderte Futter (anstatt afrikanischer Hirse, gewöhnliche weiße) zum Ausbruch
kommen. Eingewöhnt erhalten sie sich aber vortrefflich; so hat Herr Dr. Luchs
eine Dominikanerwitwe, welche sich seit zehn Jahren des besten Wohlseins er=
freut. Nur wenige Arten gelangen regelmäßig und in beträchtlicher Anzahl in
den Handel. Die übrigen sind mehr oder minder selten und daher kostbar. Die
Preise für die einzelnen sind sehr verschieden; man kauft die ersteren für etwa
9 bis 15 Mark das Pärchen, während die letzteren mit 24 bis 45 Mark und
darüber bezahlt werden.

### Der stahlblaue Widafink [Vidua nitens].
#### Tafel VII. Vogel 34.

Der allbekannte Stahlfink oder Atlasvogel fällt in jeder Sammlung durch
sein hübsches Aussehen auf. Er erscheint tiefschwarz, metallblau glänzend, und
das schneeweiße Schnäbelchen, sowie die rosenrothen Füße heben sich von dem
Gefieder lieblich ab. Die Gestalt ist zierlich und anmuthig und das Federkleid
stets glatt und schmuck. Größe etwa die des Zeisigs.

Gewöhnlich wird der Atlasvogel zu den Prachtfinken gezählt, jedenfalls aber
mit Unrecht, denn er zeigt sich fast in jeder Hinsicht mit den Widafinken über=
einstimmend; er hat den alljährlichen Farbenwechsel, das hühnerähnliche Scharren,
das flughüpfende Liebesspiel, sowie das stürmische Wesen. Dagegen unter=
scheidet er sich dadurch von ihnen, daß er nicht den verlängerten Schwanz erhält,
während er im Nestbau und den reinweißen Eiern den ersteren wiederum gleicht.
Man darf ihn daher wol als ein Mittelglied zwischen den Wida= und Pracht=
finken ansehen. Hervorragende Vogelkundige, wie namentlich Cabanis, stellen ihn
jedoch ohne weiteres zu den ersteren, und diesem Beispiele folge ich.

Bereits die ältesten Autoren, Aldrovandi (italienischer Schriftsteller des
17. Jahrhunderts) u. A., erwähnen den Vogel, doch sind sie bis auf Buffon
in mancherlei Irrthümern inbetreff seiner befangen. Vieillot berichtigte die=
selben sodann dahin, daß der immer fälschlich indischer oder brasilianischer Sper=
ling genannte Comba-sou nur in Afrika heimisch ist. Er schildert sein leb=
haftes Wesen und seine Zanksucht anderen Vögeln gegenüber und bezeichnet ihn
besonders als Quälgeist der kleinen Astrilde; ungleich muthiger als kräftig, scheut
er sich nicht, selbst mit größeren Vögeln zu kämpfen. Sein Gesang wird ver=
schieden beurtheilt; einige Beobachter finden ihn nicht unangenehm, anderen da=

gegen gefällt er nicht. Der Munterkeit, Zierlichkeit und seines schönen Gefieders wegen ist er aber bei allen beliebt. Das Weibchen ist nicht weniger unruhig und kein geringerer Schreier als das Männchen. Zur Brut zu bringen sind sie nur in einem großen mit immergrünen Pflanzen ausgestatteten Käfige und bei einer Wärme von 24 bis 26 Grad. Doch giebt der Forscher nicht an, ob er wirklich einen Züchtungserfolg erzielt habe. Seitdem ist der Vogel immer eingeführt worden. Bechstein, der ihn nach Gmelin glänzender Fink nennt, sagt, daß das Pärchen damals 4 Louisd'or kostete.

„Die Beobachtungen, welche über das Freileben dieses Vogels veröffentlicht worden, sind ziemlich widersprechend. Nach A. E. Brehm ist er der zweite Tropenvogel, dem man, von Norden kommend, überall häufig begegnet. Der Genannte versichert, das Nest, ein wirrer Grashaufen, werde auf Bäumen angelegt, wogegen Th. v. Heuglin dasselbe, aus Strohhalmen, Lappen, Federn u. dgl. zusammengesetzt, unter Dachsparren, in Giebeln und selbst in Mauerlöchern fand."*) Mit den Angaben des letzteren Naturforschers sind auch die von Speeke, Kirk, R. Hartmann u. A. gleichlautend. Heuglin beschreibt das Nest als dem des Haussperlings ganz ähnlich und mit Haaren und Fäden fein ausgepolstert. Zuweilen soll es in verlassenen Schwalbennestern gebaut sein. Das Gelege besteht in drei bis fünf reinweißen, beim Bebrüten bläulich scheinenden Eiern. Niftzeit sind die Monate Juli bis Anfang September (nach Br. Januar bis März) und die Verfärbung der Männchen zum Hochzeitskleide erfolgt mit dem Beginn der Regenzeit. Sperlingsähnlich kommt das muntere, arglose Vögelchen selbst bis ins Innere der Häuser, um Brosamen und Speisereste zu suchen oder an den Wasserbehältern seinen Durst zu löschen. Gewöhnlich hausen nur wenige Pärchen in einem Gehöft gesellig mit kleinen rothen Astrilden. Im ganzen östlichen Sudan vertritt der stahlblaue Widafink die Stelle des Haussperlings. Er ist am Nil bis zum 23. Gr. nördl. Breite und in Abessynien bis zu 2500 Meter Höhe hinauf überall einer der häufigsten Standvögel (nach Br. Zugvogel). R. Hartmann sah freilich auch große Schwärme, zu welchen der Stahlfink sich jedoch zeitweise wol ebenso, wie unsere nicht wandernden Finkenvögel zusammenschlagen wird.

Die älteren Ornithologen unterschieden eine zweite Art, den stahlgrünen Widafink (Vidua aenea). Neuere Forschungen von Finsch und Hartlaub haben jedoch ergeben, daß derselbe nicht als selbstständige Art, sondern nur als Lokalrasse anzusehen ist. Heuglin giebt an, daß er den stahlgrünen

---

*) Die obigen Worte aus dem Werke „Die Vögel Ost-Afrikas" (v. d. Decken's Reisen IV. Band) von Dr. O. Finsch und Dr. G. Hartlaub, veranlassen mich zu dem Hinweise, daß ich Behauptungen des Dr. A. E. Brehm leider niemals als Quellen zu benutzen vermag, weil sie mit denen aller anderen Afrikareisenden nur zu häufig im Widerspruch stehen.

Vogel ausschließlich in Waldgegenden, z. B. im magern, halbdürren Buschwald von Ostabessynien und im Gebiet des weißen Nil gefunden, wo er einzeln oder parweise lebe, ein scheues, flüchtiges Wesen habe und wahrscheinlich in Baum=höhlen niste.

Betrachtet man den blauen und grünen Stahlfink nur als zusammen=gehörende Lokalrassen, so erstreckt sich die Verbreitung über den größten Theil des tropischen Afrika.

Die üblen Eigenschaften, welche nach Vieillot auch Reichenbach u. A. dem Atlasvogel zuschreiben, kommen in der Vogelstube wenig zur Geltung. Er zeigt sich vielmehr durch muntere Keckheit, Ruhe= und Rastlosigkeit, als durch wirkliche Bösartigkeit störend; er erschreckt Prachtfinken und andere kleinere Vögel, namentlich ihre Weibchen dadurch, daß er in der Weise anderer Wida=finken=Männchen in der Luft hüpfend und unter gellendem Geschrei einige Mi=nuten über ihnen flattert; niemals aber beißt er andere Vögel wirklich. Er ist viel mehr ein muthwilliger Necker als ein bösartiger Raufbold. Die Männchen untereinander aber kämpfen so heftig und hartnäckig, daß man zur Nistzeit nie=mals ihrer mehrere beisammen haben darf. Auch mit den verwandten Paradies=wida=Männchen befehden sie sich heftig und andauernd.

Jahrelang habe ich regelmäßig ein Pärchen in der Vogelstube gehalten und alles mögliche versucht, um ein glückliches Züchtungsergebniß zu erlangen; ich schaffte zahlreiche an, behielt das kräftigste Paar, wechselte dann auch wieder mit diesem, bot die mannigfaltigste Fütterung, mancherlei Nistgelegenheiten und die verschiedensten Baustoffe — dennoch habe ich nur eines einzigen Erfolges mich erfreut. Zunächst bemerkte ich, daß das eine Weibchen das Nest eines Pärchens kleiner rother Astrilde fortwährend umkreiste und hin und wieder hineinschlüpfte. Die Prachtfinken ließen sich dadurch gar nicht behindern, und so hoffte ich, daß sie aus den etwa hineingelegten Eiern Pflegekinder erziehen würden. Allein das erstere Weibchen kam nicht einmal zum Eierlegen, weil die Brut in der Nähe der Thür sich befand und Störungen ausgesetzt war, um welche sich die Prachtfinken freilich nicht kümmerten. Nach längerer Zeit trug das Stahlfink=Weibchen in ein bereits benutztes, sehr unreinliches Zebrafinkennest auf den zusammengedrückten Bau grobe Halme ein und formte auf demselben eine halbüberdachte Nest=mulde. Das Gelege von 5 Eiern wurde vom Weibchen allein in 12 Tagen erbrütet, während das Männchen das Nest mit Eifersucht bewachte und alle anderen Vögel, selbst sehr große, mit Geschrei und Flügelschlägen vertrieb.

Das Jugendkleid ist oberhalb fahlbraun, jede Feder blaßröthlich ge=ränder. Ueber den Kopf längs des Scheitels und an den Seiten laufen drei fahl=röthliche Streifen; Schwanz schwärzlichbraun; unterhalb, Brust, Seiten, Unter=flügel und Unterschwanz fahlgelblich; Bauch und Hinterleib reinweiß. Im ersten

Jahre verfärben sich die jungen Männchen nur theilweise, sodaß sie gescheckt erscheinen. Der alte kräftige Vogel bleibt gewöhnlich ächt bis neun Monate, zuweilen wol 1¼ Jahr im Prachtgefieder, bevor er grau wird. Je nach dem Striche Afrikas, aus welchem die Stahlfinken gekommen, treten sie auch in der Gefangenschaft vom Juli zum September in die Verfärbung zum Hochzeitskleide.

Nur einmal konnte ich ein lebendes Exemplar der stahlgrünen Spielart erhalten, nachdem ich jahrelang die zahlreichen Atlasvögel aller Handlungen von Berlin sorgfältig durchmustert. Der Vogel ging leider im grauen Gefieder zugrunde.

Alljährlich werden, besonders von der Küste von Guinea aus und vorzugs= weise über Bordeaux, Marseille u. a. viele Hunderte von Atlasvögeln in den Handel gebracht und ihres hübschen, immer schmucken Aussehens, lebhaften Wesens, ihrer Anspruchslosigkeit und Ausdauer halber finden sie immer willige Käufer. Sie halten sich bei Stubenwärme viele Jahre vortrefflich und man hat sie sogar mehrfach im ungeheizten Raume gut überwintert. In den meisten Fällen, namentlich in kleineren Gesellschaftskäfigen, wird man ihrer jedoch bald überdrüssig; mindestens dann, wenn sie das Prachtkleid verlieren und unansehnlich grau werden. Von einem wirklichen Gesange kann keine Rede sein. Der Preis im Großhandel beträgt zuweilen nur 3½ bis 5 Francs. Obwol nicht ganz so weichlich als die zartesten Aftrilde, erliegen doch auch von ihnen nicht selten die meisten frischange= kommenen vor der Eingewöhnung. Tadellose Pärchen kosten zwischen 7,5 bis 12 Mark (2½ — 4 Thlr.).

Der stahlblaue Widafink wird auch Stahlfink, Stahlwida, Ultramarinfink und am meisten Atlasvogel benannt; blauschimmernder Stahlfink (Rchb.).

Le Combassou (Bekemans und Brzn. d. Thiere des Aftl.=Ort. v. Paris); le Combasso (französische Händler; fälschlich Combasson oder Combassot); Ultramarine-Finch (Jamrach); in dem Brzn. d. zool. Grt. v. London nicht vorhanden; Zwarte Musch, auch Combassou oder fälschlich Compassou (holländisch).

Nomenclatur: Fringilla nitens, Gml., Lth., Vll., Hgl.; Fringilla ultramarina, Gml., Lth., Bchst.; Loxigilla nitens, Lss.; Amadina nitens, Swns., Kpp., Gr.; Hypochera nitens, Hrtl. et Fnsch., Cab., Bp., Sclt., Krk., Rchb., Hgl., Antn.; Hypochera ultramarina, Bp., Cb., Hrsf. et Mr., Hrtl., Rchb., Hgl., Hrtm.; Fringilla funerea, de Trrg.; Tiaris funerea, Gr. [Hypochera aenea, Hrtl.; Passer niger erythrorhynchos, Brss.]. — Moineau du Brésil, Buff.; Glossy-finch, Lath.; Oûtre-mer, Buff.; Ultra-marine Finch, Lath.; le Père noir à bec rouge, Buff.; le Comba-Sou, Vieill.; le Comba-Sou brillant, Chenu.

Wissenschaftliche Beschreibung. Männchen schwarz, durchaus tief stahlblau glän= zend; Schwingen dunkelbraun, an der Außenfahne sehr schmal fahl bräunlich gesäumt; untere Flügeldecken blaßbräunlich; an den Bürzelseiten über den Schenkeln ein verdeckter Büschel weißer, seidenweicher Federn; Schwanzfedern dunkelbraun mit schmalem, fahlem Endsaum. Schnabel weiß; Auge dunkelbraun; Füße rosenroth. — Weibchen oberhalb blaßbraun, jede Feder mit röth= lich fahlem Rande, daher längsgefleckt; Augenbrauen und ein breiterer Streif längs der Scheitel= mitte rostfahl; Schwanz graubraun, unterhalb blaß rostfahl; Bauch und untere Schwanzdecken weiß. — Männchen im Winterkleide dem Weibchen ähnlich, aber oberhalb mehr hirschfahl,

Steuerfedern braunschwarz, schmal und verwaschen weißlich gerandet; Unterschwanzdecken rein=
weiß. (Das Weibchen ist dem des Paradies=Widafink sehr ähnlich; Br. behauptet dem des
Dominikaner = Widafink.)

Vidua nitens: ♂ niger nitore chalybico; pogonio remigum fuscorum luride
sublimbatis; tectricibus subalaribus pallide fuscantibus; fasciculo occulto albo
plumarum subsericarum ex uropygio prodiente; rectricibus fuscis, luride submarginatis; rostro albido; iride fusca; pedibus roseis. — ♀: supra subfusca; plumis
singulis rubente marginatis striaturam exhibentibus; superciliis striaque lata supra verticem medium ferruginosa; cauda cinereo-fusca, subtus luride ferruginea; abdomine
et infracaudalibus albis. — ♂ vesti hiemali cum femella conveniens, at supra
magis brunnescens; rectricibus fusco-nigris, albente sublimbatis; infracaudalibus albis.

Länge 11,8 cm. (4¹/₂ Z.); Flügel 6,₁—7,₂ cm. (2¹/₃—2³/₄ Z.); Schwanz 3,₃—3,₅ cm.
(1¹/₄—1¹/₃ Z.).

Jugendkleid s. S. 200.

Juvenis: supra luride fusca, plumis singulis rubente marginatis; striis ternis
et supra verticem et secundum capitis latera sordide rubentibus; cauda nigrescente
fusca; subtus pectore, hypochondriis, subalaribus et infracaudalibus luride flaventibus;
abdomine crissoque albis.

Beschreibung des Eies: Farbe reinweiß, stumpf eigestaltig.

Ovum albissimum, obbuse ovatum. Länge 16 mm. (7¹/₂ L.); Breite 1,₁ mm.
(¹/₂ L.).

## Der Paradies=Widafink [Vidua paradisea].

### Tafel VII. Vogel 36.

Mit größerem Entzücken, als bei irgend einer andern Vogelfamilie schildern
die Reisenden den wundervollen Eindruck, welchen die Widafinken in ihrer
Heimat gewähren, wenn dieselben inmitten des Urwaldes oder auch in freieren
Gegenden mit ihren langen, wallenden Schwänzen von Baum zu Baum dahin=
schießen oder in der Luft die hüpfenden Liebesspiele ausführen.

Auch in der Vogelstube und selbst im Käfige ist der Anblick ein herrlicher
und deshalb ist der Paradies=Widafink, die allbekannte sogenannte Paradies=
witwe, ungemein beliebt und geschätzt. Er gehört auch zu den Schmuckvögeln,
welche von den Portugiesen sogleich nach der Entdeckung Guineas nach Europa
eingeführt wurden, wie dies bis zur Gegenwart gleicherweise geschieht.

Bei den alten Schriftstellern spielt die ‚Witwe mit dem goldenen Halsbande‘
eine große Rolle und die Literatur über diesen Vogel ist ebenso alt als reich=
haltig; doch bietet sie über das Freileben nur geringe Auskunft.

Schon Vieillot hatte es erfahren, daß die Paradieswida sich schwierig
züchten läßt; nur allenfalls bis zum Eierlegen gelangten die Weibchen in seiner
Pflege. Dann beschreibt er die stürmischen Liebesbewerbungen des Männchens,
welche dasselbe auch den Weibchen fremder Arten zu erweisen sucht. Für die
Züchtung schlägt er vor, ein warmes Gewächshaus zu benutzen. Unmittelbar
nach der Ankunft, sagt er, sind diese Vögel weichlich, während sie eingewöhnt,

bei mäßiger Temperatur und ohne besondere Sorgfalt zu beanspruchen, wol
zwölf Jahre ausdauern.

Man unterscheidet auch bei diesem Widafink zwei Rassen, welche jedoch nach
Hartlaub und Finsch als eine Art zusammenfallen dürften. Fast das einzige
sichere Kennzeichen ist die allerdings beträchtlichere Größe des aus dem Osten
kommenden Vogels.*) Betrachten wir beide als eine Art, so erstreckt sich die
Heimat weit über den Westen und Süden, sowie auch über den Nordosten und
Osten des ganzen Welttheils. Auch ist er auf der Insel St. Helena eingebürgert — wahrscheinlich, wie in fast allen solchen Fällen, nur durch einen
Zufall — und wird dort in beträchtlicher Anzahl gefangen, um in den Handel
gebracht zu werden.

„Ob der Paradies-Widafink", sagt Th. v. Heuglin, „Standvogel in meinem
Betrachtungsgebiet ist, kann ich nicht sicher behaupten, indem ich nur zwischen den
Monaten Mai bis Dezember die Gelegenheit hatte, ihn zu sehen. Zur Fortpflanzungszeit traf ich ihn par- und familienweise; im Herbste oft in ziemlich großen
Gesellschaften vereinigt. Er überschreitet den 17. Grad nördlicher Breite wol
nicht; in Abessynien geht er zu 1900 bis 2200 Mtr. über Meereshöhe hinauf.
Man begegnet ihm vornehmlich in der Waldregion und im Buschwald der Steppe,
hier zuweilen weit von Gewässern entfernt. Er ist eine der häufigeren Erscheinungen im Bogosland, Habesch, Sennar, Kordofan und im ganzen Gebiet
des weißen Nil. Meist treibt er sich auf dornigen Bäumen und höheren
Büschen herum, bevorzugt hier kahle Gipfel, ist wenig beweglich, fliegt selbst
bei gelindem Luftzuge nur kurz und mit offenbarer Anstrengung, den schweren
Schweif mühsam nachschleppend und nicht ausbreitend; letzterer hängt in ruhiger
Stellung ziemlich senkrecht herab. Der Gesang zeichnet sich durch seine Einfachheit
aus, der Lockton ist ein wenig lautes, etwas flötendes Zirpen, das auch im
Fluge gehört wird. Alte Männchen im Prachtkleide kommen selten auf den
Boden herab, die Weibchen benehmen sich hier aber ganz wie die Stahl-Widas.
Ueber die Fortpflanzung habe ich keine Erfahrungen machen können. Im Herbst
begegnet man oft Flügen, welche ausschließlich halb vermauserte Männchen sind."
R. Hartmann sah sie auf Hochbäumen, anmuthig den Schwanz wiegend.
Näheres ist nicht bekannt. Um so eingehender ist der Vogel in der Gefangen-
schaft beobachtet worden.

*) Herr Wiener in London schrieb mir: Vor einigen Jahren kaufte ich drei Paradies-
witwen von überaus großer Schönheit. Sie zeichnen sich durch eine sehr lebhafte Färbung des
ganzen Körpers und durch ein goldgelbes Nackenband aus. Das Braun an der Brust ist
viel tiefer und satter als bei anderen. Seltsamerweise zeigen sie aber die langen, haarartigen
Fäden nicht, welche die Schwanzfedern im Prachtgefieder sonst schmücken. Leider konnte ich nicht
ermitteln, aus welchem Theile Afrikas diese Vögel eingeführt wurden.

Ein Pärchen Paradies=Widafinken im grauen Gefieder zeigt sich als auf= fallend ruhige und gegen ungünstige Einflüsse empfindliche Vögel. Wenn der Schnabel des Männchens an der Spitze dunkel wird und am Kopfe, an Hals und Brust farbige Fleckchen hervortreten, so erscheint der Widafink allmälig lebhafter und beginnt immer emsiger seinen Gesang, welcher freilich nur ein wenig harmonisches Gezwitscher aus einsilbigen, theils gellenden, theils wohllautenden, langgezogenen Tönen ist. Jetzt fliegt er stundenlang einen Strich in der Vogel= stube, wobei er sich stets auf denselben Zweig niederläßt. Mit der weiteren Ent= wickelung des Prachtkleides werden die Bewegungen immer lebendiger, bis er so= dann den hüpfenden Liebestanz alltäglich vielmal aufführt.

Je nach dem Fütterungszustande schreitet die Verfärbung des Gefieders mehr oder weniger schnell fort, sodaß sie in etwa 4 — 6 Wochen vollendet ist. Wer den früher sperlingsgrauen Widafink nicht im Auge behalten, wird ihn jetzt schwerlich wiedererkennen. Der Oberkopf, das Gesicht und die Kehle, Rücken, Flügel und Schwanz sind tiefschwarz gefärbt; dazwischen zieht sich vom Genick bis zur Brust herab über die letztere und den halben Bauch schönes gold= glänzendes Kastanienbraun; der Unterleib ist reinweiß. Die bemerkenswertheste Veränderung aber hat der Schwanz erlitten; die beiden mittelsten Federn sind so lang hervorgewachsen, daß sie die Länge des Vogels mehr als doppelt über= treffen, dabei haben sie sich dachförmig gewölbt und eine gebogene, hahnenfederige Gestalt angenommen. Sie verschmälern sich vom breiten Grunde allmälig bis zur Spitze. Neben ihnen die beiden nächsten sind ebenfalls verlängert, haben aber eine breite, schwertförmige Gestalt. Von verschiedenen Punkten dieser Federn gehen borstenartige, lange Fäden aus. Die schwarze Farbe des Schwanzes er= scheint prachtvoll marmorirt. In der Größe ist der Vogel übrigens etwa dem Haussperling gleich.

Nach v. Heuglin's Angaben färbt sich der Vogel zum Prachtkleide im Juni und Juli und im Oktober zum Winterkleide; nach Edwards geschieht letzteres erst im November; nach Kirk aber hat der Vogel das Prachtkleid im Januar und Februar. Hartmann fand im innern Sennar im Mai langschwänzige Männchen und erzählt, daß von Harnier solche am Dindirflusse im März ge= sehen. Es ist erklärlich, daß der Eintritt der Verfärbung je nach den fern von einander liegenden Gegenden des großen Welttheils, sodann aber auch nach dem Alter und Ernährungszustande des einzelnen Vogels wechselt und zwar sowol im Zeitpunkt des Beginns als auch in der Dauer.

In der Gefangenschaft ist der Farbenwechsel ebenso vielfachen Veränderlich= keiten unterworfen, welche auf dieselben Ursachen zurückzuführen sind. Reichen= bach behauptet auch, daß die Widafinken in ihrer Verfärbung sich an unsere warme Jahreszeit gewöhnen. Ich habe dies nicht bestätigt gefunden, sondern

alljährlich beobachtet, daß jeder dieser Vögel ziemlich genau an seiner Frist fest=
hielt, während dann späterhin allerdings mancherlei Unregelmäßigkeiten sich
äußerten. Die überwiegende Anzahl der lebend eingeführten Paradies=Widafinken
stammt aus dem Westen Afrikas und nur selten kommen einige Pärchen der
größeren Lokalrasse in den Handel. Wenn die ersteren Vögel von Bordeaux und
Antwerpen aus im Spätsommer in die Vogelhandlungen gelangen, so sind sie
regelmäßig im Prachtgefieder und färben sich gegen den Spätherbst bis Winter
hin grau. Sehr wechselnd aber, in der Frist vom Mai bis Ende Juli, tritt dann
wieder die Verfärbung zum Prachtkleide ein und je nach der Fütterung bleibt
der Vogel 3—6 Monate, zuweilen wol bis $1\frac{1}{2}$ Jahr in demselben. Manche
recht kräftige Männchen werden garnicht völlig grau, sondern behalten immer
einige schwarze und braune Federn bei; auch bleibt wol eines mehrere Jahre
dauernd im Prachtgefieder. Manchmal legt ein Vogel, den man für ein Weibchen
gehalten, in der zweiten oder erst zur dritten Liebeszeit das Prachtkleid an.

Obwol ich eine lange Reihe von Jahren hindurch und in der mannig=
faltigsten Weise den Paradieswidafink zu züchten versuchte, wollte es mir doch
durchaus nicht gelingen, ein befriedigendes Ergebniß zu erlangen. Selbst als ich
einen Gärtnerei=Besitzer dazu bewegen konnte, einige Pärchen in einem großen
Gewächshause frei fliegen zu lassen, zeigte sich kein Erfolg. Einen doch wenigstens
einigermaßen günstigen Fall kann ich in folgender Weise schildern.

Bei allen Vögeln, welche an die bestimmte Frist des Prachtgefieders mit
dem Niften gebunden sind, liegt eine sehr große Schwierigkeit darin, ihnen
Weibchen zu geben, welche aus derselben Gegend herstammen und zur gleichen
Zeit brütlustig sind. Ich ließ daher mit einem Männchen drei Weibchen in der
Vogelstube frei. Im ersten Jahre machten dieselben auch nicht im geringsten
Miene zum niften. Erst gegen den Herbst des zweiten Jahres hin schleppten
sie sich alle drei hier und da mit Halmen und im November, während das
Männchen noch im vollen Schmuckgefieder prangte, trugen sie Halmen, Baftfäden
Baumwollflöckchen u. dgl. auf dem Drahtboden eines hochhängenden Bauers zum
anscheinend wirren Haufen zusammen. Eine Annäherung zwischen Männchen
und Weibchen konnte ich aber niemals wahrnehmen. Als ich endlich nach ge=
raumer Zeit einmal nachsah, fand ich ein wunderliches Doppelnest inmitten des
großen, aus allen möglichen Stoffen angehäuften Thurmes. Die eine Nisthöhle
war backofenförmig überdacht und mit Fasern und langen Pferdehaaren sauber
gerundet, die andere war eine flache, liederlich ausgelegte Mulde, deren hinterer
Rand kaum etwas überstand. In dem erstern Neste waren drei, leider todte
Junge, in dem andern ein lebendes. Ich hatte nun Ursache es zu bedauern,
daß ich nicht früher untersucht, denn ich hatte ja versäumt, die Gestalt und
Farbe der Eier, die Brutdauer und Entwickelung der Jungen kennen zu lernen;

dies ist mir umsomehr leib, da bis jetzt auch kein andrer Züchter einer glücklichen Brut dieser Vögel sich erfreut hat.  Das lebende Junge wurde von zwei
Weibchen gefüttert, niemals habe ich aber bemerkt, daß das alte Männchen sich
um das Nest oder das Junge bekümmert hätte.  Im Jugendkleide war das
letztere dem alten Weibchen sehr ähnlich, nur viel heller weißlichgrau.  Es zeigte
sich nach dem Ausfliegen als ein träger, überaus gefräßiger Vogel, der nach
etwa einem Jahre eine wunderliche, gleichsam gespensterhafte Erscheinung bot,
welche zu erzählen ich garnicht den Muth haben würde, wenn nicht die Herren
Leuckfeld, E. Hendschel und mehrere andere Beobachter dieselbe Erfahrung
an eingeführten jungen Paradieswidas gemacht hätten.

Damals hielt ich noch nicht viele größere Finkenvögel und Papageien freifliegend in der Vogelstube, sondern ausschließlich Prachtfinken, Wibafinken,
kleinere Webervögel und andere Finken.  Es ging außerordentlich ruhig und
friedlich in der gefiederten Gesellschaft zu und ich hatte mich freilich auch der
trefflichsten Erfolge zu erfreuen.  Zu meiner großen Verwunderung gab es
dennoch von Zeit zu Zeit einen gewaltigen Lärm.  Ich sah bald einen eigenthümlichen Vorgang.  Sobald die kleinen Prachtfinken in ihrer gemüthlichsten
Beschäftigung waren und in bunter Gesellschaft auf dem Futterplatze sich
umhertummelten, schwebte plötzlich der junge Wibafink hinzu und die ganze
Schar flüchtete unter Zeichen des höchsten Entsetzens aus einander.  Trotz aufmerksamster Beobachtung konnte ich durchaus keine Ursache für diese auffallende
Erscheinung ermitteln; nur das bemerkte ich, daß der Vogel beim Herabfliegen
von einem hohen Aste sein Gefieder sonderbar aufblähte, dann viel größer und
fast ganz weiß aussah.  Als ich für denselben ein altes Weibchen eingetauscht,
bekümmerte sich um dieses kein andrer Vogel.

Im zoologischen Garten von Berlin und ebenso in Herrn Linden's Vogelhause hat der Paradies-Wibafink ebenfalls genistet, und wenn in beiden Fällen
auch leider nichts näheres beobachtet werden konnte, so darf man trotz aller
Zweifel doch wol annehmen, daß auch diese Vogelfamilie über kurz oder lang
der erfolgreichen Züchtung zugänglich sein werde.

Wie bereits Buffon beobachtet, werden manche Weibchen an Kopf und
Brust immer mehr schwärzlich, sodaß das Männchen daneben nur an dem braunen
Ton der grauen Farbe und den schwärzlichen Federsäumen sicher zu erkennen
ist.  In der Jugend sind die Weibchen denen des Stahlwida sehr ähnlich und
können von Unkundigen leicht mit demselben verwechselt werden.  Bedeutendere
Größe, schlankerer Bau und ein längerer Schwanz lassen sie jedoch sogleich unterscheiden.

Sehr selten und stets nur in wenigen Köpfen führt Fräulein Hagenbeck
noch eine dritte Rasse des Paradieswida ein, welche beträchtlich kleiner und

fahler weißgrau ist. Das Vögelchen dürfte aber ungemein zart sein, denn alle, welche ich erhalten, starben vor der Verfärbung.

Die Rathschläge, welche ich zur Behandlung der neu angekommenen Wida=finken zu geben habe, finden die Leser weiterhin in dem Abschnitte über die Verpflegung und Fütterung. Vorläufig sei nur bemerkt, daß man sie nicht so=gleich frei in die Vogelstube oder in einen Gesellschaftskäfig fliegen lassen darf, sondern sie recht ruhig, in mäßiger Wärme halten, allmälig von der afrikanischen an die weiße Hirse gewöhnen und vor Weichfutter und Ameisenpuppen hüten muß.

Früher und selbst bis zur neueren Zeit wurden von den Witwen — wie von vielen anderen Vögeln — nur die Männchen allein in den Handel gebracht. Zu Bechstein's Zeit stand ein solches im Preise von 12 Louisd'or, etwas später von 30 bis 40 Thalern. Erst seitdem die Züchtung fremdländischer Vögel in regsamer Weise begonnen, werden die Weibchen regelmäßig mit eingeführt. Ein Pärchen im grauen Gefieder kostet jetzt 9—12 Mark und im Prachtkleide 15—18 Mark. Im Großhandel schwankt der Preis zwischen 5—7 Francs.

Der Paradies=Widafink oder die Paradieswitwe ist auch Paradies=vogel=Witwe (Rchb.) und Witwe mit dem goldenen oder goldgelben Halsband genannt worden; Paradiesammer (Bchst.). In den herumziehenden Menagerien galt er als Paradiesvogel.

La Veuve à collier d'or (Bekemans und französische Händler); Paradise Whydah-bird (Jamrach und Brzn. b. zool. Grt. v. London); Roodbruin zwarte of Paradijs weduwe oder Wectitje (holländisch).

. Nomenclatur: Emberiza paradisea, *L.*, *Scp.*, *Lth.*, *Bchst.*; Vidua, *Brss.*; Fringilla africana macroura, *Slgm.*; Fringilla paradisea, *Vll.*, *Lchtst.*; Vidua paradisea, *Lss.*, *Swns.*, *Gr.*, *Hrtl.*, *Krk.*, *Fnsch.* et *Hrtl.*; Steganura paradisea, *Cab.*, *Bp.*, *Rchb.* — Vidua paradisea, *Rpp.*, *Hgl.*, *Strckl.*; Vidua Verreauxi, *Css.*; Steganura sphe-nura, *Vrr.*, *Bp.*; St. sphenura, *Cab.*, *Rchb.*; St. paradisea, *Hrtl.*; St. Verreauxi, *Sclt.*, *Fnsch* et *Hrtl.*; V. sphenura, *Hgl.*, *Hrtm.* — Grande veuve d'Angola, *Buff.*; Veuve à collier d'or, *Vieill.*; Widah-bunting, *Lath.*

Wissenschaftliche Beschreibung. Der ganze Kopf bis zum Kropf tiefschwarz mit bräunlichem Schein; die übrige Oberseite nebst den oberen und unteren Schwanzdecken bräunlichschwarz, Flügel und Schwanz reinschwarz, Schwingen braunschwarz, außen fahlbraun gesäumt, die vier mittelsten Schwanzfedern mit dunklen schwarzen Querlinien (marmorirt); ein breites Band um Nacken, Halsseiten und Oberbrust orangezimmtroth; untere Flügeldecken blaßroftfarben; Unterbrust und Bauch gelbbräunlichweiß. Schnabel schwarz; Auge dunkelbraun; Füße röthlichhorngrau. — Wbch. oberhalb roftbräunlich, jede Feder mit schwarzem Schaftstrich; Oberkopf und Kopfseiten blaß isabellbräunlich, jederseits vom Nasenloch über das Auge ein breiter, schwärzlicher Streif bis zum Nacken, sodaß also ein breiter, isabellfarbener Mittelstreif und an jeder Seite ein gleicher schmaler Augenbrauenstreif bleibt; Schwingen und Schwanzfedern schwärzlichbraun, Deckfedern braun, außen breit roftbraun gerandet; obere Flügeldecken dunkel-braun mit schmalen, blaßsäumen; Bürzel und obere Schwanzdecken dunkelbraun, jede Feder mit breitem, blaßbräunlichen Endrande; unterhalb weiß, untere Flügeldecken und Brust-seiten blaßroftbräunlich. — Mnch. im Winterkleide gleicht dem Weibchen, nur sind die Federn

an den schwarz gewesenen Körpertheilen mehr oder minder breit. schwarz gerandet; die Kopf=
streifen treten ebenfalls hervor. — Jugendkleid f. S. 206.

Vidua paradisea: capite toto colloque usque ad jugulum atris subfusco-mi-
cantibus; notaeo reliquo et supra- et infracaudalibus e fusco-nigris; alis
caudaque atris; remigibus fusco-nigris, exterius luride fusco-limbatis; torque lato,
colli lateribus pectoreque laete cinnamomeis; tectricibus al. inferioribus pallide
ferrugineis; abdomine fulvente albo; rectricibus 4 intermediis transverse nigro-
lineolatis; iisdem lateralibus utrinque binis gradatis, ambabus sequentibus perlongis
verticaliter positis, ambabus intermediis brevioribus dilatatis in setam tenuissimam
excurrentibus; rostro nigro; iride fusca; pedibus subfulvo-corneis.

♀ supra ferruginea, scapo cujusque plumae nigro-lineato; pileo capitisque
lateribus dilute isabellinis; stria lata nigrescente utrinque a naribus supra oculum usque
ad cervicem extensa, vittam mediam latam isabellinam includente et utrinsecus striae
concolori angustae superciliari adjacente; remigibus et rectricibus nigricante fuscis;
tectricibus al. majoribus et mediis fuscis, exterius late ferrugineo-marginatis; tectricibus
al. minoribus fuscis, anguste luride terminatis; uropygio et supracaudalibus fuscis, late
dilutius terminatis; subtus alba, tectricibus subalaribus pectorisque lateribus dilute
ferrugineis. — ♂ vesti hiemali cum femella conveniens, at marginibus plumarum
nigris angustioribus vittisque capitis distinctioribus.

Länge 14,4 cm. (5½ Z.); längste Schwanzfedern 26—31,3 cm. (10—12 Z.); Flügel 7,2 cm.
(2³/4 Z.); unverlängerter Schwanz 4,8 cm. (1⁵/6 Z.).

Juvenis femellae adultae simillima, sed dilutius canescens. — Ei unbekannt.

### Der Dominikaner=Widafink [Vidua principalis].

Tafel VII. Vogel 35.

Allgemein bekannt unter dem Namen Dominikanerwitwe gehört auch dieser
rothschnäbelige Widafink zu den gewöhnlichsten Erscheinungen des Vogelmarktes.
Sein hübsches Gefieder, seine Munterkeit und kräftige Ausdauer im Käfige würden
ihm das Bürgerrecht in jeder Vogelsammlung erwerben, wenn nicht seine Unverträg=
lichkeit es nothwendig machte, daß er von den Gesellschaftskäfigen und Vogelstuben,
in denen man kleine Vögel hält, ausgeschlossen wird. In der Gefangenschaft hat
man ihn bis jetzt noch nicht gezüchtet und dies ist umsomehr zu bedauern, da
auch über sein Nisten in der Freiheit noch keine zuverlässigen Mittheilungen vor=
handen sind.

Er ist am Oberkopf und Oberrücken schwarz, an Wangen, Hals, Brust und
Bauch reinweiß, ebenso ein breites Nackenband und eine Schulterbinde; Flügel
und Schwanz sind wiederum schwarz und aus dem letztern verlängern sich vier
schmale, schwarze Federn. Das Schnäbelchen ist roth. Größe etwas geringer
als die des vorigen, etwa dem Zeisig gleich.

Vieillot erwähnt den Vogel nur kurz und berichtigt hauptsächlich Buffon's
Irrthum, der ihn mit nur zwei und blos schwach verlängerten Schwanzfedern
dargestellt hat. Die alten Ornithologen von Linné her kannten diesen Widafink
sehr wohl, verfielen jedoch in mancherlei Irrthümer, welche namentlich durch das

wechselnde Federkleid hervorgerufen wurden. Ganz neuerdings hat eine eingehende Untersuchung gelehrt, daß alle aufgestellten verschiedenen Arten zusammenfallen und nur ein Dominikaner=Widafink in zwei Lokalrassen, mit weißem und mit schwarzem Kinn, beizubehalten, von denen der erstere mehr im Nordosten und der letztere im Westen und Süden Afrikas heimisch ist. Im übrigen sind beide durchaus übereinstimmend und die Heimat erstreckt sich so ziemlich über ganz Afrika. Als Nordgrenze der Verbreitung giebt v. Heuglin den 17° n. Br. an und zwar bis zu einer Höhe von etwa 2,000 bis 2,333 Meter hinauf.

„Ob dieser Widafink Standvogel in Nordostafrika ist, kann ich nicht angeben, vermuthe aber, daß er nicht wirklich wandert. Obgleich nirgends gerade häufig, erscheint er doch an geeigneten Orten überall, meist nur einzeln und parweise, im Herbst in kleinen Familien. Er bevorzugt Regenstrombetten mit höherem Baum= schlag, Lichtungen im Hoch= und Buschwald; auch kommt er in die Nähe mensch= licher Niederlassungen, in Viehgehege, Baumwoll= und Eibischpflanzungen. Während der Regenzeit, in welche die Brut fällt, hält er sich an bestimmten Oertlichkeiten auf und das Männchen ist dann in den Kronen von Dornbäumen u. dgl. zu sehen, von wo es seinen schwätzenden Gesang hören läßt. Die Nahrung besteht in Sämereien und Insekten. Es ist ziemlich still, wenig lebhaft, fliegt nicht ge= rade schwerfällig, doch niemals weit und hüpft und schlüpft durch das Dickicht." Mit diesen Angaben Heuglin's sind die von Kirk gleichlautend. Nach Ayres und Layard liebt der Vogel besonders offene Oertlichkeiten, da er sich der Gräfersamen wegen vorzugsweise gern auf dem Erdboden herumtreibt. Auch Edwards sagt, daß er ihn ammerartig auf der Erde gesehen und zwar zwischen großen Scharen von Schmetterlings= und kleinen, rothen Astrilden. H. T. Ussher sah ihn sehr zahlreich an der Küste von Guinea und sagt, daß er viel weniger gesellig mit seinesgleichen als mit anderen kleinen Finken (den sog. Senegalisten, also Astrilden) sei, deren großen Schwärmen er sich zu gewissen Jahreszeiten in den Maniok= und Maisfeldern anschließe. Seine langen Schwanzfedern verleihen ihm im Fluge ein ganz absonderliches Aus= sehen. Reichenow, der ihn häufig an der Goldküste und am Kamerun fand, schildert mit Entzücken den hüpfenden Flug oder Liebestanz, bei welchem der Ober= körper sehr steil gehalten wird. Nähere Mittheilungen fehlen oder sie sind nicht stichhaltig. Das kunstvolle Nest, welches Heuglin beschreibt, gehört entschieden einem ganz andern Vogel. Nach Verreaux tragen die Männchen das Pracht= kleid vom September bis Januar; nach Heuglin beginnen sie im Juli sich zu färben und in der Gefangenschaft geschieht dies gewöhnlich zwischen diesem Monat und dem September. Die Abweichungen und deren Ursachen sind ganz dieselben, als die bei dem Paradies=Widafink angegebenen. Auch beruht Kirk's Be= hauptung, daß der lange Federschmuck das ganze Jahr hindurch bleibe, keines=

wegs auf einem Irrthum, denn dies kommt zuweilen ganz ebenso bei dieser, wie bei jener erstbeschriebenen Art vor.

In der Gefangenschaft entwickelt der Dominikaner=Widafink eine noch viel größere Lebhaftigkeit, welche sogar zur Bösartigkeit und zur Tyrannei für die ganze Bewohnerschaft der Vogelstube ausartet. Kaum sitzen die kleinen Astrilde und andere Finken bunt durch einander auf dem Futterplatze oder liegen be= haglich im Sande, um sich zu sonnen oder sie fangen plätschernd an sich zu baden, so fährt die Dominikanerwitwe urplötzlich dazwischen und, theils durch das stürmische Daherschießen, theils durch das Wehen und Schnellen des langen Schwanzes wird alle Welt in blinde Angst und tolles Entsetzen gejagt. Dies Erschrecken und Auseinanderjagen treibt der Vogel gleichsam zu seinem Vergnügen tage= und wochenlang und es bleibt daher nichts weiter übrig, als ihn heraus= zufangen und abzusondern. Wennschon dies die Ursache sein mag, aus welcher man ihn von den meisten kleineren Vogelstuben fernhält, so ist es andrerseits doch ebenso verwunderlich als zu bedauern, daß auch mit ihm noch Niemand in geeigneten Anlagen ausdauernde Versuche zur Züchtung gemacht und Erfolge er= reicht hat. Im übrigen gehört er zu den um ihrer Schönheit, Anspruchslosig= keit und Ausdauer willen beliebten Stubenvögeln. Unter meinen Vögeln, schreibt Herr Dr. Luchs, befinden sich einige besonders interessante Erscheinungen. Es sind jetzt über zehn Jahre her, als ich in Hamburg bei Linz mir einige Vögel aussuchte. Darunter waren ein Orangeweber und ein rothschnäbeliger Widafink. Beide nach meinem Ermessen im ersten Jugendkleide. Die Witwe hielt ich so= lange für ein Weibchen, bis sie im Juli des folgenden Jahres ihr Prachtgewand mit den langen Schwanzfedern anlegte. Noch jetzt ist der Vogel kerngesund. Nachdem er aber bisher immer ganz regelmäßig seine halbjährige Verwandlung innegehalten, zeigt er in diesem Jahr eine Ausnahme. Wol hat er auch diesmal das schwarzweiße Prachtkleid bekommen, aber die vier langen, schwarzen Schwanzfedern fehlen, indem sie garnicht herausgewachsen sind. Die Fütterung war und ist die gleiche wie früher und der Vogel erscheint durchaus gesund. Daher bin ich geneigt, diese auffallende Abweichung dem Einfluß des Alters zu= zuschreiben, umsomehr, da auch der Feuerfink eine ähnliche Unregelmäßigkeit wahr= nehmen läßt.

Auch dieser Vogel ist das ganze Jahr hindurch in allen Handlungen zum Preise von 9 bis 18 Mark für das Pärchen zu haben. Im Großhandel hundert= parweise mit Prachtfinken zusammen kostet er gewöhnlich nur 5 bis 6 Francs

Der Dominikaner=Widafink wird auch rothschnäbelige Witwe, roth= schnäbeliger Widafink (Hgl.), Dominikanerwitwe und von Rchb. heitere Witwe genannt. Bechstein, zu dessen Zeit ein solcher Vogel 25 Louisd'or kostete, hieß ihn Dominikanerammer.

La Veuve dominicaine, Vida dominicaine (Bekemans und französische Händler); Dominican Widow-bird, Wida-bird (Jamrach u. Verz. d. zool. Grt. v. London); Witzwarte
Weduwe (holländisch).

Nomenclatur: Emberiza principalis, *L.*, *Edw.*, *Gml.*, *Lth.*, *Bchst.*; Fringilla
principalis, *Vll.*; Emberiza serena, *L.*, *Gml.*, *Lth.*, *Bchst.*; Vidua minor, *Brss.*; Fringilla
serena, *Vll.*, *Lchtst.*; Vidua principalis, *Gray*, *Bp.*, *Hgl.*, *Fnsch.* et *Hrtl.* [V. angolensis,
*Brss.*; Passer cauda longissima, *Slgm.*; Emberiza vidua, *L.*, *Gml.*, *Lth.*, *Bchst.*; V. major,
*Brss.*; V. fuliginosa, *Lchtst.*; V. decora, *Hrtl.*] — Vidua erythrorhyncha, *Sws.* etc.; V. principalis, *Strckl.*, *Hrtl.*, *Cab.*, *Hgl.*, *Hrtm.*, *Plzln.* etc.; V. serena, *Cab.* — Variegated Bunting,
Long-tailed B., Dominican-B., *Lath.*; Grande Veuve, Veuve dominicaine, *Buffon.*

Wissenschaftliche Beschreibung. Oberkopf, Nacken, Mantel und Schultern tief=
schwarz, schwach grünlich scheinend, ebenso jederseits ein breiter Fleck, an den Kropfseiten, auf
der Kropfmitte durch Weiß getrennt; Zügel, Rand des Unterschnabels und Kinnwinkels eben=
falls schwarz (letzterer zuweilen weiß); über den Nacken ein undeutliches weißes Band, Kopf=
und Halsseiten reinweiß; Schwingen und Deckfedern schwarz, außen schmal fahlbräunlich
gesäumt, Schwingen an der unteren Hälfte der Innenfahne weiß gerandet; obere Flügel= und
kleine Schulterdecken weiß, wodurch ein langes, weißes Feld auf dem Oberflügel; Bürzel und
obere Schwanzdecken weiß, die längsten der letzteren aber schwarz mit bräunlichweißen Seiten=
rändern; Schwanzfedern schwarz, an der Innenfahne breit weiß und außen schmal bräunlich
gesäumt, die vier mittelsten, sehr verlängerten Federn schwarz; die unteren Flügeldecken, sowie
der ganze Unterkörper reinweiß; Auge dunkelbraun; Schnabel corallroth; Füße braun. —
Weibchen oberhalb rostbraun, jede Feder mit schwarzbraunem Schaftstrich, daher die ganze
Oberseite, am breitesten der Mantel und die Schultern, längsgefleckt; ein breiter Streif in der
Mitte des Oberkopfs rostbraun, jederseits vom Nasenloch bis zum Hinterkopf ein breiter schwarzer
Streif, Zügel und Augenbrauenstreif bis auf die Schläfe rostbräunlich, Kopfseiten ebenso mit
zwei schwarzen Längsstrichen vom Auge bis zur Schläfe und vom Mundwinkel schief über die
Backe; Schwingen und Schwanzfedern schwarz rostfahl außen gesäumt; obere Flügeldecken
braunschwarz mit rostbräunlichen Endsäumen; Kinn und übrige Unterseite weiß, Brust und
Seiten rostbräunlich, letztere mit einzelnen dunkten Schaftstrichen. — Mnch. im Winter=
kleide mit dem Wbch. übereinstimmend. — Jugendkleid düster braun ohne dunklere Streifen
und Flecke; unterseits blasser, Kehle fast weiß; Schnabel horngelb (nach Cassin).

Vidua principalis: supra nitide nigra, subviride micans; torque, uropygio, macula magna alari, capitis lateribus et gastraeo toto albis; supracaudalibus albis, intermediis nigris, angustissime luride limbatis; rectricibus
nigris, pogonio externo late albo-marginato, interno anguste subfusco-limbato; quatuor intermediis perlongis, duabus convexis, duabus concavis nigris; mento nigro;
iride fusca; rostro rubro; pedibus subfuscis. — ♀ supra ferruginoso-fusca, scapo
plumae cujusque nigrescente; notaeo igitur toto, praesertim interscapilio humerisque
longitudinaliter maculatis; stria lata verticis medii ferruginea, utrinque stria a naribus
usque ad occiput lata nigra; stria faciei utraque nigra, una ab oculo usque ad tempora, altera ab oris angulo oblique supra genam decurrente; remigibus et rectricibus
nigris, exterius subfulvo-limbatis; tectricibus al. superioribus fusco-nigris, ferrugineo-
terminatis; mento et gastraeo reliquo albo; pectore et hypochondriis ferruginosis,
hisce sparsim obscurius striolatis. — ♂ vest. hiem. cum femela conveniens. —
Juvenis obscure fuscescens striis maculisque nullis; subtus pallidior; gula albescente;
rostro flavente corneo.

Länge etwa 23,4—26 cm. (9—10 3.); Flügel 6,5 cm. (2½ 3.); mittelste Schwanzfedern
17—19,6 cm. (6½—7½ 3.); unverlängerte Schwanzfedern 3,9 cm. (1½ 3.). Nach Rchn. Länge
29—30 cm.; Flügel 6,5 cm.; mittlere Schwanzfedern 23 cm., unverlängerte Schwanzfedern 5 cm. —
♀ Länge 12,5—13 cm.

### Der König=Widafink [Vidua regia].

Es ist zu bedauern, daß der schönste unter diesen Prachtvögeln gegenwärtig kaum noch in unsere Käfige gelangt, während er doch in Vieillot's Sammlung und noch zu Bechstein's Zeit, wenn auch selten, so doch im Handel vorhanden war. Dr. Bolle zählt ihn in seinem Verzeichniß nicht mit und seitdem dürfte er über= haupt nicht mehr vorgekommen sein. In Paris fand ich ihn bei keinem Händler, obwol er in den Preisverzeichnissen hier und da aufgeführt war. Dies geschieht ja aber bekanntlich ebenso dort wie bei uns aus alter Gewohnheit, sodaß also eine ganze Anzahl solcher Vögel immer noch in den Preislisten glänzen, welche niemals mehr oder doch nur selten in Wirklichkeit eingeführt werden; ich erinnere nur an die Rothkopf=Amandine, den Granatastrild, Buntastrild u. a. Die Listen von Bekemans, Jamrach und des Londoner zoologischen Gartens, des Pariser Jardin d'acclimatation und der niederländischen Gärten enthalten ihn nicht und ich glaube auch kaum, daß er im Laufe der Jahrzehnte jemals in den Vogel= handlungen oder zoologischen Anstalten lebend vorhanden gewesen.

Er ist etwas größer als die Dominikanerwitwe, schön braun mit schwarzem Käppchen und desgleichen Flügeln und Schwanz, rothem Schnäbelchen und rothen Füßen und mit vier einzeln stehenden, sehr verlängerten und ährenartigen Schwanzfedern.

Von Zeit zu Zeit entnehme ich besonders von der Hagenbeck'schen Groß= handlung, aber auch von Ch. Jamrach in London, Frau Poisson in Bordeaux, und neuerdings von Gaetano Alpi in Triest graue, nicht im Prachtgefieder be= findliche Vögel, von denen jene Händler dann noch nicht wissen, was sie vor sich haben, um dieselben nach der Verfärbung festzustellen und in ihrer Lebensweise kennen zu lernen. So empfing ich von Herrn Karl Hagenbeck im Jahre 1870 eine große Anzahl von Witwenvögeln im grauen Gefieder. Viele von denselben sind ja auch vor der Verfärbung zum Prachtgefieder mit Sicherheit zu erkennen, wenn sie eben nur nicht in einem zu erbärmlichen, nackten Zustande ankommen. Dies letztere war aber bei mehreren der Fall und gerade unter den zerlumptesten erkannte ich einen Königswidafink. Natürlich gab ich mir alle erdenkliche Mühe, um den ebenso schönen als seltenen Vogel am Leben zu erhalten. Dies glückte mir auch und er befiederte sich zunächst im grauen Kleide. Während ich nun aber besonders begierig darauf war, ihn im Prachtgefieder kennen zu lernen, war er in der Schar der grauen Witwen, welche sich zusammen in einem geräumigen Käfige befanden, trotz sorgfältigster Pflege leider doch eingegangen, bevor er sich verfärbte.

Vieillot schwärmt von der Schönheit und Liebenswürdigkeit der Veuve à quatre brins außerordentlich und lobt auch ihren hübschen Gesang. So lebhaft und munter aber, wie sie im Prachtkleide erscheine, so trübselig und stumm zeige sie sich im grauen Gefieder. Man solle ihr einen möglichst großen Käfig und oft Badewasser geben und wenn sie erst eingewöhnt sei und sorgfältig verpflegt werde, so erhalte sie sich 8 bis 10 Jahre in der Gefangenschaft. Um sie zu züchten, müsse man ihr 25 bis 30° R. Wärme gewähren und ihren Käfig mit immer= grünen Gebüschen ausstatten. Es sei schwer, doch gelinge es wol, sie zum Nisten zu bringen. — Ob der Vogel aber wirklich in der Gefangenschaft geheckt habe, ist nicht gesagt. Er wurde vornehmlich von den Portugiesen nach Europa ein= geführt. Buffon sagt, daß dieser Widafink in Paris damals häufig zu finden war und nach Bechstein's Behauptung wurde er zuweilen auch nach England, Holland und Deutschland gebracht. Wo der letztere ihn aber gesehen, hat er nicht, wie sonst gewöhnlich, hinzugefügt.

Die Verbreitung erstreckt sich nur über einen Theil des südlichen und west= lichen Afrika und auch dort dürfte er nirgends häufig vorkommen.

Der Königs=Widafink oder die Königswitwe, Königswiba, wurde früher auch schaftschwänzige Witwe, Witwe mit vier Fäben oder Königsammer genannt.

La Veuve à quatre brins (Buffon); la Veuve reine; the Queen-widow; Konings-Weduve (holländisch).

Nomenclatur: Vidua regia, *L., Hrtl.*; Vidua riparia africana, *Brss.*; Em-beriza regia, *L., Vll., Bp.*; Tetraenura regia, *Rchb.* — Veuve de la côte d'Afrique, *Briss.*; Shaft-tailed Bunting, *Lath.*

Wissenschaftliche Beschreibung. Oberkopf, Rücken, Flügel und Schwanz tiefschwarz; Nacken, Hinterhals, Kopf= und Halsseiten, sowie die ganze Unterseite hell rothgelb, Hinterleib und untere Schwanzdecken reinweiß. Auge braun; Schnabel roth; Füße roth. Winterkleid braun, alle Federn breit fahl gesäumt. Das Männchen dunkler als das Weibchen (Rchb.).

Länge 31,4 —34 cm. (12 — 13 Z.); Flügel 8,2 cm. (3¹/₆ Z.); verlängerte Schwanzfedern 23,4 — 26 cm. (9 — 10 Z.).

Vidua regia: supra nitide nigra, torque et gastraeo dilute fulvescentibus; crisso et subcaudalibus albis; rectricum quatuor intermediarum rhachi-dibus valde elongatis, apicem versus tantum dilatato-plumosis; iride fusca; rostro pedibusque rubris. Vestimentum hiemale fuscum plumis late luride limbatis. — ♂ femella obscurior.

## Der Hahnschweif=Widafink [Vidua caffra].
Tafel VII. Vogel 37. *Ois. ex...*

Die größte und zugleich schönste Witwe gehört zu den Schmuckvögeln, welche zwar seit den ältesten Zeiten her eingeführt werden, aber bis zur Gegenwart im Handel am seltensten vorkommen. Sie ist ein stattlicher Vogel, nahezu von der Größe des Stars, von schwarzem Gefieder, mit roth und weißen Schultern und mit einem überaus langen Hahnenschwanz, welcher sehr stark und voll ist und aus schief dachförmig gebogenen Federn besteht.

Die Heimat beschränkt sich auf Südafrika und namentlich im Osten des Vor=
gebirges der guten Hoffnung und im Kaffernlande ist sie zu finden. Der Engländer
Barrow hatte bemerkt, daß 20 bis 30 Weibchen gesellig leben und in einem solchen
Schwarm nur zwei bis drei ausgefärbte Männchen zu sehen sind; auch ihre Nester,
sagt er, stehen nebeneinander. Le Baillant bestätigte dies und behauptete zugleich,
daß die alten, unfruchtbaren Weibchen hahnfedrig werden und dann das Pracht=
gefieder des Männchens anlegen. Der Aufenthalt dieses Widafinken sind besonders
Sümpfe und hier soll er das aus Gras und Kraut beutel= und kugelförmig gewebte
und mit einer Schlupfröhre versehene Nest an Schilfhalmen hängend erbauen.
Layard beobachtete ihn in Maisfeldern, wo er in der Weise der Webervögel nistete.
Vieillot, der sich auf die genannten Schriftsteller bezieht, weiß nichts bemerkens=
werthes hinzuzufügen; er nennt ihn la Veuve à épaulettes. Bechstein giebt
über seinen Mohren=Kernbeißer auch weiter nichts an und so ist in der gesammten
Literatur näheres nicht zu finden. Bolle zählt ihn in dem Verzeichniß mit.
In der Annahme, daß diese Widafinken und wie man behauptet auch andere Arten
in Vielehe leben, dürfte man sich, wie schon erwähnt, nicht täuschen. Von vorn=
herein kann ich nämlich kaum glauben, daß sie gesellig zu mehreren Pärchen bei=
sammen nisten, weil die Männchen im Prachtgefieder einander überaus heftig be=
kämpfen, sodaß sie wirbelnd zur Erde herabstürzen und dabei nicht selten von
flinken Kaffernknaben ergriffen werden sollen; es wird also immer ein Männchen
mit mehreren Weibchen sein. Im übrigen scharen sie sich gleich anderen Finken
zu gewissen Zeiten in Schwärme zusammen, um zu wandern oder umherzustreichen,
und daß dann die diesjährigen Jungen und die vielleicht erst im britten Jahre
zum Prachtgefieder sich verfärbenden vorjährigen die größte Mehrzahl bilden, ist
wol erklärlich. Bedauerlicherweise ist das Freileben bis jetzt leider nur zu wenig
erforscht und über die Brut noch garnichts weiter bekannt. Die Angabe, daß
sie künstliche Webernester erbauen, wage ich stark anzuzweifeln, denn bei allen
Webervögeln ist das Männchen der eigentliche Baumeister (gleiches müßte dann
doch auch bei den Widafinken der Fall sein), und da alle Reisenden, trotz ihres
Entzückens über den herrlichen Flug behaupten, daß der Vogel in seinen
Bewegungen vom Winde nur zu sehr gehemmt werde, so meine ich, daß die
Entfaltung einer solchen Kunstfertigkeit ihm kaum möglich sein dürfte. Man
wird sich in den Vögeln wol irren, von welchen jene künstlichen Nester herrühren.
Die Zeit wird hierüber sichere Auskunft bringen; — wer aber dies nicht ab=
warten mag, sei dazu gemahnt, in der weiterhin angegebenen Weise Züchtungs=
versuche mit den prächtigen Widafinken anzustellen.

In den Vogelhandel gelangt die Hahnschweif=Witwe regelmäßig nur in
einzelnen Männchen und dies dürfte in Folgendem seine Erklärung haben. Die
Leser erinnern sich wol, daß in früheren Jahren, bevor in Deutschland die Lieb=

haberei für die fremdländischen Vögel sich allgemein verbreitete und man sie eifrig züchtete, von manchen Arten nur die Männchen eingeführt wurden. Man hielt damals dies liebliche Gefieder nur zum Schmuck, die keineswegs schön= gefärbten Weibchen wurden nicht mitgekauft und daher von den Vogelfängern sogleich wieder freigelassen. In jenen fernen Gegenden nun, aus welchen der Hahnschweif-Widafink hergebracht wird, mag es noch nicht bekannt sein, daß gegen= wärtig auch die Weibchen einen bedeutenden Werth haben.

Im zoologischen Garten von Berlin befindet sich seit mehreren Jahren ein prachtvolles Männchen, welches immer acht bis neun Monate im Schmuckgefieder bleibt. Obwol es dann auch wie seine Verwandten ungleich erregter und leb= hafter als sonst ist, so hat es doch beiweitem nicht die stürmischen Bewegungen der kleineren Witwen. Es fliegt von einem hohen Zweige aus mit etwas schwerem Flügelschlag und wallendem Schwanze seinen Strich, um auf denselben Sitz zu= rückzukehren. Gegen die kleinen Vögel zeigt es 'sich' muthwillig, aber nicht bös= artig, dagegen verfolgt es die Feuer= und Oryxweber anscheinend mit großer Wuth, doch nicht anhaltend. Eine Anzahl solcher Widafinken in einem großen Gewächs= hause, z. B. im Palmensaal der Charlottenburger „Flora" gehalten, müßte eine entzückende Schönheit entfalten. Herr Karl Hagenbeck führte von Zeit zu Zeit eine Anzahl Hahnschweifwidas ein. Jetzt sind sie aber seit Jahren nicht auf dem Vogelmarkt vorhanden gewesen. — Der Preis beträgt im Durchschnitt 45 Mark für das einzelne Männchen.

Der Hahnschweif=Widafink, die Hahnschweifwida oder Hahnschweifwitwe wird auch Epaulettenwitwe (bei den Händlern) oder Schleppwitwe und Witwe mit Achselbändern genannt.

La Veuve à épaulettes; Long-tailed Whydah-bird (Jamrach und Brzn. d. zool. Grt. v. London); Langstaart (holländisch).

Nomenclatur: Fringilla caffra, *Lchtst.*; Chera caffra, *Cab*; Chera Progne, *Bodd., Gray*; Loxia caffra, Emberiza longicauda, *Gml., Vll.*; Vidua phoenicoptera, *Sws.* — Orange-shouldered Bunting, *Lath.* — Kap'scher Sperling (Kolbe).

Wissenschaftliche Beschreibung. Tiefschwarz mit Einschluß der langen Schwanz= federn, Schultern scharlachroth, darunter eine breite gelblichweiße Binde; die schwarzen Flügel= deckfedern breit fahl gesäumt. Auge braun; Schnabel weiß, an der Spitze blaugrau; Fuß röth= lichbraun. — Weibchen oberhalb dunkelbraun, jede Feder breit fahlbraun gesäumt; Augenbrauen= streif fahl röthlich; unterhalb fahl bräunlich mit dunklen Schaftstrichen, Hinterleib fast weiß. — Männchen im Winterkleide fast ebenso, nur dunkler, weil jede Feder einen sehr breiten schwarzen Schaftstreif hat.

Vidua caffra: sericeo-nigra, scapularibus scarlatinis, insequente fascia lata flavente alba; tectricibus al. nigris, late luride marginatis; iride fusca; apice rostri albidi subcoerulea; pedibus brunneis. — ♀ supra fusca; plumis singulis late luride limbatis; stria superciliari rufescente; subtus sordide fuscata, obscurius strio- lata; abdomine albido. — ♂ vestim. hiem. fere concolor nonnisi propter medium plumae cujusque nigrum obscurior.

Länge 53,5 cm. (20 1/2 Z.); Flügel 15,5 cm. (5 11/12 Z.); Schwanzfedern 41 cm. (15 3/4 Z.).

### Der Halbmond=Widafink [Vidua ardens].

Als Herr Ch. Jamrach in London mir im Jahre 1874 eine Anzahl von Widafinken und Webervögeln aus verschiedenen Gegenden Afrikas sandte, befanden sich darunter zwei sehr verkümmerte Exemplare der schönen Schild= oder Halb= mondwitwe. Deshalb zähle ich dieselbe hier als vollberechtigt mit, in der Hoff= nung zugleich, daß sie demnächst wol wenigstens hin und wieder in einigen Pär= chen eingeführt werde.

Sie ist etwa von Sperlingsgröße, am ganzen Körper tiefschwarz und an der Oberbrust mit einem brennendrothen Halbmond geziert. Als ihre Heimat ist bis jetzt nur der Süden und Osten von Afrika bekannt. Nach Ayres' Angaben flechten diese Vögel die Blätter eines Grasbüschels zusammen, sodaß das daraus gefertigte Nest während der Brut grün bleibt. Die Halbmondwida sammelt sich zeitweise zu großen Schwärmen an, welche in den Getreidefeldern Schaden ver= ursachen. Weiter ist über das Freileben bis jetzt nichts bekannt.

Die älteren Schriftsteller erwähnen den Vogel, geben jedoch auch nichts näheres über ihn an. Er mag wol bereits mehrfach eingeführt sein, doch kennen ihn die Liebhaber und Händler nirgends und er ist in keinem Preisverzeichniß zu finden. Die meinigen gingen, leider im schlechten Gefieder, bald nach der An= kunft zugrunde, doch habe ich einen an das Berliner zoologische Museum gegeben.

Der Halbmond=Widafink oder die Halbmondwitwe ist auch Schildwida, Schildwitwe und Witwe Niobe (Rchb.) genannt.

La veuve en feu; la veuve Niobe; the Niobe-Widow.

Nomenclatur: Emberiza ardens, *Bodd.*; E. signata, *Scop.*; E. panayensis, *Gml., Lth., Bchst.*; Fringilla panayensis, *Vll.*; Vidua rubritorques, *Sws., Grn., Krk.*; Penthetria ardens, *Cab., Hrtl. et Fnsch.*; Vidua ardens, *Jrd., Hrtl., Lyrd., Gray*; Niobe ardens, *Rchb.* — Veuve en feu, *Buff.*; la veuve de l'Isle Panay, *Sonn.*; Panayan Bunting, *Lath.*

Wissenschaftliche Beschreibung. Einfarbig tiefschwarz mit bräunlichem Schein; auf dem Kropfe ein halbmondförmiges brennend mennigrothes Schild; die Deckfedern der zweiten Schwingen an der Außenfahne mit sehr schmalen bräunlichen Säumen; die Schenkelfedern und unteren Schwanzdecken am Ende mit breiteren blaßbräunlichen Endsäumen. Auge hellbraun; Schnabel schwarz; Füße dunkel graubraun. — Das Winterkleid ist einfarbig bräunlichgrau, jede Feder mit schwarzem Schaftstrich; unterhalb grauweiß; Schnabel horngrau. Nach Kirk ist der Vogel im Dezember und Januar im Prachtgefieder.

Vidua ardens: unicolor atra subfusco-micans; subucula ardente miniata; tectricibus al. mediis extrorsum angustissime subfusco-marginatis; plumis femoralibus et infracaudalibus latius fuscescente terminatis; iride badia; rostro nigro; pedibus obscure cinereo-fuscis. — Vestim. hiem. unicolor subfusco-cinereum scapo cujusque plumae nigro; subtus griseum; rostro corneo-cinereo.

Länge 26 cm. (10 Z.); Flügel 7,2 cm. (2¾ Z.); Schwanz 7,8 cm. (3 Z.); längste Schwanz= feder etwa 20,8 cm. (8 Z.).

Die folgenden Widafinken haben nicht den sehr verlängerten, wallenden Schwanz der vorigen. Obwol sie sonst noch in jeder Hinsicht ihnen gleichen, so stehen sie doch den Fetter= webern schon nahe. Sie sind für die Liebhaberei sämmtlich von keiner großen Bedeutung, einer= seits weil sie mit Ausnahme eines einzigen nur selten in den Handel gelangen und andrerseits, weil doch an ihre Züchtung vorläufig noch garnicht zu denken ist. Wo man hier und da einen einzelnen oder ein Pärchen erhalten kann, werden sie als Schmuckvögel für Käfig oder Vogel= stube immerhin willkommen sein; in diesem Sinne seien sie geschildert. Man nennt sie alle ge= wöhnlich Trauerwitwen [Penthetria, *Cab.*].

## Der gelbschulterige Widafink [Vidua flaviscapulata].

Unter den Witwenvögeln im grauen Gefieder, welche ich von Hagenbeck oder Jamrach erhielt, befand sich mehrmals diese Art. Auch bei den Händlern zweiter Hand ist sie zuweilen vorhanden und wird gewöhnlich ausschließlich als Trauerwitwe bezeichnet. Sie ist etwas größer als ein Sperling, einfarbig tiefschwarz mit gelben Schultern. Das Weibchen wird höchst selten eingeführt und darin mag es liegen, daß sie nicht die Beachtung findet, welche sie wol verdient.

Erfreulich ist es, daß v. Heuglin einige Mittheilungen über das Freileben dieses Vogels gemacht hat: „Die gelbschulterige Trauerwida dürfte nach unseren Beobachtungen Standvogel in Abessinien sein. Dort hatten wir Gelegenheit, diese geselligen Vögel häufig zu beobachten, namentlich in Tigrié, in der Gegend von Adowa; zwischen 1255—2200 Meter Meereshöhe und in Flügen von vielen Hun= derten, manchmal gemeinschaftlich mit der breitschwänzigen Wida. Die Verfärbung zum Prachtgefieder erfolgt während der Sommerregenzeit, die Rückfärbung zum grauen Kleide schon im November. Ueber die Brut vermag ich keinen Aufschluß zu geben, da ich in der Nistzeit jene Bezirke nicht besuchen konnte. Sie soll Beutel= nester im Rohr bauen. An feuchten Wiesen, Sümpfen und an Bächen, wo viel Schilf und hohe Gräser wachsen, treiben sich diese Vögel beständig umher. Sie sind von lebhaftem, geschwätzigem Wesen, flattern von einem Rohrstengel zum andern, klettern äußerst gewandt an denselben hinauf, wiegen und schaukeln sich auf den Samenbüscheln, die sie nach allen Seiten durchsuchen, in den verschiedensten Stel= lungen. Beim ruhigen Sitzen hängt der sonst viel bewegte Schwanz senkrecht herab. Der Flug ist nicht sehr gewandt, flatternd und schwimmend; die Flug= bahn ist horizontal oder etwas abwärts geneigt. Der Lockton erklingt melancholisch pfeifend. Die Schwärme sind ziemlich mißtrauisch; mit donnerähnlichem Lärm fliegen sie auf und flüchten in das Innere der Moräste. Nur wenn anhaltende Trockenheit eintritt oder das Schilf abgebrannt wird, verlassen sie ihre Wohnorte, indem sich jede Gesellschaft in kleinere Abtheilungen von 10 bis 20 Köpfen auf= löst, um an den Ufern fließender Gewässer, namentlich aber in Gärten und Ge= hegen, wo viel Schilfrohr wächst, sich zu zeigen. So fanden wir sie vom November bis März in Schirié bei Gondar und in der Provinz Dembea."

Ju der Vogelstube des Herrn Graf York von Wartenburg schleppte sich ein Pärchen dieser Widafinken emsig mit Halmen und Fasern umher, doch zum wirklichen Nestbau kam es nicht und später stellte sich heraus, daß beide Männchen waren. Auch ich habe niemals ein richtiges Pärchen erhalten können.

Der gelbschulterige Widafink ist auch Gelbschulterwida, gelbschulterige und Gelbschulterwitwe und gelbschulterige Trauerwitwe (Rchb.) genannt worden.

La Veuve à épaulettes jaunes; the yellow-shouldered Widow (fälschlich Orange-shouldered Weaver-bird). — Elet (tigrisch nach Th. v. Heuglin).

Nomenclatur: Fringilla macroeerca, *Lchtst.;* Vidua macrocerca, *Gr.;* Penthetria macrocerca, *Cab., Hgl.;* Penthetria flaviscapulata, *Rpp., Bp., Br.*

Wissenschaftliche Beschreibung. Tiefschwarz, Schultern lebhaft hochgelb, die übrigen Flügeldecken und Schwingen hell bräunlichgelb gesäumt; Unterflügel fahlbräunlich. Auge röthlichbraun; Schnabel schwarz; Füße schwarzbraun. — Weibchen oberhalb schwach gelblich-braun, jede Feder mit fahlbraunem Außensaum, Schulterfedern gelb gesäumt; Flügel und Schwanzfedern schwach gelblichbraun mit fahlbraunen Außensäumen; Augenbrauenstreifen und Backen fahl bräunlichgelb; Kehle, Brust und Bauch bräunlichweiß, Seiten schwach gestrichelt. Auge braun; Schnabel graubraun; Füße braun. — Männchen im Winterkleide ebenso, nur an der viel kräftigeren gelben Färbung der Schultern und dem röthlichbraunen Auge zu erkennen.

Vidua flaviscapulata: holosericeo-nigra, scapularibus alarumque marginibus laete flavis; remigum primorum apice sordide fumosa; subalaribus fulvis; tectricibus al. et cubitalibus dilute cervino-marginatis; iride fusca; apice rostri nigri mandibulaeque tomiis pallide coerulescente corneis; pedibus rufescentibus. — ♀ supra fusca plumis singulis exterius luride cervino-marginatis; scapularibus flavido-limbatis; remigibus et rectricibus pallide fulvis, exterius luride marginatis; stria superciliari genisque sordide flavidis; gula, pectore, abdomineque subfusco-albis; hypochondriis obsolete striolatis; iride fusca; rostro cinerascente fusco; pedibus fuscis. — ♂ vesti hiemali a femella vix discrepans, nonnisi scapularibus multo laetius flavis irideque subrufa distinctus.

Länge 24,7 cm. (9½ Z.); Flügel 9,1 cm. (3½ Z.); Schwanz 14,4 cm. (5½ Z.).

## Der gelbrückige Widafink [Vidua macroura].

### Tafel VII. Vogel 38.

In der vorhin angegebenen Weise gelangte auch diese Witwe in meine Vogelstube, doch ist sie im Handel fast noch seltener als jene. Sie gleicht der vorigen in Größe und Färbung, nur zieht sich das Gelb zugleich über den Oberrücken.

Heuglin fand sie parweise während der Sommerregenzeit auf feuchten Niederungen in Bongo, im Gebiet des Gazellenflusses. Sie verfärbt sich zu Mitte des Monats Juli und scheint im August und September ihre Wohnsitze mit den Jungen zu verlassen; im Dezember beobachtete der Reisende wieder einige dieser Widafinken unfern des Kosange-Flusses im trockenen Hochgras. Reichenow sah ihn als häufigen Vogel in der Ebene bei Affra und sagt: „er treibt sich einzeln oder zu Paren im hohen Grase und auf Büschen umher. Gern setzt er sich auf hervorragende Zweige und erhebt sich von hier aus spielend gerade in die Luft, wobei der Körper ganz senkrecht gehalten wird und die Nackenfedern aufgebläht erscheinen. Der Bau des Nestes ist dem des Oryxwebers sehr ähnlich; es hat einen dachartigen Ueberbau. Das Ganze ist indessen etwas fester, da ein aus grobem Grase lose hergestellter Außenbau und ein dichter Innenbau aus feinem, sprödem Grase vorhanden ist, welcher letztere dem Neste die nöthige Festigkeit giebt. Ein Kunstbau, wie Kirk schreibt, ist es keinenfalls. Es steht einzeln im hohen Grase. Das Männchen baut noch, wenn das zwei, höchstens drei Eier zählende Gelege bereits vollständig ist. Während das Weibchen brütet, sitzt das Männchen auf einem erhabenen Punkt in der Nähe mit gesträubten Nackenfedern und stürzt auf jeden Vogel los, der sich dem Nestort nähert. Wo dieser Wida= fink zahlreich vorkommt, findet man die Nester in geringer Entfernung von ein= ander; jedes Männchen aber bewacht eifersüchtig sein kleines Gebiet. An der Goldküste fand ich im August, in Kamerun im November Eier in den Nestern." In allem übrigen stimmt die Lebensweise dieses mit der des gelbschulterigen Widafink überein; nur scheint er, wenigstens zur Brutzeit, nicht gesellig zu leben. Im September und Oktober entfärben sich die alten Männchen. Kirk sah ihn in großen Flügen und sagt, daß das künstlich geflochtene Nest zwischen Gras= stengeln angebracht ist. Die Heimat dürfte sich über den größten Theil West= und Ostafrikas erstrecken.

Die älteren Schriftsteller Buffon, Vieillot erwähnen diesen Widafink nur kurz. — Voraussichtlich wird er demnächst wol häufiger eingeführt werden und dann könnte er ein werthvoller Bewohner der Vogelstuben sein, doch ist er, wie auch der vorige gegen Prachtfinken und andres kleines Gefieder bösartig.

Der gelbrückige Widafink wird auch blos Trauerwitwe, Trauerwida und langschweifige Trauerwitwe (Rchb.) genannt.

La Veuve à dos d'or (Brzn. b. Affl.=Grt. v. Paris); Yellow-backed Widow-bird (Jamrach und Liste d. zool. Grt. v. London).

Nomenclatur: Loxia macroura, *Gml.*, *Bchst.*; *Loxia longicauda, Lth.*; Frin-gilla chrysoptera, F. flavoptera, *Vll.*; Vidua macroura, *Gray, Hrtl., Sclt., Krk., Hgl.*; Penthetria macroura, *Cab., Bp., Fnsch. et Hrtl., Rchb., Rchn.* [Penthetria flaviscapulata, *Antn.*]. — Père noir à queue longue, *Buff.*; Gros-bec noir, *Salerne*; Long-tailed Gros-beak, *Lath.*; la Veuve chrysoptère, *Vieill.*

Wissenschaftliche Beschreibung. Ober= und unterhalb sammtschwarz; Mantel, Schultern und die kleinsten oberen Flügeldecken hochzitrongelb; untere Flügeldecken weißlich; Flügeldecken und die letzten Schwingen an der Außenfahne schmal bräunlichweiß gesäumt. Auge dunkelbraun; Schnabel schwarz mit grauer Spitze des Unterschnabels; Füße dunkelgrau= braun. — Weibchen oberhalb matt aschbraun, jede Feder mit schwärzlichem Schaftstrich; Flügel und Schwanz dunkelbraun; an Schultern und Oberrücken jede Feder schmal gelb gesäumt; unterhalb düster weiß, an der Brust bräunlich überlaufen und hier und an den Seiten einige Federn mit Schaftstrichen. Schnabel röthlichbraun.

Vidua macroura: holosericeo-nigra, interscapilio et scapularibus et
tectricibus superioribus antecubitalibus laete citrinis; tectricibus subalaribus albentibus; remigibus secundariis et tertiariis earumque tectricibus exterius albido-marginatis; cauda longa, lata, flabelliformi, nigra; iride fusca;
rostro nigro, mandibulae apice pallida; pedibus fuscis.

Länge 20,2 cm. (7³/₄ Z.); Flügel 7,6 cm. (2¹¹/₁₂ Z.); Schwanz 6,5 cm. (2¹/₂ Z.); mittelste
Schwanzfeder 10,5 cm. (4 Z.). — Wbch. (nach Rchn.) Länge 14,5—15,5 cm.; Flügel 6,5 cm.;
Schwanz 5 cm.

Beschreibung des Eies (nach Rchn.): auf grünem Grunde mit grauen Flecken bedeckt.
Länge 20 mm.; Breite 13,5 mm. — Ovum viride, griseo-maculatum.

---

Der **breitschwänzige Widafink** [Vidua laticauda]. Diese vorzüglich schöne
Witwe, welche ebenfalls tiefschwarz ist, mit scharlachrothem. Oberkopf, Nacken und
breitem Brustband, dürfte wol noch nicht lebend eingeführt sein. Ich habe sie
trotz aller Bemühungen nicht erhalten können und dies wird wol darin begründet
sein, daß sie selbst in ihrer Heimat nur selten vorkommt.

„Die rothbindige Trauerwida", sagt v. Heuglin, „wurde von uns gemeinschaftlich mit der gelbschulterigen Wida in der Gegend von Adowa und Assum in Abessinien auf Moräßten im Hochgras angetroffen, auch besucht sie Gärten und Gehöfte." Rüppell fand sie auf Buschwerk in den Thälern von Sémien. Bisjetzt
ist sie nur in Abessinien und Häbesch gefunden. Sie scheint sich etwas später zu
verfärben, indem man im Dezember noch Männchen mit rothem Halsband sieht.
— Näheres ist nicht bekannt.

Der **breitschwänzige Widafink** wird auch **Breitschwanzwida**, **Breit-
schwanzwitwe**, **Halsband-Trauerwitwe** (Rchb.) und **rothbindige Trauerwitwe**
(Hgl.) genannt. — La Veuve à large queue; The broad-tailed Widow.

Nomenclatur: Fringilla laticauda, *Lchtst.;* Coliuspasser torquatus, *Rpp., Hgl.,
Lfbr.;* Vidua laticauda, *Gray;* Penthetria laticauda, *Cab., Bp., Hgl.*

Wissenschaftliche Beschreibung. Ober- und unterhalb tiefschwarz; Ober- und
Hinterkopf, Nacken und ein breites Band um Halsseiten, und Oberbrust hochroth; Rückenmitte,
Flügeldecken, Schwingen und Schwanzdecken mit schmalen fahlbraunen Außensäumen. Auge
rothbraun; Schnabel schwarz; Füße dunkelbraun. Weibchen kaum bekannt.

Vidua laticauda: nitide nigra interscapilii uropygiique plumis, tectricibus al. superioribus et inferioribus, tibialibus, crisso et subcaudalibus pallide cervino-marginatis; vertice, occipitè, cervice, cinguloque lato
circa colli pectorisque latera puniceis; iride badia; rostro nigro; pedibus brunneis.
♀ vix cognita.

Länge 20,8—23,4 cm. (8—9 Z.); Flügel 8,2 cm. (3¹/₆ Z.); Schwanz 11,8—13 cm.
(4¹/₂—5 Z.).

Der **weißgezeichnete Widafink** [Vidua albonotata]. Nur kurz erwähnen
darf ich diesen Witwenvogel, von dem ich überzeugt bin, daß er trotz gegentheiliger
Behauptungen noch nicht lebend nach Europa gekommen. Soviel ich mich auch
bei den Großhändlern und Direktoren der zoologischen Gärten bemüht, nirgends

habe ich Auskunft über ihn erhalten können. Er ist tiefschwarz; Flügelschwingen und obere Flügeldecken an den Außenfahnen sind schmal bräunlich gesäumt, die kleineren Deckfedern weiß, sodaß sie auf dem Flügel zwei große, weiße Flecke bilden. Die Verbreitung erstreckt sich über den Süden und Westen Afrikas. Sollte der Vogel bis zur Vollendung dieses Werkes noch eingeführt werden, was sich erwarten läßt, sobald Abessinien zugänglicher wird, so bringe ich im Nachtrage eine aus= führliche Beschreibung nebst Abbildung.

### Der kurzschwänzige Widafink [Vidua axillaris].

In ihrem ganzen Wesen bildet diese Witwe zweifellos einen Uebergang zu den Webervögeln, deren erste Gruppe, die Feuerweber, ihr sehr nahe stehen. Sie wird jedoch von den Vogelkundigen übereinstimmend, ungeachtet des im Pracht= gefieder nicht auffallend verlängerten Schwanzes, zu den Widafinken gezählt.

Der Vogel gleicht auf den ersten Blick dem Hahnschweif=Widafink, doch ist er bedeutend kleiner, nur so groß als ein Haussperling und wie erwähnt ohne den langen Schwanz. Im Laufe der Zeit bekam ich ihn zweimal von Ch. Jamrach aus London, ohne daß es mir jedoch gelungen wäre, ihn in dem erbärmlichen Zustande am Leben zu erhalten. Dann sah ich ihn im Berliner Aquarium, in den zoologischen Gärten von Köln und Berlin, doch jedesmal nur als ein nicht völlig ausgefärbtes und nicht lange lebensfähiges Männchen. Die Heimat soll sich über den Süden und das tropische Afrika überhaupt erstrecken und daher erscheint es ebenso verwunderlich als bedauerlich, daß dieser prachtvolle Vogel gleich vielen anderen nur höchst selten lebend nach Europa gebracht wird.

Ueber die Lebensweise theilen Ayres und v. Heuglin Einiges mit. Nach ersterm Forscher erscheint die Art im Frühlinge in großen Schwärmen in Natal. In denselben befinden sich beiweitem mehr Weibchen als Männchen. Er schließt deshalb darauf, daß auch diese Vögel in Vielehe leben. Wahrscheinlich sind sie bei ihrer Ankunft noch nicht ausgefärbt. Das Nest wird im Hochgrase an= gelegt. Nach vollendeter Brütezeit verschwinden sie wieder. Heuglin beobachtete sie in kleinen Flügen von 6 bis 10 Köpfen in den sumpfigen, mit Hochgras und Cypergräsern bestandenen Gegenden am Sobat. Sie lassen eine nicht un= angenehme, melancholisch klagende Stimme hören und ernähren sich hauptsächlich von kleinen Sämereien. Die Verfärbung zum Prachtgefieder geschieht im Monat Juni und die Entfärbung im November. Ayres sagt, daß sie den Körner= früchten außerordentlich schaden. (Nach v. d. Decken's Reisewerk IV.)

Der kurzschwänzige Widafink wird auch Stummelwida oder Stummelwitwe (Br.), besser Stummelschwanzwitwe und kurzschwänzige Epalettenwitwe genannt. La Veuve à courte queue; Short-tailed Widow.

Nomenclatur: Vidua axillaris, *Smth., Gr., Jrd., Antn., Grn., Lyrd.*; Penthetria axillaris, *Lchtst., Hgl., Fnsch.* et *Hrtl.*; Urobrachya axillaris, *Bp., Rchb.*

Wissenschaftliche Beschreibung. Sammtschwarz; die kleinsten oberen Flügeldecken am Unterarme brennend mennigroth mit gelbem Grunde, die größte Reihe der oberen Flügel= decken kastanienbraun; die Schwingen zweiter Ordnung und deren Deckfedern an der Außen= fahne schmal kastanienbraun gesäumt; untere Flügeldecken kastanienbraun; Auge braun; Schnabel hellbleifarben mit schwärzlichem Grunde; Füße graubraun. — Männchen im Winterkleide: oberhalb braunschwarz, jede Feder mit fahlbraunem Seitenrande, daher längsgestrichelt; Bürzel einfarbig isabellbräunlich; obere Schwanzdecken dunkelbraun mit grau= braunen Endrändern; breiter Streif vom Nasenloch über den Zügel und das Auge bis zu den Schläfen rostbräunlich, ebenso die Kopfseiten; vom Mundwinkel bis zur Ohrgegend dunkel= bräunlich; Schwingen schwarz; Deckfedern der Schwingen, größte Reihe der oberen Deckfedern und untere Flügeldecken schön kastanienbraun; die kleinsten oberen Deckfedern am Unterarm hoch orange; Schwanzfedern dunkelbraun mit fahlen Endsäumen; unterhalb rostbräunlich; Kinn, Bauch und Hinterleib weißlich; Schnabel horngrau mit dunklem Grunde; Füße hornbräunlich. — Das Weibchen hat im wesentlichen dieselbe Färbung, nur sind die Federn überall mehr rostbräunlich gerandet; die unteren Flügeldecken sind zimmtrostbraun; Schnabel röthlichfahl= braun, der untere heller; Füße röthlichbraun. Es hat eine auffallende Aehnlichkeit mit dem des gelbschulterigen Widafink, unterscheidet sich aber leicht durch die zimmtrostbraunen, unteren Flügeldecken und die scharf hervortretenden rostbraunen Außensäume der Schwingen und Deckfedern.

Vidua axillaris: holosericeo-nigra, humeris laete miniatis; remigibus secundariis eorumque tectricibus exterius fulvo-sublimbatis; tectricibus al. mi-noribus alaeque flexura et subalaribus badiis; subcaudalibus nigris; iride fusca; basi rostri plumbei nigricante; pedibus dilute fuscis. — ♂ vesti hiemali notaeo fuscescente nigro propter plumas singulas luride marginatas longitudinaliter striolato; uropygio unicolore isabellino; supracaudalibus fuscis cinerascente terminatis; stria lata a naribus supra lora oculosque usque ad regionem temporalem ferruginosa; capitis lateribus ab oris angulo usque ad regionem paroticam fuscatis; tectricibus et remigum et minoribus deuteris et subalaribus laete badiis; tectricibus antecubi-talibus rubro-aurantiis; rectricibus fuscis luride terminatis, subtus ferrugineis; mento, abdomine crissoque albidis; basi rostri cinereo-cornei obscuriore; pedibus subfuscis. ♀ parum discreta, nonnisi plumis omnibus magis ferruginoso-limbatis; tectricibus subalaribus cinnamomeis; mandibula rostri luride badii pallidiore; simillima etiam femellae Viduae flaviscapulatae, distincta vero tectricibus subalaribus cinnamomeis et marginibus externis remigum eorumque tectricum magis conspicuis.

Länge 16,4 cm. (6¼ Z.); Flügel 8,5 cm. (3¼ Z.); Schwanz 6,7 cm. (2⁷/₁₂ Z.).

# Die Webervögel [Ploceidae].

Aus den Berichten der Reisenden kennt jeder Naturfreund jene Finken, welche zu den größten Künstlern in der Thierwelt zu zählen sind, die Webervögel. Ihre Nester schildern die Schriftsteller förmlich mit Begeisterung; ihre Brutansiedelungen gehören zu den bezeichnendsten Erscheinungen tropischer Landschaften, indem sie einerseits weithin in die Augen fallen und andrerseits ebenso mannigfaltig ver= schieden, als im einzelnen bewundernswürdig kunstfertig sind.

Das eine Nest stellt einen einfachen, kugelrunden Ball dar, mit einem seit= lichen oder von oben hinabführenden Flugloch; ein zweites hat von diesem Bau eine mehr oder minder tief hinunterhängende Röhre, in welcher der Vogel nach oben klettert, es hat also die Form einer Retorte; ein drittes bildet eine Kugel mit überstehendem Dache, während ein viertes an einem zusammengedrehten Bande freischwebend hängt, mit dem geräumigen Schlupfloch von unten hinauf; ein fünftes in Gestalt eines Doppelballs hat hinterwärts als eigentliches Nest eine gesonderte Ausbuchtung und vorn eine tief von unten senkrecht hinaufreichende Röhre. Fast bei allen zeigt sich gleicherweise das Dach sehr dicht und dick ausgeführt, wahrscheinlich zum Schutz gegen die gewaltigen Platzregen, wie gegen die Sonnen= strahlen der Tropen. Die Mulde dagegen, in welcher die Eier liegen, ist nur in seltenen Fällen ausgepolstert, oft so wenig dicht, so luftig, daß die Eier von unten hinauf zu sehen sind. Die Nester anderer Webervögel sind unter einem Dache, meistens in großer Anzahl beisammen erbaut, jedes einzelne jedoch für sich und mit besonderm Schlupfloch. Schließlich findet man auch noch nester= artige Gebilde, welche oben ein ebenso starkes Dach haben, denen unterhalb aber die Nisthöhlung fehlt, an deren Stelle blos quer in der Mitte ein fester gedrehter Strang angebracht ist. Manche Reisenden bezeichnen diese Bauten als „Ver= gnügungsnester". Eine solche Benennung ist aber unrichtig, denn die Nester haben einen ganz bestimmten Zweck. Auf dem Strang in der Mitte sitzt nämlich während der Nacht das Männchen und auch wol bei Tage, wenn es Schutz gegen Regen und Sonnenstrahlen suchen will. Meistens bauen die Männchen allein und das Weibchen macht sich nur an einem Neste zu schaffen, wenn es dasselbe für seine Brut ausgewählt hat; es bessert dann innen aus, glättet und ordnet, ohne jedoch, wie manchmal behauptet worden, mit dem Männchen gemeinsam zu arbeiten. Da nun fast jedes Männchen rastlos weiter baut,

immer mehrere Nester und da es weder mit dem Weibchen zärtlich zusammen=
hält noch dasselbe während des Brütens oder die Jungen füttert, sondern nur
das Nest gegen die Annäherung eines andern Männchens oder jedes andern
Vogels überhaupt sorgfältig bewacht, so hat man daraus folgern wollen, daß alle
Webervögel oder doch wenigstens die meisten in Vielehe leben. Dies ist freilich
eine Annahme, welche bis jetzt ebensowenig durch die Forschungen der Reisenden
als durch die Beobachtungen in der Vogelstube sicher festgestellt worden. Nach
meinen Erfahrungen, die ich weiterhin bei den einzelnen Arten mittheilen werde,
dürfte es allerdings richtig sein, daß die meisten Weber Vielweiberei treiben.
Ruhe= und Rastlosigkeit, eifriges Herstellen immer neuer Nester, Einreißen der
nahezu vollendeten und Wiederaufbauen — das ist ein bezeichnendes Thun und
Treiben sämmtlicher Webervögel. Uebrigens ist ihr Nestbau streng genommen
nicht ausschließlich als Weberei zu betrachten; er kann ebensogut als Strickerei
oder als Flechterei erachtet werden. So verschiedenartig als die Formen der
Nester sind auch die Baustoffe, aus denen sie hergestellt werden; die mannig=
faltigsten Gräser, Halme, Fasern, Bast, Würzelchen, Fäden u. dgl. werden dazu
verwendet und einunddieselbe Webervogelart kann, je nach der Gegend, in welcher
sie nistet, vornehmlich aber dem Baumaterial entsprechend, von einander überaus
abweichende Nester errichten; ein Nest aus Fasern und Bastfäden hat mit dem
aus Gräsern desselben Vogels kaum eine Aehnlichkeit. Die meisten Webernester
hängen an dünnen, schwanken Zweigen über Gewässern, Regenschluchten oder Ab=
hängen und hier sind sie, wie man annimmt aus Vorsicht, der Affen, Schlangen
u. a. Räuber wegen, angebracht.

Die Webervögel kommen nur in den beiden Welttheilen Afrika und Asien
vor. Es sind Finken etwa von der Größe des Zeisigs, bis zu der einer Drossel.
Im Winterkleide einfach sperlingsgrau, legen sie mit dem Beginn ihrer Niftzeit,
welche dem Frühlinge ihrer Heimat entspricht, das Prachtgefieder an. Ihre Lebens=
weise gleicht im übrigen der anderer Finken. Ob sie Stand=, Zug= oder Strich=
vögel sind, ist noch nicht sicher festgestellt; obwol man behauptet, daß die meisten
Arten wandern, so dürfte sich dies doch im wesentlichen nur auf umherstreichen zu
bestimmten Zeiten beschränken. Während die meisten Weber zu jeder Zeit, also
auch beim Nisten gesellig zusammenleben, so herrscht doch keineswegs Friede und
Eintracht unter ihnen. Alle Männchen sind immerfort in Zank und Streit be=
griffen und selbst mit den Weibchen sind sie nicht friedlich, geschweige denn, daß
sie ein zärtliches und inniges Familienleben führen, wie die Prachtfinken. Die
Nahrung besteht in Sämereien, doch auch in Kerbthieren. Diesen allgemeinen
Angaben sei eine lebensvolle Schilderung der Webervögel in ihrer Heimat —
jedenfalls die treueste, welche bis jetzt geschrieben ist — von dem jungen Afrika=
reisenden Dr. A. Reichenow angefügt:

„Wie einem Gemälde der hoch dünenden See die Sturmschwalben, der ländlichen Skizze unserer Dörfer Storch, Schwalbe und Sperling, den Bildern gewaltiger Klippen des hohen Nordens Steißfüße und Lummen nicht fehlen dürfen, so sind die Webervögel mit der Vorstellung westafrikanischer Landschaften eng verbunden. Diese Vögel sind es, welche dem ankommenden Reisenden zuerst in die Augen fallen und die ihn begleiten von Ort zu Ort. Betritt man die schmalen Gassen zwischen eng zusammengebauten Lehmhütten oder die breiten, von üppigen Pisangbäumen umgebenen Plätze vor freundlichen Bambuhäusern, so hört man das Geschwirr und Gezänk der ewig lustigen, arbeitenden, scheltenden und singenden Weber. Verfolgt man schmale Pfade durch weite, mit mannshohem Grase bedeckte Flächen oder mit kleinem Gebüsch bewachsene Ebenen, so schimmern überall die rothen Farben der Feuerweber (Pyromelaena) und die gelben der Edelweber (Hyphantornis) hervor. Fährt man im kleinen Bot durch die Kanäle, welche das Delta eines größeren Flusses durchschneiden, so erschallen aus den Mangrove und Pandanus die heiseren Stimmen der feuerköpfigen Hordenweber (Sycobius) und von den mächtigen Blättern der Weinpalmen hängen deren künstliche Nester herab. Auch im dichten Urwald schaukeln sich diese prächtigen Weber in den Schlingpflanzen und steigen hoch hinauf in die Gebirge. Ja, die Weber sind so recht eigentlich die Charaktervögel Guineas.

Während meines jetzt neunmonatlichen Reisens und Jagens in Afrika habe ich 14 Weberarten*) beobachten können. Man findet diese Webergattungen nicht neben einander in wechselnden Terrainverhältnissen, im Gegentheil vertreten sich dieselben an den verschiedenen Oertlichkeiten und man kann die Vidua und Pyromelaena als Steppen=, die Hyphantornis als Dorf= und Haide=, die Sycobius als Waldbewohner bezeichnen.

Eine weite Grasebene bei Akkra an der Goldküste bot mir zuerst Gelegenheit, Webervögel kennen zu lernen. Mannshoch schießt hier das Gras empor, wenn die tropischen Regen niederströmen und in den Monaten April bis August das Land überschwemmen. Viele Vögel aus zahlreichen, einander fernstehenden Familien haben dann hier zusagende Brutstätten, bis im Oktober die glühende Sonne sich der Schöpfungen des Wassers bemächtigt und die üppige Fläche in eine öde Brandstätte verwandelt. Der vernichtenden Wirkung der Sonnenstralen kommen jetzt noch die Menschen zu Hülfe, indem sie die trockenen Reste niederbrennen, aus deren Asche dann mit Beginn der Regenzeit von neuem die üppige Pflanzenentwickelung in ihren Kreislauf tritt. Hier also leben und lieben die schönen Feuerweber und Widafinken." —

*) Der Begriff Weber ist hier im Gray'schen Sinne gefaßt, indem zur Familie Webervögel auch die Widafinken mitgezählt werden.

Die erwähnte Verfärbung zum Prachtgefieder zeigen die Webervögel, mehr oder weniger auffallend, regelmäßig alljährlich. Dieselbe besteht in einem Vorgange, der ja, obwol beiweitem nicht so bemerkbar, auch bei europäischen Finkenvögeln sich äußert. Sie ist fast immer aber mit mehr oder minder großen Irrthümern ge= schildert. Um eine solche Erscheinung im Vogelleben recht kennen zu lernen und dann sach= und wahrheitsgemäß beschreiben zu können, bedarf es jahrelanger Beobach= tungen. Ich glaube nun, in dem folgenden mich keiner irrthümlichen Angaben schuldig zu machen.· Wenn in der Heimat einer Webervogelart der Frühling naht und damit die Nistzeit, beginnt eine Anzahl der Federn des Männchens aus der grauen Farbe sich zu verfärben, indem sie theils an der Spitze der Bärte und Fahnen, theils auch in der Mitte derselben farbige Flecke bekommen, welche mehr und mehr sich vergrößern, bis sie zuletzt die ganze Feder überziehen. · Während= dessen aber schießen überall junge, bereits völlig gefärbte Federn hervor, durch welche namentlich das ganze Kleingefieder mehr oder weniger vollständig erneuert wird. Diese vorzugsweise in glänzenden, prächtigen Farben prangenden Federn haben größtentheils eine ganz andere Beschaffenheit als die alten, in weichen, längeren, fein zerschlissenen und selbst wellenförmig gestalteten Bärten nämlich. So= bald dann die Entfärbung eintritt, fallen diese neuen Federn wieder aus und die ersterwähnten verfärben sich wieder ins Graue zurück. Dann erst späterhin findet die eigentliche Mauser in der Erneuerung auch des Großgefieders statt. Die Weibchen bleiben stets im grauen Kleide. Der Vorgang der Verfärbung ist bei den verschiedenen Verwandtschaften wesentlich von einander abweichend und ich werde daher bei den einzelnen Arten noch näher darauf eingehen. Bemerkt sei zugleich, daß außer Anderen auch der tüchtigste Kenner, ein langjähriger Züchter und Erforscher aller Webervögel, Herr Gymnasiallehrer Friedrich Schneider II. in Wittstock, mir mit seinen Erfahrungen zurseite steht, welche ich weiterhin am betreffenden Orte einschalten werde.

Wenn alle Webervögel nun auch zunächst in der Errichtung künstlicher Nester, dann in der Verfärbung, in der Lebensweise und in mancher andern Hinsicht übereinstimmen, so zeigen sie andrerseits doch solche Verschiedenheiten, daß man sie nothwendigerweise in mehrere Hauptgruppen theilen muß. Dies geschieht in sehr abweichender Weise und ich werde mich bemühen, eine Uebersicht zu geben, wie sie der allverständlichen Darstellung am meisten entspricht, ohne jedoch un= wissenschaftlich zu sein.

Für die Liebhaberei sind die Webervögel von nicht geringer Bedeutung. Sie vereinigen mit mehr oder minder herrlichem Farbenschmuck geringe Bedürf= nisse, nehmen also mit einer sehr einfachen Verpflegung vorlieb und sie erfreuen ihren Besitzer dadurch, daß sie selbst unter minder günstigen Verhältnissen in eifrigster Weise ihre künstlichen Bauten errichten. Einige Arten begnügen sich freilich damit und gelangen nur selten zur erfolgreichen Brut; andere aber sind als tüchtige Zuchtvögel zu erachten. Selbstverständlich werde ich alle diese Eigenthümlichkeiten bei jedem einzelnen Vogel bemerken und dann weiterhin in den bezüglichen Abschnitten Anleitungen für die Verpflegung und Züchtung geben. Die Fütterung in der Gefangenschaft besteht in Hirse und Spitzsamen, bei den größeren Arten mit Zugabe von Hanf u. a. Sämereien. Alle aber bedürfen auch nothwendigerweise der Fleischnahrung, denn andernfalls machen sich sehr üble Erscheinungen geltend. Bereits im „Handbuch für Vogelliebhaber" habe ich darauf hingewiesen, daß alle diese Vögel, namentlich aber die Feuerweber, in der Verfärbung ganz auffallend zurückbleiben, wenn sie, wie in den Läden der Händler, nur mit Körnern ohne Mehlwürmer, Ameisenpuppen, Eierbrot u. dgl. gefüttert werden. Freilich äußert nicht die Fütterung allein ihren Einfluß bei dieser Färbung, sondern es kommen auch Licht- und Luftverhältnisse zur Geltung, und ich werde in den Abschnitten, welche die Verpflegung der Vögel behandeln, auch in dieser Hinsicht Erfahrungen und Rathschläge mittheilen.

Während die kleineren Webervögel im Gesellschaftskäfige unter Prachtfinken u. a. selbst im Hochzeitskleide verträglich sind, so können sie in der Vogelstube doch dadurch, daß sie in stürmischer Lebhaftigkeit alle anderen Vögel aus der Umgebung ihres Nestes vertreiben, viele Störung verursachen. Eigentlich bösartig sind sie jedoch nicht. Auch die großen Arten sind nicht wirklich bissig. Wenn sie selber aber nisten, so rauben sie aus den Nestern ihrer Mitbewohner gern die Brut, um ihre Jungen damit zu füttern.

Von einem Gesange kann bei ihnen allen überhaupt keine Rede sein. Zischen, Zirpen, Schnarren, Gackern, das sind ihre Laute, aus denen ein gar wunderliches Liebeslied angestimmt wird, das, dem Weibchen immerhin süßer als Philomelengesang ertönend, für ein verwöhntes Ohr doch manchmal unleidlich erschallt. Um so unterhaltender ist ihr Liebesspiel, welches ich bei jeder einzelnen Art schildern werde.

Die Preise schwanken von 4,50 Mark bis 36 Mark und darüber für das Paar, und abgesehen davon, daß manche seltenen Arten noch übermäßig theuer sind, darf man sie im allgemeinen zu dem am meisten preiswerthen kleinen Gefieder zählen; denn außer den schon erwähnten Vorzügen haben sie auch noch die, daß sie zu den ausdauerndsten aller Stubenvögel gehören und daß wenigstens im Prachtkleide, vom Beginn der Verfärbung an die Geschlechter leicht zu unterscheiden sind, sodaß man dann mit Sicherheit richtige Pärchen erhalten kann. Ein Uebelstand tritt freilich darin ein, daß die Jungen der Arten, welche im Käfige oder in der Vogelstube nisten, sich erst im zweiten oder dritten Jahre zum Schmuckkleide färben und daß daher die Verwerthung der Nachzucht für lange Zeit Schwierigkeiten hat.

\* \* \*

Die **Feuerweber** [Euplectes, *Sws.*; Pyromelaena, *Bnp.*; Xanthomelaena, *Bnp.*], ge= wöhnlich Feuerfinfen genannt, stehen den vorangegangenen furzschwänzigen Widafinfen überaus nahe und obwol sie von den Systematifern einstimmig zu den Weberbögeln gezählt werden, so sind sie doch von den übrigen sehr bedeutsam verschieden. Ihnen sind besonders glänzende, brennende Farben eigenthümlich; gewöhnlich neben einem tiefen Schwarz, prächtiges Roth in verschiedenen Schattirungen oder auch Gelb. Im Prachtgefieder leicht zu unterscheiden, gehört doch ein Kennerblick dazu, wenn man sie im grauen Kleide oder ihre Weibchen erkennen will.

Während sie die von den europäischen Reisenden am meisten besuchten Gegenden Afrifas bewohnen, ist trotzdem ihre Entwickelungsgeschichte noch feineswegs sicher erforscht. Es steht noch nicht fest, ob sie Stand= oder Zugbögel sind; zwar hat man das letztere angenommen, doch fann darin wol eine Täuschung liegen, daß sie im grauen Kleide viel weniger auffallen und dann dort nicht bemerkt werden, wo man sie im Prachtgefieder gesehen hat.

Gar überschwenglich schildert ein Schriftsteller den Eindruck, welchen ein von Feuer= webern bewohntes Durrafeld gewährt. Als Flämmchen, welche aufschießen, verschwinden und wieder aufbligen und durch solch' wunderbares Spiel das Auge entzücken, beschreibt er die Bögel, wenn sie auf den Spigen der Büschelmaishalme sich wiegend und, das Gefieder sträubend und flügelschlagend, ihren Liebessang zischen. Freilich hat er sie viel mehr mit der Fantasie als mit flaren Blicken geschaut, denn er behauptet auch, daß der Orangeweber, welcher etwa die Größe des Feldsperlings und einen verhältnißmäßig schwachen Schnabel hat, die harten Maisförner fnacke.

Die Nahrung der Feuerweber besteht in Hirse= und Gräsersämereien, daneben aber vor= nämlich auch in Kerbthieren und namentlich deren Bruten. Ihre Nester stehen im Gebüsch, welches mit Hochgras durchwachsen ist (nicht aber hängen sie, wie fälschlich angegeben worden, an den Durrastengeln), zuweilen dicht über dem Boden, bei einigen Arten im Schilf und Rohr über Gewässern; auch findet man dieselben nicht in eigentlicher Geselligfeit beisammen, sondern nur unfern von einander und jedes Männchen hat und vertheidigt wacker sein fleines, abge= grenztes Nistgebiet. Das Nest ist viel weniger funstvoll, als das anderer, besonders der ost= indischen Weber; es ist aus Grashalmen oder gespaltenen Rohrblättern geflochten und bildet einen überwölbten Beutel mit einem oder zwei Schlupflöchern von oben hinab. Jedes Gelege besteht aus drei bis acht grünlichblauen, mehr oder weniger hellen, selten gesprenfelten oder bespritzten Eiern und es erfolgen in einem Jahre mehrere Bruten. Nach beendeter Niftzeit sammeln sich die Feuerweber gleich anderen Finfen zu großen Schwärmen an und dann sollen sie umherstreichend erheblichen Schaden am Getreide, Hirse u. dgl. verursachen.

Bei dieser Weberfamilie tritt die Verfärbung zum Prachtgefieder vorzugsweise durch sehr üppiges Hervorschießen des farbigen Kleingefieders ein, und man fann sich daher — wie es mir und anderen Beobachtern anfangs ergangen — gar leicht täuschen. Ich hatte verschiedene Feuer= weber und Widafinfen während des Farbenwechsels in geschlossene Käfige gesperrt, und da ich garfeine ausgefallenen grauen Federn bemerfte, sondern hier und da eine ausgezupfte größere Feder in voller Farbenveränderung fand, so glaubte ich, daß dieser Borgang über das ganze Gefieder sich erstrecke. Herr Gymnasiallehrer Fr. Schneider ll. in Wittstock hat dann aber durch anhaltende Beobachtung und gründliche Untersuchung festgestellt, daß eine bedeutsame Er= neuerung des Gefieders stattfindet.

Er theilt Folgendes über die Verfärbung der Feuerweber mit: „Am längsten und sorgfältigsten habe ich einen seit fünf Jahren in meinem Besitz befindlichen Oryxweber beobachtet. Dieser Vogel mausert, sowol Männchen als auch Weibchen, sicher zweimal im Jahre; die meinigen gewöhnlich im März und November. Bei der Frühjahrsmauser, also der Verfärbung zum Prachtgefieder, erstreckt sich der Federwechsel nur auf das Kleingefieder, bei der im Herbst eintretenden eigent=

lichen Mauser auf das ganze Federkleid. Eine Verfärbung des grauen Gefieders vor der beginnenden Mauser findet nicht statt. Die grauen Federn fallen viel= mehr ohne vorherigen Farbenwechsel aus, verdrängt durch die hervorsprießenden schwarzen und rothen, und der Verlauf ist folgender. Das erste Anzeichen der eintretenden Veränderung ist die Umfärbung des hornbraunen Schnabels, der allmälig ein glänzendes Schwarz annimmt. Zuerst fallen die Federn des Zügels, dann die ums Auge und die an der Kehle aus; es treten also die schwarzen Federn des Gesichts hervor. Darauf wechseln die Federn des Vorder= und Hinterhalses mit orangerothen, die der Brust und des Bauches mit schwarzen und die weißen der Unterschwanzdecken mit orangefarbenen. Jetzt erst fallen die grauen Federn des Scheitels und Hinterkopfes aus und die schwarzen wachsen hervor. Es sieht komisch aus, wenn einzelne graue sich verspäten und aus den dunklen, noch kurzen, weit hervorragen; dann folgen die der Seiten, des Ober= und Unterrückens, des Bürzels und zuletzt die Flügeldeckfedern erster und zweiter Ordnung. Der Vogel, welcher auch im grauen Kleide sich aufbläht und Kopf= und Nackenfedern sträubt, sodaß letztere förmlich wie eine Halskrause stehen, sieht anfangs in dem kurzen rothen und schwarzen Gefieder viel kleiner aus als im grauen, namentlich erscheint der Kopf weniger groß. Sobald jedoch die neuen Federn ausgewachsen sind, ist er merklich größer als vorher. Wenn schon die grauen Federn sehr zerschlissen sind, so ist dies in einem noch viel höheren Grade bei den schwarzen der Fall; auch hat sich die Gestalt dieser Federn verändert. Die graue Feder ist lanzett= förmig, endet also gleichmäßig verlaufend in eine Spitze; die schwarze hingegen ist stumpf, die Spitze fehlt oder sie erscheint abgerundet. Die Herbstverfärbung geht ganz in derselben Reihenfolge vor sich. Die Schnabelwurzel wird weißlich, das glänzende Schwarz des ganzen Schnabels verbleicht und geht nach und nach in Braun über; ebenso machen die prunkenden Federn den grauen Platz. Absonderlich sieht der Vogel aus durch die neu hervorbrechenden grauen Federn um das Auge. Die Zeitdauer der Mauser beträgt bei meinen Oryxwebern un= gefähr vier Wochen. Das Männchen webt dabei ununterbrochen seine künstlichen Beutelnester, auch findet schon in dieser Zeit die erste Begattung statt und eins der Weibchen hatte schon Ende März bei 4 Gr. R. Wärme Eier gelegt.

Ein Orangewebermännchen, seit drei Jahren in meinem Besitz, mausert nur wenig, aber regelmäßig zweimal im Jahre, im März und November, und zu be= stimmter Zeit trägt der Vogel sein graues Kleid wieder. — Im vergangenen Herbst erhielt ich auch ein Pärchen Sammtweber. Das Männchen war fast nackt und die wenigen Federn, welche es hatte, waren schwarz. Bald wuchsen andere Federn nach und zwar graue im Kleingefieder, schwarze im Schwanz und in den Flügeln. Zur Weihnachtszeit erschien der Vogel sonderbar, schwarz= und graugefleckt. Schon im Februar begannen die grauen Federn jedoch auszufallen und im März prangte er bereits im sammtschwarzen Kleide; seltsamerweise sind bei ihm auch die Schwung= und Schwanzfedern schwarz, so dunkel wie das übrige Gefieder. Die Rücken= und Schulterfedern, welche bei einem zweiten Männchen rein schwefel= gelb sind, nähern sich bei ihm ebenfalls der schwarzen Färbung, d. h. sie sind schwarz mit ganz schwachen gelben Streifen. Das vermeintliche Weibchen ver= wandelte sich in ein prachtvolles Männchen und ebenso ein zweiter, im März mir zugesandter Vogel; die Verfärbung geschah durch den Wechsel des Kleingefieders. Bei dem letztern Männchen sind die Flügel und Flügeldeckfedern schwarzbraun mit fahlbraunen Außensäumen.

An einem Napoleonsweber, welcher sonderbarerweise nur drei Monate hin= durch im Prachtgefieder verblieb, habe auch ich die von anderen Züchtern beobachtete Verfärbung des grauen Gefieders vor der Mauser in ein gelbliches bemerkt. Namentlich sind Rücken, Seiten und Bürzel deutlich gelb, während die schwarze Farbe noch nicht vorhanden ist.

Der Verlauf der Verfärbung bei dem Madagaskarweber ist ein ähnlicher. Ich besitze vier Männchen und drei Weibchen, deren erstere jetzt sämmtlich mehr oder weniger im Prachtgefieder sind oder sich doch anschicken, dasselbe anzulegen. Von denselben war das eine sechs Monate im Winterkleide, ein zweites nur drei Monate und die Zeit der Verfärbung währte acht bis zehn Wochen. Bei der Herbstmauser des einen fiel nur das Kleingefieder aus. Einen wirklichen Farben= wechsel konnte ich jedoch bei diesen Vögeln nicht feststellen.

Nach meinen bisherigen Erfahrungen bin ich nun geneigt, anzunehmen, daß eine Mauser des Kleingefieders und eine gleich= zeitige Verfärbung der Flügel=, Schwanz= und vielleicht auch der Flügeldeckfedern stattfindet."

In dieser letztern Annahme hat mein geschätzter Herr Mitarbeiter in der That den richtigen Sachverhalt getroffen. Die Unregelmäßigkeiten aber, welche bei diesem Vorgange sich allenthalben zeigen, tragen eben die Schuld an den un= glaublich weit auseinandergehenden Behauptungen und vielen Irrthümern, welche in Hinsicht der Verfärbung aufgetaucht sind. Festzuhalten dürfte sein, daß die Mauser und Verfärbung der meisten Webervögel in der Gefangenschaft außer= ordentlich vielen Wechselfällen unterworfen sind, indem sie vor allem durch den Ernährungszustand, sodann durch die Beschaffenheit des Futters und schließlich auch durch die Licht=, Luft= und Wärmeverhältnisse beeinflußt werden. Während bei dem freifliegenden, im hellen, luftigen Raume gehaltenen, naturgemäß mit Körner= und reichlicher Fleischnahrung versorgten und bei mäßiger Stuben= temperatur gehaltenen Weber eine Verfärbung und theilweise Erneuerung des Gefieders zugleich eintritt, so wird der nur mit Sämereien gefütterte und vielleicht auch ungünstig beherbergte gleiche Vogel durch die Erregung der Liebes=

zeit doch nur bis zum Farbenerglühen, also bis zur Verfärbung ohne Nach=
schießen der Federn, gelangen können*), und in den Abstufungen zwischen diesen
beiden Vorgängen beruhen eben alle Unregelmäßigkeiten, welche zu so vielen ein=
ander entgegenstehenden Angaben geführt haben.

In der Heimat soll die Liebeszeit, während welcher der Vogel im Prachtgefieder sich
befindet, etwa vier Monate währen; in der Gefangenschaft ist die Dauer des Prachtkleides
aber außerordentlich verschieden. Auch sie hängt nicht allein von dem Alter, sondern auch
durchaus von dem Ernährungszustande des Vogels, sowie von Licht= und Wärmeverhältnissen
ab. Feuerweber, welche schlecht gepflegt werden, gelangen viel langsamer zur Verfärbung
und werden früher wieder grau. Gut gefüttert dagegen und besonders reichlich mit Fleisch=
nahrung versorgt, erhält sich ein Männchen wol sechs bis acht Monate, ja zuweilen Jahr und
Tag in voller Pracht. — Auch an ihnen tritt die bei den Prachtfinken S. 34 und 72 ge=
schilderte Schwarzfärbung des Gefieders ein und zwar in der Weise, daß in den Käfigen der
Händler manche Napoleons= und Orangeweber vorhanden sind, welche bis auf den weißen
Schnabel ganz düster und kohlschwarz aussehen.

Ihr Liebesspiel besteht in wunderlichem Tänzeln und Hin= und Herfliegen mit aufgeblähtem
Gefieder, unter fortwährendem Flügelklappen, Nicken und Bücken; man kann es wol mit dem
Balzen mancher Hühnervögel vergleichen. Der gleichzeitig erschallende Liebesgesang besteht nur in
heiserm Zischen.

Gerade die Feuerweber gehören zu den beliebtesten fremdländischen Stubenvögeln; freilich
erscheinen sie im grauen Gefieder nichts weniger als schön, und ihr stürmisches, ruheloses Wesen
vermag ihnen auch wol nicht leicht Freunde zu erwerben. Ihre brennenden Farben aber
fesseln von vornherein den Blick des Liebhabers, auch liegt doch ein ganz besondrer Reiz in
dem Vorgange der Verfärbung, nicht minder in dem sonderbaren Liebesspiel, und wer sie
kennt, weiß sie zugleich als sehr ausdauernde und anspruchslose Stubenvögel zu schätzen. Mit
alleiniger Ausnahme des Madagaskarwebers sind sie dagegen schlechte Zuchtvögel, obwol alle ein=
geführten Arten in Vogelstuben und auch in Käfigen bereits vielfach genistet haben. Näheres
über solche Züchtungserfolge theile ich weiterhin bei jedem einzelnen mit. Ebenso werde ich dort
die Preise angeben. Beiläufig sei auch bemerkt, daß diese Weber bei uns sehr gut im ungeheizten
Raum überwintert werden können. Die Herren A. Hesler, dann Dr. Schmidt, Direktor des
zoologischen Gartens von Frankfurt a. M., und neuerdings auch Fr. Schneider ll. in Wittstock
haben dahin bezügliche Erfahrungen gemacht. Der erstere sagt: „Die wol oft für sehr schwächlich
gehaltenen Fremdlinge können sogar eine bedeutende Kälte ertragen. Namentlich ist es zum
erstaunen, welche niedrigen Grade z. B. der Feuerfink, dessen Vaterland doch das heiße Afrika
ist, überdauert. Er scheint sozusagen eisenfest zu sein; denn er behält seine Munterkeit und
Lebhaftigkeit selbst bei 6—8 Grad Kälte und bei nur mäßigem Schutze gegen Wind. Er
schien die dann oft schon traurig dasitzenden Europäer gleichsam beschämen zu wollen."

### Der Napoleons=Webervogel [Ploceus melanogaster].
#### Tafel IX. Vogel 43.

Auf der Pariser Weltausstellung des Jahres 1867 hatte man auch einen
geschmackvollen Käfig mit kleinem Schmuckgefieder aufgestellt und unter diesem
machten vorzugsweise zwei Arten der gewöhnlichsten Weber auf Tausende von
Beschauern einen wirkungsvollen Eindruck. Dies waren der Napoleons= und der

---

*) Webervögel, die bei 8—10° Wärme in drei Wochen ausmauserten, blieben nach der
Beobachtung des Herrn Schneider bei 8—10° Kälte viele Wochen im Federwechsel.

Orangevogel. Dieser prachtvoll schwefel= oder jonquillengelb und tief sammt=
schwarz, jener feurig orangeroth und ebenfalls sammtschwarz. Beide gehören im
Hochzeitskleide allerdings zu den auffallendsten Erscheinungen in der lieblichen
Welt der fremdländischen Stubenvögel; namentlich jeder Nichtkenner bleibt voller
Entzücken und Bewunderung bei ihrem Anblicke stehen.

Seit Alters her und noch jetzt ist der erstere Weber in Frankreich und anderen
Ländern unter dem Namen Worabe allgemein bekannt. Der vorhin erwähnte
deutsche Vogelhändlername schreibt sich jedenfalls daher, daß er im Prachtgefieder
gerade in der Zeit zahlreich bei uns eingeführt und verbreitet wurde, als der
dritte Napoleon den Gipfel seiner Macht und seines Glanzes erklommen hatte
und mancherlei nach ihm geheißen und ihm nachgeahmt ward.

Buffon hat ihn zuerst beschrieben und zwar nach einem Bilde, welches
der Ritter Bruce aus Abessinien mitgebracht. Der große Vogelkundige hat
ihn aber niemals selbst gesehen. Vieillot bildete ihn dann gut ab und schil=
derte ihn eingehend. Er erhielt ihn, das erste und einzige Exemplar, welches da=
mals nach Frankreich lebend gebracht worden, von Becoeur und gab eine Dar=
stellung des Männchens im Schmuckgefieder. Der Vogel hatte sich vortrefflich
eingewöhnt, wurde mit Hirse und Sorgograssamen gefüttert und blieb mehrere
Jahre am Leben. Der genannte Forscher behauptete bereits, daß man ihn ohne
Schwierigkeit im Käfige züchten könne, wenn man ihn pärchenweise halte und ihm
Schilfstengel biete, an welchen er sein beutelförmiges, aus feinen Gräsern ge=
webtes Nest erbaue. Den Gesang bezeichnete er als ein unmelodisches Zwitschern.

Die Heimat des etwa feldsperlinggroßen Vogels erstreckt sich über den
Westen und einen Theil des Nordostens von Afrika; sehr häufig ist er in Abessinien.
Ueber sein Freileben ist leider wenig bekannt, obwol er doch zu den gemeinsten
Finken des Welttheils zählt. Th. v. Heuglin weist darauf hin, daß er auch in der
Freiheit in Hinsicht der Größe und Färbung des Hochzeitskleides sehr veränder=
lich erscheint: „Ein Männchen aus Abessinien hat Gesicht, Vorderhals, Brust
und die vordere Hälfte des Unterleibes schwarz, ohne alle Beimischung von Gelb.
Das Nackenband fehlt oft gänzlich. Mantel und kleine Flügeldeckfedern sind hin
und wieder schwarz mit gelben Federsäumen. Der Unterschnabel bei einem Männchen
vom Gebiet des weißen Nil ist auch schwarz. (Vrgl. die wissenschaftliche Be=
schreibung). Wir sahen ihn um den Tana=See in Abessinien und auf den Ge=
birgen in Semien im Winter und unmittelbar vor der Regenzeit. Hier scheint
er Standvogel zu sein und lebt in Gesellschaften von drei bis acht Köpfen, welche
oft dicht zusammenhalten und sich gern auf niedrigem Gebüsch, in Hecken und
Büschelmaisfeldern und um Tennen herumtreiben, vorzugsweise in der Nähe von
Viehweiden. Auch am Sobat und weißen Nil ist er bemerkt worden. Die
Angabe im Berliner Museum, daß er auch in Nubien heimisch sei, ist dagegen

falſch. Die Verfärbung zum Prachtgefieder dürfte im Auguſt zu erfolgen." Auch er ſoll nach der Niſtzeit zu großen Schwärmen ſich anſammeln und dann an Hirſe und anderen Nutzſämereien erheblichen Schaden verurſachen. In der Ge= fangenſchaft ſind die Napoleonsweber gegen große und kleine Genoſſen durch= aus harmlos und verträglich, allein ſobald ſie zum Schmuckgefieder ſich verfärben, werden ſie ungemein lebhaft und ſtürmiſch und dann ſind ſie üble Gäſte, indem ſie, nicht etwa biſſig und zänkiſch gegen ſchwächere Vögel ſich zeigen, ſondern dieſelben nur durch ihre Unruhe fortwährend ſtören und beängſtigen. Deshalb gelangen dieſe Webervögel ſelber auch kaum jemals zur glücklichen Brut, da ſie zu ruhelos zum Neſtbau ſind und im grauen Geſieder wiederum zu ſcheu, ſodaß ſie gar zu leicht von anderen Vögeln ſich verjagen laſſen. Dennoch gelingt es wol ſie zu züchten, wenn man auf ihre Eigenthümlichkeiten achtet und ihren natürlichen Bedürfniſſen Genüge zu leiſten ſucht. In dem Abſchnitt über Pflege und Zucht werde ich die einſchlägigen Erfahrungen mittheilen und Anleitungen geben.

Wie bei allen übrigen Webervögeln geht die Verfärbung zum Prachtgefieder in der Gefangenſchaft zu der Zeit vor ſich, wann in der Heimat die Niſtzeit naht, und dieſe wechſelt je nach dem Theile Afrikas, aus welchem der Vogel herſtammt, vom Juni oder Juli bis zum Auguſt. Herr Schneider beobachtete, daß die Männchen bei kräftiger Fütterung mit friſchen Ameiſenpuppen ſich gar= nicht völlig entfärbten, ſondern immer mehr oder weniger ſchwarz= und gelbfleckig blieben. Im Durchſchnitt dauert das Prachtkleid volle neun Monate.

Das Liebesſpiel dieſes Webers, ſowie die hitzigen und doch nicht gefährlichen Kämpfe der Männchen ſind ſehr intereſſant. Ein Napoleonsvogel im Pracht= kleide bläht ſein Geſieder zum runden Federball auf und ſchwirrt hummelartig hin und her, indem er die Federn fortwährend abwechſelnd ſträubt und glatt anzieht, jeden Genoſſen der eigenen oder auch verwandter Arten verfolgt, vor jenem flüchtet, ihn wiederum jagt und dann ſeinen wunderlichen, ziſchenden Liebes= ſang erſchallen läßt, welchen Alexander von Homeyer mit dem Lockton der Braunelle vergleicht.

Gleichviel, ob in der Vogelſtube oder in einem geräumigen, zweckentſprechend ausgeſtatteten Käfige, flechtet das Männchen zwiſchen Birken= oder anderen Ruten oder auch in einer ſchlanken Aſtgabel zunächſt einen zirkelrunden, meiſtens aufrecht= ſtehenden, ſeltener ſchief, faſt wagerecht liegenden Kranz und dieſen umwölbt es dann, ſodaß ein länglichrunder Beutel mit einem halb von der Seite einmündenden Schlupfloch gebildet wird. Viele Männchen beginnen aber garnicht einmal den Neſtbau, weil ſie zu unruhig ſind, andere weben ſehr eifrig, bringen jedoch nichts weiter, als höchſtens den Kranz zuſtande; nur einzelne vollenden wirklich das Neſt und ein ſolcher Baukünſtler iſt für die Züchtung ſehr werthvoll, weil er raſt= los mehrere Brutſtätten hintereinander errichtet.

Das Gelege besteht fast regelmäßig in vier Eiern. Der Nestflaum der Jungen ist gelblichweiß mit weißer Schnabelwachshaut und das Jugendkleid gleicht fast dem des alten Weibchens, nur ist es heller, weißlichgrau. Die erste Verfärbung tritt schon im nächsten Jahre mit der des alten Männchens zugleich ein; auch ist sie eine vollständige, nur erscheint das Gelb nicht so schön dunkel und kräftig.

Männchen und Weibchen sind im grauen Kleide schwierig zu unterscheiden, denn das Merkmal der beträchtlicheren Größe des erstern ist nicht immer zutreffend. Die Händler pflegen gegen die Zeit der Verfärbung hin an der Brust einige Federn auszurupfen, um an den schnell hervorwachsenden farbigen die Männchen zu erkennen. Im übrigen behält hier und da das Männchen wol eine gelbe Feder und die Färbung der Rückenfedern und großen Flügeldecken ist kräftiger. Neben den Orangewebern sind beide Geschlechter des Napoleonswebers unschwer an dem gelben Ton des grauen Gefieders zu erkennen; bei jenen herrscht ein bräunlicher Ton vor. Nur Unkundige können sie verwechseln.

Dieser gelbe Weber leidet in den Käfigen der Händler weniger an matter Verfärbung, als die rothfarbigen Arten. Unter mangelhaften Luft- und Lichtverhältnissen färbt er sich aber vorzugsweise leicht schwarz.

Man kauft ein Pärchen Napoleonsweber im grauen Gefieder für 9 bis 12 Mark, im Prachtkleide 15 bis 18 Mark. Bei der Ankunft im Spätsommer sind sie im Großeinkauf zwischen 4 bis 6 Francs das Pärchen zu erhalten. Man findet sie das ganze Jahr hindurch in den Vogelhandlungen aller Länder.

Seit Vieillot's Zeit war der Vogel in der Liebhaberei und im Handel beinahe völlig verschwunden und nur selten ist bei den Schriftstellern eine kurze Notiz über ihn zu finden. Bechstein kennt ihn garnicht, Bolle aber führt ihn schon unter dem deutschen Händlernamen auf.

Der Napoleonsweber oder Napoleonsvogel, auch im Deutschen Worabe genannt, heißt bei Rchb. fälschlich Abessinischer Taha.

Le Worabée (Bekemans); le Worabey (Liste d. Affl.-Grt. v. Paris); Blackbellied Weaverbird (Jamrach u. Vrzn. d. zool. Grt. von London); Worabee (holländisch); Worabee (heimatlicher Namen).

Nomenclatur: Loxia melanogastra, Lth.; Loxia abyssina, Fringilla abyssina, Vll.; Fringilla ranunculacea, Lchtst.; Euplectes ranunculaceus, Mus. Brl.; Euplectes melanogaster, Swns., All., Bp., Hrtl.; Ploceus abyssinicus et afer, Gr.; Euplectes abyssinicus, Cab.; Euplectes habessinicus, Hgl.; Taha abyssinica, Rchb., Br. — Le Worabée, Vieill.; Black-bellied Grosbeak, Brown; Black-collared Finch, Lath.

Wissenschaftliche Beschreibung: oberhalb mit Einschluß von Stirn, Ober- und Hinterkopf glänzend gelb, über den Nacken ein tief sammtschwarzes Band und in derselben Farbe das Gesicht vom Nasenloch oberhalb des Auges bis zum Ohr und um die Kehle, ferner Unterbrust und Bauch. Oberbrust, Seiten, Hinterrücken, Ober- und Unterschwanzdecken wieder gelb, Flügel und Schwanz dunkelbraun, jede Feder breit fahl gesäumt. Auge bernsteinbraun;

Schnabel schwarz; Füße fleischfarben. — Weibchen und Männchen im Winterkleide ober=
halb gelblichfahlbraun, Flügelfedern gelblich gesäumt und alle übrigen Federn mit braunen
Schaftstreifen; unterhalb mit Einschluß der Unterflügel reinweiß. — Jugendkleid s. S. 234.

Ploceus melanogaster: laetissime flavus; regione parotica, capitis lateribus,
mento, gula abdomineque medio holosericeo-nigris; alis et cauda fuscis; interscapilio
fuscescente; subalaribus albidis; iride badia; rostro nigro; pedibus rubellis. — ♂ hieme
et ♀: supra pallide subfulva, plumis mediis conspicue e fusco-nigricante striatis;
stria conspicua superciliari, margine alari et subalaribus albidis, flavido-lavatis; gastraeo
albido plurimorum laete fulvescente-adumbrato; colli lateribus, pectore et hypochondriis
fusco-striatis; tibialibus umbrino-cinerascentibus, sordide albido-marginatis; tertiariis
late fulvescente marginatis; iride umbrina; rostro nigro; pedibus fuscatis.

Länge 11,8 cm. (4½ 3.); Flügel 5,7 cm. (2⅙ 3.); Schwanz 2,2 cm. —2,6 cm. (⅚ bis 1 3.).

Neon. lanugine flavente alba, cera rostri alba. — Juvenis ab ♀ adulta vix
discedens nonnisi dilutior, incanus.

Beschreibung des Eies: veränderlich, von bläulichweiß bis zu blaugrün; Gestalt rund;
glänzend, glattschalig. Länge 20 mm.; Breite 16 mm.

Ovum: variabile, a coerulescente albo usque ad aeruginosum; rotundum, nitidum, laeve.

### Der abessinische gelbe Feuerweber [Ploceus abyssinicus],

auch Taha genannt, wird von Hartlaub entschieden als Art von dem vorigen
getrennt. Er unterscheidet sich nur durch ein breites, schwarzes Nackenband,
welches bis zur Kehle herumläuft, und durch die ganz schwarze Unterseite,
während bei dem Napoleonsweber der gelbe Hinterkopf durch ein gleiches Band
mit der gelben Oberbrust und den Seiten verbunden ist. Auch erscheint er etwas
größer, dem Haussperlinge gleich. Seine Heimat ist Südafrika. Wenn man
recht aufmerksam die Käfige der Händler durchmustert, so findet man wol, aller=
dings überaus selten, diesen größern Napoleonsvogel in wenigen Köpfen. Für
die Liebhaberei hat er keine Bedeutung, weil er schwerlich jemals in namhafter
Anzahl eingeführt werden kann. Er soll freilich auch im Nordosten Afrikas vor=
kommen, ob dort häufiger, ist jedoch fraglich.

Pyromelaena abyssinica, *Gml.*, *Br.*; Taha dubia, *Rchb.*; Euplectes Taha, *Smth.*,
*Hrtl.*; Ploceus dubius, *Smth.*; Ploceus Taha, *Gr.*

### Der Sammt=Webervogel [Ploceus capensis].

Tafel IX. Vogel 45.

Von den Händlern auch großer oder doppelter Napoleonsvogel genannt, ist
dieser Feuerweber viel seltener zu haben und beiweitem nicht so schön, als der
kleinere. Sein Grundgefieder ist tief sammtschwarz; die Schultern und der Mittel=
rücken sind lebhaft gelb, die Flügel grau; Größe des Gimpels.

Auf den ersten Blick gleicht er dem S. 218 geschilderten gelbrückigen, wie
auch dem gelbschulterigen Widafink und da alle drei Arten keineswegs häufig im
Handel vorkommen, so werden sie selbst von unkundigen Kleinhändlern manchmal

verwechfelt. Im Prachtgefieder aber find die Witwen an den längeren Schwänzen zu erkennen.

Der Sammtfink hat eine fehr weite Verbreitung; er wird faft im ganzen tropifchen Afrika gefunden und je nachdem, von woher die Bälge in den zoolo= gifchen Mufeen ftammen, unterfcheidet man mehrere Lokalraffen, welche nur in der Größe wefentlich von einander abweichen.

Th. v. Heuglin beobachtete die kleinere Lokalraffe in großen Scharen in den Provinzen Tembién und Semién in Abeffinien, wo fie durch Gefräßigkeit vielen Schaden verurfachen. Im Hochland von Wogara fah er fie in der Höhe von 2500—3100 Meter auf Viehweiden und im hohen Grafe. Die Verfärbung zum Hochzeitskleide erfolgt im Spätfommer und dann fondern fich die einzelnen Pärchen von den Flügen ab. „Er ift ein Standvogel, der in feinem Wefen mehr den Trauerwidas als den Feuerfinken gleicht. Antinori erhielt ein Exemplar aus dem Bezirk der Kidj=Neger am obern weißen Nil, wo ich ihn niemals angetroffen habe.“ Im übrigen ift nur bekannt, daß der Sammtweber par= oder familienweife lebt und ein kunftvolles Neft zwifchen drei= bis vier Schilf= oder Rohrftengeln anlegt. Layard befchreibt das Neft als aus Grashalmen erbaut, kugelförmig überwölbt und mit einem in der Mitte einer Seite befindlichen Schlupfloch.

Wenn man das Glück hat, ein richtiges Pärchen zu erlangen, fo fchreiten fie ungleich leichter zur Brut, als die anderen Feuerweber, und das liegt wol daran, daß diefer Vogel ruhiger, keineswegs fo ftürmifch erregt ift, als feine Ver= wandten. Das Neft wird ohne weiteres irgendwo im dichten Gebüfch errichtet und bildet einen ziemlich tiefen, umfangreichen, ovalrunden Beutel. (Eier grünlich= blau; Brutdauer 15 Tage.

Bechftein giebt über den Kap'fchen Kernbeißer nichts näheres an, fagt aber auch nicht, daß er damals überaus felten gewefen fei. In Bolle's Ver= zeichniß fehlt er.

Der Sammt=Webervogel ift auch Sammtvogel, Sammtweber, Sammt= wida, großer gelber Feuerfink, Sammtfink, doppelter Napoleonsvogel, Kapweber, Kap=Orynx (Rchb.) genannt worden. — Kap'fcher Kernbeißer (Bchft.).

Le grand Orynx (Vekemans u. Vrzn. d. Affl.=Grt. v. Paris); Yellow-shouldered Weaver-bird (Jamrach u. Vrzn. d. zool. Grt. v. London).

Nomenclatur: Loxia capensis, *L.*, *Gml.*, *Lth.*, *Bchst.*; Coccothraustes ca-pensis, *Vll.*; Loxia phalerata, *Lchtst.*; Ploceus capensis, *Gr.*, *Bp.*; Orynx capensis, *Cb.*, *Rchb.*; Euplectes capensis, *Grll.*, *Mllr.*, *Swns.*, *Sclt.*, *Plzln.*, *Lrd.*, *Hgl.*; Pyro-melaena capensis, *Fnsch.* et *Hrtl.*, *Rchn.* [Euplectes xanthomelas, *Rpp.* etc.; Orynx xanthomelas, *Cb.*, *Rchb.*; O. approximans, *Cb.*, *Rchb.*]. — Grosbec du Coromandel, le Pinçon noir et jaune, Grosbec tacheté du Cap d. b. Esp., *Buff.*; Cape Gros-beak, *Lath.*

Wiffenfchaftliche Befchreibung: glänzend fammtfchwarz; obere Flügeldecken, Schulter= rand und Bürzel hoch gummiguttgelb, Achfelfedern unterfeits heller; Schwingendeckfedern und Schultern fchwarzbraun, jede Feder an der Außenfahne fahlbraun gefäumt, am breiteften die

Deckfedern der zweiten Schwingen und der Schultern, die ersten Schwingen am Saume der Außenfahne gelb scheinend; Schwingen an der Basishälfte der Innenfahne breit isabellgelblich gerandet; Unterflügeldecken rostfahl. Schnabel schwärzlichblaugrau; Auge braun; Füße gelblich= braun. — Männchen im Winterkleide: oberhalb dunkelbraun, jede Feder breit fahlbraun gesäumt; Zügel= und schmaler Schläfenstreif gelblichweiß; Kopfseiten blaß bräunlichgrau und wie die ganze schwach graubraune Unterseite mit dunkeln Schaftstrichen, welche an Hals, Brust und Seiten am deutlichsten hervortreten; obere Flügeldecken dunkelbraun mit breiten, schwach= grünlichgelben Enden; Achsel reingelb; Bürzel gelblichbraun, untere Schwanzdecken fahlbraun mit feinen dunklen Schaftstrichen; Bauch und Hinterleib bräunlichweiß; Schnabel fahlbraun mit hellerem Unterschnabel; Füße gelblichfleischfarben. — Weibchen bemerkbar kleiner; durchweg grau; die gelben Schultern und der gelbe Bürzel des Männchens (die zu jeder Jahreszeit gleichgefärbt sind) fehlen; beides ist ebenfalls grau.

Jugendkleid dem Wintergefieder des Männchens gleich, doch daran zu erkennen, daß die Schaftstriche garnicht oder sehr schwach hervortreten. Verfärbt sich erst im zweiten Jahre, dann aber gewöhnlich schon vollständig.

Ploceus capensis: holosericeo-niger, tectricibus al. minoribus, camp-terio et uropygio laete luteis, axillaribus inferioribus dilutioribus; tectricibus remigum humerisque nigro-fuscis, plumis eorum singulis exterius luride limbatis; tectricibus remigum secundariorum et humerorum latius pallidius marginatis; remigibus primoribus exterius flavente limbatis; basi pogonii remigum interni dimidia late gilva; tectricibus al. inferioribus ferruginosis; iride fusca; rostro obscure plumbeo; pedibus subfulvis. — ♂ vest. hiem. supra fuscus, plumis singulis luride limbatis; loris striaque temporali lata flavido-albis; capitis lateribus fumosis; gastraeo sordide albo; hac utraque regione obscure striolata, praesertim collo, pectore et hypochondriis scapos offerentibus distincte obscuriores; tectricibus al. fuscis, late virente flavido-terminatis; axilla flava; uropygio subferrugineo, subcaudalibus fuscatis, tenuissime striolatis; abdomine crissoque sordide albis; mandibula rostri subfusci pallidiore; pedibus flavente carneis. — ♀ distincte minor; prorsus cinerea.

Länge 14,4 cm. (5½ 3.); Flügel 7,4 cm. (2⅚ 3.); Schwanz 4,8 cm. (1⅚ 3.).

Juvenis: mari hiemali concolor nonnisi striolis scaporum vel nullis, vel obsoletissimis.

Beschreibung des Eies: Farbe grünlichblau, glatt und glänzend, Gestalt rund.

Ovum: subaeruginosum, laeve, nitidum et rotundum.

## Der Orange=Webervogel [Ploceus franciscanus].

Tafel IX. Vogel 44.

Gegenwärtig eine der gewöhnlichsten Erscheinungen des Vogelmarkts, in jeder Vogelstube und Schmuck=Voliere zu finden, gehört der Feuerfink oder Orangevogel zugleich zu denen, über welche die Reisenden die eingehendsten Nach= richten gegeben. Seit Vieillot ist la Loxie ignicolore immer lebend ein= geführt und sie wird daher in allen Naturgeschichten erwähnt. Freilich waren die älteren Schriftsteller inbetreff ihrer und der nächsten Verwandten in mancherlei Irrthümern befangen.

Die Verbreitung dieser Art erstreckt sich wol über ganz Afrika, wenn= gleich sie im Süden bis jetzt noch nicht beobachtet ist. „Ueber die Lebensweise und das Brutgeschäft liegen mancherlei werthvolle Mittheilungen vor. Das in

Durrafeldern aus abgebrochenen Grashalmen zwischen zwei bis drei Stengeln hängende, rohrsängerartige Nest mit den in Nubien im August brütenden Vögeln ist von Hemprich und Ehrenberg beschrieben. Brehm fand aber auch im September und sogar Ende Oktobers frisch belegte Nester. Vierthaler da= gegen sagt, daß der Feuerfink schon im Mai bei Chartum erscheine und das Nest in dem über Wasser emporragenden Buschwerk erbaue. Die Verfärbung zum Hochzeitskleide beginnt im Juli. Im Oktober bis Dezember legen diese Vögel nach v. Heuglin bereits wieder das Winterkleid an und streifen dann in großen Scharen, die den Getreidefeldern sehr verderblich werden, im Lande umher. Schon Jsert bemerkte den Wandertrieb des Vogels, den er nur im Juni bis August bei Akkra sah."

Diese Angaben in dem v. d. Decken'schen Reisewerk, Band IV., ergänzt Heuglin in folgendem: „Der Feuerfink ist ohne Zweifel wirklicher Zug= vogel in unserm Beobachtungsgebiet. Er wandert übrigens nicht in großen, ge= schlossenen Zügen und erscheint aus dem Innern kommend im Juni und Juli. Namentlich häufig ist er dann im abessinischen Tiefland bis gegen 2200 Meter hochgehend, in Talah, Senar, Kordofan und Nubien. Seine nördliche Grenze am Nil erstreckt sich bis zum 22. Gr. n. Br. Die Verfärbung der Männchen erfolgt ohne eigentliche Mauser im August und September; dann sammeln sich zahlreiche Pärchen in den Büschelmaisfeldern, um hier zu nisten. Die Nester bestehen in einem ziemlich leichten, dünnen und lockern Gewebe von grünen Halmen, welche bis zu 1,3 Meter Höhe zwischen mehreren, nahe beisammen stehenden Durrastengeln aufgehängt werden. Sie sind verhältnißmäßig klein, nicht tief und enthalten gewöhnlich drei feinschalige hellblaugrünliche, wenig glänzende Eier, die hin und wieder mit leberbraunen Punkten leicht besprizt sind; diese Zeichnung verbleicht jedoch bald. Ob nur die Weibchen brüten, kann ich nicht bestimmt angeben. — Im Ostsudan bewohnt der Feuerfink vorzugsweise die Büschelmaisfelder, in Abessinien fanden wir ihn dagegen häufig längs der Ufer von Wildbächen und zwar meistens im Feigengebüsch, hin und wieder auf dem mit Cypergräsern bewachsenen Moorland und im Gebiet des Gazellenflusses einzeln im Hochgras. Zwischen Januar und Mai habe ich ihn im oberen Nilgebiet nicht be= merkt, doch hat ihn Hartmann schon im März in der Provinz Dongola, jedoch ohne eine Spur von rothem Gefieder, gesehen. — Niemals erblickte ich ihn auf Hochbäumen; im Herbst hält er sich fast ausschließlich in den Fruchtfeldern und Gräserdickichten auf. Eine Gesellschaft dieser unruhigen, geschwätzigen und zänkischen bunten Vögel in den üppig grünenden und von schweren Aehren strotzenden Durra= fluren gehört in das Landschaftsbild einer Nilgegend als bezeichnendste Eigen= thümlichkeit. Von früh bis spät sind sie in Thätigkeit, klettern an den Halmen und Fruchtbüscheln, richten sich schrill zirpend und das Gefieder sträubend hoch auf u. f. w. Selten kommen sie auf die Erde herab. Der Gesang ist unbedeutend, der Lockton ein schrilles, rätschendes Zirpen. Zur Zeit der Reife verschiedener Sämereien (Angoleb, Durra und Dochen) erbauen die Eingeborenen Strohhütten auf hohen Gerüsten mitten in ihren Pflanzungen, ziehen von hier aus lange, oft mit bunten Lappen versehene Schnüre nach allen Seiten hin und suchen theils durch Rütteln an diesen Vogelscheuchen, theils vermittelst der Schleuder die ge= fräßigen Gäste fernzuhalten."

Professor Dr. Robert Hartmann fügt noch hinzu: „In Dattelhainen bei Fereq in Nubien sah ich ihn im Hochzeitskleide. Der Eindruck dieses anmuthig= beweglichen, so prächtig feuerfarbenen Vogels ist kaum genügend zu schildern, be= sonders wenn er im Sonnenglanze und zwischen grünem Laube sich zeigt. Schon Ehrenberg und Rußegger haben seiner Erscheinung mit Begeisterung gedacht."

In der Gefangenschaft gleicht der Orangeweber fast in jeder Hinsicht dem Napoleonsweber. Seiner brennenden Farbe, sowie seiner Ausdauer im Käfige wegen ist er gleicherweise beliebt, doch nur als Schmuckvogel, denn er gewährt ebenso= wenig die Vorzüge des Gesanges als des leichten Nistens. Beginnt man den Züchtungsversuch, während das Männchen im Prachtgefieder ist, so darf man an einen Erfolg garnicht denken, denn der Vogel ist so sehr erregt, daß er zur Her= stellung eines Nestes nicht gelangen kann. Wenn man dagegen eine Anzahl im grauen Gefieder zusammenbringt, so bauen und nisten sie wie beim Napoleons= vogel angegeben. Am ehesten aber erzielt man gute Ergebnisse, wenn man alte, gut eingewöhnte Feuerweber in nur einem Pärchen einer Art in einer blos mit Prachtfinken u. a. kleinen Vögeln besetzten Vogelstube fliegen läßt. Sie sind nicht eigentlich gesellig und bedürfen daher die Gesellschaft ihrer Art nicht. Gleich= viel aber, ob das Männchen sich dann als Herr und Meister der ganzen Be= wohnerschaft oder nur, in Abwesenheit größerer Vögel, besonders sicher fühlt — kurz und gut es erbaut dann fast regelmäßig Nester und bringt mit einem, ja selbst mit zwei bis drei Weibchen glückliche Bruten auf. In der Vogelstube des Herrn Färbereibesitzer G. Barnewitz in Berlin errichtete ein kräftiges Männchen in rastlosem Eifer wol einige zwanzig Nester und das eine der vorhandenen Weib= chen nistete mehrmals mit Erfolg, trotzdem es flügellahm war und nur im Ge= sträuch emporhüpfen konnte. Späterhin habe ich in ähnlicher Weise von allen Feuerwebern Junge gezogen und ihre Züchtung ist in der That nicht so schwer, wenn man folgende Regeln beachtet. Erstens setze man das Männchen mit meh= reren Weibchen im grauen Gefieder zusammen; zweitens halte man die Störung durch die Befehdungen der Männchen von der gleichen oder von nahverwandten Arten fern; drittens vermeide man auch, andere größere Vögel in demselben Raum zu halten; viertens gebe man reichlich die Seite 227 mitgetheilte Fütterung. Zu Baustoffen werden Agavefasern nebst Baumwoll= und Bastfäden ebenso gern benutzt, als frische Grashalme. Das Nest in der Vogelstube ist fast immer kugelrund mit oberhalb seitwärts befindlichem Schlupfloch und besonders aus Agavefasern sehr zierlich gewebt. Die Eier sind glänzend grünblau und sehr rund; v. Heuglin's Angabe, daß sie gezeichnet seien, dürfte in einem Irrthum beruhen. Im allgemeinen wird der Orangeweber bis jetzt wenig gezüchtet.

Herr Dr. Luchs erzählt von seinem S. 210 erwähnten Feuerfink: „Im November 1865 in meine Sammlung gekommen, legte er im Juli 1866 das Prachtgefieder an. Seitdem hat er ganz regelmäßig seine halbjährliche Verwandlung innegehalten; nur in diesem Jahre (1876) ist es anders. Sonst in den ersten Monaten des Jahres immer grau und schmucklos, prangt er jetzt zu Ende Mai noch im orangerothen Kleide. Diese Abweichung von dem gewöhnlichen Verlauf bin ich geneigt, dem Einfluß des Alters zuzuschreiben."

Auch er gehört zu den Vögeln, welche in den Käfigen der Händler unansehnlich schwarz werden und ebenso tritt bei mangelnder Fleischnahrung, wie schon S. 231 bemerkt, eine so matte Färbung des Prachtgefieders ein, daß der im Händlerkäfig gehaltene Feuerfink kaum fahlgelb ist, während der frisch eingeführte fast hochroth und der in der Vogelstube gut verpflegte rothgelb erscheint, sodaß der Unkundige wol glaubt, drei verschiedene Arten vor sich zu haben.

Im Gesellschaftskäfige wie in der Vogelstube ist der Orangeweber gegen kleinere Vögel verträglich; sobald er das Prachtgefieder angelegt hat, vertreibt er freilich aus der Umgebung seines Wohnbezirks alle übrigen und geräth dann mit den Männchen seiner oder verwandter Arten in sehr heftige Fehde. Ein kräftiges Männchen in meiner Vogelstube schlug durch sein Ungestüm sogar den Oryx in die Flucht. — In jeder andern Hinsicht stimmt er mit dem Napoleonsweber überein und auch im Preise steht er diesem gleich.

Der Orange=Webervogel wird auch Orangeweber, Orangevogel, Feuerfink, blos Feuerweber, Ignikolor, Franziskanerfink und Kardinalin, Franziskaner=Feuerfink (Rchb.) genannt.

L'Ignicolore (Vekemans u. Brzn. d. Akfl.=Grt. v. Paris); Crimson-crowned Weaverbird (Jamrach u. Brzn. d. zool. Grt. v. London); Oranjevogel (holländisch). — Sersur akonar (arabisch), Maskal oder Jamaskal (amharisch), beides nach Th. v. Heuglin.

Nomenclatur: Loxia franciscana, *Jsrt., Bchst.;* Fringilla ignicolor, *Vll., Lchtst., Hmpr.* et *Ehrb., Lss.;* Euplectes ignicolor, *Swns., Grd., Rpp., Bp., Vrthl., Cab., Hrtm., Br., Hgl., Antm., Kng.- Wrth.;* Ploceus franciscanus, *Gr.;* Euplectes franciscana [us], *Hrtl., Scl., Fnsch., Rchb., Hgl., Br., Shrp.* [Loxia orix, *Gml.;* Fringilla oryx, *Dbs.;* Euplectes Petiti, *Krk.*]. — Grenadier Gros-beak, *Lath.;* le Cardinalin, *Temm.;* the short-tailed Crimson-weaver, *Swains.*

Wissenschaftliche Beschreibung: Oberkopf, Zügel unter dem Auge, Ohrgegend und Schläfe sammtschwarz; Hinterkopf, Nacken, Hals, Halsseiten, Kehle, Kropf, Bürzel, Hinterleib, obere und untere Schwanzdecken (die verlängert sind und den Schwanz überragen) brennend scharlachzinnoberroth; Mantel und Schultern zimmtzinnoberroth; Brust, Bauch und Seiten glänzend sammtschwarz; Schwingendeck= und Schwanzfedern dunkelbraun, an der Außenfahne schmal bräunlichfahl gesäumt; untere Flügeldecken rostgelbfahl wie die Tibienbefiederung, diese etwas röthlich angehaucht. Auge braun; Schnabel schwarz; Beine fahlhorngelb. Winter= kleid: oberhalb fahlbraun, jede Feder längs der Schaftmitte breit dunkelbraun gestreift, am deutlichsten auf dem Mantel; Schwingendeck= und Schwanzfedern dunkelbraun, an den Außen= fahnen breit fahlbraun gesäumt; Zügel und schmaler Augenstreif bis zum Schlaf hellbräunlich= gelb; Kopf= und Halsseiten fahlbräunlich; Bürzel und obere Schwanzdecken einfarbig fahlbraun; unterhalb hellbräunlichgelb, untere Flügeldecken schwach gelblichweiß, an den Brustseiten einzelne Federn mit schwachen dunkeln Schaftstrichen; Hals, Bauchmitte und Hinterleib fast reinweiß. Oberschnabel bräunlichhorngrau, Unterschnabel heller; Füße hornfarben. Neben dem grauen Napoleonsweber ist er am braunen Ton der Färbung und an dem ebenfalls bräunlichen Augen= brauenstreif zu erkennen. — Weibchen: gleicht dem Männchen im Winterkleide zum ver= wechseln; nur kaum bemerkbar kleiner und einen Ton heller. — Das Jugendkleid ist heller fahlbraun, weil die dunkeln Schaftstriche sehr fein sind oder ganz fehlen; Schnabel und Füße sind bräunlichgrau. •

Ploceus franciscanus: pileo, genis, regione parotica temporibus-
que holosericeo-nigris; occipite, .cervice, collo, gula, jugulo, uropygio,
crisso, supra- et infracaudalibus (elongatis, caudamque superantibus) ardente
scarlatinis; interscapilio humerisque cinnamomeo-rubris; pectore, abdomine
et hypochondriis nitente aterrimis; tectricibus remigum et rectricibus fuscis,
exterius anguste luride limbatis; tectricibus al. inferioribus et tibialibus sub-
ferrugineis, his rubente lavatis; iride fusca; rostro nigro; pedibus luride corneis. — ♂ vest. hiem. supra luride fuscus, pluma quaque secundum scapum dimidium late fusco-striata, distinctius interscapilii; tectricibus remigum et rectricibus
fuscis exterius late luride marginatis; loris striaque superciliari angusta usque ad tempo-
pora subfulvis; lateribus capitis collique subfumeis; uropygio et supracaudalibus
subfuscis, subtus ochraceis; tectricibus al. inferioribus lacteis, pectoris lateribus sparsim obscurius striolatis; collo, abdomine medio crissoque albidis; maxilla fuscato-
cornea, mandibula pallidiore; pedibus corneis. Differens a Pl. melanogastro tam afflatu
fusco, quam stria superciliari fuscescente. — ♀ a mare hiemali vix discrepans nonnisi paullulum minor et dilutior.

Länge 11,8 cm. (4½ 3.); Flügel 6,1 cm. (2⅓ 3.); Schwanz 3,3 cm. (1¼ 3.).

Juvenis: dilutius luride fuscatus propter striolis scaporum vel subtilissimis, vel
plane nullis; rostro pedibusque fumigatis.

Beschreibung des Eies: glänzend einfarbig blaugrün, Gestalt sehr rund. Länge 16 mm.;
Breite 11 mm.

Ovum: nitidum, unicolor aeruginosum, valde rotundatum.

## Der Flammen=Webervogel [Ploceus flammiceps].

Nur selten erhalten die Vogelhandlungen den Flammenfink, welchen Liebhaber und Händler von dem Orangevogel gewöhnlich garnicht sicher zu unterscheiden vermögen. Dem aufmerksamen Blicke erscheint er allerdings ein wenig größer, schlanker und die glänzenden Farben Roth und Schwarz sind anders vertheilt. In der Vogelstube zeigt sich der Flammenfink etwas ruhiger, nicht ganz so stürmisch, sonst aber in jeder Hinsicht mit den anderen Feuerwebern überein= stimmend.

Heuglin berichtet: „Ich fand diesen stattlichen Feuerfink im August und September auf dem Buschwerk und Hochgras im Gebiet des Djur und Kosanga= Flusses; dann lebt er ziemlich vereinzelt. Die Nester sind denen des P. ignicolor (Orangeweber) ähnlich und enthalten drei spangrüne Eier, welche gewöhnlich gegen das stumpfe Ende hin mit äußerst feinen, violettschwarzen Pünktchen besprizt sind. Nach der Brutzeit verschwand er aus den gedachten Gegenden. In Abessinien scheint er auch blos während der Regenzeit vorzukommen, namentlich in der Nähe von Adowa und im Tiefland des Takazié. Spele sah ihn in Meninga in großen Flügen auf Kornfeldern und nachts im Schilf der Moräste; Herzog Paul von Würtemberg bemerkte ihn im südlichen Senar. Das Be= nehmen und die Stimme des Vogels gleichen denen des erwähnten Verwandten."

Die Verbreitung erstreckt sich fast über ganz Afrika; auch im Osten ist er von Spele in großen Flügen beobachtet worden. Umsomehr ist es verwunderlich, daß er viel weniger eingeführt wird, als Orange= und Napoleonsweber.

Die eifrigen Liebhaber seien darauf hingewiesen, daß Männchen und Weib= chen dieser Art sowol im Pracht= als auch im grauen Gefieder von vornherein an der schwarzen Färbung der unteren Flügelseiten sicher zu erkennen sind.

Auch diesen Weber habe ich im Laufe der Jahre in meiner Vogelstube mehr= mals beherbergt. Sein Nest ist von dem des Verwandten darin verschieden, daß es etwas größer und wie es scheint vorzugsweise gern aus Gräserrispen, Rohrfahnen u. dgl. gewebt wird. Das Gelege bestand jedesmal in fünf Eiern und die Brutentwickelung ist übereinstimmend.

Bei den Händlern wird diese Art nur zu oft übersehen; so hatte Herr W. Mieth in Berlin jahrelang mehrere Pärchen und einzelne Männchen, ohne= daß außer mir Jemand dieselben laufen wollte, bis er sie endlich für den Preis der gewöhnlichen Orangevögel fortgeben mußte. Die Kenner und Liebhaber bezahlen allerdings das Pärchen wol mit 24 bis 30 Mark — doch hat man den selteneren Feuerwebern bis jetzt noch keineswegs die gebührende Beachtung geschenkt.

Der Flammen = Webervogel, für gewöhnlich Flammenfink genannt, heißt bei Rbch. Swainson's flammenköpfiger Feuerfink.

Crimson-crowned Weaverbird (Jamrach u. Vrzn. d. zool. Grt. v. London). In den Preisverzeichnissen der meisten Groß= und Klein=Händler ist er nicht auf= geführt, weil er bis dahin immer mit dem Orangevogel zusammengeworfen worden.

Nomenclatur: Euplectes flammiceps, *Swns.*, *Rpp.*, *Grd.*, *Hrtl.*, *Sclt.*, *Mntr.*, *Rchb.*, *Cab.*, *Prz. v. Wrtmbg.*, *Hgl.*; Ploceus flammiceps, *Gr.*; Euplectes flammiceps et craspedopterus, *Schff.*, *Bp.*, *Rchb.*, *Hgl.*; E. flaviceps, *Hrtl.*; E. pyrrhozona, *Hgl.*; Hyphantornis flammiceps, *Shrp.*; Pyromelaena*) flammiceps, *Fnsch.* et *Hrtl.*, *Kng.-Wrth.*

---

*) In den betrf. Werten ist gewöhnlich Pyromelana gesagt, jedoch unrichtigerweise, denn πυρομελαινα latinisirt = pyromelaena.

Wissenschaftliche Beschreibung: Stirn, Kopf, Hals, Kehle, Nacken, Oberbrust, Hinterrücken, Bürzel und obere Schwanzdecken brennend scharlachzinnoberroth; Mantel und Schultern ockerzimmtbraun; Flügel nebst oberen und unteren Deckfedern und Schwanz schwarz, die letzten Schwingen zweiter Ordnung und die Deckfedern der zweiten Schwingen an der Außen= fahne schmal bräunlich gesäumt; Backen nebst schmalem Zügelstreif am oberen Augenrande, Ohr= gegend, Kinn und Oberkehle, ferner Brust und Bauch tief sammtschwarz. Auge bernsteinbraun; Schnabel glänzend schwarz; Füße röthlichbraun. Bei manchen säumt das Schwarz des Zügel= randes sehr schmal die Stirn (Exemplare aus Abessinien und Gabon nach Finsch und Hart= laub). — Winterkleid und Weibchen stimmen im wesentlichen mit denen des Orangewebers überein, doch ist der Flammenweber an etwas bedeutenderer Größe und namentlich an den unterseits schwarzen Flügeln leicht zu erkennen. — Das Jugendkleid gleicht dem des Ver= wandten ebenfalls, nur erscheint der Vogel düsterer fahlbräunlich und die Unterflügel sind grau= braun.

Wir haben hier, nebenbei bemerkt, wiederum einen Beweis von der Wichtigkeit, welche die Vogelzüchtung der Wissenschaft Ornithologie gegenüber beanspruchen darf; denn, trotzdem der Flammenfink zu den gemeinsten Vögeln Afrikas gehört, hat bis jetzt noch Niemand die Brut= entwickelung und das Jugendkleid im Freileben ausreichend beschrieben.

Ploceus flammiceps: scarlatino-ruber; dorso, subcaudalibus et crisso pallidiore ochraceis, illis elongatis, apice albis; regione parotica, mento, genis, gula, alis et abdomine nigris; cauda nigra, tectricibus brevissimis. Jride fusca; rostro nigro; pedibus pallidis. ♂ vest. hiem. et ♀ potissimum Pl. francis-cano paene concoloria, nonnisi multo majora et praesertim subalaribus nigris facile distincta.

Länge 13 cm. (5 Z.); Flügel 7,2 cm. (2³/₄ Z.); Schwanz 4,6 cm. (1³/₄ Z.).

Juvenis: itidem a priori vix discedens, nonnisi obscurius subfuscus subalari-bus cinereo-brunneis.

Das Ei gleicht dem des Orangewebers, doch ist es etwas dunkler blaugrün und kaum bemerkbar größer.

Ovum: ovo Pl. franciscani simillimum, vix majus sed paululum obscurius aeru-ginosum.

## Der Oryx=Webervogel [Ploceus oryx].
### Tafel IX. Vogel 46.

Zu dem seit altersher lebend eingeführten kleinen Schmuckgefieder gehörend, ist der Oryx, auch großer oder doppelter Feuerfink genannt, bis zur Gegenwart immer einer der seltensten geblieben und man findet ihn kaum alljährlich ein= mal in wenigen Pärchen, meistens sogar nur in einzelnen Männchen bei den Großhändlern. Im Aeußern wie im ganzen Wesen erscheint er als das größere Ebenbild des Orangevogels.

Vieillot schätzte la Loxie orix [le Foudi à ventre noir] als einen prächtigen Stubenvogel und bedauerte, daß sein zirpender und zischender Gesang, den er mit dem Geräusch vergleicht, welches das Aufziehen einer Uhr verursacht, nicht mit der Schönheit seines Gefieders im Einklang steht. Um ihn zu züchten, solle man einen großen Käfig mit Schilfgräsern ausstatten und hohe Wärme ge= währen. Bechstein beschreibt seinen Grenadier=Kernbeißer (Goldfink, rother Fink, Feuervogel) sehr ausführlich und schildert seine Schädlichkeit in der Heimat,

16*

welche von den neueren Naturforschern bestätigt worden., Im übrigen giebt B.
aber manches Irrige über ihn an. Da auch Bolle ihn in seinem Verzeichniß
mitzählt, so ist dies ein Beweis dafür, daß er zu allen Zeiten, wenn auch
immerhin selten, im Handel vorhanden gewesen.

Diese Art ist fast über das ganze tropische Afrika verbreitet, vorzugsweise
häufig aber in Südafrika, während Heuglin behauptet, daß sie im Osten nur
selten vorkomme. Layard, Verreaux, Kolbe, Kirk und Ayres haben
Schilderungen ihrer Lebensweise und Brutentwickelung gegeben. In beiden
stimmt sie wesentlich mit dem Orangeweber überein. Nur hängen die Nester
mehr kolonienweise im Röhricht oder an Zweigen, welche übers Wasser hinaus=
stehen. Reichenow und Dr. Lühder fanden in der Ebene von Affra die
Nester einzeln im hohen Grase aus feinem, sprödem Gras erbaut, kugelförmig
mit seitlich oben befindlichem Schlupfloch, welches durch hervorragende Halme der
obern Decke dachartig geschützt wird. Das Nest ist 12 cm. hoch, 8 cm. breit und tief
mit Schlupfloch von 5 cm. Durchmesser. Nach Verreaux tritt die Verfärbung
zum Prachtkleide im September oder Oktober ein und währt bis zum Januar.

In der Vogelstube gehört der Oryx zu den am leichtesten und auch zuver=
lässigsten nistenden Webervögeln. Zugleich trägt er ein Merkmal derselben
in der auffallendsten Weise zur Schau. Das Liebesspiel nämlich, welches man,
wie schon erwähnt, oft mit dem Balzen der Hühnervögel verglichen hat und das
in der Uebersicht dieser Gruppe bereits beschrieben ist, zeigen die Feuerweber
besonders lebhaft und komisch. Unter ihnen wiederum thut sich der Oryx
ganz besonders hervor. Sein Benehmen in der Nistzeit ist wirklich so, daß es
jeder Beschreibung spottet. Ich mußte daher — obwol sehr ungern — Herrn
Emil Schmidt die Darstellung dieses wunderlichen Tänzers so überlassen, wie
sich derselbe zu unzähligen Malen in der Vogelstube seinen Künstlerblicken gezeigt
hat. Zur Erläuterung füge ich auch eine darauf bezügliche Bemerkung von
Dr. Reichenow an: „Beständig sieht man die Männchen sich blähen und tänzeln,
um den schlichten, in bescheidenes Grau gekleideten Weibchen die volle Schönheit
ihres prächtigen Gefieders zu zeigen. Ich glaube, es giebt wol nicht andere
so kokette Vögel als die Arten dieser Weber. Das Kokettiren ist bei ihnen
zur Gewohnheit, man kann sagen zur Narrheit geworden; sie balzen auch, wenn
sie garnicht von den Weibchen beobachtet werden und scheinen sich über sich selbst
am meisten zu freuen. — Der Flug der Feuerweber ist schwirrend, wobei sie
den Oberkörper sehr steil tragen und dies unterscheidet sie von allen anderen
Webervögeln. Uebrigens sind sie sehr schlechte Flieger und nur selten legen sie
weitere Strecken zurück."

Der erste Oryxweber in meiner Vogelstube war noch so jung, daß er
nicht vollständig zur Verfärbung gelangte. Er trat demgemäß noch nicht

mit der vollen, kecken Sicherheit auf, welche ihm sonst eigen ist, sondern ließ sich vielmehr von einem kräftigen Orangevogel, welcher auch den Napoleonsweber und selbst den Sammtfink besiegte, ebenfalls in die Flucht schlagen. Im nächsten Jahre aber warf er sich zum Tyrannen auf und bekämpfte alle übrigen. Während er emsig mehrere ovalrunde Nester blos aus Agavefasern, etwa in 1 bis 1,50 Meter Höhe im Gebüsch erbaute, verfolgte er zwei Weibchen seiner Art, sowie auch die aller verwandten Weber mit seinem schnurrigen Liebestanz und befehdete ihre Männchen sehr eifrig. Aber auch alle anderen Vögel verjagte er aus der Nähe seiner Nester und sogar ein Par Grauköpfchen ließ er nicht zu dem gerade oberhalb an der Decke hängenden Nistkasten kommen, sodaß das Weibchen an Legenot zugrunde ging. Diese kleinen Papageien, welche doch sonst sehr tapfer sind, vermochten sich gegen sein stürmisches Andrängen nicht zu vertheidigen. Da ich die Oryxweber gewähren ließ, so erzog ich von beiden Weibchen mehrmals zwei bis drei Bruten jährlich. Manches Männchen ist aber so erregt und ruhelos, daß es nicht zum Nestbau kommen kann.

Wenn diese Webervogelart einmal vorhanden ist, so wird das Pärchen in den Großhandlungen nicht unter 30 Mark verkauft und in den Handlungen zweiter Hand gern mit 45 Mark bezahlt.

Der Oryx-Webervogel, auch blos Oryx, doppelter Orangevogel, Grenadier-Weber, Grenadier-Kernbeißer, Rothkafferfink, heißt bei Rchb. rothschwänziger Feuerfink, echter Oryx oder Kardinal vom Kap der guten Hoffnung.

Le Grand Oryx (Bekemans u. Brzn. d. Akklim.-Grt. v. Paris); Grenadier Weaver-bird (Jamrach u. Brzn. d. zool. Grt. v. London); Oryx wever (holländisch).

Nomenclatur: Emberiza oryx, *L.*, *Slgm.*; Loxia oryx, *Gml.*, *Lth.*, *Bchst.*, *Vll.*, *Shw.*, *Hhn.*; Coccothraustes oryx, *Vll.*; Oryx oryx, *Lss.*; Ploceus oryx, *Gr.*; Euplectes oryx, *Swns.*, *Hrtl.*, *Cab.*, *Rchb.*; Pyromelaena oryx, *Hrsfld.* et *Mr.*, *Hrtl.* et *Fnsch.* [Euplectes Edwardsi, E. pseudoryx, E. Sundevalli, *Rchb.*; E. Sundevalli, *Krk.*, *Grn.*, *Brbz.*]. — Le Grenadier, *Edw.*; Grenadier Grosbeak, *Lath.*; Rougenoir, *Buff.*

Wissenschaftliche Beschreibung: Stirn und Vorderkopf bis zur Scheitelmitte, bis hinter das Auge nebst Kopfseiten, Kinn und Oberkehle sammtschwarz; Hinterkopf, Hals, Unterkehle, Kropf, Bürzel, Hinterleib, untere und obere Schwanzdecken brennend scharlachzinnoberroth; Mantel und Schultern zimmtbraunroth, die Federn mit schmalen dunklen Schaftstrichen und zinnoberrothen Seitensäumen; Brust und Bauch nebst den Seiten sammtschwarz; Schwingen und Schwanzfedern dunkelbraun, an der Außenfahne schmal fahlbräunlich gesäumt wie die braunen oberen Flügeldecken; untere Flügeldecken blaß rostfarben wie die Tibienbefiederung. Auge dunkel bernsteinbraun; Schnabel glänzend schwarz mit helleren Schneidensäumen; Füße fahlbraun. — Winterkleid: oberhalb fahlbraun, jede Feder längs der Schaftmitte breit dunkelbraun, wodurch das Gefieder auf hellerem Grunde dunkel längsgestreift erscheint; Schwingendeck- und Schwanzfedern dunkelbraun, jede Feder an der Außenfahne fahlbraun gesäumt; ein schmaler Augenbrauenstreif bis zur Schläfe rothgelb, Kinn gelbbräunlich; Kopfseiten und ganze Unterseite fahlbraun, doch heller als oberseits, ebenfalls aber jede

Feder mit dunklem Schaftstrich, am Bauch am feinsten gestrichelt; untere Flügeldecken fahl röthlichbraun; Hinterleib und untere Schwanzdecken fahl bräunlichgelb. Schnabel röthlichhorn= braun, unterer heller. — Das Weibchen ist kaum merklich kleiner und einen Ton heller, während das Männchen oft einen tieferen schwärzlichen Farbenton behält, dadurch, daß das Großgefieder sich nicht völlig entfärbt. — Jugendkleid unterscheidet sich von dem Winter= kleide durch den Mangel der braunen Streifen längs der Schaftmitte der Federn und erscheint daher einfarbig fahlbraun und unterhalb düster weiß; nur auf dem Mantel sind feine Schaft= streifen zu bemerken; der Augenbrauenstreif ist fahlgelb und viel breiter. Erst im zweiten Jahre treten die Schaftstreifen deutlich hervor und dann gleicht der junge Vogel dem Weibchen. Im dritten Sommer färben sich die jungen Männchen zum Prachtgefieder.

Ploceus oryx: major; scarlatino ruber; facie, genis, regione parotica et abdomine holosericeo-nigris; alis et cauda brunneis; hujus tectricibus superioribus brevibus; remigibus et rectricibus pallide marginatis; iride fusca; rostro nigro; pedibus
pallidis. — ♂ vestim. hiem. supra luride fuscus plumis secundum scapum medium
late fuscis (ptilosi diluta idcirco striata); tectricibus remigum rectricibusque fuscis,
singulis exterius luride limbatis; stria angusta superciliari usque ad regionem temporalem fulva; mento ochraceo; capitis lateribus et gastraeo toto luride brunneis, etiam
striatis; abdomine subtilissime striolato; tectricibus subalaribus sordide subbadiis;
crisso et subcaudalibus luride ochraceis; rostro rubente corneo, mandibula dilutiore.
— ♀ vix minor, paululum pallidior. — Juvenis: a vestimento hiem. differens striolis
obscuris nullis, itaque unicolor luride brunneus; subtus sordide albicans; interscapilio
excepto subtiliter striolato; stria superciliari sordide flava, multo latiore. Annum
unum natus striis scaporum magis conspicuis, cum ♀ conveniens; annos duos ♂ vestim.
induens magnificam.

Länge 13,₆ cm. (5¹/₄ Z.); Flügel 7,₄ cm. (2⁵/₆ Z.); Schwanz 3,₉ cm. (1¹/₂ Z.).
Beschreibung des Eies: blaugrün, glänzend; Gestalt rund. Länge 20ᵐᵐ., Breite 10ᵐᵐ.
Ovum: aeruginosum, nitidum, rotundum.

---

**Der kleine schwarzbäuchige Webervogel** [Ploceus nigriventris] ist der nächste Verwandte des Flammenwebers, von dem er sich jedoch durch die einfarbig schwarze Unterseite, sowie durch viel geringere Größe unterscheidet; er ist etwa dem Zeisig gleich. Bis jetzt ist er nur von Professor Peters und dann von v. d. Decken in Ostafrika aufgefunden. Einer nähern Beschreibung bedarf es hier wol nicht, da der Vogel ja lebend noch nicht eingeführt worden, obwol er auf Sansibar häufig sein soll. Hoffentlich wird er demnächst auch in unsere Vogelstuben gelangen und dann kann man den hübschen, kleinen Weber nach seinem größern Ebenbilde leicht erkennen.

Man hat ihn Brandweber benannt, doch ist diese Bezeichnung wol wenig zutreffend. Kommt er erst lebend zu uns, so wird ein passender Namen un= schwer zu geben sein.

Euplectes nigroventris, *Css.;* Ploceus nigroventris, *Gr.;* Euplectes nigriventris, *Bp., Cab., Hgl.;* Pyromelaena nigriventris, *Fnsch.* et *Hrtl.*

&ast; &ast; &ast;

Unter der Bezeichnung **Schönweber** [Calyphantria, *Heine jun.*] sind einige herrliche Vögel hier anzureihen, welche auf den Inseln, weniger auf dem Festlande von Ostafrika leben. Einer von ihnen, der allbekannte Madagaskarweber, gehört zu den dankbarsten und beliebtesten

Bewohnern der Vogelstube und verdient deshalb eine eingehende Schilderung. Die übrigen sind bis jetzt im Handel leider noch so selten, daß sie kaum als Stubenvögel mitgezählt werden dürfen. Es steht aber zu hoffen, daß sie demnächst, wenn auch nicht oft und zahlreich, doch zeitweise eingeführt werden.

## Der Madagaskar=Webervogel [Ploceus madagascariensis].
### Tafel IX. Vogel 47.

Schon Vieillot wußte es, daß le Foudi zu den fremdländischen Vögeln gehört, welche am besten im Käfige ausdauern, und daß die jungen Männchen erst im zweiten Jahre zum Prachtkleide sich verfärben. Er berichtigt Irrthümer der älteren Schriftsteller, giebt jedoch sonst nichts bemerkenswerthes an. Ge= züchtet hat er diesen Vogel nicht und ein solcher Erfolg ist auch zweifellos erst in der neuesten Zeit erreicht worden. Der Name „Foudi" ist von der vater= ländischen Benennung abgeleitet.*) Seit Brisson her war dieser Weber auch als „Kardinal von Madagaskar" bekannt. Man belegte damals eine große Anzahl rother Vögel mit dem Namen Kardinal, welchen einige bekanntlich noch gegen= wärtig tragen.

Er ist ein besonders prächtiger Vogel, der im Schmuckgefieder an Kopf, Oberrücken und Brust feurig scharlachroth erscheint, mit röthlichschwarzbraunen Schultern und Unterrücken, grünlichgrauen Flügeln und weißem Unterkörper. In der Größe übertrifft er kaum bemerkbar den Orangeweber.

Seine Heimat erstreckt sich über die Inseln Madagaskar und Reunion; auf St. Helena ist er durch Zufall eingeschleppt und hat sich dort überaus stark ver= mehrt. Ueber sein Freileben ist nur wenig mitgetheilt. Im allgemeinen gleicht dasselbe dem der Feuerweber. In der Nistzeit par=, dann familienweise zu= sammenhaltend, scharen sie sich späterhin zu großen Schwärmen und ver= ursachen an mancherlei Getreidesämereien erheblichen Schaden. Deshalb werden sie auch verfolgt und unseren Sperlingen gleich zum Verspeisen geschossen. Im Prachtgefieder, zu welchem die Männchen sich auf Madagaskar im Oktober und auf Reunion im November und Dezember verfärben, kämpfen sie erbittert mit einander. Der Naturforscher Pollen beschreibt das Nest als birnförmig, mit seitlichem Schlupfloch und aus feinen Gräsern zwischen zwei bis vier Zweigen der Akazien, Mimosen, Tamarisken u. a. geflochten, zuweilen auch im Rohr= dickicht. Lafresnayes dagegen bildet das Nest in länglichrunder Gestalt und zwischen dünnen Aestchen hängend ab. Näheres ist nicht angegeben.

---

*) Der Name Foudi, mit welchem Sakalaven und Malegassen einige hierhergehörige Vögel bezeichnen und der auch Soudi (*Verr.*), Fouli (*Grandidier*) und Fody (*Newton*) ge= schrieben wird, hat kein Anrecht auf wissenschaftliche Anwendung. Finsch und Hartlaub in v. d. Decken's Reisen IV.

Seit Vieillot's Zeit scheint der Vogel nur selten lebend eingeführt zu sein, denn in den Naturgeschichten ist er kaum erwähnt oder garnicht vorhanden. Bechstein kennt ihn nicht und ebensowenig hat ihn Bolle in seinem Verzeichniß mit aufgeführt. Auch gegenwärtig kommt er unregelmäßig, zuweilen jedoch in ziemlich großer Anzahl in den Handel. In Paris fand ich im Jahre 1867, obwol ich zahlreiche Vogelhandlungen besuchte, nur ein einziges Pärchen. Der Vogelhändler Mieth in Berlin hat den Vogel erst i. J. 1868 zum erstenmal gesehen. Karl Hagenbeck kannte ihn damals auch noch nicht. Die erste grö= ßere Sendung, welche nach Deutschland gelangte, erhielt Mieth von einem Schiffskapitän, der sie soeben nach Hamburg mitgebracht. Es waren zwölf Pärchen, von denen ich drei entnahm und zu deren Ankauf ich die Herren Leuck= feld, Dr. Baldamus und Graf York von Wartenburg ebenfalls bewog. Die Vögel waren sämmtlich im grauen Gefieder und es gehörte bei Nichtkennern Muth dazu, für zwei derselben den Preis von acht Thalern zu zahlen. Herr Emil Linden hatte übrigens schon vorher ein Pärchen angeschafft.

Da die Räumlichkeit meiner Vogelstube damals nur eine sehr bescheidene war, so ließ ich vorläufig nur vier Par Webervögel, und zwar Orange=, Na= poleons=, Blutschnabel= und Madagaskarweber frei fliegen. Diese theilten sich nun die Vogelstube in eigenthümlich abgegrenzter Weise ein. Die Napoleons= weber hausten in einem hoch auf dem Ofen angebrachten, nachgeahmten Durra= felde aus Strandhafer und die Orangevögel in einem lichten Gehölz aus Birken= strauch. Letzteren gegenüber bewohnten einen dichten Busch tief herniederhängender Birkenzweige die Madagaskarweber und in einer Ecke neben dem Fenster ein wirres, jedoch entnadeltes Tannengebüsch die Roth= oder Blutschnabelweber. Alle vier Webermännchen kamen fast zu gleicher Zeit in das Prachtgefieder und es entfaltete sich nun ein gar regsames Leben. Während sie alle übrigen Vögel ziemlich ungestört ließen, lebten sie miteinander in eifrigster Fehde. Von vorn= herein wurden bestimmte Grenzen eifersüchtig bewahrt und der Eindringling ward jedesmal von dem rechtmäßigen Bewohner unwiderstehlich davongejagt. Der Rothschnabel sowol als auch der Napoleonsweber wurden jedoch bald mehr und mehr unterdrückt; die beiden stärkeren dagegen vermochten sich gegenseitig nicht völlig zu besiegen. Schon hatte der erstere ein hübsches Nest nahezu fertig und auch der andere flocht sehr eifrig, nicht in dem Strandhafer, sondern in einem dicht danebenbefindlichen Strauche seinen Kranz, aber sie wurden beide in die Flucht geschlagen und unerbittlich solange verfolgt, bis sie sich zu ent= färben begannen und damit ihrerseits die Lust zu weiterem Widerstande und Kampf verloren, worauf sie dann unbehelligt blieben.

Die Kämpfe zwischen diesen Webermännchen sind sehr komisch. Der Mada= gaskarweber sträubt die Halsfedern, bückt den Kopf herunter, hält den Schnabel wagerecht, gleichsam wie eine eingelegte Lanze, dabei läßt er die Flügel hängen und beugt den Schwanz ebenfalls herab. Der Feuerfink sträubt die Nacken= federn, wie die Mähne eines Löwen, und ebenso die turzen Federchen des Ober= topfs; zugleich erhebt er straff den ganzen Körper und nimmt eine höchst wunderliche Stellung an. So stehen sie einander gegenüber; jetzt drängt der Feuerfink den Madagaskarweber, sodaß derselbe hurtig seitwärts hüpft, doch plötz= lich nimmt jener einen Anlauf und treibt diesen wiederum in die Flucht. Dann schwingt sich der eine rechts, der andere links, jeder auf einen möglichst erhöhten Sitz, von welchem aus sie einander ihre heiseren Töne entgegenzischen, welche Kampf=, Sieges= und Liebeslied sein sollen.

Bevor ich die Eigenthümlichkeiten aller dieser Webervögel näher kannte, bot ich ihnen immer eine möglichst große Mannigfaltigkeit der verschiedensten Stoffe zum Nestbau an. So glaubte ich, daß einerseits frische Grashalme und andrer= seits Kokosfasern ihnen willkommen sein würden. Jeder Züchter kann sich indessen sehr bald davon überzeugen, daß die meisten Weber, welche in unsere Vogelstuben gelangen, doch die Agave= oder Aloëfasern vorzugsweise lieben. Der Madagaskar= weber brachte zuerst im grauen Gefieder ein Nest zustande, doch riß er dasselbe wieder ein und trieb so das Spiel des Herstellens und Wiederzerstörens geraume Zeit. Endlich, in der Mitte des Monats Juni, als er bereits wieder im vollen Prachtgefieder prangte und ein neues Nest in allgemeinen Umrissen fertig gebaut hatte, bemerkte ich, daß auch das bis dahin ganz unthätige Weibchen emsig nach passenden Baustoffen umhersuchte und diese in das Nest eintrug. Während das Männchen bis jetzt sein Weibchen immer verfolgt und vom Futter, Wasser u. dgl. fortgejagt hatte, begann jetzt ein ganz eigenthümliches Liebesspiel. Fleder= mausartig schwirrend, mit zitternden Flügeln umflatterte der prachtvolle Weber das sperlingsgraue Weibchen, folgte ihm auf Schritt und Tritt, nicht aber wie früher jagend, sondern werbend, indem er mit wunderlichen Geberden, ähn= lich wie beim Kampfesspiel, mit herabhängenden Flügeln es umschwirrte, dann vor ihm auf einen Zweig hüpfend, den Körper rücklings hinüberbiegend, es gleich darauf im Fluge wieder hurtig verfolgend, dann eine Spitze erklimmend, ihm seinen komischen Sang vorzischte.

Schon sogleich, als diese Brut begann, machte sich das Männchen an den Bau eines neuen Nestes und als die beiden fast flüggen Jungen durch einen Un= glücksfall umgekommen waren, trug nach zwei Tagen das Weibchen ebenfalls in dasselbe fleißig ein. Das letztere sammelte besonders lange Fasern von Flachs= seide und Pflanzenwolle, um, wie ich dachte, die Nestmulde damit auszupolstern. Diese Annahme war jedoch nicht richtig. Noch zwei Tage später befand sich das erste Ei im Nest und in Zwischenräumen von je einem Tage um den andern wurde ein Ei gelegt. Das Weibchen brütete vortrefflich; es wurde vom Männchen nicht gefüttert, sondern nur bewacht. Dieses letztere entfaltete jetzt eine kaum glaubliche Lebhaftigkeit und Thätigkeit; kein Bewohner der Vogelstube blieb un= geschoren und mit Ausnahme der größeren Papageien und Tauben wurden sie sämmtlich gejagt und tyrannisirt, sodaß selbst der standhafte Bandfink sein Nest mit vier Eiern im Stiche lassen mußte. In dieser Zeit kam also garkeine andre Brut zum Gedeihen.

Das Nest hat die Form einer Retorte mit abgeschnittener Röhre, doch steht das obere Dach etwas darüber, während die vordere Unterwand tief herabhängt, sodaß also der Eingang von unten herauf führt. In der Hauptsache ist der Bau aus Agavefasern gewoben, zwischen denen dann Sackfäden, Pferdehare, ganz dünne Papier= und Baststreifen und auch frische Grashalme eingeflochten sind, ebenso auch hier und da Flöckchen von Flachsseide und Baumwolle; die Mulde aber, in welcher die Eier liegen, ist nur aus Agavefasern hergestellt und enthält keine weichere Ausfütterung. So bildet das Nest einen luftigen, fast überall durchsichtigen, doch sehr fest gewebten Beutel von etwa 10ᶜᵐ· Höhe und 6ᶜᵐ· Durchmesser, mit ganz kurzer, seitlich niederhängender Flugröhre. Das Gelege besteht in 3 bis 6 Eiern. Brutdauer durchschnittlich 15 Tage. Nestflaum dunkelbräunlich. (Jugend= kleid s. wissenschaftliche Beschreibung.)

Sobald die Jungen heranwachsen, fängt auch das Männchen an zu füttern und die beiden alten Vögel lassen jetzt fortwährend ein lautes Zirpen erschallen, welches mit dem des Zaunkönigs große Aehnlichkeit hat. Die Jungen zirpen beim Futterempfangen nur leise. Am britten Tage nach dem Ausfliegen flattern sie schon ziemlich selbstständig umher und verfolgen die Alten, um Nahrung bet= telnd, indem sie in der Weise junger Sperlinge die Flügel rütteln. In der Regel erfolgen drei Bruten alljährlich, manchmal sogar vier und wenigstens immer zwei, wenn das Pärchen nicht gestört wird.

Im Gesellschaftskäfige oder in der Vogelstube gehört der im Prachtgefieder befindliche Madagaskarweber zu den herrlichsten Erscheinungen. Gegen kleinere Vögel ziemlich friedlich, darf er dann mit Seinesgleichen oder anderen Webern nicht zusammen gehalten werden. Der Lockton klingt wie ein scharfes, hartes zit, zit. Der Gesang beginnt mit einem wunderlichen, nicht unangenehmen, mehrmals wiederholten Ton, wie lü, lü, geht dann in das langgezogene Zischen über und endet trillerartig, nicht übel erklingend. Die Verfärbung zum Prachtkleide tritt zu ver= schiedenen Zeiten ein und richtet sich nach der Gegend, aus welcher der Vogel ge= kommen. Die über London eingeführten (wahrscheinlich von St. Helena her= stammenden) werden in der Regel erst im Januar roth; aus Bordeaux und Ant= werpen in den Handel gebrachte langen im September gewöhnlich schon im vollen Prachtgefieder an. Die Dauer des Prachtkleides ist in gleicher Weise, wie bei den Feuerwebern je nach Alter, Fütterungszustand u. s. w. verschieden. Ohne

Anmaßung darf ich wol behaupten, daß die jungen Madagaskarweber, welche am 25. Juli 1869 in meiner Vogelstube flügge geworden, als der erste Züchtungs=erfolg mit diesem Vogel dastehen. Seitdem hat man auch in vielen anderen Fällen glückliche Bruten von ihm erzielt und die schon im „Handbuch für Vogelliebhaber" ausgesprochene Meinung, daß dieser Weber einen hohen Rang unter den Stubenvögeln einnehmen müsse, hat sich wol bewahrheitet. Trotz der eifrigen und erfolgreichen Zucht ist aber der Preis keineswegs heruntergegangen, sondern im Gegentheil gestiegen. Mieth verkaufte damals das Pärchen für 24 Mark und jetzt ist dasselbe kaum unter 30 Mark zu haben. Ein großer Uebelstand bei der Zucht dieses Webers ist freilich der, daß die jungen Männchen sich erst im dritten Jahre zum Prachtgefieder verfärben und also nicht früher zur Hecke oder zum Verlauf zu benutzen sind. Bei den Großhändlern steht der Preis gewöhnlich auf 12 Mark im grauen Gefieder und schlechtesten Zustande und auf 18 Mark im Prachtkleide.

Der Madagaskar=Webervogel wird meistens schlichtweg Madagaskar=weber oder auch Madagaskar=Kardinal (Rchb.) und Foudi genannt, welche letztere Bezeichnung sich übrigens in allen Sprachen wiederholt.

Le Foudi (Bekemans, französische Händler und Brzn. des Akkl.=Grt. v. Paris); Red-headed Weaver-bird (Jamrach und Brzn. des zool. Grt. von London); Foedi (holländisch).

Nomenclatur: Loxia madagascariensis, *L.*; Cardinalis madagascar., *Brss.*; Ploceus madagascar., *Gr.*; Euplectes ruber, *Swns.*; Foudia madagascar., *Bp.*, *Hrtl.*, *Rchb.*; Calyphantria madagascar., *Hn.* — Le Foudi, *Buff.* et *Vieill.*

Wissenschaftliche Beschreibung: Kopf, Hals, Oberrücken, Bürzel, Brust und Bauch bis nahe an die Beine feurig scharlachroth; vom Schnabel durch das Auge ein tiefschwarzer Streif; Rücken= und Schulterfedern schwarzbraun, breit roth gesäumt. Flügeldeckfedern, Schwingen und Schwanzfedern schwarzbraun mit olivengrünlichgelben Außensäumen, über jeden Flügel eine weißliche Querbinde; Unterflügel grauweiß; unterer Bauch und Unterkörper fast reinweiß. Auge bernsteinbraun; Schnabel glänzend schwarz; Füße röthlichgrau. — Winter=kleid: Kopf und ganze obere Seite bräunlichgrau, jede Feder lebhaft gelb gesäumt und mit breitem dunklen Schaftstreif; Augenbrauenstreif fahlgelb; Bürzel olivengrünlichbraun; unter=halb schwach olivengrünlichgelbgrau; Unterflügel und untere Schwanzdecken fahlgelblich. Schnabel horngrau mit schwärzlicher Spitze. — Weibchen ebenso, nur etwas düsterer olivengrünlich=grau und die gelben Federsäume viel weniger lebhaft. — Jugendkleid: Kopf olivenbräunlich dunkelgrau, Rücken und Flügeldeckfedern rein dunkelgrau, jede einzelne Feder fahlgelb gesäumt Schwanz grau mit einer fahlgelben Querbinde; unterhalb fahlgrau. Auge dunkel; Schnabel hell hornbraun; Füße fleischfarben. Das Schwänzchen ist auffallend kurz.

Ploceus madagascariensis: rubro-scarlatinus, dorso nigro-maculato; stria per oculum nigra; alis et cauda nigro-fuscis; remigibus et rectricibus pallide virescente-flavido-limbatis; tectricibus alarum flavido-limbatis; iride fusca; rostro nigerrimo; pedibus carneis. — ♂ vestim. hiem. capite totoque notaeo subfusco-cinereis, pluma quaque laete flavo-limbata cum stria scapi lata obscura; stria superciliari gilva; uropy-gio olivaceo-fusco; subtus dilute olivaceo-cinerascens; subalaribus et subcaudalibus luride flavidis; apice rostri cornei nigricante. — ♀ concolor, nonnisi obscurior limbis plumarum flavis pallidioribus. — Juvenis: capite suboliveo-cinereo; dorso alarumque tectricibus obscure cinereis, pluma quaque luride limbata; fascia transversa caudae

brevissimae supra pure, subtus sordide cinereae luride flavida; iride obscura; rostro
dilute corneo; pedibus carneis.

Länge 13,6 cm. (5¹/₄ 3.); Flügel 6,5 cm. (2¹/₂ 3.); Schwanz 4,6 cm. (1³/₄ 3.).

Beschreibung des Eies: Gestalt eiförmig, Farbe bläulichgrün, fettglänzend und glatt=
schalig. Länge 18 mm.; Breite 12 mm.

Ovum: ovatum, glaucum, innunctum et laeve.

### Der Sanfibar=Webervogel [Ploceus eminentissimus].

Kaum würde ich es wagen, diese Art unter den lebend eingeführten mitzu=
zählen, wenn ich nicht in dem folgenden guten Grund dazu hätte. Durch den
alten Bahnbeamten Baumgarte, der allen Vogelfreunden von Berlin wol be=
kannt ist, beziehe ich hin und wieder Vögel, welche er von den kleineren Händlern
in Hamburg für mich aufkauft. Da habe ich denn schon gar mancherlei Selten=
heiten erhalten. Von dem Händler Fockelmann brachte er mir einst einen ein=
zelnen Vogel, welcher dem Madagaskarweber sehr ähnlich, doch ungleich schöner
und feuriger scharlachroth, dabei aber dunkler olivengrünlichbraun im übrigen
Gefieder war und an Mantel und Schultern nicht roth gesäumte Federn, wol
aber zwei weißliche Querbinden über den Flügel und einen viel kräftigern,
geraden Schnabel hatte. Leider war derselbe jedoch schon in der Entfärbung
begriffen und auch von der Reise her in schlechtem Gefieder, weshalb ich die
Feststellung bis zur nächsten Färbung zum Prachtkleide aufschob. Der Weber
flog lange Zeit in meiner Vogelstube, doch war er kränklich und färbte sich im
ersten Jahre garnicht mehr. Späterhin wurde er von einem Papagei todtgebissen.

Es war die obengenannte Art, von welcher ich nicht habe ermitteln können,
ob sie jemals vor= oder nachher in den Vogelhandlungen oder zoologischen Gär=
ten vorhanden gewesen.

Der gesammten Literatur ist außer der Beschreibung des Sanfibarwebers nicht
viel näheres zu entnehmen. „Er vertritt", sagen Finsch und Hartlaub, „auf
dem Kontinente die Madagaskar, den Komoren, Maskarenen und Seschellen eigen=
thümliche Gattung und ist bis jetzt auf Sanfibar (von Louis Rousseau und
v. d. Decken) im Sambesi=Gebiete (von Livingstone) und auf Mozambique
(von Professor Peters) gefunden."

Der Sanfibar=Webervogel ist auch Zanzibar=Foudi (Rchb.) und Kar=
dinalweber (Br.) benannt worden.

Nomenclatur: Foudia eminentissima, *Bp.*, *Hrtl.*, *Rchb.*; Calyphantria eminentissima, *Hne.*, *Cab.*, *Fnsch.* et *Hrtl.*

Wissenschaftliche Beschreibung: Kopf, Hals, Kinn, Kehle, Kropf und Oberbrust
brennend scharlachroth, ebenso Bürzel und obere Schwanzdecken; Mantel und Schultern oliven=
braun, jede Feder mit breitem, dunklerem Schaftstrich; Schwingen und Schwanzfedern dunkel
olivenbraun, mit schmalen heller olivenbraunen Säumen an der Außenfahne; Deckfedern dunkel
olivenbraun mit zwei weißlichen Querbinden über den Oberflügel; Unterbrust und übrige

Unterseite nebst den unteren Flügeldecken isabellbräunlich, etwas roth verwaschen. Auge röthlich= braun; Schnabel schwarz; Füße fleischfarben. — Dem Weibchen fehlt die rothe Farbe des Kopfes und der Brust; es ist sperlingsartig und dem Weibchen des Madagaskar=Webervogels ähnlich gefärbt.

Ploceus eminentissimus: fusco-virens, dorso striolato; subtus albo-olivaceus, rubro tinctus; capite, collo, pectore uropygioque rubris; orbitis concoloribus; iride fusca; rostro nigro; pedibus carneis. — ♀ rubore capitis pectorisque carens, omnino cum ♀ Plocei madagascariensis fere conveniens.

Länge 13 ᶜᵐ. (5 3.); Flügel 7,8 ᶜᵐ. (3 3.); Schwanz 4,6 ᶜᵐ. (1³/₄ 3.).

Einige sehr nahestehende Arten dürften bis jetzt noch kaum mit Sicherheit zu unterscheiden sein. Den **Komoren=Webervogel** [Ploceus comorensis] be= schreibt Cabanis: „Kopf, Hals und Unterseite bis zur Bauchmitte, Bürzel und obere Schwanzdecken schön und lebhaft roth; Zügel und ein Fleck hinter dem Auge schwarz; Ober= seite dunkelbraun, überall grün gerandet; die mittleren und die großen Flügeldecken weiß ge= randet; Bauch, Weichen und untere Schwanzdecken graugrün. Der Umstand, daß die unteren Schwanzdecken einzelne rothe Federn zeigen, läßt vermuthen, daß der von Dr. Kersten aus Mayotte erlangte Vogel noch nicht ganz ausgefärbt ist und daß im vollendeten Kleide das Roth noch eine weitere Verbreitung über die Unterseite erreichen dürfte." Er ist nach Finsch und Hartlaub hauptsächlich durch den schwarzen Strich über die Zügel und durch das Auge von dem vorigen verschieden. — Calyphantria comorensis, Cab., Fnsch. et Hrtl.; Ploceus comorensis, Rss.

**Der Algonda=Webervogel** [Ploceus algondensis] unterscheidet sich nach Finsch und Hartlaub nur dadurch von dem vorigen, daß er blos schwarze Augenwimpern, blos eine helle Flügelquerbinde hat und ansehnlich kleiner ist. Th. v. Heuglin ergänzt dies noch dahin, daß das Roth nur bis zur Brust herabgeht, der Bürzel nicht roth, wie die oberen Schwanzdecken, sondern wie die Rückenfarbe und daß die kleinen Flügeldeckfedern nicht breitweiß gerandet sind, daß kein rothes Band über den hinteren Unterleib läuft und die Rücken= und Unterleibsfärbung etwas verschieden erscheinen. „Das Vorkommen von zwei so nahestehenden Arten", fügen die ersteren hinzu, „auf einer unbedeutenden Insel= gruppe ist höchst merkwürdig. Ueberhaupt herrscht noch viel Unsicherheit in der Bestimmung der hierher gehörigen Vögel." — Ploceus Algondae, Schlg. et Pll., Hgl.; Calyphantria Algondae, Fnsch. et Hrtl., Cab.

**Der Mauritius=Webervogel** [Ploceus erythrocephalus].

Im Berliner Aquarium waren noch zur Zeit der ersten Direktion zwei Vögel vorhanden, welche nach meinem Urtheil, d. h. soweit ich sie vor mir im Flugkäfige feststellen konnte, zu dieser Art gehörten. Nach mehreren Jahren zeigte mir dann ein Liebhaber, Herr W. Böttger in Berlin, welcher soeben aus Hamburg zurückgekehrt war, ein Männchen in vollem Prachtgefieder, und ich ge= langte dadurch zu der Ueberzeugung, daß ich mich nicht getäuscht, sondern daß

dieser rothköpfige Weber wirklich, wenn auch nur höchst selten, doch lebend ein=
geführt werbe.

Er wurde als the red-headed Finch zuerst von Brown beschrieben und
abgebildet. Buffon hielt ihn für das Weibchen des Mabagaskarwebers.
Vieillot hatte la Fringille Cardeline nicht lebend gesehen und giebt auch nichts
näheres an. Da von den älteren Schriftstellern bis zu den neueren herab, wie
schon erwähnt, gerade über die Schönweber mancherlei Irrthümer herrschen und
namentlich Verwechselungen vorkommen, so ist nicht mit Sicherheit zu sagen, ob
diese Art nur auf Mauritius oder auch auf Mabagaskar heimisch sei. In Lebens=
weise, Nestbau u. a. m. dürfte sie mit den vorher geschilderten Verwandten völlig
übereinstimmen. Sie ist dem Sansibarweber am ähnlichsten, doch bedeutend kleiner.

Der Mauritius=Webervogel ist auch rothköpfiger Foudi oder Kardeline
(Rchb.) und Erzweber (Br.) benannt.

Nomenclatur: Fringilla erythrocephala, *Gml.*; Emberiza rubra, *Gml., Brwn.,
Vll., Lfr.*; Ploceus erythrocephalus, *Swns.*; Hyphantornis erythrocephala, *Blth.*;
Foudia Martineti, *Gr., v. Mll.*; Foudia erythrocephala, *Bp., Hrtl., Rchb.* — The red-
headed Finch, *Brown*; la Fringille cardeline, *Vieill.*; la Cardinaline, *Lafresnayes.*

Wissenschaftliche Beschreibung: Kopf, Hals, Oberbrust und Oberschwanzdecken
blutroth; Rücken, Flügel und Unterleib dunkelgrün, jede Feder mit schwarzem Schaftstreif;
Flügelbeckfedern weiß gespitzt, daher zwei weiße Binden bildend; Schwingen und Schwanzfedern
schwarz, blaßgrünlich gesäumt. Auge braun; Schnabel und das längliche, hinten abgerundete
Augenfeld schwarz; Beine hell röthlichgrau. — Weibchen dunkelgrün; unterseits weißlich;
Flügel mit zwei weißen Binden und fahlen Schwingensäumen. Schnabel und Beine braun (Rchb.).

Ploceus erythrocephalus: olivaceo-virens, dorso striolato; subtus pallidior
albescens; capite, collo, pectore et uropygio pulchre scarlatinis; abdomine medio flavido; alis albide bifasciatis; orbitis nigris. *Iride* fusca; rostro nigro; pedibus dilute
brunneis. — ♀ fusco-virens, subtus pallidior; alis bifasciatis. Rostro et pedibus fuscis.
Länge 11,8 cm. (4½ Z.); Flügel 6,5 cm. (2½ Z.); Schwanz 3,9 cm. (1½ Z.).

**Der Rodrigez=Webervogel** [Ploceus flavicans]. Nur ganz beiläufig darf
ich diesen Schönweber hier erwähnen, weil er bis jetzt noch nicht lebend ein=
geführt worden und dazu auch wol keine Aussicht bietet, obwol er in seiner
Heimat, der Insel Rodrigez, nicht selten sein und auch als Stubenvogel gehalten
werden soll. Er zeichnet sich vor den Verwandten dadurch aus, daß er hochgelb,
anstatt roth ist. — Foudia flavicans, *Nwt.*; Calyphantria flavicans, *Br.*; Ploceus
flavicans, *Rss.*

\*       \*       \*

Als **Sperlingsweber** fasse ich Vögel zusammen, welche, obwol in verschiedenen Welt=
theilen heimisch, doch einander so verwandt sich zeigen, daß es ein Unrecht gegen meine Leser
sein würde, wollte ich sie noch in mehrere kleine Sippen zersplittern. Die ostindischen Arten,
als Ammerweber oder eigentliche Webervögel [Ploceus, *Cuvier*] bezeichnet, werden neuerdings
auch von den Systematikern, namentlich von Finsch und Hartlaub, mit den afrikanischen und
zwar den Dickschnabelwebern [Hyphantica, *Cab.*] zusammengestellt. Ich glaube nicht fehlzugreifen,
wenn ich auch den Mahaliweber [Philagrus, *Cab.*] und den Kolonieweber [Philetaerus, *Smth.*]
hierher zähle.

## Der rothschnäbelige Webervogel [Ploceus sanguinirostris].
### Tafel VIII. Vögel 39 und 40.

Nach seinem vaterländischen Namen Dioch oder auch Blutschnabelweber ge=
nannt, gehört er zu den fremdländischen Vögeln, welche, seit frühester Zeit her
lebend eingeführt, bis zur Gegenwart immerfort im Handel vorhanden und zu=
gleich am billigsten sind.

Das Gefieder des Blutschnabels ist an Oberkopf, Nacken und ganzem Unter=
körper fuchs= bis lichtrosenroth; Gesicht, Stirn, Wangen und Kehle sind schwarz;
Rücken, Flügel= und Schwanzfedern sind fahlgelb, in der Mitte schwarz und mit
zitronengelbem Außensaum. Der Schnabel ist blutroth. Das Weibchen erscheint
einfarbig sperlingsgrau, zur Brutzeit mit wachsgelbem und sonst blutrothem Schnabel.
In der Größe kommt er etwa dem Feldsperlinge gleich.

Die älteren Schriftsteller haben auch über ihn mancherlei Irrthümliches an=
gegeben. Buffon hielt ihn, den damaligen Anschauungen entsprechend, für eine
Abart unsres Sperlings. Vieillot schildert ihn in folgender Weise: „Der Dioch
ist ein bösartiger, zänkischer und störrischer Vogel, deshalb darf man ihn nicht
mit kleinen, zarten und sanften Genossen zusammen halten. Er quält sie un=
ablässig, packt sie besonders am Schwanz, hebt sie in die Höhe und läßt sie eine
Weile zappeln, indem er häßlich schreit, solange er sich derartig vergnügt. Die
kleinen Gequälten wehren sich gewöhnlich garnicht, sondern stellen sich lieber todt,
damit er sie nur in Ruhe lasse; flattern sie aber lange, so pflegt er sie auch
noch zu rupfen. Mit ihresgleichen leben die Diochs gesellig, wobei sie jedoch
fortwährend zanken und einander schelten; selbst das eigene Weibchen entgeht nicht
den rohen Späßen des Männchens." Weiter beschreibt er dann den Nestbau
„Männchen und Weibchen weben gemeinschaftlich, ersteres mehr von außen,
letzteres von innen, wobei sie die Halme sich gegenseitig zureichen, aber unter
stetem Zank und Streit. Sie halten den Halm mit den Fußzehen fest, glätten
ihn mit dem Schnabel und drehen und flechten ihn nach allen Seiten im Zick=
zack oder in die Runde. So befestigen sie drei bis vier Halme an schwache
Zweige, flechten andere dazwischen, um ihnen Haltbarkeit zu geben und die kleinen
Aeste, welche das Zimmerwerk des Nestes ausmachen, mit einander zu verbinden.
Das sehr geschickte Gewebe ist einem Weidenkörbchen nicht unähnlich, fast voll=
kommen kugelig, mit dem Eingange vorn in der Mitte. Sie arbeiten in der
Regel nur früh morgens, etwa drei bis vier Stunden täglich, aber so thätig,
daß das Gewebe oft früher, als in acht Tagen fertig ist. Legt das Weibchen
während dieser Frist noch keine Eier, so zerstört das Männchen das Nest, um
späterhin den Bau eines neuen zu beginnen."

In den Museen tritt uns dieser Vogel in mannigfaltigem Gefieder entgegen; nicht allein die verschiedenen Stufen der Verfärbung, die Alters- und Jugendkleider, sondern auch noch andere Unterschiede machen sich geltend und man hat daher mehrere Arten oder doch Lokalrassen aufgestellt. Sundevall versuchte drei solche zu begründen, Finsch und Hartlaub, sowie Heuglin halten jedoch nur zwei aufrecht, deren zweite sie als **Aethiopischer Webervogel** [Ploceus aethiopicus, *Sndvll.*] bezeichnen: „Nach Vergleichung zahlreicher Exemplare halten wir diese Form für artlich verschieden. Das Männchen unterscheidet sich durch den Mangel des schwarzen Stirnrandes; Stirn wie Ober- und Hinterkopf und die ganze Unterseite sind rostisabellgelb; der rothe Anflug fehlt auf dem Kopfe und am Nacken, ist dagegen zuweilen sehr kräftig auf der Brust und dem Bauche. Männchen im Winterkleide, Weibchen und junge Vögel scheinen nur durch deutlich weiß gefärbten Bauch, After und untere Schwanzdecken vom Blutschnabel abzuweichen, dürften sich aber unter Umständen kaum mit Sicherheit feststellen lassen. Die Verbreitung erstreckt sich südlich vom 18° n. Br. über Sennar, Kordofan, das Gebiet des weißen Flusses, Abessinien, Bogosland und Mozambik."

Nun aber besitze ich seit vier Jahren einen Dioch, welcher sich ganz regelmäßig in der Weise zum Prachtkleide verfärbt, daß er **garkein Schwarz** erhält. Die Wangen sind wie abgezirkelt röthlichgelb, von einem feinen schwärzlichen Streif umrandet, ebenso, aber ohne den Streif, ist die Kehle gefärbt; das Auge ist mit einem schönen rothen Ring umgeben; Stirn, Hinterkopf, Nacken und der ganze Vorderkörper sind sehr lebhaft rosenroth. In allem übrigen stimmt er mit dem schwarzstirnigen und schwarzbäckigen Rothschnabelweber überein. Da auch gleiche Vögel seit Jahren in der Handlung des Herrn **Mieth** und in der Vogelstube des Herrn W. **Elsner** in Berlin sich befinden, so zweifle ich nicht daran, daß es mindestens eine feststehende Lokalrasse und zwar der Dioch rose **Vieillot's**, also der **rosenrothe, rothschnäbelige Webervogel** [Ploceus Lathami, *Rchb.*] ist; freilich mit der irrthümlichen Annahme, daß er auch ein schwarzes Gesicht gezeigt haben soll. Sundevall hat in der Beschreibung seiner drei Rassen keinen Vogel ohne schwarzes Gesicht und Kehle und daher dürfte, falls ich mich täuschen und der P. Lathami mit dem P. sanguinirostris zusammenfallen sollte, der meinige wol eine andre feststehende Lokalrasse sein.

Zu der Zeit, als ich das „Handbuch für Vogelliebhaber" schrieb, stimmte ich der schon von Vieillot ausgesprochenen Meinung zu, daß nämlich alle jene Verschiedenheiten nur in Alters- und allenfalls in Fütterungsunterschieden begründet seien. Unter vielen Hunderten von rothschnäbeligen Webern habe ich sodann aber im Laufe der Zeit immer dieselben Abweichungen gefunden, und namentlich konnte ich beobachten, daß die Vögel bei entsprechender Verpflegung sich stets in gleicher Weise verfärben und zwar, erstens als der **Blutschnabel-**

weber oder Dioch mit schwarzem Gesicht und Stirn, sowie im Alter mit
schön rosenrothem Anflug an Kopf und Oberbrust (Tafel VIII, Vogel 39); zweitens
als der rothschnäbelige Weber ohne schwarzen Stirnrand, der
zugleich niemals rosenroth angehaucht erscheint; drittens als der rothschnäbelige
Weber, welcher garkein schwarzes Gesicht hat, dagegen an Stirn,
Hinterkopf, Halsseiten und Brust, sowie je nach dem Alter mehr oder weniger
am ganzen Unterkörper lebhaft rosenroth ist (Tafel VIII, Vogel 40).

Fassen wir alle diese Lokalrassen nur als eine Art zusammen, so erstreckt sich
die Heimat des Vogels wol über den größten Theil Afrikas. Leider konnte ich
nicht ermitteln, von wo die Weber ohne schwarzes Gesicht eingeführt worden.

Es ist mindestens sonderbar, daß man über das Freileben des rothschnäbligen Dioch, über den Nestbau und die Brutentwickelung bis jetzt überaus
wenig angegeben findet, trotzdem er doch einer der gemeinsten Vögel Mittel-
afrikas ist und also jedem Reisenden dort auf Schritt und Tritt begegnet.
Th. v. Heuglin berichtet über die äthiopische Lokalrasse folgendes: „Die
Parungszeit fällt in die Monate Juni und Juli und die in derselben wein-
bis rosenrothe Färbung des Gesieders verbleicht schon nach wenigen Wochen.
Dieser Weber kommt als Zugvogel in Kordofan, Senar, Südnubien und Talah
mit dem ersten Sommerregen in ganz unglaublich großer Zahl an. Sich vorzüglich von Gräsersämereien ernährend, durchschweifen seine wolkenartigen Flüge
die weiten Steppenregionen, theilen sich im Juli in kleinere Gesellschaften, welche
sich dann mehr nach den Gewässern ins Kulturland und um Niederlassungen hin-
ziehen, doch fanden wir sie zur genannten Jahreszeit auch im Gebirge bis auf
ungefähr 2000 Meter Höhe, ostwärts bis ins Bogosland hinüber, seltener in
der eigentlichen Waldregion. Dann kehren sie auch in Dörfern und Städten ein,
in Höfen und Viehgehegen, auf Hecken, Mauern und Dächern, wo sie sich oft
sperlingsartig dicht an einander gedrängt niederlassen. Wasser scheint diesen
Vögelchen, besonders während der Brutzeit, mehr als vielen anderen Finkenarten Bedürfniß zu sein; sie besuchen in den Vormittags- und Abendstunden
regelmäßig familien- und flugweise die Tränke und baden da recht fleißig. In
den Gärten Chartums bauen sie dann einzeln oder in drei bis vier Pärchen gemeinschaftlich ihre niedlichen, leichten und ziemlich flachen Beutelnester, aus grünen
Grashalmen künstlich geflochten, besonders auf Parkinsonien; dieselben werden hier
aber selten wirklich zur Brut benutzt. Es ist mir niemals gelungen, Eier zu
finden, obgleich ich Dutzende frischer Nester untersuchte. — Der Blutschnabel ist
ein munterer, geschwätziger Vogel, um Wohnungen zutraulich, in der Steppe
aber meist argwöhnisch und scheu. Den Gesang möchte ich mit einem sperlings-
artigen Zwitschern vergleichen. Nach vollendetem Brutgeschäft sammeln sich diese
Weber wieder und wandern im September und Oktober mit eintretender Dürre

südwärts. Im Gebiet des weißen Nil, unterhalb der Sobatmündung, begegneten
wir im Januar noch Scharen von Blutschnäbeln, welche mit der Abenddämme=
rung in den Schilfwäldern einfielen. Der Lärm, den diese Vögel hervorbringen,
wenn sie aufgescheucht werden, ist donnerähnlich, betäubend und ebenso lebhaft
erschallt ihr Geschrei, ehe sie zur Nachtruhe gelangen." Dr. Vierthaler fand
sie im Gebiet des blauen Flusses in so großen Flügen, daß er 29 Köpfe
auf einen Schuß erlegte. Auch Baron Müller, Prof. Robert Hartmann
u. A. sahen solche Schwärme. Die Lebensweise wird also der verwandter Finken=
vögel gleichen, welche nach beendeter Brutzeit sich mehr oder minder zahlreich
zusammenschlagen und streichend der Dürre weichen, um zur Regenzeit wieder
zurückzukehren. —

Die Liebhaber des rothschnäbligen Webers bei uns, insbesondre aber in
Paris, vergnügen sich damit, daß sie ihm, meistens in ganz kleinen Käfigen,
allerlei Baumaterial, namentlich aber bunte Wollfäden bieten und ihn dann
seine Künste üben lassen. Diese bestehen freilich nur darin, daß er allmälig den
größten Theil des Drahtgitters mit den Fäden, Halmen, Fasern und dergleichen
durchwebt. Man will dabei beobachtet haben, daß er bunten und hellen, nament=
lich rothen Fäden den Vorzug geben und daraus sogar ‚prächtige Muster' her=
stellen soll. Das thun die Männchen, selbst wenn sie einsam im Käfig sich be=
finden, und ihrer Unermüdlichkeit und Emsigkeit wegen nennt man sie in Frank=
reich Travailleurs oder Arbeiter, anstatt der bei uns üblichen Bezeichnung Weber.

Da ich kein Freund von derartigen Spielereien bin und da mir viel mehr
daran lag, das Wesen und die Eigenthümlichkeiten auch dieses Vogels zu erforschen,
so schaffte ich zwei Pärchen an, von denen ich ein sehr altes in einen mittelgroßen
Käfig und ein jüngeres frei in die Vogelstube fliegen ließ. Das erstere vergnügte
sich anfangs mit jenen Flechtereien, mit denen es die eine Seite des Gitters
dicht überzog. Einen besondern Farbensinn oder Geschmack in der Anordnung
der Fäden konnte ich dabei nicht entdecken, wol aber bemerkte ich), daß der
Dioch vorzugsweise die helleren Fäden wählte. Obwol das Männchen im
Prachtkleide war, brachte es ein wirkliches Nest nicht zustande; ich vermuthete
daher in ihm einen ‚Travailleur', den Jemand bereits längere Zeit im Käfige
gehabt, um sich an seinen Baukünsten zu ergötzen. Umsomehr erfreute mich die
Thätigkeit des Pärchens in der Vogelstube. Diese beiden, wie auch alle anderen,
welche ich später gehalten, widerlegten durch ihr Benehmen zunächst die Behauptung,
daß der rothschnäblige Weber unverträglich und überaus bösartig sei. Er ist
allerdings ein lebhafter, kräftiger Vogel, welcher in der Gefangenschaft, ebenso
wie viele andere, üble Eigenschaften entwickeln mag, die er aber von Natur
keineswegs besitzt. Futterneid z. B. ist eine der verbreitetsten und häßlichsten
Seiten des Vogelcharakters — wie Nahrungs= oder Brotneid des menschlichen

— die sich sogleich in jeder gefiederten Gesellschaft zu entwickeln pflegt und entweder
zu harten Kämpfen oder dazu führt, daß die Kleinen und Schwachen unterdrückt
und gemißhandelt werden; wenn aber in einer Vogelstube, wie in der meinigen, für
die Befriedigung aller Bedürfnisse reichlich gesorgt wird, so kommen solche Bösartig=
leiten garnicht zum Ausbruch. Die gesammte Bewohnerschaft — vorausgesetzt natür=
lich, daß sie im übrigen zusammengehörig gewählt worden — ist vielmehr ver=
träglich und geht mit Eifer ihren Brutgeschäften nach. Die jüngeren Blutschnäbel
waren anderen Vögeln gegenüber sogar schüchtern und ließen sich in dem Streit=
punkt, welcher der hauptsächliche und auch fast der einzige in meiner Vogelstube
ist: in der Wahl des Brutorts, von allen übrigen Webern meistens in die Flucht
schlagen. Alte Diochs dagegen stehen tapfer ihren Mann und weichen selbst viel
größeren Vögeln nicht immer aus, doch habe ich nie bemerkt, daß sie die An=
greifenden sind. Wenn man nur recht aufmerksam schaut, so ergiebt sich unschwer
die Erklärung für mancherlei Vorkommnisse. So ersah ich bald die Ursache der An=
gabe, daß der Dioch seine kleinen Genossen am Schwanze packen und zappeln lassen
soll. Sein Drang nach Beschäftigung findet nämlich in den Käfigen der Händler
oder in den Gesellschaftsbauern mancher Liebhaber keine ausreichende Befriedigung,
weil es an Baustoffen fehlt und in Ermangelung anderer Dinge greift er einfach
nach dem, was sich ihm gerade bietet — nach den Federn seiner Mitgefangenen.
Diese Annahme fand ich darin bestätigt, daß Herr Mieth mir ein Geflecht zeigte,
welches ein solcher Weber aus den Federn kleinerer Vögel am Gitter hergestellt
hatte. In meiner Vogelstube hat niemals ein Dioch den übrigen Bewohnern
Federn ausgerissen.

Das Männchen des jüngeren Pares übte sogleich in den ersten Tagen
seine Webekünste. Es wählte nicht schwanke, dünne Zweige, sondern eine starke
Astgabel. Hier flocht es aus langen, trockenen Grashalmen, nebst Baumwoll=
und Bastfäden zunächst einen aufrecht stehenden, zirkelrunden Kranz und diesen
füllte es in der Weise aus, daß es eine kugelrunde Wölbung mit einem ver=
hältnißmäßig kleinen, runden Schlupfloch formte. Anfangs saß das Weibchen
anscheinend ganz theilnahmlos dabei. Sie waren beide überhaupt sehr schüchtern,
und um sich nicht nach unten zu wagen, wo die Baustoffe aufgeschichtet lagen,
paßte das Männchen lieber, auf einem hervorragenden Aste sitzend, auf, bis einer
der anderen Vögel, gleichviel ob ein großer oder kleiner, mit einem Halm vor=
überkam, welchen es dann hurtig dem Träger entriß und damit zu seinem Bau
flog. Das ist aber auch die einzige Gewaltthat, welche ich von ihm zu berichten
weiß. Als das Nest nahezu fertig war, fing das Weibchen an, eifrig mitzuarbeiten.
Die Beobachtung jedoch, daß beide dies gemeinsam thun und einander die Halme
zureichen sollen, kann ich nicht bestätigen; jeder holte vielmehr seinen Halm selber
herbei und flocht ihn abwechselnd von außen und innen hinein, wobei er hurtig

17*

hin= und herschlüpfte. Auch dürfte die Bezeichnung Weben (und damit Weber=
vogel) nicht ganz richtig sein. Denn das Nest besteht in einem Körbchen, welches
mit bewundernswürdiger Kunstfertigkeit, Sorgfalt und Ebenmäßigkeit geflochten
ist. Die Halme, Fäden, Baststreifen und Agavefasern sind in staunenswerther
Regelmäßigkeit so gelegt und gewunden, daß sie neben und zwischen einander
durchlaufen, die Zweige der Astgabel umgeben und das eigentliche kugelrunde Nest
frei schwebend bilden. Auch die Blutschnabelweber benutzen am liebsten Agave=
fasern, doch verschmähen sie allerhand Fäden und Halme nicht, frische Gras=
blätter aber nehmen sie nur selten. Wollfäden lassen sie jedoch unberührt, wenn
sie etwas anderes haben. Beim Nestbau sind die beiden Gatten des Pärchens
durchaus nicht zänkisch, freilich auch keineswegs so zärtlich als die Prachtfinken.
Das Männchen läßt häufig sein sperlingsartiges, rauhes schäk, schäk, schäk oft
erschallen und verfolgt das Weibchen flügelrüttelnd, gleichsam um Gegenliebe
bettelnd. Bei Furcht und Erschrecken haben sie einen andern, ebenfalls einsilbigen
und sperlingsähnlichen Ruf und der Lockton klingt etwas sanfter, wie täk. Das
Nest wird in etwa sieben bis acht Tagen fertig, indem das Männchen früh etwa
zwei Stunden und nachmittags eine Stunde daran arbeitet. Zuweilen geht's
schneller, manchmal aber auch langsamer vonstatten. Sehr oft aber läßt der
Dioch ein Nest unvollendet oder reißt es wieder ein, um ein neues anzufangen
und ehe eine Brut wirklich vor sich geht, baut er gewöhnlich eine ganze Anzahl
von Nestern mehr oder weniger fertig, bis endlich das Weibchen ein zusagendes wählt.
Eine ähnliche Erscheinung finden wir ja, wie schon erwähnt, auch bei fast allen
übrigen Weberbögeln und dieselbe bedarf wol keiner weitern Erklärung. Das
fertige Nest ist kugelrund, mit seitlichem Einflugloch und verhältnißmäßig klein,
nur etwa vom Umfange einer starken Mannesfaust. Am schönsten erscheint es
blos aus Agavefasern, sehr fest und in allen Theilen gleichmäßig stark, aber so
luftig geflochten, daß man die Eier von unten herauf sehen kann. Das Gelege
besteht in 3—7 Eiern. Brutdauer 14 Tage.

Als kräftiger, ausdauernder Vogel, welcher sich in der Gefangenschaft gut
und lange erhält und selbst die Kälte unsers Winters im ungeheizten Raum
ohne Gefahr zu überstehen vermag, ist der Blutschnabel, namentlich allen An=
fängern in der Liebhaberei für das kleine fremdländische Prachtgeflügel, zu em=
pfehlen. Wer jedoch Werth auf erfolgreiche Züchtung legt, wird sich meistens ge=
täuscht sehen. Im ganzen ist gerade er bisher wenig gezüchtet worden. Dr. Bodi=
nus schreibt im Jahre 1863 (damals noch in Köln) von einer Brut im dortigen
zoologischen Garten. Ebenso hat eine solche Dr. Max Schmidt, Direktor des
Frankfurter Gartens geschildert; Dr. Rey giebt an, daß ein Pärchen vorzugsweise
Heuhalme verbrauchte und daß jeder Vogel an einem besondern Nest arbeitete.
Auch in unzähligen anderen Vogelsammlungen hat der Dioch auf das eifrigste

gebaut, doch bringt er nur selten die Jungen wirklich zum Flüggewerden; in den meisten Fällen kommt es garnicht einmal zum Eierlegen und nur dann, wenn man ein oder besser mehrere Pärchen beisammen so hält, daß sie von größeren Weberbögeln, Papageien u. a. sich nicht behelligt fühlen, darf man auf Er= folge hoffen. Von großer Wichtigkeit für die Züchtung ist es, darauf zu achten, daß Männchen und Weibchen zu gleicher Zeit brutfähig sind. Die Verfärbung wechselt erklärlicherweise je nach der Gegend Afrikas, aus welcher der Vogel her= stammt und so findet man in den Vogelhandlungen das ganze Jahr hindurch Diochs im Prachtgefieder. Man muß zu einem solchen dann immer ein Weibchen mit glänzend wachsgelbem Schnabel wählen. In dem Abschnitt über Züchtung werde ich in dieser Hinsicht weitere Erfahrungen und Rathschläge mittheilen.

Trotz seines anscheinend plumpen und ungeschlachten Wesens ist er doch in jeder Bewegung gewandt und zugleich geistig begabt. Die Reisenden berichten, daß die Rothschnäbel, auf dem Gebüsch sitzend, sich plötzlich zum Wasser stürzen, hurtig einen Schluck nehmen, schleunigst davoneilen und dies so oft wiederholen, bis der Durst gestillt ist. Dies thun sie jedoch nur dort, wo sie vor Raubvögeln immer auf ihrer Hut sein müssen. Gleiches kann man in der Vogelstube beob= achten. Während der Dioch anfangs zu dem harmlos=dreisten Völkchen gehört, wird er, sobald das Fangbauer im Gange ist, listig und verschlagen und man kann sehen, wie er dann mit einemmal dasselbe Benehmen am Trinknapfe zeigt.

Gut ausgemusterte Rothschnäbel sind in allen Vogelhandlungen, je nach der Jahreszeit, das Pärchen für 4 Mark 50 Pf. bis 7 Mark 50 Pf. zu erhalten. Im Großverkauf, hundertparweise preisen sie 3, 4½ bis 5 Francs und sie gehören zu den Vögeln, welche eine Plage der Händler zweiter Hand bilden, indem sie unter den 100 Pärchen immer die beiweitem größte Mehrzahl ausmachen, sodaß also die kostbareren Astrilde desto weniger vorhanden sind.

Der rothschnäbelige Weberbogel heißt auch Dioch, Blutschnabelweber, Blutschnabel, Rothschnabel, blos Weberbogel, rothbäuchiger Dioch (Rchb.). — Rosenrother Weberbogel, rosenrother Dioch, Rosa=Dioch (Rchb.). — Die Lokal= rasse ohne schwarzes Stirnband, also der Aethiopische Blutschnabelweber ist auch Truppweber (Br.) genannt.

Le Travailleur (Vekemans und französische Händler); le Travailleur ou Bec de Corail (Brzn. d. Affl.=Ort. v. Paris); Red-beaked Weaver-bird (Jamrach u. Brzn. d. zool. Ort. v. London); Roodkop-wever (holländisch). — Quelea (bei den Pjolofen und Malegassen, nach Fnsch. u. Hrtl.).

Nomenclatur: Loxia sanguinirostris, *L.*, *Gml.*, *Hhn.*, *Lss.*; Emberiza quelea, *L.*, *Gm.*, *Lth.*, *Bchst.*; Passer senegalensis erytbrorrhynchus, *Brss.*; Fringilla quelea et Ploceus quelea, *Vll.*, *Lchtst.*; Ploceus Lathami, *Smth.*, *Hrtl.*; Ploceus sang., *Gr.*, *Sndvll.*, *Strckl.* et *Sclt.*, *Fnsch.* et *Hrtl.*; Euplectes sang., *Swns.*; Quelea sang., *Bp.*, *Rchb.*; Quelea occidentalis, *Hrtl.*; Hyphantica sang., *Cb.*; Quelea Lathami, *Rchb.* — Ploceus sang., var. aethiopicus, *Sndvll.*; Coccothraustes sang., Quelea orientalis, Q. sanguinirostris orientalis et Hyphantica aethiopica, *Hgl.*; Euplectes gregarius, Loxia africana et Quelea socia, *Pr. P. v. Wrtmbrg.*; Quelea sang., *Antn.*; Emberiza Quelea, *Lfbr.*; Ploceus sang., *Strckl., Antn., Bnc., Br.*; Ploceus aethiopicus, *Fnsch.* et *Hrtl.* — Moineau à bec rouge du Sénegal et Moineau du Sénegal, *Buff.*; Black-faced Bunting and Red-billed Grosbeak, *Lath.*; le Dioch, le Dioch rose et le Cardinal rose du Sénegal, *Vieill.*

Wissenschaftliche Beschreibung: Oberhalb graubraun, jede Feder mit breitem fahl= braunen Seitensaum; Stirnrand und Zügel, letzterer das Auge oberseits schmal umsäumend, sowie Kopfseiten, Kinn und Kehle schwarz; Hinterkopf und Hinterhals graubraun; Schwingen tiefbraun, die der ersten Ordnung an der Außenfahne schmal orangegelb, die der zweiten Ord= nung, sowie deren Deckfedern, an der Außenfahne ebenfalls schmal fahlbraun gesäumt; Schwanz= federn tiefbraun, an der Außenfahne schmal orangegelb, an der Innenfahne breiter weißlich gerandet; Vorderkopf blaß rosaroth verwaschen, ebenso die Unterkehle; die übrigen unteren Theile fahlweiß, an den Brustseiten graubraun verwaschen. Auge braun; Schnabel glänzend blutroth; Füße röthlichbraun. Der rosafarbne Anflug, welchen das Männchen natürlich nur im Prachtkleide zeigt, erstreckt sich zuweilen viel weiter über die Brust und den unteren Körper. — Winterkleid und Weibchen: Oberkopf, Hinterkopf und Hinterhals graulichbraun, übrige Oberseite rostbräunlich, jede Feder mit breiter schwarzbrauner Schaftmitte, besonders deutlich auf dem Mantel und auf den Schultern; ein verwaschener Zügel= und Augenbrauenstreif fahl= rostweißlich wie Kopfseiten, Kinn und Oberkehle; vom hintern Augenrande an ein verwaschener dunkler Strich über die Schläfe herab, ein zweiter, noch mehr verwaschener, vom Grunde des Unterschnabels bis zur Ohrgegend; Unterseite von der Kehle an blaßockerbräunlich bis nahezu reinweiß, dunkel dagegen an den unteren Flügeldecken; an der Brust= und Schenkelseiten einige sehr verwaschene dunklere Längsstriche; Schwingen und Schwanzfedern wie beim Mnch. im Prachtkleide. Schnabel des Männchens roth, des Weibchens zur Nistzeit glänzend wachsgelb,' nachher ebenfalls roth (sodaß die Geschlechter im Winterkleide nicht zu unterscheiden sind). — Jugendkleid ebenso, nur ist die Schaftmitte der Federn an der Oberseite viel weniger breit und auch heller graubraun, sodaß das ganze Gefieder fahler erscheint. Unterseite da= gegen düsterer grau. Zügel=, Augenbrauen= und Schläfenstreif fehlen; Schnabel röthlichweiß, mit bräunlicher Spitze und Dillenkante des Oberschnabels; Füße weißlich.

Ploceus sanguinirostris: supra cinereo-fuscus, pluma quaque *late* luride limbata; margine frontali loris cum stria supra oculum angusta, facie, mento gulaque nigris; occipite et cervice cinereo-fuscis; remigibus fuscis; primoribus exterius anguste aurantio-flavis, secundariis eorumque tectricibus exterius anguste luride limbatis; rectricibus fuscis, exterius anguste aurantiis, interius latius albido-marginatis; sincipite juguloque subroseo indutis; gastraeo reliquo sordide albo; hypochondriis cinereo-fusco-lavatis; iride fusca; rostro nitide sanguineo; pedibus fulvis. — ♂ vest. hiem. et ♀: pileo, occipite et cervice cinerascente fuscis; notaeo reliquo ferrugineo; scapo plumae cujusque medio late nigro, · praesertim interscapilii et humerorum; loris striaque superciliari diffusa nec non facie, mento gulaque sordide ochraceis; stria ab oculo usque ad regionem paroticam obscura, stria insequente altera a mandibulae basi usque ad regionem paroticam dilute ochracea; gastraeo ochraceo-albido; tectricibus al. inferioribus obscurioribus; hypochondriis diffuse, obscurius striatis; remigibus et rectricibus vesti masculinae magnificae concoloribus; rostro ♂ rubro, ♀ inter nidulandum nitente cereo, dein etiam rubro.

Länge 11,8 cm. (4½ Z.); Flügel 6,5 cm. (2½ Z.); Schwanz 3,5 cm. (1½ Z.).

Juvenis: itidem pictus, at scapo plumarum superiorum medio multo angustiore cinereo-subfusco; ptilosi tota igitur luridiore; subtus vero obscurior; stria trans lora et supercilia ad tempora currente nulla; rostro rubente albo; maxillae apice gonatoque fuscatis; pedibus albicantibus.

Beschreibung des Eies: Farbe bläulichgrün, fettglänzend; Gestalt ziemlich rund. Länge 18 mm.; Breite 12 mm.

Ovum: sub aeruginosum inunctum, subrotundum.

## Der rothköpfige Webervogel [Ploceus érythrops].

### Tafel VIII. Vogel 41.

Der allbekannte Rothkopf oder rothköpfige Dioch hat als Stubenvogel eine ebenso interessante als kurze Geschichte. In der wissenschaftlichen Literatur ist äußerst wenig über ihn vorhanden. Eine stichhaltige Beschreibung gab zuerst de Bus im „Bulletin der Akademie von Brüssel" (1855), und Reichenbach, nach ihm Finsch, Hartlaub, v. Heuglin stellten den Vogel als nächsten Verwandten neben den rothschnäbeligen Dioch.

Im Prachtgefieder hat das Männchen einen blutrothen Kopf mit schwärz= lichrother Kehle, während der übrige Körper sperlingsgrau ist. In der Größe, wie im ganzen Wesen, Brutgeschäft und selbst in dem rauhen Ruf schäk gleicht es völlig jenem Rothschnabel. Seine Heimat soll sich über den ganzen Westen Afrikas erstrecken.

Im Jahre 1869 erhielt W. Mieth in Berlin zum erstenmal eine Anzahl dieser Weber durch einen Hamburger Zwischenhändler, welcher sie unmittelbar von einem aus Afrika kommenden Schiffe gekauft hatte. Die Vögel waren im grauen Gefieder und wurden trotzdem als neu eingeführte Art mit 24 Mark für das Paar bezahlt. Karl Hagenbeck kannte sie nicht und dasselbe war bei den anderen Großhändlern der Fall. Die Verzeichnisse von Jamrach, Bekemans und des Pariser Afklimatisationsgartens enthielten den rothköpfigen Webervogel noch nicht und im zoologischen Garten von London ist er auch erst seit dem Jahre 1871 vorhanden. Da ihn alle älteren Schriftsteller, welche sich mit dem Leben der Vögel in der Gefangenschaft beschäftigen, von Vieillot bis Bech= stein und Bolle nicht erwähnen, so ist die von Mieth erhaltene Gesellschaft wol die erste größere Sendung gewesen, welche nach Europa gelangte. Jeden= falls war er jedoch auch schon früher hin und wieder vorhanden, denn Reichen= bach hat ihn nach einem lebenden Exemplar abgebildet und ich erinnere mich auch, ein einzelnes Männchen schon vor mehreren Jahren im zoologischen Garten von Hamburg gesehen zu haben. Nach und nach sind die Rothköpfe nun aber in immer größerer Anzahl auf den Vogelmarkt gekommen, sodaß sie die Hand= lungen fast beständig aufzuweisen haben und daß sie zu den gemeinsten fremd= ländischen Stubenvögeln gehören. Der Preis ist dem entsprechend bis auf 6 Mark, ja auf 4,50 Mark für das Par heruntergegangen.

Vorzugsweise interessante Eigenthümlichkeiten hat der Rothkopfweber gerade nicht. Im allgemeinen gelangt er noch weit schwieriger zur erfolgreichen Brut,

als der Blutschnabel und sonderbarerweise sind auch die meisten Männchen keines=
wegs so fleißige Nesterbauer, als jene. Deshalb hat der Vogel nirgends beson=
dern Beifall gefunden und darin ist auch wol die seltsame Verringerung seines
Preises zu erklären, während doch manche andere Arten, trotzdem sie noch viel
zahlreicher herübergebracht werden, immerhin, abgesehen von zeitweisem Schwanken,
einen gleichen Werth behalten. — Es liegt jedenfalls in einer gewissen persönlichen
Feigheit, wenn der Rothkopf in der Regel nicht einmal mit der Errichtung eines
Nestes beginnt; er läßt sich eben von jedem andern Vogel, selbst von viel kleineren
in die Flucht schlagen. In meiner Vogelstube habe ich im Laufe der Jahre nur
zweimal Bruten flügge werden sehen und beobachten können. Bei anderen Züch=
tern hat der Rothkopf meines Wissens garnicht genistet; er ist vielmehr allent=
halben kaum zum Nestbau geschritten. In allen übrigen Eigenschaften stimmt er
mit dem rothschnäbeligen Dioch, wie schon gesagt, völlig überein; nur zeigt er
sich noch verträglicher und wenn man ihn züchten will, so darf man ihn nur
mit kleinen und zarten Prachtfinken u. a. Vögeln zusammen in der Vogelstube
beherbergen. Noch eher dürfte man zum Ziel kommen, wenn man ein Männchen
mit mehreren Weibchen abgesondert für sich in einem geräumigen Käfige hält.

Der rothköpfige Webervogel heißt auch Rothkopfweber oder blos Rothkopf und
Rothkopf=Dioch (Rchb.).

Le Dioch à tète rouge; the Red-headed Weaverbird (fälschlich Red-faced Weaver-
bird, Brzn. d. zool. Grt. v. London); Roodkop-wever (holländisch).

Nomenclatur: Ploceus erythrops, Euplectes erythrops, *Hrtl.*; Foudia erythrops,
*Bp., Hrtl.*; Quelea capitata, *du Bus*; Quelea erythrops, *Rchb.*; Calyphantria erythrops, *Hne.*

Wissenschaftliche Beschreibung. Kopf, Gesicht und Hals dunkel blutroth, Kinn
und Kehle schwärzlichroth; ganze Oberseite dunkel olivengrünlich braun, jede Feder mit fahlgelbem, breitem Außensaum, welcher an den großen Flügeldeck= und Schwanzfedern am breitesten, an denen des Nackens und Oberrückens am schmalsten ist; ganze Unterseite fahl gelbbräunlichweiß, Bauch und Hinterleib fast reinweiß. Auge dunkelbraun von einem gelblichen Rande
umgeben; Schnabel schwarz, an der Wurzel gelblich; Füße fahlröthlich. — Winterkleid:
oberhalb fahlbraun, jede Feder gelblich gerandet und mit schwärzlichem Schaftstreif; Augen-
brauen= und Backenstreif fahl röthlichorangegelb; unterhalb vom Kinn bis Hinterleib fast reinweiß. Schnabel dunkel horngrau. — Weibchen nicht sicher zu unterscheiden. — Jugendkleid oberhalb dem Winterkleide gleich, doch der Schaftstrich jeder Feder beiweitem schmaler
und matter, nur graubraun; unterhalb fahl graumweiß; die röthlichen Augenbrauen= und Backen-
streifen fehlen und kommen erst im nächsten Sommer zum Vorschein, während den rothen Kopf
das junge Männchen erst im dritten Jahre erhält.

Ploceus érythrops: capite, facie colloque obscure sanguineis, mento
gulaque nigricante rubris; notaeo toto subolivaceo-fusco, limbo plumae cujusque
exteriore lato, luride flavido, eoque tectricum alar. majorum et rectricum latiore,
cervicis dorsique angustiore; gastraeo toto sordide albido, ventre crissoque albo.
Iride fusca, subflavo circumcincto; radice rostri nigri flavente; pedibus sordide rubentibus. — ♂ vest. hiem. supra luride fuscus, scapo plumae cujusque flavido-marginatae
nigricante, stria superciliari et malari rubido-aurantiis; subtus a mento usque ad
ventrem fere albissimus. Rostro obscure corneo. — ♀ vix distincta.

Länge 12,₂ cm. (4²/₃ Z.); Flügel 6,₁ cm. (2¹/₃ Z.); Schwanz 3,₃ cm. (1¹/₄ Z.).

Juvenis: supra cum vest. hiemali conveniens, sed scapis plumarum multo angustioribus et obsoletioribus, tantum cinereo-fuscis; subtus sordide albidus striis supercilaribus et malaribus rubidis nullis.

Beschreibung des Eies: Gestalt rundlich; Farbe grünlichweiß, düster braun gewolkt. Länge 19ᵐᵐ.; Breite 13ᵐᵐ. (Nach Nehrkorn's Angaben: Gestalt eiförmig; olivenfarbig; einzelne Eier mit dunkeln Schattirungen. (Einige sehr kleinen Blaukehlcheneiern ähnlich).

Ovum: subrotundum, virente album, fusco-nubilosum.

**Der blutköpfige Webervogel** [Ploceus haematocéphalus]. Theodor v. Heuglin hat einen naheverwandten Vogel entdeckt, über welchen er folgendes sagt: „Wir haben nur ein einziges altes Männchen gesehen und eingesammelt und zwar auf der Tränke an einem Sumpf in Bongo in Zentralafrika, im September des Jahres 1863. Es befand sich in Gesellschaft mehrerer anderer Finkenvögel und hatte Gräsersämereien im Magen. Mit dem westafrikanischen konnte ich diesen Bongovogel nicht vergleichen und über die Lebensweise des letztern weiß ich auch keine Angaben zu machen. Er muß wol in Zentralafrika sehr selten sein und nicht gesellschaftlich leben." Die treffliche Abbildung in dem Reisewerk des genannten Forschers zeigt einen Vogel, der von dem vorhin beschriebenen Rothkopf durchaus verschieden und ungleich schöner ist. Sein Kopf ist viel heller rosen= und an der Kehle dunkelroth; der Körper oberhalb heller grau, unterhalb an der Oberbrust grauweiß, an Unterbrust und übriger Unterseite reinweiß, untere Schwanzdecken rosenroth.

(Da übrigens drei Weber mit rothen Köpfen und zwar der Mauritius=Webervogel [P. erythrocephalus], der rothköpfige Webervogel [P. erythrops] und der blutköpfige Webervogel [P. haematocephalus] vorhanden sind, so würden dieselben bei den weniger bewanderten Liebhabern leicht Irrthümer und Verwechselungen hervorrufen; allein die letztere Art ist bisher noch garnicht lebend eingeführt worden, die erstere Art ist überaus selten und auch leicht zu unterscheiden; somit kommt nur der S. 263 beschriebene Rothkopf zur Geltung).

Nomenclatur: Hyphantica, Calyphantria et Foudia haematocephala, *Hgl.*; Ploceus haematocephalus, *Fnsch.* et *Hrtl.*

**Der Baya=Webervogel** [Ploceus baya],
Tafel VIII. Vogel 42,

**Der Manyar=Webervogel** [Ploceus manyar],

**Der Bengalen=Webervogel** [Ploceus bengalensis],

**Der gelbbrüstige Webervogel** [Ploceus hypoxanthus].

Wenn man nur den Nestbau in Betracht zieht, so stehen diese indischen Weber unter den übrigen, ja unter allen Stubenvögeln überhaupt hoch obenan. Wol erfreut den Liebhaber das zierlich gerundete Nest eines Prachtfinkenpärchens, das hübsche Beutelgeflecht eines Feuerwebers, die niedliche offene Mulde eines Sonnenvogels u. a. m.; allein den staunenswerthen, überaus kunstvollen Schmuck einer Vogelstube bieten doch erst die Nester dieser Vögel, welche man sämmtlich als Bayaweber zu bezeichnen pflegt. Eine Gesellschaft von ihnen kann im Laufe von einigen Monaten dem Flugraum oder einem sehr geräumigen Käfige nicht blos eine dauernde Ausschmückung verleihen, sondern auch eine solche, welche zugleich große praktische Vortheile gewährt, indem diese Webernester für die Prachtfinken u. a. kleine Genossen vortreffliche Niftorte sind.

Die Verbreitung der hierher gehörenden Vogelarten erstreckt sich auf den Kontinent und die Inseln von Ostindien. Nur eine Art kommt auch auf Madagaskar vor. Es sind Zug- oder Strichvögel. In Hinsicht der Lebensweise, Ernährung u. s. w. gleichen sie im allgemeinen den afrikanischen Arten, besonders dem ausführlich besprochenen Blutschnabelweber. Sie nisten gesellschaftsweise, hängen ihre Nester gern an Bäume, welche weithin übers Wasser reichende Zweige haben oder in der Nähe menschlicher Wohnungen stehen. Zuweilen sieht man dieselben auch an den Hütten der Eingeborenen. Als Baustoffe verwenden sie frische Grashalme, Blattrippen, mancherlei Fasern u. drgl. und je nach der Beschaffenheit des Baumaterials sind die Nester von ein und derselben Art sehr verschieden. Nur die Männchen sind die Baumeister, doch betheiligen sie sich an der Brut und Aufzucht der Jungen nicht. Jedes Männchen erbaut wahrscheinlich nur ein Nest, da die Herstellung eines solchen künstlichen und nicht selten auch ziemlich umfangreichen Gebäudes viel Zeit erfordert.

Das Freileben dieser Weber ist von treuen und gewissenhaften Beobachtern ziemlich genau erforscht; mindestens wissen wir über dasselbe viel mehr als über das der meisten afrikanischen Verwandten.

Bevor wir nun auf die Schilderung der Bayaweber näher eingehen, wollen wir die einzelnen Arten wenigstens in einer kurzen Beschreibung den Lesern vor Augen führen. Von vornherein sind sie sämmtlich daran zu erkennen, daß sie im Prachtgefieder eine gelbe Kopfplatte haben, während sie in der Gestalt und Größe so ziemlich mit dem rothschnäbeligen Weber übereinstimmen.

Der eigentliche Baya=Webervogel ist an Ober= und Hinterkopf reingelb, Mantel und Schultern dunkelbraun, jede Feder mit breitem rostfahlen Außensaum; Bürzel und obere Schwanzdecken fahl rostgelb mit schwärzlichen Schaftstrichen; Flügelschwingen und Schwanzfedern dunkel gelblichbraun mit schmalen hellgelben Außensäumen; das ganze Gesicht vom Zügel bis zur Kehle, Hals= und Kopfseiten schwarzbraun; Oberbrust und Seiten fahlbraun, jede Feder mit breitem schwarzen Schaftstrich; Bauchmitte bis Hinterleib graulichweiß. Unterflügel fahl röthlichgelb, untere Schwanzseite aschgrau. Auge dunkelbraun; Schnabel schwarz; Füße dunkel fleischfarben.

Der Manyar=Webervogel ist an Ober= und Hinterkopf dottergelb. Zügel, Kopf= und Halsseiten, Kinn und Kehle braunschwarz; Ober= und Unter=

seite braun mit dunkleren Schaftstrichen. Auge dunkelbraun; Schnabel schwarz; Füße dunkel fleischfarben.

Der Bengalen=Webervogel ist am Oberkopf hochgelb; Backen, Kinn und Oberkehle weiß; ganze Oberseite dunkelbraun, Unterseite grauweiß mit breiter dunkelbrauner Binde über Kropf und Oberbrust. Auge gelbbraun; Schnabel grauweiß; Füße fleischfarben. — Diese beiden letzteren sind ein weniger kleiner als der erste.

Der gelbbrüstige Baya=Webervogel ist an Oberkopf, Hinterkopf und Brust tiefgelb; Kehle hellbraun, Zügel, Kopfseiten, Kinn und Oberkehle braun=schwarz; ganze Oberseite olivenbräunlich mit dunkleren Schaftstrichen; Unterbrust und Bauch hochgelb, hintrer Unterleib reinweiß. Auge dunkelbraun; Schnabel schwarzbraun; Füße dunkel fleischfarben. — Dieser letztere hat wiederum die Größe des eigentlichen Bayawebers und beide übertreffen etwas den rothschnäbe=ligen Weber, auch erscheinen sie dickköpfiger und gedrungener.'

Dr. H. A. Bernstein beobachtete den eigentlichen und den gelbbrüstigen Bayaweber auf Java und schreibt über den erstern folgendes: „In der durch=schnittlich etwa 502 Meter hoch gelegenen, beiweitem zum größten Theile aus Kulturland bestehenden, hügelreichen Umgegend von Gadok kommt dieser Vogel nur sehr vereinzelt vor, und ich habe daher garkeine Gelegenheit gehabt, ihn im Freien kennen zu lernen. Die einige Meilen von hier entfernten, ausgedehnten Alang=Alang=Wildnisse am nordwestlichen Abhange des Gedéegebirges scheint er dagegen ziemlich häufig zu bewohnen, da ich von dort wiederholt Nester und Eier durch ihn erhalten habe. Auch Junghuhn erwähnt in seinem Werke über Java das öftere Vorkommen des Vogels in den Graswildnissen der etwa 628 Meter hoch liegenden Hochebene von Badong. Mithin scheinen die von zahlreich ver=schiedenen hohen Gräsern gebildeten, weiten Wildnisse von diesen Vögeln vorzugs=weise gern bewohnt zu werden, während die hiesige Kulturgegend ihnen wenig zusagt. Das Nest hat eine birnförmige Gestalt und ist mit seinem schmalen, kaum 2,6 cm. dicken, stielförmigen obern Ende an der äußersten Spitze eines Bam=buszweiges oder Palmblattes hängend befestigt und zwar so fest, daß selbst ein starker Wind nur selten im Stande ist, es herunterzuwerfen; etwa 15,7 cm. unter=halb der Anheftungsstelle wird das Nest breiter und erreicht seinen größten Um=fang am untern, gleichsam von zwei Seiten etwas zusammengedrückten Ende, wo sein Durchmesser 15,7 cm., bzl. 10,4 cm. beträgt. Hier befindet sich der für die Eier und Jungen bestimmte Raum und unmittelbar neben diesem, jedoch durch eine etwa 2,6 cm. breite Querwand getrennt, der Eingang, welcher sich in einer ungefähr 5,2 cm. bis 10,5 cm. langen und 5,2 cm. dicken, abwärts gerichteten Röhre fortsetzt. Die ganze Länge des Nestes, von der Anheftungsstelle bis zum Anfange des so=eben erwähnten, röhrenförmigen Eingangs, d. h. ohne diesen, beträgt 46,8 cm.

Zur Herstellung dieses großen, kunstvollen Nestes benutzen die Vögel ausschließlich feine, schmale Grashalme und deren Blätter, welche so genau und sorgfältig unter einander verflochten werden, daß dadurch das Ganze ein sehr regelmäßiges, glattes, gefälliges Aeußere erhält. Dieser feste Bau hat Veranlassung gegeben zu der malayischen Sage, daß derjenige, welcher so glücklich ist, eins dieser Nester so aus einander zu nehmen, daß dabei keiner der dasselbe zusammensetzenden Halme bricht, in seinem Innern eine goldne Kugel findet. Es ist natürlich noch Niemandem geglückt, diese Aufgabe zu lösen und sich den Preis zu verdienen. Die meisten der in meinen Besitz gekommenen Nester enthielten drei bis vier, bisweilen auch nur zwei reinweiße, etwas längliche Eier. — Von verschiedenen Seiten ist mir versichert worden, daß das Männchen ein besondres Nest hat, welches sich von dem soeben beschriebenen, für das Weibchen und die Jungen bestimmten dadurch unterscheidet, daß es unten offen ist und nur einen Quersitz hat, auf dem das Männchen bei Nacht oder auch bei Tage, um auszuruhen, sich niederläßt. Ich habe indessen bis jetzt noch kein solches Nest erhalten und kann daher aus eigener Anschauung ebensowenig etwas darüber mittheilen, als über die von anderen Beobachtern gemachte Angabe, daß der Vogel das Nest bei Nacht durch einen auf ein Stückchen Lehm geklebten Leuchtkäfer erhellen soll."

In dem „Katalog des Museum der ostindischen Kompagnie" (herausgegeben von Th. Horsfield und Fr. Moore) sind die Angaben der hervorragendsten Schriftsteller über den Nestbau dieses Vogels zusammengefaßt, und ich entlehne aus denselben noch das Nachstehende: Sundevall hat ihn bei Kalkutta vor dem April nicht gesehen und hält ihn daher für einen Wandervogel. In diesem Monat erscheinen dort ganze Scharen und beginnen ihre Nester zu bauen. Dieselben hängen sehr geschickt an den großen Palmenblättern und sind gewöhnlich aus groben Gräsern in der Gestalt eines Geldbeutels hergestellt, 33,9 bis 36,5 $^{cm}$ lang und am untern Theile 18,3 $^{cm}$ breit, nach oben zu immer schmäler werdend bis zu einer Dicke von 5,2 $^{cm}$; äußerlich glatt, sind sie fest und dicht. Am untersten Theile befindet sich eine kreisförmige Höhlung von 13 $^{cm}$ Durchmesser mit einer gleichen cylinderförmigen Röhre zum Einschlüpfen. Der Bau des Nestes beginnt von oben herab, sodaß also die Höhlung zuletzt fertig wird. Wenn es halb fertig ist und nur noch der Boden fehlt, wird eine Wand quer hindurch gezogen; folglich hat das Nest zwei ausgeweitete Räume am untern Theile, den einen als die Nestmulde für die Eier und den andern als Eingang. Man nimmt an, daß nur die Männchen mit der Erbauung der Nester sich beschäftigen und dies scheint auch wirklich der Fall zu sein, denn ich schoß von einem halb vollendeten Nest ein solches herunter, während ich geglaubt hatte, es sei ein Weibchen. Oft sind zwei bis drei Nester an ein Blatt gehängt und an einer Palme befinden sich dann wol zwanzig bis dreißig derselben. Zu Anfang des Monats

Mai erlangte ich soeben ausgebrütete Junge und aus einem andern Nest brei ganz weiße Eier, obgleich viele Nester erst halb fertig waren. Die Locktöne dieser Weber gleichen denen anderer Finken und einen Gesang habe ich nicht gehört. Im Magen der erlegten Vögel fand ich Reis, an welchem sie vielen Schaben verursachen. Sie umschwärmen, wie bei uns die Sperlinge, die Hütten der Ein= geborenen.

Der Missionär Phillips sagt, daß die Bayaweber, wenn sie mit dem Be= ginn der Regenzeit in der Umgegend von Muttra nisten, vorzugsweise die arabi= schen Mimosen (Babul), welche ihrer furchtbaren Dornen wegen für jeden Nest= räuber unnahbar sind, für ihre Bauten wählen; nur wo Palmen vorhanden sind, geben sie diesen stets den Vorzug. Das Nest wird dann an den äußersten, natür= lich unerreichbaren Spitzen der Blätter befestigt. Die Herstellung des Nestes be= schreibt er in ähnlicher Weise als Sundewall, nur bemerkt er ausdrücklich, daß auch dieser Weber (also ganz ebenso wie der Blutschnabel) mit einem Ringe oder Reif beginnt. In der Regel wird von oben herab zu bauen angefangen, doch giebt es auch Ausnahmefälle. Die Arbeit geht nicht schnell von statten, und die ganze Sorgfalt des Vogels scheint sich einerseits auf die richtige Gestalt des Nestes und andrerseits darauf zu erstrecken, daß es wasserdicht ist. In der That kann es aber auch kaum eine bessere Nestform für einen in der Regenzeit nistenden Vogel geben, als die dieser Weberbögel. Uebrigens warten sie mit dem Nestbau zuweilen einen Monat nach den ersten Regenschauern, bis der stärkste Regen vor= über ist. Oft hüpft einer auf das Nest des andern und beschaut dasselbe; nie= mals aber wird er Baustoffe rauben. Manchmal wirft sehr heftiger Wind wol ein Nest herunter, weil es nicht genug befestigt worden. Der Baya ist so dreist, daß man unter dem Baume stehen darf, ohne daß er sich bei der eifrigen Arbeit stören läßt.

Auch Blyth berichtet, daß die Bayas Fächerpalmen und zwar besonders in der Nähe menschlicher Wohnungen lieben, doch solche Bäume vermeiden, an deren Blättern die Palmensegler (Cypselus palmarum) wohnen; nur selten findet man auf einem Baume die Nester dieser und jener zugleich. Sykes fügt hinzu, daß es nur wenige von Bäumen überragte Brunnen giebt, über denen die Nester der Bayaweber nicht zu finden sind. Die Vögel leben hier in kleinen Gesellschaften und lärmen bei ihren Arbeiten viel. In der Zeit, wenn die Grassämereien reifen, gesellen sie sich zu großen Scharen, auch mit anderen Finken, oder mit Sperlingen zusammen. Im Magen erlegter Bayas fand er außer den Gräser= sämereien auch Theile von Feigen. Ebenso beobachtete sie Jerdon in Schwärmen, besonders in den Waldgegenden, nistend aber fast immer in der Nähe des Wassers.

„Auf der Insel Ceylon", schreibt Layard, „ist dieser Weber überall ver= breitet und hier lebt er als Zugvogel. Er brütet im Juni und baut hängende

Nester. Das Männchen errichtet auch ein Nest für sich, welches sich von dem eigentlichen Brutnest des Weibchens dadurch unterscheidet, daß es keine lange Einflugröhre und keine Nistmulde hat, sondern unten ganz offen ist, sodaß die Entleerungen des Vogels zur Erbe fallen." (Der letztere Bau bildet also nur eine Kuppel oder Glocke, welche querdurch in der Mitte einen wagerechten, geflochtenen oder gedrehten Strang hat, auf welchem das Männchen während der Nacht oder vor starkem Regen oder glühenden Sonnenstrahlen, Zuflucht suchend, sitzt).

Der letztgenannte Forscher, sowie andere Reisende geben an, daß in jedem Webervogelnest ein Klumpen von Lehm= oder Thonmasse sich befinde, welcher, nach der Meinung der Eingeborenen, den Zweck hat, daß das Männchen Feuer= fliegen oder Leuchtkäfer daran befestige, um zur Nacht das Nest zu erhellen. „Ich habe", sagt er, „dies niemals beobachtet, aber auch nicht ein einziges Nest der Männchen untersucht, an welchem nicht zu beiden Seiten der Sitzstelle ein Klümpchen Lehm angebracht gewesen. Wozu bient dasselbe? Sicherlich nicht zur Befesti= gung des Baues." Jerdon fand in einem solchen Neste an mehreren Stellen vertheilt gegen 3 Unzen Lehm; Bernstein dagegen bemerkt über diese Erscheinung nichts. Man hat sich vielfach den Kopf darüber zerbrochen, welches Bewenden es mit derselben haben könne. Die verschiedensten Erklärungen, welche man zu geben sich bemüht, klingen sämmtlich nicht stichhaltig, namentlich aber nicht die, daß die Lehmmasse den Zweck haben solle, das Nest im Gleichgewicht zu erhalten.

Ueber den gelbbrüstigen Bayaweber berichtet Bernstein ebenfalls: „Von den Eingeborenen des westlichen Java wird dieser von dem eigentlichen Bayaweber nicht bestimmt unterschieden. Er hält sich besonders in den niedrigen, sumpfigen Küstengegenden auf und kommt im Innern des Landes oder in hoch= gelegenen trockenen Gegenden nie vor. Hierin weicht seine Lebensweise von der des andern durchaus ab. Das 10,5 bis 13 cm. hohe und 5,2 bis 7,8 cm. breite, mit einem seitlichen Eingange versehene Nest ist viel kleiner, als das des Baya= webers, auch nicht hängend, sondern ähnlich denen mancher Rohrsänger, an welche es auch in der Bauart erinnert, zwischen einigen Schilf= und Binsenstengeln und Zweigen der Sumpfpflanzen befestigt. Die aus den Morästen der Umgegend von Batavia erhaltenen sind ausschließlich aus den schmalen Blättern verschiedener Sumpfgewächse, besonders aber aus mancherlei Gräsern, hergestellt und enthalten 2 bis 3 Eier." Auch Blyth beschreibt das Nest dieses Webers als nicht hängend oder schwebend ohne den röhrenartigen Eingang, dem des Bayawebers ähnlich und im Schilf stehend. — Nach Jerdon's Angaben ist das Nest des Bengalenwebers ganz ähnlich gebaut.

Das sind, übersichtlich zusammengefaßt, alle Mittheilungen, welche die reisen= den Naturforscher inbetreff des Freilebens dieser vier Webervogelarten gemacht haben. Auch ihre Männchen verfärben sich mit dem Beginn der Brutzeit zum Prachtgefieder, indem sie gelbe Kopfplatten und die verschiedenen Abzeichen ihrer Art erhalten, während sie im Winterkleide ebenso wie die Weibchen schlicht sperlings= grau sind. Nach Blyth tritt die Färbung zum Hochzeitskleide im Monat März ein. Die Heimat des Bayawebers erstreckt sich über ganz Indien nebst den Inseln Java, Ceylon und Malakka. Etwas weniger verbreitet dürfte der Manyarweber sein, indem er im ganzen nördlichen Indien, besonders in Kochinchina und auf Java gefunden ist. Der Bengalenweber ist auf den Südosten Indiens beschränkt. Der gelbbrüstige Bayaweber ist bis jetzt nur auf den Inseln Java und Sumatra beobachtet worden.

Diese vier Arten, welche unter dem Namen Bayaweber in den Handel kommen und dann gewöhnlich garnicht unterschieden werden, gehören zweifellos zu den interessantesten Gästen der Vogelstube, einerseits sind sie nämlich nicht unschön, wenigstens hübscher als ihre nächsten Verwandten, andrerseits zeigen sie sich durchaus friedlich und dritterseits errichten sie auch in der Gefangenschaft wahre Pracht= und Wunderbauten. Umsomehr ist es zu bedauern, daß sie im Handel doch recht selten sind und daher in so hohen Preisen stehen, wie dies in Anbetracht ihrer doch nicht gerade hervorragenden Farbenschönheit sonst nicht der Fall sein würde. Herr Gymnasiallehrer Friedrich Schneider II. in Wittstock schrieb in der „Gefiederten Welt" über eine im November 1873 statt= gehabte Einführung dieser Webervögel in größrer Anzahl folgendes: „Fräulein Christiane Hagenbeck, die jetzt einem Zweige des allbekannten Weltgeschäfts in Hamburg, dem An= und Verkauf fremdländischer Vögel, selbstständig vorsteht, hat es endlich ermöglicht, nach langem, eifrigem Bemühen indische Weber, welche sogar den meisten europäischen Museen fehlen, zu erhalten. Ich habe die Vögel, welche theils im Prachtgefieder, theils im Winterkleide sich befinden, in Augen= schein genommen und einige Pare zur Beobachtung empfangen. Unter Ver= gleichung mit den betreffenden ausgestopften Exemplaren des zoologischen Museums von Berlin und unter Zuhilfenahme der besten Hand= und Lehrbücher habe ich sie festgestellt als Manyar=, Bengalen= und gelbbrüstige Bayaweber. Mir ist kein Fall früherer Einführung dieser Webervögel bekannt, und mit Sicherheit glaube ich behaupten zu dürfen, daß sie in der Gefangenschaft in Europa noch nicht erforscht sind." Hieran will ich nun die Darlegung meiner persönlichen Erfahrungen reihen. Herr Schneider hatte darin recht, daß der weißbäckige Bengalen= und der gelbbrüstige Bayaweber bis dahin wol kaum lebend einge= führt worden, während der eigentliche Bayaweber und der Manyarweber, wenn auch nur selten, so doch von Zeit zu Zeit und in einzelnen Pärchen vorhanden gewesen. Das Verzeichniß des zoologischen Gartens von London führt nur den Manyarweber auf, Jamrach's Liste enthält nur den eigentlichen Bayaweber,

das Verzeichniß des Akklimatisationsgartens von Paris nur den Manyar= und
Bekemans' Liste zeigt garkeinen dieser Webervögel; das Verzeichniß des
Rotterdam'schen Gartens dagegen hat drei Arten aufzuweisen. Schon hieraus
erhellt, wie überaus selten sie zu haben sind. Im Laufe der Jahre erhielt ich
den Baya= und den Manyarweber wol hin und wieder, jedoch meistens nur in
einzelnen Exemplaren und fast regelmäßig todtkrank von den Anstrengungen der
Reise her. Während nun aber Manyar=, Bengalen= und gelbbrüstiger Baya
neuerdings bei den Großhändlern alljährlich verkäuflich gewesen, gehört der eigent=
liche Baya noch immer zu den allerseltensten Erscheinungen des Vogelmarktes. Ein
Pärchen wurde mir im Jahre 1874 von Herrn Direktor Bekemans gesandt;
seitdem hat sie Fräulein Hagenbeck nur hin und wieder einzeln erhalten.
Eine Reihe von Jahren hindurch habe ich alle vier Arten in der Vogelstube
beherbergt und gleichviel, ob sie in Pärchen oder nur in einzelnen Männchen
vorhanden waren, immer haben sie mit großem Eifer ihre kunstvollen Nester
gebaut. Im allgemeinen dürfte feststehen, daß bei allen diesen Webern die
Weibchen ungleich weichlicher sind, als die Männchen; erstere sind durch alle
Vogelhandlungen kaum zu erhalten, die letzteren hingegen werden doch wenigstens
zeitweise angeboten und, wenn man einige Pärchen lauft, die soeben angekommen
und von den Reisebeschwerden noch krankhaft sind, so sterben fast immer die
Weibchen; die Männchen dagegen, die sich viel eher erholen, zeigen sich dann nach
der Eingewöhnung auch ungemein ausdauernd. Man kann sie wie die Blut=
schnäbel viele Jahre hindurch ebensowol im Käfige als auch in der Vogelstube
halten und sie verlieren weder ihre Munterkeit, noch ihre Arbeitslust; nur
muß man sie zuweilen herausfangen, um ihnen die zu lang werdenden Krallen
an den Füßen zu verstutzen. Sie gehören zu den verträglichsten, harmlosen
Vögeln, und ihr rauhes, fortwährend erschallendes schäk, schäk, schäk dürfte die
einzige üble Eigenschaft sein, welche sie dem Vogelfreunde verleiden könnte. Ihr
Liebesspiel gleicht dem des Blutschnabels ebenfalls und besteht also nur darin,
daß sie flügelrüttelnd das Weibchen verfolgen und langgezogene, heisere und
zischende Laute ertönen lassen.

Die in der Vogelstube erbauten Nester weichen im allgemeinen von den in
der Freiheit hergestellten nur insofern ab, als die fremden Baustoffe und die
veränderten Verhältnisse solches bedingen. Während sie regelmäßig die Umrisse
derselben erkennen lassen, hängen sie doch nur selten an einem sehr langen, ge=
drehten Bande herab und gewöhnlich haben sie keine Flugröhre. Von allen
Baustoffen wählen auch diese Weber am liebsten Aloë= oder Agavefasern, und
einerseits dies kräftigere, härtere Material, und andrerseits der Umstand, daß in
der Vogelstube ein rauschender Fluß oder ein wassergefüllter Abgrund nicht vor=
handen ist, begründen es wol, daß die Weber die in jener Nestgestalt sich zeigende

Vorsichtsmaßregel hier meistens als überflüssig erachten. Andere sehr mannigfaltig dargebotene Neststoffe nehmen sie garnicht, obwol auch frische, sowie trockene . Gräser, Kokos= und Bastfasern u. drgl. gegeben werden. Dagegen habe ich be= obachtet, daß die Männchen einundderselben Art blos aus den Agavefasern ab= wechselnd verschiedenartige Nester erbauen.

Eine Anzahl der von diesen Webern in der Vogelstube hergestellten Nester werde ich in dem Theile dieses Werkes, welcher von der Vogelzucht handelt, be= schreiben und in Abbildungen bringen. Hier sei nur bemerkt, daß diese von den Vögeln in der Gefangenschaft gefertigten Nester*) wirklich großes Interesse er= regen und daß es sich daher wol verlohnt, derartige Künstler zu beherbergen. Zugleich sei ausdrücklich hervorgehoben, daß dieselben ihre Kunstbauten sehr emsig anfertigen, auch wenn man nur die Männchen allein halten kann. Der Versuch, den vielen ledigen Männchen in meiner Vogelstube Weibchen des Blut= schnabelwebers zum Ersatz für die fehlenden eigenen zu bieten, hat bis jetzt zu keinem Ergebniß geführt. Dagegen glaube ich doch behaupten zu dürfen, daß die Anwesenheit dieser verwandten Weibchen jene Künstler zu bedeutenderem Eifer anspornt.

Die Brutentwickelung geht in der beim Blutschnabelweber beschriebnen Weise vor sich. Das Jugendkleid des Bayawebers gleicht dem des alten Weibchens, nur sind die Schaftstriche kaum bemerkbar, sodaß also der junge Vogel fahler braun mit grauem Ton des Gefieders erscheint. — Außer diesen wurden in meiner Vogelstube zunächst junge Bengalenweber flügge, doch konnte ich keinen Unterschied zwischen ihnen und den alten Weibchen erkennen. Dann brachten auch die Manyarweber drei Junge zum Ausfliegen. Die Beobachtung aller dieser Bruten ist aber recht schwierig. Ich hatte eine Gesellschaft von 18 Köpfen aller . vier Arten beisammen, unter ihnen nur Weibchen vom Baya= und Bengalenweber, sowie dabei einige Weibchen des Blutschnabelwebers. Während nun die Männchen überall in der Vogelstube, namentlich in einer Fensterecke, überaus eifrig ihre Nester bauten, konnte ich wol bemerken, daß alle Weibchen und übrigens auch andere Vögel, insbesondre Prachtfinken, in den Nestern aus= und einschlüpften; selbst die Vergnügungsnester blieben nicht unbewohnt; der Maskenweber baute vorzugsweise gern seine retortenförmigen Gebilde in dieselben hinein und selbst manche Prachtfinken benutzten sie zur Anlage ihrer Brutstätten. Wenn ich aber von Zeit zu Zeit in den eigentlichen Webernestern nachsah, so fand ich doch meistens nur die kleinen weißen Eier der Prachtfinken, hier und da ein grünlichblaues vom

---

*) Die aus meiner Vogelstube entnommenen Weberbogelnester fanden auf den Aus= stellungen der Geflügel= und Vogelliebhaber=Vereine von Wien, Düsseldorf, Halle, Berlin, London u. a. nicht allein die lebhafteste Theilnahme der Beschauer, sondern sie wurden auch durch Prämien vonseiten der Preisrichter ausgezeichnet.

Blutschnabel, ein blaues vom dottergelben Weber und nur ganz selten ein größres reinweißes oder zart bespritztes von den Bayawebern. Auch die größte Aufmerk= samkeit führte mich im letztern Fall kaum zum guten Ergebniß, denn anstatt der gehofften Brutentwicklung sah ich nichts, da das Ei fast regelmäßig wieder ver= schwand oder im Kampf und Streit herausgeworfen am Boden lag. Erst dann, als ich die Gesellschaft bedeutend verringert hatte, sodaß für die vielen vorhandenen Nester nur verhältnißmäßig wenige Bewohner zurückblieben, kam es zu einigen Bruten, die jedoch so versteckt vonstatten gingen, daß sie kaum der Beobachtung zugänglich waren.

Bei eingehender Untersuchung der zahlreichen Nester in der Vogelstube zeigte sich zunächst jene sonst an den Seiten angeklebte Masse garnicht. Ich hatte, um der Sache auf den Grund zu kommen, diesen Webern feuchten Lehm, sowie auch Moorerde geboten, ohne daß sie, trotz der sehr eifrigen Arbeit an den Nestern, davon Gebrauch machten. Nachdem ich sodann die lange vorhanden gewesene, mehrmals ersetzte und allmälig schmutzig gewordene Lehmmasse hinausgeworfen, fand ich schließlich zu meiner Ueberraschung doch, daß ein alter kräftiger Baya= weber, welcher ein kolossales Brutnest und daneben ein ebenfalls sehr großes Vergnügungsnest errichtet, in diesem letztern zu beiden Seiten jene Klümpchen angebracht hatte; in Ermangelung von Lehm, Thon oder Moorerde hat er dazu theils aufgeweichtes Eierbrot, wie es zur Fütterung verabreicht wird, theils die Entleerungen größerer Vögel benutzt. Dies geschah späterhin mehrmals, und in der Sendung von Webernestern, welche ich zur Londoner Ausstellung schickte, befand sich ebenfalls eins vom Baya mit jenen Klumpen. Dasselbe ist nebst vielen anderen in meiner Sammlung vorhanden.

In der Fütterung und Verpflegung, sowie in allem übrigen wolle man für die Bayaweber das beim Dioch Gesagte als maßgebend erachten, doch fressen sie auch sehr gern allerlei Früchte und namentlich Weintrauben, und eine Zugabe derselben dürfte zur Erhaltung ihrer Gesundheit daher wol nöthig sein. Beim Eierbrot sind sie unliebsame Gäste, denn sie verzehren dasselbe nicht allein, sondern verbrauchen es auch, wie erwähnt, für ihre Nester. Der Preis ist, wie schon erwähnt, verhältnißmäßig hoch; man kann selten ein Pärchen unter 24 Mark laufen und gewöhnlich kostet es 30 Mark.

Der Baya=Webervogel oder eigentliche Bayaweber wird auch blos Baya, sowie Baya=Relikurvi oder Ammerweber (Rchb.) genannt. — Le Tisserin Baya; Baya Weaver-Bird; Common Weaver-Bird (Jamrach); Gewone Wever (holländisch).

Nomenclatur: Ploceus Baya, *Blth.*, *Jerd.*, *Bp.*, *Cl.*; Pl. atrigula, *Hdgs.*, *Gr.*; Pl. philippinus, *Sks.*, *Jerd.*, *Blth.*, *Strckl.*, *Tckll.*, *Bp.*, *Lrd.*, *Tltr.*, *Brg.*; Loxia philippina, *Hmlt*; Euplectes flaviceps, *Hdgs.*; Fringilla bengalensis, *Sndvll.* — Baya in Hindostan (*Hamilton, Jerdon, Blyth*); Chindora und Tal Babie (*Blth.*) und Bawi (*Hmlt., Sundevall*) in Bengalen; Tsa-bo-toung (*Blth.*) in Arrakan; Tokanam Cooroola (*Layard*) Cingalese; Manuk manjar (*Bernstein*) auf Java.

Wissenschaftliche Beschreibung s. S. 266. — Jugendkleid s. S. 273.

Ploceus baya: pileo et occipite flavis, interscapilio humerisque fuscis, plumis singulis late ferrugineo-limbatis; uropygio et supracaudalibus luride ferrugineis, nigro-striolatis; remigibus rectricibusque obscure ferrugineis, exterius flavido-submarginatis; facie-a loris usque ad gulam, lateribusque colli capitisque nigro-fuscis; pectore et hypochondriis luride fuscis, late nigro-striolatis; abdomine sordide albo, subalaribus luride fulvis; infracaudalibus cinereis; iride fusca; rostro nigro; pedibus obscure carneis.

-Juvenis: femellae adultae simillimus, at scapis plumarum vix obscurioribus, quare omnino luride subfusco-cinereus.

Beschreibung des Eies: Farbe reinweiß, Gestalt sehr rund, Schale sehr glatt, mit tiefen, nicht dicht stehenden Poren, ohne allen Glanz; Länge 20 bis 21 mm., Breite 14 mm. (nach Nehrkorn's Angaben Länge 20 mm., Breite 15 mm.).

Ovum: albissimum, rotundum, laevissimum, parce at profunde porosum, pacum.

Der Manyar-Webervogel, Manyarweber oder bloß Manyar, heißt bei Rchb. gelb-köpfiger oder gestrichelter Ammerweber oder Nelikurvi. — Le Tisserin Manyar (Brzchn. d. Aftl.-Grt. v. Paris); Manyar Weaver-Bird (Brzchn. d. zool. Grt. v. London); Tamboer (holländisch).

Nomenclatur: Fringilla Manyar, Hrsf., Lth.; Ploceus Manyar, Hrsf., Mc. Cl., Strckl., Blth., Gr., Jerd., Lrd., Ttlr.; Pl. flaviceps, Cv., Bp.; Pl. striatus, Blth.; Euplectes flaviceps, Sws.; Eupl. bengalensis, Jerd. — Manyar auf Java (Horsfield); Telia Baya in Bengalen (Blth.); Brahminee Baya (Jerd.); Bamani Baya in Hindostan.

Wissenschaftliche Beschreibung s. S. 266.

Ploceus manyar: supra subtusque fuscus striis scaporum obscurioribus; pileo et occipite vitellinis; loris, capitis collique lateribus, mento gulaque fusco-nigris; iride fusca; rostro nigro; pedibus obscure carneis.

Der Bengalen-Webervogel, Bengalenweber, auch bengalischer Bayaweber, indischer Gelbkopfweber (Hagenbeck), wird von Rchb. bengalischer Nelikurvi oder Ammerweber und Bengalist genannt. — Le Tisserin de Bengale; Bengal Weaver-Bird.

Nomenclatur: Loxia bengalensis, L., Lth., Hmlt.; Ploceus bengalensis, Blth., Gr., Ttlr., Bp.; Pl. aureus, Lss.; Loxia regina, Bddrt.; Coccothraustes chrysocephala, Lss.; Euplectes albirostris, Sws.; Eupl. flavigula, Hdgs. — [Le Grosbec des Indes, Buff.; the Bengal Sparrow, Albin; Yellow Indian Sparrow, Edw.]. — Sarbo Baya in Hindostan (Hmlt. und Blth.); Shore Baya und Kantawala in Bengalen (Blth.).

Wissenschaftliche Beschreibung s. S. 267.

Ploceus bengalensis: supra fuscus; pileo luteo; genis, mento gulaque albis; subtus canus fascia lata juguli pectorisque fusca; iride ferruginea; rostro sordide albo; pedibus carneis.

Der gelbbrüstige Baya-Webervogel oder braunhalsiger Bayaweber, wird von Rchb. gelbbäuchiger Kernbeißerweber genannt. — Le Tisserin Baya à cou brun; Brown-necked Baya Weaver-Bird; Javaansche Wever (holländisch).

Nomenclatur: Loxia hypoxantha, Ddn., Sprrm.; Ploceus hypoxanthus, Blth., Bp., Cb.; Pl. philippinus, Strckl.; Fringilla philippina, Hrsf.; Loxia philippina, Rffl. — Manyar Kembang auf Java (Hrsf.); Tampooa bei den Malayen und Pintau auf Sumatra (beides nach Raffles); Manuk manjar auf Java (Bernstein).

Wissenschaftliche Beschreibung s. S. 267.

Ploceus hypoxanthus: supra olivaceo-fuscatus striis scaporum obscurioribus; pileo occipiteque luteis, gula brunnea; loris, capitis lateribus, mento gulaque fusco-nigris; pectore abdomineque luteis; crisso albo; iride fusca; rostro e nigro fusco; pedibus obscure carneis.

Beschreibung des Eies: auf schmutzigweißem, bisweilen ins Grauliche übergehendem Grunde mit einer größern oder geringern Anzahl grauer oder bräunlichgrauer kleiner Flecken gesprenkelt. (Diese sind manchmal wenig deutlich und sehen dann wie ausgebleicht oder ver= waschen aus. Je mehr dies der Fall ist, d. h. je undeutlicher die Flecken sind, umsomehr verschwimmt die Grundfarbe in Grau und umgekehrt ist sie desto weißer, je deutlicher und schärfer begrenzt die Flecke erscheinen. Brnst.) Länge 18 bis 20 mm., Breite 14 mm.

Ovum: sordide album, interdum in cineraceum vergens maculis parvulis plus minus numerosis cinereis vel subfuscis, nonnumquam obsoletissimis, quadere ovum mox canius, mox albius pictum.

**Der olivengrüne Baya=Webervogel** [Ploceus pensilis]. Auf der Insel Madagaskar giebt es eine nahverwandte Art, welche jedoch bis jetzt noch nicht lebend eingeführt ist, trotzdem in den letzteren Jahren gerade die Vögel jener Insel in unseren Sammlungen häufiger und zahlreicher als jemals erscheinen; so z. B. der grauköpfige Zwergpapagei, welcher, bis dahin zu den seltensten Stuben= vögeln gehörend, gegenwärtig einer der gewöhnlichsten ist. Der olivengrüne Weber muß wol in seiner Heimat in überaus geringer Anzahl vorkommen, denn er fehlt den meisten zoologischen Museen. Er ist ein schlicht olivengrün gefärbter Vogel mit schwarzem Oberkopf und Hals, der also keine besondre Schönheit zeigt, sich aber durch ein vorzugsweise kunstfertiges, retortenförmiges Nest auszeichnet. Die Nester werden gesellig zu 5 bis 100 Stück an einem Baume hängend erbaut. Sollte dieser Weber vor der Be= endigung meines Werkes noch lebend eingeführt werden, so lasse ich im Anhange seine eingehende Beschreibung nebst Abbildung folgen, andernfalls genügt wol die Erwähnung. — Loxia pensilis, *Gml.*; L. nelicurvi, *Scp.*; Ploceus nelicurvi, *Gr.*; Nelicurvius pensilis, *Bp.*, *Hrtl.*, *Rchb.* — Le Nelicourvi de Madagascar, *Snn.*

### Die eigentlichen Sperlings=Webervögel.

(Der Mahali=Sperlingsweber [Ploceus mahali], der Augenbrauen = Sperlingsweber [P. superciliosus], der schwarzschnäbelige Sperlingsweber [P. melanorrhynchus], der bärtige Sperlingsweber [P. pectoralis], sämmtlich auch=Mahaliweber genannt).

Diese schlicht gefärbten, wenig ansehnlichen Vögel, von etwas beträchtlicherer Größe als der Haussperling, kommen zeitweise in den Handel, ohne daß sie eine besondre Beachtung finden. Auch sind sie fast immer nur in einzelnen Exemplaren vorhanden, sodaß man Versuche mit ihrer wahrscheinlich überaus interessanten Züchtung nicht anstellen kann. Ich sah die erste und zweite Art im Laufe der Jahre hin und wieder im Berliner Aquarium und ein Männchen der britten Art lebt noch gegenwärtig dort. In gleicher Weise mögen diese Vögel bisher mehr= fach eingeführt sein, ohne daß die Händler sie gekannt und recht beachtet haben, wie dies bei unansehnlichen Vögeln nicht selten der Fall ist, indem man sie fort= giebt, ohne sich um ihre Eigenthümlichkeiten zu bekümmern. Ob man ein Recht dazu hat, sie zu den Webern mitzuzählen, erscheint mir fraglich, da es jedoch von allen Systematikern geschieht, so muß auch ich es thun. Jedenfalls bilden sie aber ein Mittelglied zwischen den zuletzt beschriebenen eigentlichen Webervögeln und den Sperlingen.

Der Mahali-Sperlingsweber, als der bekannteste, sei zunächst ge= schildert. Er ist an der ganzen Oberseite hellbraun; Oberkopf dunkelbraun, an jeder Seite der Stirn, vom braunen Zügel bis zu den Schläfen ein breiter, weißer Streif; Kopfseiten braun, am hellbraunen Halse von einem schwärzlichen Streifen begrenzt; Flügeldecken, Schwingen und obere Schwanzseite dunkel grünlichbraun, jede Feder mit fahlem Außensaum, über jedem Flügel zwei breite, weiße Querbinden. Seine Verbreitung soll sich vom Süden aus über einen Theil des Westens von Afrika erstrecken. Inbetreff seines Freilebens ist wenig bekannt. Smith fand die Nester kolonienweise zu zwanzig bis dreißig beisammen auf einem Baum, von außen aus Gräsern geflochten, deren Halmen= enden mehr als daumenbreit hervorragten, sodaß ein solcher Bau mit einem Stachel= schwein Aehnlichkeit hat, dessen Stacheln aufrecht gesträubt sind. In Hinsicht der Lebensweise erscheinen die Vögel als Weber, während sie in Färbung und Zeich= nung Sperlingen gleichen. Ahres bestätigt im allgemeinen diese Angaben und ergänzt sie noch in folgendem: „Die auf userm Ausfluge nach Limpopo ge= fundenen Nester, welche sehr roh aus Grashalmen mit herausstehenden Spitzen geformt waren, von retortenartiger Gestalt und mit zwei kurzen, von unten heraufführenden Eingangsröhren, zeigen zwischen diesen eine so flache Niftmulde, daß die Eier zweifellos herausgeworfen werden müssen, wenn der Wind die oft an den äußersten Zweigspitzen befindlichen Nester hin= und herschaukelt. Der Vogel ist in waldigen Gegenden überaus häufig, während ich ihn im offenen Lande nicht gefunden habe."

Der Augenbrauen=Sperlingsweber ist oberhalb röthlichbraungrau, unter= halb weißlichgrau; Augenbrauen, Streifchen unter dem Auge und Kehle weiß, Schnurrbart parallel absteigend, unterwärts breiter und buchtig, Oberkopf und Wangen kastanienbraun. Flügeldecken=Unterwand weiß, Außenwand der Schwingen gelblich, Schwanz unten bläulichgrau. Schnabel graulich; Beine blaß bräunlich. (Reichenbach). „Er ist", sagt Heuglin, „Standvogel in Abessinien, den Bogosländern, am südlichen Takah, Ostsenar und am blauen und weißen Nil. Dort lebt er in der Steppe, wo viel Baumschlag ist, wie auf Blößen in der eigentlichen Waldregion, wol nicht über 2000 Meter hoch gehend, meistens in Pärchen oder in kleinen Gesellschaften von 3 bis 6 Stück, die sich auf Bäumen, Gesträuch, Hecken und auf Stoppelfeldern aufhalten. Der Lockton ist ein scharfes Zirpen, ähnlich dem der meisten Webervögel. Die ziem= lich kunstreichen Nester stehen oder hängen zwischen dornigen Akazienästen in un= gefähr 5 bis 8 Meter Höhe und sind sehr groß, backofenförmig aus dürrem Gras gebaut und innen mit Federn und anderen weichen Stoffen ausgekleidet; das Schlupfloch ist seitwärts nach unten geneigt und meistens noch besonders überdacht. Manche Nester haben zwei Eingänge und bienen wol den Männchen als Aufenthaltsort. Am 24. September 1861 fand ich ein Gelege mit zwei

stark bebrüteten, feinschaligen Eiern, welche röthlichweiß mit kleinen, sehr ver=
waschenen, gegen das stumpfe Ende mehr zusammengebrängten, hell rosenroftfarbigen
Strichelchen und Fleckchen gezeichnet sind. Gewöhnlich trägt ein Baum mehrere
Nester, welche sich jedoch bezüglich ihrer Lage von denen der eigentlichen Weber=
vögel unterscheiden, indem sie mehr im Innern der Baumkrone oder mehr am
Gipfel, nicht aber an den Enben schwanker Zweige, angebracht sind. Manche
dieser Baue scheinen nicht zum Brüten bestimmt zu sein.“

Der schwarzschnäbelige Sperlingsweber „ist kleiner und schlanker als
der Mahali, lebhafter gefärbt mit schwächerm, dunklerm Schnabel, längeren, dunkleren Backen=
streifen, reinweißem Unterleib und graubraunen, nicht weißlichen Unterflügeldeckfedern. Rüppell
erhielt ihn aus Schoa; ich fand ihn am obern weißen Nil, in der Gegend von Amob und
Gaba=Schembil und am Sobat im Dezember und Januar. Hier lebt er parweise und in
Familien auf Lichtungen und in der Waldregion, auf Bäumen und im Gebüsch. Ob er wandert,
kann ich nicht angeben“. (Heuglin). — Ploceus melanorrhynchus: similis Pl. mahali,
sed minor et gracilior, latius pictus; stria malari longiore et obscuriore; gastraeo
albissimo; tectricibus subalaribus cinereo-fuscis, hand albidis; rostro obscuriore.

Der bärtige Sperlingsweber unterscheidet sich von dem vorigen durch grau=
braune Strichelung des Kropfes, durch hell roftbraune Kopfseiten, die nach unten zu schwarz
eingefaßt sind. Professor Peters hatte aus Mosambik ein Exemplar mitgebracht,
welches im Berliner Museum steht und nach welchem Finsch und Hartlaub
die Beschreibung gegeben. Die Verbreitung ist vermuthlich eine weiter ausge=
dehnte, sagen die letztgenannten Forscher. Näheres ist nicht bekannt und hiermit
dürfte alles Wissenswerthe über diese Vögel auch erschöpft sein, mindestens bis
zu der Zeit, in welcher sie häufiger eingeführt werden und in der Gefangenschaft
beobachtet, bzl. gezüchtet sind.

In den Verzeichnissen der Händler sind sie nicht vorhanden. Ebenso fehlen
sie aber auch in den Listen der zoologischen Gärten.

Der Mahali=Sperlingsweber wird auch blos Mahali und Mahali=Philagrus (Rchb.)
genannt. — Nomenclatur: Plocepasser mahali, Smth., Gr., Bp., Lyrd., Antn.;
Leucophrys pileatus, Sws.; Ploceus haematocephalus, Lchtst.; Agrophilus haematocephalus, Nomencl. Mus. Berol.; Plocepasser pileatus, Gr.; Philagrus mahali, Cb.,
Hgl. — Wissenschaftliche Beschreibung s. S. 277. — Ploceus mahali: notaeo, genis,
regione parotica subbadio-cineraceis; pileo lorisque fusco-nigricantibus; stria malari
subcano-umbria, altera superciliari lata, uropygio, supracaudalibus guttureque albis;
gastraeo reliquo et subalaribus sordide subfulvo-albidis; alis fusmosis, pogonio scapularium externo latius, remigum strictius albo-marginato, alar. tectricibus late albo-
terminatis; apice parteque pogonio externo rectricum umbrino-fuscarum latius magisque
conspicue albo-marginatis. Iride rubro-aurantia; rostro et pedibus luride corneis. —
Länge 16,4 cm. (6½ Zoll); Flügel 9,8 cm. (3¾ Z.); Schwanz 6,1 cm. (2⅓ Z.).

Der Augenbrauen=Sperlingsweber heißt bei Rchb. Augenbrauen=Philagrus. —
Nomenclatur: Ploceus superciliosus, Rpp., Lss.; Plocepasser.superciliosus, Rpp.,
Hgl., Lfbr., Hrtl.; Philagrus superciliosus, Cb., Hg.-Wrth., Antn.; Agrophilus super-
ciliosus, Sws., Alln.; Pyrgita Rueppellii, Bp. — Wissenschaftliche Beschreibung s. S. 277. —
Ploceus superciliosus: supra pallide umbrinus, pileo et cervice laete cinnamomeo-
rufis; stria superciliari conspicua alteraque mystacali albis; gula albida, lateraliter

conspicue e fusco nigricante-cincta; tectricibus alar. minoribus fumosis, late et circum-scripte albido-terminatis; rectricibus supra dorso concoloribus, subtus subfumoso-canis; gastraeo sordide canescente-albo, hypochondriis et pectoris lateribus magis e fusces-cente cano-lavatis; subalaribus et subcaudalibus sordide albis. *Iride* rufo-fusca; rostro et pedibus rufescente-corneis. — Länge 16,4 — 18,3 $^{cm.}$ (6$^{1}/_{4}$ — 7 Zoll); Flügel 8,7 — 9,1 $^{cm.}$ (3$^{1}/_{3}$ — 3$^{1}/_{2}$ Z.); Schwanz 6,3 $^{cm.}$ (2$^{5}/_{12}$ Z.).

Der **schwarzschnäbelige-Sperlingsweber** hat diesen Namen von Th. v. Heuglin erhalten. — **Nomenclatur:** Plocepasser melanorrhynchus, *Rpp.*, *Bp.*, *Hgl.* [nec *Lchtst.*]; Philagrus melanorrhynchus, *Cb.*, *Hgl.*, *Fnsch.* et *Hrtl.* [Plocepasser superciliosus, *Lfbr.*, nec *Rpp.*, nec *Sws.*]. — Wissenschaftliche Beschreibung s. S. 278.

Der **bärtige Sperlingsweber** hat keinen weiteren deutschen Namen. — **Nomen-clatur:** Philagrus pectoralis, *Ptrs.*, *Fnsch.* et *Hrtl.*, *Hgl.* [Agrophilus melanorrhynchus, *Lchtst.*]. — Wissenschaftliche Beschreibung s. S. 278.

**Der Kolonie-Webervogel** [Ploceus socius]. Auch er muß, obwol noch auf-fallender als Sperling erscheinend, wenigstens vorläufig zu den Webern gezählt werden, weil die Afrikareisenden ihn unter dieselben einreihen. Für die Lieb-haberei hat er noch keine Bedeutung, da er bis jetzt wol noch nicht lebend ein-geführt worden. Sobald aber seine Heimat, das Innere Afrikas, dem europäischen Verkehr mehr erschlossen ist, wird auch er hoffentlich in unseren Vogelstuben er-scheinen und dann zweifellos großes Interesse durch seine Nesteransiedelungen er-wecken. Deßhalb sei er hier berücksichtigt. In Hinsicht seiner äußerlichen Schön-heit kann dies allerdings nicht der Fall sein, denn er gehört wiederum zu den schlicht gefärbten Vögeln. Er ist am Oberkopf, Halsseiten nebst Vorderhals und Brust ein-farbig erdgrau, nur der Oberkopf ist verloschen und fein dunkel gefleckt; ein kleines Fleckchen vor jedem Auge und die Umgebung des Unterschnabels schwarz; Genick und Rücken erdgrau und schwarz gewellt; Flügeldecken, Schwingen und Schwanzfedern dunkelbraun und blaß erdgrau gesäumt; Bauchseitenfedern schwärzlich, blaß gesäumt. Schnabel und Füße blaßgrau hornfarbig — Weibchen am Rücken heller. — Junge haben einen braungestrichelten Kopf und das Schwarz an den Bauchseiten wie um den Unterschnabel fehlt. (Reichenbach). Das Alters-kleid erleidet keinen Farbenwechsel mehr. Größe etwa des Haussperlings. Die Nahrung be-steht in Sämereien und Insekten. Diese Vögel erbauen ihre Nester gesellig, zu vielen unter einem gemeinschaftlichen Dache beisammen. Zunächst errichten sie das letztre aus festen Gräsern und zwar in der Weise, daß von diesem Dachbau einige starke Zweige, zuweilen sogar ein Theil eines großen Astes, umgeben und eingearbeitet sind. Dann stellt jedes Pärchen ebenfalls aus Gras sein eignes Nest so her, daß eins neben dem andern steht. Wenn sie alle fertig sind, so erscheinen sie von unten als eine Fläche mit den kreisrunden Oeffnungen zum Einschlüpfen. Jedes Nest wird nur einmal benutzt, denn zu jeder Brütezeit erbaut jedes Paar ein neues unterhalb des alten. In dieser Weise wächst die Zahl der Nester alljähr-lich an, bis ihre Masse so schwer wird, daß sie sämmtlich herabfallen, worauf die Vögel dann einen neuen Brutplatz aufsuchen. Die Ansiedelungen werden immer auf großen, hohen Bäumen errichtet, nur wo diese nicht vorhanden sind, benützen die Vögel auch die baumartige Aloë. Das Weibchen legt drei bis vier bläulichweiße, am dickern Ende fein braun getüpfelte Eier. (Nach A. Smith, welcher die erste Beschreibung gegeben). Ein andrer Reisender, Ayres, giebt Aehnliches an. „Unter dem vollkommen wasserdichten Dache befindet sich eine überaus un= regelmäßige Nestansiedelung, deren Gesammtmasse von einer Schubkarren= bis zu einer Wagenladung schwankt; auf einzelnen Bäumen findet man auch wol drei bis vier Nestkolonien, jede von mehr als 1 Meter Durchmesser. Die einzelnen Kämmerchen haben untereinander keine Verbindung, und die Schlupflöcher sind so eng, daß man mit der Hand kaum hineingelangen kann. Das eigentliche Nest ist mit Federn dick ausgepolstert. Es wird nicht allein für die Brut, sondern auch nach derselben zum Schlafen des Nachts benutzt. Denn in einer Ansiedelung am Waalflusse, wo die Nester auf Kameeldornbäumen standen, sah ich die Vögel in denselben im Juli, zu welcher Zeit die Bruten längst vorüber waren. Im Februar schnitt ich einige Nester ab und sah, daß die Jungen schon größtentheils ausgeflogen waren. In einer Zelle fand ich noch zwei unbefiederte Junge und ein nicht bebrütetes Ei, welches grauweiß und mit sepiabraunen Flecken gezeichnet war." Nähere Angaben sind bis jetzt nicht vorhanden und ich kann auch bei diesem Vogel nur das Versprechen wiederholen, daß ich ihn im Nachtrage schildern will, wenn er noch zeitig genug eingeführt wird.

Der Kolonie=Webervogel, auch Siedelweber, Gesellschaftsweber und ge= selliger Nestfink (Rchb.) genannt, hat folgende Nomenklatur: Loxia socia, *Lth.*; Ploceus Patersoni, *Lss.*; Euplectes lepidus, *Sws.*; Philetaerus lepidus, *Smth.*, *Ptrsn.*; Philetaerus socius, *Strckl.*

\* \* \*

Zu den **Gelb=Webervögeln** [Hyphantornis, *Gr.*], auch Edelweber genannt, müssen wir einige der größten und zugleich die kleinsten der lebend eingeführten Webervögel zählen. Abgesehen von dem Körperbau, zeichnen sie sich dadurch aus, daß sie fast sämmtlich am umfangreichsten Theile des Gefieders grünlich=, hoch= bis goldgelb gefärbt sind, im Prachtkleide in der Regel mit schwarzem oder braunem Kopf. Sie leben zu jeder Zeit gesellig beisammen und nisten ebenso kolonienweise, sodaß man einzelne Nester kaum findet; auch lieben sie die Nähe der Menschen und sie bewohnen dem Haussperlinge gleich sehr häufig die Ortschaften. „Eine Oertlichkeit," sagt Dr. Reichenow, „in welcher Gebüsch mit freien Stellen abwechselt, hin und wieder mit einem höhern, Umschau gestattenden Baume besetzt, bildet ihren bevorzugten Aufenthaltsort." Dagegen traf er aber auch in den Walddörfern des Kamerungebirgs bis zu einer Höhe von 1255 M. einige Arten als regelmäßige Ansiedler, welche ihre Bauten an die Kokuspalmen und sogar an die Spitzen der Pisangblätter hängen. Die Nester unterscheiden sich im allgemeinen sowol von den beutelartigen Gebilden der Feuerweber, als auch von den retortenartigen oder lang= röhrigen der Bayaweber. Ob sie als Zug= oder nur als Strichvögel leben, ist bis jetzt noch nicht festgestellt. Gleich den meisten der anderen Weber und vielen Sperlingsvögeln überhaupt, sammeln sie sich zeitweise wandernd zu ungeheuren Schwärmen an und verursachen dann nicht selten be= trächtlichen Schaden in Getreidefeldern, von denen sie durch besondere Vorrichtungen verscheucht werden. Mit dem Beginn der Regenzeit kehren sie nach ihren Nistbäumen zurück, bewohnen die alten Nester oder erbauen neue und erziehen zwei oder drei Bruten. Die verschieden= artigen Nester werde ich bei jeder einzelnen Art oder späterhin bei der Züchtung beschreiben. Es sind überaus lebhafte, kräftige und starke Vögel. Ihr Liebesspiel ist seltsam, indem sie mit

zitternden Flügeln allerlei wunderliche Stellungen annehmen und, das Weibchen jagend, flügel=
schlagend und das Gefieder sträubend, ihren zirpenden, schnarrenden, zischenden und gackernden
Sang eifrig erschallen lassen. Einen bemertbaren melodischen Gesang haben sie nicht. Nur das
Männchen allein webt ein Nest oder auch mehrere hintereinander; besondere sog. Vergnügungsbauten
errichtet es aber nicht immer. Das Weibchen brütet allein und füttert ebenso ohne die Hülfe des
erstern die Jungen auf. Man darf wol mit ziemlicher Bestimmtheit glauben, daß die größeren Arten -
in Vielehe leben. Die Gestalt der Nester ist bei der Mehrzahl oval, mit kreisrundem Einflugloch
von unten hinauf an einer Seite und mit einem ganz erstaunlich dichten und festen Dache, während
das Lager für die Eier so leicht und luftig ist, daß man dieselben von unten herauf sehen kann.
Die Art und Weise des Bauens kann man ebensowol Flechten als Weben nennen; immer hat
das Nest Aehnlichkeit mit einem Korbe. Näheres über das Freileben werde ich bei jeder einzelnen
Art berichten.

Jn der Vogelstube leben die verschiedenen Arten mindestens duldsam beisammen; wenn
auch immerwährend Zank und Streit unter ihnen herrscht, so erbauen sie doch neben einander
ihre Nester und ziehen ihre Jungen auf. Zu den großen Gelbwebern darf man keine kleinen
Vögel, insbesondere keine Prachtfinken bringen, denn sie fressen aus deren Nestern mit Vorliebe
die Jungen und tödten auch die Alten selber, sobald letztere schwächlich und kränklich sind. Mehr=
mals nisteten Männchen des Textor=, Fuchs= und goldstirnigen Webers in der Vogelstube mit
zwei oder drei Weibchen zugleich. Zur Herstellung des Nestes wird fast immer zuerst ein wage=
recht stehender Ring geflochten und um denselben herum das Nest geformt. Auch die von meinen
Gelbwebern im Laufe der Zeit sehr zahlreich und mannigfaltig erbauten Nester sollen in dem Theile
dieses Werkes, welcher die Züchtung der Vögel behandelt, abgebildet und eingehend beschrieben werden.
Jm allgemeinen sei nur noch bemerkt, daß in der Vogelstube alle Arten dieser Weber vorzugsweise
leicht und sicher nisten und zwar erbauen sie ihre Nester zu jeder Jahreszeit mit gleichem Eifer,
ob sie im Prachtgefieder sich befinden oder nicht. Man hat behauptet, daß sie besonders gern mit
langen, frischen oder wol gar mit aufgeweichten Grashalmen arbeiten. Jch kann jedoch versichern,
daß alle, mit wenigen Ausnahmen, sobald sie Kokosfasern oder auch nur Kokosfasern haben, Gras=
blätter ganz unberührt lassen und nur Grasrispen zur Verdichtung des Daches nehmen. Die
Textorweber errichteten das gewaltig dicke Dach am liebsten aus selbst abgerissenen Streifen von
Rohr= oder Schilfblättern. Die Fütterung stimmt mit der aller anderen Webervögel überein,
nur versäume man nicht, vom Beginn der Färbung an auch Mischfutter aus Ameisenpuppen
und Eierbrot, sowie möglichst viele Mehlwürmer und in Ermangelung derer Maikäfer, allerlei
Raupen, kleine Schnecken, Gewürm u. drgl. zu geben. Als angenehme Käfigvögel vermag ich die
größeren Arten dieser Weber wahrlich nicht zu bezeichnen. Jhr Zischen und Gackern kann selbst den
abgehärteten Liebhaber zur Verzweiflung bringen. Jn einer entsprechend eingerichteten Vogelstube
dagegen oder noch besser in einem sehr großen Flugkäfige oder in einem Vogelhause, beide letzieren
am besten draußen stehend, können sie wol Interesse erregen und viele Freude bereiten. Die Preise
sind je nach der Seltenheit sehr verschieden; von den gewöhnlicheren Arten bezahlt man das
Pärchen mit 18 bis 24 Mark, während die selteneren wol 60 Mark und darüber kosten.

## Der schwarzköpfige oder Textor=Webervogel [Ploceus melanocephalus].
### Tafel X. Vogel 49.

Jn früherer Zeit bezeichnete man diesen, einen der größeren unter den zu uns
gelangenden, als den eigentlichen oder gemeinen Webervogel, Benennungen,
die freilich auch für den Blutschnabel, als den im Handel am häufigsten, und
für die Bayaweber, als die bekanntesten Künstler unter allen, Geltung haben.
Der Textor möge also seinen von den Fasern, welche er verarbeitet, abgeleiteten
Namen beibehalten.

Er ist kein regelmäßiger Gast des Vogelmarkts, doch auch keineswegs selten, indem er alljährlich und manchmal sogar in erheblicher Anzahl eingeführt wird und sich zugleich vortrefflich erhält, sodaß man einzelne Pärchen fast immer in den Handlungen vorräthig finden kann. Als Stubenvogel hat er eigentlich nur eine geringe Bedeutung, denn sein S. 281 bereits erwähntes Liebesspiel ist im Zimmer kaum zu ertragen; außerdem kann er auch seiner Räubereien wegen, wie weiterhin ausgeführt, in allen Züchtungsanstalten nicht geduldet werden. Ueberaus interessant aber zeigt sich eine Gesellschaft dieser und der nächstfolgenden Arten zusammen in einem möglichst weiten Raume, wo sie eifrig ihre künstlichen Nester erbauen und dann, namentlich in der Nistzeit, ein bezeichnendes, wechselvolles Bild des Webervogel-Lebens entfalten. In umfangreichen Volièren, welche im Freien stehen, dürfen sie umsomehr als die willkommensten Bewohner angesehen werden, da sie einerseits durch ihre zahlreichen Nester denselben einen dauernden Schmuck geben und da sie andrerseits durch ihre ansprechenden Farben, ihre Lebendigkeit und rastlose Geschäftigkeit zu den beliebtesten Erscheinungen gehören. Vorzugsweise werthvoll aber sind sie durch ihre lebenskräftige Ausdauer, welche sie sogar unsern harten Winter in einem nur gegen die ärgsten Unbilden der Witterung geschützten Flugkäfige draußen gut überstehen läßt, während sie im Zimmer geradezu unverwüstlich sich zeigen.

Im Prachtgefieder ist der Oberkopf nebst Gesicht und Kehle tiefschwarz und diese Färbung erstreckt sich in einer scharfen Spitze bis auf die Oberbrust. Der Nacken und Vorderhals sind dunkelbraun; der ganze Oberkörper ist schwarz und erscheint gelb gestreift durch breite Säumung der dunkelen Federn; die Unterbrust ist bräunlichgelb und der ganze Unterkörper einschließlich der inneren Flügelseiten ist schön hellgelb. Das grelle gelbe Auge ist sehr auffallend. Das Weibchen ist oberhalb gelblichgrün, unterhalb heller, fast reingelb; Auge dunkel. Das Männchen im Winterkleide ist fast ganz übereinstimmend, im wesentlichen nur durch das hellere Auge verschieden. Etwa so groß als ein Edelfink, doch schlanker.

Seine Heimat ist Westafrika und die Verbreitung erstreckt sich über die mittleren Länder desselben, besonders Senegambien und Guinea, Joruba, Fernando=Po, Angola, Kamerun, Ogobäi, Mundo; von hier aus durchs Innere von Mittel=afrika bis nach dem Nordosten, wo er allerdings weniger häufig vorkommt. Er ist somit nach Hartlaub die am weitesten verbreitete Art unter den Webervögeln von Westafrika. Prinz v. Würtemberg und Hedenborg erlegten ihn in Bertat, Senar und am untern weißen Nil; Antinori will — wie Heuglin bemerkt — zwei Junge im Ostsenar gesammelt haben. Der letzte Forscher selbst hatte niemals Gelegenheit, ihn zu beobachten; er glaubt aber, daß der Textor als Zugvogel zur Regenzeit vom Süden her in Fazoql, Senar und vielleicht auch im warmen Abessinien einwandert. Diese dürftigen Angaben waren bisher Alles, was über ihn vorlag, und die Züchtung in der Gefangenschaft hat daher wie bei vielen anderen, so auch bei diesem Vogel früher die Entwicklungs= geschichte erforscht, als dies den Reisenden in seiner Heimat gelungen. Neuerdings erst hat Dr. Reichenow folgende Schilderung gegeben: „Die gemeinste Art, der häufigste Weber in Westafrika überhaupt, ist er. Ich habe kein Negerdorf betreten, in welchem er gefehlt hätte, wo nicht die Kokuspalmen behängt waren mit den Nestern dieses schönen Vogels, der ebenso durch sein Gefieder, wie durch sein muntres Wesen ergötzt. Wie kein andrer versteht er es, an den verschiedensten Oertlichkeiten sich einzurichten und die Verhältnisse zu benutzen. Obwol er die Ortschaften vorzugsweise aufsucht und in ihnen am liebsten sich anzusiedeln scheint, fehlt er doch auch an den oben erwähnten, allen Gelbweber=Arten besonders zusagenden Stellen nicht. (Vrgl. S. 280). Höchst mannigfach ist die Wahl des Nistorts. So fand ich bei Akkra auch kleine Kolonien an niedrigen Dornbüschen, mit denen des dottergelben Webers zusammen. Nicht minder bemerkenswerth war das Nisten am obern Kamerunfluß. Der Urwald ist hier von den Ufern verschwunden; üppige Pisangplantagen sind an seine Stelle getreten. Nur einzelne der kolossalen Bäume, aus denen die Eingeborenen ihre Kanoes machen, haben dem verheerenden Feuer Widerstand geleistet, und obwol des Lebens beraubt, erheben sie noch majestätisch, Wind und Wetter trotzend, ihre kahlen Häupter. Hohe Bäume am Ufer eines großen fischreichen Flusses — wo können Raubvögel bessere Brutplätze finden? Jeder derselben enthält denn auch einen Horst des Schmarotzer=Milans oder des Angola=Adlers; um diese herum aber hängen zahlreich die Nester der Webervögel. Unter den Klauen der Räuber treiben die klugen Vögel ihr Wesen, wol wissend, daß jene zu unbeholfen sind, um ihnen gefährlich zu werden; auch fühlen sie wol die Sicherheit, welche die Nähe der großen Wegelagerer gegen kleines, schnelleres Raubgesindel gewährt. . . . Wieder in andrer Weise traf ich unsern Vogel am Buri nistend. Hier hingen seine Nester unter großen Kolonien des schwarzen Webers in geringer Höhe über dem Wasser an überragenden Zweigen niederer Gebüsche des Ufers. . . . So ver= schieden aber auch der Standort oder vielmehr Hängeort der Nester ist, diese selbst bleiben in Gestalt und Bau immer gleich. Die erstre ist kugelig, etwas länger als breit und hoch mit seitlich unten befindlichem Schlupfloch, an dem ein kurzer Röhrenansatz sich befindet. Oben ist das Nest in eine Spitze ausgezogen und mit derselben an einem Zweige oder sonstigen Aufhängepunkte befestigt. Zum Bau wird sehr grobes, flaches Gras verwendet und zwar, wie von mehreren Gelbweberarten, frisches Gras. Letztres scheint mir bisher noch nicht beobachtet zu sein. Ueber die Lebensweise des bekannten, auch in Nordostafrika häufigen Vogels habe ich nichts weiter hinzuzufügen; nur möchte die Beobachtung vielleicht

neu fein, daß die Eier mit dem Alter abändern (f. wiſſenſchaftliche Beſchreibung).
Zwei, ſelten drei Eier bilden das Gelege. Bei Affra und Obokobi ſah ich im
Auguſt ausgeflogene Junge und friſch begonnene Neſter einer neuen Brut. —
In den Kamarunbergen fand ich ihn bis zu 1255 Meter Höhe."

Mit Sicherheit vermag ich nicht anzugeben, ob die Brut des Textorwebers
im Berliner Aquarium oder in meiner Vogelſtube zuerſt mit glücklichem Erfolge
vor ſich gegangen. Im erſtern wurden in einem geräumigen Käfige beiſammen
eine große Anzahl Webervögel von drei Arten (Textor=, Larven= und Fuchsweber)
gehalten, welche nach meiner Ueberzeugung ſämmtlich Männchen waren und die
trotzdem in förmlichem Wetteifer Neſter erbauten. Als man nach geraumer
Friſt Weibchen hinzubrachte, entſtand ungeheure Aufregung, es wurden harte
Kämpfe ausgefochten und nur ſelten gelangte eine Brut von einem Jungen zum
Flüggewerden. Auch ſpäterhin, als man noch mehrere Weibchen angeſchafft,
konnte wol von immer regerm Neſtbau, doch keinenfalls von ergiebigerm Niſten
die Rede ſein. So hübſch die vielen ſtattlichen Webervogelneſter ſodann aus=
ſahen, und ſo ſehr ſie dem ganzen Aquarium zum Schmuck gereichten — gerade
dieſer Käfig mußte jedem einſichtsvollen Züchter trotzdem doch zweifellos als ein
abſchreckendes Beiſpiel erſcheinen, für eine völlig verfehlte Vogelzucht. Hier traten
die ſchlimmſten Fehler zutage: Selbſt bei geſellig niſtenden Vögeln darf man
nicht, wie es hier geſchehen, den Zuchtraum übervölkern. Ueberzählige Exemplare
ſollten niemals vorhanden ſein, am allerwenigſten aber überzählige Männchen
bei den in Vielweiberei lebenden Arten. Schließlich verringert ſich der Ertrag
der Bruten in jeder Zuchtanſtalt bedeutſam, wenn die Vögel jahraus und =ein
immer in demſelben Raume verbleiben; naturgemäßerweiſe ſoll man, namentlich
Zugvögel, zeitweiſe in eine andre Oertlichkeit bringen und dann auch die Fütterung
zweckentſprechend einrichten. Als im Laufe der Zeit viele von den Webervögeln
eingegangen waren und dann unter der Direktion des Herrn Dr. Hermes eine
Anzahl Weibchen neu beſchafft wurden, konnte man beobachten, daß in jenem,
aller Welt bekannten Käfige, ſeit Jahren zum erſtenmale zahlreiche Neſter ergiebige
Bruten von vier bis ſechs Jungen enthielten, die auch wirklich flügge wurden.

In meiner Vogelſtube erbaute das erſte Pärchen zwei Neſter und zwar
übereinanderſtehend, das untere als Brut= und das obere als ſog. Vergnügungsneſt,
in welchem letztern das Männchen die Nacht zubrachte. Während dieſelben im
Berliner Aquarium in der erſten Zeit vorzugsweiſe aus Kokusfaſern hergeſtellt
worden, geſchah dies bei mir beſonders aus den Riſpen verſchiedener für die Pracht=
finken dargebotenen Gräſer, und daraus wurde ein ungemein dichtes, förmlich
gefilztes Dach gefertigt, welches in ſchöner Rundung und innen ſauber geglättet
eine länglichrunde Geſtalt und nach unten etwa zu zwei Dritteln eine Höhlung hat,
das letzte Drittel dagegen für den Eingang von unten herauf freiläßt. Oberhalb

und rings um das Schlupfloch ist das Dach vornämlich mit Bastfäden und Agavefasern befestigt. Die Höhlung oder das flache Lager, auf welchem die Eier ausgebrütet werden, erscheint als ein ziemlich weitmaschiges, aus festen Grasstengeln und Agavefasern zusammengeflochtnes Gewebe. Das zweite Nest ist viel kleiner, hat ein ebenso stark gefilztes Dach aus denselben Gräsern, deren Rispen aber so gestellt sind, daß sie dicht gedrängt eine förmliche Decke oberhalb des Schlupfloches bilden. Die Mulde ist noch weit loser und großmaschiger; ein starker, vielfach umwundener Zweig der Gabel, in der das Nest hängt, dient dem Vogel zum Sitz, welcher letztre bei dem Brutneste fehlt. Alle auch späterhin bei mir und ebenso die in der Vogelstube des Herrn Graf Yorck von Wartenburg, sowie die im Berliner Aquarium gebauten Nester dieser Weberart zeigten übereinstimmend dieselbe vorhin beschriebne Gestalt; abweichend von einander waren sie nur darin, daß sie zuweilen den mehr oder minder beträchtlichen Ansatz einer Flugröhre von unten herauf hatten. Immer aber standen sie zwischen Ruten und dünneren oder stärkeren Aesten eingeflochten, mit einem gewölbten, runden Dache; niemals jedoch hingen sie an einer Spitze oder einem selbst gedrehten Seile. Diese Verschiedenheit von der Gestalt des Nestes im Freien, welche nicht als Ausnahmsfall, sondern als die Regel sich ergiebt, dürfte also ebenfalls für die oben erwähnte Intelligenz des Vogels sprechen. Nur einen Fall weiß ich mitzutheilen, in welchem der Textorweber auch in der Gefangenschaft den Nestbau des Freilebens beibehalten. Herr Gymnasiallehrer Fr. Schneider schildert seine dahin gehenden Erfahrungen in folgender Weise:

„Die Nester wurden fast regelmäßig in Mannshöhe und nur wenn die Vögel sehr scheu waren in den höchsten Zweigen des Gesträuchs der Vogelstube angelegt. Das Männchen baute allein, wählte am liebsten Grasrispen und nur wenn ihm diese fehlten, benutzte es Agavefasern, Manilabast u. drgl. In meinen beiden Vogelstuben errichteten sie die Nester mit wenigen Ausnahmen so, daß das Schlupfloch der Wand zugekehrt war. (Dies stimmt freilich mit der Anlage der Nester im Freien wiederum nicht überein). Auch hier erbaute das Männchen stets zwei Nester, eins zur Brut und ein kleineres, loser gewebtes zur Schlafstätte für sich selber. Das erstre wurde von dem Weibchen mit Würzelchen, Fäden, Wolle und Baumwolle dicht ausgefüttert. Eins dieser Nester war dicht am Drahtgitter des Fensters angelegt und der Witterung, namentlich den in jenem Sommer (des Jahres 1873) so häufigen und heftigen Gewitterregen ausgesetzt; dennoch blieb es im Innern trocken und die Jungen kamen trotz Wind und Wetter glücklich zum Ausfliegen. Meines Erachtens ist das Nest keines andern Webervogels so künstlich vollendet als das des Textors, obgleich ihnen allen hier in der Vogelstube doch die gleichen Niststoffe zu Gebote stehen. Das Männchen webt gewöhnlich zuerst eine Verbindung zwischen zwei oder mehreren

Zweigen, gleichviel ob dieselben steif und aufrecht stehen oder schlaff und schwankend herabhängen. Findet es einen passenden horizontalen Zweig, so umwickelt es diesen und benutzt ihn, so hergerichtet, für die Anlage des ersten, stets aufrecht, also vertikal stehenden und später als Eingangsschwelle dienenden Kranzes. Nach der einen Seite flechtet der Baumeister die Flugröhre, nach der andern das eigent= liche, kugelförmig gestaltete Nest an diesen Kranz. Die Form der Kugel wird erst lose hergestellt aus unregelmäßig kreuz und quer liegenden Rispen, dann erst wird das Gewölbe regelrecht durch Bast, Fasern und starke Grashalme, am liebsten jedoch aus gebogenen, dünnen, frischen Birkenreisern gefertigt. Das Männchen beißt die Reiserchen ab (sie haben fast alle die Länge von etwa 12 Zentimeter), trägt sie in das Nest und wölbt damit die Decke. Die Reiser laufen unter ein= ander parallel und liegen ganz regelrecht wie die Bogen eines Tonnengewölbes. Die Wandung des Nestes ist zolldick und darüber; die Länge beträgt 16 cm· und die Breite durchschnittlich 10 cm· Der Bau eines solchen Nestes dauert ein bis zwei Tage und der Ausbau vonseiten des Weibchens ebensolange. Drei bis vier Eier bilden das Gelege. Brutdauer 14 Tage. Das Weibchen brütet allein und das Männchen bewacht das Nest und hält in größtem Eifer jeden Störenfried von der Brut fern. An der Fütterung der Jungen betheiligt es sich nur gelegent= lich. Dagegen erbaut es nicht selten noch während dieser Brut ein zweites, drittes, viertes Nest und nistet dann auch in Vielehe, also mit mehreren Weibchen zugleich. Die Jungen werden mit frischen und getrockneten Ameisenpuppen, Mehlwürmern, Käfern u. a. Kerbthieren, welche man ihnen bietet, auch mit Drosselfutter und etwas Eierbrot ernährt. Je größer sie werden, desto eifriger und stürmischer beschützt sie das alte Männchen gegen jeden Feind, selbst gegen* Papageien, Kardinäle u. a. Es entwickelt dabei außerordentlichen Muth; mit hängenden Flügeln, den Schwanz gespreizt, den Kopf kampffertig herniedergebogen, den Schnabel geöffnet, stürzt es sich auf jeden Vogel, der seinem Nestbezirk nahe kommt, nachdem es zuvor meistens vergeblich versucht, den Feind durch Zischen, Schnarren und Geschrei zu vertreiben. Selbst vor den Gebirgsloris und großen Sittichen weicht es nicht, sondern greift sie unerschrocken an. Dabei hat es eine eigenthümliche Taktik. Unter den Störenfried fliegt es und stößt nach ihm, wie die Krähe nach einem Raubvogel. Geschickt weiß es den drohenden Schnabelhieben zu entgehen und des Gegners Füße oder Bauch zu verletzen. So erreicht es stets seinen Zweck, selbst wenn es den Angriff zwanzigmal wiederholen muß. Wie klug und überlegend der Vogel ist, erhellt aus folgendem: in den ersten Jahren seines Aufenthalts in meiner Vogelstube wählte er als Baustoffe Gras= rispen, Halme und Birkenzweige und durch einige Agavefasern oder Manilabastfäden gab er dem Bau die genügende Festigkeit. Die genannten Stoffe, namentlich die Grasrispen, lockten aber sicherlich die Papageien herbei und nur zu bald war

das Geflecht jedesmal zerſtört. In dieſem Jahre nahm er ausſchließlich Aloë=
faſern, Manila= und Lindenbaſt nebſt Birkenreiſern und die Neſter blieben
unangefochten. Es muß aber ausdrücklich hervorgehoben werden, daß ihm friſche
und getrocknete Grasriſpen in Fülle zu Gebote ſtanden." Das Weibchen
verſorgt die Jungen noch ſehr lange nach dem Ausfliegen und läßt ſie nicht
aus den Augen. „Das eine Paar niſtete in dieſem Jahre dreimal und brachte
die Jungen (3, 1, 2) glücklich zum Flüggewerden. Dieſe wachſen in drei
Wochen aus, ſehen dem alten Weibchen ähnlich, ſind jedoch dunkler." (Fr
Schneider). Nähere Beſchreibung ſ. Jugendkleid. Frau Agnes Kierſtein
in Frankfurt a. O. theilt inbetreff der Reinigung des Neſtes eine intereſſante
Beobachtung mit. „Das alte Weibchen wurde ſo zahm und dreiſt, daß es in
das neben der Vogelſtube befindliche Wohnzimmer kam, um ſich hier Mehl=
würmer u. a. Fütterung zu holen. Hierher brachte es ſodann kleine gallertartige
weiße Stückchen mit ſchwarzer Spitze im Schnabel mit — die Entleerungen der
Jungen, durch welche deren Vorhandenſein überhaupt erſt bemerkt wurde."

Schneider berichtet ſodann im weitern, daß ein Männchen mit drei Weibchen
zuſammen niſtete. Das erſte Weibchen hatte ſein Neſt nur drei Fuß über der
Erde mit einem Gelege von drei Eiern und über dieſem befand ſich ein zweites
Neſt, in welchem ein Fuchsweber=Weibchen mit dem Textorweber heckte, trotzdem
noch ein Paar und ein lediges Männchen der erſtern Art in der Vogelſtube
vorhanden waren. Das Männchen warf aus beiden Neſtern die etwa ſechs Tage
alten Jungen heraus. Das dritte Neſt ſtand noch höher in Birkenzweigen, hatte
eine Flugröhre und war von einem Weibchen bewohnt, welches er nicht mit
Sicherheit feſtſtellen konnte. (Es war zweifellos das Weibchen des Larvenwebers).
Späterhin brachten das letzte und das Textorweber=Weibchen ihre Jungen glücklich
zum Flüggewerden. Inbetreff der Verfärbung ſagt er: „Ich beſitze ein altes
Männchen ſeit drei Jahren und konnte den Vorgang in folgender Weiſe beobachten.
Die Ränder der Schwung= und Steuerfedern färben ſich höher. Trotz der zwei=
maligen Mauſer im Jahre iſt das Winterkleid vom Sommerkleid wenig ver=
ſchieden. Das Gelb des erſtern iſt nur dunkler, fällt mehr ins Olivengrüne
und das Schwarz des Kopfes iſt unrein. Die Weibchen mauſerten im Frühjahr
ebenfalls, verloren jedoch nur die Bruſt= und Bauchfedern. Eine Umfärbung
der Iris des Auges, die gleichzeitig mit der Verfärbung des Schnabels eintreten
ſoll, konnte ich niemals bemerken." Der Schnabel färbt ſich entſchieden heller,
horngrau; über das Auge kann ich mit Sicherheit keine Behauptung aufſtellen.

Graf Yorck von Wartenburg hatte ein Pärchen Textorweber, die
in meiner Vogelſtube geraume Friſt hindurch friedlich gelebt und geniſtet, unter
ſeine zahlreiche gefiederte Geſellſchaft fliegen laſſen. Allmälig bemerkte er nun
aber, daß die Jungen aus den Neſtern der Kubafinken, kleinen Elſterchen,

Amarantvögel u. a. verschwanden, und dann beobachtete er auch bald, daß das Männchen solche mit einem Schnabelhiebe tödtete und zum Neste trug, wo sie ihm vom Weibchen abgenommen wurden. Auch ich habe sodann die Erfahrung gemacht, daß fast alle jüngeren Weberbögel harmlos sind, die älteren dagegen in immer höherm Grade bösartig werden.

Die alten Schriftsteller sagen fast garnichts über diesen Vogel oder sie sind im ungewissen, und ich finde in der gesammten betreffenden Literatur auch nichts weiter, als kurze Erwähnungen, trotzdem der Vogel bereits sehr frühe lebend eingeführt sein soll. In der letztern Zeit muß er dann wiederum seltner geworden sein, denn weder Bechstein noch Bolle führen ihn auf.

In Hinsicht der Verpflegung ist das bei diesen Webern im allgemeinen Gesagte zu beachten. Anleitungen zur Züchtung werde ich weiterhin geben. Der Preis wechselt zwischen 15 bis 24 Mark für das Paar.

Der schwarzköpfige oder Textor=Weberbogel, gemeine oder eigentliche Weberbogel, großer oder Doppelweber ist auch Goldweber genannt.

Le Tisserin Cape-Moore; Rufous-necked Weaver-bird or Large Weaver-bird; Roodneck Wever (holländisch).

Nomenclatur: Coccothraustes gambiensis, *Brss.*; Fringilla senegalensis, *Drs.*; Loxia melanocepha et Oriolus textor, *Gml.*; Fringilla velata, *Lchtst.*; Fringilla longirostris, *Vll.*; Ploceus senegalensis, *Stph., Sws., Sndvll.*; Ploceus modestus, *Hrtl.*; Textor melanocephalus, *Bp.*; Hyphantornis textor et modesta, *Gr.*; Ploceus textor, *Cv.*; P. textor, magnirostris et modestus, *Rchb.*; Ploceus solitarius, *Pr. Wrtbg.* (♀); Hyphantornis textor, *Cb., Cssn., Hne., Hgl.*; Hyphantornis gambiensis, *Hgl.*; [Oriolus melanocephalus, *Bff.*] — Cap-more, *Buff.*; Weaver-Oriole, *Lath.*; Pinson du Senegal, P. à bec long, *Buff.*

Wissenschaftliche Beschreibung: Kopf und Kehle tiefschwarz, von der letztern bis zur Oberbrust ein dreieckig=spitzes Band ebenso; Nacken, Halsseiten und ein Band über die Oberbrust kastanienbraun; Oberseite gelb, durch breite Säume der Federn schwarz gestreift; Flügel olivengrünlichbraun, jede Feder außen schmal grüngelb, innen breit schwefelgelb gesäumt; kleine und große Flügeldecken fast schwarz, breit gelb gerandet, über jede Schulter bis zur Rückenmitte ein schwarzer Streifen; Schwanz grünlichgelbbraun, jede Feder mit breitem gelben Innenrand; unterhalb und untere Flügelseite lebhaft gelb. Schnabel schwarz; Auge feuergelb bis karminroth; Füße hell röthlichbraun. — Weibchen oberhalb dunkel gelblichgrün; Oberkopf, Schultern und Rücken mehr bräunlich; Flügel dunkel grünlichbraun, jede Feder heller grüngelb gesäumt, über jeden Flügel eine breite fahlgelbe Querbinde; Augenbrauenstreif und Kopfseiten hellgelb; ganze Unterseite lebhaft gelb. Schnabel schwarzbraun; Auge braun. — Das Winterkleid des Männchens ist fast ganz ebenso, nur oberhalb beträchtlich dunkler und unterhalb kräftiger gelb; immer bleibt aber das Auge als das sicherste Kennzeichen zu beachten.

Ploceus melanocephalus: capite toto, gula striaque ab ea usque ad pectus trigona acuminata atris; cervice, colli lateribus cinguloque pectoris castaneis; supra flavus, nigro-striatus, alias olivaceo-virescentibus, pogonio remigum exteriore anguste viride flavo-, interiore late sulfureo-limbato; tectricibus al. subnigris, late flavo-marginatis; stria scapulari usque ad dorsum medium nigra; rectricibus olivaceo-fuscis, intus late flavo-marginatis; gastraeo alisque inferioribus flavissimus; rostro nigro; iride coccinea; pedibus dilute rubidis. — ♀ supra obscure flavente viridis; pileo, scapulis dorsoque fuscescentibus; plumis alarum olivaceo-fuscarum virente flavo-limbatis; fascia lata supra alam utramque transversa luride flavida; stria superciliari capitisque lateribus dilute sulfureis; gastraeo toto laete flavo; rostro nigro-fusco; iride fusca. — ♂ vestim. hiem. fere concolor, tantum supra multo obscurior, subtus flavior; iride vero coccinea signo certissimo.

Länge 15,₇—16,₄ cm. (6—6¹/₄ Zoll); Flügel 8,₅—8,₇ cm. (3¹/₄—3¹/₃ Zoll); Schwanz 5,₂ cm. (2 Zoll).

Jugendkleid oberhalb hell grünlichgrau, jede Feder zart bräunlichgelb gesäumt; Augenbrauenstreif fahl graugelb; Schwingen dunkelbraun, schwach gelbbraun außen gesäumt und mit breiten weißgelben Innenfahnen; Flügeldeckfedern braun, heller gerandet, wodurch zwei Querbinden über jeden Flügel gebildet werden; untere Flügeldecken und Flügelrand weißlich graugelb; Schwanzfedern braun, mit hellen gelbbraunen Außensäumen; Kehle und Unterbrust gelblichweiß; Oberbrust bräunlichweiß; Bauch reinweiß; Seiten hell bräunlichgelb; Auge dunkelbraun; Schnabel und Füße röthlichbraun. Das Männchen färbt sich erst im dritten Jahre zum vollen Prachtkleide. (Verfärbung des jungen Männchens im zweiten Jahre: an der Oberseite dem Weibchen ähnlich, an der ganzen Unterseite rein zitrongelb; die schwarz und braune Zeichnung fehlt ihm noch ganz. Friedrich Schneider).

Juvenis: supra dilute olivaceo-canus, plumis quibusque subtilius luride limbatis; stria superciliari sordide flavida; pogonio remigum fuscorum exteriore subochraceo-limbato, interiore lato, flavente albo; tectricibus al. fuscis, dilutius submarginatis, qua pictura fascias duas ostendentibus transversas; tectricibus subalaribus et campterio luride albidis; rectricibus fuscis exterius subochraceis limbatis; gula et epigestrio flavido-albis; pectore fuscato-albo; ventre albissimo; hypochondriis fulvescentibus; rostro pedibusque badiis; iride fusca.

Beschreibung des Eies: Farbe hellgrün, zart braun gewölkt und am dickern Ende rothbraun gefleckt; Gestalt stark abgerundet. Länge 20 mm., Breite 14 mm. Nach Rchn. veränderlich nach dem Alter; beim jungen Weibchen auf hellblaugrünem Grunde mit hellrothbraunen Flecken bedeckt. Länge 21 mm.; Breite 15 mm. Später wird der Grund weiß und beim ganz alten Weibchen sind die Eier reinweiß ohne Flecke; Länge 24,₅ mm.; Breite 16,₅ mm.

Ovum: dilute viride, subfusco-nubilosum, apice crassiore badio-maculato; valde rotundatum. — Pro cetate variabile; femellae junioris laete glaucum, subrufo-maculatum; senioris fundo pure albo; pergrandis albissimum, immaculatum.

## Der Larven=Webervogel [Ploceus larvatus*)].
### Tafel X. Vogel 50.

Im Handel mit dem vorigen meistens verwechselt und auch viel seltner, gelangt er nur ausnahmsweise in die Vogelstuben oder Käfige der Liebhaber; in den zoologischen Gärten sieht man ihn hingegen zuweilen. Er ist dem Textorweber überaus ähnlich, doch „unterscheidet sich jener auf den ersten Blick durch den ganz schwarzen Kopf und den kastanienbraunen Nacken und Hinterhals. Dagegen ist es uns nicht gelungen, für die Weibchen und Winterkleider beider Arten das geringste sichre Unterscheidungskennzeichen aufzufinden. Die Bestimmung derselben wird also in allen Fällen umsomehr unsicher bleiben müssen, als die

---

*) Da S. 235 bereits ein Ploceus abyssinicus (abessinischer gelber Feuerweber) vorhanden ist, so muß ich hier auf eine jüngere Benennung zurückgreifen.

Maßverhältnisse ganz gleich sind." (Finsch und Hartlaub). Wenn die Leser jedoch die weiterhin gegebne wissenschaftliche Beschreibung des hierhergehörenden Weibchens vergleichen, so wird sich ein bemerkenswerther Unterschied zeigen.

Die Verbreitung erstreckt sich über das wärmere Abessinien, die Küsten= gebiete des rothen Meeres, die Nilquellenländer, und durch Speke und Kirk ist er auch in Ostafrika nachgewiesen; der erstre Forscher fand ihn bei Usaramo im Innern und der letzte im Sambesigebiete, hier im Februar nistend. Ueber das Freileben berichtet Heuglin: „In den meisten Theilen Abessiniens ist diese größte nordöstliche Weberart nicht selten; und zweifellos lebt sie hier als Stand= vogel, indem ich sie sowol in der Winterzeit (November bis März), als auch während der Regenzeit angetroffen habe. Sie ist dort von der Sancharküste westwärts bis zum Tana=See an geeigneten Orten häufig; doch lernte ich sie hier nur als Bewohner des Tieflandes kennen; ihre höchsten Standorte schätzte ich auf etwa 7000 Fuß Meereshöhe. In Habesch besuchte ich ihre Wohnbezirke zwischen den Monaten November und März und dann während der Regenzeit. Ihre Verbreitung wird hier den 16. Gr. nördl. Br. nicht überschreiten. Im Gebiet des weißen Nil dürfte sie vom Januar bis Juni anzutreffen sein; in den Urwäldern westlich vom Gazellenflusse beobachtete ich sie nur vom Beginn der eigentlichen Sommerregenzeit. Nach Vierthaler käme sie im Mai als Zug= vogel bei Chartum vor, welcher Angabe ich aufs entschiedenste widersprechen muß. Auch sah ich von A. E. Brehm als hierher gehörig bezeichnete Eier vom Bar el azraq, welche aber sicherlich vom dottergelben Weber (Ploceus vitellinus) herstammten.*) Am untern blauen Fluß, sowie am weißen Nil, nördlich vom 10. Gr. nördl. Br., kommt dieser Weber bestimmt nicht vor; schwerlich im süd= lichen Senar und Fazoql. (Die von Brehm in seiner Reiseschilderung im Habesch S. 336 mitgetheilte Beschreibung nebst Angabe der Maße ist irrthümlich auf diese Art bezogen). Der Larvenweber lebt in größeren oder kleineren Gesellschaften, ist ein beweglicher, geschwätziger Vogel, garnicht scheu und selbst durch wieder= holtes Schießen nicht von seinen Standorten zu vertreiben. Zur Winterzeit schweifen Schwärme oft weit im Lande umher, aber auch diese dürften allabendlich in ihre Heimat zurückkehren und die Nacht in den Beutelnestern zubringen. In Tigrié und Dembea bauen sie mit Eintritt der Regenzeit auf schwanken, oft überhängenden Aesten längs der Ufer von Wildbächen schöne, dichte und große Beutelnester aus dürren Grashalmen, fast ausschließlich auf dornigen Akazien, gewöhnlich etwa 2 bis 4,7 Meter hoch; zuweilen stehen deren sehr viele, immer aber wenigstens mehrere auf einem Baum. Das Innere ist mit zarten Würzelchen, Haaren u. drgl. ausgekleidet. Einmal fand ich zwei, dann drei Eier."

---

*) Die Leser wollen die Bemerkung auf S. 199 vergleichen.

Herr Gymnasiallehrer Friedrich Schneider hatte, wie S. 286 erwähnt, in seiner Vogelstube ein Weberweibchen, welches er nicht kannte und das nach meiner Ueberzeugung zu dieser Art gehörte. Die Abweichungen, welche die wissenschaftlichen Beschreibungen desselben aus v. d. Decken's Reisewerk III. und brieflich mit= getheilt von Herrn S. nebeneinander aufweisen, dürften darin begründet sein, daß die erstre nach ausgestopften und die letztre nach dem lebenden Vogel gegeben ist.

Der Larven=Weberbogel oder Larvenweber ist auch fälschlich Maskenweber und von Rchb. gelblichgrüner Weberbogel benannt.

Le Tisserin masqué; Great masked Weaver-bird; der holländische Name fehlt noch. — Ombala (wie die verwandten Arten; tigrisch).

Nomenclatur: Loxia abyssinica, *Gm.*; Ploceus larvatus, *Rpp.*, *Krk.*, *Sclt.*, *Kng.- Wth.*, *Lfbr.*; Ploceus flavo-viridis, *Rpp.*; Hyphantornis larvata et flavoviridis, *Gr.*; H. flavoviridis, *Br.*; Textor larvatus, *Bp.*; Ploceus larvatus et flavoviridis, *Hgl.*, *Rchb.*; Hyphantornis larvata et habessinica *Hgl.*; H. abyssinicus, *Fnsch.* et *Hrtl.*; H. habessinica, *Br.* — Gros-bec d'Abyssinie, *Buff.*; Abyssinian Grosbeack, *Lath.*

Wissenschaftliche Beschreibung: Oberkopf bis Hinterkopf, Kopfseiten, ganzes Ge= sicht und Kehle schwarz; Hinterkopf orangebraun; Schwingen dunkel olivenbraun, an der Außen= fahne olivengelb gesäumt, an der Innenfahne breiter schwefelgelb gerandet; zwei breite gelbe Querbinden über den Oberflügel; auf jeder Schulter breite schwarze Längsbinden, die auf der Mantelmitte durch einen schmalen gelben Streif getrennt sind; obere Schwanzdecken oliven= grünlichgelb; Schwanzfedern olivengrünlichbraun, Außenfahnen grüngelb gesäumt, Innenfahnen breit schwefelgelb gerandet; Nacken, Rücken und Unterseite nebst unteren Flügeldecken hochgelb; Oberhals, unter der schwarzen Kehle orangebräunlich verwaschen. Auge kastanienrothbraun; Schnabel schwarz; Füße röthlichfleischfarben. Weibchen: Kopf olivengrün, jede Feder mit bräunlichem Schaftstrich; Kopfseiten, Kinn und Kehle blaßschwefelgelb; ein verwaschner Zügel= streif bis über's Auge; Nacken und übrige Oberseite graulicholivenbraun, die Federn mit sehr verwaschenen helleren Säumen; Schwingen olivenbraun, an der Außenfahne olivengrüngelb ge= säumt, innen schmal blaßgelb; Deckfedern der Schwingen zweiter Ordnung an der Außenfahne und am Ende fahlweiß gesäumt, ebenso die größten oberen Flügeldecken, daher zwei weiße fahle Querbinden über den Oberflügel; untere Flügeldecken und Handrand gelb; Schwanzfeder oliven= grünlichbraun mit olivengrünen Außensäumen; Unterseite von der Kehle an schmutzigweiß, auf Bauchmitte und den unteren Schwanzdecken reinweiß, an den Seiten bräunlich verwaschen. Schnabel dunkel hornbraun; Auge schwarzbraun; Füße hornfarben. Männchen im Winter= kleide übereinstimmend, nur an der Oberseite dunkler und an der Unterseite mehr gelbweiß. Finsch und Hartlaub. (Oberhalb olivengrün, jede Feder gelb gesäumt; Augenbrauenstreif, Saum der Innen= und Außenfahnen, der Schwung= und Steuerfedern, Flügelbug, zwei schmale Flügelbinden und ganze Unterseite gummiguttigelb; Auge hell zinnoberroth; Schnabel schwarz, Unterschnabel heller. Friedrich Schneider.)

Ploceus larvatus: pileo, regione ophthalmica et parotica, genis gulaque nigris; occipite rubido; pogonio remigum olivaceo-fuscorum exteriore luride flavo-limbato, interiore latius sulfureo-marginato; fasciis duabus latis supra alam superiorem flavis; vittis latis humeri utriusque nigris usque ad striam angustam flavam interscapilii medii interjectam; suprácaudalibus olivaceo-virentibus; pogonio rectricum olivaceo-fuscarum exteriore virente flavido-limbato, interiore late sulfureo-marginato; cervice, dorso, gastraeo et tectricibus subalaribus luteis; gutture subfulvo lavato; cride castanea; rostro nigro; pedibus rubido-carneis. — ♀ capite-olivaceo-viridi, subfusco-striolato; capitis lateribus, mento gulaque dilute sulfureis; stria lavata a loris usque ad regionem supeciliarem sulfurea; plumis cervicis et notaei reliqui olivaceo-fuscatorum dilutius sublimbatis; pogonio remigum olivaceo-fuscorum exteriore ex olivaceo viride flavo-limbato, interiore anguste gilvo-marginato; pogonio exteriore apiceque tectricum al. mediarum et minorum denterarum sordide albo-limbatis, itaque fascias duas alae superioris transversas formentibus albidas; tectricibus subalaribus margineque manuale flavis; rectricibus olivaceo virente fuscis, exterius ex olivaceo viride limbatis; gastraeo sordide albo, ventre et subcaudalibus pure albis, latera versus subfusco-lavatis; rostro corneo-fusco; iride nigro-fusca; pedibus corneis. — ♂ vestim. hiem. simillimus sed supra obscurior subtusque magis flavido-albus (F. u. H.). Supra olivaceo-viridis, pluma quaque flavo-limbata; stria superciliari, pogonio remigum et rectricum utroque, flexura, fasciis duabus alarum angustis et gastraeo toto luteis; iride dilute cinnabarina; rostro nigro, mandibula pallidiore.

Länge: 15,7—17 cm. (6—6½ Zoll); Flügel 8,9—9,4 cm. (3⁵/₁₂—3⁷/₁₂ 3.); Schwanz 5,2 cm. (2 3.).

Das Jugendkleid der S. 287 erwähnten Baftarde von Textor- und Larvenweber stimmt im allgemeinen mit dem der jungen Textorweber überein; nur sind die Schwungfedern an der Grundhälfte weißgelb, Außensäume ebenso. Hierdurch entsteht ein breiter heller Spiegel. Das eine Junge hatte faft reinweiße Flügelfedern, nur die Schäfte und Spitzen derselben waren braun, die Außenfahnen hellgelb. Die Flügelfedern der anderen waren braun mit gelben Rändern, wodurch zwei helle Binden über den Flügel gebildet wurden. (Fr. Schneider.)

Beschreibung des Eies: Hellblaugrün; im übrigen den vorigen gleich.

Ovum: dilute aeruginosum, ceteroquin prioris aequale.

---

In der Familie der Gelbweber giebt es eine beträchtliche Anzahl von Arten, welche bisher noch nicht oder vielleicht nur ganz vereinzelt eingeführt worden, sodaß sie mir — während ich doch den gesammten Vogelhandel und Verkehr der Liebhaber unter einander, wie auch die Bevölkerung der zoologischen Gärten immer vor Augen habe — nur in den seltensten Fällen entgangen sein könnten. Dieselben werde ich, soweit verläßliche Angaben vorliegen, wenigstens kurz und übersichtlich schildern, vorbehaltlich einer eingehenden Beschreibung und Abbildung derer, welche bis zum Schluß des Werks noch in den Handel gelangen.

**Der Riesen-Webervogel** [Ploceus grandis] ist der größte in dieser Gruppe; an Kopf und Kehle schwarz, Nacken und Oberbruft kaftanienbraun; ganze Oberseite gelblich-olivengrün, jede Feder mit zartem, dunklem Schaftstrich; Flügel- und Schwanzfedern schwarz, blaßgelb gesäumt; Bürzel olivengrünlichgelb; ganze Unterseite und untere Flügeldecken zitrongelb, Bruft- und Bauchseiten bräunlich; Schnabel glänzend schwarz; Auge kaftanienbraun; Füße fleischfarben. Weibchen oberhalb olivengrünlichbraun, jede Feder fahl gesäumt; Augenbrauenftreif und Gesicht bräunlichweiß; Kehle gelblichweiß; ganze Unterseite schwach bräunlichweiß; Schnabel schwarzbraun, Unterschnabel heller. — Länge 20,8 cm. (8 3.); Flügel 10,9 cm. (4¹/₆ 3.); Schwanz 6,5 cm. (2¹/₂ 3.). — Heimat nur die Insel St. Thomé. Ueber das Freileben ist nichts bekannt und lebend eingeführt ist er ficherlich noch nicht. — Der Riesen-Webervogel oder großer Weber (Rchb.). (Ploceus grandis, *Gr.*; P. collaris, *Frs.*, *All.*; Hyphantornis grandis, *Hrtl.* — St. Thomae-Weaverbird, *Fras.*).

**Der Gürtel-Webervogel** [Ploceus cinctus]. Dem Textorweber ähnlich, doch kleiner mit breitem, kaftanienbraunem Querbande über Nacken, Schultern und

Bruſt. Auch etwa um ein Drittel kleiner. Weibchen ebenfalls nur durch ge=
ringere Größe verſchieden. Die Heimat iſt Weſtafrika (Gabun); du Chaillu
entdeckte ihn am Kamerunfluſſe; weiter iſt nichts über ihn bekannt. Er iſt auch
Halsbandweber (Br.) genannt. (Ploceus cinctus, Css., Hrtl.; Hyphantornis cinctus, Rchb.).

**Der ſchwarzſtirnige Webervogel** [Ploceus velatus]. Ueber einige entweder
wirklich verſchiedenartige und dann allerdings nahverwandte oder vielleicht nur
als Lokalraſſen zu unterſcheidende Weber gehen die Anſichten der Forſcher weit
auseinander. Für die Liebhaber haben dergleichen kleine Verſchiedenheiten ſelbſt=
verſtändlich garkeine Bedeutung und ich darf daher nur ſoweit darauf Bezug
nehmen, als es für die Leſer nöthig iſt, welche Hinweiſe zur weitern Belehrung
verlangen. — Einen Vogel nach der folgenden Beſchreibung ſtellt Heuglin als
beſondre Art hin und benennt ihn äthiopiſcher Gelbweber (Hyphantornis
aethiops, Hgl.). Er gleicht in der Farbenvertheilung dem etwas größern Larvenweber;
die ſchwarze Zeichnung auf der Stirn iſt jedoch nicht ſoweit ausgedehnt, auf der Bruſt aber
noch mehr herabgezogen; die Rückenmitte iſt nicht ſo rein goldgelb und an ihrer Seite fehlen
die großen ſchwarzen Flecke; Mantel lebhaft olivengelb, mit dunkleren Schaftſtrichen; das ſatte
Gelb von Oberkopf, Nacken, Halsſeiten und Unterleib ſpielt etwas ins Grünliche und iſt nach
Kopf und Bruſt hin nur leicht orangebräunlich überlaufen. Weibchen oberhalb dunkel
bräunlichgrün, unterhalb grünlichgelb, ohne ſchwarzes Geſicht. Finſch und Hartlaub
dagegen erklären ihn als übereinſtimmend mit dem ſchwarzſtirnigen Weber und
ziehen dann auch noch einen dritten (Hyphantornis mariquensis, Grn.) hinzu,
während Heuglin meint, daß derſelbe ſtets kleiner ſei, einen ſchmalern Stirn=
rand und abweichenden Schnabel habe. Fallen alle drei zuſammen, ſo erſtreckt
ſich die Heimat über das weſtliche und ſüdliche Afrika (Senegal, Kaffernland,
Kapgebiet und Nonnaqua=Land). Ueber die Lebensweiſe iſt nichts angegeben;
dieſelbe wird ſicherlich der aller vorhin geſchilderten Verwandten gleichen. Der
ſchwarzſtirnige Webervogel heißt bei Rchb. ſchwarzſtirniger Kernbeißerweber und
Schleierweber bei Br. (Ploceus velatus, Vll., Lchtst.; Pl. aureicapillus, Sws.; Ploceolus nigrifrons, Rchb.; Hyphantornis nigrifrons, Cb.; H. nigrifrons, aureïcapillus et
capitalis, Lrd.; H. aethiops, Hgl.; H. velatus, Fnsch.). — Als naheſtehend ſei auch
eine neuerdings erſt beſchriebne Art, **Cabanis' Webervogel** [Ploceus Cabanisi]
erwähnt, deſſen Verbreitung ſich über den Oſten und Südweſten Afrikas erſtreckt
und der daher vielleicht auch bald lebend eingeführt wird. Er hat einen ganz
ſchwarzen Kopf und iſt etwas kleiner als die Verwandten. Von Rchb. wurde er
ſchwarzköpfiger Kernbeißerweber genannt. (Hyphantornis Cabanisi, Ptrs.; H. mariquensis et
capitalis, Lchtst.; Ploceolus capitalis, Rchb.). — Der **ſchwarzkehlige Webervogel**
[Ploceus atrogularis] Heuglin's, welchen er als Zug= oder Strichvogel im Ge=
biet des Gazellen=Fluſſes beobachtete und zwar auch während der Brutzeit immer
in einzelnen Pärchen mit großen, etwas hohen Beutelneſtern aus friſchen Gras=
halmen auf höheren Bäumen, wird von ihm als dadurch beſonders auffallend
bezeichnet, daß er bei ſchwarzem Geſicht und gleicher Kehle einen weißlichen Augen=

ftern hat. Die Abbildung in dem Werke des Forschers ist vortrefflich. (Textor atrogularis, *Hgl.*; Hyphantornis atrogularis, *Hgl.*, *Kg.* - *Wrth.* [H. taeniopterus, *Rchb.*]).
— **Speke's Webervogel** [Ploceus Spekei]. „Diese offenbar meinem schwarz= kehligen Webervogel am nächsten verwandte Art, wurde vom Kapitän Speke auf den Hochebenen des nördlichen Sómali=Landes häufig angetroffen, wo sie gesellig im Hochgras leben soll. Der von Speke erlegte und mitgebrachte Vogel befindet sich in der Sammlung der asiatischen Gesellschaft von Bengalen zu Kalkutta" (Hgl.). Finsch und Hartlaub vereinigen übrigens die beiden letzteren zu einer Art. (Hyphantornis baglafecht, *Blth.* [nec *Vll.*], *Hrtl*, *Scl.*, *Fnsch.*; H. somalensis, *Hgl.*; H. Spekei, *Hgl.*, *Fnsch.* et *Hrtl.*).

Der **Prinzen=Webervogel** [Ploceus princeps]. Bisher nur auf den Prinzen= inseln, in Lagos, am Gabun und in Angola (Westafrika) beobachtet und gesammelt. Er dürfte in allen Eigenthümlichkeiten mit den Verwandten übereinstimmen und auch in der Färbung ist er nicht viel abweichend, außer daß der Oberkopf lebhaft rothgelb (hell zimmtbraun) ist. Oberhalb olivengrünlichgelb, Flügel schwarzbraun, jede Feder heller gesäumt und mit gelber Querbinde; Kopf bis zum Nacken hell zimmtbraun, Zügelstreif und Kopfseiten zitrongelb; unterhalb hochgelb; Auge gelb, Schnabel braun. Größe des Textorwebers. Weibchen oberhalb olivengrünlichgelb, Kopfseiten, Kehle und Brust reingelb; unterhalb reinweiß. Rchb. benannte ihn Prinz=Feinweber. (Symplectes princeps, *Bp.*, *Css. Hrtl.*; Hyphantornis princeps, *Rchb.*).

### Der Brillen=Webervogel [Ploceus ocularius].

Es würde sich kaum verlohnen, diese im Handel überaus seltne Art hier mit aufzuführen; da dieselbe jedoch im Berliner Aquarium und dann auch im zoologischen Garten von Berlin mehrmals vorhanden gewesen, so läßt sich an= nehmen, daß sie demnächst auch in die Vogelstuben gelangen werde, und ich will wenigstens die geringen Angaben mittheilen, welche über sie zu finden sind.

In der Gestalt und Größe gleicht sie dem Textorweber und den Verwandten, auch die Färbung ist im allgemeinen übereinstimmend, aber Oberkopf und Kopf= seiten sind nur bräunlich und der schwarze Zügelstreif und ein ebensolcher Strich durchs Auge geben ihr ein absonderliches Aussehen.

Die Verbreitung erstreckt sich über einen großen Theil Afrikas, denn der Vogel wurde sowol im Westen (Senegambien, Goldküste, Sierra Leone, Gabun), als auch im Süden und Südosten (Kapkolonie, Natal und Mozambique) beobachtet und gesammelt. Reichenow sah ihn häufig in der Kamerungegend und lernte ihn dort als einen Vogel kennen, welcher nur zeitweise in die Ortschaften kommt, um die Pisang=Pflanzungen zu besuchen, wo er die einzelnen Gebüsche durchschlüpft, sich sonst von dem Menschengetümmel fernhält und auf den mit Dornbüschen überwucherten Brachfeldern, an freien Berglehnen oder in Haidegegenden ein einsames, stilles Dasein führt. „Ich habe ihn niemals in großen Gesellschaften erblickt, in der Regel nur das Pärchen allein oder in Begleitung der schon flüggen Jungen. Sie scheinen die Geselligkeit nicht besonders zu lieben und zeigen ein scheues Wesen, welches sehr von dem allgemeinen Charakter der Gelb= weber abweicht. Selten sieht man den Vogel frei auf Bäumen, gewöhnlich nur im dichten Gebüsch. Uebrigens ist er nicht weniger schön, als seine Verwandten. Den Jams= und Kokusfeldern folgend, streicht er bis zu beträchtlicher Höhe; im Kamerungebirge fand ich ihn 470 Meter hoch. Die Nester hängen, seiner Lebens= weise entsprechend, einzeln in geringer Höhe über dem Boden an Oelpalmen oder im Gebüsch. Es sind hübsche, feste Bauten von Retortenform. Die ovale Nisthöhle hat einen Höhendurchmesser von 12 cm· und einen Querdurchmesser von 18 cm· Die Länge der Schlupfröhre beträgt 19 cm· von der obern Nestwandung an; ihr Durchmesser ist 5 cm· Die Schlupfröhre zeigt einen vollständig abgeschlossenen Rand, was ich hervorhebe, da das bei ähnlichen Bauten der Gesellschaftsweber nicht der Fall ist. Der Baustoff besteht in rundem, trocknem, nicht sehr ge= schmeidigem Grase. Der tragende Zweig ist in die obere Nestwand eingewebt. Gelege zwei Eier."

Eingeführt wird dieser Weber nur äußerst selten und in wenigen Köpfen von Hagenbeck, Gudera und Jamrach und da man bisher nicht besondres Gewicht auf solche einzelnen Vögel zu legen pflegte, so steht der Preis gewöhnlich nicht höher, als der des Textor= und goldstirnigen Webers. Hinsichts seines ganzen Wesens, in der Verpflegung u. s. w. darf das beim dottergelben Weber Ge= sagte gelten.

Der Brillen=Weberbogel oder Brillenweber wurde von Rchb. augenstreifiger Fein=weber und Kurzflügelweber benannt.

Le Tisserin à lunettes; Spectacled Weaver-bird.

Nomenclatur: Ploceus-ocularius, *Sn.*; P. brachypterus, *Swns.*, *Frs.*; P. flavigula, *Hrtl.*; Hyphantornis ocularius et brachypterus, *Gr.*, *Hrtl.*, *Bp.*, *Rchb.*; H. brachypterus, *Rchn.*; Hyphanturgus ocularius et brachypterus, *Cb.*; H. ocularius, *Grn.*, *Lrd.*, *Fnsch.* et *Hrtl.*

Wissenschaftliche Beschreibung: Oberkopf und Kopfseiten bräunlichorange; schmaler Zügelstreif vom Nasenloch bis zum Auge, ein Strich durch das letzte bis auf die Schläfe, Kinn und Kehle schwarz; Kopfseiten bräunlichorange, Kropf blasser; Flügel und Schwanz oliven=gelbgrün, Schwingen dunkel olivenbraun, Außenfahnen olivengelbgrün, Grundhälfte der Innen=fahnen blaß schwefelgelb gerandet; Schwanzfedern olivengelbgrün, unterseits glänzender olivengelb; Unterseite nebst den unteren Flügeldecken lebhaft gummiguttgelb. Schnabel glänzend schwarz; Auge gelbroth; Füße bräunlich. — Weibchen wie das Männchen, aber am Oberkopf oliven=gelbgrün wie die übrige Oberseite; ein Längsstrich über die Zügel und das Auge bis zu den Schläfen hochgelb wie die Kopfseiten und die übrige Unterseite; Strich auf den Zügeln und durch das Auge schwarz; das Schwarz an Kinn und Kehle fehlt; Schnabel schwärzlich; Auge dunkelbraun.

Ploceus ocularius: pileo capitisque lateribus e fusco aurantiis; stria an-gusta a loris per oculum usque ad tempora, mento gulaque nigris; gutture subfusco-aurantio, latera versus obscuriore; alis caudaque ex olivaceo flavo-viridibus; pogonio remigum olivaceo-fuscorum exteriore luride flavo-viridi; basi poginii interioris usque ad dimidium pallide subfureo-marginata; cauda ex olivaceo flavo-viridi, subtus nitidius lurida; gastraeo cum tectricibus subalaribus laete luteis; rostro nitido-nigro; iride aurantia; pedibus fuscatis. — ♀ mari simillima, sed pileo ex olivaceo flavo-viridi ab notaeo reliquo haud discrepante; stria supra lora oculumque usque ad tempora, capitis lateribus et gastraeo reliquo luteis; stria altera secundum lora per oculum nigra; mento gulaque nigro vacuis; rostro nigricante; iride fusca.

Länge etwa 15,7 cm· (6 J.); Flügel 7,8 cm· (3 J.); Schwanz 5,7 cm· (2¹/₆ J.).

Beschreibung des Eies: Auf blaß blaugrünem oder weißem Grunde (ändert auch wol nach dem Alter ab) mit feinen hellrothbraunen Flecken. Länge 21,5 mm·; Breite 14 mm·.

Ovum: subaeruginosum vel albidum maculis subrufis.

### Der gelbscheitelige Webervogel [Ploceus spilonótus].

Herr Friedrich Schneider schrieb mir im Jahre 1874, daß er von Fräulein Hagenbeck auch diese Art erhalten habe. Die auffallend scheuen und stillen Vögel zeigten jedoch nicht einmal ihre Baukünste; sie sind vielleicht von der Reise her krankhaft gewesen und bald zugrunde gegangen. Ich habe sie niemals erlangen können und glaube auch, daß sie weder vor= noch nachher eingeführt worden. Die Verbreitung ist eine sehr bedeutende und erstreckt sich nach Finsch und Hartlaub über die südöstlichen Theile der Kapkolonie (Smith), Kuruman (Layard), Kaffernland (Berliner Museum), Windvogelberg (Wulger), Natal (Ayres), Mozambique (Biankoni und Berliner Museum); nach Swainson findet dieser Weber sich auch im Westen Afrikas am Senegal. Es läßt sich daher wol mit Bestimmtheit annehmen, daß er demnächst auch in größerer Anzahl in den Handel kommen wird.

In der Färbung gleicht er den Verwandten mit schwarzem Gesicht, doch ist er besonders an kreisrunden gelben Flecken auf dem schwarzen Rücken zu erkennen. Reichenbach hat ihn zweimal abgebildet und beschrieben und zwar als P. spilonotus und P. cyclospilus, welche Finsch und Hartlaub als nicht verschieden erklären. Ueber seine Lebensweise sind von den genannten Forschern und namentlich von Biankoni ausführliche Mittheilungen gemacht; sie stimmt im wesentlichen mit der des Textorwebers u. a. überein. Das Nest ist ebenfalls aus Grasblättern erbaut, fast von nierenförmiger Gestalt und sehr dicht geflochten; es hängt an Baumzweigen überm Wasser. Die Eier sollen einfarbig blaugrün sein. Näheres ist nicht bekannt.

Der gelbscheitelige Webervogel oder gelbscheitelige Weber ist auch Goldscheitel-weber (Br.), rückenmondfleckiger Weber und rundfleckiger Weber (Rchb.) benannt.

Le Tisserin a taches rondes; Circle-spotted Weaver-bird.

Nomenclatur: Ploceus spilonotus, Vgrs., Lrd., Sclt., Bncn.; Pl. stictonotus, Smth; Pl. flaviceps, Swns.; Pl. spilonotus et cyclospilus, Rchb.; Textor spilonotus, Bp.; Hyphantornis spilonotus, Lchtst., Gr., Hrtl.

Wissenschaftliche Beschreibung: Stirn, Ober= und Hinterkopf, sowie Halsseiten dunkel gummiguttgelb; Zügel, Backen und Oberkehle schwarz, an der letztern im spitzen Winkel nach der Brust zu; Hinterhals, Mantel und Schultern schwarz, jede Feder mit olivengelbem, rundem Fleck am Ende, Schulterdecken hochgelb umsäumt und daher der ganze Oberrücken vorherrschend gelb mit Schwarz gefleckt, der Mittelrücken und Bürzel dagegen mehr einfarbig hochgelb erscheinend, Deckfedern und Schwingen grünlichschwarzbraun mit gelben Außensäumen, eine gelbe Querbinde über den Oberflügel, Schwingen an der Innenfahne breit olivengrünlich= gelb gerandet; Schwanzfedern olivengrünlichbraun, außen grünlich, innen gelblich gesäumt, mit zarten dunklen Querlinien; ganze Unterseite dunkel gummiguttgelb, untere Flügel= und Schwanz= decken heller gelb. Schnabel schwarz; Auge scharlachroth; Füße röthlichbraun. — Weibchen (nach Bianconi): Oberhalb braun; obere·Flügeldecken fast schwarz mit weißgelben Säumen; Brust grau; Seiten braun; unterhalb weißlich; Kehle rostfarben angeflogen.

Ploceus spilonotus: fronte, pileo, occipite, colli lateribus obscure luteis; loris, genis gulaque cum taenia acutangula ad pectus vergente nigris; pluma quaque cervicis, interscapitalii et scapularium nigrorum luteo-limbata, quare dorso superiore imprimis flavo, nigro-maculato; tergo et uropygio magis unicoloribus luteis; pogonio tectricum al. et remigum exteriore virente nigro-fuscorum flavo-limbato; fascia transversa alae superioris flava; pogonio remigum interiore late ex olivaceo viride flavo-marginato; rectricibus olivaceo-fuscis, exterius viride, interius flavido-limbatis, subtilier obscurius undulatis; subtus obscure luteus, tectricibus subalaribus et infracaudalibus dilutius flavis; rostro nigro; iride pemicea; pedibus rufescentibus. — ♀ supra brunnea, tectricibus al. subnigris, gilvo-limbatis; pectore cinereo, latera versus brunneo; subtus albicans; gula ferruginoso-afflata. Länge 18,3 cm. (7 Z.); Flügel 9,1 cm. (3½ Z.); Schwanz 6,7 cm. (27/12 Z.).

**Der schwarzhäuptige Webervogel [Ploceus nigriceps]** unterscheidet sich von dem vorhin beschriebnen nahverwandten gelbscheiteligen Weber durch die Kopf= färbung, welche eben ganz schwarz ist. Oberhalb hochgelb, schwarz gefleckt; Flügel dunkel grünlichbraun, jede Feder heller gesäumt und mit fahler Querbinde; ganzer Kopf, Nacken und Kehle schwarz. Unterseite reingelb. Das Weibchen ähnelt außerordentlich dem des Larven= webers, ist jedoch besonders an der geringern Größe zu erkennen und hat einen lebhafter zitrongelben Augenbrauenstreif. Oberhalb olivengrünlichbraun, unterhalb gelb, mit breiter, heller Querbinde über dem Flügel. (Größe des Textorwebers. — Heimat Südosten Afrikas (Kuruman, nördlich vom Gariepfluß und Mozambik); neuerdings erhielten Finsch und Hartlaub durch Barbozu du Bocage in Lissabon auch ein Pärchen aus Südwestafrika und zwar vom Rio Chimba in Benguela. Das Weibchen zeigte kaum eine Spur des hellen Augenstreifs. (Hyphantornis nigriceps, Lrd., Sprlng., Sndvll., Fnsch. et Hrtl.).

**Der goldstirnige oder olivengrüne Webervogel [Ploceus olivaceus].**

Von den beiden vorigen im Prachtgefieder auf den ersten Blick dadurch zu unterscheiden, daß er keinen schwarzen, sondern einen hellgoldbronzefarbnen Vorder= kopf hat, zählte er bis vor kurzem zu den seltensten Erscheinungen des Vogel= marktes und seine erste Einführung gehört sicherlich der neuesten Zeit an, obwol nicht mit Bestimmtheit angegeben werden kann, wann und von wem er zuerst in den Handel gebracht worden.

Er ift bemerkbar größer als der Textor, zugleich gedrungner und kräftiger; der Schnabel ift länger und spitzer.

Seine Heimat erftreckt sich über Senegambien und Südafrika, doch kommt er auch in Oftafrika vor. Rüppell machte zuerft darauf aufmerkfam, daß er auch in Senar und Oftabeffinien zu finden fei und Lefebore beobachtete ihn in Adowa in Tigrien. Heuglin fah nur einzelne Exemplare nach der Regenzeit an Bachufern und er behauptet, daß der im Often lebende Bogel von dem im Süden heimischen kaum abweicht. Gegen Mitte des Monats Juni wird das Neft an überhängenden Zweigen an den Ufern der Wildbäche erbaut. Es befteht äußerlich aus Halmen von Halb= oder Chpergräfern, innerlich aus folchen von Liebesgras (Tief; Eragrostis) und hat die Größe von etwa zwei Mannes= fäuften. Reichenbach fügt noch einige Bemerkungen hinzu, von denen er freilich nicht angiebt, woher fie entnommen find: „Der Bogel ift über Afrika fehr verbreitet; man fieht Trupps von 10 bis 40 Köpfen an Zäunen, Sümpfen und Flüffen. An den Aeften der Büfche und Bäume hängen fie ihre Nefter auf, oft fünf bis fechs an einem Zweige beifammen. Diefelben beftehen aus fteifem Grafe und find fo mühfam geflochten, daß der Bau oft mehrere Wochen erfordert. Sie find birnförmig, ihr Flugloch nach oben (?) aber abwärts gerichtet. In der Regel hängen fie über dem Waffer. Während der Brutzeit und noch Monate nachher halten fich die flüggen Jungen auf den Zweigen der Niftbäume auf, auch verjagt kehren fie zu denfelben wieder zurück. Außer diefer Zeit verbreiten fie fich weiter." Hiermit find alle Angaben über das Freileben erfchöpft.

Im Jahre 1873 hatte Fräulein Chr. Hagenbeck einige Pärchen nebft anderen feltenen Bögeln vom Kap erhalten und diefelben wanderten nun in mehrere Bogelftuben. Bor= und bis jetzt auch nachher wird wol keine größre Anzahl von diefen Webern herübergebracht fein. Herr Aug. F. Wiener theilte fodann zuerft feine Beobachtungen in der „Gefiederten Welt" mit. Das eine Männchen erbaute fleißig zahlreiche Nefter, doch waren diefelben fämmtlich gleich und es zeigte fich kein fog. Vergnügungsneft darunter. Zwei Weibchen nifteten in denfelben erbrüteten und zogen ihre Jungen auf, während ein andres Männchen be= kämpft und in die Flucht gefchlagen wurde. Auch bei diefer Art dürften daher die Männchen in Bielweiberei leben. Herr Friedrich Schneider hält ihn für den fchnellften und gewandteften Flieger unter allen Weberbögeln und fchildert ihn weiter in folgendem: „er weiß mit feinem fpitzen Schnabel, welcher dünn und fcharf wie der eines Stars ift, fehr gewandt Gewürm aufzulefen, erfchnappt auch Fliegen im Fluge und nimmt fogar anderen Bögeln derartiges vor oder aus dem Schnabel fort. Bei folcher Räuberei wendet er eine befondre Lift an; er packt nämlich einen kleinen, fchwächern Bogel an einem Flügel und läßt ihn fo= lange zappeln, bis derfelbe den erhafchten Mehlwurm fallen läßt, welcher dann ihm zur Beute wird. In meiner Vogelstube erbaute er an einem dicken, selbst geflochtnen Seile schöne freihängende Nester. Bei dieser Arbeit umwickelte er zunächst einen Zweig bis zur Spitze und darüber hinaus, wenn derselbe lothrecht herabhing, aber nur einen Theil desselben, wenn er horizontal stand. Darauf wurden lang herabhängende Fäden in die Umwicklung geflochten und zu einem Seile verarbeitet. Das Ende desselben wurde trichterförmig erweitert und schließlich zu dem eigentlichen Nistraum ausgebaut. Soweit stellte das Männchen den Bau her; die Ausführung und Ausfütterung des Nestes dagegen fiel dem Weibchen zu. Dieses schleppte tagelang große Massen von Federn, Gras= und Rohrrispen, Watte, Wolle, Scharpie u. drgl. zusammen und filzte damit die Nestwandung zolldick, indem es sowol innen als auch außen arbeitete. Das Gelege bestand jedesmal aus 2 Eiern. Die Brut ging zugrunde, weil Papageien das Nest zerstörten."

Sonderbarerweise stimmen die Angaben vieler anderen Züchter, welche diesen Weber in der Vogelstube gehabt, hinsichtlich des Nestbaues mit denen Schneider's sämmtlich nicht überein. Wie bei ihnen allen — Wiener in London, Elsner in Berlin, Scheller in Hamburg und Karl Masius in Schwerin — hat dieser Vogel auch bei mir stets ein ganz andres Nest gebaut. Dasselbe gleicht im wesentlichen dem S. 284 beschriebnen des Textorwebers und besteht aus denselben Baustoffen; nur ist es beträchtlich größer. Der Vogel nistet noch zuverlässiger als alle Verwandten und er ist daher auch bereits mehrfach gezüchtet. Leider sind keine eingehenden Beobachtungen über die Brut veröffentlicht worden und ich kann dieselbe ebenfalls nicht schildern, da ich durch Krankheit behindert war, Aufzeichnungen zu machen. Im ganzen Wesen stimmt er mit dem Textorweber überein, doch ist er nicht so sehr bösartig, denn während ein altes Pärchen in meiner Vogelstube seine Brut erzog, wurden trotzdem die Jungen in mehreren Prachtfinken= nestern glücklich flügge. An kräftiger Ausdauer in der Gefangenschaft dürfte er noch alle Verwandten übertreffen. Preis 45 bis 60 Mark für das Paar.

Der goldstirnige oder olivengrüne Webervogel ist auch Kaffern= und Kapweber benannt und heißt bei Rchb. Kap= und goldstirniger Oriolin.

Tisserin à front d'or; Olive Weaver-bird.

Nomenclatur: Icterus olivaceus, Hhn.; Icterus cafer, Lchtst.; Ploceus auri-frons, Tmm., Lss., Rpp., Grll.; Ploceus icterocephalus, Swns.; Oriolus capensis, Gm.; Ploceus capensis, A. Smth.; Ploceus abyssinicus, Cv., Lss.; Ploceus aureus, Lfbr.; Oriolinus capensis et aurifrons, Rchb.; Hyphantornis capensis et aurifrons, Bp., Layard; Hyphantornis aurifrons, Fnsch., Hrtl., Hgl.; Hyphantornis olivacea, Hgl.

Wissenschaftliche Beschreibung: Oberkopf bis zum Zügel lebhaft röthlichbraungelb; Hinterkopf mehr olivengrünlich, Zügel und Kopfseiten olivenbräunlich, am dunkelsten am Mund= winkel; Oberseite vom Hinterkopf bis zu den Oberschwanzdecken dunkel olivengrün, jede Feder in der Mitte bräunlich; Schwingen und deren obere Deckfedern braunschwarz mit olivengelb= grünen Außen= und bräunlichen Innensäumen; die Ränder bilden eine schmale grüngelbe Binde; Schulterrand zitronengelb; untere Flügeldeckfedern grüngelb mit zitronengelben Rändern; Schwanz=

federn olivengrün mit zitronengelben verwaschenen Rändern; Halsseiten und Kehle sowie die Oberbrust rothbräunlichorange; die übrige Unterseite bis zu den Unterschwanzdecken zitrongelb. Auge blaßgelb, fast weißlich. Schnabel braun mit hellen Schneiden, nach der Spitze zu dunkler; Füße röthlichbraun. Weibchen: schmaler Augenbrauenstreif hell olivengrün; ganze Oberseite dunkelolivengrün; Flügelrand gelb; Kopfseiten, Kehle und Oberbrust, sowie ganze Unterseite hell gelblicholivengrün; Auge blaßgelb, schwach ins Bräunliche übergehend; Schnabel und Füße röthlichbraun. Männchen im Winterkleide übereinstimmend, doch etwas dunkler und bemerkbar größer.

Ploceus olivaceus: pileo usque ad lora laete fulvo; occipite magis olivaceoviridi; loris capitisque lateribus olivaceo-fuscatis, angulos oris versus obscurioribus; supra obscure olivaceo-viridis, pluma quaque media subfusca; pogonio remigum eorumque tectricum fusco-nigrorum exteriore luride viride, interiore fuscoscente limbatis, itaque fasciam angustam formantibus viride flavam; margine humerali citrino; infracaudalibus virente flavis citrino-marginatis; rectricibus olivaceo-viridibus subcitrino-marginatis; colli lateribus, gula pectoreque e fulvo aurantiis; gastraeo reliquo citrino; iride gilva, fere albida; apice rostri fusci obscuriore, tomiis dilutioribus; pedibus castaneis. — ♀ supra obscure olivaceo-viridis, capitis lateribus, gula, pectore totoque gastraeo luride virentibus; iride gilvo-fuscescente; rostro pedibusque subbadiis. — ♂ vest. hiem. simillimus, at paululum obscurior et major.

Länge 18,₃ cm. (7 Zoll.) Flügel 9,₄ cm. (3⁷/₁₂ 3.); Schwanz 5,₉ —6,₅ cm. (2¹/₄—2¹/₂ 3.). (L. 17,₆ cm.; F. 11,₄ cm.; Schwanz 5,₇ cm. F. Schneider).

Jugendkleid: Unbekannt. Juvenis ignotus.

Beschreibung des Eies: Gestalt länglich, auf grünlichem oder weißlichem Grunde mit rostbraunen, am stumpfen Ende zusammengedrängten Flecken (Rüppell). Die südafrikanischen Eier sind einfarbig spangrün (in F. Schneider's Vogelstube waren die Eier dunkelblaugrün); Länge 22 mm.; Breite 14 mm.

Ovum: longiusculum, viridulum vel albidum maculis ferrugineis, apicem obtusum versus crebrioribus (Rüpp.). Ova ex Africa meridionali unicoloria ceruginosa; talia ex fetura cubiculari obscure coerulescente viridia (Ahn.).

**Der goldgelbe Webervogel** [Ploceus aureoflavus]. In den Färbungsverhältnissen dem goldstirnigen Weber ähnlich, doch nach Heuglin beiweitem kleiner, kaum der Größe des dottergelben Webers gleich, mit kräftigem Schnabel und vor dem Auge mit einem kaum bemerkbaren schwärzlichen Fleck. Finsch und Hartlaub lassen mehrere von verschiedenen Schriftstellern aufgestellte Arten: Gold=Webervogel, P. aureus [Natt.], Einfarbiger Webervogel, P. concolor [Heugl.], als völlig übereinstimmend zusammenfallen. Der Vogel ist an Kopf, Kopfseiten, Kinn und Kehle dottergelb; oberseits olivengelb; Bürzel lebhafter gelb; Schwingen und Deckfedern blaß olivenbräunlich, mit gelben Außenrändern, sodaß der zusammengelegte Flügel einfarbig gelb erscheint; Schwanzfedern olivengelb mit blaßgelben Innenfahnen; ganze Unterseite gummiguttgelb; Schnabel schwarz; Auge rothbraun; Füße röthlichhornbraun. Das Weibchen ist an der ganzen Oberseite olivengrünlichgelb, Rücken und Flügel sind dunkler; Kopf und ganze Unterseite sind gelb. Als Heimat ist bis jetzt nur Ostafrika bekannt; Bojer, Kirk und v. d. Decken erlegten ihn auf Sansibar und Peters auf Mozambik. Der erste Forscher fand das Nest unter den Blättern einer Kokuspalme an einem langen Strick von Cypergras be=

feſtigt. Er wird auch Goldgilbweber (Br.), goldgelber Gilbling und faſt goldgelber Pirolin
(Rchb.) genannt. (Ploceus aureoflavus, *Smth.*; Textor aureiflavus, *Bp.*; Hyphantornis
aureoflava, *Gr.*; H. aurea, *Ntt.*, *Hrtl.*, *Cb.*; H. aureoflavus et subaureus, *Hrtl.*;
concolor, *Hgl.*, *Fnsh.*; H. aureoflava, *Hgl.*; Mnama auf Sanſibar). — Naheſtehend,
aber keineswegs übereinſtimmend iſt nach Finſch und Hartlaub der an Kinn und
Oberkehle kräftig röthlichkaſtanienbraun gefärbte **Pommeranzengelbe Webervogel**
[Pl. aurantius, *Vll.*; P. Royrei, *Vrr.*], der ſich auf den erſten Blick durch die
dunkel olivenbraungelbe Färbung des Mantels und der Schultern unterſcheidet.
Heimat Kongo. Weiter iſt nichts über ihn bekannt. Rchb. nannte ihn orangefarbiger
Feinweber. — **Bojer's Webervogel** [Ploceus Bojeri]. „Dem goldgelben Weber
nahe verwandt, iſt er jedoch durch die viel dunklere Färbung des Kopfs, Kinns
und der Kehle, die eigenthümliche Federſtruktur an dieſen Theilen, welche kurz,
wie bei manchen Feuerfinkenarten, dabei aber ſtarr iſt, und den ſchwächern, kürzern
Schnabel durchaus verſchieden. Er wurde im Jahre 1824 durch den verdienſt-
vollen Forſcher W. Bojer auf Sanſibar entdeckt und Baron v. d. Decken erlegte
ihn dort ebenfalls, ſowie auf der gegenüberliegenden oſtafrikaniſchen Küſte" (Finſch
und Hartlaub). Es läßt ſich erwarten, daß auch dieſer Weber demnächſt lebend
eingeführt wird. (Zitronvogel (v. d. Decken); (Xanthophilus aureoflavus, *Rchb.*; Hyphantornis Bojeri, *Cb.*, *Hrtl.* et *Fnsch.*)

**Der kaſtanienbraune Webervogel** [Ploceus castáneo-fuscus].
Tafel X. Vogel 51.

Bis vor kurzem gehörte der Fuchsweber zu den äußerſt ſeltenen Erſcheinungen
im Handel; jetzt wird er hin und wieder eingeführt, doch darf man ihn keineswegs zu den häufigeren Vögeln zählen. Die Weibchen ſind nur gelegentlich
vorhanden und richtige Pärchen von dieſer Art findet man daher in wenigen
Sammlungen.

Es iſt ein hübſcher Vogel, der ſich von allen Verwandten dadurch unterſcheidet, daß er am Rumpf ſchön kaſtanienbraun gefärbt erſcheint, während Kopf,
Hals, Oberbruſt, Flügel und Schwanz tiefſchwarz ſind und das grelle, hellgelbe
Auge ihm ein abſonderliches Ausſehen giebt. Größe ein wenig geringer als die
des Textorwebers.

Die Heimat beſchränkt ſich auf Weſtafrika. Heuglin hat ihn in Nordoſtafrika
nicht geſehen und erachtet daher die Angaben, daß er dort vorkomme, z. B. von
Graf Reyneval, welcher ihn auch in Nubien bemerkt haben will, als irrthümlich
und in Verwechſelung mit dem rothbraunen Weber (P. rubiginosus) beruhend.
Mit Sicherheit ſind nur folgende Bezirke anzugeben, in denen er lebt: St. Pauls-
Fluß im Sierra-Leone-Gebiete, Rio Bontry, Gabun, Aſchanti, Goldküſte, Fanti-
Land. Reichenow traf ihn an der Goldküſte als Brutvogel bei Abokobi.
„Die Neſter in Kolonien an Büſchen oder Bambus in der Höhe von 1,6 bis

6,₃ Meter hängend, glichen in der Gestalt ungefähr denen des dottergelben Webers (siehe den nächsten), doch sind sie länger im Verhältniß zur Höhe. Der Bau ist bedeutend loser und lockrer. Nur zwei Eier scheinen das Gelege aus= zumachen. Buschige Ebenen bilden ausschließlich den Aufenthaltsort." Nähere und eingehendere Mittheilungen sind über diesen Vogel weder in der älteren noch neueren Literatur zu finden. In seiner Lebensweise stimmt er zweifellos mit den vorigen überein, wie dies die Beobachtung in der Gefangenschaft bereits ergeben hat. Er ist nicht ganz so stürmisch als der Textorweber und sein Liebes= sang erschallt nicht so ohrenzerreißend. Ich habe ihn in der Vogelstube leider nicht gezüchtet, dagegen ist dies von Herrn Fr. Schneider geschehen, welcher aber auch nur wenig sagt: „über das Nest und die Nistweise kann ich nichts Besondres berichten. Das erstere ist etwas kleiner als das des Textorwebers, mit etwas längerer Flugröhre." Nach Reichenow's Beschreibung ist das Nest in der Freiheit ohne Flugröhre und ein solches, welches ein lediges Männchen in meiner Vogelstube gebaut hatte, zeigte davon ebenfalls keine Spur. Bei den vorhergehenden Arten habe ich indessen schon darauf hingewiesen, daß dieselben, so namentlich der Textor, beim Nestbau in der Gefangenschaft von dem in der Freiheit zuweilen ganz auffallend abweichen, indem sie niemals einen Strang anfertigen, an welchem das Nest hängt und fast regelmäßig auch mit Vorliebe Agavefasern als Baustoff wählen; in der Beschaffenheit der letzteren dürfte dann wol am meisten die absonderliche Gestalt der Nester begründet liegen. Schneider giebt noch an, daß sein Fuchswebermännchen das Prachtkleid länger als zwei Jahre trug, indem es im April schwach mauserte und wieder schwarze und braune Federn erhielt; auch blieb der Schnabel unverändert schwarz. In allem übrigen gleicht der Vogel seinen Verwandten. Preis 24 bis 30 Mark für das Pärchen.

Der kastanienbraune Webervogel wird auch Fuchsweber und braunrother Weber genannt. (Die letzte Bezeichnung ist hier aber falsch, weil sie dem nächstfolgenden mit größerm Recht gebührt).

Le Tisserin brun-noir; Chestnut-backed Weaver-bird; Kastanjebruin Wever (holländisch).

Nomenclatur: Ploceus castaneo-fuscus, *Lss.*, *Cv.*, *Rchb.*, *Hrtl.*; Textor castaneo-fuscus, *Bp.*; Hyphantornis castaneo-fusca, *Gr.*, *Shrp.*, *Hgl.*, *Rchn.*

Wissenschaftliche Beschreibung: Kopf, Nacken, Hals, Kehle und Oberbrust, Flügel und Schwanz schwarz, Schwingen und Schwanzfedern jedoch mehr bräunlichschwarz; Schultern, Rücken, Bürzel, Unterbrust, Bauch, Hinterleib und Unterschwanzdecken kastanienbraun, die Schultern schwarz gezackt. Schnabel schwarz; Auge schwefelgelb; Füße röthlichbraun. — Weibchen an Oberkopf und Nacken dunkelbraun, jede Feder olivengrün gesäumt. Rücken= und Flügeldeckfedern ebenso, gelbbraun gesäumt; Bürzel und Oberschwanzdecken rostbraun; Hals und Brust gelblich= isabellfarben; Mitte des Bauchs reingelb, Seiten und Unterschwanzdecken isabellfarben, erstere unten rothbräunlich schimmernd; Schwingen und Schwanzfedern dunkelbraun, erstere mit schmalen, hellen Außensäumen; Unterflügeldecken grau, gelblich gesäumt; Schnabel schwarz; Auge hellgelb;

Füße hornbraun. (Rchn). — Männchen im Winterkleibe ebenso, nur an dem feuriger gelben Auge zu erkennen.

Ploceus castaneo-fuscus: castáneo-fuscus; capite, cervice, collo gula, alis caudaque nigris; remigibus et rectricibus paululum fuscatis; scapularibus nigro-dentatis; rostro nigro; iride sulfurea; pedibus rufis. — ♀ et ♂ vest. hiem. supra luride fuscescentes; fuscia lata alarum obscure virente fuscarum lurida; stria superciliari gilva; iride ♀ flavida, ♂ obscuriore; rostro fusco-nigro.

Länge kaum 15,₇ ᶜᵐ· (etwa 6 3.); Flügel 7,₈ ᶜᵐ· (3 3.); Schwanz 5,₇ ᶜᵐ· (2¹/₆ 3.).

Jugendkleib: Nach Fr. Schneider dem Weibchen des Textorwebers sehr ähnlich, jedoch ein wenig dunkler.

Juvenis: Pl. melanocephalo ♀ simillimus, sed paululum obscurior.

Beschreibung des Eies: Reinblau; Länge 23—24,₅ ᵐᵐ·; Breite 15,₅—16 ᵐᵐ· (Rchn.); blaugrün, doch das Blau mehr vorherrschend (Schn.).

Ovum: coeruleum, aeruginosum.

Der rothbraune Webervogel [Ploceus rubiginosus] ähnelt dem vorigen in Färbung und Größe, ist aber heller rothbraun, nur mit schwarzem Kopf; er wurde von Rüppell in Abessinien entdeckt, wo er nach Heuglin nur auf die wärmeren Thäler in wenigen Bezirken beschränkt sein dürfte. „Wahrscheinlich ist er auch Zugvogel, der dort nur zur Regenzeit anzutreffen ist. Ich habe niemals Gelegenheit gefunden, ihn zu beobachten. Sein Hochzeitskleid hat keine Spur von· gelbem Anflug; sein Aussehen zeigt viel sperlingsartiges." (Ploceus rubiginosus, Rpp.; Textor rubiginosus, Bp., Hgl.; Hyphantornis rubiginosa, Hgl.).

Der schulterfleckige Webervogel [Ploceus badius]. Dem vorigen wiederum sehr ähnlich, ebenfalls mit schwarzem Kopfe, aber noch heller. „Von Antinori im Oktober des Jahres 1859 bei Woled Medineh am Blauen Fluß eingesammelt. Ein vollständig ausgefärbtes Männchen im Hochzeitskleide steht in der Sammlung des Herzogs Paul von Würtemberg und ein andres erlegten wir im Sommer des Jahres 1861 im Barka. Eigenthümlich ist der auf den kleinen Flügeldeckfedern befindliche Schulterfleck; der Grund ist hier rauchbraun, ins Olivenfarbige gehend, aber vollkommen verdeckt von den breiten, zeisiggrüngelben Federrändern. Der Vogel erscheint in großen Flügen im Gebiet des obern Weißen Nil im März und April, in Senar, Takah und am Atbara zu Ende des Mai und Anfang Junis. Gleich· nach der Ankunft beginnt die Verfärbung. Tagsüber sieht man ihn parweise und in kleineren Gesellschaften im Hochgras der Steppe und an Regenbetten, wo sie sich gegen Sonnenuntergang auf Tamarinden und anderen hohen und dichtbelaubten Bäumen unter vielem Lärm und Gezwitscher zu versammeln pflegen." Die obigen Angaben Heuglin's entlehne ich in der Voraussicht, daß auch diese Art eingeführt und unsere Käfige häufig bevölkern wird, sobald erst jene Gegenden mehr aufgeschlossen und auch dem Vogelhandel zugänglich sind. Kastanienrother Weber, nach Rchb. (Hyphantornis badius, Css.; H. axillaris, Hgl.; Ploceus modereus, Lss., Bp.; P. badius, Rchb.; P. rufocitrinus, v. Mll.; P. castaneo-auratus, *Antn.*; P. melanocephalus, *Pr. Wrtbg.*, *Hgl.* [P. sp.? et P. rubiginosus?] P. affinis, *Hgl.*).

**Der schwarze Webervogel** [Ploceus nigerrimus]. Ganz schwarz, Flügel und Schwanz kaum bemerkbar bräunlich; Schnabel schwarz; Füße etwas heller. Größe etwas bedeutender als die des Textorwebers. Das Weibchen ist dem des kastanienbraunen Webers äußerst ähnlich und hauptsächlich nur durch den grünlichen, nicht gelbbraunen Ton der Oberseite verschieden; Bürzel gelbbraun. Bisher wurde dieser Vogel von den Schriftstellern immer zu den Prachtwebern [Sycobius, *Vll.*] gezählt, allein Reichenow spricht sich — und zwar wol mit Recht — in folgender Weise aus: „Mir ist es unbegreiflich, daß dieser Vogel bisher dorthin gestellt worden. Nicht allein sein Leben ist von dem der Prachtweber durchaus verschieden und gleicht vollständig dem der Gelbweber, sondern auch seine Erscheinung hat nichts mit der jener ersteren Vögel gemein. Dazu kommt noch, daß das Weibchen ein gleiches unscheinbares braunes Kleid trägt, als die mehrerer Gelbweber, während dies doch bei den Prachtweberarten niemals der Fall ist. Seine Lebensweise ist völlig übereinstimmend mit der des schwarzköpfigen Webers: dasselbe muntre Wesen, auch derselbe Aufenthalt. Hier theilt er mit seinem Genossen die Kokuspalmen, die Nester beider Vögel hängen unter einander und man bemerkt nicht die geringste Eifersucht zwischen ihnen. Am Wuri fand ich an den über's Wasser hinausragenden Zweigen ungemein zahlreiche Kolonien, wie ich solche niemals wieder gesehen. Das Nest hat auch dieselbe Gestalt, wie das des Nachbarn: oben geht es ebenfalls in eine Spitze aus, mit der es an dem Aufhängepunkte befestigt ist, doch hat es keinen Röhrenansatz. Die Höhe und Breite beträgt 12 cm·, die Länge 15 cm·, wovon 6 cm· auf das Schlupfloch kommen. In der Regel hängen die Nester ganz frei an einzelnen Zweigen, doch ist auch zuweilen ein nahestehendes Reis in die Seitenwandung hineingeflochten. In großen Ansiedelungen befinden sich oft zwei oder drei Nester dicht übereinander, an demselben Zweige, an welchem dann gleichfalls die Nestwandung gewebt ist. Der sehr dichte, dicke Bau wird wie bei dem genannten Genossen ebenfalls aus frischem, breitem Grase hergestellt und die Nestmulde ist nicht selten mit Mais-Blütenfäden ausgelegt. Zwei, häufig auch drei Eier bilden das Gelege; Farbe hellblau, Länge 22—25 mm·, Breite 15—16,5 mm· — Da wir am Ufer des Wuri, ermüdet vom Rudern und Jagen, einen ganzen Nachmittag in der Nähe jener Kolonien lagerten, so konnte ich mich recht an dem Ab- und Zufliegen, dem Geschwirr, Gezänt, Gesang und dem Nestbau der Lebenslust und Freude athmenden Vögel ergötzen — ein prächtiges Schauspiel. Das Balzen oder Liebesspiel der Männchen besteht darin, daß sie mit niedergducktem Körper mit den Flügeln zittern, wobei alle Federn leicht gesträubt werden. — Ich muß noch bemerken, daß ich diese Art an der Goldküste nirgends getroffen habe; auch weiter nördlich in der Sierra Leone ist sie wol nicht beobachtet;

sie scheint also nur dem südlichen Westafrika anzugehören und die Kamerun=
gegend dürfte der nördlichste Punkt ihres Verbreitungskreises sein." — Es ist
wirklich auffallend, daß dieser in seiner Heimat überaus zahlreich vorhandene
Vogel bisher noch garnicht lebend eingeführt wurde. Sobald aber die Groß=
händler darauf aufmerksam geworden, daß wir in ihm ein interessantes Mitglied
seiner Zunft vor uns haben würden, namentlich insofern, als er in seiner tief=
schwarzen Farbe neben den gelben Arten in einem großen, draußen stehenden
Flugkäfige angenehme Abwechselung bieten kann, dürfen wir wol davon überzeugt
sein, daß er im Handel erscheinen werde — und darum habe ich die obige Schilde=
rung hier angefügt.

Schwarzer oder tiefschwarzer Webervogel. (Ploceus nigerrimus, *Vll.*; P. niger,
*Swns.*, *Bp.*; Sycobius nigerrimus, *Prr.*, *Vrr.*, *Hrtl.*; Hyphantornis nigerrimus, *Rchn.*).

## Der dottergelbe Webervogel [Ploceus vitéllinus].
### Tafel Vlll. Vogel 48.

Bedeutend kleiner als die vorhergehenden, ist er mit Recht beliebter, weil
er einerseits als ein harmloser und verträglicher Gast in der Vogelstube sich
zeigt und andrerseits zu den schönsten aller Weber gehört. Prächtig gelb, mit
schwarzem Gesicht und gelbbraunem Kopf ist er an Flügeln und Schwanz dunkler
gelblichbraun, mit feuerrothem Auge und schwarzem Schnabel. Größe des Feld=
sperlings.

Er ist sehr weit verbreitet, denn seine Heimat erstreckt sich durch ganz
Mittelafrika, von der West= bis zur Ostküste. Nach Heuglin's Mittheilungen
erscheint er zu Ende des Monats Mai und im Juni in den Gegenden des
untern weißen und blauen Flusses, am eigentlichen Nil nordwärts bis Berber
und zwar noch im Winterkleide und in Flügen, welche sich bald in kleinere Ge=
sellschaften und Kolonien vertheilen. „Der Lieblingsaufenthalt dieser munteren
Vögel sind Akaziengruppen oder auch andere Dornbäume in der Nähe von feuchten
Plätzen, an Stromufern längs der Regenteiche, auf Inseln und in Büschelmaisfeldern.
Ihre Nahrung besteht in Gräsersämereien und Insekten. Die Verfärbung zum
Hochzeitskleide beginnt im Juni und gleichzeitig die Brut. Dann singen, schwätzen
und streiten die Männchen viel und verlassen den zum Nestbau ausersehenen
Platz höchst selten. Der Lockton ist ein schrilles, etwas gedehntes Zirpen. An
schwanke, überhängende Zweige in 1—6,3 Meter Höhe befestigt dieser Weber sein
kunstvolles Nest, welches dicht und schwer aus frischgrünen Grashalmen erbaut
wird. Es ist beutelförmig und zunächst mit seinem obern, sehr schlank aus=
gezognen Ende nur an einen einzigen dünnen Zweig angeheftet, sodaß der geringste
Lufthauch dasselbe in eine schaukelnde Bewegung versetzt. Häufig stehen diese
Bauten so, daß sie an einem großen Theile des Tages Schatten haben. Sehr

viele frische Nester fanden wir unbelegt; diese werden wol bei Nacht und Un=
wetter von den Männchen benutzt, die übrigens offenbar das Weben nicht nur
aus Bedürfniß, sondern auch aus Liebhaberei betreiben. Antinori behauptet,
daß beide Gatten des Pärchens sich beim Bau betheiligen. Ich sah jedoch blos die
Männchen arbeiten. Zuerst wird ein durchsichtiges, leichtes Gerüst geflochten
und dies dann mit feineren Grashalmen durch Einweben mehr und mehr ver=
dichtet. Das Schlupfloch ist meistens seitwärts und unten angebracht, zuweilen
noch mit einer kleinen Röhre. Bei der Herstellung des Nestes kann man neben
der Geschicklichkeit im Verflechten des Baustoffs auch die Gewandtheit der kleinen
Künstler im Klettern nicht genug bewundern. In allen Stellungen, oft den Kopf
und Körper abwärts gerichtet, laufen sie um den ganzen Bau herum und an
demselben auf und ab. Die Zahl der Eier eines Geleges giebt Antinori auf
5 bis 7 Stück an. Ich fand deren nie mehr als fünf und bei der zweiten Brut
gewöhnlich nur drei. Ob die Vögel regelmäßig mehrere Bruten machen oder
nur dann, wenn die erste zerstört wird, kann ich nicht angeben. Sind die Jungen
ausgeflogen, so schwärmen sie familienweise oder in kleinen Flügen eine zeitlang
in der Steppe und in den Maisfeldern umher und verschwinden südwärts ziehend
im November wieder; um diese Jahreszeit und theils schon etwas früher beginnt
die Mauser."

Diese Angaben werden dann von Reichenow aus Westafrika noch ergänzt:
„Der dottergelbe Weber ist an denselben Orten häufig, wo man den Textor
sieht. Die Nester, in welchen wir in der Mitte des August frische Eier fanden,
hängen an dünnen Zweigen niederer Büsche in der Höhe von 1,6 bis 2,5 Meter
über der Erde, einzeln oder mehrere an demselben Strauch, niemals aber in
großen Kolonien beisammen; sie sind kugelförmig, nach oben zum Aufhängepunkt
in eine Spitze auslaufend mit einem schön gearbeiteten Flugloch an der Unter=
seite und überhaupt sehr fest gebaut. Drei Eier bilden in der Regel das Gelege."

Wenn er bis jetzt auch noch keineswegs zu den im Handel häufigen Vögeln
gehört, so ist ein Pärchen doch bereits in jeder größern Vogelstube zu finden.
Bei Herrn Friedrich Schneider erbaute er ein Nest, welches sich der Kugel=
gestalt näherte und dessen schön gerundetes, kreisförmiges Flugloch keinen Röhren=
ansatz hatte. Zur Brut gelangte das Pärchen nicht. In meiner Vogelstube sind
zahlreiche Bruten flügge geworden. Die Nester wurden von den alten und jungen
Männchen stets in derselben Weise gebaut und zwar nicht wie die der anderen
Webervögel ganz oder zum größten Theile aus Agavefasern, sondern vorzugsweise
aus frischen oder trockenen Gräsern und besonders auch aus Streifen von Linden=
bast. In der Gestalt stimmen sie mit den von Heuglin beschriebenen wesentlich
überein; sie hängen an einem, meistens jedoch nur kurzen, nach unten zu dicker
werdenden Bande, sind kaum länglichrund, immer mit dem Schlupfloch von unten

herauf und ohne Röhrenansatz. Drei bis vier Eier bilden das Gelege, von denen bei mir jedoch jedesmal nur ein bis zwei Junge erbrütet und flügge wurden. Brut= dauer 12 Tage. Nestflaum reinweiß, mit ganz kleinen dunkeln Schnabelwarzen. Das Jugendkleid gleicht dem des alten Weibchens (siehe wissenschaftliche Be= schreibung). Erst im dritten Jahre erlangt das junge Männchen das volle Pracht= kleid. Dagegen bleibt ein alter Vogel bei guter Fütterung und entsprechender Verpflegung dann auch wol mehrere Jahre in demselben; meistens zeigen sich die Farben nur wenig abgeblaßt und eine völlige Entfärbung tritt selten ein.

Im übrigen hat er alle guten Eigenschaften der Webervögel im hohen Maße, während die üblen bei ihm nicht vorhanden sind; er ist kräftig und sehr aus= dauernd, anspruchslos und nistet freifliegend in der Vogelstube leicht und ge= wöhnlich in mehreren Bruten hinter einander; im Käfige jedoch wahrscheinlich viel schwieriger. Friedlich und harmlos, beraubt er keine Nester und sein Liebes= sang, bestehend in Zischen und Schnurren, unter Flügelschlagen und Spreizen des Schwanzes vorgetragen, erklingt mehr komisch, als unangenehm. Er sollte in keiner Vogelsammlung fehlen. Der Preis beträgt zwischen 18 bis 30 Mark für das Pärchen.

Der dottergelbe Webervogel oder dottergelbe Weber ist auch gelber Webervogel (Hgl.), dottergelber Kernbeißerweber (Rchb.) und Feinweber (Br.) benannt.

Le Tisserin jaune d'oeuf; Half-masked Weaver-bird; Roodbruinnek Wever (holländisch).

Nomenclatur: Fringilla vitellina, Lchtst.; Ploceus ruficeps, Swns.; Textor vitellinus, Bp.; Hyphantornis vitellina, Gr.; Ploceolus vitellinus et Xanthophilus sul- fureus, Rchb.; Hyphantornis vitellinus, Fnsch. et Hrtl., Rchn.; Ploceus flavomar- ginatus, Pr. Wrtbg., Hgl.; Pl. aurantiiceps, Textor chrysopygus (als zweifelhafte Art) et Hyphantornis vitellina, Hgl.

Wissenschaftliche Beschreibung: Stirnrand, Augengegend, Backen, Kinn und Kehle schwarz, rings umgeben auf dem Scheitel, an den Halsseiten und am Kropfe von dunkelbräun- lichoranger Färbung, welche nach hinten und unten zu allmälig heller wird und in hohes Dotter= gelb übergeht; Nacken, Mantel und Schultern gelb, schwach olivengrün verwaschen, mit schmalen dunkleren Schaftstrichen; Schwingen schwarzbraun, an der Außenfahne schmal gelb gesäumt, an der Grundhälfte der Innenfahne breiter blaßgelb gerandet; die letzten Schwingen zweiter Ordnung an der Außenfahne breit gelb gerandet, wie die längsten Schulterdecken; Deckfedern braunschwarz, die der zweiten Schwingen außen gelb gesäumt; die größte Reihe der oberen Deckfedern mit breitem, gelbem Endbrande, wodurch eine deutliche gelbe Querbinde über den Flügel gebildet wird; die übrigen Deckfedern mit gelben Endsäumen; Schwanz bräunlicholivengelb, jede Feder mit schmalem, gelbem Innensaum; Bürzel und obere Schwanzdecken hochgelb, ebenso die ganze Unterseite; Schnabel glänzend schwarz; Auge feurig karminroth; Füße bräunlichfleischfarben. — Weibchen: oberhalb olivengrünlichgelb, Mantel und Schultern mit breiten olivenbraunen Schaftstrichen; Zügel, Backen, obere Schwanzdecken und Unterseite hochgelb, doch heller als beim Männchen; Bauch, Hinterleib und untere Schwanzdecken fast reinweiß. Schnabel dunkelbraun, Unterschnabel heller; Auge gelbroth. — Männchen im Winterkleide mit dem Weibchen übereinstimmend, nur oberhalb kräftiger gelbgrün, mit schmaleren Schaftstrichen, unterhalb kräftiger gelb und fast regelmäßig an Kopf und Hals mehr oder minder schwarz und orangegelb gefleckt; ein wenig größer und am feurigrothen Auge stets zu erkennen.

20*

Ploceus vitellinus: margine frontali, regione ophthalmica, genis, mento gulaque nigris; pileo, colli lateribus guttureque obscure aurantiis, postice sensim dilutioribus et in vitellinum transientibus; cervice interscapilio et scapularibus flavis, subolivaceo-lavatis, obscurius striolatis; pogonio remigum nigro-fuscorum exteriore anguste flavo-limbato, interiore a basi usque ad dimidium latius flavomarginato; pogonio remigum secundariorum ultimorum et scapularium longissimarum exteriore late flavo-marginato; tectricibus al. fusco-nigris, pogonio tectricum mediarum exteriore flavo-limbato; tectricibus minoribus denteris late flavo terminatis, itaque fasciam distinctam alarum ostendentibus flavam; tectricibus al. reliquis flavo-terminato; pogonio rectricum e fusco olivaceo-flavidarum interiore anguste flavo-terminatis; uropygio et supracaudalibus et gastraeo toto luteis; rostro nitide nigro; iride ardenter coccinea; pedibus e fusco carneis. — ♀ supra ex olivaceo virente flava, interscapilio et scapularibus olivaceo-fusco-striatis; loris, genis, supracaudalibus et gastraeo luteis, dilutius quam maris; abdomine, crisso et infracaudalibus albis; rostro fusco, mandibula dilutiore; iride aurantia. — ♂ vest. hiem. cum femella conveniens, at supra laetius flavo-viridis, angustius striolatis; infra flavior ac plerumque capite colloque plus minus nigro- et aurantio-maculatis; etiam paululum major semperque iride igneo-rubra distinctus.

. Länge 12,4—13 cm. (4³/₄—5 З.); Flügel 7,2 cm. (2³/₄ З.); Schwanz 4,6 cm. (1³/₄ З.).

Jugendkleid: Dem alten Weibchen sehr ähnlich, oberhalb aber durch breite graue Säume der Federn und Mangel der dunklen Schaftstriche fahler graugrüngelb; Zügel und Backen matter gelb, ganze Unterseite gelblichweiß.

Juvenis: femellae adultae simillimus, supra vero ob limbos plumarum latos cinereos nullasque obscuras scaporum strias luridius virente flavidus; loris genisque pallidius flavis; gastraeo toto gilvo-albente.

Beschreibung des Eies: „Die Eier sind so sehr veränderlich, daß man sie ganz verschiedenen Arten zuschreiben möchte. Ihre Grundfarbe ist weißlich, hell lehmfarben, hell fleischröthlich, bläulich bis hell spangrün; darauf zeigen sich oft nur einzelne dunkelblaugraue Punkte und Fleckchen, andere sind dichter roftbraun gefleckt, wieder andere zeigen roftbräunliche und grauliche Flecke, die am stumpfen Ende oft dichter stehen. Länge 17,5—18 mm.; Breite fast 13 mm." (Hgl.) „Die Eier, welche auf bläulichweißem Grunde mit blaßrothblauen und violetten Flecken bedeckt sind, haben eine Länge von 19,75—20,5 mm. und Breite von 13,25—14 mm." (Rchn.) In der Vogelstube weniger veränderlich: dunkler und heller bläulichweiß, röthlich bis violett gefleckt.

Ova: perquam varie picta, albicantia testacea, subcarnea coerulescentia in aeruginosum vergentia, punctulis maculisque vel parcis coeruleo-cinereis, vel crebris ferrugineis et subcinereis apicem obtusum versus saepe largius disseminatis (Hgl.). — Ovum: subcoeruleo-album lilacino- et violaceo-maculatum (Rchn.). — Talia ex fetura cubiculari minus variabilia; tam obscurius, quam pallidius coerulescente albida, rubido-, ipsa violaceo-maculata.

_____

Heuglin trennt von dieser Art noch eine andre, welche er Ploceus [Hyphantornis] taeniopterus (nach Rchb. Flügelbindiger Webervogel) benennt und die er als ganz bestimmt abweichend erklärt. Er sagt: „Längre Zeit habe ich beide nebeneinander im Käfige erhalten und so Gelegenheit gehabt, mich von ihrer Verschiedenheit, die sich auch in der Lebensweise ausspricht, genügend zu überzeugen. Er zeigt außer anderen Aufenthaltsorten und Gewohnheiten auch merkliche Abweichungen im Körperbau; ferner ist die schwarze Färbung des

Gesichts nicht über die Wangen ausgedehnt, aber am Vorderhals bis auf die Brustmitte in einer Schneppe herabgezogen und am Vorderkopf ist weit weniger gelbbrauner Anflug, während beim dottergelben Weber nur das Kinn und der obere Theil der Kehle, dagegen der ganze Stirnrand, Wangen, Augen= und Ohrengegend abgegrenzt schwarz sind. Verbreitung am Weißen Nil zwischen dem 10. und 5. Grad nördl. Breite. Er kommt mit Anfang der Regenzeit in zahl= reichen Schwärmen in die Gräserfelder um den obern Bahr el abiad und man kann sich kaum einen Begriff von der Kopfzahl eines Fluges dieser Vögel machen. Wir sahen sie dicht gedrängt, wolkenartig in ununterbrochenen Zügen, deren Vorbeiflug wol länger als eine Viertelstunde währte, über den Fluß ziehen." Die Annahme dürfte also nicht fern liegen, daß dieser Weber über kurz oder lang unsere Vogelstuben und Käfige reich bevölkern wird und dann wollen wir ihn willkommen heißen, gleichviel, ob er eine selbständige Art oder nur eine Lokalrasse des mit Recht geschätzten dottergelben Webers bildet. (Hyphantornis intermedia, *Hgl.*; H. atrogularis, *Fnsch.* et *Hrtl.*; H. taenioptera, *Rchb.*, *Hgl.*).

### Der Pirol=Webervogel [Ploceus gálbulus].

Dem dottergelben Weber nahestehend, ist er kaum bemerkbar kleiner, aber die bunte Färbung seines Gesichts erscheint beiweitem nicht so kräftig, sondern vielmehr nur kastanienbraun. In den Vogelhandlungen wird er fast regelmäßig mit jenem verwechselt oder zusammengeworfen, wol gar als dessen Weibchen ausgegeben.

Seine Heimat erstreckt sich über den Nordosten und einen Theil des Ostens von Afrika. Nach Heuglin's Angaben ist er ein häufiger Bewohner des Küstenlandes und der benachbarten Gebirge, vom 19. Grade nördlicher Breite südwärts längs der afrikanischen Küste des rothen Meeres bis in die Somali= Länder und im Hochland wenigstens bis zu 1800 Meter Höhe. Im Innern Abessiniens und in den Nilländern war er nicht zu finden, dagegen nordwärts bis in den Bergen von Sauakin als der am weitesten nach Norden hin ver= breitete Webervogel. Die Behauptung Brehm's und anderer Reisenden, daß er bei Chartum und in Senar (wie auch im „Museum Heineanum" angegeben), in Kordofan und am weißen Nil vorkomme, ist eine irrthümliche und bezieht sich auf den dottergelben Weber. Ueber das Freileben berichtet Heuglin folgendes: „mit Eintritt der Sommerregen beginnt die Verfärbung und das Brutgeschäft. Im Juli fand ich in den Bogosländern belegte Nester; bei Sauakin erschienen die Männchen im September, am Golf von Tedjenra erst im Oktober im Hoch= zeitskleide. Er lebt im allgemeinen vereinzelter als die Verwandten, doch traf ich Niskolonien von etwa zehn Pärchen. Haushalt, Nestbau und Eier sind denen des dottergelben Webers ganz ähnlich. Ob er Zugvogel ist, kann ich mit

Sicherheit nicht sagen, doch möchte ich ihn für einen Standvogel halten. Man sieht ihn auch in Gehöften, Gärten und Viehparken, namentlich aber auf einzeln stehenden Bäumen in Gerstenfeldern. Dieselben sind oft mit älteren und frischen Nestern ganz behängt. Der Baustoff besteht zumeist in Grasblättern, nicht aber in den Schaften oder Halmen."

Näheres ist nicht bekannt. In der Gefangenschaft stimmt er in jeder Hinsicht mit dem erwähnten nächsten Verwandten überein. Er wird fast alljähr-lich gegen den Herbst hin, immer aber nur in wenigen einzelnen Männchen, von Gu-bera in Leipzig eingeführt. Ich erhielt ihn ebenso von Poisson in Bordeaux.

Der Pirol-Webervogel oder Pirolweber ist auch gelblicher Webervogel (Hgl.) und Gilbweber (Br.) benannt.

Le Tisserin Oriole; Oriol Weaver-bird.

Nomenclatur: Ploceus galbula, *Rpp.*, *Lfbr.*, *Rchb.*; Textor galbula, *Bp.*, *Hgl.*; Hyphantornis galbula, *Gr.*, *Hrsf.* et *Mr.*, *Cb.*, *Br.*, *Hgl.*, *Fnsch.* et *Hrtl.*

Wissenschaftliche Beschreibung: Stirn, Vorderkopf, Zügel und Backen kastanienbraun, Kinn schwärzlich, der übrige Kopf, Hals und die ganze Unterseite nebst den unteren Flügeldecken gummiguttgelb; Oberseite dunkelolivengelb, mit verwaschenen, blaßolivenbräunlichen Schaft-strichen auf dem Mantel und den Schultern; Bürzel und obere Schwanzdecken reiner gelb; Schwingen und Deckfedern dunkelolivenbraun, erstere gelb gerandet, letztere mit breiten, gelben Endsäumen, wodurch eine schiefe gelbe Querbinde über den Oberflügel entsteht; Schwanzfedern bräunlicholivengelb, mit schmalem, gelbem Außensaum. Schnabel schwarz; Auge kastanien-braunroth; Füße blaßhorngelb. — Weibchen: Oberkopf und ganze Oberseite olivengrünlichgrau, Mantel und Schultern mit breiten olivenbraunen Schaftflecken; Zügel und Augenstreif, Kopf-seiten und alle unteren Theile blaßgelb; Bauch und Hinterleib ziemlich reinweiß; untere Flügeldecken isabellgelb; Schwingen dunkelbraun, außen schmal olivengelb, innen breiter blaß-gelb gesäumt; Bürzel und obere Schwanzdecken matt olivengelb mit reinen gelben Außenrändern. Auge dunkelbraun; Schnabel und Beine hornbraun.

Ploceus gálbulus: fronte, sincipite, loris genisque castaneis, mento nigricante; capite reliquo, collo totoque gastraeo cum tectricibus infracau-dalibus luteis; supra olivaceo-fuscus striis scaporum interscapilii et scapularium luride olivaceo-lavatis; uropygio et supracaudalibus flavioribus; remigibus alarumque tectricibus olivaceo-fuscis, illis flavo-marginatis, his late flavo-termi-natis, quamobrem fasciam alarum obliquam ostendentibus flavam: rectricibus e fusco olivaceis anguste flavo-terminatis; rostro nigro; iride badia; pedibus gilvo-corneis. — ♀: pileo totoque notaeo ex olivaceo cinereis; interscapilio et scapularius olivascente fusco-striatis; loris, stria superciliari, capitis lateribus totoque gastraeo gilvis; abdomine crissoque albidis; tectricibus subalaribus isa-bellinis; remigibus fuscis exterius angustius olivaceo-flavido-, interius latius gilvo-marginatis; uropygio et supracaudalibus luride flaventibus, exterius flavo-margi-natis; iride fusca; rostro pedibusque corneo-fuscis.

Länge 12,4 cm. (4³/4 Z.); Flügel 7,2 cm. (2³/4 Z.); Schwanz 3,5 cm. (1¹/3 Z.)

Beschreibung des Eies (nach Hgl.): Dem des dottergelben Webers gleich, doch durchschnittlich etwas größer, bis zu 21,7 mm. lang.

Ovum: ovo Plocei vitellini aequale, at paululum majus usque ad longit.

Als **olivengrauer Webervogel** [Ploceus erythrophthalmus] führt Heuglin eine selbständige Art an, welche Finsch und Hartlaub für übereinstimmend mit dem Pirolweber erachten. Erstrer hält ihn für durchaus verschieden von allen anderen in Nordostafrika vorkommenden Arten. Leider hat er ihn aber nur im Winterkleide gesehen, in welchem er dem Weibchen und den Jungen des Maskenwebers ähnlich, jedoch etwas größer ist. „Wir beobachteten ihn im öst= lichen Senar, in den Provinzen Galabát und Gedáref, wo er einzeln im April und Mai ankommen dürfte und auf Hochbäumen längs der Regenbetten lebt." Am richtigsten wol rothäugiger Webervogel benannt; da aber viele Arten der Gelbweber rothe Augen haben, so möge er den vorstehenden Namen behalten. (Ploceus erythrophthalmus, *Hgl.*; P. mariquensis, *Fnsch.* [Hyphantornis galbula, *Fnsch.* et *Hrtl.*]; H. erythrophthalma, *Hgl.*).

Der **zitrongelbe Webervogel** [P. xanthópterus], eine von Kirk im Jahre 1864 im Schiréthale des Sambefi aufgefundne Art sei hier beiläufig erwähnt, obwol nur ein solcher Vogel im Britischen Museum vorhanden, weil er nach Finsch und Hartlaub einer der prachtvollsten in der ganzen Gruppe der Gelbweber ist. Er steht dem Pirolweber sehr nahe. (Ploceus spec. nov., *Krk.*; Hyphantornis xanthopterus, *Hrtl.* et *Fnsch.*).

Der **schwarzohrige Webervogel** [Ploceus Guerini] sei wiederum nur beiläufig mitgezählt, da sich wol schwerlich die Aussicht zeigt, daß er lebend eingeführt werde. Er ist den vorigen ähnlich, doch viel heller grüngelb und nur mit schwarzer Färbung vom Nasenloch übers Auge bis ums Ohr und zum Unterschnabel, während Stirn, Kinn und Kehle reingelb sind. Heuglin fand ihn in den Bogosländern, in Mensa, um Adowa u. s. w. bis zur Höhe von 3766 Meter über Meeresspiegel, gewöhnlich einzeln und parweise als Standvogel, im Winter familienweise auf Hochbäumen, in Hecken und an buschigen Ufern. Mit Ende der Sommerregen im September verfärbt er sich und baut, meistens nicht gesellschaftlich, seine großen, etwas rohen Beutelnester aus rauhen, grünen Gras= halmen auf Hochbäume, an Bachufern oder wenigstens nicht fern von Gewässern. (Ploceus melanotis et P. Guérini, *Lfbr.*; P. auricularis et P. melanops, *Lfbr.*; P. auran- tius et leucophthalmus, *Hgl.*; P. melanogenis, *v. Mll.*; Textor melanotis, *Bp.*; Hyphan- tornis Guerini, *Gr., Frr.* et *Gl., Kg.-Wrth., Hgl.*).

### Der Masken=Webervogel [Ploceus lutéolus].

Der kleinste Weber, welcher bis jetzt lebend eingeführt wird, ist ein im Handel leider noch ebenso seltnes als in der Gefangenschaft liebenswürdiges Vögelchen. In der Gestalt gleicht er dem Textorweber, in der Größe aber nur etwa einem Hänfling, doch ist er schlanker und ungleich lebhafter. Auch die Färbung ist der des größern Verwandten ähnlich, doch ist sie vielmehr ein leb= haftes, hell olivengrünliches Gelb. Die dem Vogel auch beigelegte Benennung Safranweber ist daher keinenfalls zutreffend. Da der Kopf bis zur Scheitel=

mitte, an den Seiten bis kaum zu den Augen und am Kinn tiefschwarz ist, so darf man der Bezeichnung Maskenweber hier jedenfalls eine mehr berechtigte Geltung zusprechen, als bei dem Larvenweber (Ploceus larvatus), bei welchem die schwarze Farbe des Gesichts sich am Hinterkopf in die dunkelorange ver= läuft, sodaß eine Maske in den doch nothwendigen scharfen Umrissen keines= wegs hervortritt.

Die Heimat erstreckt sich vom Westen bis zum Nordosten Afrikas. Heuglin fand ihn im Bogosland, in Ost= und Südsenar, Kordofan und am obern weißen Nil und dessen Zuflüssen. Reichenow beobachtete ihn als ausschließlichen Bewohner buschiger Ebenen, doch nicht in der Nähe von Ortschaften, am Wuri, dem Quellflusse des Kamerun, wo die Nester einzeln längs der Ufer über dem Wasser an Buschzweigen oder an starken Gräsern herabhingen: „sie haben eine unregelmäßige Gestalt; der Nistraum ist kugelförmig, 7—8 $^{cm}$ weit und an demselben' ist seitlich ein die Schlupfröhre bildender Vorbau angebracht von 4—5 $^{cm}$ Länge. Das Ganze ist aus dünnem Grase höchst liederlich und lose gebaut, außen rauh und struppig; besonders die angesetzte Schlupfröhre ist sehr locker und unordentlich. Aufgehängt ist der Anbau nicht mit einer Scheitelspitze, sondern die obere Wölbung des Nistraums ist dem tragenden Zweige angewebt. Das Gelege besteht aus zwei oder drei Eiern."

Der erstere Forscher bemerkt sodann folgendes: „er scheint im Mai an seinen Nistorten anzukommen, verfärbt sich bis Mitte des Monats Juli und verschwindet mit seinen Jungen im Oktober und November. Immer parweise sieht man ihn gewöhnlich längs der Regenbetten in der Waldregion, seltner in der Steppe. Sein sehr künstliches, schmales und langes Beutelnest webt und verstrickt er ausschließlich aus Wurzelfasern, nicht sehr dicht und im Innern nur mit wenigen feinen Haren oder etwas Baumwolle ausgekleidet. Das überwölbte Schlupfloch befindet sich gewöhnlich am obersten Theile und der ganze Bau hängt 5,6—7,8 Meter hoch an schwanken Zweigspitzen von Akazien und an den Dornbäumen. Ich fand jedesmal 2—3 Eier. Brehm's Beschreibung der Fortpflanzung ist fälschlich auf diesen bezogen, während sie den dottergelben Weber betrifft."

Wenn die Reisenden schon nach der Beobachtung in der Freiheit angeben, daß dieser kleine Weber in Lebensart, Nestbau und Farbe der Eier von den meisten seiner Verwandten abweiche, so tritt dies noch viel mehr in der Vogelstube hervor.

Heißa, das ist ein lustiges Leben! In jeder Bewegung gewährt das Pärchen einen Anblick, welcher uns die Ueberzeugung geben muß, daß es überaus heitere Vögelchen sind, die sich hier umhertummeln. Ich kann das lebhafte, zierliche und anmuthige Wesen nur mit dem eines Pärchens der bekannten ·

Hartlaubzeifige vergleichen, und schon daraus werden die Liebhaber ersehen, daß dieser Weber im Benehmen von allen übrigen verschieden sich zeigt.

Er ist in der Gefangenschaft bis jetzt noch recht selten. Im Laufe vieler Jahre habe ich ihn bei den Händlern immer nur einzeln gefunden. Auch im Berliner Aquarium war zur Zeit der ersten Direktion nur ein Männchen vorhanden und ebenso erhielt sich ein solches in meiner Vogelstube jahrelang vortrefflich. Eine Anzahl von neun Köpfen hatte sodann eine der bedeutenderen Vogelhandlungen zweiter Hand, Herr F. Schmidt in Berlin, empfangen und zwar jedenfalls unmittelbar von einem aus Afrika ankommenden Schiffe. Es war zweifellos die erste größere Einführung dieser Webervögel nach Europa. Sie erschienen leider von der Reise sehr angegriffen und recht krank, dennoch entnahm ich sie sämmtlich, um wenn möglich wenigstens einige zu retten.

Im Sommer des Jahres 1875 fing ein in meiner Vogelstube befindliches Männchen in fabelhaftem Eifer an, seine Nester zu bauen. Binnen wenigen Wochen stellte es gegen ein Dutzend mehr oder minder vollendeter Nester her, welche alle genau dieselbe Gestalt zeigten und zwar die einer Retorte mit sehr langer, gerade herabhängender Röhre, anscheinend locker und daher ganz durchsichtig, jedoch sehr fest gewebt. Die lange Röhre fehlt zuweilen, immer aber ist das etwa thalergroße Flugloch von unten hinauf bis zum obern Theile des Nestes führend, ganz in derselben Weise, wie es Heuglin beschrieben, angebracht und die Nisthöhle ist auch mit Baumwollflöckchen ausgepolstert; bei manchen Bruten liegen die Eier jedoch auf dem bloßen Geflecht, sodaß man sie von unten deutlich sehen kann. Das Pärchen erzog in drei Gehecken hintereinander acht Junge und ich hatte Gelegenheit, die ganze Entwickelung eingehend zu beobachten. Das Gelege besteht fast jedesmal in vier verhältnißmäßig sehr kleinen Eiern. Brutdauer 11 Tage. Das Männchen wird während der Brut sehr lebhaft und jagt dann sogar den dottergelben Weber in die Flucht; eigentlich bösartig ist es jedoch nicht. Es füttert das Weibchen während des Brütens und dann mit demselben gemeinsam auch die Jungen. Junge Männchen verfärben sich bereits im nächsten Jahre zum Prachtgefieder.

Das zärtliche Beisammenleben des Pärchens auch außerhalb der Brutzeit, die reinweißen Eier im ausgepolsterten Nest und anstatt des weberartigen Zischens ein klingender Lockruf (im eigentlichen Liebesspiel vermochte ich den Vogel, aller Geduldproben ungeachtet, nicht zu belauschen) — dies alles weicht von der uns bekannten Lebensweise der Webervögel in jeder Hinsicht bedeutsam ab und stellt diese Art den Prachtfinken nahe, während die Gestalt, Farbe und Verfärbung, namentlich aber der eigenthümliche Nestbau, doch den eigentlichen Webervogel erkennen lassen. Es liegt daher die Annahme nicht fern, daß wir sie als ein Bindeglied zwischen diesen beiden großen Gruppen im allgemeinen und zwischen den Gelbwebern und Prachtfinken im besondern betrachten dürfen.

Es giebt kaum einen andern Bewohner der Vogelstube, der hier in solchem Maße als willkommener Gast gelten kann, als der Maskenweber. Harmlos und durchaus verträglich, keineswegs weichlich, sondern recht ausdauernd, anspruchslos, keck und munter und ein hervorragender Künstler, welcher den Raum mit zahlreichen kunstvollen und schönen Nestern in überraschend kurzer Zeit ausstattet, ist er zugleich im Prachtgefieder eine liebliche Erscheinung. Leider kann man ihn im Handel nur durch Zufall erhalten. Preis 30 Mark für das Pärchen und 18—24 Mark für das einzelne Männchen.

Der Masken-Webervogel oder Maskenweber ist auch gelblicher oder Masken-Kernbeißerweber (Rchb.) und Safranweber (Br.) benannt. Le petit Tisserin masqué; Little masked Weaver-bird; Kleine gele zwartkop Wever (holländisch).

Nomenclatur: Fringilla luteola, Lchtst., Lss.; Ploceus personatus, Vll., Pr. Wrtbg.; P. luteolus, Gr.; P. melanotis, Swns., Jard.; Ploceolus luteolus et personatus, Rchb.; Hyphanturgus personatus, Css., Bp.; Sitagra luteola, Cb.; Fringilla Muelleri, Bld.; F. chrysomelas, Hyphantornis chrysomelas, H. personata et H. luteola, Hgl.; H. personata, Hn., Kng.-Wrth.; H. luteola, Fnsch.; H. personatus et luteolus, Hrtl., Rchn.

Wissenschaftliche Beschreibung. Gesicht und Vorderkopf bis zur Kopfmitte, Seiten und Kehlfleck tiefschwarz; Hinterkopf, Nacken und Hals schwefelgelb; übrige Oberseite gelblich-olivengrün; Schwingen und Flügeldecken olivengrünlichbraun mit gelbgrünen Außen- und Endsäumen und blaßgelben Innensäumen; Schwanzfedern ebenso, nur schwach heller; ganze Unterseite rein und hell schwefelgelb. Schnabel schwarz; Auge roth; Füße dunkelfleischfarben. — Weibchen an Gesicht und Vorderkopf düster gelbgrün, ganz ohne Schwarz; Auge braun; Schnabel horngrau; im übrigen dem Männchen gleich. — Männchen im Winterkleide wie das Weibchen, doch zuweilen mit einzelnen schwarzen Flecken am Vorderkopf.

Ploceus luteolus: facie, sincipite usque ad verticem, capitis lateribus gulaque aterrimis; occipite, cervice colloque sulfureis; notaeo reliquo flavente olivaceo-viridi; limbis remigum et alar. tectricum olivaceo-virentium exterioribus et terminalibus flavo-viridibus, interioribus gilvis; rectricibus itidem pictis, paululum vero dilutius; gastraeo toto laete sulfureo; rostro nigro; iride rubra; pedibus obscure carneis. — ♀: facie et sincipite sordide flavente viridulis, ab nigro plane vacua; iride brunnea; rostro corneo, ceteroquin mari aequalis. — ♂ vest. hiem. femellae simillimus, interdum vero maculis singulio sincipitis nigris.

Länge 10,5 cm. (4 3.); Flügel 5,9 cm. (2¼ 3.); Schwanz 3,7 cm. (1⁵/₁₂ 3.)

Jugendkleid: Ganze Oberseite düster gelbgrün, Unterseite weißlichgelb; Schnabel hornweiß; Auge schwarz; Füße hellfleischfarben. (Die Verfärbung zur schwarzen Maske tritt mit der Brutzeit des zweiten Jahres ein.)

Juvenis: supra sordide flavido viridis, subtus albido-flavus; rostro albente corneo; iride nigra; pedibus dilute carneis.

Beschreibung des Eies: Gestalt länglich; Schale sehr feinkörnig und zart, Farbe reinweiß; Länge 16,5—19 mm.; Breite 12,5—13 mm. (Maß nach Rchn.).

Ovum: album, longiusculum, subtiliter granulosum testa tenerrima.

*

Die Gruppe der größten Webervögel, welche man unter der Bezeichnung **Büffelweber** [Alecto, *Lss.*; Textor, *Tmm.*] zusammenzufassen pflegt, bietet eigentlich für die Liebhaberei nur geringes Interesse. Trotzdem müssen sie hier mitgezählt werden und zwar von dem Gesichts= punkte aus, daß sie für große Flugkäfige, namentlich im Freien, doch immerhin von Werth sein können. Es sind überaus kräftige Vögel von Drosselgröße mit starkem Schnabel und derben Füßen. Bisher ist nur eine Art zeitweise, meistens jedoch nur in wenigen Köpfen eingeführt und dann vorzugsweise von den zoologischen Gärten angekauft. Liebhaber halten sie meines Wissens nicht. Die Fütterung stimmt mit der, welche ich für die vorhin geschilderten Gelb= weber angegeben habe, im wesentlichen überein, nur dürfte für sie eine reichliche Zugabe von Fleischnahrung noch nothwendiger als für alle anderen Weber sein; auch Beeren u. a. Früchte müssen sie erhalten. Den eingeführten Alektoweber schildere ich im Frei= und Gefangenleben so ausführlich als möglich, in der Ueberzeugung, daß die übrigen mit ihm in jeder Hinsicht übereinstimmen.

## Der weißschnäbelige oder Alekto=Webervogel [Ploceus alecto].

### Tafel X. Vogel 52.

Ein einfarbig matt bräunlichschwarzer Vogel, nur mit dem Abzeichen, daß die Flügelschwingen in der Mitte schmale, reinweiße Außensäume haben, wodurch auf dem Flügel eine weiße Zeichnung gebildet ist. Schnabel düster gelblichweiß; Auge dunkelbraun; Füße düster grau. Das Weibchen soll ebenso gefärbt, nur wenig kleiner sein, und nach Brehm bildet sich in der Nistzeit noch ein andres Erkennungsmerkmal. Das Männchen bekommt dann nämlich auf der First des schmutzigweiß werdenden Schnabels eine kielartige Erhöhung, während beim Weibchen die Gestalt des Schnabels sich nicht verändert und die Farbe bis auf eine kleine weißliche Stelle an der Wurzel bläulich bleibt. Diese Beobachtung kann ich weder nach den Erfahrungen Anderer, noch nach eigenen bestätigen. Die Heimat dürfte sich über ganz Mittelafrika erstrecken.

Ueber das Freileben dieser ersten und bereits mehrfach eingeführten Art hat Heuglin eingehend berichtet: „Ich halte ihn nicht für einen Standvogel in Nordostafrika. Er kommt mit dem Sommerregen an, verrichtet sein Brutgeschäft, schweift dann in größeren Gesellschaften auf Viehtriften, um Regenbetten und in der Steppe umher und verschwindet wieder im Dezember. Im Gebirge habe ich ihn nicht auf beträchtlichen Höhen gesehen; im abessinischen Küstenlande, Anseba= Gebiet, in Barka, am Mareb bis nach Serawi herauf, in Senar und Kordofan, ebenso am Weißen Nil und am Sobat kommt er vor. Ich fand ihn in Sanchar im August und September, in Ostsenar und Kordofan im Juli und September brütend. Jede Ansiedlung hat einen abgesonderten Nistbezirk und oft stehen mehrere derselben auf einer großen Adansonie, Sykomore, einem Seifen= oder Akazienbaum. Nach Brehm soll er in Sanchar im April nisten und bis zu 18 Nester auf einer Mimose (?) erbauen. Die Nistplätze werden einige Jahre hindurch benutzt; der Bau selbst besteht in einer unregelmäßigen Anhäufung von grobem, dürrem Reisig und Baumzweigen, welche in $4{,}7$—$9{,}4$ Meter Höhe in

Aftgabeln und auf wagerecht stehenden Aesten aufgeschichtet werden bis zu einer
Masse von 1,₆—2,₅ Meter Länge und 1—1,₆ Meter Breite und Höhe. In
solcher Ansiedlung nistet je eine Gesellschaft von drei bis acht Pärchen für sich
und jedes derselben erbaut sich darin, wie die Sperlinge im Storchnest, seine
eigentliche, besondre Wohnung und zwar ziemlich tief im Innern. Solch' einzelnes
Nest ist kunstreich mit feinem Gras, Rispen, Würzelchen und Wolle ausgekleidet
und enthält 3 bis 4 Eier. Die Jungen mit ihren dicken Köpfen und großen,
hängenden Bäuchen sind von widerlichem Aussehen, halbnackt und sehr gefräßig.
Auch die Alten haben meistens viel Unreinlichkeit im Gefieder und daher einen
unangenehmen Geruch. Sie sind streitsüchtig, lärmen wie die Sperlinge und
mischen sich öfter unter die Schwärme der Glanzdrosseln, mit denen sie auf Viehweiden umherstreifen. Die Nahrung besteht in Früchten, Körnern, Käfern, Heuschrecken und allerlei anderen Kerbthieren, sowie in Schmarotzerinsekten, welche sie
vom Vieh ablesen. In den Entleerungen des letztern sieht man sie ebenfalls oft
nach Käfern umhersuchen. Der Gesang ist nicht sehr laut, ein sperlingsartiges
Gezwitscher, und namentlich des Morgens hört man oft die Vögel in den ganzen
Kolonien zusammen schwatzen und quieken. Den Jungen wird viel Futter zu-
getragen. Angeschossen vertheidigen sie sich muthig mit dem kräftigen Schnabel
und beißen bis auf's Blut."

Im Berliner Aquarium gelangten diese Weber zur Brut, jedoch erst, nachdem sie etwa zwei Jahre hindurch sich vergeblich abgemüht und nicht einmal mit
dem Nestbau begonnen hatten. Der damalige Direktor sprach vielmals seine
Verwunderung barüber aus, daß sie nicht früher zum Nisten gebracht werden
konnten. Dies lag aber einfach in der Unkenntniß und der daraus entspringenden
unzweckmäßigen Behandlung. Man hatte ihnen mancherlei Baustoffe geboten,
doch nicht die rechten und erst ganz zufällig gab ein Wärter, welcher sah, daß
sie nicht mit Fasern, Stroh und Aesten, sondern mit dünnen Zweigen sich umher-
schleppten, ihnen frische, biegsame Birkenreiser und damit bauten sie dann so
eifrig, daß die vier Vögel das Reisig von etwa fünfzehn Strauchbesen zu einem
ungeheuren Thurm aufhäuften. Aber auch dann kam es noch lange nicht zu der
Herstellung des eigentlichen Nestes. Die Weber suchten vergeblich nach den
geeigneten Stoffen und plötzlich begannen sie den ganzen Aufbau wieder zu zerstören. Dies Spiel wiederholte sich mehrmals und nachdem sie, wie man sagt,
ein Viertelhundert Besen verbraucht hatten, kam der aufmerksame Wärter endlich
darauf, ihnen außer den anderen mehr oder minder weichen Baustoffen auch
Agavefasern zu reichen und aus diesen wurden dann mehrere eigentliche Nester
in dem wirren Haufen gestaltet. In einem Bericht über die Verhandlungen
der Allgemeinen deutschen ornithologischen Gesellschaft im Journal für Ornithologie ist dann folgendes erzählt: „Das eine Weibchen verschwand in einem der

zuletzt angelegten Fluglöcher, während die drei übrigen Weber Reis auf Reis weiter thürmten, bis die ansehnliche Höhe von nahezu 2 Meter erreicht war. Auch das zweite Weibchen schlüpfte in ein über dem ersten gelegnes Fluglock und bald zeigten sie durch das Sammeln von Ameisenciern den glücklichen Er= folg des Brutgeschäfts an. Vom fünften oder sechsten Tage bis etwa zum zwan= zigsten fütterten sie die Jungen mit Mehlwürmern, ohne daß die Männchen jemals diese Mühe mit ihnen getheilt hätten. Manchmal schienen jene es zwar auch versuchen zu wollen, dabei benahmen sie sich aber stets so ungeschickt, daß das Weibchen immer zu Hilfe kommen und den Wurm nehmen mußte, um ihn einem der Jungen in den Schnabel zu stecken. Dann kamen am untern Fluglock drei, später am obern ein Junges zum Vorschein und alle vier wurden glücklich auf= gezogen. Die Jungen hatten anfangs ein rauchbräunliches Kleid, welches auf der Brust von der durchschimmernden, weißen Wurzelfärbung der Federn leicht ge= streift erschien. In wenigen Wochen erlangten sie die dunklere Färbung bis zum Schwarzbraun und wahrscheinlich erhalten sie das Kleid der Alten ohne Mauser."

In dieser hübschen Schilderung möchte ich nur auf eine etwas zu fantasie= reiche Stelle hinweisen. Ebenso wie die Männchen der meisten Gelbweberarten werden auch wol die der Büffelweber sich kaum an der Brut und Auffütterung der Jungen betheiligen, und wenn die Meinung ausgesprochen ist, daß sie es ,versuchen zu wollen schienen', so hat der berichtende Wärter sich eben getäuscht. Immerhin müssen wir zugeben, daß diese Webervögel, trotz der von Heuglin erwähnten übelen Eigenschaften, in einem sehr geräumigen Käfige im Freien ge= halten, in der Herstellung ihrer wunderlichen Nestthürme mit den sorgfältig geformten einzelnen Nisthöhlen und langen Flugröhren, für die Liebhaber wol einen gewissen Reiz haben können. Große und allgemeine Bedeutung werden sie für dieselben niemals erlangen. Ein Preis ist nicht anzugeben, weil sie nur selten und zufällig eingeführt werden.

Der Alekto=Webervogel ist hellschnäbeliger Büffel=Webervogel (Hgl.), Weißschnabel= Alektovogel (Rchb.) und Alektovogel (Br.) benannt.

Le Tisserin alecto; Ox-Weaver-bird. — Wudscherck (tigrisch, nach Hgl.).

Nomenclatur: Textor alecto, Tmm., Hrtl., Rpp., Antn., Br., Kng.-Wrth., Cb., Hgl., Lss.; Dertroides albirostris, Swns.; Alecto albirostris, Bp., Hrtl.; Alectornis albirostris, Rchb.

Wissenschaftliche Beschreibung s. S. 315.

Ploceus alecto: ater; hypochondriorum plumis nonnullis primariarumque marginibus externis strictis hartim albis; rostro incarnato-albido, tomiis et apice coerulescentibus; iride fusca; pedibus pallide corneo-fuscis. — ♀: vix minor. —

Länge 24,7 $^{cm}$. (9½ Z.); Flügel 10,5—11,6 $^{cm}$. (4—4⁵/₁₂ Z.); Schwanz 9,6—9,8 $^{cm}$. (3²/₃—3³/₄).

Jugendkleid siehe oben.

Juvenis: sordide fulginosus; abdomine magis schistaceo, albido-vario; rostro sordidius albido, angulo oris pallide sulphureo (Hgl.).

Beschreibung des Gies: Aehnlich denen des Haussperlings, dünn= und etwas rauh=
schalig, stumpf, eigestaltig; Grundfarbe schmutzigweiß, zuweilen grünlich oder olivenbräunlich
angehaucht, und darauf zeigen sich größere olivengraue und olivenbraune unregelmäßige Flecken
und Punkte, welche gewöhnlich am stumpfen Ende etwas dichter stehen. Länge 24—28 ᵐᵐ.;
Breite 18—19 ᵐᵐ. (Hgl.).

**Der Büffel=Webervogel** [Ploceus erythrorhynchus]. Dem vorigen sehr
ähnlich, aber zunächst etwas kleiner und mit breiterer, weißer Zeichnung an den
Flügeln. Der Schnabel ist mennigroth, das Auge dunkelbraun und die Füße
sind röthlichbraun. Das Weibchen soll sich durch orangefarbnen Schnabel und
braune Füße unterscheiden. Ueber den Büffelweber, welcher den Alektoweber in
Südafrika vertritt, ist inbetreff des Freilebens wenig bekannt. Eine kurze Mit=
theilung von A. Smith sagt, daß man immer ihrer zwei bis drei oder auch
mehrere auf den Rücken der Büffel sehe, deren Schmarotzer, die Zecken, ihre
Lieblingsnahrung bilden mögen; doch kommt der Vogel nach Anderson's Mit=
theilungen auch in Gegenden vor, in denen es keine Büffelheerden giebt, so z. B.
sehr zahlreich im Damaralande. Er gewährt für die Liebhaberei um so weniger
Interesse, da er bis jetzt wol kaum lebend eingeführt worden; auch im Ver=
zeichniß des zoologischen Gartens von London ist er nicht vorhanden. Er ist von
Rchb. rosaschnäbliger Büffelweber genannt. (Textor erythrorhynchus et Bubalornis niger,
*Smth.*; Textor erythrorhynchus, *Rchb.*, *Fnsch.*, *Hrtl.*, *Hgl.*; Alecto erythrorhynchus,
*Bp.*, *v. Mllr.*).

**Der Vieh=Webervogel** [Ploceus intermedius]. Tiefschwarz, schwarz glänzend,
dem vorigen fast gleich und nur dadurch verschieden, daß die Schwingen an der
Innenfahne bis auf einen sehr beschränkten bräunlichweißen Theil am Grunde
schwarzbraun sind. Seine Heimat ist das tropische Ostafrika. Ueber das Frei=
leben ist eigentlich noch garnichts bekannt und er ist eben eine neue von Cabanis
im Jahre 1868 aufgestellte Art. Heuglin erwähnt ihn nur beiläufig. Er wird
auch Mittelweber genannt. In den Verzeichnissen der Händler ist er natürlich nicht zu finden.
(Textor intermedius, *Fnsch.* et *Hrtl.*, *Hgl.*).

**Der weißköpfige Büffel=Webervogel** [Ploceus Dinemelli]. An Kopf, Hals,
Brust und Bauch reinweiß; Hinterhals, Mantel und ganze übrige Oberseite dunkel
umbrabraun; Schwingen und Schwanz dunkler, schwarzbraun, ein kleiner Fleck am
Flügelbug, sowie der Bürzel nebst den oberen und unteren Schwanzdecken feuer=
roth mit orangegelbem Federgrunde; die Schwingen erster Ordnung sind vom
Grunde bis beinahe zur Mitte weiß; Schnabel bräunlichbleifarben; Auge braun;
Füße bleigrau. Das Weibchen dürfte nur durch geringere Größe verschieden
sein. Inbetreff der Verbreitung bemerken Finsch und Hartlaub Folgendes:
„Diese ausgezeichnete Art wurde fast zu gleicher Zeit durch Rüppell und den
Major Harris aus Schoa in Abessinien gesandt und bekannt gemacht. Kapitän
Speke erlangte sie auf seiner berühmten Nilquellen=Erforschungsreise im Innern

Oſtafrikas in Uniameſi." Heuglin berichtet ſodann: „Wir erhielten ſie vom obern weißen Nil im Winter und im Frühjahr aus den Gebieten der Kitſchneger, von Oliwo und vom Belinian; Antinori von Janbara; nach Lefebvre im nordöſtlichen Habeſch (?). Der Vogel lebt, wie der Alektoweber, geſellſchaftlich auf Vieh= weiden mit einzelnſtehenden Bäumen und Gebüſch, namentlich in der Nähe von Regenbetten und iſt nicht weniger lebhaft und geſchwätzig als ſeine Gattungs= verwandten. Ob Standvogel, kann ich nicht mit Sicherheit angeben." Dieſe ausführlicheren Mittheilungen über einen noch nicht eingeführten Vogel füge ich in der Ueberzeugung an, daß derſelbe über kurz oder lang im Vogelhandel er= ſcheinen wird und daß er dann als ein ſchöner und intereſſanter Gaſt begrüßt werden kann, von den Liebhabern nämlich, welche ſich der entſprechenden Räum= lichkeiten zur Beherbergung dieſer großen Arten erfreuen. Er iſt auch Viehweber und von Rchb. weißköpfige Dinemellia benannt. (Textor Dinemelli, *Hrsf., Rpp., Gr., Hrsf.* et *Mr., Hgl., Antn., Fnsch.* et *Hrtl.*; Alexto Dinemelli, *Bp., Scl., Spk., Lfbr.*; Dinemellia leucocephala, *Rchb.*).

**Die Prachtweber** [Sycobius, *Vll.*]. Als die ſchönſten und vielleicht auch intereſſanteſten unter allen Webervögeln müſſen wir die Angehörigen einer Gattung erachten, aus welcher bis jetzt leider noch kein einziges Mitglied lebend eingeführt worden, während ſie in ihrem Vater= lande, Afrika, doch keineswegs zu den ſeltenſten Vögeln gehören. Man hat ſie Prachtweber (Br.) benannt, und da ſie in der That herrlich gefiedert erſcheinen, ſo mögen ſie immerhin dieſe Bezeichnung behalten. Vieillot ſchildert ſie mit Entzücken und giebt bereits Rathſchläge für ihre Verpflegung. Ueber ihr Freileben ſind von den älteren Schriftſtellern nur geringe Mit= theilungen gemacht und erſt in neueſter Zeit ſind Berichte veröffentlicht worden, welche ein über= ſichtliches Bild ihrer Lebensweiſe gewähren. Da ſich wol mit Sicherheit annehmen läßt, daß wenigſtens einige Arten über kurz oder lang eingeführt werden, ſo muß ich doch mindeſtens eine allgemeine überſichtliche Schilderung bringen.

Nach Reichenow's Angaben ſind ſie nur im Hochwalde, hier jedoch immer, zu finden: „In dem dichten Laubwerk, welches ſoviele Thiere dem Auge des ſpähenden Jägers verbirgt, können ſie ſich nicht verſtecken, denn ihre rothen Farben ſchimmern auch durch das undurch= dringliche Dickicht und verrathen die ſcheuen Vögel. Indeſſen erſchwert der Aufenthalt zu ſehr das eingehende Beobachten ihres Treibens, und ſo kann ich nur Dürftiges berichten. Sie leben paarweiſe oder in kleinen Geſellſchaften beiſammen. Niemals ſieht man ſie in ſo großen Schwär= men oder zu ſo zahlreichen Kolonien vereinigt, wie die Gelbweber. Im Hochwalde ſind ſie ohne Beſchränkung anzutreffen, mag er die Niederungen eines Fluſſes oder hohe Berglehnen bedecken. Hier treiben ſie faſt immer in den Baumkronen ihr Weſen, nur ſelten im niedern Gebüſch. Nach beendeter Brut ſcheint das Pärchen mit ſeinen Jungen umherzuſtreichen. Letztere finden ſich ſpäter, wenn die Alten zur neuen Brut ſchreiten, wieder bei ihrem Neſte ein, welches, ſoviel ich beobachtet, nur einmal benutzt wird. Die Stimme iſt heiſer und kreiſchend; einen Geſang habe ich niemals vernommen."

Es ſind etwa ſperlingsgroße Vögel von ſchwarzer Grundfarbe, mit glänzendem Roth ge= zeichnet. Ihre Nahrung dürfte in Sämereien und Kerbthieren zugleich, wol auch Früchten, beſtehen; ſicher iſt jedoch die Ernährung noch nicht feſtgeſtellt. Vielleicht liegt in derſelben eine Schwierigkeit für ihre Einführung, denn es iſt auffallend, daß ſie niemals im Handel vor=

kommen, während wir doch aus ihrer Heimat her andere Vögel zahlreich erhalten. Ein unüber=
windliches Hinderniß kann die Fütterung freilich ihrer Gefangenhaltung keineswegs entgegensetzen.

**Der Hauben=Prachtwebervogel** [Ploceus cristatus]. Oberkopf nebst einer
zierlichen Haube, Backen und Vorderhals scharlachroth; Stirnrand, Umgebung
der Augen und Kinnfleck, wie der ganze übrige Körper tiefschwarz; Schnabel und
Füße ebenfalls schwarz; Auge dunkelbraun. Weibchen kleiner, bräunlichschwarz,
oberhalb rußschwarz; Kopf und Oberbrust roth, ersterer ohne Haube; Schnabel
fleischroth. Jugendkleid aschgrau, Kopf und Hals fahlröthlich, Stirn schwärzlich
(Hrtl.). Vieillot meint, daß es schwer sein werde, ihn in der Gefangenschaft
bei uns zu erhalten; man müsse ihm außer Körnern u. Insekten und süße Früchte
reichen, Wärme von 28—30 Grad gewähren, und wenn möglich einen Feigen=
baum in den Käfig geben. In der Freiheit stehe das Nest auf niedrigen Bäumen,
sei aus zarteren Gräsern gebaut, mit seitlichem Schlupfloch und innen mit Baum=
wolle ausgefüttert. Bei der Brut werde das Weibchen einige Stunden täglich
vom Männchen abgelöst. — Die Heimat dieser Art ist Westafrika, die Verbrei=
tung ist aber noch nicht festgestellt. In allem übrigen wird er wol mit den
folgenden übereinstimmen, und ich habe ihn nur vorangestellt, weil er seit Vieillot
her bekannt ist. Er wurde auch blos Haubenweber und von Rchb. Hauben=Malimbus be=
nannt. (Sycobius cristatus, *Vll.*, *Swns.*, *Bp.*, *Hrtl.*, *Hgl.*, *Rchn.*; Tanagra malembica,
*Dd.*, *Shw.*, *Lth.*; Malimbus cristatus, Ploceus cristatus, *Vll.*; Sycobius nigrifons, *Hrtl.*).

**Der Schild=Prachtwebervogel** [Ploceus scutatus]. Glänzend schwarz; Ober=
kopf, Genick, Halsseiten, breite Brustbinde und Unterschwanzdecken scharlachroth;
Kehle bis Augengegend schwarz; Schnabel schwärzlich; Auge braun; Füße blei=
farben. Weibchen an Oberkopf und Genick schwarz; sonst wie das Männchen (Rchb.).
„Bei allen von mir gesammelten weiblichen Vögeln ist das rothe Brustschild durch
eine schwarze Mittellinie getheilt, gebildet durch schwarze Spitzen der betreffenden
Federn. Durch Abreiben der schwarzen Federspitzen verschwindet jener Mittel=
strich später und das Brustschild ist dann ungetheilt. Das schöne, aus dünnen,
elastischen Halmen fest gewebte Nest hat die Gestalt einer Retorte, die melonen=
förmige Nestkammer hat eine Höhe von 17 cm·, eine Breite von 10 cm·, und die
senkrecht herablaufende Schlupfröhre ist 63 cm· lang. Letztere erweitert sich nach
unten und ist loser gewebt, als die erste, sodaß der Vogel beim Hinausschlüpfen
bequem durch die Maschen greifen und sich festhalten kann. Die Schlupfröhre
hat keinen scharf abgegrenzten Rand, sondern die Gewebefäden ragen unordentlich
am Ende hervor, und man möchte glauben, der Bau sei noch nicht vollendet.
Aufgehängt sind die Nester (wir fanden fünf an einer Palme etwa 6,3 Meter
hoch über dem Boden) an zwei einander gegenüberstehenden Blattwedeln, und
zwar jederseits dort, wo die Röhre an die Niftkammer gesetzt ist, angewebt. An
einem begonnenen Nest lernte ich auch die Weise der Herstellung kennen. Zuerst

wird ein Ring zwischen zwei Palmwedeln, die als Träger dienen sollen, gewebt, sodann die Nestkammer geflochten und zuletzt die Schlupfröhre gemacht. Allerliebst sieht es aus, mit welcher Beweglichkeit und Geschicklichkeit die rothköpfigen Vögel in der langen Röhre hinaufklettern. Ein solcher Bau sichert sie in der That gegen jede Nachstellung vonseiten anderer Thiere. Leider waren in den Nestern keine Eier vorhanden, aber in einem alten herabgefallenen fand ich ein faules Ei, welches merkwürdigerweise weiß von Farbe war." (Reichenow). — Die Verbreitung dürfte sich auf Westafrika beschränken. Rchb. benennt ihn Schild=Malimbus. (Sycobius cristatus, *Css., Bp., Hrtl., Rchn.).*

**Der schwarzohrige Pre-- webervogel** [Ploceus melanótis]. Es würde. sich kaum verlohnen, diese Art hier mitzuzählen, da Heuglin bemerkt, daß sie zu den sehr seltenen Vögeln Nordostafrikas gehört und also an eine Einführung lebender Exemplare schwerlich zu denken ist. Der genannte Forscher giebt in= dessen einige Mittheilungen über die Lebensweise und in anbetracht dessen, daß man wol sicherlich von der des einen Gattungsverwandten auf die der übrigen schließen kann, füge ich folgende Schilderung hier an: „Major Harris fand den schwarzohrigen Feigenfresser (so nennt ihn Hgl.) in Schoa, Herzog Paul von Würtemberg in Fazoql; ich erhielt ihn vom Berge Belenian aus dem südlichen Senar, sowie auch von Wau und Bongo im Gebiet des Gazellenflusses. Er dürfte nicht eigentlich wandern, da ich ihn im März, April, Juli, November und Dezember beobachtet habe. Alte Männchen scheinen kein abweichendes Winter= kleid zu tragen; die Verfärbung aus dem Jugendkleide, welches dem des Weib= chens ähnlich erscheint, erfolgt in den beiden erstgenannten Monaten. Die Mauser fällt in den November. Mehrere, welche ich in der letzterwähnten Zeit erlegte, hatten ganz mit Baumwanzen angefüllte Magen. Beim alten Männchen sind die rothen Scheitelfedern hornartig glänzend; die rothen Federn an Brust und Vorderhals zeigen oft noch weißliche Ränder. Das beutelförmige Nest ist dem anderer Webervögel ähnlich, hängt aber in den äußersten, fast unerreichbaren Gipfeln der höchsten Bäume und wird ungefähr im August belegt. Ueber das Benehmen kann ich wenig Auskunft geben. Im Frühjahr lebt er in kleinen Fa= milien, im Herbst mehr einzeln; immer nur auf Hochbäumen im Urwalde. Die Männchen zirpen webervogelartig. Er ist ziemlich schüchtern und verteckt sich gern im Laubbach; auf der Tränke habe ich ihn hin und wieder sperlingsartig einfallen gesehen." (Ploceus melanotis, *Lfrsn., Lss., Bp.;* P. erythrocephalus, *Mus. Brit.; Rpp., Hgl.;* P. haematocephalus, *Pr. v. Wrtbg., Hgl.;* P. leuconotis, *v. Mllr.;* Sycobius melanotis, *Bp., Hrtl., Hgl.).*

Es giebt noch eine recht bedeutende Anzahl hierher gehörender Arten, von denen ich jedoch nur zwei kurz anführen darf, da alle übrigen, wenigstens vor= läufig, noch kein Interesse für die Vogelliebhaberei gewähren: **Der glänzende**

**Prachtwebervogel** [Ploceus nitens, *Gr.*]; dem vorigen ähnlich, doch nach Hartlaub
darin verschieden, daß die rothe Färbung dunkel karmin ist, während sie bei jenem
die Mitte zwischen Karmin und Zinnober hält. Seine Heimat ist Westafrika und
Angaben über die Lebensweise u. s. w. sind bis jetzt nicht vorhanden. Rchb. nennt
ihn glänzender Malimbus. (Sycobius nitens, *Gr.*). — **Der Malimbus-Prachtwebervogel**
[Ploceus malimbus, *Tmm.*] ist ebenfalls heimisch in Westafrika und bis jetzt
dürfte über ihn weiter nichts zu sagen sein, als daß ihn Temminck Republikaner mit
scharlachrother Kapuze (Républicain à capuchon écarlate) benannt hat, während ihn Rchb.
auch als rothhalsigen Malimbus aufführt. (Sycobius malimbus, *Tmm.*).

*     *     *

Die **Schwärzlinge** oder **Schwarzweber** [Nigrita, *Strckl.*] sind kleine Vögel etwa von
Zeisiggröße, sämmtlich in Afrika heimisch, welche man in der Regel noch zu den Webern zählt,
während sie wol als Mittelglieder zwischen diesen und den Prachtfinken anzusehen sein dürften.
Sie sind alle schwarz oder doch düster gefärbt und entbehren daher besondrer Farbenschönheit;
trotzdem erscheinen sie wenigstens hübsch und vielleicht ersetzen sie durch anmuthiges und liebenswürdiges Wesen jenen Mangel. Bis jetzt ist noch keine Art lebend eingeführt und deshalb
brauche ich sie hier nur kurz zu erwähnen. Doch läßt es sich erwarten, daß sie in den Vogelhandel gelangen, sobald Westafrika mehr erschlossen wird und daher möchte ich sie in diesem
Werke keinenfalls übergehen. Ihre Ernährung und Verpflegung dürfte am besten mit der für
die Prachtfinken angegebnen übereinstimmend zu besorgen sein.

**Arnaud's Schwarzwebervogel** [Ploceus Arnaudi]. Der Vorderkopf und die
Augenbrauen sind röthlichbraun; die ganze Oberseite nebst den Flügeln und dem
Schwanze ist dunkelbraungrau; die Unterseite ist fahlbraun; Schnabel schwarz;
Auge braun; Füße schwarz. Heuglin schildert den Vogel in folgendem: „Mir
sind nur zwei Gegenden im Bezirk des obern weißen Nils und des Gazellenflusses bekannt, wo er vorkommt, nämlich die trockenen Niederungen im Gebiete
der Kitsch- und die Ebene in dem der Reqneger. Hier lebt diese ausgezeichnete
Art in großen Gesellschaften auf Akazien, Balanites-Bäumen und -Hecken, seltner
auf Sykomoren. Die Stimme ist nicht angenehm, piepend und pfeifend, sperlingsartig. Im Februar und März bauen sie große Beutelnester, deren oft Dutzende
auf einem Baume hängen. Viele dieser Nester haben zwei Eingänge von unten,
welche nur durch einen schmalen Damm getrennt sind; dieselben werden wol ausschließlich von Männchen bewohnt, wie das ja auch bei (anderen) Webervögeln
vorkommt. Es ist mir nie gelungen, die Eier selbst zu finden, doch erhielt ich
solche, welche dieser Art zugeschrieben werden; sie sind stumpf, eigestaltig und
reinweiß, etwas gelb durchscheinend. Ob er Standvogel ist, weiß ich nicht mit
Bestimmtheit anzugeben, da meine Jäger und ich die Orte, an denen er zu finden
ist, nur zwischen den Monaten Februar und April besuchen konnten. Ich habe
ziemlich viele Vögel dieser Art eingesammelt und an die Museen von Wien, Berlin,
Stuttgart, Leiden, Bremen, Lissabon u. a. abgegeben.“ (Nigrita Arnaudi, *Pchrn.*,
*Hrtl., Hgl., Kg.-Wrth.*; Fringilla molybdocephala, *Hgl.*).

Hierher gehören noch die folgenden westafrikanischen Arten, welche **Heuglin** sämmtlich als reizende Vögel bezeichnet: **Der grauköpfige Schwarzwebervogel** [Ploceus canicapillus] von Fernando=Po, Gabun, Aguapim und Lagos. (Nigrita canicapilla, *Strckl.*; grauköpfiger Schwärzling, Rchb.). — **Der gelbstirnige Schwarzwebervogel** [Ploceus luteifrons] vom Gabun. (Nigrita luteifrons, *Vrr.*; gelbstirniger Schwärzling, Rchb.). — **Der braunrückige Schwarzwebervogel** [Ploceus phaenotus] von Fernando=Po und Gabun. (Nigrita fusconota[!], *Frs.*; auch braunrückiger Schwärzling, Rchb., und Mantelschwärzling, Br., genannt). — **Der zweifarbige Schwarzwebervogel** [Ploceus bicolor] von Westafrika und den Prinzeninseln. (Nigrita bicolor, *Hrtl.*; auch zweifarbiger Schwärzling, Rchb., und Zweifarben=Schwärzling, Br., genannt). — **Emilien's Schwarzwebervogel** [Ploceus Emiliae] vom Gebirgslande Aguapim und von der Goldküste. (Nigrita Emiliae, *Shrp.*).

# Die Finken [Fringillinae].

In unsrer Heimat werden die Finken mit Recht zu den kunstfertigsten oder
doch immer gern gehörten Sängern gezählt, während sie zugleich durch ihr hübsch
gefärbtes und gezeichnetes Gefieder angenehm ins Auge fallen und uns nicht
minder durch liebenswürdiges Wesen erfreuen. Von denen, welche weder als
Sänger, noch als Schmuckvögel Bedeutung haben, sind viele ihrer Anmuth und
Zutraulichkeit halber beliebt. Im gleichen oder ähnlichen Verhältniß stehen auch
die Finken anderer Zonen; man schätzt sie allenthalben und stellt ihrer manche
unter den gefiederten Lieblingen hoch obenan.

Ihre besonderen Kennzeichen sind: ein gestreckter, mehr oder weniger schlanker
Körper mit glatt anliegendem Gefieder; die Flügel haben zehn Schwingen und sind
schmaler und spitzer, als bei den vorher geschilderten Verwandten; der Schwanz ist
mittellang und in der Regel ausgeschnitten; der etwas gewölbte und ziemlich stumpfspitze Schnabel ist kegelförmig und hat keine Borsten; der Fuß ist mittelhoch. Fast
immer sind die Geschlechter verschieden gefärbt, die Männchen lebhafter, oft sehr
farbenbunt, die Weibchen schlichter, düsterer, doch an gewissen übereinstimmenden
Merkmalen erkennbar; die Jungen gleichen gewöhnlich dem alten Weibchen. Die
Größe ist ziemlich abweichend; sie erstreckt sich von der eines kleinen Prachtfink
oder des einheimischen Zaunkönigs bis zu der eines Kernbeißers und darüber.

Während die Nahrung vorzugsweise in Sämereien besteht, fressen die meisten
auch reichlich Kerbthiere. Sie sind in der Mehrzahl Zug- oder Strichvögel.
Ihr Aufenthalt erstreckt sich über Baumgärten, Haine und Feldgehölze; viele
wohnen in der Nähe, einige an und in den menschlichen Wohnstätten. Ueber
das Freileben der fremdländischen Finken haben wir im allgemeinen nur geringe
Nachrichten; mit Sicherheit kann man aber annehmen, daß es dem unserer
einheimischen gleicht. Sie leben also zur Frühlingszeit pärchenweise, nur wenige
wohnen und nisten während derselben in Gesellschaft; bei den meisten hat vielmehr
jedes Par seinen bestimmten Bezirk, in welchem es kein andres duldet. Im
Spätsommer und Herbst schlagen sie sich in große Scharen, die nicht selten aus
verschiedenen Arten bestehen, zusammen und schwärmen Nahrung suchend umher,
streichen oder wandern dann auch gesellig, bei einigen wenigen sogar in getrennten
Geschlechtern. An reifendem Getreide und dergleichen verursachen manche bedeut-
samen Schaden. Ihre Feinde sind die aller anderen Finkenvögel; ich habe dieselben S. 25 geschildert.

Die Gatten eines Pärchens füttern einander aus Zärtlichkeit und ebenso die Jungen aus dem Kropfe. Zur Liebeszeit führen die Männchen wunderliche Flug= künste aus. Im übrigen ist die Ehe aber beiweitem nicht so innig als die der Prachtfinken; selbst während der Brut giebt es beim Futter nicht selten Zank und Streit und nach vollendetem Niften kümmern sich bei vielen Arten Männchen und Weibchen garnicht mehr um einander. Das Nest ist in der Regel sehr künstlich erbaut und bildet einen offnen Napf; ich werde dasselbe bei den einzelnen Arten und namentlich bei den wenigen, welche von dieser Gestaltung abweichen, näher beschreiben. Fast immer baut das Weibchen das Nest allein, brütet ebenso, wird vom Männchen gefüttert oder auch nur bewacht und durch eifrigen Gesang ergötzt. Vier bis sechs, nicht einfarbige, sondern auf grünem, blauem oder weißem Grunde bespritzte oder gefleckte Eier bilden das Gelege und werden in 11 bis 15 Tagen erbrütet. Die Jungen haben manchmal hellen, spärlichen Flaum. Sie empfangen das Futter unter gewaltigem Gezirp und verfolgen die Alten, sobald sie das Nest verlassen, mit jämmerlichen Geberden beim Futtererbetteln die Flügel rüttelnd. Noch lange Zeit hindurch werden sie vom alten Männchen gefüttert, während das Weibchen bereits die nächste Brut vorbereitet, legt oder schon wieder brütet.

Für die Stubenvögel=Liebhaberei sind sie in ihrer Gesammtheit bis jetzt leider viel weniger zugänglich, als die vorher geschilderten Prachtfinken, Widafinken und Webervögel. Nur einige Arten sind so allverbreitet als jene; die meisten werden einzeln als Sänger in Käfigen gehalten, und gezüchtet ist bis jetzt von ihnen erst eine überaus geringe Artenzahl. Während es sich allerdings nicht leugnen läßt, daß ihre Fortpflanzung in der Gefangenschaft im Durchschnitt wirklich viel schwieriger zu erzielen ist, als die vieler Prachtfinken u. a., so müssen wir es umsomehr bedauern, daß ihnen gegenüber die Liebhaberei auch recht lässig sich zeigt. Freilich treten dem begeisterten Liebhaber bei den Versuchen mit ihnen nur zu viele Schwierigkeiten entgegen. Wenige Arten erscheinen als regelmäßige Gäste alljährlich im Vogelhandel; so namentlich die amerikanischen, wie Papst=, Indigo= und Safranfink, auch einige afrikanische, wie Graugirlitz, Hartlaubs= zeisig u. a. Die meisten Arten aber sind sehr schwierig, gewöhnlich nur durch Zufall zu beschaffen. Manche der edelsten, der Pflege und Züchtung vornämlich werthen Finken, führen die Großhändler Chr. Hagenbeck, Chs. Jamrach, Linz, Möller, Gudera u. A. nur selten und einzeln ein. Dazu kommt noch der Uebelstand, daß sie sich im allgemeinen nicht so leicht eingewöhnen und auch nicht so gut halten, als die Prachtfinken. Sie werden selbst nach der Eingewöhnung auch ungleich häufiger als die meisten anderen Stubenvögel von mancherlei Krank= heiten heimgesucht. Unter den Vogelfreunden, welche es sich besonders eifrig angelegen sein lassen, eine Sammlung der schönsten und interessantesten fremd=

ländischen Finken zusammenzubringen und in ihrer Beobachtung und Züchtung günstige Ergebnisse zu erlangen, steht Herr Dr. F. Franken in Baden=Baden hoch obenan. Bei ihm sind sicherlich die zahlreichsten und seltensten derselben zu finden, welche bis jetzt eingeführt worden. Inbetreff der bisher erreichten Verpflegungs=, bzl. Züchtungsergebnisse muß ich mich größtentheils auf die Erfahrungen des genannten, aufmerksam und verständnißvoll beobachtenden Vogelkundigen stützen.

In Hinsicht der Fütterung und Verpflegung aller fremdländischen Finken gilt im wesentlichen das bei den Prachtfinken und Webervögeln gesagte und mit Berücksichtigung des Freilebens sich von selber ergebende. Zur Brutzeit reicht man die gleichen Zugaben und gewährt im ganzen mindestens die Verpflegung, welche die Züchtung des Kanarienvogels erfordert. Will man im Käfige züchten, so bietet man ihnen die bekannten Kanarien=Nistkörbchen; freifliegend in der Vogel= stube erbauen sie ihre Nester am liebsten frei im Gebüsch, doch muß man ihnen ebenfalls Nestkörbchen, Nistkasten und verschiedene andere Gelegenheiten bieten.

Die einzelnen Sippen, Unterfamilien und Gattungen der Finken sind über= aus schwierig zu scheiden und an einander zu reihen. So viele Naturgeschichten man auch zur Hand nehmen mag, immer wird man finden, daß die abweichende Anschauung des Verfassers eine anderweitige Anordnung der einzelnen Arten ge= wählt hat. Es giebt Schriftsteller, welche sie sogar in jedem ihrer aufeinander folgenden Bücher nicht allein neu benennen, sondern auch anderweitig eintheilen; ja sogar die neue Auflage eines alten Buchs zeigt die Aneinanderreihung und Benennung völlig verändert. Um solche Unklarheit, Verwirrung oder künstliche Zersplitterung zu vermeiden, halte ich mich an die Eintheilung, welche ich auf S. 13 angegeben habe. Die jetzt folgenden bilden die gattungs= und artenreichste Familie unter allen körnerfressenden Vögeln, während sie allerdings in Hinsicht der einzelnen Köpfe keineswegs die Mehrzahl der eingeführten Exemplare ausmachen. Alles Nähere wollen die Leser bei den einzelnen Arten und späterhin in den Abschnitten über die Verpflegung, Zucht u. s. w. nachlesen.

\* \* \*

Als **Girlitze** fasse ich die Geschlechter Girlitz [Serinus, *Kch.*], Feldgimpel [Crithagra, *Swns.*] und Rothgirlitz [Chrithologus, *Cb.*] zusammen. Ihre besonderen Eigenthümlich= keiten weichen von den vorstehend im allgemeinen geschilderten aller Verwandten nicht so sehr ab, daß ich sie hier, wo ich doch jede Zersplitterung vermeiden muß, im einzelnen beschreiben dürfte. Sie gehören zu den kleinsten unter diesen Finken, zeigen, soweit bekannt ist, eine ziemlich übereinstimmende Lebensweise und bergen in ihren Reihen eine Anzahl der werthvollsten Stuben= vögel. Alles nähere ergiebt sich in der Darstellung der einzelnen Arten.

### Der Girlitz von den kanarischen Inseln oder Kanarienvogel [Fringilla canaria].

Zu den fremdländischen Stubenvögeln kann selbstverständlich nicht mehr der allverbreitete und seit 300 Jahren schon eingebürgerte gelbe Kanarienvogel, sondern nur der freilebende grüne Wildling, der Stammvater jenes erstern, gezählt werden. Er gelangt freilich gegenwärtig nur höchst selten noch in den Handel, trotzdem darf man ihn sicherlich als ein Ziel der Wünsche vieler Vogelliebhaber und als den Stolz der wenigen Besitzer, welche ihn jemals erhalten haben, erachten.

Der vielen Uebergänge und Schattirungen wegen ist es schwer, seine Färbung genau zu beschreiben. Sie erscheint in ihrer Prunklosigkeit doch als eine sehr gefällige. Im allgemeinen stimmt sie mit der des zahmen Kanarienvogels, welchen man den grünen oder grauen nennt, überein: Stirn, Augengegend, Kehle und Brust sind schön mattglänzend goldgrün und diese Farbe geht nach dem Rücken zu durch aschgraue Zeichnungen in Graugrün über, welches sich über den ganzen Mantel erstreckt. Schwingen und Schwanzfedern sind mattschwarz, die Seiten schwach bläulichgrün mit dunkleren Schaftstrichen, und der Bürzel ist grüngelb; die gelbe Farbe der Unterseite verliert sich am Bauch in Reinweiß. An der starken Beimischung von Aschgraublau ist der Wildling von dem zahmen Vogel, welcher durchweg mehr eine grüngelbe und meistens auch eine bräunliche Schattirung zeigt, sicher zu unterscheiden, und als besondres Kennzeichen dürfte es auch gelten, daß sein Fuß dunkelbräunlich ist mit schwärzlicher Sohle; beides letztre verliert sich jedoch mit der Zeit in der Gefangenschaft. Das Weibchen ist an der Oberseite ungleich düsterer graugrün und an der Unterseite matter gelb. Die Größe ist ein wenig geringer als die des Kulturvogels.

Dr. Karl Bolle, der allen Vogelkundigen und Liebhabern rühmlichst bekannte Naturforscher und Reisende, hat nach persönlicher Erforschung des Heimatlandes, der kanarischen Inseln, zuerst ein vollständiges Lebensbild gegeben. Im nachfolgenden will ich dasselbe hier entlehnen, soweit es eben für eine Uebersicht der Geschichte des Vogels nothwendig ist: „Dreihundert Jahre sind verflossen, seitdem der Kanarienvogel durch Zähmung über die Grenzen seiner eigentlichen Heimat hinausgeführt und Weltbürger geworden ist. Der zivilisirte Mensch hat die Hand nach ihm ausgestreckt, ihn verpflanzt, vermehrt, an sein eignes Schicksal gefesselt und durch Wartung und Pflege zahlreich auf einander folgender Generationen so durchgreifende Veränderungen an ihm bewirkt; daß wir jetzt fast geneigt sind, mit Linné und Brisson zu irren, indem wir in dem goldgelben Vögelchen den Typus der Art erkennen möchten und darüber die wilbe grünliche Stammrasse, die unverändert geblieben ist, was sie von Anbeginn her war, beinahe vergessen haben. Wenn es nun für den Freund der Natur überhaupt von Wichtigkeit ist, das Lebensbild jedes beliebigen Thieres in möglichst klaren Zügen vor sich entrollt zu sehen, so wird in biesem Falle die Theilnahme dadurch noch erhöht, daß wir es mit dem Urzustande eines Wesens zu thun haben, welches eine Geschichte besitzt und Vergleiche mannigfacher Entwickelungsstufen gestattet,

welches, als ein fast nothwendiger Bestandtheil häuslicher Behaglichkeit, sich mit
unseren frühesten Erinnerungen verknüpft, fast möchten wir sagen, als Echo des
Familienglücks, ein wahrhaftes Interesse des Herzens in Anspruch nimmt und
zuletzt noch, abgesehen von seiner Schönheit und seinen übrigen fesselnden Eigen=
schaften, aus weiter Ferne in unser Vaterland eingebürgert, seit lange schon
für mehrere sonst arme Gegenden desselben eine nicht unbedeutende Erwerbsquelle
geworden ist.*)

Das helle Licht, in dem der zahme Kanarienvogel vor uns steht, die genaue
und erschöpfende Kenntniß, die wir von seinen Sitten und Eigenthümlichkeiten
besitzen, scheint neben der Entfernung von uns, in welcher der wilde lebt, die
Hauptursache der ziemlich geringen Auskunft zu sein, die wir über ihn bisher
besaßen. Im Lande seiner Geburt hat man die naturhistorische Betrachtung der
Erzeugnisse des heimatlichen Bodens bisher fast gänzlich vernachlässigt und die
Männer der Wissenschaft, die dort verweilten, waren theils von weit wichtigeren
und großartigeren Studien in Anspruch genommen, theils betrachteten sie den Aufent=
halt in jenen Gegenden nur wie eine Station, an welcher ihre Ungeduld, die neue
Welt der Tropenländer zu schauen, den Aufenthalt nicht genug abkürzen konnte. Die
Leser werden später die etwas dürftigen Aufzeichnungen finden, welche von Reisenden
und anderen Schriftstellern über den Vogel gegeben sind. Obwol dieselben nun aber,
wenn auch meist nur in gedrängter Kürze und ohne nähere Angaben, das Vor=
handensein der wilden Art und zwar in einem Kleide, welches von dem des zahmen
Vogels verschieden ist, feststellen, so scheint doch neuerdings, genährt durch die
Zweifelsucht und Vorliebe für das Ungewöhnliche in unsrer Zeit, die Ansicht Raum
gewonnen zu haben, es sei keineswegs unzweifelhaft, daß der zahme Kanarienvogel
von einer noch auf den Inseln gleichen Namens lebenden Art abstamme; er könne
vielmehr garwol seinen Ursprung der fortgesetzten Vermischung einiger grüngelben,
leicht zähmbaren Finken unsres Welttheils verdanken. Wol irre geführt durch
eine mißverstandne Stelle Bechstein's, der in seiner Naturgeschichte der Stuben=
vögel sagt, ihm seien Bastarde vom Zeisig und Girlitz vorgekommen, die dem
grünen Kanarienvogel täuschend ähnlich sahen, hat man die Behauptung aufgestellt,
die genannten beiden Finkenarten seien die Stammeltern unsres zahmen Sängers.
Andere erklärten den wilden Kanarienvogel für übereinstimmend mit dem Zitron=
zeisig (Fringilla citrinella, L.). Selbst dem Hartlaubs= oder Mozambikzeisig
(Fringilla butyracea, var. Hartlaubi, Bll.) hat man eine Stelle in diesem auf=
steigenden Geschlechtsregister anweisen wollen, während wieder Andere nicht abgeneigt

---

*) Eine Schilderung der Kanarienvogelzucht in Deutschland, insbesondre der des Harzer
Sängers, nebst ihrem Ertrage finden die Leser in dem Buche: „**Der Kanarienvogel**", seine
Naturgeschichte, Pflege und Zucht, von Dr. Karl Ruß (Hannover, Karl Rümpler),
zweite Auflage, 1876.

schienen, an den gelbstirnigen Girlitz (Fringilla flaviventris, *Gml.*) vom Kap als
Stammvater des Kanarienvogels zu denken. Wenigstens hörte Albers, der den
letztern in Madeira beobachtete, dieser Anschauung von hervorragenden englischen
Vogelkundigen Worte leihen, und Vernon Harcourt stellt in seiner Liste von Ma-
deira-Vögeln Kanarienvogel und gelbstirnigen Girlitz als übereinstimmend hin, ohne
zu bedenken, daß Linné schon diese beiden, zwar derselben Gruppe angehörigen
und ähnlich gefärbten, sonst aber völlig verschiedenen Vögel in sehr verständlichen
Beschreibungen von einander gesondert hat. Alle diese Irrthümer finden Verbreitung und werden hin und wieder selbst von Gelehrten vertheidigt und doch
hatte Bechstein so klar in dieser Sache gesehen!

In Erwägung dieser Unsicherheit und der vielen Lücken, welche die Naturgeschichte des wilden Kanarienvogels noch bietet, möge es vergönnt sein, nach-
stehend das Ergebniß zweijähriger auf jenen Inseln gesammelter Erfahrungen der
Oeffentlichkeit zu übergeben.

Der wilde Kanarienvogel wird von Spaniern und Portugiesen in seiner
Heimat „Canario" genannt. Ein eigenthümlicher Schmelz, ein ungemein sanftes
Verschwimmen der Farbentöne zeichnet sein Gefieder aus. Auf den ersten Blick
erkennt man an ihm den durch keinen Zwang entweihten Hauch des Freige-
borenseins. Die beiden Geschlechter sind, wenn auch erst vom dritten Frühlinge an,
wesentlich von einander verschieden. Das Herbstkleid des alten Vogels weicht von
dem im Frühjahr getragnen nur unbedeutend ab.

Das Vaterland ist auf die Inselgruppen des atlantischen Meeres zwischen
dem 27. und 40. Grade nördlicher Breite beschränkt. Schon Linné wußte indeß,
daß er nicht den Kanaren ausschließlich angehört. Man hat ihn bisher an keiner
Stelle des nahegelegnen Festlandes angetroffen und er ist mit um so größerer
Wahrscheinlichkeit in den Faunen desselben ein Fremdling, als der daselbst häufige
Girlitz (Serinus meridionalis, *Br.*) die Inseln, auf welchen weit nördlichere
Finken, wie Stiglitz und Hänfling, vorkommen, entschieden meidet. Die Gegenden, welche er bewohnt, fallen ihrer ganzen Ausdehnung nach in die südlich
gemäßigte Zone und erfreuen sich, vom Uebermaß der Hitze und Kälte unberührt,
einer milden, lauen, jahraus jahrein fast gleichmäßigen Natur. Auf den Eilanden, nach denen er den Namen erhalten hat, lebt er vorzugsweise im westlichen gebirgigen Theil, wo ein größerer Reichthum des Baumwuchses seinen
Aufenthalt begünstigt und die von den vorherrschenden Seewinden herbeigeführte
bedeutendere Feuchtigkeit der Atmosphäre, sowie die kühlere Luft, das Inselklima
zu einem ausgeprägtern als in der östlichen Hälfte des Archipels machen. Auf
Teneriffa, Palma, Gomera und Ferro ist er in großer Anzahl vorhanden und
zwar vorzugsweise dort, wo nicht allzudicht wachsende Bäume mit Gestrüpp
abwechseln.

Eigentliche Flüsse giebt es auf den Kanaren nicht, aber durch ihre tiefen schluchtenartigen Thäler winden sich in vielen Krümmungen Gebirgsbäche, die in der wasserreichen Jahreszeit bald breit und flutend über den Kies des Thalwegs hinströmen, bald eingeengt in ihrem Laufe an den Basaltwänden aufschäumen und von Terrasse zu Terrasse, mitunter in prächtigen Wasserfällen niedersteigend, ihren Weg zum Meere suchen. So im Winter und Frühlinge. Die späteren Monate des Jahres bieten ein weniger frisches Bild dar. Derselbe Bach, dessen Länge von der waldbestandnen Höhe, auf der seine Quelle liegt, bis zur Mündung selten mehr als zwei oder drei Meilen beträgt, ist im untern Theile seines Laufs versiegt; nur ein weißlicher Anflug, den das Wasser an Steinen und Felsblöcken zurückließ, sowie an naßgründigen Stellen hin und wieder eine Gruppe von Binsen und hohem Rohr, bezeichnen noch seine Bahn. Mehr aufwärts aber beginnen erst Tümpel und kleine Lachen, dann Reihen tieferer, felsumhegter Kessel, die selbst im hohen Sommer bis zum Rande mit klarem Wasser gefüllt bleiben. So gelangt man aufsteigend in die oberen Gegenden des Barranko und findet hier den lustig von Stein zu Stein tanzenden Gießbach, mit einzelnen immergrünen Waldbäumen und Farrnkraut umkränzt, unversehrt wieder. Der Grund dieses regelmäßigen Versiegens liegt zum Theil in dem durch das Klima bedingten Regenmangel in der größern Hälfte des Jahres; zum Theil aber sind die unzähligen Aderlässe, welche jedes durch bebaute Striche fließende Gewässer unaufhörlich erleidet, die Ursache. Nicht nur ganze Quellen der Waldregion werden, um Trinkwasser zu liefern, den tiefer gelegenen Ortschaften zugeführt, sondern ein fortgesetztes, höchst komplizirtes und oft wirklich bewundernswürdiges Netz von Wasserleitungen führt durch unendlich kleine in Fels gehauene Kanäle das befruchtende Naß vom Bache auf Felder und Pflanzungen, die nur durch Ueberrieselung im Sommer ertragsfähig erhalten werden können, dann aber drei bis vier Ernten in einem Jahre liefern.

Wie lieblich sind fast ohne Ausnahme die Landschaften, welche diese Thäler vor dem Blicke des Beschauers entrollen! Eng und schmal, selten mehr als fünf Minuten breit und von schroffen Höhen eingefaßt, an deren der Kultur unzugänglichen Abhängen die wilde Flora der glücklichen Inseln ihre wunderbare Pracht entfaltet, bietet fast jeder Schritt in ihnen neue Ueberraschung dar. Die Thalsole ist gewöhnlich sich selbst überlassen und erzeugt üppigen Buschwald von tropischen Gewächsen. Stufenweise gruppiren sich die Kulturen am Fuße der Berge; in schmalen Beeten wächst Korn und Mais; daneben breiten weitästige Feigenbäume ihre Kronen aus und nette weiße Häuser mit Ballon und flachem Dach schließen sich an Haine von Orangenbäumen, die, in Europa ein königlicher Luxus, hier die alltägliche Umgebung selbst dürftiger Hütten sind. Da fällt wol vom überhängenden Aste die Apfelsine ins Wasser und rollt, ein Spiel der Strömung,

dem Wanderer entgegen. Neben den Meierhöfen leuchten weithin sichtbar die
reinlich gestampften Tennen, auf denen der Weizen gedroschen wird oder rothgelbe
Maiskolben und blaue Feigen massenweise an der Sonne dörren. Bald fassen
Brombeerhecken den Pfad ein, bald Kaktus oder blaugrüne Agaven mit ihren
dornigen Schwertblättern, aus deren Mitte der Blütenschaft wie ein riesenhafter
Kandelaber emporsteigt. Purpurn schimmert zu allen Zeiten der Granatbaum,
er mag Blüte oder Frucht tragen, und ihm zur Seite ragt der dunkelgrün be-
laubte Johannisbrotbaum empor. Hier und da erhebt sich die Dattelpalme oder
ein einsamer Drachenbaum, oder lichtgrüne Bananengruppen lassen ihre Blätter
in dem leisen Luftzuge wallen, der unten im geschützten Thale kaum fühlbar
weht, während über den Berggipfeln die Passatwinde des Weltmeers hinbrausen.
Wieder einmal verengen einander fast berührende Felsmassen den Barranko zu
einem finstern Schlund. Der Weg macht eine Biegung, das Hinderniß zu um-
gehen, und plötzlich stehen wir vor einer mehrere hundert Fuß hohen, senkrecht
aufsteigenden Wand. Wir hören Menschenstimmen, das Gebrüll von Kühen und
große zottige Hunde stürzen uns bellend entgegen. Wo aber, so fragen wir uns,
sind die Häuser ihrer Herren? Betrachtet die Felswand! Man hat die Höhlen
ihrer rothen Tuffschichten erweitert und vorn mit Mauerwerk, welches Fenster
und eine Thür freiläßt, versehen; so sind Wohnungen entstanden, deren im Sommer
kühle und im Winter warme Räume ganz wohnliche Heimstätten gewähren.
Dicht dabei steht in offner, von Pfeilern gestützter Grotte das Vieh an der
Krippe. Andere Nischen füllen Bienenkörbe, aus gehöhlten Baumstämmen gebildet, von seltsam pilzähnlicher Gestalt. Die Glöckchen der Ziegenherden klingen
vom Berge herab; wir sehen den Hirten auf seinen langen Bergstock gestützt,
eine weite grobe Wollendecke um die Schultern geschlagen, seine Thiere durch
Zuruf und gellen Pfiff, gelegentlich auch wol durch einen Steinwurf in Ordnung
halten. Unten treibt ein Arriero das beladne Maulthier über eine Brücke,
die in kühnem Bogen den Abgrund überwölbt. Auf einem kleinen Acker schreitet,
vor den Pflug gespannt, das Kameel friedlich neben dem Esel. Anderwärts
fischen Knaben, bis an den Gürtel im Wasser stehend, wohlschmeckende Aale, den
einzigen Süßwasserfisch der Inseln. Vom Walde her, dessen schwarze Laubmassen
landeinwärts den Horizont begrenzen, schreiten Mädchen und Frauen schwer be-
lastet, aber heiter plaudernd und lachend zu Thal. Sie tragen Holz- und Reisig-
bündel auf dem Kopfe über den gelben Mantillen, die ihre Gesichter madonnen-
artig umschließen, der Stadt zum Verkauf zu. Auf alle diese lebensfrischen Bilder aber schauen ringsum von den kahlen Kämmen des Gebirgs grotesk-zackige
Felsgestalten über Land und Meer bis zu den schneeigen Bergspitzen hin und es
legt sich über das Alles der weiche, sonnige Duft des tiefsten Südens. Dies ist
das ungefähre Bild eines Thals auf Teneriffa, und so sehen die Ufer der kleinen

Flüsse aus, an denen nach Bechstein u. a. Schriftstellern der Kanarienvogel brüten soll.

Er nistet auch wirklich an ihnen, aber nicht ausschließlich. Ich habe ihn ebensowol in Gegenden sich fortpflanzen sehen, in denen er ziemlich weit von fließendem Wasser entfernt war und die Natur einen ganz andern Charakter als den oben geschilderten trug; nur dürfen einzelne Bäume und hohes, wenn auch lichtes Buschholz nicht fehlen. Von der Meeresküste erstreckt sich seine Verbreitung bis zu der nicht unbedeutenden Höhe von etwa 1570—1880 Mtr. im Gebirge hinauf, während er freilich an vielen dazwischen liegenden Punkten vergeblich gesucht wird. Die Gärten volkreicher Städte beherbergen ihn zur Fortpflanzungszeit ebensowol, als auch die abgelegensten, stillsten Winkel der Insel. Man kann wol sagen, daß er in viel höherm Grade als seine Vettern, der Hänfling und Stiglitz, welche ebenso häufig wie er in seinem Vaterlande zu finden sind, ein Baum= vogel sei. Im dichten, schattigen und feuchten Hochwalde, der dort vorzugsweise aus Lorbeerbäumen und Stechpalmen besteht, habe ich ihn niemals beobachtet; höchstens bewohnt er dessen äußere lichte Ränder, wie ich ihn z. B. am Saume der immergrünen Waldschlucht Barranco de Badajoz bei Guimar mehrfach be= obachtet habe. Da die Weingärten, welche vor dem Auftreten des verderblichen Kerbthiers in noch weit ausgedehnterm Maße als jetzt vorhanden waren, fast immer mit einzeln stehenden Obstbäumen untermischt sind, so ist der Kanarienvogel gewöhnlich in ihnen auch häufig zu finden, umsomehr, da sie sich ohne Aus= nahme einer sonnigen Lage, wie er solche vorzugsweise liebt, erfreuen. Warm sind, im Sommer wenigstens, auch die weiten Forsten der kanarischen Fichte, in denen ich ihm im April d. J. 1856, wider Vermuthen, bei dem Flecken Chasna und weit über diesen hinauf in großer Kopfzahl begegnete. Man hatte bisher nicht gewußt, daß er sich zur Brutzeit in so hochgelegenen Bezirken auf= halte, vielmehr war er beständig als Bewohner der Ufergegenden angesehen. Mit Bestimmtheit kann ich jedoch versichern, daß er an den Abhängen des Teyde, sowie an anderen Orten bis zur angegebnen Höhe vorkommt und dort meistens auf jungen Nadelholzbäumen sein Nest erbaut. Man entfernt sich also weniger von der Natur als man wol denkt, wenn man bei uns dem zahmen Kanarien= vogel in sogen. fliegenden Hecken abgehaune kleine Kiefern hinsetzt, damit er in deren Zweigen niste, was er so gern thut. Ob der wilde Kanarienvogel die Hochregion von Teneriffa und Palma, in welcher die kanarische Fichte fast allein mit mannigfachem Unterholz die Waldbestände bildet, auch im Winter bewohne, ist mir unbekannt. Allerdings fällt dort noch wenig Schnee, doch ist die Temperatur die Wintermonate hindurch im Vergleich mit dem ewigen Frühlinge des untern Landes schon eine sehr niedere. Es scheint jedoch, daß der Kanarienvogel auch in seiner Heimat einen gewissen Grad von Kälte zu ertragen hat und denselben nicht sehr scheue; sonst wäre es doch wol schwer zu erklären, wie er im gezähmten Zustande dem strengen Winter des nördlichen Deutschland im ungeheizten Zimmer, wo binnen wenigen Stunden das Wasser bis auf den Grund der Gefäße friert, trotzen kann, ja, daß er bei einer solchen Behandlung sich ausdauernder zeigt, als wenn man ihn am warmen Ofen überwintert. Im Spätherbst hat Berthelot ihn in den Bandas von Chasna 1255 Mtr. über dem Meere angetroffen, jedoch nicht geglaubt, daß er hier und höher hinauf noch brüte; er war erstaunt, als ich ihm meine hierauf bezüglichen Erfahrungen mittheilte. Ich hatte bereits im September d. J. 1852 ganze Scharen von Kanarien dicht unter der Kumbre der Insel Palma, wo die Fichte aufhört und die Kodeso=Dickichte mit einzelnen Zedern untermischt vorherrschend werden, in nahezu 1880 Mtr. Höhe beobachtet.

Der Fortpflanzung des Kanarienvogels habe ich im Thale von Orotava auf Teneriffa mehrfach meine Aufmerksamkeit zugewendet und ich kann daher genauere Mittheilungen über dieselbe machen. Parung und Nestbau erfolgen im März, meistens erst in der zweiten Hälfte. Niemals baute der Vogel in den von mir beobachteten Fällen niedriger als 2,5 Mtr. über dem Boden, oft in viel bedeutenderer Höhe. Für junge, noch schlanke Bäumchen scheint er eine besondre Vorliebe zu hegen und unter diesen wiederum die immergrünen oder sehr früh sich belaubenden vorzüglich gern zu wählen. Der Birn= und der Granatbaum werden ihrer vielfachen und doch lichten Beräftelung halber häufig, der Orangenbaum seiner allzu dunklen Krone wegen schon seltner, der Feigenbaum, wie man versichert, niemals zur Brutstätte ausersehen. Das Nest wird sehr versteckt angebracht, doch ist es, namentlich in Gärten, durch das viele Hin= und Herfliegen des Pärchens in seinem nicht großen Nistbezirk unschwer zu entdecken. Ich fand das erste mir zu Gesicht gekommene Nest in den letzten Tagen des Monats März i. J. 1856 inmitten eines verwilderten Gartens der Villa Orotava auf einem gegen 4 Mtr. hohen Buchsbaum, der sich über eine Mirtenhecke erhob. Es stand, nur mit dem Boden auf den Aesten ruhend, in der Gabel einiger Zweige, unten breit, oben sehr eng mit ungemein zierlicher Rundung nett und regelmäßig gebaut. Es war durchweg aus schneeweißer Pflanzenwolle zusammengesetzt und nur mit wenigen dürren Hälmchen durchwebt. Das erste Ei wurde am 30. März und dann täglich eins hinzugelegt, bis mit der Anzahl von fünf Eiern das Gelege vollzählig war; während ich in manchen Nestern nur drei bis vier Eier fand, habe ich nie mehr als fünf in einem solchen gesehen. Dieselben sind blaß meergrün, mit röthlichbraunen Flecken besät, selten beinahe oder ganz einfarbig. Sie gleichen denen des zahmen Vogels durchaus. Ebenso hat die Brutzeit durch die Züchtung keine Veränderung erlitten; sie dauert beim Wildling gleichfalls ungefähr 13 Tage. Die Jungen bleiben im Nest, bis sie

völlig befiedert sind und dann werden sie noch eine Zeitlang nach den Ausfliegen
von beiden Alten, namentlich aber vom Männchen sorgsam aus dem Kropfe ge=
füttert. In der Regel werden in einem Sommer vier, mitunter aber auch nur
drei Bruten gemacht. Zu Ende d. M. Juli beginnt die Mauser, mit welcher
natürlich für das laufende Jahr die Fortpflanzungszeit schließt. Sämmtliche
Nester, deren ich sechs bis sieben im Frühlinge des genannten Jahres be=
obachtete, waren in übereinstimmend saubrer Weise aus Pflanzenwolle geformt;
in einigen unterbrach kaum ein Grashalm oder Reisigstückchen das glänzende
Weiß des Baues. Wahrscheinlich hatte bei ihnen allen der die Samen der
kanarischen Weide umhüllende zarte Flaum nebst den Federkronen von Pflanzen
aus der Familie der Zichoriengewächse den Stoff geliefert, von welchem die
Vögelchen das Nest so kunstreich gewebt. Einer äußern Umkleidung durch Flechten
u. drgl. scheint dasselbe wol seines versteckten Standorts halber nicht zu bedürfen.
Im Sommer liefern den Vögeln mehrere Gewächse ungemein feine Pflanzenseide
zum Nestbau; an Orten aber, wo sie nur gröbere Stoffe finden, sollen die
mehr aus Moos und Halmen gebauten Nester stets eine innere weiche Aus=
fütterung haben.

Das Männchen sitzt, während das Weibchen brütet, in der Nähe, am
liebsten hoch auf noch unbelaubten Bäumen, im ersten Frühlinge gern auf Akazien,
Platanen oder echten Kastanien, Baumarten, deren Blattknospen sich erst spät
öffnen oder auch auf dürren Zweigspitzen, wie sie die Wipfel der in Gärten und
in der Nähe der Wohnungen so allgemein verbreiteten Orangen nicht selten auf=
zuweisen haben. Von solchem Standpunkt aus läßt es am liebsten und längsten
seinen Gesang hören. Es ist eine Freude, dann dem kleinen Virtuosen zu
lauschen, zumal wenn dies, wie es uns häufig vergönnt war, von dem Ballon
oder der Gallerie eines Isleño=Hauses aus geschehen kann, wo man sich in
gleicher Höhe mit dem singenden Vogel befindet, der in ganz geringer Entfernung
vor uns sitzt. Wie bläht er dann seine kleine gesangsreiche Kehle auf, wie wendet
er die goldgrün schimmernde Brust bald rechts bald links, sich im Strahl seiner
heimatlichen Sonne badend, bis auf einmal der leise Ruf des im Neste ver=
borgnen Weibchens sein Ohr trifft und er mit angezogenen Flügeln sich in das
Blättermeer der Baumkrone stürzt, welche über ihm gleichsam zusammenschlagend
die süßen Mysterien seines Gattenglücks verhüllt. Umgeben von der duftenden
Blütenpracht seines Vaterlands erscheint das unscheinbar grüne Vöglein herrlicher
als die schönsten seiner Brüder, welche in Europa den Rock der Sklaverei tragen.
Es ist ja an seiner Stelle, hier, wo des Schöpfers Wort es ins Dasein gerufen,
und die Melodie seines Liedes verfehlt um so weniger auf uns einen unwider=
stehlichen Zauber auszuüben, als durch alle Sinne zugleich wohlthuende Em=
pfindungen auf den Zuhörer einwirken und mit dem Reiz des Fremdartigen sich

gerade durch diese Vogelstimmen träumerische Erinnerungen der Kindheit in die gegenwärtigen Eindrücke mischen. Unzweifelhaft hat mich nichts so angeheimelt und mir das Gefühl des Fremdseins auf den kanarischen Inseln verscheucht, als der überall mich freundlich grüßende Gesang des wilden Kanarienvogels, der dort etwa in derselben Häufigkeit wie der Finkenschlag in Deutschland erschallt.

Es ist viel über den Werth dieses Gesangs geschrieben; von Einigen über- schätzt und zu sehr gepriesen, ist er von Anderen, die vielleicht nach einem oder nur wenigen nach Europa gebrachten Männchen, deren Organ die vollkommene Ausbildung nicht erlangt hatte, ihr Urtheil bemessen, einer zu scharfen, ab- sprechenden Beurtheilung unterzogen. Man bleibt ziemlich sicher bei der Wahr- heit, wenn man die Meinung ausspricht, daß die wilden Kanarienvögel so singen, wie in Europa die zahmen. Der Schlag dieser letzteren ist durchaus kein Kunst- erzeugniß, sondern, wenn auch hin und wieder durch die Einwirkungen fremder Vogelgesänge beeinflußt, doch im großen ganzen das geblieben, was er ursprüng- lich war. Einzelne Passagen hat die Erziehung umgestalten und zu glänzender Entwickelung bringen, andere der Naturzustand in größerer Frische und Rein- heit bewahren können. Der Charakter beider Gesänge jedoch ist noch jetzt völlig übereinstimmend. Dies aber beweist, daß, mag ein Volk auch seine Sprache verlieren, eine Vogelart dieselbe doch durch alle Wandlungen äußerer Verhält- nisse unversehrt hindurchtragen kann. Soweit geht die sachliche Beurtheilung; das persönliche Urtheil aber wird bestochen durch die tausend Reize der Land- schaft, durch die Eindrücke des Ungewöhnlichen. Der Gesang, den wir ver- nehmen, erklingt uns herrlich, aber er dünkt uns noch ungleich klangreicher da- durch, daß er nicht im staubigen Zimmer, sondern unter freiem Himmel erschallt, wo Rosen und Jasmin um die Cypresse ranken und die im Raum verschwimmenden Klangwellen alle Härten abstreifen, welche bei dem meistens in zu großer Nähe vernommenen Gesange des zahmen Vogels unangenehm, wol gar unausstehlich erschallen. Hier begnügen wir uns nicht, mit dem Ohre zu hören; unver- merkt vernimmt man auch durch die Einbildungskraft und so bilden sich Urtheile, wie ‚dem Gesange eines Vogels von den Kanarischen Inseln kommt nichts gleich‘ u. s. w. (Heineken), welche später bei Anderen Enttäuschung hervorrufen. Eben- sowenig wie alle Hänflinge und Nachtigalen oder alle zahmen Kanarienvögel gleichgute Schläger sind, darf man dies von den Wildlingen fordern. Auch unter ihnen giebt es mehr und minder tüchtige Sänger; das aber ist meine entschiedne Ansicht, die sogen. Rollen, jene zur Seele dringenden, tiefen Brusttöne, habe ich nie schöner vortragen gehört, als von wilden Kanarienvögeln und einigen zahmen der Inseln, die bei jenen in der Lehre gewesen. Nie werde ich die Leistungen eines wundervoll hochgelben Männchens von Gran-Canaria, welches ich als Ge- schenk von einem Freunde erhielt, vergessen. Am meisten möge man sich hüten, den Naturgesang nach dem oft stümperhaften sehr jung gefangener Wildlinge, die im Käfige ohne guten Vorschläger aufwuchsen, zu beurtheilen.

Der Flug des Kanarienvogels gleicht dem des Hänflings; er ist etwas wellenförmig und geht meistens in mäßiger Höhe von Baum zu Baum, wobei, wenn die Vögel schwarmweise fliegen, die Glieder der Gesellschaft sich nicht dicht aneinander drängen, sondern jedes sich in einer kleinen Entfernung von seinem Nachbar hält und dabei einen abgebrochnen, oft wiederholten Lockruf hören läßt. Die Scharen, in welche sie sich außer der Fortpflanzungszeit zusammenthun, sind zahlreich, lösen sich aber den größten Theil des Tages hindurch in kleinere Flüge auf, welche an geeigneten Orten ihrer Nahrung nachgehen und häufig längere Zeit auf der Erde verweilen, vor Sonnenuntergang jedoch sich gern wieder sammeln und einen geeigneten Ort zur gemeinschaftlichen Nachtruhe aufsuchen. Auf dem dazu gewählten Baume stimmen sie dann ein lautes und wirres Konzert an; man würde aber Unrecht daran thun, dieses mit ihrem eigentlichen Gesange zu verwechseln.

Die Nahrung des Kanarienvogels besteht größtentheils, wenn nicht aus= schließlich, in Pflanzenstoffen, kleinem Gesäme, theils mehliger, theils öliger Be= schaffenheit, zartem Grün und saftigen Früchten, namentlich Feigen, welche letzteren er, wie fast alle Singvögel der Kanarischen Inseln und selbst die in den Tropen heimischen Finken, auch in der Gefangenschaft mit großer Vorliebe zu verzehren pflegt. Eine durchgebrochne reife Feige bietet ihnen in ihrem Fleisch, süßen Saft und sehr zahlreichen Kernen einen ersichtlichen Leckerbissen dar, den sie gleichsam aus= schlürfen, zu welchem sie im Freien nur dann gelangen können, wenn die Frucht vor Ueberreife ihren violettblauen oder gelbgrünen Mantel sprengt. Vorher ist es ihnen unmöglich, mit dem zarten Schnabel durch die feste von etwas scharfem Milchsaft strotzende Hülle zu dringen. Ein solcher Feigenbaum mit geplatzten Früchten bietet einen wahrhaft interessanten Anblick dar, denn er bildet den Sammelplatz für eine große Anzahl von Singvögeln; Amseln, Plattmönche, Weidenlaubvögel, Stiglitze, Steinsperlinge, Blaumeisen u. a. m. finden auf seinen Zweigen einen gedeckten Tisch, an dem Insekten= und Körnerfresser bunte Reihe machen. Unter den Pflanzenfamilien, welche dem Kanarienvogel Nahrung bieten, scheinen die Kreuzblütler und Vereinsblütler vorzugsweise gern von ihm auf= gesucht zu werden. Die Kröpfe aller im Frühlinge erlegten fand ich fast ausschließ= lich mit Kreuzblütersamen von verschiedenen Arten angefüllt. Dieselben waren noch beiweitem nicht reif, daher um so zarter und sie dürften also das Hauptfutter für die noch kleinen Jungen sein. Dem Kohl= und Salatsamen gehen sie den Sommer hindurch auf Feldern und in Gärten nach. Auch von mancherlei an= deren Sträuchern und Kräutern fressen sie junge grüne und zarte Pflanzenstoffe, auf Disteln dagegen habe ich sie nie erblickt. Noch verdient bemerkt zu werden, daß die Straßen von Santa Cruz, um wieviel mehr also abgelegene Orte, voller Kreuzkraut und Vogelmiere stehen und daß an feuchten Stellen unser Wegebreit, sowie an Quellen und Bächen Brunnenkresse, und auch der Mohn im wilben Zustande auf Hügeln und zwischen dem Getreide sprießt. So findet der Kanarienvogel also bereits in seinem Vaterlande, mit Ausnahme des Hanfs, fast alle Leckerbissen reichlich vor, durch welche wir ihm die Gefangenschaft versüßen. Eines Hauptnahrungsmittels muß ich jedoch noch erwähnen. Es ist dasjenige, welches in Europa am meisten Ruf erlangt hat und so allgemein zur Fütterung der Stubenvögel verwendet wird, nämlich das Kanariengras (Phalaris canariensis), das auf den Inseln sowie in allen Ländern des Mittelmeerbeckens einheimisch, in Deutschland namentlich bei Erfurt im großen gebaut wird und früher lange als die ausschließliche Kost des Kanarienvogels galt. In Holland baute man es bereits in der zweiten Hälfte des siebenzehnten Jahrhunderts an. Es dient noch jetzt auf den Kanarischen Inseln unter dem Namen Alpiste zum alleingebräuchlichen Vogelfutter, wird daselbst aber gegenwärtig nicht mehr gewonnen, sondern als Handelsartikel von Spanien hinübergebracht. Wildwachsend trifft man es in etwa 0,5 Mtr. hohen dünnen Halmen, die an der Spitze eine rundliche, kopfförmige Aehre tragen, an Feldrainen und unter der Saat, sowie hin und wieder auch auf steinigen Hügeln an, wo es von den Kanarienvögeln allerdings, jedoch nicht mehr als andere verwandte Arten und Hirsegräser, aufgesucht wird.

Wasser ist für den Kanarienvogel ein gebieterisches Bedürfniß. Er fliegt oft, meist gesellig zur Tränke und liebt das Baden, bei dem er sich sehr naß macht, im wilben Zustande ebenso sehr als im zahmen.

Die geographische Verbreitung des Kanarienvogels erstreckt sich außerhalb der ihm gleichnamigen Inseln noch über Madera und die Azoren. Ueber diese sämmtlichen Archipele ist er jedoch unregelmäßig vertheilt. Er lebt auf den Kanaren als beständiger Brutvogel nur soweit, als etwa der Teyde oder Pik von Teneriffa seinen gigantischen Schatten wirft. Schon die östliche Hälfte Gran-Canaria's besitzt ihn als solchen nicht mehr und von Fuerteventura und Lanzarote verbannen ihn Baumlosigkeit und Wassermangel. Wol aber streifen in diese letztgenannten Gegenden zahlreich, zumal nach Gran-Canaria, im Herbst und Winter seine wandernden Schwärme; denn er ist, wie soviele Finkenarten, weder Stand- noch Zug-, sondern ein entschiedner Strichvogel, der überall erscheint, wohin ihn innerhalb der Grenzen des Insellands Laune oder der Ueberfluß irgendwelcher Lieblingsnahrung rufen. Im Westen der großen und fruchtbaren Insel Gran-Canaria ist er vorhanden und gilt dort besonders für einen Bewohner des Pinal- oder Fichtenwaldes, welcher, wenn auch durch die Axt gelichtet, hier und im Innern noch immer bedeutende Flächen einnimmt. Auch wurde uns berichtet, daß der

Vogel in der Umgebung des nach Norden zu gelegnen Städtchens Teror häufig
sei und Herr Baron v. Minutoli spricht bei Erwähnung der jener Gegend
angehörigen Montaña de Doramas von Konzerten Hunderter von Kanarien=
vögeln, die er dort schmettern hörte. Jedenfalls tritt der Vogel jedoch in Canaria
in geringerer Anzahl als in Teneriffa auf und bringt nur in vereinzelten Pärchen
bis zum östlichen Fuß des Gebirgsstocks vor, welcher die Wasserscheide des Ei=
lands bildet. Hier, z. B. in den Obsthainen von Tenteniguada, einer scheinbar
wie für ihn geschaffnen Gegend, hörte ich im Juni während eines längern Auf=
enthalts nur ein Männchen schlagen, dies aber täglich. Vier Wochen früher
hatte ich ihn ebenfalls sehr zerstreut im bergigen Mittelpunkt Canaria's und
zwar in etwa 1100 Mtr. Höhe bei Hoya de la Vieja, sowie in dem der Mittags=
seite der Insel zugewandten Barranco de Chamorican, wo der Nadelwald mit
einigen gewaltigen Stämmen beginnt, angesiedelt gefunden.

Es ist eine durch A. v. Humboldt's Schriften auch in Deutschland zu all=
gemeiner Kenntniß gelangte Thatsache, daß früher einmal die kleine Insel Mon=
taña Clara von Kanarienvögeln bewohnt war, deren außerordentlich herrlicher
Gesang sie zum Gegenstande besondrer Aufmerksamkeit machte und höchlichst ge=
rühmt wurde. Auch Ledru erwähnt in seinem Katalog diese Oertlichkeit. Nun
ist Montaña Clara, nebst einigen anderen, ihr ähnlichen, wüsten Inselchen, in
der Nähe von Lanzarote gelegen, ein unbewohnter, baumloser Fels im Meere, der
in überaus kühnen Umrissen sich aus den Fluten erhebt und der sehr östlichen
Lage, sowie seiner Bodenbeschaffenheit nach gleichwenig zum Wohnplatz von
Kanarien geeignet erscheint. Dennoch liegt kein Grund vor, an der durch Au=
oritäten gestützten, noch heute im Munde des Volkes lebenden Ueberlieferung zu
zweifeln. An einer Quelle jenes Felseneilands soll hohes Buschwerk gestanden
haben und dies der Aufenthalt jener wunderbar schön singenden Lokalrasse gewesen
sein, bis Hirten oder Fischer es in Brand gesteckt und so die Vögelchen ver=
trieben haben. Dies Ereigniß hat sich nach einer handschriftlichen Aufzeichnung
meines Freundes Berthelot in den ersten Jahren unseres Jahrhunderts zuge=
tragen. Es ist sehr wol denkbar, daß die tiefe Abgeschiedenheit und Oede der
Stelle vor Alters eine Kolonie von Kanarienvögeln angelockt und daß gerade
die weite Entfernung von ihresgleichen, hier, wo nur Sturmtaucher und Möven
ihre Nachbarn waren, zuerst innerhalb weniger Familien die Ausbildung einer
Gesangsfertigkeit begünstigen konnte, welche sich später, je enger der Kreis, um so
leichter, als Erbtheil fortgepflanzt. Ich selbst habe nicht Gelegenheit gehabt,
Montaña Clara zu besuchen; es wäre jedoch interessant, sich von seinem gegen=
wärtigen Zustande zu überzeugen und es dürfte doch nicht unmöglich sein, daß
man in dem daselbst vielleicht aufs neue emporgeschossenen Gesträuche auch die
zu ihrem einstigen Lieblingsaufenthalte zurückgekehrten Vögel wiederfände.

Der Verfasser dieser Zeilen hat die ersten wilden Kanarienvögel in Madeira gesehen, obwol alle seine späteren Beobachtungen auf den Kanarischen Inseln ange= stellt wurden. In den überaus reizenden, weltberühmten Gärten um Funchal trifft man diese Vögel häufig an, und hier war es, wo Heineken, der in den Jahren 1820—29 auf Madeira weilte, die ersten guten, ausführlicheren Studien über ihre Lebensweise gemacht hat. Man kann seinen Bericht, dem eine sehr natur= wahre Beschreibung beigegeben ist, im „Zoological Journal" Nr. 17, Art. 17, und in der „Isis" von 1831 nachlesen, aus welcher letztern er unter anderen seinen Weg in Lenz' treffliche Naturgeschichte gefunden hat. Man nennt den wilden Vogel in Madeira Canario de terra, während er in Teneriffa Canario de campo heißt. Die gezähmte Rasse trägt auf erstrer Insel den Namen Canario de fora (fremder Kanarienvogel), obwol man ihn jetzt auch dort und zwar vom schönsten Gelb in großen Hecken zieht. Vernon Harcourt hat dem Vogel ebenfalls in Madeira Aufmerksamkeit gewidmet, und J. Yate Johnson, der talentvolle Verfasser des Buchs „Madeira, its climate and scenery", be= merkt über denselben folgendes: ‚Während der Brutzeit ist er sehr zutraulich und besucht furchtlos die Gärten mitten in der Stadt. Ist diese vorbei, so schart er sich mit Hänflingen und anderen Vögeln zusammen und treibt sich dann vor= zugsweise auf Feldern und an weniger besuchten Orten umher. Er läßt den größten Theil des Jahres hindurch seinen Gesang hören. Gelbe Kanarienvögel werden in bedeutender Anzahl aus Lissabon nach Funchal zum Verkauf gebracht. Die Kreuzung zwischen wilden und zahmen scheint eine Rasse hervorzubringen, die körperlich kräftiger und mit stärkerer Stimme als die gelbe begabt ist.'

Weder Johnson noch irgend ein andrer Schriftsteller belehrt uns darüber, ob auf der in geringer Entfernung von Madeira nach Nordost zu gelegnen Insel Porto Santo wilde Kanarienvögel anzutreffen seien. Der großen Kahlheit und der Wasserarmuth halber, an welcher sie leidet, möchten wir fast daran zweifeln. Nicht minder schweigen die Nachrichten über das etwaige Vorkommen der Art auf den drei Desertas von Madeira. Ueber die zwischen letztrer und den Ka= naren mitteninne liegenden Salvages, die ebenfalls unbewohnt sind und höchstens von Jägern regelmäßig besucht werden, findet man nur die fabelhaft klingende Angabe La Caille's, die Kanarienvögel seien auf ihnen so gemein, daß man zu einer gewissen Jahreszeit nicht einige Schritte thun könne, ohne ihre Eier zu zertreten (!).

Auf den Azoren endlich sind über das Vorkommen des Kanarienvogels noch durchaus keine genaueren wissenschaftlichen Beobachtungen angestellt worden. Wir erfahren nur, daß die grüne Rasse daselbst im wilden Zustande vorhanden sei. Es scheint jedoch auch hier in dem nördlichen Bezirk ihres Gebiets eine nicht ganz gleichmäßige Vertheilung der Art über die langgedehnte Inselkette stattzufinden. Der Pater Cordeyro schreibt, sie seien in St. Miguel selten, während sie auf dem waldigen St. Jorge unter den häufigeren Vögeln ange= führt werden. Es geht aus seinem Vorkommen auf den Azoren übrigens her= vor, daß dieser große tonbegabte Girlitz der atlantischen Inseln, den wir Kanarien= vogel nennen, der Vogelwelt unsres Erdtheils, was bisher noch nirgends ge= schehen ist, als berechtigtes Glied zugezählt werden muß.

Der Fang dieser Vögel ist sehr leicht, zumal die Jungen gehen fast in jede Falle, sobald nur ein Lockvogel ihrer Art daneben steht; ein Beweis mehr für die große Geselligkeit der Art. Ich habe sie in Canaria einzeln sogar in den Schlagen, deren Locker nur Hänflinge oder Stiglitze waren, sich fangen sehen. Gewöhnlich bedient man sich, um ihrer habhaft zu werden, auf den Kanaren eines Schlagbauers (Falsete), das aus zwei seitlichen Abtheilungen, den eigentlichen Fallen mit aufstellbarem Trittholz, getrennt durch den mitteninne befindlichen Käfig, in welchem der Lockvogel (Reclamo) sitzt, besteht. Dieser Fang wird in baumreichen Gegenden, wo Wasser in der Nähe ist, betrieben und ist in den frühen Morgenstunden am ergiebigsten. Er ist, wie ich aus eigner An= schauung weiß, ungemein anziehend, da er dem im Gebüsch versteckten Vogelsteller Gelegenheit giebt, die Kanarienvögel in größter Nähe zu beobachten und sich ihrer zierlichen Bewegungen und ihres anmuthigen Wesens ungesehen zu erfreuen. Auf diese Weise habe ich binnen wenigen Stunden 16—20 Köpfe einen nach dem andern fangen gesehen. Die Mehrzahl davon waren indeß noch unvermauserte Junge. Besäße man, was nicht der Fall ist, auf den Inseln ordentlich eingerichtete Vogel= herbe, so würde der Ertrag natürlich noch ein weit mehr lohnender sein.

Ich habe Kanarienwildlinge genug in der Gefangenschaft beobachtet und mit= unter ihrer ein bis anderthalb Dutzend auf einmal besessen. Der Preis junger, bereits ausgeflogener Vögel pflegt in Santa Cruz, wenn man mehrere auf ein= mal lauft, 1 Fiska (etwa 25 Pfennige) für den Kopf zu betragen. Frisch gefangene alte Männchen werden mit 1 Toston (1 Mark) bezahlt. In Canaria sind, trotz der daselbst herrschenden größern Billigkeit, die Preise um vieles höher, was allein schon hinreichen würde, ihre größere Seltenheit daselbst darzuthun.

Es sind unruhige Vögel, die längere Zeit brauchen, ehe sie ihre angeborne Wildheit ablegen und sich, besonders in engen Käfigen zu mehreren zusammen= gesperrt, das Gefieder leicht zerstoßen. Sie schnäbeln sich sehr gern unter ein= ander und die jungen Männchen geben sich binnen kurzem durch ein fortgesetztes lautes Zwitschern zu erkennen. Meine jungen Vögel fingen in der zweiten Hälfte des August zu mausern an; einige unter ihnen hatten indeß noch im Dezember den Federwechsel nicht vollständig bewerkstelligt. Wahrscheinlich sind dies die am spätesten ausgeflogenen gewesen. Das helle Gelbgrün zeigt sich zuerst an der Brust.

- Kaum giebt es einen weichlichern Körnerfresser. Man verliert die meisten an Krämpfen, deren zweiter oder dritter Anfall mit dem Tode zu endigen pflegt. Wer diese Vögel über See mit sich nehmen will, wird wohl daran thun, sich längere Zeit vor der Abreise wenigstens mit der doppelten Anzahl von denen, die er zu erhalten wünscht, zu versorgen und dieselben in einem jener flachen, hölzernen, nur vorn mit einem schrägen Gitter versehenen Käfige, wie sie zwischen Frankreich und der Westküste Afrikas im Gebrauch sind, fortzuschaffen. Trotz aller Vorsichtsmaßregeln muß man darauf gefaßt sein, während der Seereise und unmittelbar nach derselben die Hälfte der Vögel einzubüßen. Von elf glücklich heimgebrachten, bereits vermauserten, vollkommen eingewöhnten und zum Theil schon schlagenden Kanarienvögeln habe ich im Laufe des ersten Winters noch mehrere ganz unerwartet epileptisch zugrunde gehen gesehen. Vor allem vermeide man es, sie in die Hand zu nehmen, denn viele von ihnen ertragen das durchaus nicht. Später scheinen sie kräftiger zu werden. Die meinigen mauserten im zweiten Sommer ihres Lebens schon im Juli, also einen vollen Monat früher als die zahmen. Das eine Weibchen, welches ich während der Heckzeit des Jahres 1857 in einer Volière mit wilden und zahmen Männchen zusammen umherfliegen ließ, hat sich zu keiner Parung verstanden, wol aber gehen die wilden Hähnchen mit großer Leichtigkeit Verbindungen mit der gezähmten Rasse ein und werden äußerst treue liebevolle Gatten, die nicht aufhören, ihr Weibchen aufs zärtlichste zu füttern und die meistens sogar die Nacht auf dem Neste desselben sitzend zubringen. Sie bieten jedem andern Vogel, der ihnen zu nahe kommt, die Spitze; ja, ein älteres Männchen, dem beim Kampfe mit einem grünen Hänfling von diesem doppelt stärkern Gegner der Beinknochen durchgebissen worden, hörte in diesem beklagenswerthen Zustande nicht auf, durch schmetternden Gesang seinem Widersacher aufs neue den Fehdehandschuh vor die Füße zu schleudern; es konnte nur durch rasche Entfernung aus der Voliere gerettet werden.

Die Mischlinge beider Rassen heißen in Teneriffa Verdegais und werden besonders hoch geschätzt. Ich habe von einem hochgelben gezüchtete gesehen, die Schönheit und eine ganz durch große ungewöhnliche Zeichnung auffielen. Sie waren am Oberleib dunkelgrün, unten von der Kehle an rein goldgelb gefärbt und erinnerten lebhaft an den Hartlaubszeisig und den gelbstirnigen Girlitz, zwei afrikanische Arten, welche dauernd ein ähnliches Kleid tragen. Diese Vögel galten aber auch für etwas außerordentliches und sehr seltnes. In den Hecken (Crias), die man auf den Kanaren von zahmen und wilden Vögeln anlegt, befolgt man den Grundsatz, einem Männchen letzterer Rasse seiner großen Kraft und Lebhaftigkeit wegen stets zwei Weibchen zuzugesellen.

(Mein Freund, Herr Alfred Hansmann, fügt dem Obigen folgende Bemerkung aus dem Schatze seiner eignen Erfahrung hinzu: ‚Der wilde Kanarien-

vogel lernt wahrscheinlich ziemlich spät in seinem ersten Lebensjahre den voll=
ständigen Gesang des alten Männchens. Exemplare, welche schon früher einmal
von dem verstorbnen Geh.=Medizinalrath Dr. Albers von Madeira mitgebracht
waren und welche ich zu hören Gelegenheit hatte, zwitscherten nur ziemlich laut,
zuweilen stärkere flötende oder rollende Passagen einflechtend. Mit dem eigent=
lichen, so charakteristischen Gesange des Kanarienvogels hatte dieser nur geringe
Aehnlichkeit, ebenso wie derjenige eines jungen Anfängers, dessen Liebe denn auch,
wiewol in erhöhtem Maßstabe, jenes Zwitschern entsprach. Leider konnte ich
nicht erfahren, zu welcher Jahreszeit die jungen Sänger eingefangen worden.
Bei meinem wilden Kanarienvogel war mir dies jedoch genau bekannt. Im
Herbste eingefangen, hatte sich bis kurz vor Weihnachten durchaus noch nicht
der bereits verständlich angedeutete Schlag aus dem Gezwitscher sicher heraus=
bilden wollen. Aus Furcht, dies könne zuletzt ganz unterbleiben, brachte ich
meinen Vogel zu einem seiner wilden Genossen, dessen Sängertalent bereits voll=
kommen entwickelt war. Hier lernte er denn in der Zeit von etwa drei Wochen
einen erträglichen Schlag, in welchem jedoch außer der den wilden Kanarien=
vögeln eigenthümlichen Weichheit und Tiefe einzelner Töne besonders schöne Lei=
stungen nicht wahrzunehmen waren. Das den zahmen Vögeln eigne ängstliche
piep, piep! ließ auch mein wilder hören, sobald sich eine ihm fremde Person seinem
Käfige zu sehr näherte. Mich unterschied er deutlich und angeredet oder wenn
ich dicht zu ihm herangetreten war, antwortete oder grüßte er mich mit einem
freundlichen Girren, das auch, nur lauter, zum Lockruf für vorüberfliegende
Sperlinge dienen mußte. Bei plötzlichem Schreck ließ er ein zwei= oder drei=
silbiges schnell ausgestoßnes leises Zwitschern vernehmen.')

   In einer ungedruckten Mittheilung über den Canario im wilden Zustande,
welche uns Sabin Berthelot, Direktor des botanischen Gartens auf Tene=
riffa, dieser gründliche und berühmte Forscher, der den Archipel der sieben
Inseln wie kein Andrer kennt, mit gewohnter Güte zur Verfügung stellte, heißt
es unter anderm: ‚Diese Vögel sind auf den Kanarischen Inseln sehr ver=
breitet. Sie bewohnen die Obstgärten der Küstenregion; am häufigsten trifft
man sie in den Thälern und auf mäßig hohen Hügeln. Uebrigens wechseln
sie ihren Aufenthalt je nach den Gegenden oder vielmehr nach ihren Lebens=
bedürfnissen. So werden sie bald von den schwarzen Maulbeeren, nach deren
Kernen sie, wenn die Frucht vertrocknet ist, lüstern sind, vom Wegebreit und
der Miere nach gewissen Oertlichkeiten, bald von den Gänsefußgewächsen und
Fuchsschwanzarten anderwärts hin gelockt. In Teneriffa sieht man im Früh=
linge in den Thälern von Guimar und Orotava, sowie auf den lachenden
Fluren von Matanza und La Victoria große Scharen beisammen; später findet
man sie im Herbste wol 1600 Meter über der Meeresfläche. Vor mehr als

zwanzig Jahren jagte ich einmal in der Gran=Huerta des Marquis von las Palmas und erlegte auf einen Schuß 17 Kanarienvögel. Noch heute wirft mir mein Gewissen dies Blutbad vor und nur die Erinnerung an die köstlichen kleinen Spießbraten, die das Ergebniß waren, läßt mich Beruhigung finden. — In den voller Orangenbäume stehenden Gärten wählen sie an stürmischen Tagen und bei gewitterschwüler Luft dieselben zum Zufluchtsort. Unter dem Laubdach versammelt, lassen sie dann, sobald die Ruhe wieder hergestellt ist und die Sonne aufs Neue hervorbricht, ein betäubendes Gezwitscher hören.

Buffon hat gesagt: Wenn die Nachtigal der Sänger des Waldes ist, so giebt der Kanarienvogel dagegen den Musiker des Zimmers ab. — Im wilden Zustande ist sein Lied dann unharmonisch und zu gellend, wenn er es im Verein mit vielen anderen erschallen läßt. Jeder Kanarienvogel muß ganz einzeln ge= halten sein, soll er uns durch seinen Gesang entzücken; dann bestreitet die Natur alle Kosten der Kunst, die Modulationen wechseln in unendlicher Mannigfaltig= keit, in allen Tönen, hell, brillant, in Kadenzen, kurz und schmetternd oder lang anhaltend. Es liegt ein besondrer Ausdruck darin, den man im gezähmten Zustande nur mit gewissen Modifikationen wiederfindet. Der Gesang des zahmen Kanarienvogels ist oft tönender und lauter, dafür aber mit weniger markirten Uebergängen ausgestattet.

Manche Autoren haben über den Sänger der Kanarischen Inseln falsche Angaben nieder= oder nachgeschrieben. Einer unter Anderen, Bory de St. Vincent, sagt in dem ihn auszeichnenden glänzenden Stile: Auf den Piks von Teneriffa feiert dieser Vogel unaufhörlich ein stets neues Liebesglück. Fern von menschlichen Wohnungen, wo keines andern Vogels Stimme ertönt, genügt es ihm, seine Gattin zu bezaubern. — Und an einer andern Stelle lesen wir: Hin und wieder rauscht von den in Schwärmen versammelten Kanarienvögeln das Laub der Lorbeeren oder Palmen und plötzlich hört man aus einem Baume ein hinreißendes Konzert hervorbrechen. — Wir haben unsre Meinung über den Werth der Melodie und über die Wirkung, welche sie, vielstimmig gesungen, hervorbringt, bereits abgegeben. Was den Aufenthalt von Kanarienvögeln in den Kronen der Lorbeerbäume anbetrifft, so können wir versichern, daß sie sich äußerst selten in den Lorbeerforsten blicken lassen. Das Klima dieser Region ist ihnen zu feucht. Der Schatten, den jene jungfräulichen Waldungen werfen, würde ihnen nicht zusagen; denn über alles lieben sie das helle Licht des Tages und die buschigen Hügel, an deren Abhängen der Sonnenstral das Reifen der Pflanzensamen beschleunigt. An diesen Orten aber lassen sie sich wiederum niemals auf Dattelpalmen nieder, weil deren vom Wind gepeitschte Wedel einen schlechten Sitz für sie abgeben würden'.

Der älteste Autor, welcher des Kanarienvogels und zwar schon mit dankens= werther Ausführlichkeit gedenkt, ist Konrad Geßner, der sein Buch „De avium natura" in der ersten Hälfte des sechszehnten Jahrhunderts geschrieben, den Vogel indessen noch nicht selbst gesehen, sondern nach dem Bericht eines Freundes ge= schildert hat. Er nennt ihn Canariam aviculam, zu deutsch Zuckervögele. Ihm folgt Aldrovandi, dessen noch ziemlich unförmliche Abbildung daneben zugleich das Kanariengras, des Vogels Lieblingsnahrung, darstellt, der sonst aber Geßner's Angaben fast wörtlich wiederholt. Beide kennen nur den grünen, zu ihrer Zeit noch durch Kaufleute unmittelbar von den Inseln nach Europa gebrachten Vogel; doch weiß Aldrovandi schon das Männchen, dadurch daß es mehr Gelb hat, vom Weibchen zu unterscheiden. Ihres hohen Preises und ihrer Seltenheit halber waren sie damals nur in den Palästen der Großen anzutreffen.

Die frühesten Schriftsteller, welche von der Entdeckung und Geschichte der Fortunaten oder glücklichen Inseln berichten, schweigen über unsern Vogel. Von jenen frommen Brüdern, die das Kreuz Christi zu den in Felle gekleideten Guanchen trugen, von jenen Seefahrern, die lange vor Columbus das geheim= nißvolle Weltmeer durchfurchten und mit den Knappen des Infanten Don Enrique nach unentdeckten Inseln suchten, dürfen wir dergleichen ins Einzelne gehende Beobachtungen nicht erwarten. Erst 1594 erwähnt der Mönch Alonso de Espinosa in seinem Werke vom Ursprunge und von den Wundern des Gnadenbildes unsrer lieben Frau von Candelaria im vorübergehen auch den Kanarienvogel. Er ahnt noch nicht, daß man das goldgelbe Vögelchen, welches der Jesusknabe jener, wie es heißt, wunderbar erschienenen Maria, der Schutz= patronin der Inseln, auf dem Finger trug, einst auf den Kanarienvogel werde deuten können; nur der wilde ist ihm bekannt. ‚Es giebt daselbst (auf Teneriffa) allerlei Geflügel und viele von den Singvögeln, die man in Spanien Canarios nennt. Sie sind klein und grün.‛ Wenig später spricht, ebenfalls beiläufig, der kanarische Dichter Viana von ihnen in einem die Eroberung des Archipels feiernden Epos, welches 1604 in Sevilla erschien. Im Jahre 1676 begnügt sich der Historiker Nunez de la Peña anzuführen, Teneriffa sei von Kanarien= vögeln bewohnt, die mit ihrem Gesange das Jahr zu einem immerwährenden Frühlinge machten, so mild sei die Luft; bald darauf gedenkt er des Vogels flüchtig noch einmal, als er über die Etymologie des Namens Canaria grübelt.

Der Holländer Dapper sagt in seiner Beschreibung von Afrika und dessen Inseln (1668) von den Kanaren redend, es gebe daselbst ‚zekere kleine vogeltjes, hier te lande na deze eilanden Kanaryvogels genoemt, die zeer scheen angenaem zingen, en van daer herwaerts overgebracht wor= den; en telen deze ook hier te lande voort.‛

Olina hat in seiner Uccelliera (1622) auf Tafel 7 die Passera di Canaria nicht übel dargestellt. Er ist es, der die oft wiederholte Erzählung von dem zeitweiligen Verwildern des Kanarienvogels auf Elba infolge des Schiffbruchs eines nach Livorno bestimmten Fahrzeugs giebt.

Mit der Annäherung des achtzehnten Jahrhunderts und in diesem selbst wird die Literatur über den Gegenstand reicher. Sie beschäftigt sich aber, so Willoughby, Albin, Hervieux de Chanteloup, Fritsche u. a. m., fast ausschließlich mit der gezähmten Rasse, deren Zucht für Tirol schon in der zweiten Hälfte des siebenzehnten Jahrhunderts einen Handelsartikel nach Eng= land lieferte. Brisson hat in seiner Ornithologie die hellfarbige Spielart fälschlich für die Urspezies genommen und beschrieben. Der große Linné, der sein Systema Naturae bald nach Brisson herausgab, war in einem ähnlichen Irrthum befangen. Er zieht bei dieser Gelegenheit auch den Mozambikzeisig als Varietät zum Kanarienvogel.

Bei Buffon wird die Ungewißheit hinsichtlich der Begrenzung der Art noch größer. Girlitz und Zitronfink müssen sich bequemen, zu Lokalrassen einer und derselben über einen großen Theil Europas und Afrikas, sowie über die Kanarischen Inseln verbreiteten Art herabzusteigen: ‚In dem glücklichen Himmels= strich der Hesperiden scheint dieser Vogel entstanden zu sein oder daselbst wenig= stens alle seine Vorzüge erlangt zu haben. Man kennt indeß auch in Italien eine Art, welche kleiner als die der Kanarien ist und in der Provence eine zweite fast ebensogroße als diese, beide mehr als wilde Vögel, die jedoch als Grundlage einer zivilisirten Rasse zu betrachten sind. Diese drei paren sich in der Gefangenschaft mit einander, im Naturzustande aber scheinen sie sich jeder in seiner Zone selbständig fortzupflanzen. Sie bilden mithin drei konstante Varietäten.‘ Wir finden jedoch, daß Buffon trotz der Spezies=Konfusion, die er anrichtet, einen weitern Gesichtskreis als viele Andere beherrscht und mit dem wilben, dunkelfarbigen Stamme bekannt ist. Hébert, einer seiner Korre= spondenten, drückt sich im Texte des Werks folgendermaßen aus: ‚Der graue Kanarienvogel ist vielleicht der echte, unverändert gebliebne. Die Varietät ver= dankt man der Zähmung.‘ Und weiter heißt es: ‚Die Kanarienvögel, die man nach England bringt, sind in den Barrancos oder Schluchten der Inseln geboren, welche das von den Bergen herabsteigende Wasser bildet.‘

Aus der schwer zu übersehenden großen Zahl der übrigen Schriftsteller, bei denen vom Kanarienvogel, bezüglich von seinem wilden Bruder die Rede ist, heben wir noch folgende hervor. Adanson (1749): ‚Der Kanarienvogel, welcher in Europa ganz weiß wird, ist auf Teneriffa von fast so dunklem Ge= fieder als der Hänfling. Seine Farbenänderung entstand wahrscheinlich durch

die Kälte unsres Klimas'. — Lebru (1796): ‚Nach Blumenbach hat man
zu Anfang des sechszehnten Jahrhunderts den Kanarienvogel zuerst nach Europa
gebracht. Seitdem ist derselbe in mehrere Spielarten degenerirt. (Hier folgt
eine oberflächliche Beschreibung und die schon erwähnte Angabe inbetreff der
kleinen Insel Montaña Clara). Dieser Vogel fliegt mit großer Leichtigkeit.
Er läßt sich unschwer zähmen. In Santa Cruz sieht man wenige Kaufleute
und Handwerker, die nicht ihren Kanarienvogel im Käfige hielten'.

Alexander v. Humboldt, dessen denkwürdiger Aufenthalt auf Teneriffa
in das Jahr 1799 fällt und der den Vogel beim Herabsteigen vom Pik beob=
achtete, schreibt: ‚Als wir uns Villa Orotava näherten, stießen wir auf große
Scharen von Kanarienvögeln. Diese in Europa so bekannten Vögelchen sind
von ziemlich einförmigem Grün; bei einigen war der Rücken gelblich überflogen;
ihr Gesang ist vollkommen derselbe wie der der gezähmten. Man bemerkt indeß,
daß die auf Gran=Canaria und dem Inselchen Montanna Clara gefangenen
eine stärkere und wohlklingendere Stimme haben, als die anderen. Uebrigens
hat unter allen Himmelsstrichen bei Vögeln jeglicher Art auch jeder Flug seine
Eigenthümlichkeiten in der Stimme. Die gelben Kanarienvögel sind eine in
Europa entstandne Abart und diejenigen, welche wir in Orotava und Santa
Cruz de Teneriffa im Käfige gesehen haben, waren in Cadiz oder irgend einem
andern spanischen Hafenplatz gekauft'.

(Heutzutage ist der zahme Kanarienvogel in den größeren Städten der
Inseln allgemein verbreitet. Man findet ihn in allen anderwärts vorkommenden
Abstufungen: brennend hochgelb, weißlichgelb, biskuitfarben oder elbern und
vielfach gescheckt, von welchen letzteren mir sogar einige mit kastanienbraunem
Rücken voll dunklerer Schaftstriche zu Gesicht gekommen sind. Da diese Sänger
jedoch im ganzen mehr von Liebhabern als um des Gewinns willen gezogen
werden, so sind ihre Preise bedeutend höher als in Deutschland. So sah ich,
daß für einen besonders schön gefärbten Schläger mit Freuden vier spanische Piaster
gezahlt wurden. Diese gezähmten Vögel geben nächst Stiglitzen und Amseln
einen kleinen Ausfuhrartikel nach Havanna ab. Auch von der großen Bra=
banter Rasse der Kanarienvögel hat man in Canaria und Teneriffa bereits
Kenntniß. Für noch kostbarer aber als die schönsten Canarios werden gute Stiglitz=
bastarde (Mulos) gehalten, die man mitunter in wahrhaft blendender Farbenpracht
sieht. Einen solchen durch Gefieder und Schlag gleicherweise bewunderungs=
würdigen Vogel sah ich bei einem Schuhmacher der Ciudad de las Palmas, für
welchen dem nicht wohlhabenden Besitzer schon mehrmals 14 Dollars vergeblich
geboten worden. Diese Bastarde, die einzigen, deren Zucht man Sorgfalt zu
schenken pflegt, stehen außerdem noch in dem Rufe, ein besonders hohes Lebens=
alter zu erreichen).

Lesson (Traité d'Ornithologie. 1831) kennt die grüne wilde Art von
Teneriffa und führt den gezähmten gelben oder weißlichen Vogel nebenbei als
Varietät an. — Zwei Werke, von denen man sich viel Aufschluß versprechen
könnte, erfüllen die Erwartungen durchaus nicht. Dies ist zuerst Viera's
Diccionario de historia natural de Canarias (1799). Ueber den wilben
Kanarienvogel ist darin so gut wie nichts gesagt und nicht minder ist hier, so=
wie in den überaus anziehenden historischen Noticias desselben Autors die Ge=
schichte der Zähmung und Einbürgerung, die von ihrem Ursprunge an zu ver=
folgen doch überaus interessant wäre, mit vollständigem Stillschweigen übergangen.
Es wird im Artikel Canaria ganz einfach auf eine Abhandlung von Valmont
de Bomare, dann inbetreff der gezähmten Rasse auf Wichede und Hervieux
verwiesen. Das ist wirklich zu bedauern, denn von wem hätte man über dies
letztre für ihn vaterländisch bedeutsame Kapitel wol bessern Aufschluß gehofft,
als gerade von dem geistvollen, stets so wohlunterrichteten Viera! — Das
zweite Buch, welches für unsere Fragen nur Schweigen hat, ist die Ornitho=
logie canarienne von Webb und Berthelot. Das bänderreiche kostbare
Werk, von dem sie ein Theil ist und welches in vieler Hinsicht als eine un=
übertreffliche Monographie der Kanarischen Inseln betrachtet werden kann, hatte,
periodisch erscheinend, einen Umfang erreicht, der im letzten Bande seinen Ver=
fassern Raumersparniß zur gebieterischen Pflicht machte. So waren sie genöthigt,
auf wenige Zeilen zu beschränken, was ihre Erfahrung zu einem Bande hätte
ausdehnen können."

In anbetracht dessen, daß der wilde Kanarienvogel zweifellos zu den ge=
schätztesten aller Finken gehört und daß er als Stammvater unsres wichtigsten
gefiederten Stubengenossen doch von vornherein Theilnahme und Interesse in
hohem Maße in Anspruch nehmen muß, konnte ich es mir nicht versagen, die
herrliche Bolle'sche Schilderung aus dem „Journal für Ornithologie" fast voll=
ständig und ungekürzt hier aufzunehmen; ich hielt mich dazu umsomehr für
verpflichtet, da dieselbe im vollen Zusammenhange bis jetzt noch in kein ornitho=
logisches Werk übergegangen ist. Sie bietet in Hinsicht der Geschichte, Natur=
geschichte und Verpflegung soviele interessante, auch den nächstfolgenden verwand=
ten Finken gegenüber zutreffende Hinweise, daß ich sie schon um deswillen nicht
fortlassen zu dürfen glaubte; für alle diese Finkenvögel muß sie als Muster=
darstellung gelten und daher werden auch die Leser gleich mir die eingestreuten
hochpoetisch gefaßten und doch naturtreuen Heimatsschilderungen des Vogels nicht
missen wollen. Im nachfolgenden seien noch einige Ergänzungen gegeben.

Nachdem die Spanier in den Jahren 1311 und 1473 die Kanarischen
Inseln erobert, bildete der wildgefangene Kanarienvogel einen namhaften Handels=
gegenstand und sie bewahrten denselben ein volles Jahrhundert hindurch als ihr

Monopol. Durch ein gestrandetes spanisches Schiff sollen die Vögel sodann nach der Insel Elba verpflanzt, hier etwa in der Mitte des sechszehnten Jahrhunderts verwildert, von den Italienern bald wieder ausgerottet, dann aber zuerst in Italien und nicht lange nachher, schon in der ersten Hälfte des siebenzehnten Jahrhunderts, auch in Deutschland gezüchtet sein. Niemand weiß aber anzugeben, wann und wie der Uebergang vom grünen zum weißgelben Kleide stattgefunden; selbst die Zeit oder die Art und Weise der Bildung zahlreicher, namentlich in England mit Vorliebe gezüchteter Farbenrassen läßt sich nicht nachweisen.

Auf den Kanarischen Inseln werden auch wie überall in der gebildeten Welt viele zahme Kanarienvögel, insbesondre von Spanien aus dorthin eingeführte gehalten, und die grünen unter denselben verkauft man wol zuweilen an europäische Schiffskapitäne u. a. Reisende als wilde, eingefangene Vögel. Wirkliche Wildlinge sind aber heutzutage von den Kanarischen Inseln nur höchst selten noch zu erlangen. Es mag hauptsächlich daran liegen, daß sich dort niemand mehr mit dem Vogelfange beschäftigt; die Eingeborenen sind viel zu schlaff, als daß sie sich um solchen geringen Verdienst bemühen sollten und für Europäer mag derselbe auch nicht lohnend genug erscheinen. Immerhin aber ist es auffallend, daß die Großhändler sich der Einführung dieses Vogels nicht eifrig zuwenden, da derselbe ihnen doch sicherlich einen bedeutenden Ertrag gewähren würde. Freilich soll die Anzahl der wilden Kanarienvögel in ihrer Heimat allenthalben, theils durch frühern rücksichtslosen Fang, theils vielleicht auch durch klimatische Verhältnisse nur zu sehr verringert sein; hoffen wir indessen, daß bald thatkräftige Versuche gemacht werden, um uns den herrlichen Vogel wenigstens in beschränkter Anzahl gleich anderen alljährlich regelmäßig uzuführen.

Wenn in den Fachblättern „Land and Water" in London, „L'Acclimatation" in Paris und „Die gefiederte Welt" in Berlin wilde Kanarienvögel von St. Helena ausgeboten werden, so ist dies nach meinen langjährigen Erfahrungen niemals wirklich der Kanarienwildling, sondern stets der gelbstirnige Girlitz oder Butterfink (Fringilla butyracea, *Vll.*); ich habe es im Laufe der Jahre nicht allein bei Chs. Jamrach in London, sondern auch bei den anderen dortigen Händlern oft versucht, einen wilden Kanarienvogel auf jene Anzeige hin zu erhalten, doch stets nur den erwähnten. allerdings nahe verwandten Girlitz bekommen. Derselbe wurde ja bekanntlich in früherer Zeit, wie S. 328 angegeben, selbst von Gelehrten mit dem Kanarienwildling verwechselt und Gleiches ist von den Liebhabern, die neuerdings über ihn geschrieben haben, z. B. in der Londoner Zeitschrift „The Live Stock Journal", geschehen. Es ist übrigens kaum glaublich, wie viele verschiedenartige Finken noch jetzt von den Händlern fälschlich für wilde Kanarienvögel gehalten und als solche zum Verkauf angeboten werden. Sobald einer der weiterhin beschriebenen, selten oder noch garnicht eingeführten gelben Girlitze im Handel auftaucht, gilt er sicherlich als der ersehnte Kanarienwildling; so sind kürzlich der graukehlige Girlitz oder Kapkanarienvogel, der südafrikanische gelbbäuchige Girlitz, Totta= girlitz u. a. m. außer den anderen schon längst bekannten immer zuerst für wilde Kanarienvögel gehalten worden. Im Gegensatz dazu giebt es sodann aber auch ungläubige Leute, welche mit voller Entschiedenheit wissen wollen, daß gegen= wärtig garkein Wildling mehr von den Kanarischen Inseln eingeführt werde. Wenn man einen fraglichen Vogel vor sich hat und ihn mit der wissenschaft= lichen Beschreibung von Dr. Bolle vergleicht, so wird man ihn trotz der mehr oder minder hervortretenden Abweichungen doch unschwer als die richtige Art feststellen können. Schwieriger ist sodann die Frage zu beantworten, ob es in der That ein in der Heimat eingefangner Wildling, ein bereits im Käfige ge= züchteter oder wol gar ein vom wilden Männchen mit zahmen Weibchen ab= stammender sei. Als sichere Kennzeichen sind folgende angegeben. Zunächst von Dr. Bolle die starke Beimischung von Aschgraublau, welche ihn von dem dunkel= farbigen zahmen Vogel sogleich unterscheiden läßt. Von mehreren Seiten ist sodann darauf hingewiesen, daß der Wildling niemals Braun im Gefieder zeigt, welche Färbung beim zahmen Vogel fast immer vorhanden ist. Ferner hat man die Behauptung ausgesprochen, daß Schnabel und Füße schwarz sein müssen; einerseits aber bleichen beide bekanntlich bei vielen Vögeln in der Gefangenschaft im Laufe von einigen Jahren sehr aus und andrerseits sagt Dr. Bolle aus= drücklich, daß das in der Freiheit im Hochzeitskleide am 1. April 1856 bei Orotava geschossene alte Männchen, welches sich jetzt im zoologischen Museum zu Berlin befindet, bräunlichfleischfarbnen Schnabel und ebensolche Füße mit hornfarbigen Nägeln hatte. Man lasse sich also durch derartige in manchen Büchern vorkommende, wol recht selbstbewußt auftretende Angaben nicht beirren; sie sind ebensowenig zuverlässig, als mancherlei andere mit voller Unfehlbarkeit aufgestellte Aussprüche.

In Paris auf der Weltausstellung des Jahres 1867 sah ich zuerst wilde Kanarienvögel, welche der wissenschaftlichen Bolle'schen Beschreibung entsprachen. Es waren sechszehn Köpfe, Alte mit Jungen zusammen, deren letztere dort ge= züchtet sein sollten. Dann habe ich selber im Laufe vieler Jahre nur viermal die Gelegenheit gefunden, immer einen einzelnen wilden Kanarienvogel von den Kanarischen Inseln zu erlangen und zwar einmal einen in einer Sendung afri= kanischer Vögel von Chs. Jamrach in London und dreimal aus verschiedenen englischen und deutschen Hafenstädten, mitgebracht durch Schiffer oder Kaufleute. Jedesmal mußte ich das große Nachahmungstalent des Wildlings bewundern;

er eignete sich nicht allein den Gesang des gemeinen Kanarienvogels, sondern auch den anderer, nahverwandter Finken an. Mit dem kunstvollen Schlage des feinen Harzer Vogels dürfte sein Naturgesang indessen kaum eine Aehnlichkeit haben; jener in seiner hohen Entwicklung ist sicher ein Erzeugniß der Züchtung in der Gefangenschaft. Ich habe es nicht versucht, einen meiner Wildlinge mit einem Harzer Sänger in Berührung zu bringen, weil ich besorgt war, daß der letztre durch das natürliche oder von gemeinen Kanarien angelernte Schappen des erstern verdorben werden könnte; allein ich glaube auch nicht, daß ein solches Verfahren zum günstigen Ergebniß geführt haben würde, weil nämlich die hochentwickelte Kunstfertigkeit des Harzer Rollers für die Nachahmungsfähigkeit des Wildlings sicherlich doch zu schwierig sein würde.

Wer das Glück hat, einen einzelnen Kanarienwildling oder ein Pärchen zu erhalten, wird gut daran thun, ihnen recht mannigfaltiges Futter, also Kanariensamen, Hirse, Hanf, Mohn, Rübsen und mancherlei andere mehlige und ölige Sämereien, ferner auch Grünkraut und Eifutter oder Biskuit anzubieten. Da die Vogelzucht gegenwärtig doch schon auf einer recht hohen Stufe steht, so erscheint der Versuch hochinteressant und wichtig, den Kanarienwildling durch eine Reihe von Generationen sachgemäß zu züchten. Vielleicht würde es dann gelingen, mindestens in bedingter Weise Aufschluß über die Verwandlungsvorgänge der zahmen Rasse zu gewinnen. Die eingehende Beobachtung seiner Lebensweise und Eigenthümlichkeiten eben in der Gefangenschaft, seiner Lernfähigkeit und Begabung überhaupt muß für jeden Vogelliebhaber verlockend genug sein, um nach seinem Besitz zu streben. Hoffentlich läßt sich über kurz oder lang eine Einfuhr in größerer Anzahl erzielen. Der Preis betrug bisher gewöhnlich zwischen 15 bis 30 Mark für den Kopf sogleich nach der Einführung.

(Bis jetzt ist noch keine durchaus gute und naturtreue Abbildung des wilden Kanarienvogels vorhanden und daher soll die erste der Tafeln, welche nachgeliefert werden, falls die Theilnahme der Subskribenten dieses Werkes sich als eine dauernde erweist, auch ihn zur Darstellung bringen).

Der Girlitz von den Kanarischen Inseln wird auch wilder Kanarienvogel oder Kanarienwildling genannt (Kanarienfink, =Sperling und Zuckervogel nach Bechstein).

Le Canari ou le Serin des Canaries bei den Pariser Händlern; Canary-bird or Canary-finch bei Chr. Jamrach in London; Kanarie (holländisch).

Nomenclatur: Fringilla canaria, *L.*; Crithagra canaria, *Swns.*, *Wbb. et Brth.*; Serinus canarius, *Cb.*; Dryospiza canaria, *Gr.* [Passer canarius, *Aldr.*; Passera de Canaria, *Olin.*; Serin des Canaries, *Alb.*; Passer canariensis, *Frsch.*; Le Serin des isles Canaries, *Buff.*].

Wissenschaftliche Beschreibung. Stirn und ein breiter Augenstreif, der nach dem Nacken zu kreisförmig verläuft, ohne oben scharf begrenzt zu sein, grünlichgoldgelb, die Stirn am gelbsten; Kopf und Nacken gelbgrün mit sehr schwachen aschgrauen Federrändern; Rücken gelbgrün mit sehr breiten hellaschgrauen Federrändern, welche ihn fast völlig als von dieser

Farbe erscheinen lassen, jede Feder mit schwärzlichem Schaftstrich; Schultern schön zeisiggrün, darunter eine mattschwarze Binde, auf welche eine blaßgrünliche, durch die Spitzen der Deck=federn gebildete folgt; Schwungfedern schwärzlich, sehr schmal grünlich gesäumt, die kürzeren nach der Schulter zu weißlich eingefaßt, die Spitzen der großen Schwungfedern fast ganz mattschwarz; Seiten weißgrau mit schwärzlichen Schaftstrichen; Bürzel gelbgrün, mit einigen grünen, breit aschgrau eingefaßten Federn schließend; Schwanzfedern schwarzgrau, mit schmalen weißlichen Säumen; zwischen den Backen und dem Augenstreif, sowie an den Halsseiten auf=wärts besonders an letztrer Stelle fast rein aschgrau; Kehle nebst Oberbrust grünlichgoldgelb; die Brust verläuft nach unten zu in helles Goldgelb; Bauch und untere Steißfedern weißlich. Schnabel bräunlichfleischfarben, am Grunde des Unterschnabels heller; Auge dunkelbraun; Füße bräunlichfleischfarben mit hornfarbenen Nägeln. (Das Männchen muß, um diese vollendete Ausfärbung zu erlangen, wenigstens zwei Jahre alt sein. Ich glaube nicht, daß dies Pracht=kleid sich in der Gefangenschaft ganz vollkommen entwickelt. Dr. Karl Bolle, der auch die übrigen nachfolgenden Beschreibungen aufgestellt hat).

Fringilla canaria: fronte striaque oculari lata, cervicem versus circulari sursum sublavata, virente aurata, fronte flavissima; plumis capitis et cervicis flavo-viridium cinereo-submarginatis, dorsi flavo-viridis late cano-marginatis, scapis cujusque plumae nigrescentibus (qua pictura avis apparens tota fere cana); humeris flavido-viridibus, de in fascia subnigra, huice altera substante dilute subviridi, apices tectricum complectente; remigibus nigricantibus, tenuissime virescente limbatis, brevioribus humeros versus albido-marginatis, apicibus primorum totis fere subnigris; scapis plumarum hypochondriorum canorum nigricantibus; plumis nonnullis uro-pygii flavo-viridis terminalibus late cinereo-limbatis; rectricibus nigro-cinereis, albido-submarginatis; regione inter striam ocularem genasque necnon lateribus colli, praesertim superioribus cineraceis; gula pectoreque virente auratis, hoc inferiore in laete auratum transiente; ventre crissoque albidis; rostro subfusco-carneo, mandibulae basi dilutiore; iride fusca, pedibus fuscato-carneis, unguibus corneis.

Länge 14—14,4 cm.; Flügelbreite 23,5—26,2 cm.; Schwanz 6—6,5 cm.

Weibchen: Oberkopf und Nacken auf gelbgrünem Grunde braungrau, erstre nach vorn immer mehr zunehmende Schattirung schimmert durch und wird allmälig zu dem zwar schmalen, aber reinen Grüngelb der Stirn, welches seinerseits wieder mit dem vollkommen gleichen Farbenton des nach dem Nacken zu verlaufenden Augenstreifs, der untern Augen=gegend und der Kehle verschmilzt; Zügel grau; Wangen theils grüngelb, theils aschgraublau, welche Farbe sich ringförmig mit der des Oberkopfes verbindet, während dahinter die Hals=seiten ein gelbgrüner, weiter rückwärts aschgraublauer Halbring umrahmt, der wenig deutlich nach der Gegend zwischen Brust und Kehle hin verläuft, ohne beide anders, als durch einen schwachen Hauch von einander zu trennen, wie denn alle zuletzt genannten Schattirungen überhaupt sehr allmälig mit einander verschmelzen. Rücken braungrau mit breiten, schwarzen Schaftstrichen; Schultern und kleine Flügeldeckfedern licht gelbgrün; große Flügeldeckfedern schwärzlich mit schmalen, grünlichen Rändern; Schwungfedern ebenso gefärbt, am deutlichsten an den kürzern Fahne, nach der Spitze zu schwächer gesäumt, hinterste Schwungfedern mit mehr graubräunlichen breiteren, aber sehr verwaschenen Säumen; Bürzel gelbgrün; Schwanz schwärzlich, wie die Schwingen gesäumt; Kehle und Brust grünlichgoldgelb, durch weißgraue Federränder weniger schön als beim alten Männchen; Unterbrust allmälig in das Weiß des Bauches übergehend; Seiten bräunlich mit dunkleren Schaftstrichen; hinterer Unterleib und untere Schwanzseite weißlichgrau. Schnabel fleischfarben, mit etwas dunklerer Spitze des Oberkiefers; Auge dunkelbraun; Füße fleischfarben mit hornfarbenen Nägeln. (Dies ist die Beschreibung des zweijährigen Weibchens im März, von dessen Kleide das des einjährigen Männchens schlechterdings sich nicht unterscheiden läßt).

Fringilla canaria: ♀ pileo et cervice viride flavis supra saturius, ante sensim tennius fuscescente cinereo-inductis, margine frontali, stria oculari, regione hypophthalmica gulaque viride flavis; loris cinereis, genis parte viride flavis, parte cinereo-coerulescentibus, eoque colore ad pileum annuliformi pertinente; semiannulo circa colli latera flavido-viridi, retro cinereo-coerulescente, inter gulam pectusque fere evanido; dorsum fusco-cinereo, nigro-striato; humeris alarumque tectricibus minoribus dilute flavo-viridibus; tectricibus majoribus nigricantibus, anguste virente marginatis; remigibus concoloribus exterius distinctius, apicem versus elutius viridüle limbatis; hisce postumis latius, sed dilutissime e fusco cinerascente marginatis; uropygio flavoviridi; rectricibus nigricantibus modo remigum limbatis; gula pectoreque virente aureis, canescente undulatis; epigastrio sensim in ventrix album transeunte; hypochondriis subfuscis, obscurius striolatis; crisso caudaque subtus albido-canis; rostro carneo, apice maxillae obscuriore; iride fusca; pedibus carneis, unguibus corneis.

Jugendkleid: oberhalb braungrau mit undeutlichen schwärzlichen Schaftstrichen; Augenstreif nur angedeutet, ebenso Zügel; Halsseiten und Oberbrust schmutziggelbgrau, ins Ockergelbe spielend; um die Augen herum (mit Ausnahme des Federkranzes der Augenlider, der von der letztgenannten Färbung ist), an den Vorderwangen und der Kehle ein wenig mattes Zitrongelb; dieses herrscht auch, aber noch blasser, an der Unterbrust, namentlich in der Mitte derselben und verläuft gegen den Bauch hin in Weiß; Seiten und Steiß schmutzig-gelbgrau; Schwanzfedern schwärzlich, nach unten zu breit grüngelb, nach oben schmal gelbgrau gerandet; die Flügel tragen zwei durch die Spitzen der Deckfedern erster und zweiter Ordnung gebildete, hellgelbgraue Binden; die Schwungfedern sind schwärzlich, grünlichgrau gesäumt, diese Säume, wie die der Schwanzfedern nach oben zu mehr gelbgrau, ebenso auch die Rand-spitzen; Schultern und ein Theil der kleinen Deckfedern des Flügels schwachgelbgrün; ebenso, nur etwas gelber die Federn unter den Flügeln; Bauch weiß; untere Steißfedern hellgelb-grau. Schnabel hornfarben, am Grunde des Unterkiefers heller; Auge dunkelschwarzbraun; Füße schwarzbraun mit gleichfarbigen Nägeln. (Dies ist die Beschreibung eines jungen Vogels im Nestkleide, welcher bei Teror auf Gran-Kanaria im Juli gefangen worden. Im ganzen sind alle diese Farbenschattirungen desselben sehr unbestimmt, viel mehr noch als beim Jugendkleide des einheimischen Zeisigs verwaschen).

Fringilla canaria: Juvenis: supra fusco-cinerea, nigricante substriolata; stria superciliari vix conspicua, ut loris, colli lateribus, juguloque sordide ochraceo-cinereis; regione ophthalmica (ciliis lividis exceptis), genis posterioribus, gula, pectoreque, praesertim medio, subcitrinis; abdomine albicante; hypochondriis crissoque livide cinereis; rectricibus nigrescentibus, basin versus anguste livide, apicem versus late viride flavo-marginatis; apicibus tectricum al. majorum et mediarum fascias duas flavido-canas exhibentibus; limbis remigum subnigrorum virente cinereis ante apicemque versus lividioribus; humeris particulaque tectricum al. minorum flavido-virentibus; subalaribus parum flavioribus; rostro corneo, basi mandibulae dilutiore; iride nigro-fusca; pedibus una cum unguibus e nigro fuscis.

Beschreibung des Eies s. S. 333.

Ovum: dilute glaucum maculis badiis conspersum, rarius fere vel totum unicolor, iis avis cicuris prorsus aequans.

## Der orangestirnige Girlitz [Fringilla pusilla].

Zu den Girlitzen gehörend, also einer der nächsten Verwandten des Kanarienvogels, läßt er es sehr bedauern, daß er nicht ebenso wie jener ein tüchtiger Sänger ist, auch erscheint er in weniger ansprechend gefärbtem Gefieder.

Er ist am Vorderkopf gelbroth, an Ober= und Hinterkopf, vom Gesicht bis zur
Oberbrust schwarzbraun, Rücken ebenso, aber jebe Feder gelb gerandet, über die
gelbbraunen Flügel eine weiße Binde, Bürzel orange; unterhalb gelb, an Brust=
und Bauchseiten bräunlichschwarz, jede Feder gelb gerandet. Das Weibchen hat
kein Schwarz am Kopfe und seine Stirn ist röthlichgelb. Die Größe ist mit
der des einheimischen Zeisigs übereinstimmend. Cabanis sagt, daß der Vogel
mitteninne zwischen Leinzeisig und Girlitz stehe; im Schnabel gleiche er mehr diesem,
im übrigen aber sammt der Färbung jenem. Damals waren dem Forscher nur
drei ausgestopfte Exemplare bekannt, und zwar eins in der Sammlung des Haupt=
manns Kirchhoff und je eins in den Museen von Berlin und Braunschweig.
Gegenwärtig besitzt das erstre bereits mehrere, meistens durch Radde gelieferte,
und ebenso einige die sibirische Sammlung des Herrn Dr. Finsch. Die Heimat des
Vogels ist Asien und seine Verbreitung eine ziemlich bedeutende: vom Himalaya nach
Norden bis Sibirien, nach Westen bis zum Kaukasus und Kleinasien, von wo aus
er sich zuweilen bis nach dem europäischen Rußland verfliegt. Laut Pallas' Mit=
theilungen ist er gemein auf dem Kaukasus und am kaspischen Meere; im Sommer
wird er bis zur Nähe der Schneelinie gefunden und im Winter streicht er in die
subalpinen Gegenden Persiens hinab. Kapitän F. Hutton beobachtete ihn mehrmals
in Masuri. Er erschien stets parweise und trieb sich auf den großen, groben Nesseln,
welche dort reichlich vorhanden sind, umher. In dieser Gegend war er jedoch
nur als Wintergast eingekehrt und scheint dieselbe zur Mitte d. M. Februar
verlassen zu haben. Lieutenant Spele sah ihn im Sommer in Spiti und
Ladakh in einer Höhe von 3140 bis 9415 Mtr., immer nur zu zwei bis drei
Köpfen und wahrscheinlich auf eine bestimmte Oertlichkeit beschränkt. Nach Griffith's
Aufzeichnungen wurden Scharen in der Nähe von Anpflanzungen bemerkt; sie
waren ziemlich scheu und saßen auf den Disteln von deren Samen sie sich er=
nährten. Im übrigen dürfte seine Lebensweise sicherlich der unsres einheimischen
Girlitz und des Leinzeisigs gleichen.

Er wurde von dem Moskauer Händler Stader früher hin und wieder
in einigen Köpfen mitgebracht und gelangte so in das Berliner Aquarium. Seit=
dem fehlt er im Vogelhandel, doch wird er hoffentlich über kurz oder lang wol
wieder eingeführt werden. In der Gefangenschaft soll er sich gut erhalten lassen
und ein liebenswürdiger Vogel sein, wie der berühmte Sibirienreisende Radde an
Brehm berichtet hat. Die Fütterung bestand bei Stader in Rübsen, Lein= und
Mohnsamen und die ganze Verpflegung dürfte von der jener vorhin erwähnten
Verwandten nicht abweichen. In anbetracht der bisherigen Seltenheit ist ein
Preis noch nicht anzugeben. Im „Journal für Ornithologie" (1854) war eine
schwarz lithographirte Abbildung nach Bädeker vorhanden; wir können hier jedoch
keine bringen, weil dieser Girlitz eine zu geringe Bedeutung für die Liebhaberei

hat, zumal er weder schöner als der in der Färbung ähnliche Leinzeisig ist, noch einen beachtenswerthen Gesang hat.

Der orangestirnige Girlitz ist auch goldstirniger oder Goldstirngirlitz benannt. Le Serin à front orange; Himalayan Siskin or Himalayan seed-eater.

Nomenclatur: Metroponia pusilla et Passer pusillus, *Pll.*; Pyrrhula pusilla, *Dgl.*; Serinus pusillus, *Brndt.*, *Bp.*, *Blth.*, *Br.*; Fringilla pusilla, *Gr.*; Fringilla rubrifrons, *Hay*; Emberiza auriceps et Serinus aurifrons, *Blth.*; Uraeginthus pusillus, *Cb.*; Fringilla aurifrons, *Rss.* [„Handbuch für Vogelliebhaber"].

## Der graue weißbürzelige Girlitz [Fringilla musica].

### Tafel IX. Vogel 53.

Gegen Mittag erhebt sich die Stimmenmannigfaltigkeit in der Vogelstube am lautesten. Dann ermuntern sich selbst diejenigen Papageien und anderen Bewohner, welche sonst wol stundenlang dasitzen, ohne einen Laut hören zu lassen, ohne eine Bewegung zu zeigen; dann singt, kreischt und schreit alle große und kleine gefiederte Welt aus Herzenslust um die Wette, und es hält nicht leicht, irgend einen bestimmten Sänger in seinen Leistungen zu verfolgen. Dennoch schmettert uns jetzt ein melodischer Gesang entgegen, so klar und lieblich — daß wir von dem Vorurtheil, die Vögel tropischer Gegenden seien nur Stümper im Gesange, völlig zurückkommen. Eine andre Beobachtung der alten Ornithologen bewahrheitet sich hier aber, die nämlich, daß die am schönsten singenden Vögel in der Regel die am schlichtesten gefärbten sind.

Der weißbürzelige Girlitz ist am ganzen obern Körper gesättigt aschgrau, rußschwarz gestrichelt, an Gesicht, Kehle und Brust heller grau, am untern Körper weißlichgrau und an Unterleib und Bürzel reinweiß. Die Größe ist der des allbekannten Atlasvogels gleich, doch erscheint er etwas schlanker.

Er gehört unter den fremdländischen Finken zweifellos zu den hervorragendsten Sängern und in hinsicht der Kraft der Stimme und des melodischen Gesangs dürfte er unter allen obenan stehen. Trotzdem hat er als Stubenvogel ein ganz eigenthümliches Schicksal gehabt, auf welches ich weiterhin zurückkommen werde.

Seine Heimat ist das mittlere Afrika und zwar verbreitet er sich von den westlichen Gebieten bis zur Ostküste des Erdtheils. „Ich begegnete", schreibt Heuglin, „diesem muntern kleinen Vögelchen während der Regenzeit im Bogos= lande und im Gebiet des Gazellenflusses (Bongo), im April und Mai in Ostsenar und kann nicht mit Sicherheit angeben, ob es hier und am blauen Nil, wo es auch von Hedenborg und Vierthaler beobachtet wurde, Standvogel ist. Es lebt gesellig und treibt sich in kleinen Flügen auf Gebüsch, Hecken und niedrigen Bäumen umher; für steiniges Hügelland scheint es Vorliebe zu haben, auch dürfte ihm die Nähe eines Gewässers Bedürfniß sein. Nach meinen Aufzeich= nungen haben Lockton, Gesang und Benehmen im allgemeinen viel Aehnlichkeit mit denen des Girlitz. Vierthaler beschreibt sehr oberflächlich die Fortpflanzung; er fand am blauen Nil das Nest mit drei Eiern 1,₆ Meter über der Erde". Hier= mit sind die Mittheilungen über das Freileben dieses Vogels erschöpft, indem alle übrigen Afrikareisenden nichts weiter hinzufügen. Dies erscheint umsomehr verwunderlich, da der Graugirlitz einerseits in dem angegebnen weiten Ver= breitungsgebiete keineswegs selten ist und da er andrerseits zu den schon seit alters her bekannten und lebend nach Europa eingeführten Vögeln zählt.

Vieillot hat den Sénégali Chanteur eingehend geschildert und sein Werk zeigt die Abbildung nach einem in der Gefangenschaft schon damals gezüchteten Exemplare. In seiner schwungvollen Darstellung geht er freilich über die Wirklich= keit hinaus, indem er den Vogel als Koryphäen der Wälder, welche der Niger bespült, bezeichnet, der wenige Nacheiferer unter den Vögeln Afrikas finde. Beim Anhören seines lieblichen Schlags vergesse man gern die Sänger der Hesperiden. Da der Vogel sehr zart ist, sagt er weiter, so gelingt es selten, ihn bei uns zu erhalten und einzugewöhnen. Man müsse ihn nach der Ankunft in Europa vor geringerer Wärme als 16 Grad bewahren und ihm wenn möglich bis zu 25 Grad gewähren, namentlich zur Brutzeit. Wenn man diese Vorsicht außer Augen setze, gelangen die Weibchen nicht zum Legen oder doch nicht zur glücklichen Aufzucht der Jungen; jedes Pärchen sei zur Niftzeit abzusondern, da die Männchen außerordentlich eifersüchtig sind, um die Weibchen heftig kämpfen und dann auch nur wenig singen. Außerhalb der Niftzeit dürfe man sie scharenweise zusammen= halten, auch mit anderen Vögeln, weil sie dann sehr verträglich sind. Bäumchen, Büsche und ein großes Vogelhaus, fährt er fort, sind nicht gerade nothwendig, um ihn zum Niften zu bringen; das Pärchen begnügt sich mit einem mäßig großen Käfige und kleinen aus Binsen geflochtenen Neftkörbchen, wie man dergleichen auch den Zeisigen giebt. In einem solchen erbauen sie das Nest, welches nicht viel größer als das eines Kolibri ist, aus trocknem Gras, Moos, Baumwolle und Federn. Männchen und Weibchen arbeiten gemeinschaftlich; das erstere schafft die Stoffe herbei, das letzte ordnet sie. Die Brutzeit fällt in den Monat April; Liebeszeichen geben sie schon während des Januars. — Diese Angaben des großen Vogelkundigen kann ich nach vieljährigen Erfahrungen ergänzen und theilweise auch berichtigen.

In der neuern Zeit war dieser Vogel sowol bei den gelehrten Ornithologen, als auch bei den Liebhabern gewissermaßen spurlos verschwunden. Bolle führt ihn in seinem hier oft genannten Verzeichniß der lebend eingeführten fremd= ländischen Vögel an, allein nur mit lateinischem Namen. Alfred Edmund Brehm kennt ihn keineswegs, denn er erwähnt ihn in der ersten Auflage des „Thierlebens" (1866) garnicht. Erst i. J. 1868 wurden durch mich in der „Gartenlaube" weitere Kreise auf ihn aufmerksam gemacht. Die Händler verkauften ihn gewöhnlich, wenn sie ihn unter den kleinen Senegalvögeln zufällig erhielten, als Weibchen des Atlasvogels und als solche gelangten einige auch zuerst in meine Vogelstube. Wie staunte ich aber, als nach dem Tode des einen zwei andere, durch Eifersucht erregt, ihre klangvollen und kräftigen Stimmen erhoben und also die vermeint= lichen Weibchen plötzlich einen herrlichen Gesang erschallen ließen, von dem ich bis dahin keine Ahnung gehabt. Auch Professor Dr. Cabanis und Dr. Brehm kannten damals diesen Gesang noch nicht. Ich habe einen Brief des erstern vor mir, in welchem er sagt, daß es ihm höchst interessant sein würde, über den Vogel, den ich durch letztern ihm übersandt, näheres zu erfahren.

Als ich in Paris bei Gelegenheit der Weltausstellung i. J. 1867 weilte, fand ich den Vogel bei den meisten Händlern recht zahlreich und zu dem geringen Preise von 8 Frank für das Pärchen, obwol sie von seinem Gesange bereits Kenntniß hatten und ihn Chanteur d'Afrique hießen. Er ist dort jedoch, gerade wie bei uns, nur zeitweise häufig auf dem Vogelmarkt vorhanden und zwar vom Spätsommer bis zum Herbst, wenn die kleinen afrikanischen Vögel von Bordeaux, Marseille, dann von Antwerpen, London und Hamburg aus nach aller Welt ein= geführt werden. Da mir die ersten Graugirlitze nach und nach sämmtlich ein= gegangen waren, so brachte ich mir außer anderm kleinen Gefieder auch von ihnen ein Pärchen aus Paris mit. Inzwischen war wieder eine Anzahl derselben mit Sendungen afrikanischer Prachtfinken nach Berlin gekommen und ein aufmerksamer Händler, Herr F. Schmidt, hatte ihre Gesangsfertigkeit ebenfalls entdeckt. Er verkaufte damals das Männchen nicht unter 18 Mark. Da mir das Weibchen des ersten Pärchens infolge der Reiseanstrengungen gestorben war, so brachte ich das Männchen mit einem Kanarienweibchen zusammen und erzielte schon im Frühjahr 1868 mehrere Bastardbruten, aus denen jedoch nur ein Hähnchen am Leben blieb. Ebenso unschwer nistete sodann im Herbst desselben Jahres ein Pärchen Grau= girlitze in einem Kanarienheckkäfige. Ueber diese erste Brut machte ich Herrn Th. v. Heuglin eine Mittheilung, welche aus seinem vortrefflichen Werke „Ornithologie Nordost=Afrikas" hier wiedergegeben sei: Zur Wahl wurde ihnen ein offnes und ein überwölbtes Nest im Käfige geboten. Sie bauten in das erste und trugen auf einen Grund von Hanffäden nur weiche, harige und baumwollene Stoffe ein, ohne trockene Grashalme, Bast, Agavefasern, Papierschnitzel oder dergleichen zu berühren; so formten sie im Nestkörbchen eine fast zilinderförmige Mulde, deren offene Ränder sich ziemlich weit über die des Körbchens erhoben. Die Mulde war verhältnißmäßig klein, gleichmäßig rund und tief, innen mit Pferdehaaren, Pflanzenwolle und feinen, kurzen Leinenfäden glatt ausgepolstert. Seit acht Wochen war das Nest fertig, ohne daß es zur wirklichen Brut kam. Dann erkrankte das Weibchen an Legenoth und starb. Bei der Untersuchung des Nestes fand ich aber ein jedenfalls viel früher gelegtes

Ei, dessen Inhalt bereits in Fäulniß übergegangen war. Dieses Ei erhielt
Herr Hofrath v. Heuglin für das oologische Werk des Herrn Baron v. König=
Warthausen. Späterhin gelegte Eier dieser Art gelangten aus meiner Vogel=
stube in die Sammlungen der hervorragendsten deutschen Oologen, der Herren
Dr. Baldamus in Koburg, Graf Röbern in Breslau u. A., und es werden
in denselben sicherlich die ersten gewesen sein.

Das Eheleben dieser Vögel ist ein ungemein zärtliches; Zank und Verfolgung
zwischen den Gatten eines Pärchens, wie bei den Verwandten, kommen niemals
vor. Sie erscheinen vielmehr in ihren Zärtlichkeitsbezeigungen den Prachtfinken
sehr ähnlich, nur mit dem Unterschiede, daß das Männchen sein Weibchen gleich
allen diesen Finken aus dem Kropfe füttert. Die Gestaltung des Nestes in der
Vogelstube ist von der des vorhin beschriebnen in der Regel verschieden; dasselbe
wird ebenfalls immer in einem offnen Nestkörbchen angelegt und stellt ebenso eine sehr
kleine, längliche oder runde Mulde dar, deren Ränder aber über das Nestkörbchen
nicht hervorragen. Die Grundlage und die Wände werden aus gröberen Fasern,
Würzelchen, dünnen Grashalmen u. drgl. aufgeschichtet und die innere Auspolsterung
bildet eine dünne Lage von Wundfäden, Pflanzen= und Thierwolle mit einigen langen
Pferdehaaren gefestigt. Aehnlich beschreibt übrigens auch Vierthaler das Nest
des Vogels im Freien. Das Gelege besteht in drei bis vier, höchstens fünf
Eiern. Die ersten Eier in den Nestern in der Vogelstube waren reinweiß, ent=
weder weil dem Weibchen die den Farbstoff erzeugende Nahrung gefehlt hat oder,
und das ist wahrscheinlicher, weil es noch zu jung und überaus schwächlich ge=
wesen; später waren sie naturgemäß gefärbt, wie weiterhin angegeben. Das
Weibchen baut allein sein Nest und wird vom Männchen nur auf den Hin= und
Herflügen, gleich dem einheimischen Edelfink, zärtlich begleitet; allenfalls trägt
das Männchen hin und wieder ein Flöckchen herbei, welches das Weibchen dann
einordnet. Ebenso brütet letzteres allein, gefüttert vom Männchen, welches sich
fast immer in der Nähe des Nestes aufhält und sehr fleißig singt. Zu=
weilen, gewöhnlich in der Mittagsstunde, setzt es sich auf einige Minuten zum
Weibchen hinein; dann fliegen sie beide herunter, jenes frißt, badet sich auch
wol und kehrt zurück, von diesem bis zum Rande geleitet. Die Brut dauert
13 Tage; schon am vierten Tage öffnen die mit bläulichweißem Flaum bedeckten
Jungen die Augen und schlüpfen manchmal sehr früh, oft noch halbnackt, aus
dem Neste.

Nur während der Mauser leben die Graugirlitze in Frieden beisammen;
in der übrigen Zeit befehden die erwachsenen singenden Männchen alle anderen,
alte und junge Weibchen und Männchen gleichermaßen stürmisch; besonders arg
verfolgen aber die einzelnen Weibchen einander. Die Pärchen halten das ganze
Jahr hindurch, gleichviel in und außerhalb der Nistzeit, innig zusammen.

Nicht allein in seiner Gestalt, sondern auch in seiner ganzen Lebensweise, ja, in jeder Bewegung ist dieser Vogel ein Bild der Anmuth und Liebenswürdigkeit; er ist niemals dummscheu, vielmehr zutraulich, dreist, keck und überaus zierlich. Kaum zu beschreiben ist der Eindruck, welchen sein plötzlich erwachender Gesang macht. Sei es inmitten des Lärms der Vogelstube oder sei es in der Stille der Morgen- und Abendstunden, fast zarter als das Lied der Haidelerche und doch beinahe ebenso kräftig als der Schlag des Kanarienvogels, läßt er Anklänge an beide erkennen.

Angeregt durch meine Schilderungen in der „Gartenlaube" hatten sich für den kleinen Sänger bei allen Händlern so sehr viele Liebhaber gemeldet, daß die ersteren große Anstrengungen machten, um ihn in bedeutender Anzahl herbeizuschaffen; allein einerseits das schlichte Aussehen, andrerseits der hoch erscheinende Preis von 15 bis 18 Mk. für das Pärchen, waren die Ursachen, daß die Händler im allgemeinen ihre Rechnung nicht fanden; denn die meisten der bis zum Beginn der siebenziger Jahre nach Deutschland eingeführten Graugirlitze sind in den Vogel= handlungen zugrunde gegangen. Bald aber änderte sich dies Verhältniß. Die Vogelliebhaber entdeckten unschwer, daß der, wenn auch unscheinbare, doch über= aus anmuthige und herrlich singende kleine Afrikaner zugleich zu den besten Nist= vögeln in der Vogelstube wie im Käfige gehörte. Jetzt wurde die Nachfrage groß und es gab wol kaum irgend eine Vogelstube, zu deren Bewohnern er nicht gehörte. Dann wurde er auch immer mehr gezüchtet. Der erste Liebhaber, welcher ihn anhaltend und durch mehrere Generationen gezogen hat, ist der Architekt Dorpmüller, früher in Elberfeld, jetzt in Gladbach. Er schreibt dar= über wie folgt: „Obgleich ich viele Vogelarten in meinem Leben gezüchtet habe, so beabsichtigte ich es mit dieser doch eigentlich nicht. Ich nahm an, daß sie bei der Brut an ihrer afrikanischen Jahreszeit festhielte, und da erschien es mir zu umständlich, den Vögeln im Spätherbst und Winter immer gleichmäßige Wärme zu gewähren. Zu Ende des Monats April setzte ich das Pärchen in einen neuen, nicht geräumigen Käfig und nach Verlauf von acht Tagen bemerkte ich, daß das Weibchen, Stengel von getrockneter Vogelmiere im Schnabel haltend, sich fortwährend in einem Futterglase in die Runde drehte. Nun fertigte ich schnell eine Nestform, aus dickem Bindfaden zusammengenäht und befestigte die= selbe in einer obern Ecke auf dem Sprunghölzchen, gab Baustoffe hinein und in der Zeit von sechs Tagen war das Nest ausgebaut und das erste Ei gelegt. Jetzt aber war meine Sorge groß, um den Vögeln eine passende Nahrung zur Auf= zucht der Jungen zu bieten. Nach vieler Mühe gelang es mir, die Alten an die kleinsten ausgesuchten frischen Ameisenpuppen zu gewöhnen. Eigelb ließen sie unberührt; dasselbe sollte jedoch im Fall der Noth aushelfen, wenn keine Ameisen= puppen zu haben wären. Viele Versuche führten mich schließlich auf den Ge=

danken, hartgekochtes geriebnes Eidotter mit geschälter, eingequellter und gut abge=
trockneter Hirse zu mischen und darüber gestoßnen Zucker zu streuen. Dies Futter
wurde lebhaft verzehrt und nebst guten, frischen Ameisenpuppen im besondern Napfe
hatte ich nun die Nahrung vor mir, mit welcher die glücklich erbrüteten Jungen so
kräftig heranwuchsen, daß sie schon am fünfzehnten Tage frisch und munter das
Nest verließen. Zu meiner großen Freude begann das Weibchen sogleich mit der
zweiten Brut, während die vier Jungen noch in demselben kleinen Käfige sich
befanden. Viel Vergnügen machte es mir, mit anzusehen, wie das Männchen
die vier Jungen und zugleich das brütende Weibchen auf dem Neste fütterte.
Eine innigere und zärtlichere Ehe und mehr Eifer in der Ernährung ihrer
Jungen können wol kaum andere Vögel zeigen." In dieser Weise züchtete Herr
Dorpmüller in brei Bruten zehn Junge, welche vortrefflich gediehen, einen sehr
heftigen und langwierigen Durchfall glücklich überstanden und sehr kräftige Vögel
wurden. In den nächsten Jahren gelangte er sodann zu dem Ergebniß, daß die
Aufzucht doch am sichersten ermöglicht wird, wenn man die Graugirlitze an frische,
kleine Ameisenpuppen gewöhnt und ihnen solche immer regelmäßig bieten kann;
für den Nothfall genügt aber auch hartgekochtes Eigelb oder eingeweichtes und
gut ausgedrücktes Eierbrot und am besten in Milch getauchter Löffelbiskuit,
letztrer muß jedoch täglich zweimal frisch gegeben werden. Ueber eine künstliche
Auffütterung schreibt der Genannte noch folgendes: „Getrocknete und dann ein=
gequellte Ameisenpuppen in den verschiedensten Gemischen behagten den Alten gar=
nicht. Als ich bei einer Brut Vernachläſſigung von ihrer Seite bemerkte, machte
ich kurzes Ding und fütterte selber mit. Für diesen Zweck zerrieb ich hartge=
kochtes Eigelb in warmer Milch zu ganz dünnem Brei und reichte ihnen da=
von sechs= bis achtmal täglich kleine Gaben und dadurch gelang mir die Auf=
fütterung recht gut. Man muß sich aber hüten, daß solch' feuchtes, schmieriges
Futter durch Beschmutzen des Schnabels nicht in die Nasenöffnung hinein=
gelangt, wodurch die Vögelchen leicht an Erstickung sterben. Das alte Pärchen
ließ meine Mitfütterung ruhig geschehen und fütterte seinerseits mit Hirse und
Vogelmiere. Am besten ist es jedoch, wenn man die Graugirlitze stets solange
getrennt hält, bis man für eine bestimmte Zeit regelmäßig frische Ameisenpuppen
beschaffen kann." — In ähnlicher Weise erreichte Herr Ingenieur Hendschel,
damals in Dortmund, jetzt in Innleitenmühle bei Rosenheim, glückliche Zucht=
ergebnisse.

Herr Dr. F. Franken in Badenbaden züchtete den Vogel sodann in den
Jahren 1871 bis 1874 in zahlreichen Bruten und zwar ließ er ein Männchen
wechselnd mit zwei Weibchen nisten. Dann zog er auch Bastarde vom Grau=
girlitzmännchen mit Kanarienweibchen und dies glückte späterhin auch den Herren
Hoflieferant Koch in Wiesbaden, Hinz in Silligsdorf bei Stettin und W. Stücklen

in Offenbach. Ein solcher Mischling hat nahezu die Größe des Kanarienvogels, ist jedoch schlanker und zierlicher gebaut und gleicht in der Färbung des Gefieders dem Graugirlitz, nur tritt nach voller Ausfärbung ein gelber Farbenton am ganzen Körper ein, während Kehle und Bürzel mehr oder minder rein kanariengelb werden.

Ueber den Versuch einer Mischlingszucht zwischen Männchen Hartlaubszeisig und Weibchen Graugirlitz berichtet Herr Regierungsrath v. Schlechtendal in Merseburg: „Das erstre befand sich mit zwei der letzteren in einem großen Käfige, den verschiedene kleine Pracht= und andere Finken bewohnten. Der Hartlaubszeisig begann gegen die beiden Weibchen zärtlich zu sein und ich brachte ihn daher mit einem derselben in einen besondern Käfig mit genügenden Nistgelegenheiten. Das Weibchen baute, legte und brütete, und eines Tages fand ich ein todtes Junges, dem noch ein Stückchen Eischale anklebte. Die Brut hatte weiter kein Ergebniß, doch hat sie den Beweis geliefert, daß die Bastardzucht zwischen diesen beiden Arten überhaupt möglich ist". Herr Dr. Franken in Badenbaden zog sodann auch glücklich Mischlinge vom Graugirlitzmännchen und Hartlaubs= oder Mozambikzeisig-Weibchen. Eine ähnliche Züchtung erzielte er auch zwischen Männchen vom weiß= bürzeligen Graugirlitz und Weibchen vom gelbbürzeligen Graugirlitz oder Angola-hänfling, während die graukehligen Girlitze oder Kaplandkanarien, die er ebenfalls mit Graugirlitzen in die Hecke gesetzt, durchaus keine Neigung zur Brut zeigten.

In den letzteren Jahren (1875 bis 77) ist der Graugirlitz, nachdem er bereits ständiger Gast in allen Vogelstuben war und auch vielfach als einzelner Sänger gehalten wurde, überall wieder recht selten geworden, weil er nämlich seit dieser Zeit alljährlich nur in verhältnißmäßig geringer Anzahl in den Handel gekommen. Die Nachfrage nach dem beliebten Vogel ist nun sehr groß und man zahlt gern 18 bis 21 Mark für das Pärchen. Ein gutes Nistpar in der Vogelstube ist daher für manchen Züchter recht einträglich geworden.*)

Wenn Vieillot in den Angaben über die Weichlichkeit des kleinen Afrikaners auch übertreibt, so ist es doch richtig, daß derselbe zu den zartesten aller Finken im weitesten Sinne gehört. Namentlich unmittelbar nach der Einführung erscheinen die bedauernswerthen, mehr als halbnackten, auch beschmutzten und überaus abgezehrten Ankömmlinge so hinfällig, daß ihrer zahllose zugrunde gehen; man wundert sich, daß sie die lange und beschwerliche Reise überhaupt überstehen konnten. Obwol ich im letzten Bande dieses Werks unter anderm auch eingehende Anleitungen über zweckmäßige Verpflegung frisch angekommener Vögel geben werde, so will ich hier doch mindestens kurze Rathschläge, um möglichst viele aus

---

*) Soeben, während ich dies schreibe (im Hochsommer 1877), erhalte ich die Nachricht, daß die ersten Sendungen der kleinen Senegalvögel und unter ihnen diesmal überaus viele Graugirlitze in Marseille, Bordeaux und bzl. Antwerpen angekommen sind.

einer angekauften Schar von Graugirlitzen zu retten, nach steten, guten Ergebnissen anfügen. Die Vögelchen bleiben, gleichviel sei der Käfig, in welchem sie angekommen, auch noch so verunreinigt, vorläufig entschieden in demselben und werden mit ihm an einen möglichst warmen Ort gestellt, wo sie für die erste Zeit, wenn irgend thunlich, Tag und Nacht hindurch oder doch abends bis gegen Mitternacht und morgens wieder ganz früh fortwährend Licht haben müssen und zwar so, daß dasselbe den Käfig zu zwei Dritteln erhellt, während das letzte Drittel dunkel bleibt. Zugleich müssen sie sehr reichlich mit ihrer afrikanischen Hirse und falls man diese nicht beschaffen kann, wenigstens mit bester weißer Hirse versorgt werden. Gut ausgetrockneter, saubrer Stubensand wird massenhaft in den Käfig geschüttet, um Nässe und Schmutz wenigstens zu bedecken. Das Trinkwasser giebt man ihnen keineswegs frisch vom Brunnen, sondern nachdem es erst einige Stunden in der warmen Stube gestanden. Alle übrigen Zugaben, besonders Mohn und andere ölhaltige Sämereien, auch Ameisenpuppen und dergleichen, vorzugsweise aber Grünkraut, halte man für die ersten drei bis vier Wochen durchaus fern. Alle todten müssen natürlich sofort herausgenommen werden und auch jedes erkrankte sollte man schleunigst absondern und in einen kleinen Käfig für sich bringen, damit eine etwaige Ansteckung durchaus vermieden wird. Erst am zweiten oder dritten Tage reinigt man den Versandtkäfig sorgfältig und läßt die Gesellschaft vorläufig noch in demselben. In der Mittagszeit oder wenn das Zimmer sonst am wärmsten ist, giebt man in einem flachen Napfe ebenfalls abgestandnes Wasser zum Baden. Sobald die Girlitze sich neu zu befiedern beginnen, bringt man sie in einen großen, geräumigen Käfig, gewöhnt sie an Grünkraut, mannigfaltige mehl- und ölhaltige Sämereien, Ameisenpuppen, Mehlwürmer, eingeweichtes Eierbrot und alle anderen Beigaben, welche die Vogelstube bietet. Dann läßt man sie in derselben fliegen oder setzt sie parweise in Heckkäfige.

Das anmuthige Vögelchen ist stets munter und im Gesellschaftskäfige wie in der Vogelstube friedfertig, doch hält es auch tapfer selbst einem größern Angreifer stand; seinesgleichen und die nächstverwandten Arten befehdet es in der Brutzeit sehr hitzig. Trotz seiner Streitbarkeit aber läßt es sich vom plumpen Bandvogel, vom Zebrafink u. a. nur zu leicht aus dem Neste vertreiben und deshalb ist eine glückliche Zucht in der Vogelstube nur selten zu erzielen, während sie im Einzelkäfige garkeine Schwierigkeit zeigt.

Der Preis beträgt im Durchschnitt 9 bis 12 Mark für das Pärchen, sonst wie S. 360 angegeben; im Großhandel kauft man auch diese Art hundertparweise mit für 3½, 5 bis 7 Frank.

Der weißbürzelige graue Girlitz hatte, bevor ich ihn geschildert, noch keinen deutschen Namen, ich mußte ihm also einen solchen geben, doch war eine passende Benennung schwierig für ihn zu finden. Gern hätte ich Vieillot's Bezeichnung musica in geeigneter Weise

Rechnung getragen, allein das ist weder mir, noch anderen populären Schriftstellern gelungen; ich benannte ihn zunächst Grauer Edelfink und diese Bezeichnung, meist in Grauedelfink zusammengezogen, hat sich fast überall eingebürgert. Sie ist jedoch nicht zutreffend, weil der Vogel streng genommen nicht zur Gattung Edelfink gehört. Er wird daher wol am passendsten schlichtweg Graugirlitz zu nennen sein. Man hat ihn im Laufe der kurzen Zeit auch weißbürzeligen Girlitz (Hgl.), Sängerfink, Singgimpel, grauen Sänger, grauen afrikanischen Sänger, Sängerschuppenfink (Rchb.) und sonderbarerweise auch Edelschläger (Br.) geheißen.

Le Chanteur d'Afrique; Singing Finch, White-rumped Siskin or White-rumped seed-eater; Gryze zanger of Chanteur d'Afrique. — [Le Sénégali chanteur, *Vieill.*].

Nomenclatur: Fringilla et Loxia musica, *Vll.*; Fringilla musica, *Lss.*; Estrelda musica, *Gr.*; Hypochera musica, *Bp.*, *Hrtl.*; Fringilla leucopygos, *Lchtst*; Dryospiza leucopygos, *Nom. Mus. Berol.*; Serinus leucopygos, *Bp.*; Crithagra leucopygia, *Sndvll.*; Dryospiza leucopygia et Serinus leucopygius et Crithagra musica, *Hgl.*; Loxia?, *Vrth.* (Beschreibung des Nestes); Pholidocoma musica, *Rchb.*; Serinus musicus, *Cb.*

Wissenschaftliche Beschreibung: Kopf weißlichgrau, jede Feder mit zartem dunklen Schaftstrich; Nacken und Rücken reiner grau; Schwingen bräunlichgrau, außen schmal und innen breit weißlich gesäumt, obere Flügeldecken bräunlichgrau, mit zwei undeutlichen weißen Querbinden; Schwanzfedern fahl bräunlichgrau mit schmalen bläßeren, verwaschenen Querbinden. Bürzel reinweiß; Kehle, Hals und Oberbrust grauweiß, jede Feder mit schwärzlichem Schaftstrich und weißer Kante; Unterbrust und Bauch reinweiß, kaum grau angeflogen, Seiten weiß mit dunkelgrauen Schaftstrichen; untere Flügeldecken und untere Schwanzseite weißlichgrau. Schnabel hornweiß; Auge dunkelbraun; Füße fleischfarben. Das Weibchen erscheint nicht verschieden gefärbt; nur fehlen ihm die scharfen dunkeln Schaftstriche an den Seiten.

Jugendkleid: lichtgrau, oberhalb dunkler, jedoch ohne die schwarzen Striche, nur düster verwaschen; unterhalb weißlichfahlgrau; Unterrücken und Bürzel zart reinweiß; Schnäbelchen weiß; Füße röthlichweiß. (Die Verfärbung tritt mit der Mauser ein, sodaß der junge Vogel im neuen Gefieder das Alterskleid zeigt. Die Mauser pflegt in unseren Frühlingsmonaten stattzufinden).

Fringilla musica: capite canescente obscurius substriolato; cervice dorsoque purius canis; remigibus fumidis, exterius anguste, interius late albido-limbatis; tectricibus al. fuscato-cinereis fascias duas elutas exhibentibus albidas; rectricibus livide fumigatis fascias angustas ostendentibus pallidiores; uropygio albissimo; gula, collo juguloque incanis, subnigro-striolatis, eorumque plumis albo-limbatis; pectore abdomineque albis, incano-afflatis: hypochondriis albis, obscure cinereo-striolatis; tectricibus al. inferioribus latereque caudæ inferiore cinerescentibus; rostro albevente corneo; iride fusca; pedibus carneis. — ♀ concolor, sed striis hypochondriorum obscuris carens.

Länge 10,₅ ᶜᵐ·; Flügel 6,₁—6,₅ ᶜᵐ·; Schwanz 3,₉—4,₆ ᶜᵐ· (Nach Hartl.:- Länge 4½ Zoll; Flügel 2 Zoll 3½ L.; Schwanz 13 L.).

Juvenis: incana, supra obscurior striolis nigris nullis, solum fumoso-lavata; subtus livide canescens; tergo uropygioque albis; rostro albido; pedibus rubido-albis.

Beschreibung des Eies: zart graugrünlichweiß, an einem Pol nicht gerade sparsam, aber sehr fein braunröthlich und dunkelbraun gepunktet; sehr dünn- und feinschalig; lang gestreckt, elliptisch-eiförmig; Länge 16ᵐᵐ·, Breite 11ᵐᵐ· — Grundfarbe bläulichweiß, am stumpfen Ende ganz kleine dunkelbraune Pünktchen. Gestalt eiförmig und gestreckt; matt. Länge 15 bis 17 ᵐᵐ·; Breite 11—12 ᵐᵐ· Nehrkorn. (Die Farbe wechselt zwischen blau- und graugrünlichweiß und die mehr oder minder dicht stehenden Punkte und Flecken sind ebenfalls veränderlich in verschiedenen Schattirungen von roth- bis schwarzbraun).

Ovum: subglauco-album apice uno alterove rubente fuscoque punctatum; longiusculum, elliptico-ovatum; testa subtilissima et tenerrima.

## Der gelbbürzelige graue Girlitz [Fringilla angolensis].

Durch seine ungemein große Aehnlichkeit mit dem vorigen erregt dies sonst unscheinbare Vögelchen unsere Aufmerksamkeit. In der Größe und Gestalt stimmen beide nahezu überein. Die Schattirung des letztern ist jedoch um einen Ton heller und fahlbräunlich; das hauptsächlichste Unterscheidungsmerkzeichen liegt aber darin, daß der Bürzel nicht weiß, sondern lebhaft hellgelb ist.

Seine Heimat sind, soweit bis jetzt festgestellt worden, die Gegenden Süd= westafrikas von Angola bis zum Kaffernlande. Ueber sein Freileben ist in der gesammten Literatur nichts bemerkenswerthes zu finden; nur ein Reisender, Ladislaus Magyar, rühmt den Gesang.

Dagegen gehört dieser Girlitz zu den seit altersher bekannten und lebend eingeführten Finken. Buffon sagt, daß la Vengoline im Königreich Angola heimisch ist und dort zu den angenehmsten Sängern gehört. Sein Gesang sei jedoch von dem unseres Hänflings sehr verschieden. Edwards hatte bereits eine Abbildung gegeben, hielt ihn jedoch für das Weibchen einer andern Art. Paul Martin brachte einige lebend aus Lissabon mit. Alle Schriftsteller preisen ein= stimmig seinen herrlichen Gesang, und D. Barrington, der ihm den französi= schen Namen beigelegt, behauptet sogar überschwenglicherweise, daß er vor allen Singvögeln in Asien, Afrika und Amerika, mit Ausnahme der Spottdrossel, Vor= zug verdiene. Schon zu jener Zeit hatte man diese Art in einem Vogelhause gezüchtet. Bechstein wiederholt im wesentlichen Buffon's Angaben und fügt noch beiläufig hinzu, daß damals solche fremdländischen Vögel von drei Vogel= händlern in Waltershausen und dann namentlich von dem umherreisenden Händler Albi eingeführt und in ganz Deutschland verbreitet wurden. Dr. Bolle führt den Angolahänfling in seinem Verzeichniß, wenn auch als selten, doch noch an, und in den ältesten Preislisten der Händler fand man ihn immer mitgezählt, obwol er seitdem durch Jahrzehnte fast völlig wieder verschwunden war; denn keiner der jetzt lebenden Händler kannte und hatte ihn eingeführt. Erst im Jahre 1874 sandte mir Chs. Jamrach in London eine Anzahl und nach dieser ersten Einführung gelangte die Art sodann, freilich stets nur in einzelnen Köpfen, in die Vogelstuben; im Frühjahr 1877 erhielt ich noch ein Männchen von Herrn Linz in Hamburg. Da mir im Laufe der Zeit alle, selbst die bereits eingewöhnten und neu befiederten gelbbürzeligen Graugirlitze durch sehr geringe Veranlassungen, wie Futterwechsel u. dergl., regelmäßig bald eingingen, so muß ich diesen Vogel für außerordentlich zart und weichlich halten. Im zweckmäßig eingerichteten kleinen Käfige, wo man seine Fütterung sorgfältig überwachen und ihn vor schädlichen Einflüssen bewahren kann, mag er recht aus= dauernd sich zeigen; um ihn freifliegend in der Vogelstube zu erhalten, bedarf es jedoch sicherlich vorher einer allmäligen sorgsamen Gewöhnung. Inhinsicht der Haltung und Verpflegung gilt übrigens alles beim vorigen gesagte.

Die Züchtung ist mir nicht gelungen, weil die Vögel sämmtlich zu früh starben. Herr Dr. Franken schreibt über die S. 360 erwähnte Mischlingszucht zwischen dem weißbürzeligen und gelbbürzeligen Graugirlitz folgendes: „Die beiden in meinem Besitz befindlichen Angolahänflinge zeigten sich als sehr friedliche und ruhige Vögel. Sie waren Weibchen und legten in der Brut mit Weißbürzel= männchen jedesmal drei und nur einmal vier Eier. In der ersten Hecke wurden drei Junge flügge, die aber nach etwa vier Wochen rasch starben, ohne daß ich die Todesursache ergründen konnte. In der Folge brachte das eine Weibchen regelmäßig die Jungen aus, fütterte sie aber nicht oder erdrückte sie, sobald ich nur ein Junges dadurch rettete, daß ich es einem Kanarienweibchen unterschob, welches es dann auch glücklich groß brachte. Dies wurde ein kräftiger Vogel, dessen Gesang dem des weißbürzeligen Graugirlitzmännchens ähnlich ist, jedoch einige andere Laute enthält. Das zweite Weibchen brütete mit ebensolcher Aus= dauer, doch hatte es die üble Eigenthümlichkeit, sein Männchen ununterbrochen zu befehden, weshalb auch seine Eier immer unbefruchtet waren. Gegen das Früh= jahr hin starb es. Im September des Jahres 1875 begann das erste Weibchen wieder zu nisten und fütterte zwei Junge glücklich auf, von denen das eine jedoch leider zugrunde ging. Aus den folgenden Gelegen wurden fast jedesmal drei Junge erbrütet, jedoch niemals großgezogen, indem das Weibchen sie ge= wöhnlich schon nach acht Tagen verließ und eine neue Brut anfing. Da meine weißbürzeligen Graugirlitze es ähnlich trieben und ich nicht voraussetzen konnte, daß die Ernährung eine derartige sei, um die Vögel zu dem rastlosen unersprieß= lichen Nisten zu veranlassen, so versetzte ich die Gelbbürzel sowol als auch die Weißbürzel in ein Zimmer, in welchem des Nachts nur bis 8 Grad R. Wärme herrschte, und siehe da, hier brüteten beide Arten naturgemäß und zogen ihre Jungen jedesmal auf. Allem Anschein nach ist ihnen eben ein zu hoher Wärme= grad des Nachts nicht zuträglich.“ Weitere Erfahrungen sind bis jetzt nicht veröffentlicht worden. Der Gesang ist leise, girlitzartig und steht dem des Verwandten bei weitem nach. Ein Preis läßt sich der seltnen Einführung wegen noch nicht mit Bestimmtheit angeben; der einzelne pflegt 15—18 Mark zu kosten.

Der gelbbürzelige graue Girlitz, gelbbürzelige Graugirlitz oder Angolahänfling, ist auch Angolagimpel benannt. (Angolischer Hänfling oder Fink, nach Bechstein).

Le Chanteur d'Angola; Yellow-rumped Siskin or Yellow-rumped seed-eater; Gryze zanger of Chanteur d'Angola. [La Vengoline, *Buff.*; Angola Finch, *Lath.*].

Nomenclatur: Fringilla angolensis, *Gmlz.*; Fringilla tobaca, *Vll.*; Linaria ango-lensis, *Brss.*; Linaria atrogularis, *Smth*; Fringilla uropygialis, *Lchtst., Bp.*; Poliospiza angolensis et atrigularis, *Hrtl.*; Crithagra angolensis, *Br.*

Wissenschaftliche Beschreibung. Oberhalb fahlbräunlichgrau, jede Feder mit schwärz=
lichem Schaftstrich; Flügelschwingen graubraun mit schmalem gelbgrünen Außensaum und
weißem Innen= und Endrand; Schwanzfedern dunkelgraubraun mit röthlichgrauem Innen= und
Endsaum; Bürzel und obere Schwanzdecken hell schwefelgelb; Kehle mattgrauschwarz; ganze
Unterseite fahlgelblichgrauweiß. Schnabel dunkelhorngrau; Auge braun; Füße hellbraun.
Weibchen kaum verschieden, oberhalb wenig düstrer bräunlichgrau, unterhalb mehr düster
bräunlichgrauweiß.

Fringilla angolensis: supra luride cineracea, subnigro-striolata; pogonio
remigum nigro-fuscorum exteriore flavo-viride, interiore et apicali albo-submarginato
pogonio rectricum fumosarum exteriore et apicali rubente cinereo-limbato; uropygio et supracaudalibus dilute sulfureis; gula cineraceo-nigricante; gastræo
toto luride albido; rostro obscure corneo; iride fusca; pedibus umbrinis. —
♀ vix differens, supra parum luridior, subtus obscurius fuscato-cana.

Länge 9,8 cm.; Flügel 6,1 cm.; Schwanz 3,9 cm. (Nach Hartl.: Länge 4½ Zoll; Flügel
2½ Zoll; Schwanz 1¾ Zoll).

Jugendkleid und Ei mir noch unbekannt. (In der Mischlingszucht mit dem weißbürzeligen
Graugirlitz gleicht das Ei ganz der letztern Art, nur sind die Flecke meistens bedeutend größer.
Dr. Franken).

## Der graukehlige Girlitz [Fringilla canicollis].

Zu den schönsten unter den Girlitzen gehörend, läßt der sogenannte Kapland=
kanarienvogel es umsomehr bedauern, daß er im Handel einer der seltensten ist.
Auf den ersten Blick erscheint er schlicht gelblicholivengrün. Die lebhaft grüngelbe
Stirn und der grüne Oberkopf heben sich vom aschgrauen Nacken und der gleichen
Kehle angenehm ab, die übrige Oberseite ist grünlichschwarzbraun und die
Unterseite gelblichgraugrün mit reinweißem Bauch. Größe nahezu die des
Kanarienvogels.

Seine Heimat ist Südafrika, wo man ihn namentlich im Kaplande häufig
findet; auf der Insel Mauritius soll er durch Zufall eingeschleppt und ver=
wildert sein. Ueber das Freileben sind noch keine Angaben gemacht, außer einer
kurzen Notiz des Naturforschers Layard, nach welcher der Vogel im niedern
Gebüsch aus Moos, Haaren und Federn sein Nest erbaut und in dasselbe drei
oder vier weiße, am dickeren Ende purpurbraun gepunktete und gestrichelte Eier legt.

Mehrere Reisende haben übereinstimmend berichtet, daß dieser Girlitz in den
südafrikanischen Kolonien als trefflicher Sänger vielfach im Käfige gehalten
wird. Kürzlich theilte Herr Georg Altona in der Zeitschrift „Die gefiederte
Welt" (Jahrgang 1876) folgendes mit: „Der Vogel eignet sich vortrefflich für die
Gefangenschaft. Er hat einen angenehmen, lerchenartigen Gesang, den er sehr
fleißig vorträgt; außerdem empfiehlt ihn noch besonders seine Genügsamkeit und
sein munteres Wesen. Das einfachste Körnerfutter ist ausreichend, um ihn jahre=
lang bei guter Gesundheit zu erhalten; er scheint in dieser Hinsicht wirklich
noch den Kanarienvogel zu übertreffen. Wie schon Layard angegeben, wird er
hier, jedoch nur sehr selten, zur Bastardzucht mit Kanarienweibchen benutzt. —

Es wäre doch jedenfalls für die Liebhaber der Stubenvögel sehr erwünscht, wenn die in Südafrika heimischen Finken zahlreicher nach Europa eingeführt würden, und es erregt eigentlich meine Verwunderung, daß dies nicht geschieht, zumal es in der Kapstadt ein leichtes sein dürfte, eine schöne Sammlung derselben an= zukaufen. Während meines Aufenthalts daselbst wurden täglich Vögel in großer Anzahl und Auswahl und zu billigen Preisen im Markthause von Malayen feil= geboten".

Im Laufe der Jahre habe ich ihn nur immer in einzelnen Köpfen aus den Handlungen von Chr. Hagenbeck in Hamburg und Chs. Jamrach in London und kürzlich ein Paar von Herrn Altona erhalten. Die Zucht ist mir weder mit dem letztern, noch mit Kanarienweibchen geglückt. Herr Dr. Franken hat mit seinem Pärchen auch keinen Erfolg erzielt, wol aber einen Mischling vom Männchen mit einem gelbstirnigen Girlitzweibchen gezüchtet. Auch er lobt den Gesang des erstern. Bis jetzt hat derselbe trotzdem für die Liebhaberei erst eine geringe Bedeutung, während wir doch wünschen, daß er bald durch zahlreiches Erscheinen auf dem Vogelmarkt eine größere erlange. Der Preis steht hoch und beträgt gewöhnlich 24—30 Mark für das Pärchen und etwas mehr als die Hälfte solcher Summe für den einzelnen.

Der graukehlige Girlitz heißt auch Kapkanarienvogel oder Kaplandkanarienvogel. Le Chanteur du Cap; Cape Canary-finch; Zanger of Chanteur du Cap. Nomenclatur: Crithagra canicollis, *Sws.*; Serinus canicollis, *Bp.*, *Cb.*; Serinus flaviventris, *Mus. Snkbrg.*; Loxia flaviventris var β., *Gml.*; Fringilla cinereicollis, *Dbs.*

Wissenschaftliche Beschreibung: Stirn lebhaft grüngelb, Oberkopf grün; Nacken und Kehle aschgrau; ganze Oberseite gelblicholivengrün, jede Feder mit dunklem Schaftstrich. Flügel= schwingen schwarzbraun mit schmalem grüngelben Außensaum; Schwanzfedern olivengrün, schwarz geschäftet; Hals, Brust und Bauchseite gelblichgraugrün; Bauch grauweiß; untre Flügel= seite grau, jede Feder an der Wurzelhälfte innen weißgrau, untere Schwanzdecken gelblichgrün, untre Schwanzseite grüngelb; Schnabel bleigrau; Auge braun; Füße braun. Weibchen düstrer graugrün; Stirn und Oberkopf ebenfalls nur graugrün.

Fringilla canicollis: fronte læte viride flava; pileo viridi, cervice gulaque cinereis; notæo toto e flavente olivaceo-viridi, scapo plumæ cujusque nigricante; collo, pectore et hypochondriis flavicante cinereo-viridibus; ventre canescente albo; alis inferioribus cinereis, basi plumarum singularum dimidia interius cana; infracaudalibus flavido-viridibus; cauda subtus virente flava; rostro plumbeo, iride et pedibus fuscis. — ♀ sordide cinereo-viridis necnon fronte pileoque con-coloribus.

## Der weißkehlige Girlitz [Fringilla Selbyi].

Die tiefdunkle Mitternacht ist wol der einzige Zeitpunkt, in welchem völlige Stille in der Vogelstube herrscht. Bis zum späten Abend zankten sich die klein= sten und unruhigsten der Bewohner wispernd und scheltend um die besten Schlaf= plätze, dann hörte man in der Finsterniß geraume Frist das Zirpen und Krächzen der von treuer Elternsorge noch immer gefütterten Jungen; mit dem Morgen=

grauen aber, im Sommer also schon in der dritten oder vierten Stunde, beginnen bereits die ersten Laute sich wieder zu regen. In der kurzen Frist, welche
unbedingte Ruhe bringt — erhebt sich dann plötzlich eine Stimme, die an Harmonie und wechselvoller Melodie uns beinahe wunderbar schön erklingt. In
vollen Tönen schallt der Gesang durch den Raum, so kräftig, daß wir ihn noch
weithin außerhalb des Gemachs vernehmen, während er uns doch auch innerhalb
desselben keineswegs gellend oder sonstwie unangenehm dünkt. Wollten wir den
Sänger, der unsre Bewunderung erregt, am nächsten Morgen in der Vogelstube
suchen, so würden wir uns vergeblich nach ihm umsehen — wenn wir nämlich
voraussetzen, daß er neben seinem herrlichen Liede ein buntes, farbenreiches Federkleid oder wenigstens wie der Graugirlitz eine anmuthige und zierliche Gestalt habe.

Es ist der graue weißkehlige Girlitz, der größte unter seinen Verwandten,
der als ein anspruchslos gefärbter und zugleich dicker, ungeschlachter Vogel erscheint. Am ganzen Körper einfarbig düster aschgrau, ist er oberhalb dunkler,
unterhalb etwas heller, an der Kehle grauweiß und auf dem Bürzel grünlichgrau.

Für die Liebhaberei hat er leider keine Bedeutung erlangt, da er bis jetzt
erst ein einziges mal lebend eingeführt sein dürfte. Im Jahre 1868 fand ich
bei Herrn Karl Hagenbeck in Hamburg ein Pärchen, welches ich erwarb und
dessen Männchen mich lange Zeit hindurch, namentlich an den Winterabenden in
völliger Dunkelheit der Vogelstube, mit seinem wundervollen Gesange erfreute.
Sie begannen dann auch zu nisten und erbauten in einem an einer Seite offnen
Harzer Bauerchen aus Wurzeln und Fasern ein großes, nicht besonders künstliches Nest mit einer flachen aus feinen Kokusfasern und Pferdeharen gebildeten
und sauber geglätteten Mulde. Zu einer erfolgreichen Brut gelangten sie aber
nicht. Als ich später eine Reise antreten mußte, welche meine längere Abwesenheit von Berlin nothwendig machte, erhielt die beiden Vögel von mir Herr
Graf Rödern in Breslau, aus dessen Vogelstube sie dann, wiederum nach geraumer Frist, in das Berliner Aquarium gelangten, wo sie aber bald zugrunde
gegangen sind.

Die Heimat des Vogels erstreckt sich weit über Südafrika. Die Forscher
Jardine und Selby hielten ihn fälschlich für das junge Männchen einer andern
Art und zwar des weiterhin beschriebnen schwefelgelben Girlitz. Ueber sein Frei-
leben ist nichts bekannt. Hoffentlich wird er demnächst, sobald Afrika sich der
Forschung, sowie dem Handel und Verkehr mehr öffnet, zahlreich eingeführt, da
er in seiner Heimat nicht selten sein dürfte.

Der weißkehlige Girlitz oder graue weißkehlige Girlitz ist auch Riesengirlitz und
Weißkehle (Br.) benannt.
Le Serin à gorge blanche; White-throated Siskin or White-throated seed-eater;
Groote grijze zanger of Chanteur d'Afrique.

Nomenclatur: Buserinus Selbyi, *Smth.*; Loxia cinerea, *Vll.*; Loxia albigularis, *Smth.*, *Jard.* et *Slb.*, *Fnsch.* et *Hrtl.*; Crithagra cinerea et Selbyi, *Swns.*; [Crithagra sulfurata, *Gr.*].

Wiſſenſchaftliche Beſchreibung: Oberhalb dunkel bräunlichgrau, jede Feder mit ſchwärzlichem Schaftſtrich; Kopf wenig heller grau mit ſchwärzlichem Zügelſtreif, fahlweißem ſchmalen Augenſtreif und weißlichem undeutlichen Backenſtreif; Flügel und Schwanz dunkel= braun, jede Feder mit ſchmalem fahlen Außenſaum; Bürzel und obere Schwanzdecken rein hellgelb; Kehle reinweiß; Oberbruſt und Seiten fahl bräunlichgrau; Unterbruſt, Bauch und Unterſchwanzdecken reinweiß; untere Flügelſeite fahl braungrau. Schnabel hornfarben, der Unterſchnabel etwas heller; Auge dunkelbraun; Füße braungrau. Das Weibchen gleicht dem Männchen völlig, hat aber keinen gelben, ſondern einen düſtergrauweißen Bürzel.

Fringilla Selbyi: supra obscure fumida, nigricante striolata; capite parum dilutiore; loris subnigris; stria ophthalmica angusta, sordide albida; altera zygomatica elute albicante; pluma quaque alarum caudæque fuscarum exterius anguste luride limbata; uropygio et supracaudalibus pure flavis; gula albissima; ju-gulo et hypochondriis livide fumidis; pectore et infracaudalibus albissimis; latere alarum inferiore luride umbrino-cinereo; rostro corneo, mandibula dilutiore; iride fusca; pedibus fumigatis. — ♀ mari æqualis, uropygio autem haud flavo, sed sordide cano.

### Der buttergelbe Girlitz oder Hartlaubszeiſig [Fringilla butyracea, *var.* Hartlaubi].

(Tafel XI, Vogel 54).

Schon von weitem hören wir einen hellen, melodiſchen Schlag. Mehrmals wiederholt, dünkt es uns faſt, als erſchalle er doppelt, d. h. als werbe dieſelbe Strofe, aber ſchwächer und kürzer, ſtets zu gleicher Zeit oder unmittelbar hinter= her noch einmal hervorgebracht. Sobald wir aufmerkſam lauſchen, nehmen wir wahr, daß das Weibchen den ſchmetternden Ruf des Männchens jedesmal be= antwortet. Noch mehr wundern wir uns jedoch darüber, daß die beiden Vögel — augenſcheinlich ein richtiges Pärchen — einander in der hitzigſten Weiſe be= fehden. Von früh Morgens bis ſpät Abends macht das Männchen fortwährend auf das Weibchen Jagd und läßt es den ganzen Tag hindurch auch nicht einen Augenblick in Ruhe.

Als ich beim Beginn der Züchtung dieſe Art noch nicht ausreichend kannte, mußte ich glauben, daß ich kein Paar, ſondern ein altes und ein junges Männ= chen vor mir habe, zumal die Farben des letztern faſt ebenſo lebhaft waren, als die des erſtern und ſein Geſang laut und kräftig ertönte. Schon war ich im Begriff, ſie zu trennen, als ich glücklicherweiſe die erſten Vorbereitungen zur Brut bemerkte. Bevor ich nun auf meine Beobachtungen näher eingehe, will ich den Vogel zunächſt ſchildern.

In der Größe und Geſtalt ähnelt er dem Graugirlitz, nur iſt er kräftiger und gedrungener. Oberkopf und Nacken ſind ſchön aſchgrau, ſchwarz geſtrichelt; Stirn, Backen und Kehle lebhaft gelb; der ganze Oberkörper iſt olivengrün= lichgelb mit ſchwärzlichen Flammen gezeichnet, die etwas dunkleren Flügeldecken haben schwärzlichbraune Ränder und gelbgrüne Streifen; die ganze untere Seite ist gelb.

Der in diesen Darstellungen oft genannte Forscher, Dr. Karl Bolle, hatte darauf aufmerksam gemacht, daß zwei augenscheinlich doch durchaus verschieden= artige Vögel mit ein und demselben wissenschaftlichen Namen belegt seien; er schied daher den grauköpfigen von dem grünköpfigen, indem er den ersten unter dem Namen Hartlaubszeisig (Crithagra Hartlaubi) beschrieb. Während der grünköpfige hierhergehörende Vogel noch wol niemals lebend in den Handel ge= kommen, wird der grauköpfige alljährlich in ganz bedeutender Anzahl als einer der sogenannten kleinen Senegalvögel über Marseille, Bordeaux, Antwerpen u. s. w. eingeführt. Bis vor kurzem hielt auch ich an dieser Meinung des Genannten fest, indem ich glaubte, daß der weiterhin geschilderte südafrikanische Girlitz (Fringilla flaviventris, *Gml.*), welcher zuweilen in unsere Sammlungen ge= langt und den ich gelbstirnigen Girlitz benannt hatte, der eigentliche buttergelbe Girlitz (Fringilla butyracea, *L.*) sei. Noch in der soeben bearbeiteten zweiten Auflage des „Handbuch für Vogelliebhaber" I. habe ich an diesem Irrthum fest= gehalten und erst die sorgsamste Vergleichung der gesammten Literatur und der Bälge in mehreren Museen haben mich zu der Einsicht geführt, daß die Herren Dr. Finsch und Dr. Hartlaub durchaus im Recht sind, wenn sie beide Vögel als eine Art zusammenwerfen. Dieselben sagen: „Nach der Untersuchung von mehr als zwanzig Exemplaren aus allen Theilen Afrikas überzeugten wir uns davon, daß eine spezifische Unterscheidung nicht möglich ist, da sich von der grau= zur olivengrünköpfigen Form deutliche Uebergänge nachweisen lassen."

Wenn wir diese Behauptung als feststehende Wahrheit annehmen, so ist die Verbreitung der Art eine ganz außerordentlich weitreichende. Sie erstreckt sich vom Senegal an der westafrikanischen Küste herab bis zum Vorgebirge der guten Hoffnung, weiter östlich hinauf bis Damara, Natal, Mozambik und über Habesch. Auf Madagaskar, Bourbon und Mauritius und angeblich auch auf St. Helena ist er eingebürgert und neuerdings auch durch Dr. G. A. Fischer auf Sansibar nachgewiesen. Trotzdem haben wir keine Nachrichten über sein Freileben. Heuglin erlegte nur ein einziges Exemplar auf einem Eisenholzbaume in Ostsenar im Monat Dezember. Im übrigen darf man wol annehmen, daß die Lebensweise von der nahverwandter Finken nicht verschieden sein wird.

Vieillot hat ihn in das große Bilderwerk zwar nicht aufgenommen, gibt aber anderweitig eine der besten Beschreibungen. Edwards, Brisson, Buffon und andere, ältere Schriftsteller sind in Irrthümern inbetreff seiner befangen; so nament= lich auch über das Vaterland, und letzter zählt ihn, wie bereits von Bolle an= gegeben, zu den Stammvätern des Kanarienvogels. In der Gefangenschaft ist er seit langer Zeit her bekannt. In dem Bolle'schen Verzeichniß ist er vorhanden und zwar dürfen wir mit Bestimmtheit annehmen, daß er ebenso zu den am frühesten von Westafrika eingeführten Senegalisten gehört hat, wie er noch jetzt eine ständige Erscheinung unter denselben bildet. Seitdem der letztgenannte Forscher der grau=köpfigen Rasse eine andre Benennung gegeben, führt sie auch die entsprechende deutsche Bezeichnung Hartlaubszeisig, und jenem hervorragenden Forscher zu Ehren glaubte ich ihr dieselbe belassen zu dürfen, zumal solche sich bereits überall bei den Liebhabern und in den Verzeichnissen der Händler eingebürgert hat. Man hat an ihrer Stelle wol den Namen Buttergimpel oder auch Goldgimpel (Br.) gesetzt, allein derselbe kann nur Irrthümer hervorrufen, da abgesehen von dem ein wenig gewölbten Schnabel doch sicherlich kein Liebhaber den Hartlaubs=zeisig einem Gimpel oder Dompfaff ähnlich finden wird.*)

Recht bemerkenswerthe Angaben hat kürzlich im „Journal für Ornithologie" Dr. Fischer über ihn gemacht: „Man findet ihn hier auf Sansibar überall in einer großen Anzahl von Negerhütten und auch in der Stadt sieht man ihn häufig vor den Häusern hängen. Er ist fast der einzige Vogel, der hier in Ge=fangenschaft gehalten wird, theils um seines Gesanges willen, theils weil er einen kleinen Handelsartikel für die Neger bildet, die ihn für 1 bis 2 Rupien an englische und amerikanische Kapitäne verkaufen. Andrerseits wird dieser immer muntre Girlitz von den Negern als Lockvogel beim Fangen kleiner Vögel ver=schiedener Arten benutzt. In der Freiheit habe ich noch keinen gesehen, wol aber weiß ich, daß die Neger aus dem Innern ihn vielfach zu Markte bringen, sodaß an seinem Vorkommen hier nicht gezweifelt werden darf. Die Neger erzählen, daß er vor dem Orkan des Jahres 1872 auch in der Nähe der Stadt vorhanden gewesen, nach demselben sich jedoch ins Innere der Insel zurückgezogen habe." In einer Nachschrift sagt der Reisende dann, daß er den buttergelben Girlitz dort auch freilebend gesehen habe.

Herr Dr. Bolle hat bereits im Jahre 1858 folgendes über das Gefangen=leben berichtet: „Für die Volière ist er eine äußerst wünschenswerthe Erwerbung. Seine zierliche Gestalt und seine wahrhaft anmuthige Färbung werden durch ein ruhiges und gewandtes, obwol nicht gerade zutrauliches Wesen noch mehr her=vorgehoben und gern vergißt man darüber das Fehlen eines eigentlichen Gesangs. Die Stimme des Vogels besteht in einem häufig ausgestoßenen leisen Zirpen. Selten hört man dazwischen einen kanarienvogelartigen, gedehnt flötenden Ton. Der Lockruf ist aus drei lauten und wohlklingenden absteigenden Noten, die schnell und unmittelbar auf einander folgen, zusammengesetzt. Mit diesem locken sich die Pärchen, wenn man sie trennt, unaufhörlich. Parweise gehalten,

---

*) Cabanis trennt zwar eine Gruppe als Feldgimpel (Crithagra, Swns.) von den Girlitzen (Serinus, Kch.), die Verwandtschaft ist indessen eine so nahe, daß ich glaube, hier die Scheidung unterlassen zu dürfen.

rücken die stets sauberen und schmucken Vögelchen gern eng zusammen, ohne sich jedoch so innig wie die Astrilde an einander zu schmiegen, und dabei zeigen sie untereinander die größte Zärtlichkeit. Fortwährend schnäbeln und füttern sie sich aus dem Kropfe und zwar in den zierlichsten Stellungen, die in den Juli fallende Mauserzeit allein ausgenommen. Trotzdem äußern sie garkeine Neigung, sich in der Gefangenschaft fortzupflanzen oder ein Nest zu bauen, wie hoch auch die Sommerwärme steigen möge und wie weit auch der Raum sei, den man ihnen anweist. Wahrscheinlich fällt die Zeit dazu in Senegambien in eine von unserm Sommer ganz verschiedne Jahreszeit. Zu Santa Cruz de Teneriffa war ich Zeuge eines vergeblichen Versuchs, ein Weibchen mit einem Kanarienvogel zu paren. — Zur Nachtruhe ziehen diese Vögel die höchsten ihnen erreichbaren Stellen vor, schlafen auch oft wie die Zeisige seitwärts an das Gitter ihres Bauers angeklammert, sonst gern neben einander auf einer Stange sitzend. Auf die Erde kommen sie gewöhnlich nur herab, um zu fressen oder das Wasser aufzusuchen, in welchem letztern sie sich beim Baden sehr durchnässen. Eine bemerkenswerthe Empfindlichkeit gegen kühlere Luft habe ich nicht an ihnen wahrgenommen, obwol sie im Winter natürlich eines gut geheizten Zimmers bedürfen. Ihre Nahrung besteht in mehlreichen Sämereien, unter denen Hirse und Kanariensamen ihnen besonders zuzusagen scheinen; doch verschmähen sie auch ölhaltiges Gesäme, wie Mohn und Hanf, nicht und genießen neben frischen Ameiseneiern und einem beiläufigen Bissen in Milch geweichten Weißbrots auch gern zartes junges Grün: eine Neigung, in welcher sie, wie in ihren Sitten überhaupt, mit den meisten anderen Girlitzen zusammentreffen." Diese Angaben des aufmerksamen und liebevollen Beobachters kann ich nach jahrelangen Erfahrungen ergänzen und theilweise berichtigen.

Es ist ein überaus lustiges Liebeleben, welches ein Pärchen dieser Vögel führt. Ihr fortwährender Zank und Streit, der mich anfangs so sehr gegen sie eingenommen, ist vielmehr nur schelmische und muthwillige Neckerei, die mit den Ergüssen anmuthigster Zärtlichkeit wechselt. Sehr verschieden zeigt sich letztre allerdings von der aller Prachtfinken; nicht so innig wie diese, nicht so gleichsam ganz in einander aufgehend äußert sie sich, sie entfaltet sich vielmehr in jenem anmuthigen Schäkern und gipfelt in dem taubenähnlichen Schnäbeln, bei welchem das Männchen sein Weibchen aus dem Kropfe füttert, gleich hinterher aber auch wieder jagt und verfolgt. Dabei eben wird dann der wohlklingende Lockruf zum schmetternden Schlage, wechselnd mit lautem melodischen Flötenton.

Zur Anlage des Nestes wählen sie stets ein Harzer Bauerchen, ein offnes Nestkörbchen, eine Schale oder irgend eine ähnliche Gelegenheit; niemals bauen sie ganz frei im Gebüsch. Das Nest wird aus feinen Gräsern, Bast- und Papierstreifen, Baumwoll- und anderen Fäden, Pferdehaaren, wenigen Federn und Hede

geformt und das Lager der Eier aus zarten Gräsern und Würzelchen glatt und
sauber hergerichtet. Das Gelege besteht in der Regel aus vier Eiern, welche in
dreizehn Tagen erbrütet werden. Die Jungen sind mit weißlichem Flaum be=
deckt und fliegen etwa am zwanzigsten Tage aus. Nur das Weibchen allein
baut, vom Männchen nach Finkenart auf jedem Fluge beim Eintragen der Stoffe
geleitet, und brütet ebenso allein. Sobald der Nestbau beginnt, erstirbt der ant=
wortende Ton des Weibchens, während das Männchen seinen Schlag solange
hören läßt, bis es helfen muß, die aus den Eiern geschlüpften Jungen zu füttern.
Von dem Zeitpunkte an, da die Jungen das Nest verlassen, kümmert sich das
Weibchen nicht mehr um dieselben, dagegen werden sie vom Männchen auffallend
lange verpflegt; bei der einen Brut beobachtete ich, daß sie noch fünf Wochen
nach dem Ausfliegen, als sie längst vollkommen flügge waren, Nahrung erbettelten
und empfingen. Die Nistzeit pflegt im September anzufangen und gegen Neu=
jahr hin beendet zu sein; dann werden die Vögel ruhiger und still. Der Schlag,
sowie das Jagen, die sich bei jeder Brut wiederholten, haben nun ganz aufgehört,
und kaum kann man bemerken, daß einer der Gatten des Pärchens sich noch um
den andern bekümmert.

Obwol der Hartlaubszeisig immerhin eine angenehme Erscheinung ist, so
erfreut er sich, wenigstens bei uns in Deutschland, doch keineswegs besondrer
Beliebtheit; er ist eben nicht absonderlich farbenprächtig, macht zu wenig den
Eindruck eines Tropenbewohners, und Unkundige sehen ihn wol gar für einen
gewöhnlichen, einheimischen Vogel an. Wer aber nicht gerade auf blendende
Farbenschönheit zu großes Gewicht legt, sondern sich am schlichteren, doch immer=
hin lieblichen Gefieder genügen läßt und dabei vorzugsweise Anmuth und Munter=
keit werthschätzt, wird ihn wol liebgewinnen können. Erst bei näherer Kennt=
niß aber lernt man ihn vollends würdigen und zwar seiner leichten Züchtbarkeit
wegen, da er sowol freifliegend in der Vogelstube, als auch im Heckkäfige unge=
mein bald und sicher nistet. Zu beachten ist aber, daß man niemals zwei Pärchen
von derselben oder von den naheverwandten Arten, Graugirlitz u. a., beisammen
in der Vogelstube halten darf, weil sie einander heftig und anhaltend befehden.
Zugleich gehört er zu den keineswegs weichlichen, sondern gut ausdauernden Stuben=
vögeln. Gegen Kälte ist er nicht empfindlich und man darf ihn im schwach
oder auch im garnicht geheizten Raume ohne Bedenken überwintern.

Nachdem ich ihn im Laufe der Jahre mehrfach gezüchtet und die Ergebnisse
veröffentlicht hatte, bürgerte er sich allmälig in den Vogelstuben ein und gelangte
in zahlreichen Fällen zur erfolgreichen Brut. Bei einem eifrigen Liebhaber und
Züchter, Herrn Böttcher in Berlin und später in Dresden, zog ein Pärchen
mehrere Bruten im engen Prachtfinken=Heckkäfige, dessen Größenverhältnisse ich
S. 40 angegeben, glücklich auf. Herr Dr. Franken erzog Bastarde mit Kanarien

und Herr Regierungsrath v. Schlechtendal beobachtete eine Mischlingsbrut vom Männchen Hartlaubszeisig mit Weibchen Graugirlitz, welche allerdings leider verunglückte, indem das einzige Junge von den Alten aus dem Nest geworfen wurde. Man lauft das Pärchen, im Spätsommer frisch angekommen, für etwa 9 Mark und späterhin eingewöhnt für 12 Mark. Im Großhandel gehört er zu dem kleinen Gefieder, welches hundertparweise bunt durcheinander zu 3, 3½ bis 5 Frank verkauft wird, doch halten ihn die Großhändler meistens etwas höher im Werth. Hoffentlich wird über kurz oder lang auch die grünköpfige Rasse im Handel und in den Vogelstuben erscheinen.

Der buttergelbe Girlitz oder Hartlaubszeisig wird auch Mozambikzeisig, blos Mozambik, Mosambik und Mozambek genannt; früher hießen ihn die kleinen Berliner Händler Haublättchen; nach seinem lateinischen Namen hat man ihn noch buttergelben Fink und, wie bereits erwähnt, neuerdings Buttergimpel und Goldgimpel (Br.) genannt.

Le Serin de Mozambique; Mozámbique Siskin or Mozambique seed-eater (fälschlich Yellow-rumped seed-eater); Geele zanger of Chanteur de Mozambique (fälschlich St. Helena vink of Kaapsche Kanarie).

Nomenclatur: Fringilla butyracea, *L., Gml., Lth., Bchst.*; Fringilla ictera et Fringilla butyracea, *Vll.*; Crithagra chrysopyga, *Sws., Gr., Hrtl., Hgl., Nwt., Krk., Lrd., Sprl.*; Fringilla aurifrons et Serinus chrysopygus, *Hgl.*; Serinus ictera, *Bp.*; Crithagra Hartlaubii, *Bll.*; Fringilla flavifrons, *Pr. Wrtbg., Hgl.*; Crithagra mossambica, *Ptrs.*; Crithagra butyracea, *Fnsch.* et *Hrtl., Hgl., Br.* — Von den Negern auf Sansibar Tscheriko genannt *(Fschr.)*.

[Chloris indica, *Edw., Brss., Slgm.* — Yellow finch, *Lath.*; Serin de Mozambique, *Buff.*].

Wissenschaftliche Beschreibung: Stirn, breiter Augenbrauenstreif und Backen zitrongelb; Vorder- und Oberkopf nebst Schläfen und der hintern Ohrgegend und ein Zügelstreif durch das Auge olivengrau, die Federn mit undeutlichen dunklen Schaftstrichelchen und olivengrünlichen Seitensäumen, daher das Grau nicht ganz rein, sondern etwas grünlich verwaschen; das Gelb der Backen wird unterseits von einem graulichschwarzen Bartstreif begrenzt, der vom Mundwinkel bis unter die Backe läuft; Hinterkopf allmälig olivengrün wie die übrige Oberseite, die Federn mit verloschenen, schmalen, dunkeln Schaftstrichen; Schwingen braunschwarz, die der ersten Ordnung an der Außenfahne nicht ganz bis zur Spitze schmal olivengrüngelb gesäumt, von der vierten an mit gelblichweißem Spitzensaume, die Schwingen zweiter Ordnung breiter olivengrün gerandet, die Deckfedern schwarzbraun mit olivengrünem Endrande, wodurch zwei undeutliche Querbinden über den Flügel gebildet werden; Bürzel zitrongelb; Schwanzfedern braunschwarz, an der Außenfahne schmal olivengrüngelb gesäumt, an der Innenfahne weißlich, an den drei äußern Federn ein breiterer olivengelblich verwaschener Endrand; ganze Unterseite zitrongelb, die Seiten etwas olivengrünlich verwaschen, namentlich an der Brust; untere Flügeldecken weiß, gelblich gesäumt, daher gelblich verwaschen (Finsch und Hartlaub). Schnabel und Füße hell horngrau; Auge braun. (Diese Art ändert, wie erwähnt, außerordentlich ab. Nach denselben Autoren ist ein westafrikanisches Männchen [var. Hartlaubi, *Bll.*] am ganzen Oberkopf wie an der übrigen Oberseite schmutzig olivengrün, mit deutlicher hervortretenden dunkelen Schaftstrichen, nur die Ohrgegend ist graulich; das Gelb des Augenstreifs, der Backen und Unterseite ist bedeutend blasser; die Seiten sind deutlicher olivengrünlich verwaschen; das Kinn ist weißlich, der Bartstreif sehr schmal und wenig deutlich; Bürzel und obere Schwanzdecken sind gelb und sämmtliche Schwanzfedern haben einen olivenfahlweißen Endrand. Die Abbildung auf Tafel XI zeigt den Hartlaubszeisig, wie er regelmäßig im Vogelhandel erscheint und zwar von Westafrika aus eingeführt. Ihm fehlt regelmäßig der gelbe Stirnrand; das Grau an Stirn, Ober= und Hinterkopf, am breiten Zügelstreif und schmalen Bartstreif ist viel reiner, fast garnicht olivengrünlich angehaucht, sondern nur zart schwärzlich gestrichelt, Hinter= kopf und Nacken aber sind reingrau; auch habe ich den gelblichen oder weißlichen Endrand der Schwanzfedern niemals finden können). Das Weibchen gleicht nach Fnsch. und Hrtl. dem zuerst beschriebnen Männchen; der Oberkopf und die übrige Oberseite sind mehr olivengraulich= grün mit deutlichen dunkeln Schaftstrichen; es hat ein breiteres weißes Schwanzende. Die im Handel mit kommenden Weibchen unterscheiden sich von den Männchen anfangs daburch, daß ihr Gelb viel matter fahlgraulich, während der Kopf fahlgrünlichgrau mit weißlichgelbem Augenbrauenstreif und Backen ist. Völlig ausgefärbt aber gleichen sie den Männchen fast vollständig, allenfalls ist das Gelb kaum bemerkbar heller, weißlich.

Jugendkleid: Oberkopf und Backen grünlichbraungrau; Stirn und Augenstreif weißlich= gelbgrau, zart schwärzlich gestrichelt, Bartstreif zart dunkel angedeutet; ganze Oberseite bräun= licholivengrün; Schwingen und Flügeldecken dunkler braun, jede Feder zart gelb gesäumt, Bürzel beim jungen Männchen schon lebhaft gelb, beim Weibchen fahlgrünlichgrau; Schwanz fast einfarbig schwärzlichbraun, unterhalb heller graubraun; Oberkehle weißlichgelb; ganze Unterseite beim Männchen schon lebhaft gelb, beim Weibchen blaßgelb, bei beiden in der Regel aber nicht immer mit zarten, bräunlichen oder grünlichgrauen Strichelchen oder Flecken an der Oberbrust. Schnabel und Füße hornweiß mit deutlichem bläulichen Ton, ersterer mit lebhaft gelber Wachshaut; Auge schwarz.

Fringilla butyracea: fronte, stria superciliari lata genisque citrinis; sincipite, vertice, temporibus, loris, stria oculari, regioneque parotica olivaceo-cinereis; scapis plumarum singularum obscurioribus, limbis verum elute viren- tibus; stria mystacali ab oris angulo ad genam usque nigricante; occipite ut notæo reliquo olivaceo-viridibus elute obscurius striolatis; remigibus fusco-nigris; pogonio primorum 4 anteriorum exteriore usque fere ad apicem olivaceo-virente limbato, apice primorum reliquorum flavente albo-limbato; secundariis latius olivaceo-viride margi- natis; marginibus tectricum fusco-nigrarum limitaribus ex olivaceo viridibus, fascias duas alarum elutas fingentibus transversas; uropygio citrino; rectricibus fusco- nigris, exterius anguste olivaceo-virente, interius albido-limbatis; margine terminali rectricum ternarum exteriorum latiore, elute flavido-albo; lateribus gastræi; totius citrini, imprimis pectoris olivaceo-virente imbutis; tectricibus al. inferioribus albis, flavente limbatis; rostro pedibusque dilute canis; iride fusca. — ♀ mari simillima nonnisi pileo notæoque reliquo magis olivaceo-canis, distinctius obscure striolatis, caudæque apice latius albo.

Länge ca. 10,5 cm.; Flügel 6,1 cm.; Schwanz 3,9 cm.

Juvenis: pileo genisque luride virescente cinereis; fronte striaque oculari livide canis, subnigro-striolatis; stria mystacali vix conspicua; notæo luride olivaceo-viridi; remigibus alarumque tectricibus obscurius fuscis, flavente limbatis; uropygio ♂ jam læte flavo, ♀ subflavido; jugulo sexus utriusque subfusco-, vel luride virente striolato vel maculato; rostro pedibusque albido-plumbeis, cera rostri flavissima; iride nigra.

Beschreibung des Eies: (Die zuerst in der Vogelstube gelegten Eier waren stets reinweiß, wahrscheinlich weil es den Vögeln an einem Farbstoff im Futter mangelte). Grund= farbe gelblichweiß mit fahlgelben Flecken, besonders am stumpfen Ende; zuweilen auch ohne Fleckenzeichnung. Gestalt mehr rund als eiförmig. Länge 15—16 mm.; Breite 12 mm.

Ovum: flavente album maculis apicis præsertim obtusi lividis, interdum immacu- latum; forma sat rotunda.

## Der gelbstirnige Girlitz [Fringilla flaviventris].

### Tafel XI. Vogel 55.

Den nächsten Verwandten des Hartlaubszeisigs, der von vielen Autoren mit demselben verwechselt wird, lassen doch die beträchtlichere Größe, der breite und lange gelbe Streif über der Stirn und dem Auge hinweg bis zum Hinter= kopf und dann die olivengrüne Färbung an Wangen und Bürzel sicher unter= scheiden. Aber auch im Wesen zeigt er sich abweichend; er ist ungleich ruhiger und wird nur in der Nistzeit etwas, jedoch auch nicht bedeutend lebhaft. Zugleich gehört er zu den besten Sängern unter diesen Finken.

Obwol er nicht häufig und gewöhnlich nur einzeln oder parweise im Handel erscheint, so ist er doch den Liebhabern bereits seit langer Zeit her wohlbekannt. In dem Bolle'schen Verzeichniß wird er als ein ‚falscher‘ wilder Kanarienvogel aufgeführt; und wenn auch der lateinische Name fälschlich [Serinus butyraceus, *L.*] lautet, so spricht doch die Heimatsangabe, Vorgebirge der guten Hoffnung, dafür, daß diese Art gemeint ist. Herr Dr. Bolle bestätigte mir dies sodann mündlich. Auch er hat ihn im Laufe der Jahre mehrmals besessen und zählt ihn zu seinen Lieblingen.

Zu verschiedenen Zeiten erhielt ich ihn in einem oder wenigen Köpfen von Hagenbeck oder Jamrach und in neuester Zeit von Reiche in Alfeld. Sobald die Nistzeit naht, beginnt das Männchen sein Weibchen, um welches es sich bis dahin garnicht gekümmert hat, aus dem Kropfe zu füttern und folgt ihm in Finkenweise während des Nestbaus auf Schritt und Tritt, ohne jedoch selber an demselben theilzunehmen. Das Nest wurde jedesmal im dichten Gebüsch nicht hoch über der Erde erbaut und bildete eine große offne Mulde, außen von feinen Reisern, innen aus Fasern, Würzelchen, Wolle geformt und mit Pferdeharen zierlich ausgerundet. Das Gelege besteht in vier bis fünf Eiern und die ganze Entwicklung gleicht völlig der des vorhin geschilderten buttergelben Girlitz oder Hartlaubszeisig.

Obgleich ich ihn nur freifliegend in der Vogelstube gezogen und mir keine weiteren Zuchtergebnisse in der Gefangenschaft bekannt sind, so bin ich doch davon überzeugt, daß er auch gleicherweise im Käfige gut nistet und überhaupt einer der besten Heckvögel in der Gefangenschaft ist. Freilich muß man es vermeiden, die nächsten Verwandten neben ihm in der Vogelstube zu halten, denn selbst die viel kleineren, wie Graugirlitz und Hartlaubszeisig, befehden und verfolgen ihn so, daß er nicht zur Brut kommt. Da er aber als Sänger doch viel werth= voller als der letztgenannte ist, so entfernt man denselben sicherlich gern, sobald man in den Besitz eines Pärchens dieser Südafrikaner gelangt. Uebrigens ist er friedlich mit allen anderen kleineren Vögeln und viel mehr harmlos, als die

meisten anderen Finken. Auch zeigt er sich, sobald er eingewöhnt ist, recht aus=
dauernd, nur kann er Kälte nicht gut ertragen.

Die Heimat erstreckt sich über Südafrika und namentlich ist er im Kap=
lande häufig, sodaß er zu den gemeinsten Vögeln gehört und nach den Mit=
theilungen des Herrn Georg Altona vielfach zu Markte gebracht und dort im
Käfige gehalten wird. Sein Freileben gleicht dem verwandter Finken; zur Nist=
zeit parweise und nach derselben in mehr oder minder großen Schwärmen ver=
einigt, welche umherstreichen und zuweilen in den Getreidefeldern erheblichen
Schaden verursachen. Das Nest steht immer niedrig über'm Boden in einem
dichten Busch; es gleicht dem unsres Goldammers, nur ist es kleiner; in der
Regel enthält es vier bis fünf Eier. Diese Angaben stimmen mit denen des
Naturforschers Layard überein. Auf der Insel St. Helena ist er verwildert
und von da aus gelangt er hauptsächlich in den Handel.

Es bleibt zu bedauern, daß der angenehme Stubenvogel nicht häufiger
bei uns eingeführt wird und daher nur spärlich in unseren Vogelstuben und
Käfigen zu finden ist. Der Preis ist verhältnißmäßig gering, 15, 18 bis 30 Mark
für das Pärchen.

Der gelbstirnige Girlitz erhielt diesen Namen von mir, weil es bereits einen andern
gelbbäuchigen Girlitz giebt, den ich weiterhin schildern werde. (In der zweiten Ausgabe des
„Handbuch für Vogelliebhaber" l. ist er als südafrikanischer Girlitz aufgeführt). Jamrach
nennt ihn Helena=Kanarienvogel und Reiche Berg=Kanarienvogel. Im Handel hat er sich
überall als gelbstirniger Girlitz eingebürgert; im übrigen hat man ihn auch Goldbauch (Br.)
geheißen.

Le Serin à front jaune; Yellow-fronted Siskin or St. Helena seed-eater; St. Helena
vink of Kaapsche Kanarie.

Nomenclatur: Loxia flaviventris, Gml.; .Crithagra flava, Sws.; Crithagra
flaviventris et flava, Gr.; Crithagra flaviventris, Cb.

Wissenschaftliche Beschreibung: Ein breiter Stirnrand, welcher sich beiderseits über
den Augen nach den Kopfseiten zieht, hochzitrongelb; Oberkopf, sehr breiter Backenstreif vom
Schnabel durchs Auge bis zum Nacken und ein schmaler Bartstreif vom Unterschnabel um die
gelbe Unterbacke ebenfalls bis zum Nacken olivengelblichgraugrün, fein schwärzlich schaftstreifig;
ganz ebenso der Rücken; Schwingen bräunlichschwarz, an der Grundhälfte schmal gelblichgrün,
an der Spitzenhälfte fahlgrau gesäumt, große und kleine Flügeldecken ebenfalls schwarzbraun,
breit fahl gesäumt, wodurch zwei Querbinden über den Flügeln gebildet werden; Schwanzfedern
grauschwarz mit schmalen grüngelben Außensäumen; ganze Unterseite hochzitrongelb; untere
Flügel= und Schwanzseite schwärzlichgrau. Schnabel dunkelhorngrau, Unterschnabel heller, blei=
farben; Auge dunkelbraun; Füße dunkelbräunlich hornfarben. Weibchen einfarbig dunkel=
grünlichgrau, unterseits etwas heller graugrün, Flügel= und Schwanzfedern bräunlichschwarzgrün.
Kanarienvogelgröße. — Das Jugendkleid gleicht, soviel ich mich erinnere, fast völlig dem
des alten Weibchens, doch hatte ich es leider versäumt, genaue Aufzeichnungen zu machen.

Fringilla flaviventris: margine frontali lata, utrinsecus supra oculos ad
capitis latera extensa, læte citrina; pileo, stria zygomatica amplissima a rostro
per oculum usque ad cervicem, altera mystacali a mandibula circa genam inferiorem
flavam itidem ad cervicem usque livide virentibus subnigro-striolatis; dorso omnino
concolore; pogonio remigum fuscato-nigrorum exteriore anguste flavido-viride, interiore

livide cano-limbato; limbis tectricum al. majorum minorumque nigro-fuscarum latis, lividis, fascias alarum transversas fingentibus duas; rectricibus cineraceo-nigris, exterius anguste virente flavo-limbatis; gastræo toto læte citrino; latere alarum caudæque inferiore nigricante cinereo; rostro obscure corneo; mandibula dilutius plumbea; iride fusca; pedibus e fusco corneis. — ♀ unicolor obscure virente cinerea, subtus subcano-viridis; alis caudaque luride nigro-viridibus.

Juvenis: cum femella adulta fere conveniens.

Beſchreibung des Eies: Grünlichweiß, am ſtumpfen Ende zart roth und braun ring= förmig gefleckt. (Sie ändern aber ab, denn in dem erſten Gelege in der Vogelſtube waren ſie weißlichblaugrün, am ſpitzen Ende ſparſam, am dicken Ende reichlich mit dunkelbraunen Punkten und hellbraunen Flecken und Strichelchen gezeichnet). Länge 18$^{mm\cdot}$; Breite 14$^{mm\cdot}$

Ovum: virente albidum maculis subrubidis fuscisque circa apicem obtusum fingentibus annulum.

## Der ſchwefelgelbe Girlitz [Fringilla sulfurata].

Als ein Ebenbild des gelbſtirnigen Girlitz, aber bedeutend größer und kräftiger, faſt einem Gimpel gleich, würde auch dieſe Art eine willkommene Er= werbung für die Vogelſtube ſein. Meines Wiſſens iſt ſie jedoch bis jetzt erſt ein einziges mal lebend eingeführt worden. Ich erhielt zwei Männchen und ein Weibchen von Herrn Chs. Jamrach in London, die noch gerade glücklich in Berlin ankamen, um dann in den nächſten Tagen doch den Reiſeanſtrengungen zu erliegen.

Die Heimat erſtreckt ſich über die Kapländer und in Natal gehört er keines= wegs zu den Seltenheiten. Livingſtone ſammelte ihn auch im Oſten und zwar am Sambeſi. Nach Ayres und Layard lebt er in kleinen Flügen und ernährt ſich von allerlei Sämereien. Das Neſt findet man in der Regel im niedrigen Gebüſch, oft nur wenige Zoll über der Erde; es iſt ſehr feſt gebaut, eine offne Mulde und wird alſo mit dem des vorigen übereinſtimmen. Das Gelege bilden gewöhnlich vier Eier. Verreaux ſagt, daß der Geſang angenehm ſei. Ein Preis läßt ſich natürlich nicht feſtſtellen; hoffentlich iſt der Vogel aber gleich anderen Südafrikanern demnächſt mehr im Handel zu erwarten.

Der ſchwefelgelbe Girlitz iſt auch ſonderbarerweiſe Goldkehle (Br.) benannt. Le Serin sulfureux; Sulphureous Siskin or Sulphureous seed-eater; Groote St. Helena vink.

Nomenclatur: Loxia sulphurata, L., Gml., Lth., Bchst.; Coccothraustes sulphuratus, Vll.; C. cap. bon. spei, Brss.; Crithagra sulphurata, Sws., Jard. et Slb., Gr., Grn., Grll., Lrd.; Buserinus sulphuratus, Bp.; Crithagra sulfurata, Fnsch. et Hrtl. — Brimstone Grosbeak, Lath.

Wiſſenſchaftliche Beſchreibung: Oberhalb olivengrünlichgelb, jede Feder mit bräun= lichem Schaftſtreif; Zügel=, Kopf= und Halsſeiten und Rücken olivengrün; Augenbrauenſtreif bis zum Schlaf, Backenſtreif und Kehle zitrongelb; Flügel braunſchwarz mit zwei gelblich= olivengrünen Binden; Bürzel und obere Schwanzdecken lebhaft grüngelb; Schwanzfedern braun= ſchwarz, ſchmal olivengrünlich geſäumt; Oberbruſt und Seiten olivengrünlichgelb, übrige Unter= ſeite zitrongelb; Schnabel hellhornbraun, Unterſchnabel noch heller gelblichweiß; Auge dunkel= braun; Füße bräunlichgrau. (Die Angabe Verreaux', daß beide Geſchlechter gleichgefärbt seien, dürfte auf einem Irrthum beruhen, denn das Weibchen, welches ich erhalten, war oberhalb düster bräunlichgrün, unterhalb fahlgelblichgrün; Zügelstreif und Kopfseiten nur fahlgrünlich= grau. Der Vogel war leider so zerlumpt und schmutzig, daß ich ihn nicht näher beschreiben konnte, doch habe ich mit Sicherheit sein Geschlecht festgestellt.

Fringilla sulfurata: supra ex olivaceo virens, subfusco striolata; loris, capitis collique lateribus dorsoque olivaceo-viridibus; stria superciliari usque ad tempora, altera zygomatica gulaque citrinis; fasciis duabus alarum nigro-fuscarum ex olivaceo virescentibus; uropygio, supracaudalibus læte viride flavis; rectricibus fusco-nigris, anguste olivaceo-viride limbatis; pectore et hypochondriis subviride olivaceis; gastræo reliquo citrino; rostro dilute fuscato-corneo; mandibula flavido-alba; iride fusca; pedibus fumidis. — ♀ supra sordide fuscato-viridis, subtus luride virescens; stria lororum lateribusque capitis nonnisi virente cinereis.

Länge 15,7 cm.; Flügel 8 cm.; Schwanz 5,4 cm.

Beschreibung des Eies: Weißlich, grünlich scheinend, am stumpfen Ende mit einem Ringe von dunklen und hellen Purpurflecken besäet. (Layard).

Ovum: virente albidum maculis purpureis obscurioribus et dilutioribus circa apicem obtusum fingentibus annulum.

## Der Bartgirlitz [Fringilla barbata].

Dieser Girlitz wurde von Heuglin zahlreich in den Urwäldern und auf einzelnen Bäumen längs der Regenbetten westwärts vom Gazellenfluß bis zum Kosanga beobachtet: »Er lebt meist in Pärchen und Familien und scheint im März zu nisten, indem ich Ende April Junge sah, welche kaum flugfähig waren. Er ist dem buttergelben Girlitz sehr ähnlich, aber sein Scheitel ist gelbgrün, wie der Mantel und mit mehr oder weniger deutlichen schwärzlichen Schaftstrichen, ohne Beimischung von Grau; die Wangen sind gelb, aber die Ohrgegend ist deutlich gelbgrün und der Backenstreif sehr scharf begrenzt schwarz. Das Weib= chen ist blasser, oberher mehr ölivengelbgrünlich mit schmälerem gelben Stirnband, weißem Kinn und schwärzlicholivenfarbnem Augenbrauenstreif; unter dem Kinn und über den Kropf zieht sich eine aus schwärzlichen Flecken gebildete, theilweise doppelte Querbinde.« Finsch und Hartlaub bemerken dazu, daß Heuglin's bärtiger Girlitz mit der grünköpfigen Varietät des Hartlaubsgirlitz übereinstimmt, daß sie jedoch nicht wagen, ihn für unbedingt gleichartig zu erklären, weil die Ohrgegend wie der Oberkopf deutlich olivengrün gefärbt ist, während sie bei dem letztern stets einen graulichen Anflug zeigt. Der Bartgirlitz ist daher noch mehr als ein Miniaturbild des gelbstirnigen Girlitz (F. flaviventris) anzusehen. Bisher ist er erst einmal lebend hergebracht und zwar befindet sich ein Paar im Besitz des Herrn A. F. Wiener in London.

Der Bartgirlitz oder schwarzbärtige Zeisig (Heuglin). — Le Serin à moustaches; Bearded gold-finch. — Crithagra barbata, Serinus sp.; Serinus barbatus, Hgl.; Crithagra chrysopyga, Antn.; Crithagra sp. nova, de Flpp.

Es ist noch eine Anzahl hierher gehörender Finken zu verzeichnen, deren Erscheinen im Handel wir wol über kurz oder lang erwarten dürfen. Sie werden sich
wahrscheinlich in der Lebensweise und allen Eigenthümlichkeiten überhaupt von
den bis hierher geschilderten nicht wesentlich unterscheiden, und da einerseits nach-
weislich noch keiner von ihnen eingeführt ist, andrerseits aber manche als selbstständige Arten noch angezweifelt werden, so muß ich es bei ihrer kurzen Beschreibung, bzl. Herzählung bewenden lassen. Hoffentlich wird die Liebhaberei
dieselben nach und nach der Wissenschaft zur bestimmenden Vergleichung entgegen-
bringen, wie dies ja bereits in zahlreichen anderen Fällen geschehen ist.

**Der gelbrückige Girlitz** [Fringilla flavivertex] „ist eine dem graukehligen
Girlitz zunächst stehende Art; sie wurde von Blanford in Tigrié entdeckt. Leider
fehlt bis jetzt aller Nachweis über die Lebensweise und auch die genaue Angabe
der Oertlichkeit. Da mir der Vogel niemals vorgekommen ist, so muß ich
schließen, daß er in Abessinien entweder sehr selten oder nur auf gewisse Bezirke
des wärmern Ostens beschränkt ist." Heuglin. [Crithagra flavivertex, *Blnfrt., Hgl.*].

**Der grüngelbe Girlitz** [Fringilla chloropsis]. „Diese neuentdeckte Art schließt
sich zunächst dem gelbstirnigen Girlitz an, unterscheidet sich aber durch die mit
der Unterseite und der Stirn gleichgefärbten hochgelben Kopfseiten, ohne dunkle
Ohrgegend und Bartstreif." (Finsch und Hartlaub). Die Beschreibung ist
nach dem einzigen, ziemlich beschädigten Exemplar der Berliner Sammlung, welches
durch Baron v. d. Decken aus Ostafrika eingesandt worden und entweder von
Mombas oder Sansibar herstammt, gegeben. [Crithagra chloropsis, *Cb.*].

**Der schwarzhalfterige Girlitz** [Fringilla capistrata] unterscheidet sich von
allen Verwandten dadurch, daß der Stirnrand und die Gegend rings um den
Schnabel (also die ganze Halfter: Capistrum) schwarz und der erstere gelbgesäumt
ist. Nach den Aufzeichnungen der deutschen Expedition nach der Loangoküste
fehlt dem Weibchen das Schwarz an den Augen und um den Schnabel, sowie
die gelbe Säumung des Stirnbands; die Kopfseiten sind dunkelolivengrün. „Ein
Exemplar wurde von Dr. Wellwitsch im Distrikt Golungo Alto (etwa 560
bis 630 Mtr. hoch) in Angola erlegt und dürfte sich jetzt im Besitze des Museum
zu Lissabon befinden. Wir erhielten es unter den vom Genannten gesammelten
Vögeln, welche uns durch Vermittelung Sclater's zur Bestimmung zugingen."
(Finsch und Hartlaub). Die von Dr. Falkenstein mitgebrachten sind im
Berliner Museum. [Grithagra capistrata, *Fnsch.*].

**Der gestrichelte Girlitz** [Fringilla striolata]. Ein Mitglied dieser Vogelfamilie, welches wol niemals besondern Werth für die Liebhaberei gewinnen wird,
weil es unscheinbar olivengrünlichbraun, überall fein gestrichelt erscheint und nach

Heuglin's Mittheilungen nicht lebhaft sich zeigt und nur einen unbedeutenden, nicht kräftigen Gesang hören läßt: „Der Vogel bewohnt das östliche und zentrale Abessinien und ist keineswegs selten, von den Abfällen der Bogosländer bis in die Gallaländer; ich habe ihn zwischen 160 bis 3450 Meter über der Meeres=fläche angetroffen. Er wandert nicht, hält sich gern an buschigen Höhen, in Hecken und um verlassene Wohnungen, in niedrigem Gesträuch längs der Betten der Waldbäche, seltner auf Felsen und Tennen auf; gegen das Frühjahr hin versammeln sie sich zuweilen in kleinen Flügen." [Pyrrhula striolata, Rpp., Hgl., Lfbvr.; Serinus striolatus et Crithagra striolata, Hgl.].

**Der kurzschnäbelige Girlitz** [Fringilla brevirostris]. In der Zeitschrift „Der zoologische Garten" berichtet E. L. Landbeck über Singvögel Chile's und schildert in folgendem diesen dort vorkommenden Girlitz: „Er ist der Vertreter des deutschen Verwandten, sowol hinsichtlich der Gestalt und Färbung, als auch des Gesangs und der Lebensweise. Größe ungefähr des Zeisigs. Oberseite olivenbräunlich und schwarz gestreift, Unterseite zitrongelb, am schönsten an der Kehle, an den Seiten graulich und graugrünlich. Dies liebliche Vögelchen lebt so ziemlich in ganz Chile und ist ungemein zahlreich. Am liebsten bewohnt es getreidereiche Ebenen und Weingärten und ernährt sich von den Körnern des reifenden Getreides, aber auch von den öligen Samen vieler Unkräuter. In großen Scharen kann es in den Feldern bedeutenden Schaden verursachen, wie ich in Valdivia selbst genugsam erfahren habe. Wo aber der Getreidebau groß=artig betrieben wird, wie in den Zentralprovinzen Chile's, ist der Schaden un=bedeutend. Er ist Zugvogel, verläßt zeitig seine Brutplätze und erscheint erst spät wieder. Gewöhnlich wandert er in größeren Gesellschaften und wenn er im Frühjahr ankommt, belebt er eine ganze Gegend mit seinem pieperartigen Ge=sange. Er steigt singend in die Höhe, fliegt ebenso von einem Baumgipfel zum andern oder läßt sich langsam flatternd auf die Erde nieder. Im wesentlichen ist sein Gesang nur ein mehrfach modulirtes si, si, si und erinnert an den des deutschen Girlitz und die leisen Töne eines Kanarienvogels oder den des Wiesen=piepers; auch sein Lockton, den er beim Auffliegen hören läßt, erinnert an das scharfe hißt der Pieper. Sein ziemlich kunstvolles Nest findet man im Grase. Es enthält fünf bis sechs grünliche, vielfach braungefleckte Eier. Er ist nicht scheu, vielmehr zahm und zutraulich, gewöhnt sich leicht an die Gefangenschaft und singt auch im Käfige fleißig. Eine angenehme Musik entsteht, wenn bald nach ihrer Ankunft einige Hundert dieser Vögelchen zugleich singen. Es gibt auch gelbe Varietäten und es ist wahrscheinlich, daß er bei völliger Einbürgerung in ähnlicher Weise sich verändern würde, als der Kanarienvogel." Da dieser Girlitz inanbetracht seines häufigen Vorkommens demnächst wol bald auf dem Vogelmarkt zu erwarten ist, so habe ich die obige eingehende Beschreibung hier

angefügt; auch gibt dieselbe den Beweis, daß die Lebensweise aller dieser Ver=
wandten durchaus übereinstimmend ist. [Crithagra brevirostris, *Gld.*; Fringilla arvensis, *Kttl.*; Chirigue der Chilenen].

### Der schwarzköpfige Rothgirlitz [Fringilla alario].

Es erscheint verwunderlich, daß von den Finken, welche ziemlich artenreich
und in großen Schwärmen Südafrika bewohnen, ungeachtet des regen Verkehrs
der Kapstadt mit London, doch immer nur wenige, meistens einzelne Exemplare
eingeführt werden, während die dortigen Widafinken und Webervögel mindestens
zeitweise zahlreicher anlangen. So haben wir wiederum einen Vogel vor uns,
welcher sicherlich schon seit altersher lebend herübergekommen und der trotzdem bis
zur Gegenwart stets nur vereinzelt bei den Händlern auftauchte.

Buffon giebt von dem Bouvreuil du Cap de Bonne Espérance weiter
nichts als die Beschreibung und bei den übrigen alten Schriftstellern ist auch
nicht mehr zu finden. Reichenbach hat den Vogel schon gesehen und sagt, daß
er zuweilen lebend herübergebracht werde; Bolle dagegen führt ihn nicht mit
auf. Seit der Zeit des erstern dürfte er dann eben gänzlich gefehlt haben, denn
zuverlässige Nachrichten über sein Vorkommen im Handel und in der Liebhaberei
sind nicht bekannt.

Er ist an Kopf, Kehle und Oberbrust schwarz, an Oberkörper, Flügeldecken
und Schwanz braun und an der Unterseite reinweiß. Die Größe stimmt mit
der des Graugirlitz überein, doch ist er gedrungner, kräftiger und dickköpfiger.

In seiner Heimat, Südafrika, soll er weitverbreitet und namentlich im
Kaplande ziemlich häufig sein. Layard und nach ihm Altona geben an, daß
er dort familienweise in den niedrigen dornigen Gebüschen lebe, sich von Gräser=
sämereien ernähre und mit Prachtfinken, gewellten und grauen Astrilden gemein=
schaftlich in größeren Schwärmen sich umhertreibe. Der erstgenannte Forscher
bezeichnet seinen Gesang als anhaltend und süß und Beide versichern, daß er
dort vielfach gefangen und im Käfige gehalten werde.

Im Jahre 1873 erhielt Chs. Jamrach in London mit gelbbürzeligen
Graugirlitzen, Kapkanarien und schwefelgelben Girlitzen zusammen acht Köpfe
Rothgirlitze, und diese ganze Gesellschaft gelangte in meinen Besitz. Alle letztere
waren jedoch Männchen, dazu auch die meisten von ihnen krank, sodaß sie mir
wenig Freude brachten. Da Herr Dr. Franken die eingehendsten Beobachtungen
inbetreff ihrer gemacht, so verzeichne ich dieselben hier zunächst.

„Nachdem ich einen solchen ruhigen, eines beschaulichen Daseins sich er=
freuenden Vogel längere Zeit besessen, niemals aber einen Ton von ihm gehört
hatte, glaubte ich endlich, er sei ein Weibchen und die Angaben der Forscher

über ein andres Kleid desselben seien falsch. Dann aber vernahm ich einige
so sanfte, flötenartige Töne, daß ich erstaunt Umschau hielt, ob sich etwa ein
Hänfling ins Zimmer verflogen hätte, aber es war mein Maskenfink, und nun
begann derselbe einen fast unausgesetzten, d. h. das ganze Jahr hindurch anhal-
tenden, nicht sehr lauten, aber höchst melodischen Gesang, dessen Töne gleichsam
in einem ununterbrochnen Gusse und beinahe sich überstürzend hervorsprudelten.
Da ich ein Weibchen seiner Art nicht erlangen konnte, so gesellte ich ihm ein
Kanarienweibchen bei, um welches er sich jedoch garnicht bekümmerte. Drei Gelege waren unbefruchtet und erst in der vierten Brut befand sich ein taugliches
Ei, welches aber mit der Kralle oder sonstwie verletzt worden, sodaß das Junge
nicht auskam. In der nächsten Brut war von drei Eiern wiederum eins taug-
lich und aus diesem wurde ein stattliches Hähnchen aufgezogen; die noch folgende
sechste Brut war abermals erfolglos. Da der glücklich erzielte Mischling wol
einzig in seiner Art ist, so gebe ich die genaue Beschreibung des Jugendkleides:
Oberkopf, Schläfe und Nacken sind braun mit dunkelen, ins Graue gehenden
Längsstrichen; Zügel, Backen, obere Halsseite und Hinterhals sind heller braun
mit eben solchen Längsflecken; Mantel und Schultern sind beinahe schwarz, jede
Feder mit breiten rostrothen Außensäumen; Schwingen dunkelgrau; Schwanzfedern beinahe schwarz mit rostfarbenen Säumen (die mittelsten am kürzesten,
die zweite am längsten), untere Seite heller; obere Schwanzdecken und Bürzel
sind hell rostfarbig; die Unterseite von der Kehle ab bis zum hintern Unterleib
ebenfalls hell rostfarbig, beinahe weiß; die Unterschwanzdecken ganz hell rostfarben; die Unterflügeldecken rostfarbig ins Graue spielend; Schnabel hornfarben, Unterschnabel heller; Auge grau; Füße bräunlichhornfarben. Nach etwa
Dreivierteljahren hat sich der Vogel ausgefärbt. Das Grau ist schwarz geworden; am wesentlichsten hat sich der Mantel verändert, welcher jetzt rostbraun
gefärbt ist mit schwärzlichen Längsflecken; auch hat der Vogel ein schwärzliches
Band über die Brust bekommen, welches dem des alten Männchens gleicht. Im
Gesange war er dem letztern sehr ähnlich, nur im Tone stärker. Als ich aber
einen Kanarienwildling erhielt, der den Schlag des gemeinen angenommen, hatte
er den letztern ebenfalls sogleich gelernt und läßt ihn seitdem unermüdlich erschallen, abwechselnd mit einem kurzen, rätschenden Schlag, den er, wer weiß wem
meiner vielen Vögel abgelauscht oder selber erfunden hat und nun wol zwanzig-,
dreißigmal wiederholt. Als Sänger ist er ganz verdorben."

Neuerdings haben auch Fräulein Hagenbeck und C. Gudera den Rothgirlitz
eingeführt, immer jedoch nur einzeln und das Weibchen ist bisher meines Wissens
erst zweimal vorhanden gewesen und stets bald gestorben. Nach der Eingewöhnung zeigt sich der Vogel jedoch durchaus nicht weichlich. Er ist gegen
Prachtfinken u. a. friedlich und harmlos, von den Verwandten aber, auch vom

Grangirliz, wird er zur Brutzeit befehdet und verfolgt. Preis 15 bis 24 Mark für ein Männchen oder für das Pärchen.

Der schwarzköpfige Rothgirliz, gewöhnlich Maskenfink genannt, heißt auch Alario, Bergkanarienvogel, Langflügler und Rost= oder Maskengimpel.

Le Pinson Alario; Alario-Finch or Alario Sparrow. (Brzn. b. zool. Grt. v. London).

Nomenclatur: Fringilla Alario, L., Gml., Lth.; Fringilla personata, Lchtst.; Crithagra bistrigata et ruficauda, Sws.; Alario personatus, Rchb.; Crithologus Alario, Cb., Br.; Spermophila Daubentoni, Gr. [Passerculus cap. bon. sp., Brss.; Bouvreuil du Cap de Bonne Espérence, Buff.; Cape-Sparrow, Albin; Orange-Grosbeak, Lath.].

Wissenschaftliche Beschreibung: Kopf, Kehle und Oberbrust schwarz; Oberkörper nebst Flügeldecken und Schwanz braun; Schwingen schwarzbraun mit schmalen, fahlen Spitzen= säumen; Hals= und Brustseiten weiß, der ganze übrige Unterkörper bräunlichweiß. Auge schwarz; Schnabel horngrau; Füße wenig dunkler horngrau. Weibchen: oberhalb fahlgrau, sehr fein dunkel gestreift; Flügel bräunlichgrau mit zwei gelbbraunen Binden; Bürzel bräunlichgrau; Schwanz braun, schwarz gesäumt; ganzer Unterkörper fahl hellgelb. Auge, Schnabel und Füße wie beim Männchen.

Fringilla alario*): capite, gula pectoreque nigris; notæo cum alarum tectricibus caudaque fusco; apicibus remigum nigrofuscorum anguste luride limbatis; lateribus colli pectorisque albis; gastræo reliquo subfusco-albo; iride nigra; rostro corneo; pedibus obscure corneo. — ♀ supra luride cinerea, subtilissime obscure striolata; fasciis duabus alarum subfusco-cinerescentium fulvis; uropygio e fusco cinereo; cauda fusca, nigro-limbata; gastræo toto luride griseo; iride, rostro pedibusque utut ♂.

Länge 11,5 cm.; Flügel 6,9 cm.; Schwanz 4,3 cm.

## Der Totta=Girliz [Fringilla totta].

Zu den Vögeln, welche die in letzter Zeit überaus lebendig erwachte Lieb= haberei und bezüglich der in gleichem Maße sich entwickelnde Handel uns zuge= führt haben, gehört auch dieser Girliz. Herr W. Mieth in Berlin ließ sich zur „Aegintha"=Ausstellung des Jahres 1876 von Chs. Jamrach aus London einige neu und selten eingeführte Vögel schicken. Unter denselben waren natürlich wie immer die unvermeidlichen ‚wilden Kanarienvögel' und zwar diesmal in zwei Arten: ein Paar graukehlige Girlize und ein solches von einer bisher wol noch niemals lebend in den Handel gelangten Art. Von der letztern starb leider das Weibchen und das Männchen wurde als Totta=Girliz festgestellt. Es erhielt auf der erwähnten Ausstellung einen ersten Preis. Von den bisher beschriebenen Girlizen unterscheidet sich dieser sogleich dadurch, daß er an der ganzen oberen Seite bemerkbar braun erscheint, während er im übrigen den grüngefärbten unter ihnen sehr ähnlich ist; auch dürfte dies in hinsicht der Lebensweise durchaus der Fall sein. Seine Heimat ist Südafrika, und besonders soll er im Kaplande häufig vorkommen. Ueber sein Freileben ist garnichts bekannt, und Layard sagt von

---

*) Von alarius = Flügelmann gebildet. Sollte das Wort, von Linné Syst. nat. Nr. IX eingeführt, überhaupt nicht ein Druckfehler sein? statt —ia in —io verdorben?

ihm nur, ebenso wie bei fast allen anderen verwandten Finken, welche dort heimisch sind, daß man Mischlinge von ihnen mit Kanarienweibchen ziehe. Hoffen wir, daß er demnächst zahlreicher zu uns gelange.

Der Totta=Girlitz ist auch kurzweg Totta benannt. — Le Serin Totta; Totta-Siskin; Pietje Kanarie (holländische Ansiedler).

Nomenclatur: Loxia totta, *Gml.*; Fringilla totta, *Sprm.*

Wissenschaftliche Beschreibung: Oberkopf olivengrünlich fahlbraun; Kopf= und Halsseiten olivengrünlichbraun; Rücken und übrige Oberseite schwach dunkelgrünlichbraun; Schwingen schwarzbraun, fein weiß gesäumt und gespitzt, innen breit weiß gerandet; obere Schwanzdecken hellgrünlichgelb; Schwanzfedern schwarzbraun, die beiden mittleren reinweiß, die anderen an der Innenfahne breit weiß gespitzt; von der Kehle bis zur Oberbrust fahl gelb= grünlichbraun, dunkelbraun gestrichelt; Brust und Bauch hell olivengrünlichgelb; Seiten, untere Flügel= und Schwanzdecken fahl bräunlichgrau. Schnabel dunkelbraun, Unterschnabel heller; Auge braun; Füße dunkelbraun. Weibchen oberhalb fahler graubraun und unterhalb düsterer graugrünlichgelb. Nahezu Kanarienvogelgröße.

Fringilla totta: pileo olivascente fusco; lateribus capitis collique magis virentibus dorso et notæo reliquo obscurius viride fuscis; remigibus nigro-fuscis, subtiliter albido-limbatis et terminatis, interius late albo-marginatis; supracauda- libus læte virente flavis; retricibus nigro-fuscis, mediis ambabus albissimis, pogonio reliquarum interno late albo-terminato; gula juguloque luride virente fuscis, obscure fusco-striolatis; pectore abdomineque læte olivaceo-virescentibus; hypochondriis, tectricibus al. inferioribus et infracaudalibus fuscato-cinereis; rostro fusco. — ♀ supra sordidius griseo-fusca; subtus e cinereo-virente flava.

*     *     *

Unter der deutschen Bezeichnung **Zeisige** reihe ich die Geschlechter Zeisig [Chrysomitris, *Boie*], Zitronfink [Citrinella, *Bp.*] und Grünfink [Ligurinus, *Kch.*] aneinander. In ihrem Freileben weichen sie wenig von den Girlitzen ab, übertreffen sie auch nicht in der Größe und dürfen ebenfalls als anmuthige Stubengenossen gelten. Sie sind in Europa, Asien und Amerika heimisch und namentlich der letztere Welttheil hat überaus viele hierher gehörende Arten aufzuweisen, die jedoch bis jetzt erst in geringer Anzahl der Liebhaberei zugänglich sind.

## Der schwarzköpfige Zeisig [Fringilla cucullata].

Unter den Erwerbungen, welche die Liebhaberei in der letztern Zeit gemacht, steht dies reizende Vögelchen hoch obenan, denn es zeichnet sich sowol durch Schön= heit, Anmuth und Liebenswürdigkeit, als auch durch lieblichen Gesang und leichtes Nisten in der Gefangenschaft vor allen seinen Verwandten rühmlich aus. Obwol erst seit wenigen Jahren und leider auch nur selten eingeführt, hat es doch bereits in der Vogelstube des Herrn Kreisgerichtsrath Heer in Striegau und dann auch in der meinigen genistet und seine Jungen glücklich aufgezogen. Es ist ein schöner Zeisig, nur von der Größe der Astrilde, mit schwarzem Kopf, dunkelrothem Mantel, breiter, rother und weißer Binde über dem schwarzen Flügel und feuer= rothem Unterkörper. Sein Weibchen ist schlicht aschgrau, röthlich überflogen und mit röthlich=weißer Binde auf dem Flügel. Vor einigen Jahren wurde er zuerst von Karl Hagenbeck unter der Bezeichnung ‚kleines westindisches Kardinälchen' in den Handel gebracht und seitdem erscheint er bei Chr. Hagenbeck, Jamrach, Vekemans u. A. immer einzeln oder parweise.

Herr Heer berichtet über die Züchtung in folgender Weise: „Das Weibchen hatte nur zwei Eier gelegt, aber beide ausgebrütet und beide waren schon glück= lich ausgeflogen, als das eine, bereits als Männchen zu erkennen, durch einen unglücklichen Zufall ums Leben kam. Das andre Junge, ein Weibchen, fliegt munter in der Vogelstube umher und ist fast ebenso groß und stark als die Alten. Die schwarzköpfigen Zeisige hatten ein Par Zebrafinken aus einem Nistkäfige ge= trieben, auf die in deren Nest befindlichen fünf Eier ein neues Nest gebaut und dann die beiden Jungen erbrütet. Ich fand dies, nachdem die Jungen ausge= flogen waren, bei Besichtigung des Nestes."

Das Pärchen lebt in gleicher Weise wie die Verwandten das ganze Jahr hindurch in einem erkennbaren ehelichen Verhältniß, sodaß die Gatten, sich an= scheinend zwar nicht viel um einander bekümmernd, doch immer in der Nähe beisammen weilen. Gegen die Niftzeit hin, in meiner Vogelstube im Juli, begann das Männchen größere Zärtlichkeit zu zeigen, indem es das Weibchen aus dem Kropfe fütterte und ihm immer unmittelbar folgte. Letztres trug dann in ein offnes Nistkästchen, welches tief in der Krone, die in der Mitte der Vogelstube angebracht ist, hing, Gräserrispen, Fäden und Halme zusammen und formte hauptsächlich aus Baum= wolle, Leinenfasern und Kuhhaaren eine runde, flache Mulde. Das Gelege bestand einmal in drei und das zweitemal in vier Eiern. In der ersten Brut brachten sie aber nur zwei Junge und in der zweiten nur ein solches auf. Diese Züchtungen dürften bis jetzt die einzigen sein, welche man erzielt hat, da der Vogel ja erst in wenigen Sammlungen vorhanden ist. Ein Pärchen, Männchen und Weibchen, der von mir gezüchteten schwarzköpfigen Zeisige im Jugendkleide befinden sich im zoologi= schen Museum in Berlin. Zu meiner großen Ueberraschung sah ich auf der Ausstellung des Hamburg=Altonaer Vereins für Geflügelzucht im Jahre 1877 einen Bastard vom Männchen des schwarzköpfigen Zeisigs und Kanarienvogelweibchen, welchen Herr G. A. H. Staude in Eimsbüttel zufällig gezüchtet hatte, indem in seiner Vogelstube ein Pärchen der erstern Art mit Kanarien zusammengehalten worden. Der überaus schöne Mischling, welcher mit dem ersten Preise ausgezeichnet wurde, liefert wiederum einen Beweis dafür, daß alle Finken dieser Gruppe zur Misch= lingszucht mit Kanarien sich geeignet zeigen, wie dies ja die Reisenden, so namentlich Layard, von den südafrikanischen Arten auch regelmäßig angeben.

Die Heimat des schwarzköpfigen Zeisigs ist das nordwestliche Südamerika; sie dürfte sich auf Neugranada, Venezuela und einige Inseln Westindiens be= schränken. Der Reisende Gundlach hat nachgewiesen, daß er auf Kuba nicht vorkommt, während dies andere Naturforscher früher behauptet. „Eine so auf= fallende schöne Vogelart", sagt er, „würde von den Einwohnern doch wol be=

merkt sein, während ich keine Angabe gefunden, daß sie beobachtet worden." Er er=
achtet daher die dort im Freien gesehenen für Exemplare, welche aus Käfigen entflogen
sind, da dieser Zeisig auf der Insel als Singvogel gehalten und zur Züchtung von
Kanarienbastarden benutzt wird. — Ueber das Freileben ist sonst nichts bekannt.

Zu den rühmenswerthen Eigenschaften dieses Bewohners unserer Käfige und
Vogelstuben gehört auch noch die, daß er harmlos und friedlich und obwol sehr
zart, dennoch nicht weichlich ist, sondern nach der Eingewöhnung vortrefflich aus=
dauernd sich zeigt; Kälte kann er freilich nicht ertragen. Der Gesang ist ange=
nehm, dem unsres Zeisigs ähnlich, doch beiweitem wechselreicher und melodischer
und ohne das sog. Krähen. Der Preis schwankt bedeutend und beträgt 36, 45
bis 75 Mark für das Pärchen. Auf der erwähnten Ausstellung in Hamburg
hatte Fräulein Hagenbeck zum erstenmal mehrere Pärchen beisammen.

Der schwarzköpfige Zeisig heißt bei Br. Kapuzenzeisig; bei den Händlern wird er
auch noch jetzt gewöhnlich westindisches oder kleines rothes Karbinälchen genannt.

Le Serin à tête noire; Red black-headed Gold-finch; Zwartkop Sijsje.

Nomenclatur: Carduelis cucullatus, *Swns.*; Pyrrhomitris cucullata, *Bp.*, *Gr.*
[Fringilla Cubae, *Grv*].

Wissenschaftliche Beschreibung. Kopf, Kehle, Hals bis zur Oberbrust schwarz, ein
breites Nackenband hellroth; Rücken, Schultern und Mantel bräunlichroth, jede Feder mit
schwärzlicher Mitte; Schwingen und Flügeldecken schwarz mit breiter hellrother und vorn weiß=
licher Querbinde; Schwanz schwarz; Bürzel, Oberschwanzdecken, Brust und ganze Unterseite
dunkelfeuerroth. Schnabel schwärzlichhorngrau; Auge bernsteinbraun; Füße braun. Weibchen:
Kopf und Kehle schwärzlichgrau, braunroth überflogen; Rücken, Mantel und Schultern heller
bräunlichgrau; Flügel bräunlichgrau mit schmaler weißlichorangerother Querbinde; Bürzel
düster gelbroth; ganzer Unterkörper aschgrau, gelbroth überflogen, hier und da mit einzelnen
feuerrothen Federchen. — Jugendkleid dem des alten Weibchens im wesentlichen gleich, doch
ist das junge Männchen an Brust, Flügeln und Oberschwanzdecken bereits lebhaft feuerroth
gefärbt. — (Junges Männchen aus meiner Vogelstube; aufgestellt im Berliner zoologischen
Museum: Oberkopf und Mantel dunkelaschgrau, Rücken heller grau; Flügel schwarz, mit den
lebhaft rothen Zeichnungen des alten Männchens; Bürzel weißlichgrau; Oberschwanzdecken grau
mit rothen Spitzen; Schwanz schwärzlich, unterseits aschgrau; Backen, Halsseiten, Kehle fahl
aschgrau; Brust weißlichgrau; jede Feder breit roth gespitzt; Bauch und untere Schwanzdecken rein=
weiß; Schnabel horngrau, Spitze heller; Auge schwarz; Füße grau. — Weibchen, ebenfalls im
Museum: Ganze Oberseite dunkelaschgrau; Schwingen fein und Flügeldecken breit fahlgelblichweiß
endgesäumt; über die Flügel eine breite weißliche Zickzackbinde [ein recht kräftiges junges
Weibchen in der Vogelstube zeigte die großen Flügeldecken röthlich endgesäumt]; Kehle weißlich=
grau; ganze Unterseite fahlbräunlichgrau; Schwanz schwärzlichgrau, unterseits aschgrau, ebenso
die untre Flügelseite; in allem übrigen gleicht es dem jungen Männchen. — Bei der Ver=
färbung des Mnchs. überfliegt das Roth gleichsam den ganzen Körper in einzelnen zerstreuten
Flecken; ebenso kommen einzelne schwarze Federn an Stirn und Kehle hervor).

Fringilla cucullata: capite, gula juguloquè nigris; fascia lata cervicali
dilute rubra; dorso, humeris et interscapilio rubiginosis, nigricante striolatis;
fascia lata remiges alarumque tectrices læte rubra transeunte, ante albida; cauda
nigra; uropygio, supracaudalibus, pectore et gastræo toto obscure igneis;
rostro nigrescente corneo; iride ferruginosa; pedibus fuscis. — ♀: capite gulaque
nigricante cinereis, badio imbutis; dorso, humeris et interscapilio fuscato-canis; fascia

angusta alas subfusco-cinereas aurantio-rubra transeunte; uropygio sordide rufo; gastræo toto cinereo-rufescente afflato, passim igneo-maculato.

Juvenis: prorsus ♀ adultæ concolor; attamen ♂ juv. alis, uropygio pectore-que jam læte igneo-pictis.

Beschreibung des Eies: Gestalt eiförmig; Farbe zart bläulich- oder grünlichweiß, fein rothbraun gepunktet. Länge 14ᵐᵐ., Breite 11ᵐᵐ.

Ovum: oviforme, pallide coerulescente vel virente albidum, subtiliter rufo-punctatum.

## Der Trauerzeisig [Fringilla tristis].

### Tafel XI. Vogel 57.

In Hinsicht der Farbenschönheit, des Gesangs und anmuthigen Wesens zugleich dürfen wir die amerikanischen Zeisige als eine überaus werthvolle Be-reicherung unserer Liebhaberei ansehen. Ein Vögelchen, wie der vorhin geschilderte schwarzköpfige Zeisig ist in allen seinen Eigenthümlichkeiten als ein wahres Juwel der Stubenvogelliebhaberei zu betrachten und es bleibt eben nur zu wünschen, daß er häufiger eingeführt werde. Im Gegensatz zu ihm gelangt der Trauer-zeisig alljährlich regelmäßig in beträchtlicher Anzahl in den Handel, und während wir diesen letztern gleicherweise um seines Farbenschmucks und hübschen Gefieders willen schätzen, müssen wir wiederum bedauern, daß er, wenigstens anscheinend, zu den weichlichsten Stubenvögeln gehört, und daß es bis jetzt noch nicht gelungen ist, ihn mit Sicherheit für die Dauer im Käfige zu erhalten. Unter allen fremd-ländischen Zeisigen steht er sodann in einer Beziehung hoch obenan, darin näm-lich, daß wir über sein Freileben nach allen Seiten hin unterrichtet sind, sodaß also eine Schilderung desselben uns einen Einblick in das der übrigen gewähren kann.

Er ist goldgelb mit schwarzer Stirn, schwarzen, weißgebänderten Flügeln und schwarzem Schwanze. Das Weibchen ist düster gelb, ohne schwarze Stirn; ein ebensolches Winterkleid trägt das Männchen. Die Größe ist die des Stiglitz oder Distelfinks gleich, welchem er auch in der Gestalt ähnelt. Seine Heimat erstreckt sich über den größten Theil Nordamerikas, besonders über die mittleren und west-lichen Staaten. Als Zugvogel wandert er zum Winter bis ins heiße Amerika, bleibt aber auch schaarenweise in Texas oder Mexiko; nach Dr. Richardson lebt er in den Pelzthiergegenden des Nordens nur drei Monate und verschwindet im September bereits wieder.

Den alten Schriftstellern war dieser Vogel sehr bekannt und sie gaben bereits zahl-reiche Abbildungen von ihm; so Edwards, Seeligmann, Buffon, Vieillot u. A. Auch wußten sie schon, daß er zu denen gehört, welche im Sommer und Winter verschiedene Kleider tragen. Edwards hatte seinen Kupferstich nach einem Pärchen herstellen lassen, welches aus Newyork lebend herübergebracht worden und von dem das Weibchen in der Gefangenschaft ein Ei gelegt. Catesby, dessen Abbildung freilich kaum erkennbar ist, bemerkt bereits, daß er in Newyork häufig im Käfige gehalten werde. Bechstein fügt nichts besonders bemerkenswerthes hinzu. Er sagt nur, daß er in seinem Vaterlande wie in Europa vielfach einzeln gehalten werde und dies ist in der That ganz richtig, denn früher wurden von vielen Vögeln nur die prächtigen Männchen allein eingeführt und die unscheinbaren Weibchen zurückgelassen — bis man nämlich dazu gelangte, Züchtungs= versuche anzustellen; seitdem sind die letzteren ebenso gesucht als die ersteren. In Bolle's Verzeichniß ist er mit aufgeführt, doch klagt der Forscher darüber, daß er zu seiner Zeit kaum noch nach Deutschland komme, ebenso wie der Granatfink, die Königswitwe u. a., welche zu Bechstein's Zeit sämmtlich bekannt genug waren.

Audubon fand auch in den Lauten eine eigenthümliche Aehnlichkeit zwischen ihm und dem europäischen Stiglitz heraus. Als ich in England und Frankreich weilte, erzählt er, machte es mir oft Vergnügen, wenn ich den Stiglitz hörte, denn ich glaubte im ersten Augenblick immer, daß es unser Trauerzeisig sei; als ich dann aber nach Amerika zurückgekehrt war, erinnerte mich derselbe wiederum oft an Europa. Auch Wilson und Prinz Max v. Wied erachten ihn im Wesen wie in der Lebensweise als dem Distelfink nahestehend; letzterer nennt ihn gelber Stiglitz und sagt, daß er gleich jenem sich an die Disteln und ähnliche Gewächse hänge und denselben kleinen und bogigen Flug habe.

Herr H. Nehrling, in Oak Parl in Illinois, schildert den Vogel sodann in folgender Weise: „Von allen unseren Finken fällt er durch seine vorherrschend gelbe Färbung und durch sein muntres, rastloses Wesen, sowie auch durch sein häufiges Vorkommen am meisten auf. Unsere Deutschen bezeichnen ihn stets als wilden Kanarienvogel. Aber nur die gelbe Farbe läßt ihn der gelben ge= zähmten Kanarienrasse als verwandt erscheinen; im Betragen und in der Lebens= weise gleicht er vielmehr dem deutschen Stiglitz, weshalb man ihm auch eine An= zahl entsprechender Benennungen beigelegt hat. Den Amerikanern ist er unter dem nichtssagenden Namen Gelbvogel allgemein bekannt. Fast allerorts ist er ein sehr häufig zu findender Vogel. Ich wüßte außer dem Gesellschaftsfink (Fringilla socialis, *Bonap.*) nicht eine einzige hiesige Finkenart, die ebenso zahlreich wäre, als der Goldfink an geeigneten Oertlichkeiten. Da es bei seiner Verbreitung sehr viel auf die örtlichen Verhältnisse ankommt, so tritt er eben nicht allerwärts in gleicher Häufigkeit auf. Zu seinem Wohngebiete wählt er Gegenden, welche reich an Baumpflanzungen sind und in denen besonders seine Lieblingsnahrung, der Distelsamen reift. Das Innere der Wälder meidet er und höchstens am Saume derselben siedelt er sich an. In dem an Baumpflan= zungen, Gebüsch und Disteln so reichen Wiskonsin kommt er in viel größerer Anzahl vor, als in dem holzarmen Prärieland von Nord=Illinois.

Das kleine Nest wird in der Regel in ein schlankes, junges Bäumchen zwischen eine Astgabel gebaut. Sehr gern legt er dasselbe auch in Gärten auf Pflaumen= und Apfelbäumen an. Es ist ein niedlicher, schön geformter und künstlicher Bau, außen von Bastfasern, feinen Hälmchen u. a. zarten Stoffen er= richtet und innen mit Distelwolle glatt und weich ausgepolstert; in Ermangelung derer wird es auch mit feinen Bastfäden ausgelegt. Gewöhnlich ist es so versteckt angebracht, daß man es nur schwer aufzufinden vermag; von unten kann man es fast niemals sehen, da es ganz im Laubwerk verborgen steht und meistens wird es erst bemerkt, wenn sich der Baum entblättert hat. Vier bis fünf Eier bilden das Gelege.

Unser Vogel fesselt den Beobachter nicht allein durch seine schöne Färbung und hübsche Gestalt, sondern noch mehr durch sein anmuthiges, lebhaftes Wesen. Wenn er an einer Distel, oft den Kopf nach unten, die Füße nach oben gekehrt, herumklettert und sich bemüht, die Samenkörner aus den Distelköpfen herauszu= picken oder wenn er an Hanf= und Salatstengeln in gleicher Weise thätig ist, so muß man seine Geschicklichkeit bewundern. Ebenso gewandt zeigt er sich im Ge= büsch und auf Bäumen; keinen Augenblick ist er ruhig, immer in Bewegung. Zur Erde kommt er nur selten herab und benimmt sich dort ziemlich ungeschickt.

Sein Gesang gehört jedenfalls zu den besten unter allen hiesigen Finken= vögeln. Da ich den verwandten deutscher Sänger nicht kenne, so enthalte ich mich einer vergleichenden Beurtheilung desselben. Der Lockton ist ein wohlklingen= des, langgezognes ziri, ziri; im übrigen vernimmt man auch Laute wie ziwitt, ziwitt und im Fluge ertönt in der Regel ein ziemlich laut schallendes zififfififf. Der Flug geschieht in hüpfenden Wellenlinien.

Im Spätherbst scharen sich die Trauerzeisige zu kleinen Flügen zusammen und wandern südlich oder wenn der Winter mild ist, verbleiben sie auch in der Gegend und streifen nur in geringen Entfernungen umher. Man hat sie hier sehr häufig im Käfige, den meisten Liebhabern aber gelingt es nicht, sie länger als höchstens ein halbes Jahr zu erhalten. Woran das liegt, kann ich nicht sagen. Der Fang ist sehr leicht und stets ergiebig. In der Regel wird er mit Fallkäfigen ausgeführt, in welchen sich ein Lockvogel befindet."

Zur Ergänzung füge ich aus den „Lebensbeschreibungen der Vögel Ostpennsylvaniens" von Thomas G. Gentry*) noch Folgendes hinzu: „Der Trauerzeisig ist im östlichen Theile jenes Staats während der Winter= monate ziemlich häufig; stellenweise lebt er jedoch auch als Standvogel. Gegen den Herbst hin sieht man ziemlich große Scharen und ebenso im zeitigen Früh= jahr. Den Winter hindurch schweifen kleinere Flüge umher und bei Nahrungs=

---

*) „Life-Histories of the Birds of Eastern Pennsylvania" (Philadelphia 1876).

mangel suchen sie die Nähe menschlicher Wohnungen auf, wo sie sich unter die Schneevögel (Fringilla hiemalis, *L.*) und Sperlinge mischen, sehr zahm und zutraulich werden und gleich den Fichtenzeisigen ihr Leben mit Küchenabfallen fristen, nebenbei aber alle dürren Pflanzen nach den noch daran haftenden Samen emsig absuchen. Ihre Nahrung besteht in allerlei Baum=, Kräuter= und Gräser= sämereien, auch in Kerbthieren; so lesen sie von den Blüten der rothen Aka= zien, Aepfel, Kirschen u. a. die darin hausenden kleinen Insekten eifrig ab und auf frisch bestellten Beeten sieht man sie nicht minder hinter allerlei kleinem Ge= würm her. Dann bereiten sie dem Gärtner freilich auch großen Verdruß, denn sie verzehren ebenso massenweise seine Salat= und anderen Gemüsesamen, indem sie dieselben von den Beeten sammeln und sich nur schwierig verscheuchen lassen. Noch mehr als zum eignen Unterhalt bedürfen sie der Kerbthiere zum auffüttern der Jungen und durch die bedeutende Vertilgung derselben ersetzen sie den Schaden also reichlich.

Im Monat April vertheilen sich die Scharen in einzelne Pärchen und die Werbung und das Liebesspiel der Männchen gewährt ein reizendes Bild. Der dann am schönsten erschallende Gesang derselben ist laut, klar und wechselreich, dem des Kanarienvogels einigermaßen ähnlich. Im östlichen Pennsylvanien brüten sie nur einmal im Jahre. Die Zeit des Nistens fällt je nach der Wit= terung etwas unregelmäßig; manchmal beginnt sie in der Mitte des Monats Mai, gewöhnlich aber zwischen dem 10. bis 15. Juni; doch habe ich auch noch am 12. Juli ein Nest mit Eiern und in der letzten Woche des Monats August ein solches mit Jungen gefunden. Diese letzteren Verzögerungen sind immer nur Folgen der Zerstörung der ersten Brut. In der Regel steht das Nest auf einem Ahorn= oder Birnbaum, in der Höhe von nahezu fünf Metern. Es ist von regel= mäßiger Gestalt, aus allerlei Pflanzenfasern, Rispen und Halmen geschickt und zierlich gewebt, und zwischen gabelförmigen Zweigen befestigt, bildet es eine offne Halbkugel von etwa 5 Centimeter Weite und Tiefe. Zum Bau desselben brauchen die Vögel ungefähr sechs Tage. Das Gelege besteht gewöhnlich in fünf Eiern, von denen täglich eins gelegt wird, und die Brutdauer währt 14 Tage. Wie bei den Verwandten erbaut das Weibchen fast allein das Nest und brütet ebenso, während das Männchen in der Nähe weilt und unermüdlich sein Lied erschallen läßt. Wenn ein Feind naht, so wird er von beiden Vögelchen in eifriger und tapfrer Weise mit Geschrei angegriffen und wenn möglich verscheucht. Die Jungen sind sehr frühe reif und werden auch nur kurze Zeit von den Alten ge= füttert, doch bleibt die Familie beisammen und schwärmt so noch im September und Oktober nahrungsuchend umher.

In der Gefangenschaft zeigt sich der Trauerzeisig sehr zutraulich und ge= lehrig; er wetteifert an Gesangsfertigkeit mit dem Kanarienvogel. Einer meiner

Freunde besaß ein Männchen, welches er dem Nest entnommen, aufgefüttert und so abgerichtet hatte, daß es seinen Gesang nach den Bewegungen des Zeigefingers veränderte und modulirte; beim Erheben desselben also anschwellen, beim Senken sinken ließ und je nach den Seitenbewegungen ausdehnte oder abbrach."

Herr H. C. Hahn in Wiandotte (Michigan) rühmt den Gesang als angenehm, wenn auch leise vorgetragen, an den des europäischen Stiglitz und Zeisig erinnernd. Nach den Angaben der deutschen Händler, welche den Goldzeisig in seinem Vaterlande kennen gelernt haben, ist er dort als Stubenvogel recht beliebt; dasselbe würde noch in höherm Maße und auch bei uns der Fall sein, wenn seine Erhaltung nicht, wie schon Herr Nehrling bemerkt, bereits dort und erstreckt bei uns so große Schwierigkeit verursachte. Von den vielen Köpfen, namentlich Männchen, welche alljährlich zu uns in den Handel gelangen und die ihres hübschen Aussehens halber stets gern gekauft werden, stirbt beiweitem die Mehrzahl in überaus kurzer Zeit. Die Liebhaber stellten daher vielfache Versuche an, um seine Ausdauer zu ermöglichen; doch darf man leider bis jetzt nicht sagen, daß dieselbe mit Erfolg erreicht sei. In einer Vogelstube, welche von verschiedenartigem kleinen Gefieder bewohnt ist und deren Futterkästen naturgemäß große Mannigfaltigkeit bieten müssen, scheint er für die Dauer nicht am Leben zu bleiben. Man hat ihm also entsprechende Sämereien im einzelnen gegeben und da dürfte er bei bloßem blauen Mohn, abwechselnd mit geringer Zugabe von Distelsamen, weißer Hirse und wenig frischen Ameisenpuppen oder Fliegen, Mücken, Motten u. a. fliegenden Kerbthieren und deren Larven und Puppen noch am besten sich erhalten. Zu weiteren Versuchen sei hiermit dringend angeregt, denn dieser Zeisig kann sowol als Sänger, wie auch als Schmuckvogel einen hohen Werth erlangen, wenn wir seine Erhaltung sicher ermöglichen. Daß dies Ziel wahrscheinlich sogar nahe liegt, findet in der Thatsache Begründung, daß einzelne sich vortrefflich eingewöhnen und dann jahrelang frisch und munter am Leben bleiben. Noch mehr bewiesen wird es aber dadurch, daß Herr Hauptmann Bödicker in Stettin vom Trauerzeisigmännchen mit einem Kanarienweibchen Mischlinge erzielte. Er schildert dieselben in folgendem:

„Diese Bruten sind außerordentlich interessant, besonders durch den ungemeinen Liebreiz, welchen das herrliche Vögelchen während der Nistzeit entfaltet. Stundenlang sitzt es mit halb herabhängenden Flügeln vor dem Nest des brütenden Weibchens und unterhält dieses mit leisem Gezwitscher der zartesten und einschmeichelndsten Töne, dabei den blaßrothen Schnabel soweit vorstreckend, daß es den des Weibchens fast berührt. Mit dieser Unterhaltung glaubt es allerdings seine volle Schuldigkeit gethan zu haben, denn weder das Weibchen, noch die Brut versorgt es mit Nahrung. In zwei Gehecken wurden sieben Junge aufgezogen, während das Weibchen jetzt abermals auf vier Eiern brütet. Fast alle diese Baſtarde gleichen in der Geſtalt dem Kanarienvogel, in der Farbe und Zeichnung dem Trauerzeiſig im Winterkleide, bei einigen nur mit geringen gelben Abzeichen auf der Platte. Sehr geſpannt bin ich, in welcher Weiſe ſie ſich weiterhin verfärben; arten ſie mehr nach dem Männchen, ſo dürften es pracht= volle Vögel werden."

Leider vermag ich näheres über dieſe höchſt intereſſanten Vögel nicht mit= zutheilen. Ich erhielt ein Pärchen derſelben, doch ſtarben beide vor der Ver= färbung. Herr Bödicker hat ſie ſpäterhin ſämmtlich fortgegeben, und ich habe nicht mehr erfahren können, was aus ihnen geworden iſt. Die Miſchlingszucht hat aber den Beweis geliefert, daß die Art ſicherlich für die Dauer in der Ge= fangenſchaft zu erhalten und züchtbar iſt. Weiterhin in den Abſchnitten über die Verpflegung und Zucht der Stubenvögel werde ich alle Erfahrungen inbetreff der Fütterung des Trauerzeiſigs überſichtlich zuſammenfaſſen. Vorläufig ſei nur noch die Aufforderung zu eifrigen und aufmerkſamen Verſuchen mit ihm wiederholt.

Herr Reiche in Alfeld führt ihn alljährlich in den Frühſommermonaten in be= trächtlicher Anzahl ein und zwar zum Dutzendpreiſe von 84 Mark, das einzelne Par für 10 Mark, das Männchen für 6—7 Mark und das Weibchen für 3—4 Mark, je nach der Anzahl der vorhandenen. In den Vogelhandlungen koſtet das Prch. 15—18 Mark.

Der Trauerzeiſig heißt auch amerikaniſcher Zeiſig, amerikaniſche Stiglitz oder Diſtelfink, Golddiſtelfink, Goldfink, Goldzeiſig und Goldſtiglitz (Br.); gelber Stiglitz (Buff., Prz. Wb.).

Le Serin d'or, Chardonneret triste; American Goldfinch, Yellow Bird or Thistle-Bird; Amerikaanſche Diſtelvink.

Nomenclatur: Fringilla tristis, L., Gml., Wls., Audb.; Carduelis tristis, Bp., Osb., Wls., Audb.; Chrysomitris tristis, Bp., Nwbr., Brd., Br.; Astragalinus tristis, Cb., Gr.; Carduelis americana, Brss., Sw. et Rich. — [Golden Finch, Penn.; American Goldfinch, Edw., Lath.; Chardonnret d'Amérique, Cat.; Chardonnret jaune, Ch. du Canada, Tarin de la Nouvelle York, Buff.].

Wiſſenſchaftliche Beſchreibung: Stirn und Oberkopf ſchwarz, nach hinten ſpitz zu= laufend; Flügel ſchwarz, Armſchwingen mit ſchmalen, ſchmutzigweißen Spitzen, welche einen Querſtreif über den Flügel bilden, Handſchwingen an der äußern Seite ſchmal weiß ge= ſäumt; Schwanzfedern ſchwarz mit weißen Innenfahnen; Bürzel, Ober= und Unterſchwanzdecken weiß; Kopf, Rücken, Bruſt zitron= oder dunkelkanariengelb; Bauch und Beine bis zum Knie weiß. Schnabel hell mahagonibraun; Auge dunkelbraun; Füße gelblichbraun. Größe des Zeiſigs (H. C. Hahn in Wiandotte). — Weibchen: Oberkopf und ganze Oberſeite olivengrünlich= roſtröthlichbraun; Stirnrand, Geſicht und Kehle fahlgelb; Flügel ſchwarz mit fahlröthlichgelber Querbinde; Schwanzfedern ſchwarz mit weißlichem Fleck an der Innenfahne; obere Schwanz= decken und ganze Unterſeite bräunlichweiß. Das Winterkleid des Männchens iſt dem des Weibchens gleich, nur etwas lebhafter in den Farben; Unterſeite heller, faſt reinweiß; Schwanzfedern mit weißen Innenfahnen.

Fringilla tristis: colore frontis pileique nigro, post acuminato; alis nigris; apicibus remigum secundariorum angustis sordide albis, fasciam trans alam fingentibus; pogonio remigum primorum externo anguste albido-limbato; pogonio rectricum nigrarum albo; uropygio, supra- et infracaudalibus albis; capite, dorso pectoreque citrinis vel flavissimis; ventre tibiisque albis; rostro dilute badio; iride fusca; pedibus ferrugineis. Magnit. Fringillae spini. —

♀ pileo totoque notaeo olivaceo-ferruginosis; margine frontali, facie gulaque lividis; fascia trans alas nigras subfulva; macula pogonii rectricum nigrarum interni alba; supracaudalibus totoque gastraeo sordide albidis. — ♂ vest. hiem. cum ♀ conveniens, at laetius pictus; infra dilutior, fere albissimus; pogonio rectricum externo albo.

Jugendkleid dem des alten Weibchens gleich (Nehrling, Hahn u. a.).

Juvenis: femellae adultae aequalis.

Beschreibung des Eies. Bläulichweiß, ohne Flecken, matt. Gestalt eiförmig; Länge 15ᵐᵐ·, Breite 12ᵐᵐ· (Nehrkorn). Das Ei ist reinweiß, soll jedoch auch braungefleckt erscheinen (Nehrling). Ei milchweiß bis weißbläulich mit unregelmäßigen kleinen Flecken von hellgraubrauner Farbe, welche meistens am dickern Ende, jedoch auch an der Spitze vorhanden sind (Hahn).

Ovum: lacteum, immaculatum, opacum, ovatum (Nehrkorn). Ovum pure album, interdum fusco-maculatum (Nehrling). Ovum lacteum, ipsum e coerulescente album, maculis parvis apicis obtusi crebrioribus, acuminati parcioribus irregulariter obsitum fumigatis (Hahn).

## Der Fichtenzeifig [Fringilla pinus].

Ein Zeisig, welcher über den größten Theil der Vereinigten Staaten von Nordamerika und Kalifornien verbreitet ist, gelangt trotzdem nur selten und einzeln in den Handel. Ich erhielt im Sommer 1877 ein einzelnes Männchen von H. Möller in Hamburg. Der Vogel streicht im Winter südlich bis nach Mexiko und d'Orbigny hatte behauptet, daß er auch auf den Antillen, besonders auf Kuba vorkomme. Dies hat Gundlach widerlegt und nachgewiesen, daß die Angabe entweder auf einem Irrthum beruht oder daß jener Reisende ein aus dem Käfige entflognes Exemplar gesehen. Audubon beobachtete die Art an der Küste von Labrador in großer Anzahl familienweise, Alte mit Jungen zusammen und nach seiner, sowie auch nach den Mittheilungen anderer Schriftsteller, besonders der ausführlichen Schilderung von Thomas G. Gentry, stimmt das Freileben des Fichtenzeisigs mit dem der nächsten Verwandten, also unsres europäischen und des Trauerzeisigs im wesentlichen überein. Nach Gentry gleichen Flug und Bewegungen jedoch mehr denen des Purpurgimpels. Der Lockton ist ein scharfes durchdringendes swirr oder zirr, welches er namentlich im Fluge hören läßt. Nach Audubon ist der Gesang sanft, mannigfaltig und melodisch und ähnelt einigermaßen dem des Trauerzeisigs. Die Nahrung besteht in Gräser- und Krautsämereien, im Herbst aber auch in den Beeren des virginischen und gemeinen Wachholders, in Nadelholz- u. a. Sämereien und im Frühlinge zugleich in den Bruten von Blattläusen und anderen Kerbthieren, auch in allerlei Baumknospen und Zapfen der Nadelhölzer. Brutzeit nach Brewer im Mai. Das Nest ist aus Reisern, Würzelchen, Stengeln und Gräsern geschichtet und mit Haren und Wolle gefilzt, innen sauber ausgepolstert. Gelege vier Eier von länglich-eiförmiger Gestalt, lichtgrün und besonders am breiten Ende hellrostfarben gezeichnet. Näheres ist über den Vogel nicht bekannt.

Der Fichtenzeisig hat keine weiteren Namen. — Le Serin pin; Pine Finch or Pine Siskin. Nomenclatur: Fringilla pinus, *Wls.*, *Audb.*; Fringilla (Carduelis) pinus, *Bp.*, *Osb.*, *Wls.*; Linaria pinus, *Audb.*; Chrysomitris pinus, *Bp.*, *Gr.*, *Brd.*, *Br.*; Chrysomitris macroptera, *Dbs.*, *Bp.*

Wissenschaftliche Beschreibung: Kopf und ganze Oberseite fahl erbbraun, jede Feder mit breitem schwarzbraunen Schaftstrich, Flügel und Schwanz schwarzbraun, Schwingen an der Wurzel gelb und außen schmal gelb gesäumt; zwei helle Querbinden über den Flügel; Schwanzfedern mit schmalen, fahlen Außensäumen; Bürzel hell graubraun mit dunklen Schaftstrichen; Unterseite weiß, ebenfalls mit breiten dunklen Schaftstrichen; Bauchmitte, Hinterleib und untere Flügeldecken reinweiß; Hals=, Brust= und Bauchseiten bräunlichweiß. Schnabel fahl horngrau; Auge braun; Füße bräunlichhorngrau. (Diese Beschreibung habe ich nach einem lebend vor mir stehenden Männchen gegeben). Das Weibchen soll übereinstimmend sein.

Fringilla pinus: capite totoque notaeo luride umbrinis, late fusco-striatis; alis caudaque fuscis; remigum basi flava, pogonio externo anguste flavo-limbato; fasciis trans alas duabus dilutis; rectricum pogonio externo anguste luride limbato; uropygio subfumoso, obscure striato; subtus alba, late obscure striata; abdomine, crisso et tectricibus subalaribus pure albis; lateribus colli, pectoris et hypochondriis sordide albidis; rostro livide corneo; iride fusca; pedibus subfusco-corneis. — ♀ mari simillima.

## Der Magellanzeisig [Fringilla magellanica].

Im September 1877 erhielt ich von Herrn H. Möller in Hamburg ein Pärchen dieser Art, welches jedoch so krank ankam, daß beide in den nächsten Tagen eingingen. Ihre Heimat erstreckt sich über Brasilien bis Ekuador. Burmeister fand sie besonders im Kamposgebiete, wo sie in der Nähe der Ansiedlungen lebt, bis in die Gärten kommt, sich leicht fangen läßt und in Käfigen gehalten wird. Die Lebensweise und Ernährung gleicht der aller Verwandten. Buffon erzählt, daß Herr Kommerson einen solchen Vogel erlangt hat, welcher mit den Füßen zwischen die Schalen einer Muschel gerathen, stecken geblieben und also gefangen war; er rühmt ihn als angenehmen Sänger, welcher alle Vögel Südamerikas übertreffe. Nach Burmeister's Angabe dagegen ist der Gesang unbedeutend und ohne Mannigfaltigkeit. Prinz Wied wiederum lobt ihn und spätere Beobachter bestätigen dies. Man unterschied früher mehrere nahestehende Arten, welche jedoch zusammenfallen, und hiernach hat der Vogel eine sehr weite Verbreitung. Vieillot hat ihn übrigens schon nach einem lebenden Exemplar abgebildet, und umsomehr ist es daher zu bedauern, daß er nur höchst selten eingeführt wird. In allen seinen Eigenthümlichkeiten dürfte er von den Verwandten nicht abweichen.

Der Magellanzeisig wird auch Kappenzeisig (Br.) benannt; olivenfarbner Zeisig (Buff.). — Silgero (Heimatsname, nach Burmst.). — Le Serin de Magellan; Black-headed Goldfinch (*Brd.*); Magellan Siskin. Nomenclatur: Fringilla magellanica., *Vll.*, *Audb.*, *Pr. Wd.*; Fringilla campestris, *Spx.*; Carduelis magellanicus, *Audb.*; Carduelis magellanica, *Lfrsn.*, *d'Orb.*, *Drw.*; Chrysomitris magellanica, *Bp.*, *Cb.*, *v. Tschd.*, *Brmst.*; Chrysomitris magellanicus,

*Brd.*; Fringilla icterica, *Lchtst.*; Sporagra magellanica, *Gr.*; Chrysomitris icterica, *Br.*; Chrysomitris capitalis, *Cb.* [L'Olivarez, *Buff.*; Gafarron, *Azr.*].

Wiſſenſchaftliche Beſchreibung: Der ganze Kopf und die Kehle ſchwarz; oberſeits olivengrün; Flügel ſchwarz mit zwei gelben Längsflecken; Schwingen gelbgrün gerandet und fahlweiß geſpitzt; Schwanz ſchwarz; ganze Unterſeite, Bürzel und obere Schwanzdecken lebhaft gelb; ein ebenſolches ſchmales Halsband. Schnabel ſchwarzbraun; Auge braun. Füße dunkel= braun. Zeiſiggröße. Das Weibchen iſt übereinſtimmend, doch fehlt ihm der ſchwarze Kopf.

Fringilla magellanica: capite toto gulaque nigris; supra olivaceo-viridis; maculis oblongis alarum duabus flavis; remigibus flavo-viride marginatis, albide terminatis; cauda nigra; torque angusto, gastraeo toto, uropygio et supra-caudalibus laete flavis; rostro nigro-fusco; iride umbrina; pedibus fuscis. Mägnit. Fringillae spini. — ♀ cum ♂ conveniens sed capite haud nigro.

Alle nächſtfolgenden Zeiſige ſind bis jetzt kaum oder erſt in einzelnen Köpfen eingeführt. Da dem Vogelhandel in allen Welttheilen aber immer weitere Gebiete erſchloſſen werden, ſo dürfen wir von dieſer oder jener Art wol erwarten, daß ſie über kurz oder lang zahlreich er= ſcheinen werde. Ich gebe alſo eine möglichſt eingehende Beſchreibung und auch Angaben über das Freileben, ſoweit ſolche eben vorhanden ſind. Für den Fall aber, in welchem ſie fehlen, während man einen ſolchen Vogel erhalten hat, darf man davon überzeugt ſein, daß er in allen Eigenthümlichkeiten, beſonders in der Ernährung, den ausführlicher geſchilderten, wie Trauerzeiſig, ſchwarzköpfiger Zeiſig, und namentlich auch dem europäiſchen Zeiſig durchaus gleicht.

**Der Zeiſig von Arkanſas** [Fringilla psaltria]. Wie der Fichtenzeiſig, ähnelt auch der Arkanſaszeiſig in ſeiner Lebensweiſe und allem übrigen unſerm europäiſchen Zeiſig. Umherſtreichend hat man ihn in dem am Golf von Mexiko gelegnen Louiſiana als unregelmäßigen Wintergaſt beobachtet, während ſeine eigentliche Heimat ſich vom ſüdlichen Felſengebirge bis zur Küſte von Kalifornien erſtreckt. Nach Audubon iſt er ein unruhiger Wandrer, der in kleinen Flügen auf Baum= gruppen ſich umhertreibt, nirgends lange verweilt und bei dem lebhaften Fluge eigenthümliche Schwenkungen ausführt. Lebend eingeführt iſt er meines Wiſſens nur einmal von Schöbel in drei Köpfen, welche jedoch nach der Ankunft ſo= gleich ſtarben. Bis jetzt gewährt er alſo für die Liebhaberei kein beſondres In= tereſſe. Er iſt olivengrün, an Kopf, Flügeln und Schultern ſchwarz und an der ganzen Unterſeite lebhaft gelb; Flügel mit breitem weißen Fleck und ſchmaler heller Querbinde. — Le Serin d'Arcansas; Arcansas Finch *(Baird)*. — Fringilla psaltria, Say, *Audb.*; Fringilla [Carduelis] psaltria, *Bp.*; Carduelis psaltria, *Audb.*; Chryso-mitris psaltria, *Bp., Gmbl., Brd., Br.*; Pseudomitris psaltria, *Gr.*

**Der Kordillerenzeiſig** [Fringilla uropygialis]. Obwol über die ſüd= amerikaniſchen Länder Chile und Peru und zwar insbeſondre über alle die Kordilleren= kette begrenzenden und umfaſſenden Gebiete verbreitet, gelangt er bis jetzt doch nur in einzelnen Exemplaren und höchſt ſelten in den Handel. Er iſt in Geſtalt und Größe dem europäiſchen Zeiſig ähnlich, an Kopf und Hals kohlſchwarz; ober= ſeits grün; unterſeits und ein Theil des Schwanzes ſchön gelb. Verbreitung von 1570 bis 3140 Meter Meereshöhe. Die Ernährung beſteht in öligen

Sämereien der Kordillerenpflanzen. Sein Wesen ist scheu und vorsichtig, daher soll er schwer zu fangen sein. Nach Landbeck überlebt er den Verlust der Freiheit nicht lange, was umsomehr zu bedauern ist, da er als vortrefflicher Sänger zu schätzen sein soll. — Der Kordillerenzeisig (Landbeck) ist auch Goldbürzelzeisig (Br.) benannt. — Le Serin des Cordilleres; Cordillerean Goldfinch. Jilgero de la Cordillera der Chilenen. — Chrysomitris uropygialis, Scl., Lndbck., Br.; Melanomitris uropygialis, Gr.

**Stanleyzeisig** [Fringilla Stanleyi]. Das Verbreitungsgebiet dieser Art soll sich über Kalifornien und Mexiko erstrecken. Nach Baird ist sie dem Magellan= zeisig überaus ähnlich, jedoch dadurch verschieden, daß nur Oberkopf und Kehle schwarz, die Bauchmitte ziemlich reinweiß und die unteren Schwanzdecken braunschaftstreifig sind; auch ist sie beträchtlich größer. Audubon besaß ein Pärchen im Käfige und nach demselben ist Baird's Beschreibung gegeben. Bei uns lebend eingeführt dürfte der Vogel noch nicht sein. — Er ist auch Stanley's Goldfink (Brd.) benannt. — Stanley's Goldfinch, Brd. — Carduelis Stanleyi, Audb.; Chrysomitris Stanleyi, Bp., Brd., Br.; Hypacanthus Stanleyi, Cb.

**Der Mönchszeisig** [Fringilla Lichtensteini*)] gleicht wiederum dem Magellan= zeisig, doch mit dem Unterschiede, daß nur der Oberkopf schwarz, Backen, Kinn und Kehle dagegen olivengrünlichgelb sind. Die Heimat beschränkt sich auf einen geringen Theil Südamerikas, auf Neu=Granada. Näheres ist über den Vogel nicht bekannt. — Le Serin épin; Spine Goldfinch. Fringilla spinescens, Lchtst., Bp.; Chrysomitris spinescens, Cb., Gr., Br.

**Der schwarzbrüstige Zeisig** [Fringilla notata]. Seine Heimat erstreckt sich über Mittelamerika und Mexiko. Baird erwähnt ihn nur gelegentlich bei der Beschreibung des Magellanzeisigs und sagt, daß bei ihm das Schwarz an der Kehle bis zur Brust sich herabziehe, die Flügeldecken außer einem gelblichen Bande auf den Spitzen der größeren schwarz, und die Schwingen zweiter Ordnung ohne irgend welchen gelben Saum seien. Eingeführt ist er noch nicht. —. Chrysomitris notata, Bp., Cb., Brd.; Carduelis notata, Dbs.; Fringilla magellanica, Audb., nec Vieill.; Chrysomitris magellanica, Bp.; Sporagra notata, Gr..

---

*) Sollte es nicht möglich sein, das sinnlose, korrupte Wort spinescens abzuschaffen? Lichtenstein hat es erfunden, jedenfalls in Beziehung auf spinus. Unsre Fringilla spinus stammt aber dem Worte nach nicht aus dem Lateinischen, wo spinus Dornstrauch heißt, sondern ist von Linné echt aus dem Griechischen entnommen (σπινος = ein kleiner Vogel, wahr-scheinlich unser Zeisig). Diese beiden gleichlautenden Wörter gehen einander sonst garnichts an; σπινοειδης (spinoides) für eine andre Species ist ganz korrekt, aber spinescens doppelter Unsinn. Einmal läßt es sich sprachlich mit dem griechischen σπινος absolut nicht in Verbindung bringen, und als lateinisches Verbum heißt es einfach: dornig werdend (von spinesco). Gegen ein solches Epitheton für einen Vogel muß doch protestirt werden. Leider existirt kein Synonym für diese Species, die mit neuer Bezeichnung vielleicht in — Fringilla Lichten-steini, Luchs — umgetauft werden könnte, um wenigstens die Manen des Autors zu versöhnen.

**Den schwarzen Zeisig** [Fringilla atrata] schildert v. Landbeck in folgendem: „Diese von d'Orbigny beschriebne und abgebildete Art wird in der beim Kordillerenzeisig angegebnen Höhe und keineswegs selten gefunden. Sie ist zwar einfach gefärbt, aber trotzdem sehr hübsch, nämlich kohlschwarz, an Bauch, Hinterleib und Schwanzhälfte hochgelb, mit ebensolchem Flügelspiegel. Das Weibchen ist lichtgrau, jede Feder mit dunklem Schaftstrich und grünlichem Rande; Schwingen und Schwanzfedern braungrau, die Handschwingen am Grunde und der Innenseite zitrongelb wie beim Männchen. Dasselbe soll einen angenehmen Gesang hören lassen. Ein Freund von mir, welcher als Mineningenieur längere Zeit in der Punaregion Bolivia's in einer Höhe von 4707 Meter gelebt hatte, erzählte mir, daß er den schwarzen Zeisig in dieser Höhe häufig gesehen und auch sein Nest in Felsenlöchern (Bäume oder Gebüsche giebt es dort nicht) gefunden habe, daß derselbe von den Eingeborenen (Indianern) seines herrlichen Gesangs wegen eingefangen und in Käfigen gehalten werde und auch dann, in die tiefer gelegenen Landschaften gebracht, sich ausdauernd zeige. Dieser schöne Vogel dürfte als eine schätzenswerthe Bereicherung der europäischen Vogelsammlungen gelten." Hoffen wir, daß er demnächst wenigstens zuweilen in einigen Pärchen eingeführt werde. Bis jetzt dürfte wol nur ein einziges Männchen lebend nach Europa gelangt sein, welches ich von Herrn C. Linz in Hamburg erhielt, das aber sehr schlecht im Gefieder war und bald einging. — Er ist auch Trauerzeisig (Br.) benannt. — Le Serin noir; Black Goldfinch or Black Siskin. — Carduelis atrata, *Lfrsn.* et *d'Orb.;* Chrysomitris atrata, *Bp., Brmst., Lndbck., Br.;* Melanomitris atrata, *Gr.*

**Der Zeisig von Kolumbien** [Fringilla columbiana] ist an der Oberseite zeisiggrün, die einzelnen Federn in der Mitte dunkelbraun durchschimmernd; Flügel und Schwanz schwarzbraun; die kleinen Flügeldecken, Armschwingen und Steuerfedern grün gerandet, die dem Rücken am nächsten liegenden Armschwingen an der Außenfahne nach der Spitze zu weiß gerandet,' auf dem Flügel ein kleiner weißer Fleck; Unterseite grünlichgelb, hin und wieder dunkler durchscheinend und heller gerandet; untere Schwanzdecken reingelb (Cb.). Heimat Kolumbien (Baird giebt Südamerika an). Nach Dr. A. v. Frantzius kommt er auf Kostarika vor und stimmt in der Lebensweise mit Morelett's Pfäffchen (Sporophila Moreletti, *Puch.*) überein. Er treibt sich also in der Trockenzeit häufig an den Rändern der Felder und an freien Plätzen umher, wo er die reifen Samen der hohen abgetrockneten Staudengewächse verzehrt. — Carduelis columbianus, *Lfrsn.;* Chrysomitris xanthogastra, *Dbs.;* Astragalinus columbianus, *Bp., Cb.;* Chrysomitris columbiana, *Scl., Frntz.;* Chrysomitris columbianus, *Brd.:* Pseudomitris columbianus, *Gr.*

**Der mexikanische Zeisig** [Fringilla mexicana] ist von Baird in folgender Weise beschrieben: Oberhalb einfarbig schwarz, hier und da eine gelblichgrüne Feder durchschimmernd; Bürzel weißlich durchscheinend; Schwanz schwarz, jederseits die drei äußersten Federn nur an Außenfahne und Spitze schwarz, sonst weiß; ganze Unterseite blaßgelb. Weibchen am Kopf und Oberkörper nicht schwarz, son= dern olivengrün; dem des Arkansaszeisigs ähnlich. Diese Art steht der vorigen sehr nahe, doch ist das Gelb des Unterkörpers viel tiefer und der Schwanz ebenso wie die Schwingen, außer am Grunde, zeigen kein Weiß. Auch Cabanis giebt letztere Unterscheidungsmerkmale an. Obwol schon von Buffon als Catalotl beschrieben, ist er bis zur Gegenwart doch fast garnicht bekannt. Heimat Mexiko und einige mittelamerikanische Striche, z. B. Kostarika, wo ihn Dr. v. Frantzius beobachtete und seine Lebensweise mit der des europ. Zeisigs übereinstimmend fand. Baird bezeichnet die mexikanische Seite des Thals vom Rio Grande südwärts als seine Heimat. — Zeisig von Mexiko („Handbuch für Vogelliebhaber"). — Black or Mexican Goldfinch *(Brd.)*; Mexican Siskin; Le Serin du Mexique. — Tarin noir du Mexique, *Brss.* — Carduelis mexicanus, *Swns., Wgl.*; Chrysomitris mexicanus, *Bp., Brd.*; Chry= somitris mexicana, *Scl., Frntz.*; Astragalinus mexicanus, *Cb.*; Fringilla melanoxantha, *Lchtst., Wgl.*; Fringilla texensis, *Gir.*; Pseudomitris mexicana, *Gr.*; Fringilla catalotl, *Gml.*

**Yarrell's Zeisig** [Fringilla Yarrelli]. Von allen Verwandten unterscheidet sich diese Art nach Baird durch einen auffallend großen Schnabel. Nach Ca= banis ist sie von der vorigen im übrigen nur durch einfarbig schwarzen Schwanz verschieden. Baird sagt, daß die Zeichnung an Flügeln und Schwanz fast ge= nau so, wie bei dem Magellanzeisig sei, und daß der Unterschied zwischen beiden bloß in der geringern Größe, dem helleren Nacken und darin begründet sei, daß nur die Krone anstatt des ganzen Kopfes schwarz ist. Er hat die Beschreibung nach einem Exemplar gegeben, welches Audubon wie es scheint, eine Zeit lang im Käfige gehalten. — Yarrell's Goldfinch. — Carduelis Yarrelli, *Audb.*; Frin= gilla mexicana, *Audb.*, nec *Swns.*; Chrysomitris Yarrelli, *Bp., Brd.*; Chrysomitris mexicana, *Bp.*; Astragalinus Yarrelli, *Cb.*

**Der kalifornische Zeisig** [Fringilla Lawrencei]. Vorder= und Oberkopf, Zügel, Kinn und Kehle schwarz; Hinterkopf, Nacken, Backen, Hals, Brust= und Bauchseiten fahl bräunlichgrau; Mantel grünlicholivengrau; Flügelschwingen schwarzbraun, schmal weiß innengesäumt, Flügeldecken olivengrünlichgelb mit schwarzer Querbinde; Schwanzfedern schwarz, grau außengesäumt, Innenfahne der drei äußersten mit großem weißen Fleck; Bürzel zitrongelb, obere Schwanzdecken graubraun; von der Kehle bis zum Bauch lebhaft zitrongelb, letzter und der ganze untre Hinterleib graulichweiß. Schnabel und Füße bräunlichfleischfarben; Auge braun. Das Weibchen soll nur dadurch verschieden sein, daß der Kopf nicht schwarz, sondern aschgrau ist. Die Größe gleicht der des vorigen. Die Heimat ist nach Baird die Küste von Kalifornien. Ueber das Freileben ist nichts bekannt. — Citrinelle (Br.). — Carduelis Lawrencii, *Css.*; Chrysomitris Lawrencii, *Bp., Brd.*; Chrysomitris Lawrencei, *Gr.*; Citrinella Lawrenci, *Br.*

**Der Gebirgszeisig** [Fringilla spinoídes] bewohnt die höher gelegenen Zonen des Himalaya und kommt im Winter in die Thäler herab, wo man ihn in der Nähe menschlicher Wohnungen und in Gärten sieht. Dr. Stoliczka sammelte ihn in Kotegurh u. a. im Winter. Ueber das Freileben ist nichts bekannt; auch Horsfield und Moore bringen keine Angaben. Oberkopf und Backen nebst Bartstreif schwärzlicholivengrün; Stirnstreif, Zügel, Streif vom Nasenloch bis zum Schlaf, Vorderbacken, Halsseiten und Bürzel lebhaft gelb; Schwingen schwarz= braun, an den Spitzen schmal hellgrau gesäumt und ihre Innenfahnen am Grunde breit gelb gerandet; über den Flügel eine breite gelbe Querbinde; Schwanzfedern schwarzbraun, am Grunde gelb; ganze Unterseite und untere Flügeldecken lebhaft gelb, Seiten fahl olivengrünlich; Unterleib düsterweiß. Schnabel und Füße röthlich= horngrau; Auge braun. Das Weibchen soll nur düstrer sein, ober= und unterhalb fast olivengrünlich längsgestrichelt. Einzeln eingeführt, mit anderen Vögeln zusammen von Jamrach und Hagenbeck; im Londoner zoologischen Garten seit 1867. — Bastardzeisig (Cb.), Zeisiggrünling (Br.). — Le Serin des montagnes indiens; *Indian Mountain - Siskin or Indian Siskin.* — Carduelis spinoides, *Vgrs., Gld., Blth., Hdgs.*; Chrysomitris spinoides, *Blth., Hdgs., Bp., Hrsfld.* et *Mr.,* v. *Plzln.*; Fringilla spinoides, *Gr.*; Hypacanthis spinoides, *Cb.*; Chlorospiza spinoides, *Br.* — [The *Indian Siskin, Lth.*; Saira (in Kaschmir), *Royle*].

**Der bärtige Zeisig** [Fringilla marginalis]. An Oberkopf und Kehle schwarz, oberseits düster bräunlicholivengrün und unterhalb grünlichgelb, in der übrigen Färbung sowol als auch in der Lebensweise und allen anderen Eigenthümlichkeiten dürfte er den vorher geschilderten grünen Verwandten gleichen. Seine Heimat erstreckt sich über Chile und Bolivia, doch ist er auch südlicher bis auf den Falk= landsinseln beobachtet worden. Herr Landbeck berichtet über ihn: „Ein in Chile ungemein häufiger Vogel, der über das ganze Land verbreitet ist. Sowol sein Aeußeres, als auch sein Betragen, Lockstimme und Gesang stimmen mit denen des europäischen Zeisigs so sehr überein, daß er auf den ersten Anblick leicht mit ihm verwechselt werden kann (doch ist er bedeutend größer). Der Gesang ist bei den einzelnen Männchen sehr verschieden, indem es recht gute Sänger, aber auch viele Stümper giebt; im allgemeinen ist er jedoch abwechselungsreicher und voller, als der des europäischen Verwandten und ohne die unschöne Schlußstrofe. Er lebt und brütet in den Vorbergen der Anden, bei Valdivia auch in den oberen Wäldern und Obstgärten, wo er in 3 bis 6 Meter Höhe sein zierliches Nest baut und vier bis sechs hellbläuliche Eier legt. Im Sommer ernährt er sich wol theilweise von Insekten und reifenden Oelsämereien; im Winter kommt er z. B. in die Um= gegend von Santiago in die Potreros und auf abgeerntete Weizenfelder, um die Samen verschiedener Unkräuter, wie Hederich, wilder Rübsen, schwarzer Raps, wilder Rettig u. a., zu verzehren, zu welcher Zeit er dann mit Lockvögeln auf Leimruten und in Schlagkäfigen in großer Anzahl gefangen wird. Die Lieb=

haberei der Chilenen für diesen hübschen muntern Vogel ist so groß, daß Mancher ein bis zwei Dutzend und noch mehrere in kleinen Käfigen aus gespaltnem Rohr hält, um sich an ihrem Gesange zu erfreuen. Es giebt auch Exemplare, welche weiß und gelb abändern." Nach allen diesen Eigenthümlichkeiten ist es umsomehr zu bedauern, daß er bis jetzt der Liebhaberei bei uns noch nicht zugänglich ist.*) Im zoologischen Garten von London ist er seit 1875 vorhanden. Bartzitronfink (Br.). — Jilgero der Chilenen. — Fringilla barbata *Mln.*; Chrysomitris marginalis, *Bp., Hrtl., Lndbck., Cb.*; C. campestris, *Gay;* C. magellanica, *Scl.*; C. flavospecularis, *Hrtl.*; Sporagra barbata, *Gr.*; Citrinella barbata, *Br.* (Da ich S. 378 bereits einen Vogel als Fringilla barbata aufgeführt habe, so mußte ich mich bei diesem an eine neuere Benennung halten).

**Der abeſſiniſche Gebirgszeiſig** [Fringilla nigriceps], **der Zitronzeiſig** [Fringilla citrinelína] und **der Maskenzeiſig** [Fringilla melanops], drei Arten, welche Th. v. Heuglin in Abeſſinien ſcharenweiſe beobachtete, die jedoch geringe Ausſicht bieten, lebend eingeführt zu werden. Im Freileben dürften ſie mit den Verwandten übereinſtimmen, doch ſind ſie alle drei vorzugsweiſe Gebirgsbewohner. Der Reiſende ſchildert ſie als anmuthige Vögel und angenehme Sänger. Einer nähern Beſchreibung bedarf es vorläufig nicht. — Serinus nigriceps, *Rpp., Lfbvr., Hgl.*; Citrinella nigriceps, *Bp., Hgl.*; Crithagra nigriceps, *Blth.*; Dryospiza nigriceps, *Hrsf.* et *Mr.* — Serinus citrinelloides, *Rpp.*; Fringilla citrinelloides, *Lfbvr.*; Citrinella citrinelloides**), *Bp., Hgl.* — Fringilla (Citrinella) melanops, *Hgl.*

**Der chineſiſche Grünfink** [Fringilla sinica]. William Heine, Zeichner bei der nach China und Japan unter der Führung von M. C. Perry unternommenen amerikaniſchen Expedition, giebt an, daß er dieſen Vogel häufig in den Gärten der Umgegend von Makao (im ſüdöſtlichen China, am Ausfluß des Sikiang ins chineſiſche Meer) in den Gebüſchen geſehen habe. F. H. v. Kittlitz beobachtete ihn auf Boninſima, einer Inſel des ſtillen Ozeans, und Radde fand die größre Varietät im ſüdöſtlichen Sibirien. Die Heimat erſtreckt ſich alſo über Oſtaſien, China, Japan und einen Theil Sibiriens. Der Vogel iſt an Kopf und Nacken olivenbräunlichgrau; ganze übrige Oberſeite grünlichrothbraun; Schwingen ſchwarz, an der Grundhälfte gelb, Flügelrand und Achſeln hochgelb; Schwanz ſchwarz, Grundhälfte gelb; Backen und Kehle gelblicholivengrün mit ſchwachem dunklen Bartſtreif; Unterſeite gelblicholivenbraun, von der Unterbruſt an heller

---

*) Während des Drucks dieſer Bogen findet die dritte überaus großartige Ausſtellung der „Aegintha", Verein der Vogelfreunde von Berlin, ſtatt, und auf derſelben hat Fräulein Chr. Hagenbeck ein Männchen des bärtigen Zeiſigs neben einem Männchen von Hagenbeck's gelbköpfigem Girlitz [Fringilla (Crithagra) imberbis, *Cab.*], welcher letztre in den Muſeen noch kaum vorhanden iſt.

**) Das iſt wieder ein entſetzliches Wort: citrinelloides! Wenn es noch wenigſtens citrinellína hieße. So und nicht anders iſt die korrupte vox hybrida umzuwandeln. In Beziehung auf das Subgenus Citrinella iſt ſie immer noch ſinnlos genug = ein Zitronfink, der dem Zitronfink ähnlich iſt. Dr. L.

gelblich, Bauch und Hinterleib weißlich. Das Weibchen soll nur düstrer und unterhalb mehr grau sein. Der Vogel dürfte gelegentlich und einzeln in den Handel gelangen. Er ist nach seinem heimatlichen Namen von Br. Kawarahiba benannt. — Le Verdier de la Chine; Chinese Greenfinch. — Fringilla sinica, *L.*, *v. Kttl.*; Fringilla kawariba, *Tmm.*; Ligurinus sinicus, *Blth.*, *Cb.*; Ligurinus kawariba, *Cb.*; Chlorospiza sinica, *Css.*, *W. Hn.*, *Br.*; Chloris sinica, *Gr.*; Chl. kawariba minor, *Schlg.*

**Der algerische Grünfink** [Fringilla aurantiiventris] dürfte blos eine lebhafter gefärbte Varietät unsres europäischen Grünfink sein und bedarf daher nur der beiläufigen Erwähnung. Ich würde ihn ganz fortlassen, wenn nicht zuweilen von Ch. Jamrach in London dergleichen Vögel, ebensowol als auch der vorige, eingeführt würden; im Londoner zoologischen Garten ist ein Exemplar seit 1864 vorhanden. Er ist kleiner als jener und am Unterleibe chromgelb. Heimat südliches Frankreich und Algier. — Le Verdin algérien; Algerian Greenfinch. — Ligurinus aurantiiventris, *Cb.*; Chlorospiza aurantiiventris, *Br.*; Auripasser aurantiiventris, *Gr.*

*　　*　　*

Eine größere Gruppe, mehr oder minder nahe verwandter, hierher gehörender Vögel stelle ich als **Finken** zusammen, obwol neuere Schriftsteller sie in zahlreiche Sippen gespalten haben. Es sind die Geschlechter: Edelfink [Fringilla, *L.*], Stiglitz [Carduelis, *Cv.*], Girlitz= fink [Sycalis, *Boie*], Meisenfink [Euethia, *Rchb.*], Scheitelfink [Coryphospingus, *Cb.*], Springfink [Volatinia, *Rchb.*] und Farbenfink [Cyanospiza, *Bp.*]. Sie zeigen vorzugsweise die Merkmale, welche ich in der Uebersicht S. 324 angegeben. Die Heimat der beiweitem meisten lebend eingeführten, welche in bedeutender Artenmannigfaltigkeit und manche auch in großer Kopfzahl in den Handel gelangen, ist Amerika.

**Der Kanarienfink** [Fringilla tintillon], wie der Name besagt, von den kanarischen Inseln, wo er nach Bolle's Angaben die höher gelegenen Striche der baumartigen Eriken= und Lorbeerwälder, namentlich der westlichen Inseln, bewohnt; nach E. V. Harcourt ist er auch auf Madeira heimisch. Er ist dem europäischen Edelfink ähnlich, wenig größer und beiweitem lebhafter gefärbt; das Roth der Brust spielt ins Orangefarbne. Zum Winter steigt er in die Thäler hinab. Sein Gesang ist unbedeutend, durchaus abweichend von dem des Ver= wandten und lautet wie: hita, hita, hita, herrrrrrrr, am Schlusse nicht rein aus= geschlagen. Nach Giebel (Thesaurus ornith.) soll diese Art mit der nächst= folgenden zusammenfallen. Als Stubenvogel hat er keine Bedeutung, da er nur in einzelnen Köpfen und höchst selten von Ch. Jamrach eingeführt wird. — Er ist auch Lorbeerfink (Br.) benannt; Tintillon (auf den Inseln, nach Bll.); Tentilhao (auf Madeira, nach Hrcrt.). — Fringilla canariensis*), *Vll*, *Ldr.*, *Bll.*, *Gr.*, *Hgl.*, *Br.*; Fringilla Tintillon, *Wbb.* et *Brth.*, *Bll.*, *Hrcrt.*

---

*) Fringilla canaria und F. canariensis zeigen doch zu geringe Verschiedenheit, während beide Arten einander keineswegs unmittelbar nahe stehen. Um Irrthümer zu vermeiden, gebe ich daher dem Namen von Webb und Berthelot den Vorzug.

**Der Teydefink** [Fringilla teýdea]. Der Naturforscher Berthelot hatte auf der Insel Teneriffa einen Vogel entdeckt und abgebildet, welchen Bonaparte und Bolle für einen nahen Verwandten des europäischen Edelfink halten. Die Grundfarbe des Männchens ist ein mattes Blau, die des Weibchens rothbraun, bei beiden die Flügel mit weißer Binde; Größe bedeutender als die des Buchfink. Heimat die unwirthbaren Höhen des Teyde oder Pik von Teneriffa. Bolle beschreibt ihn oder vielmehr den Ausflug, um ihn zu sehen, in seiner poetisch schönen Weise, und ich bedauere nur, daß ich die herrliche Schilderung aus dem „Journal für Ornithologie" (1857) Raummangels wegen hier nicht aufnehmen darf. Einen Gesang haben beide Reisenden nicht vernommen und näheres über die Lebensweise ist nicht bekannt. Für die Liebhaberei wird der Vogel ebenfalls niemals Bedeutung erlangen, doch könnte er immerhin gelegentlich eingeführt werden. — Vogel Armida's (Berth.). — Pajaro de la Cumbre (Heimatsname). — Fringilla teydea, *Brth.* et *Wbb.*, *Bll.*

**Der Edelfink von Algier** [Fringilla spodiogenía]. Th. v. Heuglin betrachtet diesen in Nordafrika heimischen Vogel nur als eine Lokalrasse des europäischen Edelfink, während Alexander v. Homeyer, der ihn in Algier beobachtete, ebenso wie Bonaparte, Cabanis u. A. ihn für eine besondre Art halten; er sei größer, schlanker gebaut, trage sich im Sitzen wie im Gehen auf der Erde bachstelzenartig mit wenig gehobenem Schwanz. Der Lockton sei ganz verschieden, dem der gelben Bachstelze ähnlich und mit dem des verwandten nicht zu verwechseln; der Schlag sei jedoch ganz finkenartig. Nach Baron Koenig-Warthausen's Angabe stimmt das Ei bis auf geringere Größe und zartere Färbung mit dem des Buchfink überein. Taczanowski sah ihn in der Provinz Konstantine, ebenfalls in Algier, überall als gemein und bemerkt nur, daß er vorsichtiger sei, als jener. Er fand auch fertige Nester mit Eiern, welche nach Homeyer denen des Buchfink ebenfalls gleichen. Für die Liebhaberei wird der Vogel wol niemals von Bedeutung sein, deshalb zähle ich ihn nur beiläufig mit; im zoologischen Garten von London ist er seit 1864 in einem Exemplar vorhanden. — Maurenfink (Br.). — Le Pinson algérien; Algerian Chaffinch. — Fringilla spodiogenia, *Bp.*, *Scl.*, *Bll.*, *Boie.*, *Hmr.*, *Kg.-Wrth.*, *Cb.*, *Tczn.*, *Gr.*, *Br.*; Fringilla var., *Mlh.*; Fringilla africana, *Lvll.*

**Der Himalaya-Stiglitz** [Fringilla caniceps]. Im Innern Asiens, namentlich auf dem Himalaya, in Kaschmir u. a., lebt ein naher Verwandter unsres europäischen Stiglitz, welcher nach Jerdon in Lebensweise, Gesang u. a. dem erstern durchaus gleichen soll. Auch im Aeußern ist er ihm ähnlich, das Band um den Schnabel ist jedoch nicht karmin-, sondern scharlachroth, auch schmäler und durch kein schwarzes Band vom Schnabel getrennt, sondern erstreckt sich unmittelbar um denselben; die Kopfseiten sind nicht weiß, sondern hellbraun; der Rücken ist heller weißlichbraun; über die schwarzen Flügel zieht sich ein gelbes Band. Die Größe ist etwas geringer. Dr. v. Stoliczka sammelte ihn in Kotegurh im Winter und in Kyelang im Juni; nach Hutton ist er zu Quetta und Kandahar im Winter und Sommer gemein. Näheres ist nicht bekannt. — Ich habe den Vogel im Laufe der Jahre zweimal von Gudera in Leipzig erhalten, jedoch stets in so zerlumptem Gefieder, daß ich keine nähere Beschreibung geben kann, während die Jerdon's nicht ganz genau zu stimmen scheint. Uebrigens dürfte er wol, da er in Kal= kutta garnicht selten gefangen und zum Verkauf geboten werden soll, demnächst auch öfter bei uns eingeführt werden; er wird dann neben dem europäischen Ver= wandten sicherlich willkommen sein. — Shira bei den Hindustanern (Blyth); Saira in Kaschmir (Royle). — The Indian Goldfinch (Hrsf. et Mr.). — Carduelis caniceps, Vgrs., Gld., Rl., Blth., Ct., Htt., Bp., Hrsf. et Mr., Br.; Fringilla caniceps, Gr.

## Der Safranfink [Fringilla brasiliensis].

### Tafel XI. Vogel 56.

Unter der Bezeichnung brasilischer Kanarienvogel kommt ein Fink in den Handel, welcher überall als gemein gelten darf, wenn er auch immer nur in wenigen Köpfen vorhanden ist. Er gehört zu den bekanntesten und seines hübschen Gefieders wegen auch immerhin beliebten Stubenvögeln. Das Männchen ist lebhaft schwefelgelb mit schön safrangelber Stirn; das Weibchen zeigt ein düsteres, matteres Gelb, welches in Grau übergeht, auch hat es jenen Kopfschmuck nicht aufzuweisen. Die Größe stimmt mit der des gemeinen Kanarienvogels überein. Seine Heimat ist Süd= und Mittelamerika, doch vorzugsweise die östlichen Gegenden.

Die älteren Schriftsteller geben wenig über ihn an. Buffon erachtet ihn als dem europäischen Goldammer ungemein gleich und meint, daß beide Arten zur fruchtbaren Mischlingszucht geeignet sein müßten. Markgraf lobt den Gesang und vergleicht denselben mit dem Finkenschlag, während das Weibchen Sperlings= geschrei hören lasse. Vieillot theilt nichts näheres über ihn mit.

Merkwürdig ist die Meinung der Eingeborenen von Jamaika. Nach Gosse („The Birds of Jamaica") glauben dieselben nämlich, daß der Safranfink ein Nachkomme des Kanarienvogels sei. Vor vielen Jahren sei dieser in mehreren Köpfen von Madeira hierher gebracht, und nachdem er sich bedeutend vermehrt, die Schar freigelassen worden, welche sich nun über die ganze Insel verbreitet und durch den Einfluß des Klimas oder der Nahrung ein ungleich lebhafter ge= färbtes Gefieder erhalten habe.

Burmeister beobachtete ihn in Brasilien vielfach in der Nähe menschlicher Ansiedlungen, wo er sich in den Gärten gern auf den Palmenkronen zeigt, gleich den Sperlingen und Hänflingen seine Nahrung zwar am Boden, aber auch an den Gewächsen selbst, besonders an Gräsern, in Gesellschaft der Pfäffchen sucht. Sein Gesang sei ziemlich einfach und weder so laut als der eines Kanarienvogels noch so melodisch als der des Zeisigs. Der Naturforscher Prinz von Wied fand ihn in Brasilien überall, wo Gebüsch mit offenen Gegenden abwechselt; das Innere der Urwälder vermeide er dagegen. Der Lockton bestehe in einem kurzen Laut; während der Parungszeit vernehme man einen leisen, ziemlich wechselreichen Gesang, und in der Brutzeit, welche in den dortigen Frühling, also zwischen September bis März fällt, komme er gern in die Nähe menschlicher Wohnungen und lasse hier, von einem Baum oder Strauche herab, nicht zu entfernt von dem Neste, seinen nun etwas lebendiger gewordenen Ruf erschallen. Den Verlauf der Brut beschreibt der schweizerische Konsul Karl Euler. Er niste in hohlen Bäumen, Zaunpfählen u. a. Hölzern, auf Triften, in Gärten und Höfen u. s. w., auch sehr gern in den Nestern anderer Vögel, namentlich der Höhlenbrüter. So fand ihn der Genannte im Besitze der Nester des brasilischen weißköpfigen Fliegenschnäppers und noch mehr in denen eines kleinen Baum= läufers (Synallaxis mentalis, *Lchtst.*), dessen geräumige, gut verschlossene Höhlung ihm besonders zu behagen scheint. Wenn er selbst ein Nest bauen muß, so be= gnügt er sich mit einer nachlässig zusammengetragnen Unterlage von Stroh und Federn auf dem Boden der Höhle. Die Nester enthalten in den Monaten Oktober bis März Eier oder Junge (er fand am 27. Oktober ein Nest mit 4 Eiern, am 13. Dezember ein solches mit gleichem Gelege, am 20. Dezember eins mit flüggen Jungen, am 25. Februar wiederum eins mit 4 Eiern und am 14. März eins mit 3 Eiern) und Euler schließt daraus, daß der Vogel dreimal in jedem Jahre niste. Kurze Angaben von Chrysanthus Sternberg und H. v. Berlepsch stimmen mit denen des erstern Forschers überein. Stern= berg beobachtete ihn bei Buenos=Ayres und Berlepsch in Südbrasilien. Nach Gundlach ist auch ein Par bei Matanzas auf Kuba gefangen, doch meint er, daß dies nur aus dem Käfige entflohene Vögel sein konnten.

Zu Bechstein's Zeit war dieser Fink noch nicht eingeführt; ebensowenig zählt ihn Bolle in seinem Verzeichniß mit. Gegenwärtig wird er ziemlich regel= mäßig alljährlich in den Handel gebracht. Namentlich findet man ihn in den zoologischen Gärten, nur selten dagegen in den Vogelstuben; bei den Liebhabern, vorzugsweise aber bei Anfängern oft einzeln als Sing= oder Schmuckvogel. In den Handlungen zweiter Hand fehlt er zuweilen längere Zeit. Im Jahre 1868 erhielt Herr Mieth in Berlin zum erstenmal eine Anzahl von zwölf Köpfen, unter denen sich jedoch nur ein Weibchen befand. Obwol von Herrn Leuckfeld, der ihn schon früher gezüchtet hatte, inbetreff seiner Bösartigkeit gewarnt, mußte ich das Pärchen doch anschaffen und frei fliegen lassen, um auch diese Art nach ihrem ganzen Wesen kennen zu lernen. Beide zeigten sich anfangs ruhig und harmlos. Das Weibchen war augenscheinlich schon recht alt und hatte unter den Verhältnissen der Gefangenschaft sehr gelitten; sein Kopf war fast ganz federlos und stark mit Abschuppung (Schinn) bedeckt. Wenige Wochen vergingen, da stellten sich aber Veränderungen ein, welche zunächst das Aeußere des Weibchens und dann das Benehmen beider betrafen. Schneller als bei vielen anderen Vögeln wuchsen die Federn des Kopfes hervor, nachdem die Haut sich vonselber gereinigt. Auch die fahle Farbe des Gefieders wurde lebhafter und dunkler. Jetzt entwickelten beide Vögel aber eine stürmische Lebendigkeit, die sich namentlich in fortwährendem gegenseitigen Jagen kundgab. Herr Leuckfeld schrieb mir von seinem Pärchen folgendes: „In der ersten Zeit hielt ich die Vögel in einem Käfige, welcher mit angehängtem Harzerbauerchen als Nistgelegenheit, sowie mit allerlei Baustoffen versehen war. Bald aber zeigte sich der Heckkäfig für die außerordentliche Lebhaftigkeit dieser Vögel als viel zu enge, sodaß ich sie nothgedrungen in die Vogelstube versetzen mußte. Hier konnte ich erst ihre wirklich merkwürdige Lebendigkeit bewundern. Das war ein fortwährendes Jagen, Fliegen, Schlüpfen durch alle Sträucher und alle Ecken der Stube mit quecksilberner Ruhelosigkeit, wobei Kopf, Schwanz, Flügel, kurz und gut der ganze Körper in emsigster Bewegung blieben. Dabei ließ das Männchen seinen Gesang erschallen, welcher dem der Feldlerche gleicht, nur weit schneller vorgetragen wird und den ich dem des Kanarienvogels keineswegs ähnlich finden kann. Beim Anfang einer jeden Brut beginnt stets das wechselnde Jagen, bei welchem bald das Weibchen, bald das Männchen der Verfolgte ist und währenddessen die Stoffe zum Nestbau eingetragen werden. Das Weibchen baut fast allein, wohingegen das Männchen nur wie zum Zeitvertreib einen Halm umherschleppt; dabei schlägt das letztre aber fortwährend mit den Flügeln, jagt das Weibchen, fordert es dann unter lautem Gesang und mit förmlich krampfartig zitterndem Körper zu ehelichen Liebkosungen auf; dabei hat es die Augen halb geschlossen, hält den Kopf zurückgebogen, die Flügel herabhängend und in zitternder Bewegung, wie ein soeben flügge gewordner junger Sperling, der die Alten um Futter anbettelt. Dann jagt es das Weibchen wieder, bis auch dieses mit zitternden Flügeln und fächerartig emporgerichtetem Schwanze zur Begattung sich hinsetzt. Erfolgt solche aber nicht, so fährt das Weibchen furienwild auf das Männchen los und im tobenden Kampfe drehen sie sich wirbelnd um einander, sodaß sie die Bewohnerschaft der ganzen Vogelstube in Schrecken versetzen. Noch tobender aber beginnt dann die Jagd des erzürnten Weibchens hinter dem Männchen, welches jetzt durch die ganze Vogelstube gejagt wird, bis es in tödtlichster Angst und Erschöpfung zugleich im dichtesten Gebüsch, in irgend einem Schlupfwinkel, selbst im Wasser des Badebeckens, eine Zuflucht sucht vor der Wuth der Xanthippe. Höchst sonderbar ist es dabei, daß das verfolgende Weib von Zeit zu Zeit sich immer wieder hinsetzt und in beschriebner Weise den Gatten zur Liebe einladet. Jedesmal naht er denn auch, erhebt wieder schwippend den Schwanz und umhüpft es mit sperlings= ähnlichem: ter, ter! Erklärlicherweise ist der arme Wicht aber viel zu erschöpft und verängstigt, um ihrer Einladung folgeleisten zu können; bald fährt sie auch wieder auf ihn los, sodaß ganze Ballen seines gelben Gefieders in die Luft stäuben, und die tolle Hetze beginnt abermals. Dies wiederholte sich vor jeder Brut. Da nun drei Bruten hintereinander nicht weiter als bis zum Bau des fertigen Nestes gelangten und da diese Vögel nicht allein durch die Unruhe ihres Jagens, sondern auch durch anderweitige Störungen alle übrigen behelligen, so ist leicht zu ermessen, welchen großen Schaden sie in der Vogel= stube anrichten. Auch ohne Ursache machen sie sich in den Nestern anderer zu schaffen; denn obwol sie selber nicht zum Nestbau schritten, sondern nur beiläufig sich mit Baustoffen, namentlich dünnen Strohhalmen, umhertrugen, so störten sie doch durch ihr zudringliches Wesen viele Brütvögel und verscheuchten dieselben von ihren Nestern. Auch außerdem zeigten sie sich sehr bösartig gegen die kleineren Genossen, indem sie bald einen Tigerfink am Schwanze packten und zappeln ließen, bald ein Elsterchen am Flügel aus seinem Nistkasten hervorholten oder einen andern ahnungslos am Fenster sich sonnenden kleinen Prachtfink mit grausamen Schnabelhieben überfielen. Diese Neckereien mögen den Brasilianern viel Vergnügen gemacht haben, den kleinen Betroffenen aber kamen sie jedenfalls weniger spaßhaft vor, und ich mußte der Sache ein Ende machen dadurch, daß ich die Störenfriede herausfing und sie zu einem Par rother Kardinäle in eine Bodenkammer sperrte. Doch selbst diese jedenfalls sehr streitbaren und fast doppelt so großen Vögel, welche ich ebenfalls um ihrer Unverträglichkeit willen aus der Vogelstube entfernt hatte, wurden nicht selten vom Männchen am Futterkorbe angegriffen und mußten seinem Ungestüm das Feld räumen."

Das Nest wird auch in der Vogelstube jedesmal in einem Nistkasten oder in einem Webervogelnest angelegt, und wenn sie nicht das bereits fertige eines andern Vogelpärchens beziehen, so wird es nur nachlässig aus Bast= und Papier= streifen, Agavefasern und dünnen Reiserchen geformt und mit Thier= oder Pflanzen= wolle dünn gepolstert. Beide Gatten des Pärchens brüten abwechselnd, zuweilen auch gemeinsam. Beim geringsten Geräusch schlüpfen sie sogleich aus dem Neste. Die Brutdauer währt 14 Tage und die Jungen zeigen einen dunkelgrünlichen Nestflaum. Sie werden mit Ameisenpuppengemisch und gequellten Sämereien gefüttert. Außerhalb der Nistzeit fressen die Alten übrigens fast nur Hirse, Kanariensamen, Grünkraut und kaum hin und wieder etwas von dem Eigemisch. Das Jugendkleid gleicht ziemlich ganz dem des alten Weibchens, doch ist es viel mehr schwach grünlichgrau ohne den gelben Anflug. Nach der ersten Mauser, welche im Spätsommer eintritt, erscheinen sie wenig verändert, nur etwas heller.

Erft nach einem runden Jahre, in der Zeit, in welcher die Alten wieder zu niften beginnen, verfärben fich die jungen Männchen durch allmäliges Hervortreten der schönen gelben Farbe, namentlich an Bruft, Hals und Schultern; doch erft im dritten Jahre hat der Vogel feine volle Pracht erlangt.

In jedem Sommer machen fie mindeftens drei Bruten und beginnen mit der erften, wenn die Vogelftube geheizt wird, bereits im Februar. Herr Dr. Hans= mann beobachtete, daß ein Pärchen auch bei nur 10 Grad R. Wärme eine Brut glücflich erzog. Bei Herrn Leucffeld brachte ein Pärchen in einem Sommer 23 Junge zum Flüggewerden. Schon in den Jahren 1863—65 hatte Herr Dr. Max Schmidt im Thiergarten zu Frankfurt a. M. den Safranfink glück= lich gezüchtet. Seitdem ift dies ja auch von Anderen vielfach geschehen, und die Zucht kann recht einträglich fein, da das Pärchen bei den Händlern noch immer im Preise von 15 bis 18 Mark fteht und man es also mindeftens für die Hälfte bis Zweibrittel bei jenen und für den vollen Preis an Liebhaber zu verwerthen vermag. Wol zu beachten ift es aber, daß man die Zucht entweder im geräumigen Käfige oder in einer nur von größeren Vögeln, Webern, mancherlei Papageien u. a. bevölkerten Vogelftube betreiben darf.

Der Safranfink wird von den Händlern auch brafilianifcher oder brafilifcher Kanarien= vogel genannt. — Canario der Brafilianer, Goldfanarienvogel auf Jamaika. — [Guirnegat oder brafilianifcher Ammer nach Buffon; Brafilianifcher Emmerlingsvogel und gelber Gefangs= fperling, nach alten Autoren].

Le Chardonneret à front d'or ou Bouton d'or; Saffron Finch; Geele zanger of Chanteur du Brésil, Kanarie van Brazilië.

Nomenclatur: Emberiza brasiliensis, *Gml., Bff., Lth;* [Emberiza flaveola, *L.*]; Passerina flava, *Vll.;* Linaria aurifrons, *Lss.;* Sycalis brasiliensis, *Cb., Tschd., Schmb., Brmst., Eul., Hltz., Strnb., Br.;* Fringilla brasiliensis, *Spx., Pr. Wd., Eul.;* Crithagra brasiliensis, *Bp., Gndl.;* Sycalis flaveola, v. *Plzln., Scl., Brlpsch.* [Passer brasiliensis, *Wllghb.;* Bruant de Brésil, le Guirnegat, *Buff.;* Moineau paille, *Maud.*]. — Chuy, *Azr.;* Guiranheem gatú, *Markg.*

Wiffenfchaftliche Befchreibung. Stirn und Oberkopf lebhaft orangegelb, Nacken und Rücken grünlichgelb; Schwingen schwarzbraun, grüngelb gerandet, unterfeits gelblich, innen breit gelb gefäumt; Schwanzfedern schwarzbraun, grüngelb gerandet, unterfeits gelblich; Kehle, Bruftmitte, Bauch und Steiß dottergelb; Bruftfeiten grünlich überlaufen. Schnabel bräunlich= grau, Unterfchnabel gelblich; Auge braun; Füße bräunlichfleifchfarben. Weibchen lerchen= farben, jede Feder mit dunklerem Schaftfleck; Flügel= und Schwanzfedern blaß gelblichgrün ge= randet; Kehle und Vorderhals weiß; Oberfeite, Bauchfeiten und Steiß gelb mit graubraunen feinen Schaftftrichen; Unterbruft und Bauchmitte weißlich; Schnabel und Beine heller als beim Männchen gefärbt. — Jugendkleid: grünlichlerchengrau, Kehle und Oberbauch weißlich, Unter= feite gelblich; alle Federn mit dunklerm Schaftftrich; Schwingen innen gelb gefäumt. (Nach Burmeifter).

Fringilla brasiliensis: fronte pileoque laete aurantiis, cervice dor- soque virente flavis; remigibus fuscis viride flavo-marginatis, pogonio lateris inferioris flavidi interiore late flavo-marginato; rectricibus fuscis, viride flavo- marginatis, subtus flavidis; gula, pectore medio, ventre crissoque vitellinis; hypochondriis viridule afflatis; rostro fumido, mandibula flavida; iride fuscis

pedibus umbrino-carneis. — ♀ fumigato-umbrina, obscure striata; remigibus
rectricibusque dilute flavido-viride marginatis; gula colloque albis; jugulo, hypochondriis crissoque .flavis, fumido-striolatis; epigastrio ventreque medio albidis; rostro
pedibusque quam maris dilutioribus.

Länge 16,2 cm.; Flügel 7,8 cm.; Schwanz 4,6 cm.

Juvenis: virente fumida; gula abdomineque albidis; subtus flavida, obscure
striata; remigibus interius flavido-limbatis.

Beschreibung des Eies: Grundfarbe hellbraun mit zahlreichen sepiabraunen Flecken
und Punkten, welche oft sehr groß werden und das ganze Ei ohne Ordnung bedecken. Am
stumpfen Ende stehen sie mehr gedrängt; die ganze Zeichnung ist so dicht, daß die Grundfarbe
kaum erscheint. Die Gestalt ist normal, große Axe 20 mm., kleine Axe 15,5 mm., Scheidepunkt
10,5 mm. (Gundl.). Grundfarbe bläulich, Zeichnung, bräunlichschwarze und verwaschene blaugraue Flecke, welche theils klein, theils groß, meistens länglich, vom Grunde, wo sie sich am
größten und gehäuftesten zeigen, ausgehend, nach und nach kleiner werden und sparsamer stralen-
förmig bis zur Spitze sich verbreiten. Länge 18—19 mm., Breite 13—14 mm. (L. Holtz).
Grundfarbe weiß, Fleckung dem Sperlingsei gleich, über die ganze Oberfläche; einige Eier heller
als andere. Gestalt eiförmig; matt; Länge 19 mm., Breite 15 mm. (Nehrkorn). Auch Sternberg sagt, daß die Eier denen des Sperlings ähnlich sind. In der Vogelstube gleichen die Eier
der jüngeren Weibchen der Beschreibung Nehrkorn's und zuweilen waren sie fast weiß, nur
spärlich gefleckt. Die der alten Weibchen dagegen gleichen regelmäßig der Beschreibung Gundlach's und daher erachte ich diese als die normale.

Ovum: badium punctis maculisque numerosis, saepe permagnis, in fundo
arctioribus obsitum (Gundlach). — Ovum coerulescens maculis subfusco-nigris
eluteque cinereis, parte minoribus, parte majoribus, plurimis longiusculis, a fundo ad
apicem versus radiate dispersis sensimque minuentibus (Holtz). — Ovum album ovi
passerini instar maculatum (Nehrkorn).

**Der kleine Safranfink** [Fringilla Hilairi]. „Beträchtlich kleiner als die
vorige Art, mehr vom Ansehen des Hänflings, weil auch der Schnabel feiner,
kürzer, zierlicher ist. Gefieder am ganzen Rücken lerchengrau, jede Feder mit
dunklerer Mitte; Schwingen- und Schwanzfedern breiter braungrau, unten nicht
gelblichgrau, sondern weißlichgrau, außen fein gelblichgrau gerandet, nur die
Schwingen grünlicher am Rande; Innensaum der Schwingen weißlich. Ein Fleck
am Zügel vor dem Auge,. der obere Rand der Ohrdecken und die ganze Unterseite zitrongelb, die Seiten der Brust und des Bauches grau durchscheinend, Steiß
blasser gelb. Lebt im Innern Brasiliens auf dem Kamposgebiet und ist hier,
wie es scheint, weit verbreitet; wenigstens von Minas-geraes, wo A. de St. Hilaire
ihn fand, bis Guinea, von wo Cabanis ihn beschreibt." (Burmeister).

Die Ornithologen hatten noch einige andere Arten unterschieden, welche jedoch
nur so geringe besondere Merkmale zeigen, daß sie mit diesem oder dem vorigen
als völlig übereinstimmend erachtet werden dürfen. So namentlich ein Safranfink von Kolumbien [Sycalis columbiana, Cab.] und der kleinste Safranfink [S. minor, Cab.], welcher erstre im Heine'schen Museum sich befindet,
während der letzte in Schomburgk's Reise beschrieben ist. Im Handel kommen
zuweilen bedeutend kleinere Safranfinken vor, doch habe ich an denselben so ver-

schiedene Merkmale, daß sich selbständige Arten aufstellen ließen, nicht auffinden können. In der Literatur ist näheres über sie nicht vorhanden. — Crithagra Hilarii, *Bp.*; Sycalis Hilarii, *Cb.*, *Brmst.*

## Der gelbbäuchige Girliß [Fringilla luteiventris].

Der nächste Verwandte des Safranfink erscheint im Vogelhandel äußerst selten. Er ist oberhalb dunkelbraun, jede Feder fahl gesäumt; Schwingen und Schwanzfedern dunkelbraun, fein weiß gesäumt; Bürzel olivengrünlichgelb; Zügel und Augenring hochgelb; Kopf- und Halsseiten bräunlichgraugrün; Unterseite lebhaft gelb; Auge braun; Schnabel hornfarben, Unterschnabel heller; Füße gelblichbraun. Weibchen übereinstimmend, nur düsterer, grünlichgraugelb an der Unterseite. Größe des gelbstirnigen Girliß. Seine Heimat ist der Westen von Südamerika, Gray giebt Südpatagonien, Peru und Ekuador an; v. Bibra beobachtete ihn in Santjago und auf den Korbilleren; Burmeister traf ihn bei Parana und Tukuman häufig. Sternberg beobachtete ihn im November 1867 in der Umgebung von Buenos-Ayres; er fand mehrere Nester und eins derselben auch vom Seidenstar (Sturnus — Molothrus — bonariensis, *Gml.*) belegt. Das Nest stand in einer baumfreien Gegend, welche mit Disteln u. a. Kräutern und hohem Grase bewachsen war, nur 30 cm. hoch zwischen dichten Pflanzenstengeln und Grashalmen und war außen aus Wurzeln und Gräsern ziemlich dickwandig, doch nur lose gewoben, innen mit zarten Gräsern, Würzelchen und Fasern, sowie einigen Pferdeharen recht tief und sehr sorgfältig glatt gerundet. Das in der letzten Hälfte des Novembers gefundene Gelege bestand immer in brei bis fünf Eiern. L. Holtz beschreibt die Eier als weiß, schwach bläulichgrünlich schimmernd mit braunen, weinröthlichen, verwaschen blaugrauen und violetten Flecken gezeichnet. Näheres ist über das Freileben nicht bekannt.

Dr. Franken, welcher ein Männchen besaß, lobt seinen Gesang nicht besonders; v. Schlechtendal bezeichnet denselben aber als eigenthümlich schwirrend, sowol an den des Heuschreckensängers, als auch an den des einheimischen Girliß erinnernd. Im Herbst 1876 erhielt ich von Chs. Jamrach in London ein Pärchen, welches jedoch so krankhaft ankam, daß beide bald eingingen. Im zoologischen Garten von London ist er seit 1873 vorhanden. Sollte der Vogel demnächst im Handel häufiger erscheinen, so würde er wol als eine erwünschte Bereicherung der Vogelstuben gelten können, da er ungleich sanfter und friedlicher als sein Verwandter sich zeigt. Leider ist bis jetzt dazu wenig Aussicht, da die meisten brasilischen Vögel uns nur in geringer Anzahl zugeführt werden.

Der gelbbäuchige Girliß ist von Br. Goldzügel benannt. — Chipiu (Heimatsname, nach Burmst.). — Le Chardonneret à ventre jaune, Yellow-bellied Finch.

Nomenclatur: Fringilla luteiventris, *Meyen;* Sycalis luteiventris, *Cb.*, *Gr.*, *Brmst.*, *Strnb.*, *Hltz.*, *Br.*; Sycalis arvensis, *Scl.*

Wiſſenſchaftliche Beſchreibung ſ. S. 409.

Fringilla luteiventris: supra fusca pluma quaque livide limbata; remigibus et rectricibus fuscis albido limbatis; uropygio olivaceo-virescente; subtus laete flava; loris annuloque oculari luteis; lateribus capitis collique fumigato-viridibus; iride umbrina; mandibula rostri cornei dilutiore; pedibus fulvidofuscis. — ♀ conveniens, tantum obscurior; subtus virente livida.

### Der Kubafink [Fringilla canóra].

Mit dem herandämmernden Abend wird es ſtill in der Vogelſtube. Die letzten Schreier, einige Keilſchwanzſittiche, haben ſich zur Ruhe in die Niſtkäſten zurückgezogen; hin und wieder ertönt noch das rauhe ſchäk, ſchäk der Bayaweber, und kleine Prachtfinken wiſpern im Dickicht. Auf dem Raſen liegen die Regen= und Argoondawachteln, und von Zeit zu Zeit erhebt ſich ein Männchen und läßt ſein melodiſches tikterik erſchallen. So erſtirbt ein Laut nach dem andern. Plötzlich aber hören wir dicht neben uns einige ſchrilllockende Töne, und aus einem in Kiefernzweigen hängenden weberartigen Neſte kommen ein Par Vögelchen hurtig hervor, nicht aber in der Weiſe der zuletzt geſchilderten Finken einander befehdend und jagend, ſondern in jener unendlichen Zärtlichkeit, welche die kleinen Aſtrilde zeigen, immer dicht neben einander. So eilen ſie nach dem Futterplatz, ſind hier ſehr eifrig thätig und ſchlüpfen dann in das Neſt zurück. Bald darauf erſchallt in demſelben das Zirpen der Jungen, welche in voller Dunkelheit von den Alten geätzt werden. Am nächſten Morgen finden wir dieſen Vogel, den kleinen Kuba= fink, bereits in aller Frühe wieder munter; er zählt zu den anmuthigſten und ſchönſten Bewohnern der Vogelſtube. In ſeiner geringen Größe, Beweglichkeit, ſowie im ganzen Weſen iſt er den kleinſten Prachtfinken außerordentlich ähnlich, während er doch keineswegs zu dieſer Unterfamilie der Finken gehört, welche in ſeiner Heimat, Amerika, bekanntlich garnicht vertreten iſt.

Sein olivengrünes Gefieder wird durch die ſammtſchwarze Färbung des Ge= ſichts und der Bruſt, namentlich aber durch einen breiten, lebhaft ſchwefelgelben, im Nacken nicht zuſammenreichenden Halskragen ungemein geziert. Der Schnabel iſt glänzend ſchwarz und das Auge dunkelbraun. Das Weibchen iſt düſter bräun= licholivengrün und hat nicht wie das Männchen ein lebhaft ſchwefelgelbes, ſondern nur ein bräunlichgelbes Halsband; ſeine Bruſt iſt düſter ſchwärzlichbraun. Die Größe ſtimmt mit der des grauen Aſtrild überein. Seine Heimat iſt die Inſel Kuba.

Die alten Schriftſteller geben nichts bemerkenswerthes über ihn an. Bech= ſtein erwähnt ihn ganz kurz, ſagt, er komme aus Mexiko und lobt ſeinen ſanften, flötenartigen Geſang; er ſei in ſeinem Betragen lebhaft und artig; man ſtecke ihn in einen Käfig und füttere ihn mit Kanarienſamen und Hirſe. Leider giebt er nicht an, in weſſen Beſitz ſein ‚braunwangiger Kernbeißer‘ ſich befunden und welchen Preis derselbe damals gehabt. Gmelin hatte als Heimat auch Mexiko angenommen; Dr. Gundlach berichtigt dies aber und schildert ihn in folgendem: „Diese Art scheint nur auf der Insel Kuba vorzukommen und durch Gmelin's falsche Angabe des Vaterlandes mag Vigors sie nicht erkannt und ihr einen neuen Namen gegeben haben. Der Vogel lebt vorzugsweise in den Steppen und an Bachufern und erscheint nur zuweilen in bebauten Gegenden. In manchen Orten kommt er garnicht vor, während man dort den nahe verwandten größern Kubafink zahlreich sieht, an anderen wiederum trifft man nur ihn. Obwol er jenem in vieler Hinsicht gleicht, so hat er doch eine abweichende Lebensweise, z. B. findet man ihn stets in Pärchen und wo einer sich zeigt, wird man auch den andern bemerken. Sie setzen sich meistens unmittelbar neben einander und man könnte für sie die Bezeichnung Inseparables anwenden. Sodann nistet der Vogel meistens auf dünnzweigigen Bäumen, im Dickicht, höher vom Boden als der Verwandte und baut auch ein größres Nest. Er läßt nicht ein bloßes Zwitschern, sondern einen kurzen, lauteren Gesang hören. Daß er aber wie ein Kanarien= vogel singen lerne, wie Don Esteban Pichardo angibt, ist sicher nicht richtig. Man kann ihn in Käfigen halten und sind diese groß, so sieht man ihn auch nisten. Sollte einer sterben, so muß man ihn schnell entfernen, denn im andern Falle gehen bald mehrere zugrunde, vielleicht aus Trauer. Die Nahrung besteht in Sämereien, besonders in Grassamen, aber auch aus zarten, saftigen Pflanzen, z. B. wildem Portulak. Das Nest hat eine kugelige Gestalt und wird aus trockenen Kräutern, Würzelchen, Haren, Thier= und Pflanzenwolle, Federn u. a. m. hergestellt und innen weich ausgepolstert." Näheres über das Freileben und die Brut ist nicht bekannt; um so ausführlichere Berichte liegen aus der Vogelstube vor. Ohne mich zu irren, darf ich wol behaupten, daß ich in der meinigen auch diese Art zuerst gezüchtet habe. Dies ist dann bald auch in mehreren anderen geschehen und ich bringe zunächst den Bericht des Herrn Graf York von Wartenburg auf Schleibitz.

„Ein von Ihnen erhaltnes Kubafink=Pärchen bezog in meiner Vogelstube so= gleich das bei Ihnen begonnene Nest, welches Sie mir nebst dem Strauch, in dem es hing, mitgeschickt hatten, und baute es vollkommen aus. Dasselbe war von runder Gestalt mit langem röhrenartigen Eingang von unten herauf. Kaum hatte ich gehofft, daß die Vögelchen wirklich zur Brut schreiten würden, weil sie soviel außerhalb des Nestes sich aufhielten, daß ich glauben mußte, die Eier wür= den verderben. Nichtsdestoweniger flogen eines Tags die Jungen aus oder richtiger gesagt, sie waren herausgehüpft, denn fliegen konnten sie noch nicht, als sie das Nest verließen. Sie wurden jedoch von den Alten sorgsam bis zum vollen Flüggewerden weiter gefüttert. Ihr Nest nahm nun ein Madagaskarweber inbeschlag, riß es auseinander und baute es in seiner Weise um. Die Kuba=

finken errichteten in einem Strauch hoch oben an der Decke ein neues und zwar ein flaches, tellerartiges Nest und brachten auch in diesem wieder eine Brut glück= lich zum Ausfliegen. Da sie aber späterhin regelmäßig ihre Nester in der erst= angegebnen Gestalt hergestellt haben, so kann ich wol annehmen, daß dies letztre Nest nur gleichsam ein Nothbau war, den sie infolge der Befehdungen seitens der Weber= oder anderer Vögel angelegt hatten. Ich will nun eine Brut nach ihrem gewöhnlichen Verlauf beschreiben. Das Pärchen baut am liebsten in recht feines, dichtes Geäst, z. B. in einen Haufen zusammengesteckter Spargelzweige. Das Nest hat in der Regel die Gestalt einer Retorte mit einer langen, gebognen Röhre als Eingang. Am willkommensten dazu sind den Vögeln kurzgeschnittene Roßhare, ganz feine Grasrispen, Agavefasern und feine Schalenstückchen von Birken. Dies alles schleppt vorzugsweise das Männchen zusammen; es fliegt nicht mit einem einzelnen Halm zu Neste, sondern erst, wenn es den Schnabel ganz voll gesammelt hat. Das Weibchen trägt gleichfalls ein, doch hauptsächlich nur Moos und kurze spreuartige Stoffe. Beide bauen sehr fleißig und paren sich in dieser Zeit oft. Mit großem Muth vertheidigt das Männchen sein Nest gegen jeden Vogel, selbst gegen viel größere; überhaupt sind während des Nistens beide sehr bösartig, jedoch nur in der Nähe des Nestes und am Futtertisch. Bei mir haben sie niemals mehr als vier Eier gelegt. Sie brüten anscheinend unzuver= lässig, denn ihre Lebhaftigkeit und Hurtigkeit treibt sie alle Augenblicke von den Eiern; doch lieben sie die Brut sehr und sind nicht empfindlich gegen das Be= sichtigen des Nestes. Nach 11 Tagen kriechen die Jungen aus, aber etwas un= gleich, sodaß es manchmal auch 13 Tage währt. Sehr bald hört man das Wispern derselben und nun füttern die Alten ungemein fleißig. Vorzugsweise gern nehmen sie frische kleine Ameisenpuppen und in der Zeit, in welcher diese zu erhalten sind, haben sie bei mir die meisten Bruten glücklich aufgebracht; sonst verschmähen sie auch das Eifutter nicht. Ungemein früh verlassen die Jungen das Nest, oft bereits, wenn die Flügelfedern noch garnicht aus den Kielen hervor= sprießen; dann können sie natürlich noch nicht fliegen, sondern suchen sich, beständig zirpend, auf der Erde ein verstecktes Plätzchen. Bisher habe ich noch nicht fest= stellen können, nach wie vielen Tagen sie eigentlich aus dem Neste schlüpfen. In den meisten Fällen konnten sie dann wol schon fliegen, sahen jedoch immer noch sehr nackt und dürftig aus. Sobald die Jungen ausgeflogen sind, fangen die Alten sofort wieder an, das Nest auszuputzen, oder sie tragen es ab, um es anderwärts hinzubauen. Die Zahl der Nestlinge in den vielen bei mir flügge gewordenen Bruten war verschieden, zwischen 1—4 Köpfen. Bis zur ersten Mauser behalten sie das düstre Kleid, dann zeigt sich zuerst die schwärzliche, immer dunkler werdende Larve, ebenso die Färbung der Brust und zugleich wird der anfangs sehr schmale gelbe Streif allmälig breiter. Je älter der Vogel wird, einen desto größern Umfang nimmt dieser gelbe Kragen ein. Vorsichtigerweise muß man es vermeiden, die Jungen von den Alten fortzunehmen, wenn man sie nicht für immer trennen will. Denn sobald sie nur einen Tag herausgefangen und allein eingesperrt worden, darf man sie nicht wieder zu den letzteren fliegen lassen, weil dieselben nun plötzlich sich so böse gegen sie zeigen, daß sie nicht eher ruhen, als bis einer der kleinen Zukömmlinge nach dem andern todt ist. Und das ist leicht erreicht, denn dieselben sind ungemein zart, während die Alten doch als sehr kräftige, ausdauernde Vögel gelten dürfen. Auf solche Weise habe ich früher mehrere verloren, indem sie vom alten Wütherich so lange gejagt wurden, bis sie vor Angst zur Erde gefallen und luftschnappend in wenigen Minuten todt waren. Auch die jungen Männchen fangen, sobald sie sich ver= färben, gefährlichen Streit selbst im kleinen Käfige mit einander an."

Diese hübsche Schilderung ergänzt Herr Kaufmann Emil Gäbel in Grau= denz in folgendem: „Wer Kubafinken in der Vogelstube züchten will, halte es von vornherein als Nothwendigkeit fest, daß er niemals mehr als ein Pärchen frei fliegen lasse. Die Unverträglichkeit und Zanksucht zwischen Hartlaubszeisig und Graugirlitz, welche mitunter so weit geht, daß einer von ihnen auf dem Platze bleiben muß, ist garnicht zu vergleichen mit der Unruhe, Heftigkeit und Kampflust eines zur Zeit der Liebe erregten Pärchens dieser Finken. Das Männchen zaust und jagt selbst bedeutend größere Vögel mit Wuth aus der Nähe seines Nestes fort. Letztres ist ein wahrer Kunstbau und wird nach meinen Erfahrungen keines= wegs immer in gleicher Weise hergestellt, sondern sehr verschieden angelegt, obwol die retortenähnliche Form mit mehr oder minder wagerechter Flugröhre, welche zuweilen bis 40 ᶜᵐ· lang, und darunter mit einem straußeigroßen, gefilzten Beutel, am häufigsten ist. Eine zweite Gestalt des Nestes ist ein großer gefilzter Beutel mit dem Eingange von oben. Bei diesem letztern sind die Wandungen stets dichter und dicker gewebt, als bei dem erstern. Als Baustoffe werden mit Vorliebe lange Baststreifen, Kokos= und Agavefasern verwendet. Das Innere ist zwar geglättet, doch keineswegs so weich ausgepolstert, als man angesichts der Zartheit dieser reizenden Vögelchen annehmen möchte. Männchen und Weibchen brüten abwechselnd. Die Jungen machen sich, nachdem sie etwa 8 Tage alt sind, durch ein sehr lautes, charakteristisches Zirpen bemerkbar. Kaum einigermaßen befiedert, halbnackt und ohne Schwänzchen fliegen sie aus und sind so behend, flink und quecksilbern als die Alten, von denen sie solange, bis sie selber fressen können, geführt, mit ungemeiner Liebe beschützt und mit wahrhaftem Todesmuth gegen die Angriffe anderer Vögel vertheidigt werden. Nur zu bald aber ver= wandelt sich diese innige Hingebung in das schroffste Gegentheil; sie dürfen sich, sobald die Alten die zweite Brut begonnen haben, nicht dem Nest nähern und werden, wenn es geschieht, vom alten Männchen mörderisch überfallen und nicht

selten getödtet. In solcher Weise verlor ich anfangs zahlreiche prächtig gediehene
Junge und erst durch den Schaden bin ich klug geworden. Man muß sie eben
beizeiten herausfangen. Im übrigen aber empfehle ich diese allerliebsten Vögelchen
allen Liebhabern mit der Versicherung, daß jeder Züchter seine Freude an ihnen
haben wird."

Diesen Mittheilungen kann ich noch folgende anfügen. Im Handel
gehörte der Kubafink von jeher zu den selteneren, in neuerer Zeit aber auch zu
den kostbareren, weil vielgesuchten Stubenvögeln. Trotz vielfacher Züchtung und
regsamen Verkaufs ist seit dem Beginn der siebenziger Jahre der Preis für ein
Pärchen von 18 Mark bis auf 24 Mark, und wenn sie längere Zeit fehlen,
selbst bis auf 30 Mark gestiegen. Er wird von allen Großhändlern, jedoch nur
einzeln oder in wenigen Pärchen eingeführt. Neuerdings hat ihn Schoebel in
Grünau bei Berlin am zahlreichsten in den Handel gebracht, doch ist es noch
in letzter Zeit vorgekommen, daß derselbe ein Männchen der nachfolgend beschriebnen größern Art als Weibchen abgegeben hat — ein Irrthum, welcher
früher bei allen Händlern sich zeigte, weil nämlich die Weibchen beider Arten
eher als die Männchen den Reisebeschwerden erliegen und daher viel seltner sind.
Die Beliebtheit dieses Vogels begründet sich in der leichten Züchtbarkeit und den
gerühmten Eigenthümlichkeiten; von einem Gesange kann dagegen in Wirklichkeit keine
Rede sein, trotzdem man ihn so gern Chanteur de Cuba nennt; man hört selbst
in der Liebeszeit nur leises Pfeifen und Wispern. In seinem ganzen Wesen hat
er, wie bereits eingangs erwähnt, überaus große Aehnlichkeit mit den Astrilden, und
der Bau des überwölbten Nests, sowie der Umstand, daß das erste Pärchen in
meiner Vogelstube reinweiße Eier legte, führten mich bereits zu der Annahme,
daß er ein Mittelglied, bzl. ein Vertreter der Prachtfinken in Amerika sei.
Nähere Beobachtung ergab dann aber das irrthümliche dieser Ansicht, zumal, wie
in den vorhergegangenen Schilderungen zu ersehen ist, auch zahlreiche andere
verwandte Finken, namentlich in ihren ersten Bruten, weiße Eier legen, wie
überhaupt die Eier aller dieser Vögel in der Vogelstube und im Freien außerordentlich abändern. — Eigentlich bösartig, sodaß sie Genossen in der ganzen
Vogelstube verfolgten, sind sie durchaus nicht, sondern eben nur in der Umgebung
des Nestes zeigen sie sich sehr bissig. Der Bau wird gewöhnlich in 6—8 Tagen
vollendet und sonderbarerweise verlassen sie, bevor das erste Ei gelegt worden,
denselben bei jeder Störung leicht und beginnen an einer andern Stelle oder auch
für längere Frist garnicht zu nisten. Beide Gatten des Pärchens brüten nicht.
abwechselnd wie die meisten Verwandten, sondern in der Regel gemeinsam zu
gleicher Zeit. Die ganze Brut vom ersten Ei bis zum Flüggewerden der Jungen
rundet sich ziemlich regelmäßig auf 4 Wochen ab. Ich habe den Kubafink im
Käfige ebensowol als auch in der Vogelstube mit gutem Erfolg gezüchtet. Er

zeigt sich sehr ausdauernd und erhält sich auch im ungeheizten Raume über Winter vortrefflich.

Der Kubafink, kleine Kubafink oder Gelbkragen, heißt auch Goldkragen (Br.). — Im östlichen Theile der Insel Kuba Senserenico, im westlichen Tomeguin del Pinar (Gundlach). — Braunwangiger Kernbeißer (Bechstein). — Le Bouvreuil olive ou sincerini et . le Chanteur de Cuba; Melodious Finch.

Nomenclatur: Loxia canora, *Gml.*, *Bchst.*; Pyrrhula collaris, *Vgrs.*; Passerina collaris, *Lmb.*; Euethia canora, *Cb.*, *Gndl.*, *Br.*; Fringilla canora, *Thnm.* [Brownckeeked Grosbeak, *Lth.*].

Wissenschaftliche Beschreibung: Oberhalb olivengrün; Stirn, Wangen, Kehle und Brust schwarz; Scheitel grau; oberhalb des Auges entspringt eine prächtig gelbe Linie, geht hinter dem Ohre fort, erweitert sich dann und vereint sich fast unterhalb der Kehle in eine Art von Halsband; die Federn dieses männlichen Schmucks können sich etwas sträuben; Schwingen und Schwanzfedern sind dunkelbraun mit olivenfarbigen Rändern; Unterseite bräunlichgrau, von der Mitte des Bauchs an fast reinweiß. Schnabel glänzendschwarz; Auge dunkelbraun; Füße hellbräunlichgrau. Weibchen: Das Olivengrün ist weniger rein; Kopf, Wangen und Kehle sind grau, rostbraun angeflogen und an der Kehle schwarz gescheckt; die Farbe des Halsbands ist blaßgelblichbraun; der Brust fehlt die schwarze Farbe. Das junge Männchen gleicht dem Weibchen, aber die Färbung ist unrein. (Gundlach).

Das Männchen ist oberhalb olivengrün, die aschgrauen Flügelschwingen haben schmale gelblicholivengrüne Außensäume, sodaß der zusammengelegte Flügel ebenfalls olivengrün erscheint; Schwanz oberhalb olivengrün, unterseits aschgrau, die beiden äußersten Federn oberhalb mit lebhaft gelblicholivengrünem Außenrande; Oberkopf dunkelgrünlichaschgrau; Stirnrand, Gesicht, Wangen, Kehle reinschwarz; vom Kopf oberhalb des Auges hinunter über's Ohr um die Backen ein sich immer mehr verbreitendes safrangelbes Band, welches am Halse am breitesten ist; Brust schwarz, nach dem Unterkörper zu allmälig in Grau übergehend; Bauchweißlichgrau, Seiten grünlich überhaucht; untre Flügelseite aschgrau; Hinterleib und Unterschwanzdecken grauweiß; Schnabel glänzendschwarz; Auge braun; Füße hellbräunlichgrau. Weibchen oberhalb graulicholivengrün, Flügel- und Schwanzfedern mit schmalen gelblicholivengrünen Außensäumen; Gesicht und Kehle schwärzlichgrau, umrahmt von einem breiten düsterroftbraunen Bande; Brust dunkelgrau; Unterkörper grau, unirer Hinterleib weißlichgrau. — Jugendkleid: Flaum weißlichgrau, Wachshautdrüsen gelblichweiß; Gefieder beim Verlassen des Nestes oberhalb düster bräunlicholivengrün; das Halsband blaßgelb, doch bei den jungen Männchen bereits deutlich hervortretend; Gesicht und Brust schwärzlichbraun; Unterseite fahlgrau; Schnäbelchen fahlbraun. (Ruß).

Fringilla canóra: supra olivaceo-viridis, marginibus externis remigum cinereorum e flavido olivaceo-viridibus; rectricibus supra olivaceo-viridibus, subtus cineraceis, extimis ambabus exterius virente-olivaceo-marginatis; pileo obscure subviride cinereo; margine frontali, facie, genis gulaque atris; fascia crocea a superciliis trans aurem circa genas deorsum dilatante, circa collum latissima; pectore nigro; abdomine cinerescente; crisso et infracaudalibus canis; rostro nitide nigro; iride fusca; pedibus subfumidis. — ♀ supra e fumido olivacea, marginibus exteris remigum et rectricum anguste luride virente marginatis, facie fasciaque lata hanc genasque subnigro-cineras circumcludente sordide rufa; pectore obscure cinereo; subtus grisea, crisso cano.

Juvenis: lanugine subcana, glandulis cerae flavente albis; serius supra sordide olivaceo-virens, collari flavido; facie subfusca; subtus livide cinerea; rostro subfusco. Länge 9,6 cm.; Flügelbreite 15 cm. (Gundlach).

Beschreibung des Eies: Gestalt ungleichhälftig, an der halbkugeligen Basis, nach der stumpfspitzen Höhe stark abfallend. Grundfarbe graugrünlichweiß mit sehr feinen und einigen größeren, meist in Gruppen vereinigten, nach der Höhe einzelner werdenden, nach der Basis

mehr gehäuften Fleckchen. Das Korn ist überaus zart. Länge 15—16 mm.; Breite 11—12 mm.
(F. A. L. Thienemann). — Ei reinweiß, um das dicke Ende mit einem kleinen Kranz von
grünlichen gespritzten Punkten, welche desto zahlreicher zu werden scheinen, je mehrere Eier der
Vogel legt. (Graf York v. Wartenburg). — Ei grünlich= oder bläulichweiß, schwarz= oder
rothbraun gepunktet; selten ganz reinweiß. (Ruß).

Ovum: a basi semiglobosa ad finem obtuso-acutum versus valde decrescens;
virente canum maculis et subtilissimis et nonnullis majoribus, plerumque acervatim
congestis, basin versus creberrimis; testa tenerrima (Thienemann). — Ovum albissimum punctulis subviridibus (C. York v. Wartenburg). — Ovum virente vel coerulescente album, nigro-vel rufo-punctulatum, rarius pure album (Russ).

## Der größere Kubafink [Fringilla lépida]

stimmt mit dem vorigen fast völlig überein, ist jedoch ein wenig größer, und hat
nicht den breiten gelben Kragen, sondern nur über und unter den Augen und
neben der schwarzen Kehle lebhaft gelbe Streifen. Das Weibchen ist düstrer
und zeigt nur schmale gelbe Augenstreifen. Im übrigen ist er ebenso munter
und ersetzt reichlich durch Liebenswürdigkeit und Anmuth, was ihm an Farben=
schönheit fehlt. Im Handel ist er keineswegs häufig und besonders das Weibchen
muß als große Seltenheit gelten. In der Regel wird er nur einzeln mit dem
Verwandten zusammen eingeführt; der Preis ist übereinstimmend.

Seine Heimat erstreckt sich nicht nur wie bei jenem blos über Kuba, sondern
auch über andere Inseln der Antillengruppe, z. B. Jamaika, Portorico und
St. Domingo.

Buffon sagt nur, daß Linné ihn durch Jaquin kennen gelernt habe. Er
halte sich in den Wäldern von Havana auf, werde leicht zahm und singe an=
haltend mit so leiser Stimme, daß man dieselbe kaum hören könne, wenn man
nicht ganz nahe bei ihm stehe. Die übrigen älteren Schriftsteller geben nichts
näheres über ihn an. Bechstein erwähnt ihn nicht, Bolle dagegen führt ihn
in seinem Verzeichniß als Kubavogel auf; auch sagt er gelegentlich seiner herr=
lichen Schilderung des Kanarienwildlings, daß er ihn in Berlin als witden
Kanarienvogel habe feilbieten sehen.

Auch über sein Freileben berichtet Gundlach eingehend: „Er ist Stand=
vogel auf Kuba und gemein im Felde und in waldlosen Gegenden, weniger an
Waldrändern und wol niemals kommt er tief in den Wäldern vor. Im Sommer
und zur Nistzeit lebt er pärchen= oder familienweise, in der trocknen oder kalten
Jahreszeit vereinigt er sich zu großen Scharen auf den Zuckerpflanzungen, wo er
Zucker auf den Trockenplätzen frißt, oder auf den Kaffeepflanzungen, wo er eben=
falls Nahrung genug findet. Diese bilden im wesentlichen Sämereien, besonders
Grassamen, sowie auch zarte saftige Pflanzenstoffe, namentlich witder Portulak;
begierig leckt er den Honigsaft aus großen Blumen. Niemals thut er dem
Menschen Schaden. Man findet fast das ganze Jahr hindurch Nester mit Eiern

ober Jungen; ausnahmsweise auch in den Wintermonaten. Die eigentliche Nistzeit beginnt aber erst in der Regenzeit des Frühlings. Das Nest steht fast immer in geringer Höhe über dem Boden, in Sträuchern, Kaffee=, Orangenbäumchen u. a. Es ist verhältnißmäßig groß, mehr oder weniger kugelig gebaut, mit einem Seiten= eingange, und besteht äußerlich aus trockenen Kräutern, Haren, Wolle, Federn, Würzelchen, Baumwolle u. drgl. und innen aus einer Lage weicher Stoffe, Pflanzenwolle, Federn u. a. m. Die Zahl der Eier beträgt zwei bis drei, nicht aber, wie b'Orbigny angiebt, fünf.

„Man kann ihn leicht im Käfige erhalten, und wenn dieser groß ist, auch züchten. Die Fütterung besteht in Kanariensamen und fein geschrotnem Mais. Der Gesang hat keinen Werth; er ist schwach und gleicht einigermaßen den Tönen, welche die Heuschrecken hervorbringen. Außerdem hat er nur einen Lockton. Daß er, wie b'Orbigny behauptet, singen lerne, glaube ich nicht. Diese Angabe beruht sicherlich auf einem Irrthum."

Bis jetzt ist er bei uns in der Gefangenschaft noch nicht gezüchtet, und es dürfte sich kaum in irgend einer Vogelstube ein richtiges Pärchen befinden. Dies ist aber sehr zu bedauern, denn es wäre doch höchst interessant, zu beob= achten, ob das niedliche Vögelchen mit seinem nächsten Verwandten in allen be= sonderen Eigenthümlichkeiten übereinstimmt.

Der größere Kubafink ist auch Goldbraue (Br.) benannt und heißt bei den Händlern meistens nach seinem vaterländischen Namen Tomegin. — Tomeguin de la Tierra (im Westen von Kuba); Chinchilita (im Süden; doch werden mit diesem Namen dort alle kleinen Sänger bezeichnet); Vieidita (im Osten) und Pechito (im äußersten Osten der Insel); nach Gundlach. — [Havanischer Fink, Buffon].

Le Bouvreuil olivert ou sincerini et Grand Chanteur de Cuba; Olive-Finch.

Nomenclatur: Fringilla lepida, L., Bff., Gml., Thnm., Bll.; Emberiza olivacea, L., Gml.; Emberiza dominicensis, Brss.; Passerina lepida et P. olivacea, Vll.; Sper- mophila olivacea, Gr.; Euethia lepida, Cb., Gndl., Br.

Wissenschaftliche Beschreibung: Oberhalb olivenfarbig; vorderer Theil der Augen= braue, ein Fleckchen am untern Augenlid und der obere Theil der Kehle (Kinn) safrangelb; ein Streif oberhalb der Augenbrauen über die Stirn, ein Streif zwischen Schnabel und Auge längs der gelben Färbung bis zur Kehle und diese am untern Theile selbst breit schwarz; Schwingen und Schwanzfedern schwarzbraun, olivengrün gesäumt; Unterseite grau, oliven= grünlich überhaucht; Bauch weißlich; untere Schwanzdecken grünlich, heller gerändert; Schnabel schwarz; Auge dunkelbraun; Füße hellröthlichbraun. Weibchen: Oberhalb mehr graulich= olivengrün, die beim Männchen gelben Stellen sind blaß, fast strohfarben, die schwarzen er= scheinen nur schwärzlich und die Federn des untern Theils der Kehle sind nur an der Wurzel schwärzlich, breit grau gerändert mit olivengrünlichem Anfluge, jedoch ebenso wie die Untertheile weißlicher als beim Männchen. Ich habe gelbe und auch weißgefleckte Spielarten oder Albinos gesehen. — Das junge Männchen gleicht in der Färbung dem Weibchen (diese ganze Be= schreibung ist nach Dr. Gundlach gegeben).

Fringilla lepida: supra olivacea; superciliis anterioribus, macula super- cilii inferioris mentoque croceis; stria una supra supercilia, altera inter rostrum et oculum usque ad gulam nigram nigris; remigibus et rectricibus fusco-nigris, olivaceo-viride limbatis; subtus cinerea, olivaceo-virente afflata; ventre albido; sub-

caudalibus subviridibus, dilutius marginatis; rostro nigro; iride fusca; pedibus
dilute badiis. — ♀ supra cinerescente nigra; picturis ♂ flavis fere stramineis, nigris
tantum subnigris tantamque basi plumarum gularium ut gastraei albidiorum nigra,
margine subolivaceo - marginato.

Länge 11,₅ cm.; Flügelbreite 15,₈ cm.; Schwanz 4 cm.

**Der Venezuelafink** [Fringilla Frantzii] bedarf nur der Erwähnung. Er
ist dem vorigen sehr ähnlich, jedoch durch einen bräunlichen Ton des Olivengrün,
durch reinschwarzen Oberkopf und gleiche Brust, sowie bemerkbar bedeutendere
Größe verschieden; die gelben Streifen sind in gleicher Weise vorhanden. Seine
Heimat erstreckt sich über Venezuela bis Südmexiko. Dr. A. v. Frantzius führt
ihn als auch auf Kostarika vorkommend an. Ueber das Freileben ist garnichts bekannt, doch wird dasselbe von dem der beiden Verwandten nicht abweichen. Lebend
eingeführt dürfte er bis jetzt noch nicht sein. — Er ist auch Goldbärtchen (Br.) benannt. — Tiaris pusillus, Swns.; Phonipara lepida et P. pusilla, Bp.; Euethia pusilla,
Cb., Br.

**Der Jamaikafink** [Fringilla zena]. Oberhalb düster olivengrün, jede Schwung-
feder mit schmalem hellen Außensaum; Oberkopf und Stirn, Kopfseiten, Kehle
und Oberbrust bräunlichschwarz; unterhalb fahl weißlicholivengrün; die gelben Abzeichen der beiden vorigen fehlen. Auge braun; Schnabel braun mit hellerem Unterschnabel; Füße bräunlichgrau. Die Heimat soll sich über die Inseln Jamaika
und St. Croix erstrecken; nach Gundlach kommt er jedoch auch auf Portoriko,
nach Bryant auch auf Bahama vor. Die alten Schriftsteller hießen ihn Sperling oder Grünfink von Bahama und gaben mancherlei Irrthümliches inbetreff
seiner an, namentlich über die Färbung und Größe. Seeligmann behauptet
auch, daß er sich auf die Spitze eines Busches setze und immer in einerlei Ton
singe. Die neueren Schriftsteller aber, wie Gundlach und Gosse, sagen,
daß er durchaus keinen Gesang habe. In allem übrigen wird er den vorhergehenden Verwandten wol durchaus gleichen. Im Londoner zoologischen Garten
ist er seit 1865 vorhanden. Bei uns dürfte er meines Wissens erst einmal
lebend eingeführt sein, indem ich ein Pärchen mit dem kleinen Kubafink zusammen
von Herrn Schöbel in Grünau erhielt. Beide waren jedoch kahl und in kläglichem Gefieder und starben, ehe sie sich eingewöhnt hatten. An eine häufigere
Einführung ist wol kaum zu denken. — Von Br. ist er auch Schwarzgesichtchen benannt [Grünsperling, Seeligm.; zweifarbiger Sperling, Müll.]. — Le Bouvreuil bicolor ou
Chanteur de Jamaica; Dusky Finch. — Fringilla zena*) et bicolor, L.; Fringilla et

---

*) Die Etymologie von „zena" ist nicht zu ermitteln. Aus dem Spanischen wie Por-
tugiesischen stammt es nicht; ob es vielleicht ein vaterländischer Name aus irgend einer der
indianischen westindischen Sprachen sein mag? Möglich auch, daß Linné bei seiner Vorliebe für
mythologische Namen eine Beziehung zu Zeus (adjektivisch Zenus) damit ausdrücken wollte (so
Apollinus von Apollo, Heraclaeus von Heracles ꝛc.).

Phonipara zena, var. portoricensis, *Brnt.*; Fringilla et Phonipara zena, *Cb.*: Spermophila bicolor, *Gss.*; *Albr.*; Euethia bicolor, *Gndl.*, *Br.*; Phonipara bicolor, *Gr.* [Passer bicolor bahamensis, *Ctsb.*; Chloris bahamensis, *Brss.*; Le Verdinière, *Buff.*; Bahama Sparrow, *Cat.*].

### Der Kronfink von Südamerika [Fringilla pileata].

Im Jahre 1874 erhielt Herr Dr. Bodinus diese zierliche, ungemein interessante Art in vier Köpfen vom Direktor des Pariser Afklimatisationsgartens, Mr. Geoffroy de St. Hilaire, zum Geschenk. Dann, ein Jahr später, wurden einige Pärchen von Vekemans in Antwerpen in den Handel gebracht und ein solches gelangte durch C. Gudera in die Sammlung des Herrn Dr. Franken in Baden=Baden. Ein Pärchen befand sich auch unter den Geschenken, welche der Sultan von Sansibar zum Dank für die freundliche Aufnahme in London nebst anderen Thieren dem dortigen zoologischen Garten zukommen ließ; im Jahre 1875 waren in demselben nach der „List of the vertebrated animals" vier Männchen und ein Weibchen vorhanden. Zufällig hatte Herr W. Mieth ein Pärchen bei einem kleinen Händler in Hamburg gefunden und ich erwarb dasselbe für meine Vogelstube. Gleicherweise erhielt ein solches Herr A. F. Wiener in London — und dies dürften wol sämmtliche bis zum Ende des Jahres 1877 nach Europa lebend eingeführten Exemplare gewesen sein.

„Obgleich einfach gezeichnet, ist er doch überaus schön. Auf den ersten Blick könnte ihn ein Nichtkenner für eine schwarzköpfige Grasmücke [Sylvia atricapilla, *Lth.*] halten; bei näherer Betrachtung erscheint der Schwarzkopf aber, ganz abgesehen von allen übrigen Unterschieden, viel mehr mäusegrau, während dieser Fink seidenartiggrau bis grauweiß ist. Der Schnabel ist selbstverständlich viel stärker und weniger gestreckt und die Beine sind höher. Männchen und Weibchen sind nahezu übereinstimmend gefärbt, nur hat das erstere eine schwarze und das letztere eine kaum bemerkbar bräunliche Kopfplatte; auch ist sein Unterkörper verwaschen längsgestrichelt. In der Erregung aber vermag das Männchen seine Kopffedern zu erheben, fächerartig auszubreiten und zu bewegen, sodaß eine prächtig purpurrothe Krone plötzlich aufleuchtet und verschwindet. Die Größe ist mit der des Hartlaubszeisigs übereinstimmend." (Dr. Franken). Die Geschlechter sind sehr leicht daran zu unterscheiden, daß das Weibchen den schönen rothen Schopf nicht hat.

Der prachtvolle Kronfink ist in Südamerika heimisch und soll von Südbrasilien bis Neugranada verbreitet sein. Burmeister sagt, daß er in der Provinz Minasgeraes nicht selten, aber auch nicht gemein sei; er lebe im lichten Walde oder im hohen Gebüsch, im Sommer parweise, im Winter einzeln oder in kleinen Trupps, ernähre sich von Sämereien und lasse von Zeit zu Zeit einen kurzen Lockton, aber durchaus keinen Gesang hören. Das Nest hat der Forscher nicht gefunden. Auch ist näheres über das Freileben nicht bekannt. In Brasilien

27*

wird er sammt seinen nächsten Verwandten mit Fallen, Leimruten und Schlingen gefangen, vielfach im Käfige gehalten und wol blos mit zerstoßnem Mais nebst etwas Kanariensamen ernährt, bei welcher Fütterung er vortrefflich ausdauern soll (nach Prinz v. Wied).

„Wenn der Vogel erregt ist", schreibt Herr Wiener, „so sträubt er die wundervoll tief und glänzend roth gefärbten Kopffedern, sodaß sie, nicht wie die Haube des Kardinals oder wie die eines Kakadu, sondern wie eine Stralenkrone aussehen, welche vom Mittelpunkt des Scheitels gleichsam aufflammt und von den dunklen Federchen abgeschlossen wird. Wer das Vögelchen zum erstenmale sieht, könnte es für einen zarten Weichfutterfresser halten, denn der Schnabel und Kopf, der ganze Körper mit Ausnahme des Schwanzes und selbst die Bewegungen erinnern an eine Bachstelze. Allein er ist ja selbstverständlich ein Fink, ernährt sich von Hirse und Kanariensamen, nimmt jedoch auch sehr gern Mehlwürmer. Zu viele von letzteren sollte man ihm aber nicht geben, denn mir ist ein Männchen am übermäßigen Genuß derselben, indem es sie den kleinen Prachtfinken fort= raubte, eingegangen. Der unter kleineren Genossen ebenso verträgliche als schöne und anmuthige Fink ist allen Liebhabern warm zu empfehlen."

Dies letzte kann ich nach meinen Beobachtungen ebenfalls bestätigen. Ich hatte ein Pärchen etwa ein rundes Jahr hindurch in der Vogelstube und erfreute mich an ihnen namentlich, wenn sie in das Gitter vor dem Fenster draußen kamen, wo das Männchen dann mit prächtiger, hoch erhobner Haube, hängenden Flügeln und gestelztem Schwanze sein Weibchen umhüpfte und ihm seine schönsten Töne zurief, welche freilich keineswegs in einem Gesange, sondern nur in einem heisern, zuweilen durchdringenden Zirpen bestehen. (Wenn ein neuerer Schriftsteller ausdrücklich angiebt, daß der kurze Lockton mit anderen Lauten „zu einem leisen Gesange" verwebt werde, so beruht dies lediglich auf Erfindung; von irgend einem Singen kann bei diesem Vogel garkeine Rede sein, das darf ich aus Erfahrung behaupten, und gleiches sagen Burmeister, Franken, Wiener u. A.).

Dieser Kronfink gehört ganz entschieden zugleich zu den ausdauerndsten aller fremdländischen Stubenvögel. Ich erhielt das Pärchen in einem traurigen Zu= stande: von der Reise recht angegriffen, in beschmutztem zerlumpten Gefieder und krankhaft; doch erholte es sich bei geeigneter Pflege, vorläufig im kleinen Käfige, sehr bald. Dann aber tummelten sich beide in der Vogelstube gar lustig umher und sie zählten zu den wenigen, den Tropen entstammenden Bewohnern, welche noch bis tief in den Spätherbst hinein das Gitter draußen besuchten und sich selbst durch kalten Wind und Regen nicht verscheuchen ließen. Trotzdem haben sie leider niemals genistet; ich versuchte es ebensowol im Käfige, als auch frei= fliegend in der Vogelstube sie zu züchten, doch ist es mir leider nicht gelungen. Mein Pärchen erhielt sodann Herr Oskar Vetter in Ludwigsburg, der, über große Räumlichkeiten verfügend, hoffentlich eine glückliche Zucht erzielt hat. Immerhin, davon bin ich fest überzeugt, wird der Kronfink, falls man ihn nur häufiger einführt, unter den beliebtesten, fremdländischen Stubenvögeln obenan stehen. Der Preis ist sehr hoch, denn man lauft das Pärchen wol kaum unter 60 Mark, gewöhnlich kann man es vielmehr mit 75 Mark veranschlagen. Es ist dann freilich Sache des Geschmacks und der besondern Liebhaberei, ob man eine solche Summe für ein Pärchen zahlen will, das freilich als überaus prächtig, jedoch blos als Schmuckvögel anzusehen ist.

Der Kronfink von Südamerika ist auch Rothhaubenfink (Br.) benannt. Nach Burmeister nennen ihn die Brasilianer in Minasgeraes: Ticko-ticko-rey, im Sertong von Bahia: Papa-capim.

Le Pinson huppé rouge; Red-pileated Finch or Pileated Finch.

Nomenclatur: Fringilla pileata, *Pr. Wd.*; Tachyphonus pileatus, *Hrtl.*; Tanagra cristatella, *Spx.*; Tachyphonus fringilloides, *Swns.*; Passerina ornata, *Lss.*; Emberiza ruficapilla, *Sprm.*; Lophospiza pileata, *Bp.*; Coryphospingus pileatus, *Cb., Brnst., Br.*; Tachyponus cristatellus, *Gr.*; Tiaris pileata, *Schff.* [Montese cabeza de bermillon, *Azar.*]

Wissenschaftliche Beschreibung: oberhalb düster bräunlichgrau; Kopf, Halsseiten und der bemerkbar hervortretende Zügel weißlichgrau; eine kleine Haube am Oberkopf schwarz, mit einem glänzendrothen Streif von der Stirn bis zum Hinterkopf (die Federn der ganzen Haube, die schwarzen sowol als auch die rothen, können in der Erregung willkürlich erhoben werden); obere Flügeldecken bräunlichgrau; Schwingen und Schwanzfedern dunkelbraun, fein heller außengesäumt und mit fahlen Innenrändern, obere Flügeldecken graubraun; Kehle, Brust, Bauch, Unterleib und untere Schwanzdecken düsterweiß, untere Flügeldecken reinweiß. Schnabel bräunlichhorngrau, Unterschnabel heller braun; Auge dunkelbraun; Füße bräunlichgrau. — Das Weibchen ist dem Männchen sehr ähnlich, doch oberhalb einfarbig bräunlichgrau, am Oberkopf ohne die rothe Haube heller grau, bräunlich überhaucht.

Fringilla pileata: supra obscure cinerea; capite, loris sat notabilibus collique lateribus canis; cristula pilei erigente nigra, hujusque plumis mediis a fronte ad occiput usque nitide rubris; tectricibus al. fumidis; remigibus rectricibusque fuscis, exterius dilutius sublimbatis, interius livide marginatis; gula pectore, abdomine, crisso et infracaudalibus sordide albis; subalaribus albissimis; rostro subfusco-corneo, mandibula dilutiore; iride fusca; pedibus fumigatis. — ♀ mari simillima, at supra unicolor fumido-cinerea; pileo cristulae rubrae vacuo.

Länge 14,4 cm.; Flügel 7,8 cm.; Schwanz 5,2 cm.

**Der Kronfink von Brasilien** [Fringilla cristata] ist am Oberkopf hell und glänzend scharlachroth; Ohrdecken dunkelbraun; ganze Oberseite, Flügel und Schwanz dunkelblutroth; Bürzel und Bauchseiten sind lebhafter gefärbt, reiner blutroth; Kehle fleischroth; die Brust ist am meisten roth, noch reiner als der Bürzel; Schnabel schwärzlichbraun, Unterschnabel röthlichweiß; Auge rothbraun; Füße fleischbraun. Beim Weibchen ist der Scheitel nicht schopfartig verlängert, sondern der Kopf einfarbig wie der Rücken. Länge 15,7 cm.; Flügel 8,7 cm.; Schwanz 6,1 cm. Die Heimat erstreckt sich über den Süden Brasiliens, St. Paulo, Sta Katharina, Rio grande de Sul und weiter westwärts über Paraguay bis Ekuador. Er lebt im Sommer parweise, im Winter in kleinen Flügen auf den wüsten Distelfeldern, hält sich von den Ansiedlungen möglichst fern und nistet ziemlich hoch im dichten Gebüsch. Das Gelege besteht in drei bis vier weißen, vom stumpfen nach dem spitzen Ende zu abnehmend graubraun getüpfelten Eiern. Man hält diesen hübschen Vogel gern in Käfigen, in denen er gut ausdauert und mit gestoßenem Mais sich ernähren läßt (nach Burmeister). Bis jetzt ist er noch nicht lebend eingeführt worden, doch dürfen wir sicherlich seiner Ankunft entgegensehen, sobald der Thier-, bzl. Vogelhandel zwischen Brasilien und Europa nur einigermaßen geordnet sein wird. — Er heißt bei Br. Haubenfink; bei den Brasilianern wird er Cardinal genannt (Burmst.). — Le Pinson à crête rouge; Red-crested Finch. — Fringilla cristata, *L.*, *Gml.*, *Bff.*, *Lth.*; Fringilla araguira, *Vll.*; Fringilla flammea, *Tmm.*, nec Auct.; Tachyphonus rubescens, *Swns.*, *Hrtl.*, *Azr.*; Lophospiza cristata, *Bp.*; Coryphospingus cristatus, *Cb.*, *Brmst.*, *Br.*; Emberiza araguira, *Lfrsn.*, *d'Orb.* [Araguirá, *Azar.*].

**Der Kronfink von Ekuador** [Fringilla cruenta]. An Rücken, Flügeln und Schwanz kohlschwarz; Unterseite roth, Bauchseiten mehr orange; das Männchen hat einen ähnlichen Schopf wie der Kronfink von Südamerika. Die Heimat ist Guayaquil (Burmeister). Chenu giebt folgende Beschreibung: Krone glänzendroth; oberhalb schwarz, ebenso Flügel und Schwanz, Schwingen mit weißem Innenrande, unterhalb roth; Brust feuerfarben; Bauch und Seiten orange. Ueber das Freileben ist nichts bekannt. Brehm behauptet, daß er nur in Ekuador vorkomme, dort aber sehr gemein sei. In den Handel ist er bis jetzt sicherlich noch nicht gelangt. — Br. nennt ihn Purpurkronfink. — Le Pinson couronné rouge; Red-crowned Finch. — Tiaris cruenta, *Lss.*; Lophospiza cruenta, *Bp.*, *Chn.*; Coryphospingus cruentus, *Cb.*, *Brmst.*, *Br.* [L'Araguira ensanglanté, *Chenu*].

**Der Kronfink von Bolivia** [Fringilla griseocristata], im ganzen Gefieder bleigrau, unterhalb heller; Haube aus verlängerten, aber nicht abweichend gefärbten Federn bestehend; Seitenfedern weißgespitzt; Schwanz schwärzlich. (Burmeister). Chenu hat von seinem Araguira à huppe grise eine Abbildung, im übrigen aber über die Lebensweise u. s. w. nichts gegeben und näheres über den Vogel ist überhaupt nicht vorhanden. Bis jetzt ist er bei uns noch nicht lebend eingeführt. — Emberiza griseo-cristata, *d'Orb.*; Coryphospingus griseocristatus, *Cb.* *Brmst.* [L'Araguira à huppe grise, *d'Orbig.*]. — Hoffentlich dürfen wir erwarten, daß alle diese schönen Kronfinken mit der Zeit lebend eingeführt und die Vogelstuben bevölkern werden.

### Der Jakarini- oder Atlasfink [Fringilla jacarina].

Unter diesem Namen kommt ein Vögelchen in den Handel, welches man auf den ersten Blick wol leicht mit dem allbekannten Atlasvogel (s. S. 198) verwechseln kann, da es wie jener einfarbig schwarz ist, mit schön blauem Glanz. Es unterscheidet sich jedoch dadurch, daß es kleiner und viel schlanker ist und ein

spitzes, nicht weißes, sondern wie die Füße dunkelbraunes Schnäbelchen hat. Bei
näherer Betrachtung erscheint der ganze Körper auch fein graubraun marmorirt.
Das Weibchen ist oberhalb braungrau, fein heller gestrichelt; unterhalb gelblich=
braun, an der hellern Brust jede Feder mit dunklem Schaftstreif. Die Heimat
erstreckt sich über ganz Südamerika. Burmeister fand es nur bei Rio de
Janeiro sehr häufig und in allen Gärten vor der Stadt, doch besitzt er auch
Exemplare aus Kolumbien.

Trotzdem der Vogel bereits den ältesten Schriftstellern bekannt war, ist er
bisher doch nur selten eingeführt und namentlich das Weibchen war garnicht
zu erlangen. Buffon sagt von dem Jakarini, daß Markgraf ihn wol schon
erwähnt, über sein Freileben jedoch noch keine Mittheilung gemacht habe, dagegen
habe Sonnini de Manoncourt, der den Vogel zu Guiana, wo er sehr
gemein sei, gesehen, angegeben, daß er gern gepflügte Aecker, niemals aber große
Wälder besuche. Er lasse sich auf kleine, namentlich Kaffeebäume, nieder und
entfalte hier ein sonderbares Treiben, indem er sich 30—45 ᶜᵐ· oberhalb des
Astes, auf welchem er sitze, gerade in die Höhe erhebe und dann senkrecht
auf dieselbe Weise herabfallen lasse. Er thue dies viele Stunden hintereinander
und unterbreche solche Luftsprünge nur dadurch, daß er auf einen andern Strauch
fliege, um dort dasselbe Spiel von neuem zu beginnen. Dabei lasse er fort=
während ein Freudengeschrei erschallen und breite den Schwanz fächerförmig
aus. Das ganze sei sicherlich nur ein Liebesspiel, ausgeführt, um dem Weibchen
zu gefallen; letztres zeige dergleichen Bewegungen niemals. Das Nest bestehe
aus trockenen Kräutern und Gräsern von kugelförmiger Gestalt und etwa 5 ᶜᵐ·
im Durchmesser. Zwei länglichrunde, grünlichweiße mit kleinen rothen Flecken,
am dickern Ende dichter und dunkler besprengte Eier bilden das Gelege. Ed=
wards hat den Vogel abgebildet und sagt, daß die Portugiesen ihn Negretto
nennen; er ernähre sich von Körnern. Vieillot führt als Heimat Guiana und
Brasilien an und ertheilt folgende Rathschläge: man müsse ihn vor Kälte be=
wahren, und, um ihn zum Nisten zu bringen, 25—30 Grad Wärme gewähren.
Sein Käfig sei mit jungen grünen Bäumen auszuschmücken. Die vom letztern
gegebene Beschreibung des Eies stimmt mit der oben angeführten überein. Chenu
weist noch auf die zwei Arten hin, welche die älteren Schriftsteller aufstellten
und die Burmeister in einer Anmerkung dahin erklärt, daß diese von Bona=
parte u. A. festgehaltene Scheidung sich begründe in den weißen Flügeldecken des
einen und den schwarzen des andern Vogels; erstrer sei nur in Brasilien, letztrer
in Guiana und Kolumbien heimisch. Burmeister sowol, als auch Cabanis
lassen beide aber zusammenfallen und sagen, daß jene Verschiedenheiten nur un=
bedeutende Merkmale seien. Im übrigen giebt Chenu nur die von Sonnini
gemachten, bereits von Buffon angeführten Beobachtungen wörtlich wieder.

Burmeister macht einige Mittheilungen über das Freileben: „Im Garten des Herrn L'Allemand, am Fuße des Korkovado (Laranjeras) brütete ein Pärchen. Sein Nest stand in einem Kaffeestrauch, etwa 2,4 Meter hoch über dem Boden und war vorzugsweise aus feinen trockenen Luftwurzeln einer und derselben Pflanze nur locker zusammengeschichtet. Es enthielt um Weihnachten zwei bebrütete Eier von grünlichweißer Grundfarbe, mit helleren und dunkleren, ungleich vertheilten, ziemlich großen graubräunlichen Spitzflecken und am stumpferen Ende mit einigen schwarzen Punkten. Die Eier sind nicht völlig so groß, als die des europäischen Hänflings und etwas länglicher. Weder ich, noch Prinz v. Wied haben Gesang von diesem Vogel vernommen; man hält ihn trotzdem gern in Käfigen und füttert ihn mit Kanariensamen, wobei er oft sehr lange aushält. Im Freien sucht er seine Nahrung gleich den Ammern am Boden; er ist in Brasilien unter dem Namen Jakarini Jedermann bekannt." Euler fand am 25. Februar ein Nest mit zwei stark bebrüteten Eiern einer zweiten Brut; er meint, daß diese Zahl die regelmäßige des Geleges sei. A. v. Frantzius zählt ihn unter den Vögeln Kostarikas mit, berichtet aber sonst nichts näheres. Weder Bechstein noch Bolle führen ihn auf, und er dürfte auch sicherlich erst seit der neueren Zeit in den Handel gelangt sein.

Seiner Seltenheit wegen hat er den hohen Preis von 15—24 Mark für das Pärchen, während er doch durch keinerlei besondere Eigenthümlichkeiten sich auszeichnet und nur für den Kenner und besondern Liebhaber dieser Finken von Werth ist. In meiner Vogelstube befindet sich ein Pärchen, welches ich von H. Möller erhalten, seit etwa zwei Jahren. Sie leben still und versteckt im Gebüsch; in der warmen Jahreszeit kommt das Männchen jedoch zur späten Abendstunde regelmäßig in das Luftfenster hinaus und läßt hier unermüdlich seinen Gesang erschallen. Dieser ist freilich kein Lied, sondern nur ein wunderliches Zirpen mit einer schrill klingenden Schlußstrofe. Erst bei voller Dunkelheit hört der fleißige Sänger auf. In der langen Zeit haben die beiden Vögel auch nicht einmal zu nisten versucht und weder im Frühlinge, noch zu andrer Zeit bekümmern sie sich jemals um einander. Auch im Besitz der Herren Dr. Franken in Baden-Baden und Graf Roedern in Breslau befindet sich je ein Pärchen; im zoologischen Garten von London ist die Art schon seit dem Jahre 1858 vorhanden und sicherlich ist sie im Laufe der Zeit hin und wieder eingeführt worden; so sah ich ein Männchen im Berliner Aquarium im ersten Jahre, gleich nach der Eröffnung. Dasselbe kannte freilich damals dort Niemand. Hoffentlich gelingt es über kurz oder lang diesen Vogel auch zu züchten.

Der Jakarinifink oder Springfink heißt auch Atlasfink (wol zu unterscheiden von dem Atlasvogel oder Atlaswidafink); Jacarini der Brasilianer; Negretto der Portugiesen (Edw.). — Le Pinson Jacarini; Jacarini Finch.

Nomenclatur: Tanagra jacarina, *L.*, *Lth.*, *Bff.*; Fringilla nitens, var β., *Gml.*; Tanagra et Passerina jacarini, *Vll.*; Fringilla splendens, *Vll.*, *Pr. Wd.*, *Eul.*; Euphone jacarina, *Lchtst.*; Carduelis obscurus, *Cv.*; Emberiza jacarini, *d'Orb.*, *Lfrsn.*; Spiza jacarina, *Cb.*, *Tschd.*; Volatinia jacarina, *Cb.*, *Scl.*, *Chn.*, *Frntz.*, [s. V. splendens] *Bp.*, *Br.*; Volatinia Jacarina, *Brmst.*; Tiaris jacarina, *Gr.* — [Jacarini brasiliensibus, *Mrcg.*, *Inst.*; Carduelis brasiliana, *Wllghb.*; Cardinalis obscurus ♀, *Cuv.*; Tanagra brasiliensis nigra, *Brss.*]. Volatin, *Azr.*; Le Jacarini, *Buff*, *Vll.*; Jacarini, *Edw.*; Jacarini Tanager, *Lth.*; Moineau de Cayenne.

Wissenschaftliche Beschreibung: Glänzendschwarz, stahlblau oder auch etwas erz= farben schillernd, die Federn des Rumpfs im Winterkleide mit graubraunen Rändern. Schnabel schieferschwarz, Unterschnabel am Grunde heller grau; Auge schwarzbraun; Füße schieferschwarz. (Der jüngere Vogel hat braunschwarze Flügel= und Schwanzfedern ohne Metallschimmer und einen weißlichen Flügelrand am Bug nebst ebensolchen inneren Deckfedern und Säumen der Schwingen selbst). Das Weibchen ist oberhalb dunkelgraubraun, jede Feder mit dunklerm Mittelstreif; Schwingen und Schwanzfedern dunkelbraun, erstere schmal bräunlich außengesäumt und an der untern Hälfte der Innenfahnen breit fahl gerandet, Deckfedern breit fahl außen= gesäumt; Kehle und Bauchmitte ziemlich reinweiß; Hals, Brust, Bauchseiten und Unterleib hell graugelblich, jede Feder mit braunem, spitzem Schaftstreif. — Das Jugendkleid ähnelt anfangs dem des Weibchens völlig, aber schon nach der ersten Mauser wird sein Kopf= und Rumpf= gefieder glänzendschwarz mit braunen Federrändern, während die Flügel= und Schwanzfedern die frühere Färbung beibehalten. Allmälig nimmt der schwarze Ton mit dem Stahlglanze immer mehr zu und nur der weißliche Flügelrand bleibt mit einem Theile der inneren Flügel= deckfedern. Bei recht alten Männchen gehen auch diese Federn ins Schwarze über. (Bur= meister).

Fringilla jacarina: nitide nigra, chalybaeo-vel subaereo micans, plumis trunci vest. hiem. fumido-marginatis; rostro schistaceo; iride fusca; pedibus schistaceis. — ♀ supra obscure fumida, obscurius striolata remigibus fuscis, exterius fuscescente submarginatis, dimidio pogonii interni inferiore late livide marginato; cauda fusca; pluma quaque colli, pectoris, hypochondriorum ventrisque dilute cano-flavidorum striam scapi acuminatum offerente chalybaeam. — Juvenis femellae simillima, alis caudaque fusco-nigris, nitore metallico carentibus; margine flexurae al., tectricibus subalaribus limbisque remigum albentibus.

Länge 11,6 cm.; Flügel 5,2 cm.; Schwanz 3,9 cm.

## Der gehäubte Springfink [Fringilla ornata].

Das hübsche, dem vorigen nahe verwandte Vögelchen verdient freilich seine lateinische Bezeichnung nicht. Es ist nach Burmeister munter und wenig scheu, wird meistens nur einzeln ge= sehen und kommt bis in die Nähe der menschlichen Wohnungen. Lebensweise, Fortpflanzung u. s. w. sind nicht bekannt. Der genannte Forscher erlegte es im Kamposgebiet, doch fand er nicht das Nest. Die Heimat soll sich auf das In= nere Brasiliens beschränken, nach Prinz v. Wied auf den Osten, wo es sehr häufig sei. Näheres geben weder die älteren, noch die neueren Schriftsteller an. Stirn, Zügel, Oberkopf bis zum Nacken, Kehle und Vorderhals bis zur Brust hinab schwarz; die Kopffedern zugespitzt, die hinteren allmälig schopfartig verlän= gert; Nacken, Rücken und kleine Flügeldecken bleigrau, Schwingen schwarz, weiß gesäumt, hintere, gleich den großen Deckfedern hell weißlichgrau gesäumt, mittlere Handschwingen mit weißem Grunde; Schwanzfedern schwarz, am Grunde weiß;

Backen, Halsseiten und oberer Bürzel weiß; Brustseiten, Bauch und Steiß rost=
gelb. Schnabel hell horngrau; Auge braun; Füße dunkelfleischfarben. Weibchen
und junger Vogel am Oberkopf olivenbräunlich mit kleinerer Haube; Rücken
aschgrau; Flügel und Schwanz graubraun, weniger weiß am Grunde; ganze
Unterseite blaß gelbroth. Größe kaum bedeutender als die des vorigen. — Bis
jetzt dürfte dieser Vogel noch nicht lebend eingeführt sein, da er jedoch nach Bur=
meister in seiner Heimat nicht selten ist, so läßt sich dies wol bald erwarten. —
Schopffink (Br.) — Fringilla ornata, Pr. Wd., Tmm.; Tiaris ornata, Swns., Bp., Brmst.,
Br.; Tiaris comptus, Lchtst.; Lophospiza ornata, Chn.

### Der Indigofink [Fringilla cyánea].
### Tafel XII. Vogel 59.

Kaum giebt es einen andern fremdländischen Stubenvogel, welcher als so
allbekannt und von altersher bis zur Gegenwart herab als so beliebt gelten darf,
wie dieser allerdings schöne, einfarbig blaue, kanarienvogelgroße Fink, dessen Weib=
chen nur schlicht bläulichgrau ist. Er gehörte zu dem ersten Sing= und Schmuck=
gefieder, welches von Amerika aus bei uns eingeführt worden, und gleicherweise
gelangt er auch jetzt noch regelmäßig alljährlich in bedeutender Anzahl in den Handel.

Seine Heimat erstreckt sich über Nordamerika und vorzugsweise den Osten
der Vereinigten Staaten; er geht beiweitem höher nördlich hinauf als der nah=
verwandte Papstfink, doch ist die Nordgrenze seines Vorkommens mit Sicherheit
noch nicht festgestellt. Als Zugvogel erscheint er in der Mitte oder zu Ende d. M.
April und wandert im Oktober nach Mexiko, Mittel= und bis Südamerika hinab.

Die alten Schriftsteller wußten ihn bereits als nahen Verwandten unserer
Finken, Hänflinge, Stiglitze u. a. von ähnlichen amerikanischen Vögeln, namentlich
dem blauen Kernbeißer oder Bischof, zu unterscheiden. Alle behaupten, daß der
Gesang mit dem des europäischen Hänflings übereinstimme oder ihm doch sehr ähnlich
sei. Catesby gab wol die erste erkennbare Abbildung. Buffon sagt schon, daß
das schöne Himmelblau des Männchens zum Winterkleide sich in das schlichte
Grau des Weibchens verwandle. Vieillot's Werk zeigt eine ziemlich fantastische
Abbildung; im übrigen bestätigt dieser Schriftsteller die Angaben der früheren,
doch weist er auch darauf hin, daß man diese Art zur Nistzeit nur parweise
halten dürfe, weil die Männchen dann einander wüthend befehden; im grauen
Gefieder dagegen seien sie friedlich. Zu Bechstein's Zeit kostete das Pärchen
4 Louisd'or; sonst theilt auch er nur bereits Gesagtes mit.

Eine ausführliche Schilderung des Freilebens bringt Thomas G. Gentry.
Der Vogel ist in Ostpennsylvanien sehr häufig zu finden und kommt dort gegen
den 12. Mai an. Waldsäume und mit Dornsträuchern bewachsene Feldränder
sind sein Lieblingsaufenthalt. In der Nistzeit besucht er auch die Nähe der Ge=

bäude, Gärten und Höfe, doch benimmt er sich immer scheu und mißtrauisch und nistet hier niemals. Während der warmen Jahreszeit ernährt er sich vorzugs= weise von Kerbthieren, namentlich fliegenden, die er mit großer Geschicklichkeit fängt, und deren Bruten, sodann aber von Gräser= und verwandten Sämereien, von den Samen der Vereinsblütler, ferner von Knospen und Blüten verschiedener Pflanzen und später auch von Beeren. Alle seine Bewegungen sind gewandt und behend; sein Flug ist niedrig, mäßig schnell und mit anmuthigen Schwingungen. Seine Lebensweise ist im ganzen still, versteckt zwischen Gebüsch, niedrigen Bäumen und auf der Erde. Der Gesang besteht nur in einigen kurzen Silben, welche laut und schnell wiederholt, allmälig immer leiser hervorgebracht werden, bis sie schließlich völlig ersterben; er klingt etwa: tsiwi=tsitsch=tsisch, tsi=wi=tsitsch=tsitsch= tsiwi=tsisch (tsewe-tsich-tsich-tse-we-tsich-tsewe-tsich). Das Männchen setzt sich in den Wipfel eines kleinen Baumes und schmettert seine Melodie stundenlang mit nur kurzen Ruhepausen und selbst am heißen Mittage, wenn alle anderen Vögel träge und schweigsam im Schatten sitzen. Doch läßt es den Gesang eigentlich nur während der Monate Mai und Juni erschallen; späterhin wird derselbe immer schwächer. Bereits eine Woche nach der Ankunft erfolgt die Parung. Das Nest steht gewöhnlich im dichten Gebüsch eines Dornstrauchs und wird von beiden Gatten des Pärchens in drei bis vier Tagen erbaut. Während das Männchen die Stoffe herbeiträgt, formt und gestaltet das Weibchen. In der Regel ist das Nest, etwa 1 Meter hoch vom Boden, äußerlich aus Pflanzen= stengeln, Blättern, Gräsern, Baumrinde und Spinnenweben zusammengesetzt, mit Pflanzenfasern, selbst Papierstückchen und Läppchen durchwebt und innen mit Würzelchen, Grasblättern und Pferdehaaren glatt und sauber ausgepolstert. Sein Durchmesser beträgt 11,8 cm·, die Mulde ist 7,8 cm· weit und 6,5 cm· tief. Jüngere Vögel erbauen nachlässigere, viel weniger künstliche Nester. Täglich wird ein Ei gelegt, und wenn das Gelege, in der Regel von vier Eiern, vollzählig ist, beginnt sogleich die Brut, seitens des Weibchens allein, doch wird dasselbe vom Männchen gefüttert und sorgsam bewacht. Brutdauer 13 Tage. Beim Nahen eines Feindes geht das Männchen diesem mit Geschrei und bewundernswerthem Muth entgegen und beide Gatten verfolgen den Nesträuber mit lauten schrillen Klagerufen. Schon nach ungefähr 11 Tagen verlassen die Jungen das Nest und nach aber= mals 10 Tagen können sie selber fressen; sie bleiben jedoch mit den Alten in kleinen Flügen beisammen und diese ernähren sich späterhin vorzugsweise von den Beeren des Wachholders. In jedem Jahre machen sie eine Brut und nur dann eine zweite, sehr späte, wenn die erste zerstört worden. Zu Ende des Monats September oder zu Anfang Oktobers findet der Abzug statt.

In der Gefangenschaft gewöhnt sich der Vogel bald ein und wird so zahm wie ein Kanarienvogel, gleichviel, ob er bereits alt oder noch jung sei. Als

fleißiger Sänger ist er recht geschätzt, und wie man sagt, soll er den Gesang des
Kanarienvogels mit überraschender Treue nachahmen lernen. Die Fütterung be=
steht in Rübsen und Kanariensamen.

Herr H. Nehrling vervollständigt diese Schilderung noch in folgendem:
„Der Indigovogel gehört zweifellos zu den schönsten unserer Finken. Sein Ver=
breitungsgebiet soll sich bis an den Missouri erstrecken, doch findet man ihn
bereits am Missisippi selten; im Staate Illinois habe ich ihn nur einigemal
gesehen und in Wiskonsin garnicht; hier dürfte er kaum vorkommen. In Wiesen
und Feldern siedelt er sich selten an, am liebsten an Waldsäumen und kleinen
Dickichten. Das einfache, vorzugsweise aus Grashalmen erbaute Nest steht zwi=
schen mancherlei Pflanzen, gewöhnlich ganz dicht über dem Boden. Das Gelege
enthält fast regelmäßig 5 Eier. Im Frühlinge des Jahres 1876 entflog mir
ein prachtvolles Männchen, welches sich einige Tage hindurch in den noch un=
belaubten Bäumen des benachbarten, dicht mit Gebüsch und Stämmen bepflanzten
Gartens herumtrieb. Es war eine herrliche Erscheinung, wenn dieser Vogel von
der Spitze eines Bäumchens herab seinen einfachen Gesang erschallen ließ oder
wenn er in seiner schönen blauen Färbung inmitten einer Schar von anderen
Finken auf dem Boden nach Körnern suchend umherlief. Stets befand er sich in
Gesellschaft der Winterfinken, weißkehligen Sperlinge und Zirp= oder Gesellschafts=
finken. Nach einigen Tagen verschwand er plötzlich, erschien aber nach etwa zwei
Wochen wieder und hatte sich ein Weibchen mitgebracht. Beide wurden dann
von mir vermittelst eines Fallenkäfigs, in welchem sich ein andres Männchen
als Lockvogel befand, gefangen. Man hält den Vogel hier nicht so häufig in der
Gefangenschaft, als wol zu erwarten wäre; erstens ist er, das Männchen nämlich,
nicht unter dem Preise von 3 Dollar zu haben, und zweitens erachtet man ihn
nicht für besonders ausdauernd. Alle Indigofinken, welche der Händler Kämpfer
hier in Chikago hat, kommen aus dem Osten, vornämlich aus dem Staate New=York.‟

Nach den Angaben von Baird u. A. ist diese Art auch auf Kuba vor=
handen. Gundlach bestätigt es und sagt, daß sie dort garnicht selten sei;
sie erscheine im Herbst als Zugvogel und ziehe im April wieder fort; auf den
Kaffeefeldern und im Gebüsch sei sie überall zu sehen, niemals aber im Walde.
Sie sei scheu und entfliehe schon von weitem in schnellem Fluge. Man halte das
Männchen im Käfige, doch mehr der schönen Färbung als des Gesanges wegen.
Prinz Wied beobachtete sie am untern Theile des Missouri, wo er sie in den Ge=
büschen und an den Waldungen Pennsylvaniens parweise antraf. Dr. Frantzius
fand sie auf Kostarika. Die Mittheilungen aller übrigen Forscher, besonders auch
die Audubon's, stimmen mit den von Gentry und Nehrling gegebenen überein.

Die namentlich von Ch. Reiche alljährlich zu vielen Hunderten eingeführten
Männchen werden von anderen Großhändlern gewöhnlich dutzendweise entnommen

und durch die ganze gebildete Welt abgesetzt. Auch bei uns kauft man vorzugs=
weise diese allein, hauptsächlich als Schmuck=, seltener als Singvögel. Ihren Gesang
beurtheilt Alexander v. Homeyer als einen fröhlichen vollen Schlag, welcher
zwischen dem des europäischen Zaunkönigs und der Heckenbraunelle in der Mitte
stehe. Der Züchtung gegenüber hat sich der Indigofink bis jetzt wenig fügsam
gezeigt. Bis vor kurzem wurden, wie bei vielen anderen Vögeln, die unan=
sehnlichen Weibchen niemals in den Handel mitgebracht; erst seitdem man der
Vogelzucht weitverbreitetes Interesse zugewendet, tauchen ihrer hier und da
einzelne auf und werden im Kleinhandel meistens theurer als die Männchen
bezahlt. In meiner Vogelstube sind einige Bruten flügge geworden, und wenn
das Pärchen ungestört ist, so schreitet es ohne Schwierigkeit zum Nisten. In
der Regel macht es auch hier nur eine Brut im Jahre und auf deren guten
Verlauf ist keineswegs mit Sicherheit zu zählen. Bei Herrn Graf Yorck
v. Wartenburg nistete i. J. 1873 ein Pärchen, jedoch ohne Erfolg, und außer
den i. J. 1875 bei mir aus zwei Bruten erzogenen vier Jungen sind keine
Ergebnisse einer glücklichen Züchtung bekannt geworden.

Bei entsprechender Fütterung und Verpflegung, zu der neben mannigfaltigen
Sämereien ganz entschieden auch Mehlwürmer und Ameisenpuppengemisch gehören,
zeigt sich der Vogel sehr ausdauernd und erlangt nach der etwa im September
eintretenden und bis zum März währenden Graufärbung das herrliche blaue
Federkleid wieder. Im Gesellschaftskäfige ist er für gewöhnlich ruhig und friedlich,
nur zur Zugzeit in den Herbst= und Frühlingsmonaten erscheint er sehr erregt
und verursacht durch Flattern und Umhertoben des Nachts nicht selten arge
Störungen. In der Vogelstube tritt er in der Nistzeit auch als arger Raufbold
auf, welcher jedes Männchen seiner Art, sowie den Papstfink und dann ebenso die
entfernteren Verwandten als Todfeinde befehdet; am besten dürfte es daher sein,
wenn man Züchtungsversuche mit ihm nur parweise in Heckkäfigen anstellt. Hier
und da hat man auch Mischlingszucht mit ihm und Kanarienvogelweibchen ver=
sucht; mit Sicherheit ist aber kein Erfolg nachzuweisen, doch weiß ich, daß in
einem Falle das Weibchen befruchtete Eier gelegt hatte. Es müßte daher wol
gelingen, Bastarde von ihm zu ziehen und diese würden sehr schöne oder doch
höchst merkwürdige Vögel sein.

Im Großhandel beträgt der Preis für das Dutzend Männchen zwischen
50 bis 60 Mark und etwa 7 Mark für den einzelnen Kopf; in den Vogel=
handlungen der Binnenstädte wird das Männchen zwischen 9 bis 15 Mark ver=
kauft. Hier wie dort schwankt der Preis außerordentlich, weil nämlich die Indigo=
finken zuweilen in sehr großer Anzahl auf den Markt gebracht werden, während
sie dann wiederum lange Zeit fehlen. Die Einfuhr findet in der Regel in
unseren Frühlingsmonaten statt.

Der Indigofink oder Indigovogel hat in der Liebhaberei keine weiteren Namen. [Blauer Hänfling, Seeligm.; blauer Distelfink, Klein; blaue Merle, Müll.; Blauhänfling und Minister, Buff.; Indigoammer, Bechst.].

Le Ministre (übereinstimmend bei allen französischen Vogelhändlern, auch bei Vekemans); *Indigo Bird* (Jamrach u. Brzn. des zool. Grt. v. London); Indigo-vogel (holländisch). — Azullexos (spanisch, nach Cat.); Azulleros oder Blauvogel aus der Ferne (spanisch, nach Seeligm.); Azulejo (im Westen) und Azulito (im Osten Kubas, nach Gundl.); Azulito de alpiste (in Santjago de Cuba, ebenfalls nach Gundl.).

Nomenclatur: Tanagra cyanea, *L.*; Emberiza cyanea, *Gml., Bchst.*; E. coerulea et cyanella, *Gml.*; Fringilla cyanea, *Wls., Audb.*; Passerina cyanea, *Vll.*; Spiza cyanea, *Bp., Audb., Cb., Gndl.*; Cyanospiza cyanea, *Brd., Scl., Frntz., Br.* [Linaria coerulea, *Kln.*; Tanagra carolinensis coerulea, *Brss.*]. — The blue Linnet, *Cat.*; Tanagra bleu de la Caroline, *Briss.*; le Ministre, *Buff.*; Indigo Bunting and Blue Bunting, *Penn., Lath.*

Wissenschaftliche Beschreibung: Im Prachtgefieder fast einfarbig glänzendblau; Kopf und Kehle etwas dunkler und lebhafter; schmaler Zügelstreif schwarz; Schwingen und Schwanzfedern braunschwarz, schmal blaugrau außen und breit weißlich innen gesäumt, Flügeldecken schwarz, breit himmelblau gerändert. Schnabel braun, Unterschnabel blasser, am Mundwinkel ein wenig orangefarben; Auge dunkelbraun; Füße schwarzbraun. — Das Weibchen ist oberhalb braun; Kopf und Kehle etwas heller, graulichbraun; unterhalb bläulichweißgrau, mit dunkleren bräunlichen Längsstreifen gefleckt. — Das Männchen im Winterkleide gleicht dem Weibchen, doch ist es immer daran zu erkennen, daß die Oberseite nicht reinbraun ist, sondern daß die Flügeldecken, Schwingen und Schwanzfedern blau gesäumt sind; auch ist die Unterseite nicht längsgestrichelt, sondern gewöhnlich schwach blaugefleckt. — Jugendkleid dem des Weibchens gleich, Flügel- und Schwanzfedern sind jedoch düster blaugrau gerandet; Unterseite mit bläulichen Schaftstrichen; Schnäbelchen graubraun mit breit gelbem Grunde; Füße hell hornbraun.

Fringilla cyanea: vestimento ornato praedita fere unicolor cyanea, capite gulaque paululum obscurioribus et laetioribus; loris angustis nigris; remigibus rectricibusque nigro-fuscis, exterius anguste subcinereo-, interius late albido-marginatis; tectricibus al. nigris, late coeruleo-marginatis; rostro fusco, mandibula dilutiore, angulis oris subaurantiis; iride fusca; pedibus e nigro fuscis. — ♀ supra umbrina, capite gulaque pallidioribus; subtus coerulescente cana, subfusco-striata. — ♂ vest. hiem. cum femelia conveniens tamen tectricibus al., remigibus rectricibusque coeruleo-limbatis, atque gastraeo haud coeruleo-striato, sed submaculato.

Länge 13,9 cm.; Flügel 6,5 cm. (Flugbreite 21,5 cm.); Schwanz 5,2 cm.

Juvenis: femellae simillima, at remigibus et rectricibus sordide subcoeruleo-marginatis; subtus coerulescente striolata; basi rostri fumidi late flava; pedibus subcorneis.

Beschreibung des Eies: Bläulichweiß, wenig glänzend; eiförmig bis bauchig; Länge 18 mm.; Breite 14 mm. (Nehrkorn). Das Ei ist auf blauem Grunde mit dunklen Punkten gezeichnet (Nehrling). Das Ei ist lichtbläulichweiß, ungefleckt; ovalrund (Gentry).

Ovum: lacteum, subnitidum; oviforme, ipsum ventricosum (Nehrkorn). Ovum coerulescens, obscurius punctatum (Nehrling). Ovum sublacteum, immaculatum, ovato-rotundum (Gentry).

## Der Papstfink [Fringilla ciris].
### Tafel XII. Vogel 57.

Zu den farbenreichsten aller Finken gehörend und deshalb auch Unvergleichlicher genannt, darf er zugleich als einer der gemeinsten Vögel des Handels gelten. Herr C. Reiche in Alfeld führt ihn alljährlich zu vielen Hunderten nach Europa ein, welche ebenſo wie die Indigofinken und mit dieſen zuſammen durch die Groß- und Kleinhändler in Deutſchland und anderen Ländern ver= breitet werden und immer guten Abſatz finden.

Ein herrliches ins Violette ſpielende Blau an Kopf und Hals; Gelbgrün an Rücken, Flügeln und Schwanz; lebhaftes Roth an der ganzen untern Seite — das iſt das bunte Gefieder, welches ihn in der That ſchön, wenn auch nicht unvergleichlich erſcheinen läßt. Das Weibchen iſt einfarbig gelbgrün, oberhalb dunkler, unterhalb heller. Größe des vorigen.

Als Heimat führt Baird die ſüdlichen Staaten Nordamerikas, namentlich die, welche am Atlantiſchen Ozean liegen, an. Auch er iſt ein Wandervogel.

Gleich dem Verwandten war er bereits den älteſten Schriftſtellern bekannt. Die erſte gute Abbildung gab Edwards und zugleich eine Beſchreibung beider Geſchlechter nach lebenden Vögeln, welche man in London in Käfigen hielt, die jedoch nicht die volle Schönheit der freilebenden zeigten. Schon damals brachte man dieſe Art in zahlreichen Köpfen von Nordamerika nach England, um ſie an die Liebhaber von Seltenheiten zu verkaufen oder zu verſchenken. Catesby's Ab= bildung iſt nicht deutlich und dann iſt von ihm fälſchlich China als Heimat genannt. Auch Linné hatte ſich geirrt, indem er das Weibchen als blau mit weißem Bauche und im Winter faſt grau ſchildert. Die übrigen älteren Schriftſteller geben nichts bemerkenswerthes an. Buffon, der auch die Verfärbung zum Winterkleide beſchreibt, hält ihn für weichlicher, als die afrikaniſchen Vögel, z. B. die Wida= finken. Nach der Eingewöhnung daure er jedoch acht bis zehn Jahre in der Gefangenſchaft aus. Er gehöre auch zu den Vögeln, welche die Holländer bereits vor hundert Jahren, ebenſo wie kleine Prachtfinken u. a. mit glücklichen Erfolgen züchteten. Vieillot ſagt über ihn etwa folgendes: Obwol le Pape nur einen ſchwachen Geſang hat, ſo iſt er um der außergewöhnlichen Schönheit ſeiner Farben willen doch allbeliebt. Unter allen kleinen Vögeln Amerikas wird er zugleich am häufigſten nach Europa eingeführt, wo man ſogar mit viel Geduld und Mühe ſchon dazu gelangt iſt, glückliche Bruten von ihm zu erziehen. Orange- und Zitronenbäume ſind es vornämlich, auf denen er ſein Neſt erbaut. Er kann ſeine Jungen nur dann auffüttern, wenn man ihm neben dem Körnerfutter auch Larven, kleine Raupen u. a. Inſekten bietet. Erſt im dritten Jahre erhalte das Männchen ſein prachtvolles Gefieder, und er zähle zu den Vögeln, welche ſich alljährlich zweimal verfärben; da dies jedoch unregelmäßig geſchehe, ſo finde man nicht leicht zwei übereinſtimmend ausſehende Männchen. Im Jugendkleide ſeien beide Geſchlechter dem alten Weibchen ſehr ähnlich. Bechſtein wiederholt im weſentlichen nur das von den erwähnten Schriftſtellern geſagte, giebt auch die Fütterung ebenſo, als in Hirſe, Zichorien=, Mohn= und Kanarienſamen beſtehend, an, den Geſang bezeichnet er als ſanft und angenehm. Zu ſeiner Zeit koſtete

ein Männchen 2 bis 3 Louisd'or und früher, wie er sagt, 4 Louisd'or. —
Nach Dr. Gundlach findet man ihn vom Oktober bis zum April auf Kuba
als Zugvogel im Gebüsch, in Kaffeefeldern, an Bergrändern, besonders dort, wo
solche Kräuter wachsen, deren Samen er frißt, nicht selten. „Er ist scheu, fliegt
schnell, aber nicht weit weg. Man hält ihn viel in Käfigen, besonders des schönen
Gefieders wegen. Auch ist sein Gesang gut und er singt sehr oft des Nachts.
Zieht man junge Männchen im Käfige auf, so erhalten sie nicht das volle schöne
Roth des alten im freien Zustande, sondern nur Gelb oder Graugelb, und selbst die
gefangenen alten Männchen verlieren die Prachtfarben. Im Freien behält diese
Art das bunte Gefieder, wenn sie es einmal bekommen hat, und unterscheidet
sich hierdurch von der vorigen." In der letztern Angabe irrt sich Dr. G. be=
kanntlich, denn der Papstfink gehört ebenso wie der Indigofink zu denen, welche
sich im Herbst zum unscheinbaren Kleide des Weibchens verfärben. Das Männchen
unterscheidet sich vom letztern dann nur durch die etwas dunklere Schattirung.
Dr. v. Frantzius sah ihn auf Kostarika, macht jedoch keine näheren Mit=
theilungen. Die eingehendste Schilderung des Freilebens hat Audubon
gegeben. Dasselbe stimmt im hauptsächlichsten mit dem des Indigofink überein
und ich brauche daher nur kurz darauf einzugehen: Im Oktober wandert er
südlich nach Mexiko und bis Südamerika und etwa in der Mitte des April
kehrt er zurück. Sein Lieblingsaufenthalt sind Obstpflanzungen. Jedes Pärchen
hat ein kleines beschränktes Gebiet, aus welchem es eifersüchtig alle anderen
Vögel vertreibt. Das Männchen sitzt auf der höchsten Spitze eines Baumes,
wo sein Prachtgefieder in den Sonnenstralen herrlich erglänzt, erhebt sich
singend in die Luft und führt sonderbare Flugkünste aus und beginnt wol
einen hitzigen Kampf mit seinem nächsten Nachbar oder einem andern in sein
Gebiet dringenden Männchen. Zuweilen nistet ein Pärchen in unmittelbarer
Nähe menschlicher Wohnungen und dann kann man das Männchen nicht selten
anstatt auf hohen Zweigen auf der Dachfirste oder dem Schornstein sitzend be=
merken. Fast in ganz Nordamerika wird der Vogel gern gesehen, namentlich
von den deutschen Ansiedlern, auch viel gefangen und in Käfigen gehalten und
selbst hier und da gezüchtet. Man überlistet ihn gewöhnlich in ähnlicher Weise
als bei uns den Edelfink, mit Schlagfalle oder Leimrute, indem man durch einen
lebenden oder ausgestopften Vogel seine Eifersucht reizt. Die jüngeren werden
scharenweise mit Netzen an der Tränke gefangen. Den Gesang halten die
amerikanischen Schriftsteller für schwächer und einförmiger als den des Verwandten,
während die deutschen Liebhaber ihn allenthalben recht gern hören; jedenfalls
erklingt er, wenn auch wenig wechselvoll, doch angenehm. Nest, Gelege und Ent=
wicklung der Jungen sind fast völlig übereinstimmend; doch zieht er im Gegensatz
zu jenem jährlich zwei Bruten auf.

Auch von dieſer Art iſt das Weibchen im Handel nicht leicht zu erlangen, freilich nicht ſo ſchwer, wie bei der vorigen. Die hauptſächlichſte Schwierigkeit der Züchtung liegt darin, daß man ſehr häufig Vögel als Weibchen kauft, welche erſt im nächſten Frühjahr blaue Köpfe bekommen und alſo als junge Männchen ſich zeigen. Dann aber iſt es meiſtens für das laufende Jahr zu ſpät, um noch ein andres Weibchen zu beſchaffen — und im nächſten Jahre iſt das Männchen faſt regelmäßig nicht mehr brutfähig. Ich erhielt zuerſt im Jahre 1870 von Herrn Karl Hagenbeck drei Pärchen, deren Männchen einander in der Vogel-ſtube ſo arg befehdeten, daß ich ſie ſogleich trennen mußte. Das eine Pärchen begann gegen den April hin mit dem Neſtbau. Das Weibchen trug weiche Papierſtreifen, Heuhalme und Baſtfaſern zu einer loſen Unterlage zuſammen, packte darauf etwas Moos und formte nun aus Baumwollfäden, Werg, Pferde-haren und Agavefaſern eine flache Mulde. Die Brutdauer beträgt 13 Tage. Das Weibchen brütete allein. Sobald die Jungen das Neſt frühzeitig verlaſſen, fing das Weibchen ſogleich eine neue Brut an. Das Verhältniß der belben Gatten eines Pares iſt ein eigenthümliches, von dem anderer Finken ziemlich abweichendes. Eine eigentliche Zärtlichkeit findet kaum ſtatt; Männchen und Weibchen werden mit der herannahenden Brutzeit ſehr aufgeregt und lebhaft und wippen mit den Schwänzen auf und ab. Sobald das Weibchen zu bauen beginnt, zeigt das Männchen ſich gegen alle anderen Vögel ſehr böſe, indem es die Umgebung des Neſtes bewacht und jeden etwaigen Ruheſtörer vertreibt. Im übrigen betheiligt es ſich an der Herſtellung deſſelben garnicht, füttert auch kaum hin und wieder einmal das Weibchen und zeigt erſt mehr Theilnahme, wenn die Jungen heran-wachſen, welche dann von beiden gemeinſam ernährt werden. Dieſe gleichen dem alten Weibchen. Wenn das letzte nun von neuem zu niſten anfängt, füttert das Männchen allein die Jungen noch geraume Zeit hindurch. Das erſte Neſt in meiner Vogelſtube ſtand frei in einem dichten Birkbuſch etwa in Mannshöhe; zum zweitenmal wurde in das mit Leinwand ausgenähte Korbneſt eines ganz niedrig an der Wand hängenden Harzer Bauerchens gebaut und zum drittenmal wurde es, wahrſcheinlich weil das Pärchen von einem Madagaskarweber arg befehdet worden, ganz hoch an der Decke in einem Tannengebüſch angelegt. Das Gelege beſtand immer nur in 3 bis 4 Eiern.

Ich habe die Ueberzeugung gewonnen, daß durchaus keine große Mühe erforder-lich iſt, um den Papſtfink zu züchten. Bei entſprechender Verpflegung und Ein-richtung des Käfigs und umſomehr in der Vogelſtube ſchreitet er regelmäßig zum Neſtbau und erzieht faſt immer glücklich zwei und ſelbſt drei Bruten hinter-einander. Da in den erſten Frühlingsmonaten friſche Ameiſenpuppen nur ſchwierig zu beſchaffen ſind, ſo gewöhne man die Vögel an eingequellte, mit Eierbrot, Ei-konſerve und dergleichen Gemiſche nebſt Mehlwürmern, womit ſie die Jungen gut großfüttern. Während das Hochzeitskleid des alten freilebenden Männchens farbenreich und prächtig, allerdings schmetterlingsähnlich bunt, so ist das des jungen Männchens im ersten Frühlinge noch kaum von dem des alten Weibchens zu unterscheiden, bei großer Aufmerksamkeit kann man es an dem sich mehr und mehr gelb bis orangefarben abhebenden Augenringe und der helleren Unterseite erkennen. Auch im zweiten Jahre erlangt es noch beiweitem nicht die volle Schönheit des Alterskleides; es ist unterhalb gewöhnlich nur orangefarben, an Flügeln und Schwanz aber fast einfarbig grün. Das junge Weibchen erscheint dann düsterer grün und matter gelb als das alte. Wenn sich die gezüchteten Vögel überhaupt so prächtig verfärben sollen, als es die im Freien erwachsenen sind, so bedarf es außerordentlich verständnißvoller Pflege und günstiger Verhältnisse zugleich. Jene Prachtfarben sind nämlich so sehr zart und vergänglich, daß fast alle einge=führten Papstfink=Männchen in der Gefangenschaft binnen kurzer Zeit das schöne Roth und selbst das Blau verlieren und sich in unscheinbares Grüngelb, ja sogar in düstres Bräunlichgrüngelb verfärben. Obwol man es bei entsprechender Fütte=rung mit Sämereien und Fleischnahrung zugleich ermöglichen kann, daß der Unver=gleichliche viele Jahre hindurch in der Gefangenschaft ausdauernd sich zeigt, obwol man ihn mit Glück zu züchten und die Jungen ebenso wie die Alten zu erhalten vermag, so ist es bis jetzt doch noch kaum gelungen, zu erzielen, daß einerseits die letzteren sich zu den prächtigen Farben zurückverfärben und daß andrerseits die ersteren dieselben sicher erhalten. Nur in überaus seltenen Fällen, bei günstig=sten Licht=, Luft= und Fütterungsverhältnissen ist die Farbenpracht beim alten zurückgekehrt oder beim jungen erschienen. Eine sichere Kenntniß dieser Verhält=nisse, der Ursachen des Verschwindens und Wiederkommens jener Farben haben wir noch nicht. In Hinsicht des Wesens dieses Vogels, seiner Friedlichkeit, Ver=pflegung u. s. w. gilt durchaus das über den Indigofink Gesagte. Auch mit ihm hat man neuerdings vielfach versucht, Kanarienbastarde zu ziehen. Trotzdem mir aber kein zuverlässiger Fall einer solchen gelungnen Züchtung bekannt geworden, so zweifle ich durchaus nicht an der Möglichkeit. Um seiner Schönheit und der übrigen Vorzüge willen gleicherweise verdiente er wirklich die Bevorzugung, welche ihm, wie erwähnt, vielfach zutheil wird. Die Anfänger in der Liebhaberei für die fremdländischen Vögel sollte man jedoch immer auf die Vergänglichkeit seiner Prachtfarben und auf die Nothwendigkeit einer zweckmäßigen Verpflegung hin=weisen, wie solche vorhin angegeben ist. Im Sommer sind auch halbreife Gras=sämereien, Hafer u. a. und späterhin allerlei Beeren und Früchte und auch Grün=kraut zu bieten. Außerdem aber ist stets frische, warme Luft und reichliches un=mittelbares Licht, jedoch auch ein Schutzdach oder eine dichte Rute im Käfige gegen die sengenden Sonnenstralen nothwendig. Bei bloßer Körnerfütterung geht er fast regelmäßig an Verstopfung u. a. Krankheiten in der Mauser zugrunde.

Beiläufig ſei angeführt, daß nach der von Profeſſor Dr. Blaſius aufge=
ſtellten, in verſchiedenen Werken veröffentlichten Liſte der europäiſchen Vögel der
Papſtfinť auch als in England vorkommend aufgeführt iſt. Baird bemerkt dazu,
daß es doch wol nur ein dem Käfige entflogner Vogel geweſen ſein könne. In
derſelben Weiſe ſah ich im Sommer 1871 mehrere Wochen hindurch ein präch=
tiges Männchen unter den Sperlingen auf dem Leipziger und Potsdamer Platz
von Berlin, bis es dann plötzlich verſchwunden, wol von einem Liebhaber ein=
gefangen oder von einer Katze geraubt war.

Der Preis beträgt im Großhandel für das Dutzend Männchen 60 Mark,
für das Stück 8 Mark, für das Dutzend Weibchen 36 Mark, für das Stück
5 Mark, doch ſchwanken die Preiſe wie bei dem vorigen. Im Inlande, bei den
Händlern zweiter Hand, lauft man das Männchen für 9 bis 15 Mark und das
Pärchen für 15 bis 18 Mark.

Der Papſtfinť oder Unvergleichliche heißt auch in Deutſchland Nonpareil. — Le Pape
ou Nonpareil; Nonpareil Finch or Painted Finch; Nonpareil-vink (holländiſch); Mariposa pintada (ſpaniſch). — Arco-iris (in der Stadt Trinibad das Männchen, nach Gundl.);
Verdon (ebendaſelbſt das Weibchen, nach Gundl.).

Papſt oder blauťöpfiger Diſtelfinť (Cat., Buff.); Papſtvogel (Müll.); ameriťaniſcher
Finť (Scopoli); dreifarbiger Finť und gemalter Vogel (Seeligm.); gemalter Ammer (Bechſt.).

Nomenclatur: Emberiza ciris, L., Wls., Bchst.; Passerina ciris, Vll., Gndl.,
v. Hmr.; Fringilla ciris, Audb.; Spiza ciris, Bp., Audb., Cb.; Cyanospiza ciris, Brd.,
Br., Frntz. [Fringilla tricolor, Cat., Kln.; Fringilla mariposa, Scpl.; Painted Finch,
Cat., Penn.; Pinson de trois couleurs, Cat.; the China Bul-finch, Alb.; le Verdier de
la Louisiane, Briss.; le Pape, Buff.; Painted Bunting, Lath., Brd.].

Wiſſenſchaftliche Beſchreibung: Kopf, Nacken bis zum Rücken und Kopfſeiten
ultramarinblau; ein breiter Streif vom Schnabel bis zum Auge gelblich, der ſchöne ſchmale
Augenring lebhaft roth; Mantel und Schultern hell=, Flügel dunkelgrasgrün; Schwingen= und
Schwanzfedern dunkelgrünlichbraun, düſterröthlich außengeſäumt, die letzten kleineren Schwingen
jedoch einfarbig grün; die größten oberen Flügeldecken düſterroth, wodurch eine ſchräg ſtehende
Querbinde über den Oberflügel gebildet wird, die kleineren Flügeldecken bläulichgrün; Bürzel
und obere Schwanzdecken düſterroth; ganze Unterſeite lebhaft ſcharlachroth; Schnabel dunkel=
braun, Unterſchnabel heller bläulich; Auge dunkelbraun; Füße bläulichgrau. — Weibchen
oberhalb dunkelgrün, Geſicht und Kehle weißlichgelbgrau; Mantel und Schultern dunkelgelblich=
grün; Schwingen und Schwanzfedern dunkelbraun, düſtergrün außengeſäumt; Bruſt düſter=
grünlichgelb; Bauch, Hinterleib und untere Schwanzdecken fahl olivengelb. — Jugendťleid (wie
immer ſogleich nach dem Ausfliegen aufgezeichnet): Oberhalb fahl graugrün, Geſicht und Kehle
gelblichgraugrün; Schwingen und Schwanz dunkelbräunlichgraugrün; ganze Unterſeite fahl grünlich
gelb, bemerkbar heller als das alte Weibchen; beide Geſchlechter gleichgefärbt.

Fringilla ciris: capite, cervice usque ad dorsum capitisque lateribus
ultramarinis; stria lata a rostro ad oculum usque flavida; annulo oculari angusto
laete rubro; interscapilio scapulisque dilute, alis obscure herbaceis; remigibus rectricibusque virente fuscis, exterius ferrugineo-limbatis; remigibus
secundariis posticis unicoloribus viridibus; tectricibus al. minoribus deuteris
rubiginosis fasciam trans alam fingentibus obliquam; tectricibus al. proteris
aeruginosis, uropygio et supracaudalibus ferrugineis; gastraeo toto laete scarlatino;
rostro fusco, mandibula coerulescente; iride fusca; pedibus subcoeruleo-cinereis.

♀ supra obscure viridis, facie gulaque luride canis; interscapilio scapulisque obscure
flavente viridibus; abdomine crisso et infracaudalibus livide olivaceo-aurantiis.
Länge 13,₉ cm·; Flügel 7,₈ cm·; Schwanz 5,₂ cm.

Juvenis: luride glauca, facie gulaque e flavido glaucis; remigibus· caudaque
fumoso-virentibus; subtus livide virens, dilutius quam ♀ adulta (serius utraque concolor).

Beschreibung des Eies: Grundfarbe weiß mit einem Stich ins bläuliche. Ueber das
ganze Ei zerstreut, doch mehr am stumpfen Ende vereinigt, violette, rosafarbene und braune
kleine Flecke; matt, bauchig; Länge 19 mm·; Breite 14 mm. (Nehrkorn). Auf perlweißem
Grunde dunkelpurpurbraun gefleckt (Audubon). Bläulichweiß, braun und violett bespritzt, am
dickeren Ende mit Fleckenkranz (Ruß).

Ovum: lacteum maculis minutis violaceis, rosaceis fuscisque praesertim in basi
obsitum (Nehrkorn). O. margaritaceum e fusco purpureo-maculatum (Audubon).
O. lacteum maculis fuscis et violaceis in basi fingentibus coronulam (Russ).

**Der liebliche Papstfink** [Fringilla amoena] **und der vielfarbige Papstfink**
[Fringilla versicolor]. Die beiden nächsten Verwandten des Indigo- und Papstfink würden zu den willkommensten, weil schönsten Erscheinungen in der Vogelliebhaberei gehören, wenn sie nicht die allerseltensten wären. Beide sind nach-
weislich bisher nur einmal lebend nach Europa gelangt, und zwar kaufte sie im
Jahre 1875 Direktor Dr. Bodinus in mehreren Köpfen von jeder Art für den
Berliner zoologischen Garten vom Direktor Bekemans in Antwerpen, welcher
letztere sie bisher ebenfalls noch niemals besessen hatte. Ebenso sind sie bis jetzt
im zoologischen Garten von London noch nicht vorhanden gewesen.

Der liebliche Papstfink ist an Kopf, Hals, Unterrücken und oberen
Schwanzdecken schön und glänzend indigoblau; Rücken schwärzlichblau mit lebhaft
blauem Schein; Schultern bräunlichschwarz mit zwei weißlichen Querbinden,
deren obere breiter und mehr weiß ist, die weißen Deckfedern mit gelblichem
Spitzenrande; Schwungfedern schwarzbraun mit bläfferem weißlichen Vorderrande;
Schwanzfedern schwarzbraun mit bläulichen Rändern; Brust lebhaft rostgelb,
Oberbrust rostroth; Unterbrust und Bauch weiß, Seiten rostgelb überlaufen.
Schnabel und Füße bräunlichschwarz, Auge graubraun (nach Prinz v. Wied).
Weibchen oberhalb düsterfahlbraun; Schwingen und Schwanzfedern braun, düster-
meerblau außengesäumt und mit einer hellen Querbinde; kleine Flügeldecken und
Bürzel düstergrünlichblau; ganze Unterseite hellbräunlichroftfarben, Kehle und
Oberbrust dunkler, Bauch und untere Schwanzdecken heller weißlich. Schnabel
dunkelbraun, Unterschnabel heller, Auge hellbraun, Füße schwarzbraun. Größe
des Indigofink. Heimat die Hochebenen im Westen von Nordamerika und
Kalifornien. Ueber sein Freileben ist fast garnichts bekannt. Prinz v. Wied
beobachtete einen Schwarm Männchen am oberen Missouri, wo sich diese Art in
den großen Pappelwaldungen gewöhnlich parweise aufhält. Das schöne blaue
Männchen sitzt wie unser Buchfink auf einem Zweige, 3—4 Meter hoch, und
läßt seinen kleinen Gesang hören. Im September sieht man sie familienweise

zu sechs bis acht Köpfen südwärts ziehen. — Thomas Say lieferte die erste Beschreibung, als er mit Major Long die Reise nach den Felsenbergen machte. Später brachte Townsend mehrere Exemplare vom Kolumbiaflusse mit. Auch das Nest hat dieser Beobachter gefunden und Audubon hat dasselbe beschrieben. Der letztere und Bonaparte gaben zugleich Abbildungen, von denen jedoch nur die Audubon's im allgemeinen zutreffend ist. In der Lebensweise wie in allem übrigen dürfte der Vogel mit den beiden Verwandten durchaus übereinstimmen.

Der vielfarbige Papstfink ist von dunkelbräunlich=purpurrother Grund=farbe; Stirnrand, Zügel und Bartzeichnung sind schwarz, und der Augenring ist zinnoberroth; Vorderkopf, Augenbrauenstreif und Backen sind lilablau; Mantel bräunlichpurpurroth, jede Feder fahl endgesäumt; Schwingen und große Flügel=decken dunkelbraun, fahlbläulichgrau außengesäumt, kleine Flügeldecken lilablau, ebenso der Bürzel; die oberen Schwanzdecken sind reindunkelblau; Schwanz dunkel=braun, jede Feder schmal düsterblau außengesäumt; Kehle fahlpurpurroth, ganze übrige Unterseite purpurviolett, von der Bauchmitte an fahlgrau. Eine Be=schreibung des Weibchens ist nicht zu finden und unter den nach Berlin gelangten Vögeln war ein solches auch nicht vorhanden. Ueber das Freileben ist nichts bekannt und dasselbe wird wol sicherlich mit dem der Verwandten überein=stimmen. Die Heimat erstreckt sich nach Baird über Mexiko bis zum Rio grande; nach Bonaparte kommt er auch in Peru vor und nach einem popu=lären Schriftsteller auch in Guatemala und Honduras. Beide Arten dürften selbst in ihren Heimatsländern nicht häufig sein, und daher können wir wol kaum erwarten, daß sie jemals zahlreich im Vogelhandel erscheinen werden.

Der liebliche Papstfink ist von Prinz v. Wied blauköpfiger Zierfink und von Br. Lazulifink genannt. — Le Pape-Lazuli; Lazuli Nonpareil Finch; Lazuli Finch (Baird). — Emberiza amoena, Say; Fringilla amoena, Bp., Audb.; Spiza amoena, Bp., Audb., Pr. Wd.; Cyanospiza amoena, Brd., Br. — Der vielfarbige Papstfink oder vielfarbige Zierfink heißt bei Br. Buntfarbenfink. — Many-coloured Nonpareil Finch; Le Pape versicolor. — Spiza versicolor, Bp., Cb.; Carduelis luxuosus, Lss.; Cyanospiza versi-color, Brd., Br.; Fringilla lazulina, Lchtst. [Spiza Leclancheri, Lfrsn.].

*     *     *

Als **Sperlinge** reihen die meisten Ornithologen eine vielgestaltige Vogelgruppe ohne weiteres den bisher besprochenen Finken an und scheiden sie nur in viele mehr oder minder berechtigte Sippen. Da ich jedoch das Wort Sperling im weitesten, volksthümlichen Sinne hier auffasse, so zähle ich nicht allein die eigentlichen Sperlinge (Passer, Briss.) nebst allen kleineren Sippen (Stein= oder Felsensperling, Goldsperling, Kehlsperling u. a.), sondern auch die Ammersperlinge oder Ammerfinken mit. Eine Berechtigung dazu giebt mir die Thatsache, daß diese Vögel als: Passer, Passerella, Passérculus, ferner als Fringilla und Emberiza neben den in unendlicher Mannigfaltigkeit aufgestellten Namen: Embernagra, Haemophila, Zonotrichia, Pooecétes, Chondestes, Peucaea, Niphaea, Phrygilus, Ammódromus, Hedyglossa, Spinus, Spiza, Euspiza, Haplospiza, Melospiza, Rhopospiza, Coturniculus, Struthus u. s. w., von den verschiedenen Gelehrten und Ungelehrten aufgeführt werden Um nur einigermaßen Klarheit in diesen fabelhaften Namenwirrwar zu bringen, bleibt mir nichts andres übrig, als daß ich alle diese Vögel als Sperlinge zusammenfasse oder sie in zwei große Gruppen scheide und die sog. Ammerfinken den Ammern (Emberiza, *L.*) anschließe. Ich wähle das erstre und führe alle diese Vögel meinen Lesern als Sperlinge vor.

---

Die Gesammtheit der Spazen bietet für die Vogelliebhaberei im allgemeinen nur ein überaus geringes Interesse. Wol giebt es unter ihnen einzelne recht hübsche Erscheinungen; die meisten aber gewähren weder als Sing- noch als Schmuckvögel solche Annehmlichkeiten, daß man einen besondern Werth auf ihre Haltung und Züchtung legen könnte. Bis jetzt haben meines wissens auch kaum einige Arten als seltene Ausnahmen in der Gefangenschaft genistet. Im Sinne des ganzen Plans meines Werks darf ich daher sämmtliche Sperlinge nur kurz und übersichtlich behandeln. Für die besonderen Liebhaber sei jedoch noch bemerkt, daß die eigentlichen Sperlinge ausdauernde kräftige Vögel sind, während die Ammersperlinge zarter und weichlicher erscheinen. Die Verpflegung und Fütterung ist mit der aller bisher geschilderten Finken übereinstimmend.

### Der Sperling vom Vorgebirge der guten Hoffnung [Fringilla arcuata].

Dem europäischen Sperlinge in Gestalt und Größe gleich und in der Färbung sehr ähnlich, ist er doch ungleich schöner. Der Oberkopf von der Stirn bis zum Nacken, Backen und Kehle und ein Schild auf der Oberbrust sind tiefschwarz; ein breiter Streif vom Auge zum Ohr und hinunter, in einen noch breitern Halskragen sich erweiternd, sind reinweiß; Schultern und Nacken grau; Mantel und Rücken bis zum Bürzel rothbraun; Flügel schwärzlich mit zwei breiten weißen Querbinden und jede Feder mit breitem fahlen Saum; Schwanz ober- seits ebenso, unterseits dunkelaschgrau; ganze Unterseite bräunlichweiß; Auge braun; Schnabel schwarz; Füße braungrau. Das Weibchen ist an Oberkopf und Hinterhals nicht schwarz, sondern graubraun; Augenbrauenstreif bis zum Schlaf weißlichrostgelb; ein Streif ums Ohr bräunlichgrau; der übrige Kopf, sowie die Halsseiten hellgelblichrostroth; Kehle und Oberbrust graubraun; ganze Unterseite gelblichrothweiß. Seine Heimat soll sich nur über Süd- afrika, insbesondre das Kaffernland erstrecken. Brisson schon gab ihm den von mir angeführten Namen und Buffon beschrieb ihn als kap'schen Sperling oder Kernbeißer. Die übrigen älteren Schriftsteller erwähnen ihn nicht. Ebensowenig ist näheres über sein Freileben bekannt. Die Lebensweise soll nach Layard der des gemeinen Spaz in jeder Hinsicht gleichen, also auch darin, daß er ebenso lediglich oder doch vorzugsweise an und in den menschlichen Wohnungen sich aufhält und nistet.

Er wird nur selten einzeln oder parweise von Fräulein Hagenbeck oder Chs. Jamrach eingeführt. Ich besaß ein Pärchen geraume Zeit, ohne daß es, freilich im Käfige mit anderen zusammengehalten, zur Brut gelangte. Da beide Vögel späterhin am Wurm im Gehirn eingingen, während diese scheußliche Krankheit sonst unter der Bevölkerung meiner Vogelstube noch garnicht vorgekommen, so ist es ja möglich, daß sie solche bereits mitgebracht hatten, trotzdem sie erst nach nahezu 1½ Jahren zum Tode führte, und daß in derselben eben auch ihr Ver- halten begründet gelegen. Ein anbres Pärchen im zoologischen Garten von Berlin nistete sehr leicht, erzog jedoch keine Jungen. Wenn dieser Sperling gesund in unsere Vogelstuben und Käfige gelangt, so wird er sicherlich unschwer zu züchten sein. Der Preis ist hoch; man kauft das Pärchen nicht unter 15 bis 18 Mark.

Der Sperling vom Vorgebirge der guten Hoffnung heißt im Handel Kap= sperling. — Le Moineau du Cap; Cape Sparrow.

Nomenclatur: Passer arcuatus, *Gr.*, *Cb.*, *Lrd.*, *Br.*; Passer hispauiolensis, *Dglnd.*, *Gld.*; Pyrgita arcuata, *Hier.* [Passer capitis bonae spei, *Briss.*; Le Moineau du Cap de bonne espérance, *Briss.*; le Croissant, *Buff.*].

Wissenschaftliche Beschreibung s. S. 438.

Fringilla arcuata: pileo a fronte usque ad cervicem, genis, gula clipeoque gutturali atris; stria lata ab oculo usque ad aurem et deorsum in collare latius dilatante pure albis; cervice scapulisque cinereis; interscapilio dorsoque usque ad uropygium ferrugineis; fasciis duabus latis trans alas subnigras albis; pluma quaque late livide limbata; gastraeo toto sordide albido; iride fusca; rostro nigro; pedibus fumosis. ♀ pileo haud nigro, sed fumigato; stria superciliari usque ad regionem temporalem gilva; stria circa aurem subfumida; capite reliquo collique lateribus sub. fulvis; gula guttureque fumosis; gastraeo toto ochraceo.

Länge 14,₄ cm.; Flügel 7,₈ cm.; Schwanz 5,₇ cm.

## Swainson's Sperling [Fringilla Swainsoni].

Ein rechter Spaz, im Wesen dem europäischen sehr ähnlich und mit allen seinen Untugenden, Frechheit, Dreistigkeit, Zudringlichkeit. Kopf und Hals grau= braun; Mantel, Schultern und obere Schwanzdecken deutlicher braun; obere Flügeldecken, Mittel= und Hinterrücken zimmtrothbraun; Schwingen und Schwanzfedern dunkelbraun, an der Außen= fahne sehr schmal fahlbraun gesäumt; Deckfedern der Schwingen zweiter Ordnung an der Außenfahne rostbraun gerandet, eine mehr oder minder deutliche weiße Querbinde über den Oberflügel. Kinn, Bauchmitte, unterer Hinterleib und untere Flügeldecken fast weiß; ganz Unterseite bläulichgrau. Schnabel schwarz (im Winter ist der Schnabel wie beim Haussperlinge heller, mit gelblichem Grunde, Hgl.); Auge kastanienbraun; Füße hell röthlichbraun. — Weib= chen mit dem Männchen übereinstimmend, aber alle Farben heller; Bauch, Hinterleib und untere Schwanzdecken reinweiß; über den Flügel geht eine breite weiße Querbinde; Schnabel hell hornbraun, Unterschnabel heller; Größe des Haussperlings. Nach Finsch und Hart= laub unter allen afrikanischen Verwandten am weitesten, fast über den ganzen Erdtheil verbreitet. Heuglin meint, daß er im Gebirge nicht über 2000 bis 2300 Meter hinaufgehe. Man wollte mehrere Lokalrassen oder wol gar be= sondere Arten nach der abweichenden Größe, lebhafteren Färbung, größern, ge= ringern oder ganz fehlenden Flügelbinde unterscheiden; so namentlich den kleineren einfachen Spaz (F. simplex, *Swns.*) von Westafrika und den Angolaspaz (F. diffusa, *Smth.*). Sie dürften sicherlich zu einer Art zusammenfallen, und für die Lieb= haberei brauchen sie keinenfalls getrennt zu werden. „Swainson's Sperling lebt pärchenweise in Kordofan, am weißen und blauen Nil, Abessinien, den Bogos= ländern u. a., wo er wol überall Wandervogel ist und Felber, Lichtungen, Steppenland, Gehöfte und Dörfer besucht. Sein Benehmen, Nahrung und Lockton kennzeichnen ihn als echten Sperling, doch ist der letzte rätschender. Das Nest fand ich während der ganzen Regenzeit theils in Strohdächern, unter Dach=

sparren, in Mauerlöchern, theils in dichten Dorngebüschen. Brehm will es schon
im April gesehen haben. Auch benutzt dieser Spaz gern fremde Nester, wie die
der Gelbweber, Schuppenköpfchen u. a. Die selbstgebauten sind verhältnißmäßig
klein, von außen aus Grashalmen, Wurzeln, Zeugstücken, Baumwolle zusammen=
getragen, und innerlich lose mit Haren, Federn u. drgl. gefüttert. Gelege 3 bis
4 Eier. Im Herbst rottet er sich auch zuweilen in Familien und Flüge zu=
sammen, welche dann weit im Lande umherstreifen." (Heuglin). Reichenow
giebt an, daß er in der Stimme und ebenso in der Lebensweise und Fruchtbarkeit
dem Haussperling gleiche. Er fand an der Goldküste am 10. August drei, am 25.
fünf Eier und zu Ende Septembers große Junge im Nest. Gordon sagt, daß
dieser Sperling an der Westküste viel weniger dreist und unverschämt als ander=
wärts sei, er fliege dort in den Straßen der Ortschaften umher, besonders in
den Vorstädten, zeige sich jedoch recht scheu und vorsichtig.

Nur einzeln oder in wenigen Pärchen und zufällig mit anderen Vögeln zu=
sammen eingeführt gelangt er in den Handel und zwar namentlich von Ant=
werpen aus. Ich habe es mehrmals versucht, ein Pärchen in der Vogelstube zu
züchten. Dort richtet er sich sofort häuslich ein. Das Nest stand in den ver=
schiedensten Oertlichkeiten, zuerst einmal in einem Frühauf'schen Nistbaum für
Wellensittiche, nur aus Heuhalmen und vielen Federn geschichtet; dann wurden
die Nester von Prachtfinken und Webervögeln eingenommen und die rechtmäßigen
Bewohner verdrängt. In dieser Hinsicht erscheint der Spaz als ein böser Kunde,
indem er eine fast ebenso schadenbringende Thätigkeit wie der Bandfink entwickelt.
Einmal baute das Pärchen auch ein sehr schön gestaltetes Nest frei im Gebüsch.
Die Grundlage bestand aus Reisern und Halmen, auf dieser war die Höhle aus
Agavefasern, Fäden und Halmen geformt und mit Federn ausgepolstert. Das
obere Dach aber bildeten dünne schmiegsame Birkenreiser, welche gewölbt,
ähnlich wie beim Nest der Elster, eingefügt worden. Gelege 4 bis 6 Eier.
Das Jugendkleid ist einfarbig fahl bräunlichgrau; Kopf heller grau; ganze Unterseite fahl
weißlichgrau; die Flügelbinde ist schwach fahlgelb angedeutet; Schnabel braun mit breitem
gelben Grunde; Auge schwarz; Füße fleischgrau. Außer der Nesterzerstörung wird dieser
Spaz auch dadurch verderblich für die Vogelstube, daß er gegen Prachtfinken und
andere kleine Genossen sich sehr bissig und boshaft zeigt, während er doch keine
Vorzüge als Stubenvogel hat. Einen Gesang habe ich niemals vernommen, wol
aber läßt er, wenn man ihn greift und in der Hand hält, langgezogene, klagende
melodische Laute erschallen, welche man sonst nicht von ihm hört. Er erfreut
sich in der Liebhaberei keiner Beachtung und wird nicht einmal zu dem geringen
Preise von 6 bis 9 Mark für das Pärchen gekauft.

Swainson's Sperling oder der Swainsonsperling ist auch Swainson'scher Sperling
(Hgl.), Waldhüttensperling (Br.) und Swainson's Sperlingsweber (Rchb.) genannt; bei den
Händlern heißt er irrthümlicherweise auch Swainsonsweber.

Le Moineau à tête grise; Grey-headed Sparrow.

Nomenclatur: Pyrgita Swainsonii, *Rpp.*; P. diffusa, *Smth.*, *Bp.*; P. simplex, *Swns.* [nec *Lchtst.*], *Grd.*; P. gularis, *Lss.*; Friugilla grisea, *Lfrsn.* [nec *Vll.*; nec *Hgl.*]; Pyrgita spadicea, *Lchtst.*, *Bp.*; Passer Swainsonii et diffusa, *Bp.*; P. Swainsonii, *Rpp.*, *Hgl.*; P. simplex, *Cb.*, *Hrtm.*; P. simplex et diffusus, *Gr.*; P. simplex et diffusa, *Hrtl.*, *Hgl.*; Pyrgita crassirostris, *Pr. Wrtbrg.*, *Hgl.*; Pyrgitopsis simplex, *Hrsf.* et *Mr.*; P. Swainsonii, *Bp.*; Pyrgita simplex et Swainsonii, *Hgl.*, *Antn.*, *Br.*, *Kng.*-*Wrth.*, *Lrd.*; P. diffusus, *Hrtl.*, *v. d. Dck.*, *Fnsch.* et *Hrtl.*; Passer Swainsoni, *Css.*, *Rchn.* [Le Pyrgitopsis de Swainson, *Rchb.*].

𝕎iſſenſchaftliche Beſchreibung ſ. S. 439.

Fringilla Swainsoni: capite colloque fumeis; interscapilio, scapulis et supracaudalibus distinctius umbrinis; tectricibus al. superioribus, dorso, tergoque cinnamomeis; remigibus rectricibusque fuscis, exterius anguste livide sublimbatis; tectricibus mediis exterius ferruginoso-marginatis; fascia trans alam superiorem albida; mento, abdomine medio, crisso et tectricibus subalaribus albentibus; gastraeo toto e coerulescente cano; rostro nigro (tempore hiemali basi rostri dilutioris flavida); iride badia; pedibus subrufis. ♀ cum mare conveniens, sed omnino dilutior; abdomine, crisso et subcaudalibus pure albis; fascia lata trans alas alba; rostro subcorneo, mandibula dilutiore.

Länge 15—18,₁ᶜᵐ·; Flügel 8—8,₉ᶜᵐ·; Schwanz 5,₉—7,₄ᶜᵐ·

Beſchreibung des Eies: Denen des Hausſperlings gleichend, nicht größer, doch glatt- und dickſchaliger, auf hellbräunlichem Grunde dunkel erdbraun geflectt. Länge 19,₅ᵐᵐ·, Breite 15,₂ᵐᵐ· (Heugl.). Auf hellem (?) oder bräunlichem Grunde mit großen verwaſchenen, licht oder dunkel kaſtanienbraunen Flecken. Länge 18,₇₅—19,₇₅ᵐᵐ·; Breite 14,₅—15,₂₅ᵐᵐ· (Rchn.).

Ovum ovo Fringillae domesticae aequale, at testa laeviore et crassiore; dilute umbrinum, obscurius maculatum (Heuglin). O. subumbrinum, maculis magnis elutis dilute vel obscure castaneis obsitum.

**Der Wüſtenſperling** [Fringilla simplex] iſt dem vorigen im ganzen ähnlich, und da er einerſeits nur einen geringen Verbreitungsbezirk hat und andrerſeits auch dort nicht häufig iſt, ſo zeigt er keine Ausſicht, als Stubenvogel zu uns zu gelangen — abgeſehen davon, daß er als ſolcher auch keinen Werth haben würde. Er iſt zart iſabellgrau, mit einem ſchwarzen, ſcharf ab= gegrenzten Strich vom Auge nach der Kehle und Oberbruſt; Wangen und ganze Unterſeite weißlich. Heuglin fand ihn nur um die Wüſtenbrunnen, als Standvogel in kleinen Flügen, die Lagerſtätten der Karavanen beſuchend. In Weſen, Lockruf u. ſ. w. gleicht er dem Feld= ſperling. — Fringilla simplex, *Lchtst.* [nec *Swns.*]; Passer simplex, *Hgl.*

**Der rothköpfige Sperling** [Fringilla italica], dem europ. Hausſperlinge ſo ähnlich, daß ihn die meiſten Vogelkundigen nur als örtliche Spielart anſehen; Oberkopf und Nacken einfarbig braun, über dem ſchwarzen Zügelſtreif noch ein ſchmaler weißer; Bruſtſchild nicht rein=, ſondern grauſchwarz; Bürzel und obere Schwanzdecken dunkler graubraun. Vorzugsweiſe Gebirgsvogel und außer dem Oſten von Südeuropa auch über Kleinaſien und Theile von Nordoſtafrika ver= breitet. Er war noch nicht im Handel vorhanden. — Rothkopfſperling (Br.). — Fringilla Italiae, *Vll.*; F. cisalpina, *Tmm.*; Passer domesticus, var. italicus, *Blas.* et *Keys.*, *Hgl.* — [Moineau d'Italie, *Chn.*].

**Der Weidenſperling** [Fringilla salicicola] wird von einem Vogelkundigen als feſtſtehende Art betrachtet, von anderen aber ebenfalls nur als Spielart des Hausſperlings angeſehen. Kopf und Nacken ſind röthlich=kaſtanienbraun; Zügenſtreif ſchwarz, Augenbrauenſtreif weiß; im übrigen dem Hausſperlinge gleich. Weibchen heller als das des letztern. In Lebensweiſe und Neſtbau zeigt er beſondere Eigenthümlichkeiten. Unter allen Sperlingen hat er ſich dem Men= ſchen am wenigſten angeſchloſſen. Städte und Dörfer meidet er ganz. Niederungen in der

Nähe der Gewässer, Inseln u. a. sind seine Aufenthaltsorte. Die Nester haben Beutelform und sind denen der Webervögel ähnlich. Verbreitung Spanien, Nordafrika nebst den Kanarischen Inseln und Westasien. In den Handel gelangt ist er noch nicht. — Fringilla salicicola, *Vll.*; F. hispaniolensis, *Tmm.*; Passer salicarius, *Blas.* et *Keys.*; P. salicicolus, *Hgl.* — [Moineau des Saules, *Chn.*].

**Der braunköpfige Sperling** [Fringilla castanóptera] wurde von dem Naturforscher S p e k e auf der Hochebene des Somalilandes in Afrika erlegt und befindet sich nur in diesem einen Exemplar im Museum der asiatischen Gesellschaft zu Kalkutta. — Passer castanopterus, *Blth., Hrtl., Scl., Hgl., Fnsch.* et *Hrtl.*

**Der Motitasperling** [Fringilla motitensis] aus Südafrika ist von H e u g l i n auch im Nordosten gefunden, wo er im Innern von Kordofan familienweise, jedoch weniger gesellschaftlich als die Verwandten lebt. — Passer motitensis, *Smth., Bp., Lrd., Hgl.*

**Der Röthelsperling** [Fringilla russata], an Oberkopf und Nacken zimmtroth; Mantel und Schultern ebenso, doch schwarz längsgefleckt; Augenbrauenstreif schmal weiß; nur ein kleiner schwarzer Fleck an der Kehle; sonst dem Haussperlinge gleich, doch die Unterseite hellgrau. Weibchen an Kopfseiten und Kehle fahl rostgelblich, sonst mit dem des H. übereinstimmend. Heimat China und Japan, auch die Insel Formosa. — Passer russatus, *Tmm., Schlg.*; P. rutilans, *Tmm.*

**Der Baumsperling** [Fringilla arbórea, *Lchst.*], welcher über fast ganz Nordostafrika verbreitet ist, wird von den meisten Vogelkundigen lediglich als örtliche Abart des Haussperlings angesehen.

(Ich füge hier einige Bemerkungen H e u g l i n 's an, aus welchen sich das Verhältniß, in dem alle zuletzt besprochenen Sperlinge zum Haussparz stehen, am besten ergiebt: „Man hat versucht, ihn in mehrere Arten oder klimatische Varietäten zu scheiden, zwischen denen sich jedoch keine ganz scharfen Grenzen ziehen lassen. Die hauptsächlichsten, bei den alten Männchen deutlicher hervortretenden Unterschiede bestehen in abweichender Färbung des Scheitels, der beim Weiden- und rothköpfigen Sperling lebhaft rostbraun ist. Der erstre zeigt zugleich noch viel hellere, fahl gelblichweiße Außenfahnen der Federn des Mantels und eine breite, kräftige, schwarze Schaftstreifung an den Weichen und Brustseiten auf ziemlich reinweißem Grunde. Der südliche Haussperling ist im allgemeinen etwas kleiner, dagegen lebhafter gefärbt [Baumsperling; F. arbórea, *Lchst.*] als der europäische; das Schwarz auf Kehle und Oberbrust ist mehr ausgedehnt, die Ränder der Federn sind hier häufig scharf weiß; Wangen und Unterseiten sind heller, oft fast reinweiß, der weiße Augenbrauenstreif ist zuweilen scharf oder auch ganz verwischt, ebenso die Flügelbinden").

**Der St. Jago=Sperling** [Fringilla jagoënsis]: Oberkopf und Hinterhals dunkelbraun; Zügelstreif und Strich unterm Auge schwarz; ein breiter, zimmtrother Streif an den Kopfseiten; ganze Oberseite zimmtbraun, Mantel breit schwarz längsgestrichelt; Kehle mit länglichem schwarzen Fleck; ganze Unterseite bräunlichweiß. Weibchen ohne den dunkelbraunen Oberkopf, Zügel= und Augenstreif; Schnabel schwarz; Füße bräunlichgrau. Größe geringer als die des europäischen Feldsperlings. Heimat die Inseln des grünen Vorgebirges. G o u l d hat ihn unter den Vögeln beschrieben, welche von der Reise des Schiffes „Adler" herrühren. Die Lebensweise soll mit der des erwähnten Verwandten übereinstimmen und die Eier, welche Dohrn im Januar erhielt, waren denen des Haussperlings gleich. — Zwergsperling (Br.). — Passer jagoënsis, *Gld., Dhrn., Br.*; P. Hansmanni, *Bll.*; P. erythrophrys, *Tmm.*

## Der Steinsperling [Fringilla petronia].

Als Stubenvogel muß ich einen Sperling mitzählen, welcher durch B o l l e ' s herrliche Schilderung großes Interesse erregt und zugleich bei manchen Liebhabern

als ein beachtenswerther Sänger gilt. Er ist oberhalb fahl graubraun, mit hell=
braunem Scheitelstreif, fahlem Zügel, breitem dunkelbraunen Streif durch's Auge und schmalem
gleichen Streif unterm Auge; Mantel dunkelbraun, bräunlichweiß längsgefleckt, über den Flügel
eine fahlweiße Querbinde; Schwanzfedern dunkelbraun, matt grüngelblich außengesäumt und
mit großem weißen Spitzfleck; unterseits gelblichweiß, jede Feder fahlbraun gesäumt, an der
Kehle ein runder hellgelber Fleck; Schnabel dunkelbraun, Unterschnabel bräunlichgelb; Auge
braun; Füße düster fleischfarben. Weibchen übereinstimmend, doch mit kleinerem Kehlfleck.
Größe des Haussperlings. Heimat Südeuropa, aber auch die kanarischen Inseln,
Madeira und nordwestliches Asien.

Bolle beschreibt sein Freileben im einsamen Gebirge, wie in den Ortschaften,
wo er ganz in der Weise des Haussperlings sich ansiedelt. Der Lockton ist ein
nicht unmelodisches langgedehntes Schnalzen, dem sperlingsartige Laute, wie err,
err, folgen. Er ist in Santa Cruz der einzige Sperling und wird viel öfter
gehört als gesehen, weil er eben an den höchsten Stellen der Gebäude wohnt
und durch seine unscheinbare Färbung dem Auge entgeht. Der Forscher hielt
mehrere in der Gefangenschaft; sie werden mit Lockvögeln ins Garn gebracht und
sind leicht zu überlisten. Bereits nach wenigen Tagen wurden sie zahm und zu=
traulich. Als Allesfresser füttert man sie mit Sämereien, süßen Früchten, ein=
geweichtem Brot, Salatblättern und daneben mit Kerbthieren und Würmern. Be=
sonders lieben sie die noch milchigen Maiskolben und Feigen. Unter einander,
sowie gegen andere Vögel sind sie verträglich. Bolle betrachtet den Steinsperling
als ein Bindeglied zwischen den Gattungen Sperling und Lerche und sagt: „Ich
darf wol behaupten, daß sie ebenso angenehme als selten gehaltene Stubenvögel
sind. Toussenel sah sie in Frankreich im Käfige nisten. Nur eins finde ich an
ihnen auszusetzen, daß nämlich ihr fortwährend ausgestoßener Ruf sie namentlich im
Frühlinge lästig machen kann. Um diese Zeit wird man gut daran thun, sie
aus dem Wohnzimmer zu entfernen." Ueber den Gesang sagt der Forscher nichts,
dagegen fügt er hinzu, daß dieser Spaz häufig und selbst in der Freiheit an
widernatürlicher Wucherung des Schnabels und der Hornhaut der Füße leide.
Nach anderen Angaben soll derselbe ein erstaunliches Nachahmungstalent zeigen und
den Gesang vieler Vögel ganz vorzüglich wiedergeben lernen. Ueber sein Vor=
kommen auf den Balearen berichtet Alex. v. Homeyer und bezeichnet ihn als
einen scheuen und vorsichtigen Vogel. „Die Männchen sitzen morgens auf hohen
Punkten und schreien mit bewunderswürdigem Eifer ihr dreisilbiges ciüib, ciüib,
welches höchst charakteristisch ist und kaum mit einer andern Vogelstimme verglichen
werden kann." Weiter darf ich die Schilderung dieses Sperlings nicht ausdehnen,
da er im ganzen doch nur selten, von Krain, der Schweiz oder Italien aus durch
Baudisch und Alpi in Triest oder durch Zivsa in Troppau in den Handel ge=
langt. Preis 9 bis 12 Mark für das Pärchen.

Der Steinsperling wird auch Bergsperling (Br.) genannt. — Auf Madeira Pardao
(portugiesisch, nach Zuchold); Pajaro de hermita (d. h. Kapellenvogel, auf Teneriffa, nach

Bolle); Risquero (auf Gomera, nach Bolle); Crucculeu de monti (im südlichen Sarbinien), Furfurinü de monte (im nördlichen S.), Passera lagia (in Italien), nach Salvadori. Moineau des montagnes; Mountain Sparrow. Nomenclatur: Fringilla petronia, *L.*, *Gml.*, *Lth.*, *Zchld.*, *v. Mll.*; Fr. stulta, *Gml.*, *Gr.*; Fr. bononiensis et leucura, *Gml.*; Petronia stulta, *Strckl.*, *Blth.*, *Bp.*, *Cb.*, *Hrsf.* et *Mr.*, *Tcznws.*, *Schlw.*; Passer petronia, *Kch.*, *Bll.*, *Hmr.*; Fringilla (Pyrgita) petronia, *Keys.* et *Blas.*, *Krp.*; Petronia rupestris, *Bp.*; Gymnoris petronius, *Htt.*; Pyrgita petronia, *Hgl.*

Wissenschaftliche Beschreibung s. S. 443.

Fringilla petronia: supra livide fumigata, stria supra verticem dilute umbrina; loris lividis; stria lata per oculum fusca, altera angusta infra oculum; interscapilio fusco, sordide albido-striato; fascia trans alas albente; rectricibus fuscis, exterius virescente flavido-limbatis, lateque albo-terminatis; subtus flavente album, pluma quaque subfumide-limbata; macula gulari dilute flava; rostro fusco; mandibula flavente; iride fusca; pedibus sordide carneis. — ♀ conveniens, macula tantum gulari minore.

Der kurzzehige Steinsperling [Fringilla brachydáctyla] „wurde von Hemprich und Ehrenberg in den Gebirgen nahe bei Qonfudah in Arabien entdeckt und von mir im abessinischen Küstenland und im südöstlichen Kordofan wiedergefunden, und zwar während und nach der Regenzeit vom Ende des August bis Ende des November. Ob Stand- oder Zugvogel, kann ich nicht angeben. Er hält sich in der Nähe von Gehöften (gleich dem Feldsperlinge) auf und rottet sich im Herbst in kleine Flüge zusammen, welche, scheu und flüchtig umherschweifend, ammerartige Locktöne hören lassen. Nach Tristram (welcher ihn auch im Käfige besessen hat) nistet er in Syrien in niedrigen Büschen und legt vier bis fünf weiße, wenig schwarz gefleckte Eier." (Heuglin). Die Heimat erstreckt sich außer Nordostafrika auch über Westasien. Oberhalb fahl bräunlichgrau; Augenbrauen- und Bartstreif fahlweiß; Flügel dunkelbraun, jede Feder fahl heller gesäumt, Oberflügel mit heller Querbinde; Schwanzfedern dunkelbraun, fein heller außengesäumt und mit weißen Spitzenflecken; ganze Unterseite bräunlichweiß; Schnabel fleischroth mit schwärzlicher Spitze; Auge braun; Füße bräunlichfleischfarben. Das Weibchen soll übereinstimmend sein. Größe des Feldsperlings, aber schlanker. — Wüstensperling (Br.). — Fringilla brachydactyla, *Hmpr.* et *Ehrbrg.*; Petronia brachydactyla, *Lchtst.*, *Bp.*, *Cb.*, *Frstr.*, *Hgl.*; Fringilla grisea, *Hgl.*; Pyrenestes lacteus, *v. Mll.*; Carpospiza longipennis, *v. Mll.*, *Cb.*; Carpospiza brachydactyla, *Hgl.*

## Der Kehlsperling [Fringilla dentata].

Dem Swainsonsperling ähnlich, doch an einem runden gelben Fleck an der Kehle kenntlich. Als Heimat wird bis jetzt nur Abessinien und der Sudan genannt. Heuglin schildert ihn im Folgenden: „Er erscheint in der Färbung und Gestalt durchaus sperlingsartig. Ich beobachtete ihn längs des blauen Nils und seiner Zuflüsse, einzeln auch im Gebiet des weißen Flusses und im abessinischen Tiefland. Er ist wol Standvogel, findet sich parweise und in kleinen Flügen auf Lichtungen in der Waldregion und in Gewässern. Im Benehmen und Lockton hat er viel Aehnlichkeit mit anderen Sperlingen. Seine Eier sollen in Webervogelnester gelegt werden und reinweiß sein. Im Magen fand ich Gräsersämereien und Insekten." Näheres ist über das Freileben nicht angegeben. Im Handel ist er nicht selten, jedoch immer nur in wenigen Köpfen eingeführt.

Da er weder schön ist, noch singt, wol aber in sperlingsweise unfriedlich sich zeigt und ebenso die Nester anderer zerstört, so verlohnt es sich kaum, ihn als Stubenvogel mitzuzählen; allenfalls ist er in einem im Freien stehenden Flug=käfige unter größeren und derberen Bewohnern zu halten. Das Pärchen treibt sich schwanzwippend in der Vogelstube umher und zeigt sich bei jeder Gelegenheit lebhaft und unruhig, doch sehr dreist. Mehrmals haben sie eine Brut begonnen, viel grobes Genist in irgend eine Höhlung oder in ein großes Webernest zu=sammengeschleppt und aus Gräserrispen, Baumwolle und Federn die Mulde ge=formt. Sonderbarerweise ist es aber nicht zum Eierlegen gekommen. Uebrigens würde er wol ebensoleicht als der Swainsonsperling zu züchten sein; da ich jedoch gerade viele Prachtfinken in der Vogelstube hatte, entfernte ich die bös=artigen Kehlspazen bald und bin also zur Erzielung, bzl. Beobachtung der Brut nicht gelangt. Meines wissens hat den Vogel auch sonst Niemand gezüchtet, und in der Literatur ist über die Brut im Freien auch nichts zu finden.

Nomenclatur: Xanthodina dentata, *Sndvll.*, *Hgl.*, *Hrtl.*; Petronia dentata, *Bp.*; Passer lunatus, *Hgl.*; Pyrgita fazoglensis, *Pr. Wrtbg.*, *Hgl.*; Petronia albigularis et P. petronella, *Br.* [nec *Lchtst.*]; Xanthodina dentata et albigularis, *Hgl.*; Pyrgita? *Vrth.*; Pyrgita nigripes, *Mus. Berol.*

Wissenschaftliche Beschreibung: Oben röthlich braungrau; Oberkopf rein aschgrau; Zügel, Backen, Brust, Bauchseiten und Unterschwanzdecken heller grau; ein deutlicher Streif über die Augen, vorn weißlich, nach hinten fahl röthlich; über die Backen ein verwaschener, braungrau eingefaßter Streif; Kinn und Kehlmitte abgegrenzt weiß; an der Oberbrust ein deutlich gelber Fleck; Schwungfedern, Flügeldeckfedern und Schwanz graubraun; Schulterfedern mit verwaschenem, Handschwingen mit deutlicherem hellen Außenrande, letztere nach der Basis hin weißlich ge=säumt; zweite Handschwinge die längste, die erste länger als die dritte; Bauch weißlich, theil=weise grau überwaschen. Schnabel dunkel hornfarben, Unterschnabel an der Basishälfte fahl fleischroth; Auge röthlichbraun; Füße bleigrau. Das Weibchen ist oben mehr stahlröthlich; Backen, Brust und Bauchseiten gelblichroth überwaschen; übers Auge bis zum Nacken ein deut=licher breiter fahl röthlichweißer Streif; an der Kehle ein kaum bemerkbarer gelber Fleck; Hand= und Schulterschwingen fahl röthlich gerandet; Flügeldeckfedern an der Spitze deutlicher fahl röthlich; Schnabel gelblich horngrau. Jugendkleid dem des Weibchens ähnlich, aber ohne gelben Kehlfleck.

Fringilla dentata: supra umbrino-cinerescens, pileo saturate cinereo; loris, genis, pectore, hypochondriis et supracaudalibus canis; stria super-ciliari conspicua ante albida, post rufescente; stria malari eluta, fumoso-cincta; mento gulaque media circumscripte albis; macula conspicua jugulari flava; remigibus, al. tectricibus et rectricibus fuliginosis; remigibus tertiariis elute, primoribus exterius stricte pallide marginatis, his basin versus albido-limbatis; remige secundo longissimo, primo tertium superante; abdomine albente partim cano-lavato; rostro nigricante corneo, dimidio mandibulae basali subcarneo; iride castanea; pedibus plumbeis. — ♀ supra lividior; genis, pectore et hypochondriis subfulvo-lavatis; stria conspicua lataque superciliari cervicem versus porrecta subfulvo-albida; macula gulari flava parum distincta; remigibus primoribus et tertiariis fulvo-marginatis; tectricibus al. distinctius livide terminatis; rostro livide subcorneo. — Juvenis femellae similis macula verum jugulari flava nulla.

Länge 12,4—13 cm.; Flügel 7—7,6 cm.; Schwanz 4,2—5,2 cm.

Der große Kehlsperling [Fringilla pyrgíta] „unterscheidet sich durch den hellen kräftigeren, mehr gerundeten und weniger kegelförmigen, an den Schneiden auffallend eingezogenen Schnabel, durch viel längern Schwanz und hellere Färbung; der Augenbrauenstreif fehlt gänzlich; die weißliche Kehle ist seitlich nicht scharf dunkler eingefaßt, der gelbe Kehlfleck ist 17—19 mm. breit. Ich beobachtete den großen Kehlspatz einzeln in den Waldungen, am Westabfall des Bogos= gebiets. Er lebt mehr in niedrigem Gebüsch und hat einen ammerartigen Lockton." (Heuglin). Anderweitige Mittheilungen sind nicht vorhanden. — Xanthodina pyrgita, Hgl.

Der gelbhalsige Kehlsperling [Fringilla flavicollis] ist der einzige aus dieser ganzen Ver= wandtschaft, über dessen Freileben nähere Angaben vorhanden sind, und obwol er bisher keines= wegs ·lebend in den Handel gelangt, so muß ich doch die Mittheilungen über ihn wenigstens kurz zusammenfassen, da aus denselben ja auf die Lebensweise aller übrigen geschlossen werden kann. Kopf und ganze Oberseite fahl bräunlichgrau, Streif an der Kopfseite weißlich; Flügel dunkelbraun, jede Feder fahl außengesäumt;· Schwingen innen breit fahl gerandet, zwei helle Querbinden über den Oberflügel; kleine Flügeldecken zimmtbraun; Schwanz dunkelbraun, jede Feder außen fein fahl gesäumt; Kehle vom Unterschnabel an weiß, ein Fleck auf der Unterkehle lebhaft gelb, ganze Unterseite bräunlichweiß, Bauch mehr reinweiß, Schnabel schwarzbraun; Auge braun; Füße graubraun. Weibchen fahler und mit kleinerem Kehlfleck. Die Heimat er= streckt sich über fast ganz Indien. Blyth fand ihn in den Midnapore=Dschungeldickichten, wo er in der Weise des Haussperlings lebte mit denselben Gewohnheiten und auch mit gleichen Tönen. Er trieb sich in der Nähe der Gebäude auf Bäumen umher, ohne jedoch auf oder in die ersteren zu kommen. Nach Jerdon ist er überall gemein .in dichten Dschunglegebüschen, Hainen, Alleen, wo er in kleinen Flügen genau denselben zirpenden Ton wie der gemeine Sper= ling hören läßt und sich von Sämereien, Körnern und Blütenknospen ernährt. Er soll in Baumlöchern brüten. Elliot sagt, daß er auch in alten Töpfen oder in Löchern an den Hausgiebeln niste. Das Ei ist grünlichweiß, purpurbraun gestrichelt uud gefleckt. — Binden= kehlspatz (Br.). — Fringilla flavicollis, Frnkl., Gr., Hdgs.; F. jugularis, Lchtst.; F. stulta, ind. var., Lth. [Thē Yellow-necked or Jungle Sparrow, Jerd.; Raji in Hindostan) nach Jerd.; Jungli Charia (d. h. Jungle Sparrow), Jerd.; Maharoi, Hamilt.].

Noch einige andere Kehlsperlinge will ich hier einreihen, doch darf ich sie lediglich her= zählen. Sie gewähren für die Liebhaberei keinerlei Interesse, denn einerseits sind sie noch gar= nicht lebend eingeführt und zeigen dazu auch keine Aussicht, andrerseits zeichnen sie sich von den vorhin geschilderten, welche die Liebhaber doch beinahe völlig verschmähen, durch keinerlei besondere Vorzüge aus.

Der größte Kehlsperling [Fringilla flavígula, Sndvll.] aus Südafrika (Pyrgita petro= nella, Bp.; P. petronoïdes [!], Lfrsn.). — Der grauköpfige Kehlsperling [Fringilla cani= capilla, Frnkl.] aus Indien. — Der gelbbrüstige Kehlsperling [Fringilla xanthosterna, Nttr.] und der Augenbrauen=Kehlsperling [Fringilla superciliaris, Hay], beide aus Asien. (Nach Heuglin).

### Der Goldsperling [Fringilla lútea].

Als der hübscheste unter allen Spatzen zeigt er auch zugleich ein angenehmes Wesen und ist sanfter und verträglicher. Der Kopf und die ganze Unterseite sind lebhaft gelb; Mantel und Flügel hell zimmtbraun. Das Weibchen ist düsterer gelb und unterhalb bräunlichweiß. Größe etwas geringer als die des Feld= sperlings. Die Heimat erstreckt sich über Ostafrika und den südlichen Theil des Nordostens.

Das Freileben schildert Heuglin in folgendem: „Brehm hält ihn für einen Standvogel in Nordostafrika; ich möchte ihn jedoch für einen Zugvogel erklären. Mit Beginn der ersten Sommerregen erscheint er in großen Scharen am blauen Nil, in Senar, Ondaref, Südnubien und Kordofan. Die Nordgrenze seines Vorkommens erstreckt sich bis zur großen Nilkrümmung zwischen Dar Berber und Dar Dongolah. Er bevorzugt namentlich die Nähe von Gewässern und Hochbäumen; in der Steppe findet man ihn auch wol, häufig jedoch nur in der Nähe von Regenteichen und Wüstenbrunnen, außerdem besucht er Baumwollfelder, Brachäcker, Hecken, ja selbst Gehöfte und Dörfer. So kommt der Goldsperling im Juni und Juli in größeren Flügen in die Stadt Chartum und treibt sich hier als unbehelligter Gast auf Tennen und um Stallungen herum oder schart sich reihenweise auf Mauern und Dachkanten. In Flug, Stimme und Lebens= weise gleicht er im allgemeinen dem europäischen Feldsperlinge, doch zeichnet er sich durch sanfteres Wesen vortheilhaft aus, auch möchte ich ihn als weniger lebhaft und beweglich erachten. In den Vor= und Nachmittagsstunden fallen massenhafte Schwärme auf der Tränke ein, entweder an flachen, sandigen Stellen des Strom= ufers oder auf überhängenden Zweigen längs des Hochgestades, die sich dann durch das Gewicht der dicht an einander gedrängten Vögelchen bis zur Oberfläche des Wassers herabbiegen. Den Augenblick, in welchem die ganze Gesellschaft hier munter schwatzt und badet, benutzt nicht selten ein großer Raubfisch, um einige wegzuschnappen. Eine große verlassene Nistansiedelung, die ich im dichten Akazien= gebüsch in der Steppe von Ostsenar gefunden, halte ich für die des Goldsperlings. Die kleinen Nester standen zu Dutzenden auf jedem Strauch, waren sauber aus trocknem, feinem Grase erbaut, etwas beutelförmig, tiefer als breit und oben nicht überwölbt; ihre Höhe über dem Boden wechselte zwischen etwa $2/3$ und 4 Meter. Nach Br. baut er in Büsche und legt drei bis vier Eier. Im Sep= tember und Oktober rotten sich die Alten sammt den Jungen in Flüge von tausenden zusammen, schwärmen noch einige Zeit in der Steppe umher und ver= schwinden dann für mehrere Monate während der trockensten Jahreszeit. Ihre Nahrung besteht hauptsächlich in den Sämereien wilder Gräser, doch verschmähen sie auch nicht die harten Körner von Dohen und Angoleb.“ Mit diesen Angaben stimmen im wesentlichen die anderer Forscher überein. Der hübsche, liebens= würdige Vogel wurde bis dahin leider selten eingeführt und meines wissens sind bisher auch nur Männchen in den Handel gekommen. Vor einigen Jahren erhielt ich drei solche von Herrn C. Linz in Hamburg und dann auch ein einzelnes von Frl. Hagenbeck. Die anmuthigen Vögel zeigten sich überaus lebhaft, doch keineswegs zänkisch oder bösartig. Beim Nisten dürften sie nicht so schädlich wie die anderen Sperlinge werden, da sie wahrscheinlich freistehende Nester im Gebüsch errichten würden. Einen Gesang habe ich von ihnen nicht gehört, nicht einmal das gemeinsame sperlingsartige Schülpen, wol aber ein gleichmäßiges, entrüstetes telterell bei jeder Störung in der Vogelstube. Sobald Weibchen hinzukommen, ändert sich jedoch das Benehmen eines jeden bis dahin einzeln lebenden Männ= chens, gleichviel von welcher Art, bedeutsam. Hoffentlich wird dieser Spaz dem= nächst häufiger zu uns gelangen, und wir dürfen ihn dann als eine willkommene Bereicherung der Vogelstuben betrachten.

Der Goldsperling oder Goldspaz heißt auch Goldfink (Hgl.). — Le Moineau doré; Golden Sparrow.

Nomenclatur: Fringilla lutea, *Lchtst.*, *Tmm.*, *Lss.*, *Hgl.*, *Br.*, *Kg.-Wrth.*; Serinus luteus, *Rpp.*, *Hgl.*; Auripasser luteus, *Bp.*; Chrysospiza lutea, *Cb.*, *Br.*, *Hgl.*; Auripasser lutea, *Antn.*; Carduelis lutea, *Pr. v. Wrtb.*, *Hgl.*; Pyrgita lutea, *Nmcl. Mus. Berol.*

Wissenschaftliche Beschreibung: Schwefelgelb; Mantel und Schultern lebhaft zimmt= braun; Flügel schwarzbraun; große und mittlere Deckfedern nach der Spitze zu mit gelblich= weißem Rande; kleine Flügeldecken hellgelblichgrau; Schwungfedern mit hellbräunlichen Rändern; Schwanzfedern blaß graubraun, gegen die Spitze hin schwärzlicher mit rostgelblichem Saum; Unterschwanzdecken gelblichweiß, meist mit braunen Schaftstrichen; Schnabel und Füße fahl fleischroth; Auge dunkelbraun. Weibchen heller gefärbt; Oberkopf, Nacken und Bürzel fahl röthlichgelb mit helleren Federrändern.

Fringilla lutea: sulfurea, interscapilio et scapularibus laete cinnamo- meis; alis fumoso-nigricantibus; tectricibus al. majoribus mediisque apicem versus flavido-albente marginatis, minoribus incano-flavidis; remigum marginibus badiis; rectricibus cano-fumosis apicem versus nigricantibus et ferrugineo-sub- marginatis; subcaudalibus flavente albidis, plerumque fumido-striatis; tibialibus subfuscis; rostro pedibusque luride carneis; iride fusca. — ♀ dilutior pluma quaque pilei, cervicis et uropygii subfulvorum flavido-marginata.

Länge 12,4 cm.; Flügel 6,5 cm.; Schwanz kaum 5,2 cm.

Beschreibung des Eies: weiß mit braunen Punkten getüpfelt. Länge 15 mm. (Br.). Ovum album; fusco-punctulatum.

Der grüne Goldsperling [Fringilla euchlóra] ist von Heuglin nach den Original= typen des Berliner Museums, welche von Hemprich und Ehrenberg im östlichen Abessinien und in den Bergen von Oonfudah in Arabien eingesammelt worden, beschrieben. Heuglin selbst hat nicht Gelegenheit gehabt, ihn im Freien zu beobachten, und weiteres über diese Art ist über= haupt nicht bekannt. Die Heimat ist noch nicht genau festgestellt, und da der Vogel kaum die Aussicht gewährt, eingeführt zu werden, so bedarf es nur dieser beiläufigen Erwähnung. — Fringilla et Pyrgita euchlora, *Lchtst.*; Fringilla albeola, *v. Mll.*; Chrysospiza euchlora, *Cb.*, *Hgl.*

### Der schuppenköpfige Sperling [Fringilla frontalis].

Schon seit Vieillot's Zeit her bekannt, doch bis zur Gegenwart überaus selten und immer nur einzeln eingeführt, würde er, falls er häufiger in den Handel gelangte, zu den beliebtesten Bewohnern der Vogelstube gehören. Manche Ornithologen zählen ihn zu den Webervögeln; mit gleicher Berechtigung darf er aber zu den Sperlingen gestellt werden.

In der Gestalt gleicht er dem Graugirlitz, nur ist er etwas größer und hochbeiniger; auch zeichnet er sich durch eine sonderbar aufrechte Haltung aus.

Das Gefieder ist hellgrau, oberhalb dunkler, unterhalb grauweiß; auf dem Ober=
kopf schwarz mit weißer Säumung jeder Feder, wodurch eine Schuppenzeichnung
entsteht; Wangen grauweiß mit schwarzem Knebelbart an jeder Seite, der dem
Vogel ein recht ausdrucksvolles Ansehen verleiht; Hinterkopf und Hinterhals sind
rostroth. Sein Wesen erinnert an die Lerchen und Ammern. Die Heimat er=
streckt sich über den Osten und Westen von Afrika.

Vieillot schildert ihn als sehr weichlich und sagt, daß er alle unsere ein=
heimischen Sämereien verschmähe und nur Senegalhirse fresse, bis er sich allmälig
an andere Samen gewöhnt habe. Er bedürfe einer Wärme von 20 Grad, und
wenn man ihn züchten wolle, einer noch viel höheren. Da er nur einen schwachen,
kaum bemerkenswerthen Gesang hören lasse und überhaupt selten singe, so gefalle
er allein durch sein sanftes, verträgliches Wesen.

Ueber das Freileben berichtet sodann Heuglin: „Er ist häufig im abessini=
schen Küstenlande im wärmern Habesch, in Südnubien, in Senar und Kordofan,
doch wie es scheint, an gewisse Oertlichkeiten gebunden. Gegen das Ende der
Regenzeit erbaut er große Nester mitten in dichten, fast undurchdringlichen Dorn=
gebüschen aus trockenen Grashalmen von backofenförmiger Gestalt, sehr dicht und
mit kleinem, mit Federn, Haren, Pflanzen= und Thierwolle fein ausgekleideten
Nistraum. Antinori glaubt, daß dieser Vogel, den er nur im Gebiet des
Gazellenflusses antraf, nicht weiter als wenige Grade nördlich vom Aequator gehe,
während ich ihn noch zahlreich bis gegen den 17. Grad nordwärts gesehen. Zur
Brutzeit lebt er pärchenweise in der Steppe und auf Lichtungen in der eigent=
lichen Waldgegend, doch kommt er auch auf die Hecken in der Nähe der Gehöfte,
in diese selbst und auf die Dächer. Im Herbst zieht er sich in größere Scharen
zusammen, und diese schwärmen wie die Feldsperlinge auf Stoppelfeldern und
Viehtriften umher, fallen aber ebenso gern auf einzeln stehenden hohen Bäumen
an Wüstenbrunnen und Teichen ein. Der Lockton ist ein rätschendes Zirpen und
der schwache Gesang erinnert an den des Stiglitz. Ich fand frisch belegte Nester
im September im Bogosland und soeben ausgeflogene Junge im November in
Kordofan. Er dürfte Strich= oder Zugvogel sein.“

Das erste Schuppenköpfchen ist wol vom Händler E. Geupel in Leipzig (1871),
der damals mancherlei seltene Vögel aus England erhielt, nach Deutschland
eingeführt. Im Laufe der Zeit ist es dann mehrmals, theils von Antwerpen
aus durch Gudera, theils durch die Hagenbeck'sche Großhandlung in den
Handel gebracht, leider jedoch immer nur einzeln, und so habe ich es ebenfalls
einigemal in der Vogelstube gehabt. Es zeigt sich als ein hübsch gefärbtes, an=
muthiges und harmloses, ausdauerndes, durchaus nicht weichliches Vögelchen.
Gezüchtet ist es bis jetzt noch nicht. Der Preis ist ziemlich hoch, 15 bis 18 Mark
für den Kopf.

Die Finken.

.Der schuppenköpfige Sperling oder das Schuppenköpfchen heißt auch Schuppenkäppchen (Br.) und Stirnschuppenfink (Rchb.); er wird irrthümlicherweise auch Schnurrbärtchen genannt. — Le Sénégali à front pointillé; Frontal Grosbeak.

Nomenclatur: Loxia frontalis, *Vll.*; Amadina frontalis, *Rpp.*, *Hgl.*; Estrelda frontalis, *Gr.*; Sporopipes frontalis, *Cb.*, *Bp.*, *Hrtl.*, *Hgl.*, *Kg.*-*Wrth.*; *Antn.*, *Lfbr.*, *Vrth*, *Br.*; Pholidocoma frontalis, *Rchb.* [Le Sénégali à front pointillé, *Vll.*; Frontal Grosbeak, *Lath.*].

Wissenschaftliche Beschreibung: Oberkopf schwarz, kleinste vordere Federchen mit weißem Spitzenpunkt, die folgenden mit weißem, die letzten mit rostrothem Spitzensaum, ein Schnurrbart von jedem Schnabelwinkel abstehend, schwarz; Hinterkopf und Nacken rostroth; Rücken, Flügel und Schwanz graubraun, Schwingen und Schwanzfedern breit fahl gesäumt; Wangen weißlichgrau; Kehle fast reinweiß; ganze Unterseite grauweiß. Schnabel rosenroth; Auge braun; Füße fleischfarben. — Das Weibchen ist an Oberkopf und Genick fahler graulich und im ganzen übrigen Gefieder heller, indem die Federn der Oberseite breit graulichweiß gesäumt ist.

Fringilla frontalis: plumulis pilei nigri anticis albo-terminatis, intermediis albo-, posticis ferrugineo-limbatis; mystace a rostri angulo distante nigro; occipite cerviceque ferrugineis; dorso, alis caudaque fumosis; remigibus rectricibusque late livide limbatis; gula albida; gastraeo toto incano; rostro albido-roseo; iride umbrina; pedibus rosaceis. — ♀ pileo, cerviceque lividius canis, propter plumas notaei incano-limbatas omnino dilutior.

Länge kaum 11,8 cm·; Flügel 6,3 cm·; Schwanz 4,4 cm·

Beschreibung des Eies: Es gleicht dem des Haussperlings, ist aber kleiner und glänzender, ziemlich hartschalig, von bräunlichgrauer Grundfarbe mit dunkleren graubraunen Flecken gleichförmig bedeckt. Länge 15 mm·, Breite 11 mm· (Heuglin).

Ovum ovo Fringillae domesticae simillimum at minus et nitidius, luride canum, fumoso-maculatum; testa duriuscula.

**Der schnurrbärtige Sperling** [Fringilla lepidóptera] ist dem vorigen in der Gestalt, Größe und im ganzen Wesen ähnlich. Sein Kopf ist schwarz, jede Feder fahl gerandet; Nacken und Mantel mäusegrau; die Schwingen braun, die Deckfedern schwarzbraun, breit weiß gesäumt; Schwanz schwarz, jede Feder weißlich gerandet; der lange und breite Bartstreif schwarz, fein weiß gesäumt; Kehle weiß, Oberbrust weißgrau und die ganze Unterseite reinweiß. Als Heimat ist Südafrika, namentlich das Damaraland, angegeben, doch hat Heuglin auch ein Exemplar im Tieflande von Westabessinien im Bambusgebüsch erlegt. In der Lebensweise gleicht er dem vorigen. Nach Ayres ist er nirgends häufig und fehlt im waldlosen Lande völlig. Das Nest war von länglich-kugelförmiger Gestalt mit einer langen Einflugröhre, sodaß es einer Retorte glich, deren Hals sich nach unten neigt; es stand im Dorngebüsch etwa ein Meter hoch, war aus Gräsern geschichtet, deren Stengel nach allen Seiten hervorstanden, und innen mit Pflanzenseide ausgefüttert. Das Gelege bildeten fünf grünlichweiße, am dickeren Ende dicht braun gefleckte, zuweilen auch mit braunen Linien gezeichnete Eier. Reichenbach schildert den Vogel dann noch ohne Quellenangabe: „Er hält sich im Gebüsch an Flußufern, auf angebautem Lande, meistens zu zwei bis drei Köpfen oder auch in kleinen Flügen auf, frißt Samen und baut das Nest im Grase oder auf einem niedrigen Busch. Dasselbe erscheint flach kugelig, hat nur etwa 10,4 cm· Durchmesser und ein rundes Flugloch von 2,6 cm· Weite; es ist an einem Zweige angewebt und ein Bündel Halme liegt vor ihm." Bis jetzt dürfte diese Art wol erst ein einziges Mal eingeführt sein; im Besitz des Herrn Linden. — Schnurrbärtchen (Br.); Schuppen-Kapweberfink (Rchb.). — Fringilla lepidóptera, *Lchtst.*; Amadina squamifrons, *Smth.*; Fringilla squamifrons, *Hgl.*; Sporopipes lepidopterus, *Cb.*, *Bp.*, *Hgl.*, *Rchb.*, *Br.*; Ploceus lepidopterus, *Gr.*; Estrelda squamifrons, *Gr.*, *Lrd.*; Euplectes lepidopterus, *Hrtl.* [L'Ecailleux, *Rchb.*; The scale-headed Weaver-finch, *Rchb.*].

### Der Winter=Ammerfperling [Fringilla hiemalis].

Ein schlanker und anmuthiger, lebhafter und zutraulicher Vogel von ober=
halb einfarbig schwärzlichblaugrauem Gefieder, an der Bruft blauschwarz, an Unter=
bruft und Bauch reinweiß, von der Größe des Feldsperlings. Seine Heimat er=
streckt sich über die nördlichen und östlichen Gegenden Nordamerikas und weit
nach dem Norden hinauf, wo er namentlich in den Gebirgen als Zugvogel lebt.
Baird gibt die östlichen Vereinigten Staten bis zum Missouri und zu den
schwarzen Bergen an.

Thomas Gentry berichtet ausführlich über sein Freileben, und ich will
dasselbe nach dessen Mittheilungen in folgendem schildern: »In Pennsylvanien
erscheint der Schneevogel mit dem ersten Fall der Flocken zugleich oder schon
einige Tage vorher. Still und lautlos kommt er an und ebenso zieht er fort.
Zuweilen, bei sehr kalter Witterung, habe ich ihn bereits zu Mitte Oktobers be=
obachtet, gewöhnlich aber zeigt er sich erst im November. In der ersten Zeit
sieht man ihn dann auf Wiesen, Feldern und an Waldrändern; sobald Schnee
fällt oder starke Kälte eintritt, sucht er vom Hunger getrieben die Nähe mensch=
licher Wohnungen auf, wo er zutraulich und selbst zudringlich wird und in den
Höfen und Gärten von Abfällen sich ernährt. Er kommt sogar dreist unter das
Hofgeflügel, um von dessen Futter zu zehren. In den Herbstmonaten bienen ihm
Beeren und Sämereien zur Nahrung; im Winter liest er eifrig die Samen von
allerlei Kräutern von den vertrockneten Stengeln ab, sowie die Eier und Puppen
von Kerbthieren; im Frühlinge frißt er auch die Staubgefäße und Stempel aus
den Blüten mancher Pflanzen. Die Untersuchung des Magens ergab neben
Sämereien und kleinen Steinchen auch rothe Ameisen u. a. Der Flug ist niedrig,
wellenförmig und ziemlich schnell. Nahrungsuchend trifft man ihn vorzugsweise
am Boden und ebenso sitzt er meistens nicht hoch im Gebüsch, selten auf den
Spitzen hoher Bäume. Obgleich zutraulich und dreist, ist er manchmal scheu und
schreckfam; er lebt scharenweise, steigt bei jedem ungewöhnlichen Geräusch sofort
auf, kehrt aber im Bogen zu derselben Stelle zurück. Der Lockton ist ein leises
zick (tsic). Sobald er im Frühlinge wieder nach den Waldrändern u. a. zurück=
kommt, zeigt er sich viel mehr mißtrauisch und zugleich lebhafter. Sein fröhlich
schallender Gesang läßt sich allenfalls durch folgende Silben wiedergeben: twi=twi=
twi=ēh=twiiiiii=ēh (twē-twē-twē-äh-twēēēēēē-äh). Zum Theil ähnelt der=
selbe dem des Zwergsperlings (F. pusilla), doch ist er weder so laut, noch so
ausgedehnt. Im Wanderleben dieser Art scheinen bedeutende Unregelmäßigkeiten
vorzuherrschen. So waren die Winterfinken z. B. im letzten Drittel des Juni 1875
hier noch ebenso häufig wie sonst im Winter und überaus munter und lebendig.
Dieser späte Aufenthalt war jedenfalls durch die außerordentlich lange Dauer des

Winters hervorgerufen und ich schließe daraus, daß ihre Brutplätze von hier nicht fern sein können; wahrscheinlich im nächsten Gebirge. Leider sind ja weite Strecken Amerikas noch nicht ausreichend ornithologisch erforscht und für die meisten Lieb= haber hat die Brutentwicklung eines solchen gemeinen Vogels, wie des Winter= fink, keinen besondern Reiz. Er nistet südlich bis Virginien in Gebirgsgegenden, östlich bis Newyork und bis zu den nördlichen Neuenglandstaaten, überall nur im Hochlande; je mehr nach Norden zu, desto häufiger findet man ihn in der Ebene. Uebrigens will man seine Nester auch ziemlich weit südlich hinab gesehen haben, einigermaßen zahlreich jedoch nur bis zum 65. Breitengrade. Das Nest steht sowol im lichten Gebüsch, als auch auf Grasflächen am Boden und ist unter Gras= büscheln, Wurzeln oder trocknem Laube versteckt. Dr. Brewer bemerkte dasselbe im nördlichen und östlichen Maine mehrmals in Nebengebäuden; so waren in einem Holzschuppen dicht an der Wohnung des Herrn Dawson mehrere Nester vorhanden, trotzdem die ganze Familie fortwährend vorübergehen mußte; andere standen unter vorspringendem Flußufer. Von außen ist dasselbe aus groben Halmen, Gräsern und Stroh, feinen Wurzeln, Rindenfasern und Pferdeharen zu= sammengesetzt und innen mit zartem Mos und mit Thierwolle ausgepolstert. Die Mulde ist tief und geräumig, der Größe des Vogels entsprechend."

Zur Ergänzung sei noch die nachstehende sehr hübsche Darstellung von Nehr= ling angefügt: „Obschon nicht durch glänzende Farbenpracht ausgezeichnet, durch tüchtige Leistungen im Gesange auch keineswegs hervorragend, ist der Winterfink doch ein überaus schmucker, angenehmer und lieblicher Vogel, der sich besonders in der Freiheit die Liebe und das Wohlwollen eines jeden nicht an der Natur stumpfsinnig vorübergehenden Menschen erwerben muß. Hier, in Nord=Illinois, erscheint er zu Mitte bis Ende März, verweilt bis zum letzten April oder anfangs Mai und zieht dann nördlicher nach seinem Brutgebiete, der eigentlichen Heimat. Mit dem beginnenden Oktober kommt er wieder an und bleibt bei sehr günstiger Witterung, wenn die Erde noch nicht in ihr weißes Schneekleid gehüllt ist, oft bis Weihnachten und wol länger. In der Regel kurz vor Eintritt des kalten, stürmischen Wetters, zieht er in kleinen Gesellschaften südlicher bis in die Mittel=, theilweise sogar bis in die schon an Tropengegenden erinnernden Golfstaaten, um hier, fern von allem Nahrungsmangel, fern von der nun rauhen, stürmischen Heimat, den Winter zu verbringen. Während der Zugzeit erscheint er selbst in größeren Städten, um dreist in den Gärten und auf Höfen Nahrung und Her= berge zu suchen. Ich habe dies hier in der Stadt Chikago schon mehrfach zu beobachten Gelegenheit gehabt. Gar mancher muß seine Arglosigkeit mit dem Leben oder mit der Freiheit bezahlen, indem unzählige dieser so reizenden, liebens= würdigen Vögel den Katzen und anderm Raubzeug zur Beute fallen, noch mehrere aber, besonders in den Städten, den Steinwürfen einer unwissenden, gefühllosen,

rohen Straßenjugend erliegen. Aber der Winterfink hat in seinen Scharen nicht
blos Leid zu erdulden — auch an Freuden und Freunden fehlt's ihm nicht.
Die meisten Farmer lieben den trauten Vogel und thun ihm kein Leid: sie lassen
es gern geschehen, daß er sich mit seinesgleichen und nahen Verwandten an den
Heuschobern, vor Scheunen und in Gärten versammelt, um die hier verstreuten
Grassämereien aufzusuchen. Besonders ist es ihr heitres Spiel und ihre harmlose Neckerei, wie sie solche sowol in ihrer Heimat, als auch in der Zugzeit
treiben, welche den Beobachter fesseln. Einige jagen sich auf dem Boden hin
und her, andere suchen einander im Geäst der Bäume zu fangen, wieder andere
verfolgen sich in der Luft und entfalten so, indem sie den Schwanz fächerartig
ausbreiten, sodaß die schneeweißen Federn in demselben deutlich sichtbar sind, eine
überraschende Pracht. An warmen Oktobertagen kann man dieses seltsame Spiel
recht häufig bemerken. Oft steigt plötzlich einer pfeilschnell in die Luft und stürzt,
allerlei Zickzackbewegungen ausführend, ebensoschnell wieder herab, während ihm
ein andrer, dieselben Bewegungen genau nachahmend und den Schwanz fächerartig ausbreitend, folgt, bis sich endlich beide auf einem Baume niederlassen, um
bald von neuem dieses eigenthümliche Flugspiel zu beginnen. Bei derartigen
Neckereien vernimmt man auch oft den Lockruf, welcher wie „tuck, tuck, tuck,
tuck" klingt und sehr rasch nacheinander ausgestoßen wird; sonst ertönt in der
Regel nur ein sanftes „Zipp" oder „Zupp". Der Gesang ist leise, aber ganz
wohlklingend, dem des Goldzeisigs (Fringilla tristis, L.) in manchen Strofen
nicht unähnlich. Nur in den Frühlingsmonaten bis etwa zu Ende des Juli hat
man Gelegenheit, denselben zu hören. Auf dem Boden laufen die Winterfinken
geschickt umher und ebenso beweisen sie, daß sie im Geäst der Bäume und
Büsche zuhause sind. Ihre Schlafplätze wählen sie stets im dichten Gezweige eines
Baums, besonders einer Tanne oder Fichte, da diese ihnen gegen die kalten
Frühlingswinde vortrefflich Schutz zu bieten vermögen. Friedlich dicht nebeneinander findet oft eine ganze Gesellschaft auf einem solchen Baume Nachtherberge.
Im Fluge führen sie die sonderbarsten Bewegungen und Wendungen aus, und
man könnte sie hierin wol annähernd nur mit manchen Ammern, sonst aber mit
keinem unserer hiesigen Finkenvögel vergleichen. Beim Suchen nach Futter zeigen
sie die merkwürdige Eigenschaft, daß sie auf der Erde hühnerähnlich scharren.
Ihre Reise machen sie nachts. Ich habe oft beobachtet, daß am Morgen
sich Scharen zeigten, wo am Abend vorher noch kein einziger zu bemerken war,
und ebenso, daß abends noch Hunderte munter spielend und schäkernd nach Futter
suchten, am folgenden Morgen aber nicht ein einziger mehr zu sehen war. Die
Oertlichkeit, welche sich dieser Fink in seiner eigentlichen Heimat zum Aufenthalte
und zur Anlage des Nestes wählt, ist stets mit einzelnen Bäumen und vielem
Buschwerk bestanden; große freie Strecken meidet er gänzlich. Auch während der

Zugzeit kann man diese Beobachtung machen. Man findet ihn nie in der offnen Prairie, sondern stets an buschreichen Waldsäumen, in Hecken und in mit Bäumen und Büschen dichtbewachsenen Gärten; am liebsten sind ihm aber Nadelholzdickichte. Wird eine Gesellschaft vom Boden aufgescheucht, so sucht sie hier Zuflucht und Schutz. Im nördlichen Wiskonsin, in der Nähe der Stadt Green Bay, trifft man ihn schon recht häufig als Brutvogel an. Hier wohnt er in den mit Nadel- und Laubholzgebüschen bestandenen Waldsäumen; doch dürfen diese Oertlichkeiten nicht dicht bewachsen sein, sondern es müssen viele kleine freie Stellen in den- selben vorhanden sein. Das Nest befindet sich stets auf dem Boden, in der Nähe eines Strauchs oder eines mit Gras bewachsenen Erdhügels und ist aus Halmen, Tannennadeln und etwas Bast gebaut; in der Regel stehen mehrere in der Nähe beisammen, denn er nistet gern gesellig. Die Geschlechter sind vom aufmerksamen Beobachter verhältnißmäßig leicht zu unterscheiden. Beim etwas größeren Männchen treten die Farben dunkelfahl und weiß, deutlich fast grell hervor, während beim Weibchen die fahle Zeichnung viel heller, das Weiß an Bauch und Unterbrust aber als schmutzigweiß erscheint; beide Farben kommen deshalb bei diesem auch nicht so sehr zur Geltung, scheinen vielmehr ineinander überzugehen. — Der Geselligkeit des Vogels halber ist der Fang ein sehr leichter. Ich selber habe oft mit einer einfachen Falle eine beliebige Anzahl gefangen, um sie in der Ge- fangenschaft kennen zu lernen. Es ist durchaus nicht schwierig, ihn lange Zeit bei einfacher Nahrung am Leben zu erhalten und niemals geht er an Fettsucht zugrunde. Besonders zu loben ist an ihm das immer muntre, sehr zuthunliche Wesen, das stets schmucke, zierliche Gefieder, die kräftige Ausdauer, die Verträg- lichkeit mit seinesgleichen und andersartigen Vögeln und das auch im größern Käfige sich darbietende Spielen und Necken untereinander; letztres kann man je- doch nur beobachten, wenn man eine größere Anzahl zusammenhält. Er fügt sich, sobald man ihn in das Bauer zu anderen Vögeln bringt, sogleich in sein Los, beginnt gewöhnlich bald den Futternapf zu besuchen, nimmt meistens nach einigen Wochen schon einen Mehlwurm aus den Fingern u. s. w. Ich habe einige, die so zahm sind, daß sie, wenn sich Jemand gegen den Käfig lehnt, an den Klei- dern und Haren tupfen und sogar Baustoffe aus der Hand holen und diese um- herschleppen. Auch die Wärme können sie sehr gut ertragen und haben im Sommer selbst in den heißesten Tagen durchaus nicht von ihr zu leiden. Hier, wo die Vogelliebhaberei eben erst sehr wenig Anklang findet, hält man den Vogel nicht in der Gefangenschaft, obwol er sich seiner ausgezeichneten Eigenschaften wegen vorzüglich dazu eignet. Ich glaube, daß man den Winterfink in Deutschland mit wenigen Kosten einzubürgern im Stande wäre und ich möchte hiermit dazu anregen."

Prinz Wied gibt an, daß er nach Richardson's Mittheilung nicht über den 37. Breitengrad hinaufgehe, besonders im Norden und in den höheren Gebirgen, daß er aber auch in den Vereinigten Staten nifte und zwar nicht im Alleghany=Gebirge allein, wie Audubon behauptet, da er ihn im Mai und Juni nicht felten am Miffouri beobachtete. Im Felfengebirge foll er nicht felten vorkommen; in den füdlichen Staten erfcheint er im November und überwintert dafelbft. Am Wabafch fand der Forfcher ihn zu Ende Oktobers in kleinen Gefellfchaften von 15 bis 20 Köpfen am Rande der Wälder und in den Pflanzungen. Jagte man fie auf, fo fielen fie auf den benachbarten Bäumen ein. Ueber den Gefang ift außer dem von Gentry und Nehrling angeführten wenig gefagt; man hat ihn mit dem Zwitfchern junger Kanarien verglichen. Auch im übrigen geben Audubon, Wilfon, Baird u. a. amerikanifche Schriftfteller nichts wefentliches weiter über den Winterfink an.

In den Handel gelangt er felten, denn er wird von Reiche oder Fräulein Hagenbeck nur beiläufig und einzeln, höchftens aber einmal in einigen Pärchen eingeführt. Das erfte Par erhielt ich von Karl Hagenbeck fchon im Jahre 1868 und ich habe mich an feiner ungemein großen Lebhaftigkeit, den zierlichen und anmuthigen Bewegungen und dem leifen, eintönigen, doch nicht unangenehmen Gefange erfreut. Es begann bald zu niften und ich habe dies dann in meinen Berichten im „Journal für Ornithologie" mehrmals kurz erwähnt. Trotzdem ergriff Herr A. E. Brehm auch hier die Gelegenheit, gegen mich u. a. neben ihm ftehende Schriftfteller in feiner liebenswürdigften Weife herzuziehen, während er doch gleich auf der nächften Seite zugeben mußte, daß er felbft bis zum Jahre 1872 die Ammer= finken oder vielmehr die bis dahin eingeführten Arten derfelben nur aus einem großen Flugbauer her kenne und fie daher weder nach dem Gefange, noch nach ihren anderen Eigenthümlichkeiten beurtheilen könne. — In meiner Vogelftube er= hielt fich das erwähnte Pärchen einige Jahre hindurch vortrefflich und niftete faft regelmäßig im März bis Ende Mai, alljährlich mehrmals. Das fehr kleine Neft wurde von beiden Gatten aus Grasrifpen, Papierftreifen und Baumwollfäden er= baut und mit Pferdeharen ausgerundet. Infolge ihrer bereits erwähnten Leb= haftigkeit brachten fie aber anfangs niemals die Jungen auf oder fie verließen das Neft wol fchon bei der geringften Beunruhigung. Erft ein zweites Pärchen zog dann mehrere Bruten auf, im erften Jahre eine und im nächften zwei, jedes= mal von drei Jungen aus Gelegen von drei bis vier Eiern. Die Brutdauer währt 12 Tage; das Weibchen brütet nur allein, wird vom Männchen gefüttert und eiferfüchtig bewacht und beide ziehen gemeinfam die Jungen auf. Im ganzen dürfte die Zucht in der Vogelftube wol felten glücken, obgleich der Vogel fich trotz feiner nordifchen oder gebirgigen Heimat doch auch in diefer wohlzufühlen fcheint und gut ausdauert. Während er zugleich zu den friedlichen Bewohnern einer folchen gehört, fo ift er doch keineswegs beliebt, denn er erfcheint weder befonders fchön, noch als ein tüchtiger Sänger und ebenfo mangeln ihm fonftige vorzugsweife an= ziehende Eigenthümlichkeiten. Der Preis fteht auf 12 bis 18 Mark für das Pärchen.

Der Winterammerſperling oder Winterfink, Schneefink oder Schneevogel iſt auch blauer Schneevogel (Brd.) und Winterammerfink (Br.) benannt.

Le Moineau de neige américain; American Snow Bird; Common Snow Bird; Black Snow Bird.

Nomenclatur: Fringilla hyemalis, *L.*, *Audb.*, *Bp.*, *Gr.*, *Gld.*, *Pr. Wd.* [nec *Gml.* et *Lth.*]; Emberiza hyemalis, *L.*; Fringilla hudsonia, *Frstr.*, *Gml.*, *Wls.* [nec *Lchtst.*]; F. nivalis, *Wls.*; Spiza et Struthus hyemalis, *Bp.*; Niphaea hyemalis, *Audb.*, *Cb.*; Junco hyemalis, *Scl.*, *Brd.*, *Gntr.*, *Br.*

Wiſſenſchaftliche Beſchreibung: Oberhalb aſchgrau, Hinterkopf und Rücken mit olivenbräunlichem Schein; Schwingen und Flügeldecken ſchwärzlichbraun mit fahlen Außen= ſäumen, die hinteren Schwungfedern röthlichgrau gerändert; Schwanz ſchwarzbraun, die beiden äußerſten Federn weiß, die folgenden mit mehr oder minder großen weißen Schaftflecken; Vorder= kopf, Geſicht, Vorderhals und Oberbruſt ſchwärzlichgrau; Unterbruſt, ganze übrige Unterſeite, untere Flügelſeiten und untere Schwanzdecken reinweiß. Schnabel röthlichweiß mit ſchwach ſchwärzlicher Spitze; Auge dunkelbraun; Füße fleiſchroth. — Das Weibchen iſt kaum be= merkbar heller und ebenſo kleiner. — Jugendkleid: oberhalb düſter bräunlichſchwarzgrau, unterhalb fahl bräunlichgrau, am Hinterleib weißlich.

Fringilla hiemalis: supra cinerea, occipite dorsoque olivaceo-fuscescente afflatis; remigibus alarumque tectricibus fumosis, exterius livide limbatis; remigi- bus posterioribus subrufo-cano-marginatis; rectricibus e nigro fuscis, ambabus exterioribus albis, reliquis magis minus albo-maculatis; sincipite, facie, collo antico pectoreque nigricante cinereis; epigastrio, gastraeo reliquo, subalaribus et subcaudalibus pure albis; apice rostri rubente albi subnigro; iride fusca; pedi- bus carneis. ♀ vix dilutior minorque.

Länge 15 cm.; Flügel · 7,7 cm.; Schwanz 6,4 cm.

Juvenis: supra sordide fumida; subtus livide subfusco-cana, ventre albido.

Beſchreibung des Eies: Gelblichweiß, dicht mit kleinen röthlichen Flecken gezeichnet (Audb.). Gelblichweiß, röthlichbraun gefleckt, dichter am dickern, ſpärlicher am ſpitzen Ende; ovalrund (Gentry). Weißlich, mehr oder weniger mit chokoladenbraunen kleinen, oft auch mit einigen großen dunkelbraunen Flecken gezeichnet (Nehrling). Röthlichgelb mit roth= braunen und ſchwarzbraunen Unter= und Oberflecken, die hauptſächlich am ſtumpfen Ende zu= ſammengehäuft ſtehen; matt, bauchig; Länge 19mm., Breite 14mm. (Nehrkorn).

Ovum: lacteum maculis parvulis dense obsitum (Aud.). — Ovum lacteum in basi densius, in apice parcius badio-maculatum; ovatum (Gentry). — Ovum rubente ochraceum maculis badiis et nigro-fuscis, basin praesertim occupantibus; opacum ventri- cosum (Nehrk.).

Als die nächſten Verwandten des vorigen ſeien noch erwähnt:

Der **Winter=Ammerſperling** vom Oregon [Fringilla oregona, *Twnsd.*] aus dem Weſten von Nordamerika; nach Baird von der Küſte des ſtillen Ozeans der Vereinigten Staten bis zur öſtlichen Seite des Felſengebirges vorkommend. Kopf, Hals und Bruſt ſind graulichſchwarz, übrige Oberſeite braun; Unterſeite weiß; Schnabel roth. Größe des vorigen. Er wurde ge= legentlich einmal von Reiche und Schoebel eingeführt. In der Lebensweiſe und in allem übrigen dürfte er mit den vorigen übereinſtimmen. — Nach Br. Schneeammerfink. Oregon Snow Bird (Nehrl.). — (Fringilla hudsonia, *Lchtst.* [nec *Frstr.*, *Gml.*, *Wls.*]; F. atrata, *Brndt.*).

Der **braunſchulterige Winter=Ammerſperling** [Fringilla dorsalis, *Henry*] iſt nur von Dr. Henry bei Fort Thorn in Neumexiko geſammelt und von Baird beſchrieben. Er iſt oberhalb licht aſchgrau; Schultern röthlich kaſtanienbraun; Schwingen und Schwanz faſt rein= ſchwarz, die drei äußerſten Federn des letztern weiß; Wangen und Schnabel ſchwarz, Unter=

schnabel hellbräunlich. Wie in der Größe, so dürfte er auch in allem übrigen dem Winterfink durchaus gleichen.

**Der graue Winter=Ammersperling** [Fringilla cinérea, *Swns.*] aus Mexiko. An Kopf und Nacken dunkelgrau, Mantel und Schultern rothbraun, ganze übrige Oberseite bräunlich= grau, nur die Schwingen und Schwanzfedern dunkelbraun, heller gesäumt und die beiden äußersten der letzteren weiß, Zügel und Backen schwärzlich; Unterseite bläulichgrau, Bauchmitte und Hinterleib düsterweiß. Sonst in allem dem Verwandten gleich, nur ein wenig größer. Er ist erst kaum bekannt und bis jetzt noch nicht lebend eingeführt. — Grauammerfink nach Br. Mexican Snow Bird (Nehrl.). — (Fringilla rufidorsalis, *Lchtst.*; Junco phaeonótus, *Wgl.*). — **Der grauköpfige Winter=Ammersperling** [Fringilla Woodhousi] ist im Felsengebirge heimisch, von den schwarzen bis zu den San Franzisko=Bergen und in Neumexiko. Er unterscheidet sich von dem Winterfink hauptsächlich durch etwas geringere Größe, einen deutlich kastanienbraunen Fleck auf dem Rücken und lichteres Grau an der untern Seite; etwas kleiner. — Grey= headed Snow Bird (Nehrl.). — (Struthus caniceps*), *Woodhouse*). — Die letzteren beiden faßt Dr. Elliot Coues in seinem Werke „Birds of the North-West" als eine Art, in zwei Lokalrassen, zusammen.

## Der Gesellschafts=Ammersperling [Fringilla socialis].

Wiederum einer von diesen Spatzen, der dann und wann eingeführt wird, obwol er freilich weder häufig noch besonders beliebt ist. Sein Freileben ist sehr bekannt und vielleicht eingehender beobachtet, als das des europäischen Haus= sperlings. Die Heimat erstreckt sich nach Baird über ganz Nordamerika, vom atlantischen bis zum stillen Ozean; auch auf Kuba kommt er nach Gundlach u. A. vor. An der Stirn ist er schwärzlichbraun, Scheitellinie und Augenbrauenstreif sind weiß; Oberkopf röthlich kastanienbraun mit feinen schwärzlichen Schaftstrichen; ein schmaler Streif durchs Auge schwarz; Kopf= und Halsseiten aschgrau; Mantel und Schultern roströthlich= braun, jede Feder mit dunklem Schaftstrich und hellem Außensaum; obere Flügeldecken, Bürzel und Schwanzdecken graubraun; Schwingen und Schwanz dunkelbraun; zwei weiße Querbinden gehen über den Flügel; ganze Unterseite aschgrau, Kehle und Hinterleib weißlich; Schnabel dunkelbraun; Auge braun; Füße fleischroth. Etwas unter Feldsperlingsgröße. — Nehrling schildert ihn in folgendem. „Er ist einer unserer gemeinsten Vögel, etwa so groß wie der Birkenzeisig, mit dem er übrigens von Unkundigen oft verwechselt wird. Zu Ende des Monats März kehrt er aus der Winterherberge nach den Nord= staten zurück, und man sieht ihn dann häufig in Gesellschaft von Winterfinken und anderen verwandten Arten sich in Gärten, Feldern und Gesträuch umher= treibend. Mitte Aprils etwa wählt sich jedes Pärchen sein Brutgebiet. Besonders gern siedelt er sich in gebüschreichen Gärten in der Nähe menschlicher Wohnungen an, am liebsten sind ihm aber dichte Dornhecken, da diese ihm gegen seine vielen Feinde Schutz gewähren. Auf hohen Bäumen erblickt man ihn selten, dagegen weiß er sich in dichten Sträuchern mit großer Geschicklichkeit zu bewegen. Er ist allerwärts, auch bei den hiesigen Deutschen, am besten unter dem Namen Chipping

---

*) S. 402 habe ich bereits einen Stiglitz als Fringilla caniceps aufgeführt; ich lege daher dieser Art den Namen des Forschers bei, welcher sie zuerst beschrieben.

Bird bekannt und beliebt. Die Brutzeit beginnt mit dem Monat Juni und dauert, da gewöhnlich drei Bruten gemacht werden, bis Ende August. Das Nest steht immer in niedrigen, sehr dichten Dorngesträuchen, Stachelbeerbüschen, Lebensbäumen und allerlei anderm niedrigen und buschigen Nadelholz; es wird in der Regel so versteckt angelegt, daß man es schwer aufzufinden vermag. Von außen ist es aus Gräsern hergestellt und innen mit Haren weich gepolstert. Das Gelege bilden vier bis fünf Eier. Die Jungen werden mit Kerbthieren, besonders mit einer kleinen grünen, sehr schädlichen Raupe aufgefüttert. Auch die Alten ernähren sich zum größten Theile von Insekten, und nur gegen den Herbst hin, wenn diese mangeln, verzehren sie ausschließlich kleine Sämereien. Schädlich kann dieser Vogel nie werden, dagegen ist seine Nützlichkeit in den Gärten sehr groß. Dieser Umstand und sein angenehmes, zutrauliches Wesen machen ihn bei Allen, die ihn kennen, beliebt. Der Gesang ist kaum zu beachten, da er nur in wenigen zir= penden Lauten besteht; einzelne Töne erinnern allerdings an das Gezwitscher junger Kanarienvögel. Nur von wenigen Vogelfreunden wird er hier im Käfige gehalten." Nach Thomas Gentry ergänze ich das gesagte noch im nachstehenden: Der Raspelsperling ist einer der häufigsten Vögel Pennsylvaniens; man bemerkt ihn aber nicht eher, als bis Feld und Wald schon längst von den Lauten des Sing= und Zwergsperlings wiederhallen. Er erscheint erst in der letzten Woche des Aprils, und als ein liebenswürdiges, zutrauliches Geschöpfchen zeigt er eine merkwürdige Zahmheit. Bei offenstehender Thür bringt er nicht selten in be= wohnte Zimmer ein, und wir wissen Beispiele, in denen ein solcher Vogel täglich regelmäßig kam und sein Futter aus der Hand sich holte. Er zeigt ein ungemein geschäftiges Wesen und hält sich vorzugsweise auf dem Boden oder in niedrigem Gebüsch auf. Sein Gesang bildet eine einfache anspruchslose Melodie und diese wird stundenlang fast ohne Unterbrechung vorgetragen. Aufregung gibt er durch ein einsilbiges, in Pausen ausgestoßenes ,schieb' zu erkennen. Männchen und Weibchen erbauen gemeinsam in etwa vier Tagen das Nest, welches überaus unregelmäßig erscheint; meistens wird es außen von Würzelchen und Halmen und innen von Pferdeharen hergestellt, in der Regel als gleichmäßige offene Mulde, zuweilen jedoch auch mit dachartig überstehender Hinterwand. Die Brutdauer beträgt nach Gentry zehn Tage; sie wird indessen sicherlich elf bis zwölf Tage währen. Das Weibchen wird vom Männchen gefüttert, und das Nest vertheidigen beide eifrig und muthvoll. Insekten, Eier, Larven und Puppen, namentlich auch Blattläuse und Ameisen, bilden die Hauptnahrung für die Jungen, welche schon zwölf Tage nach dem Ausschlüpfen das Nest verlassen und in weiteren acht oder neun Tagen völlig selbständig sind, aber mit den Alten, die hier alljährlich nur eine Brut machen, zusammen umherschweifen. Im Herbst ernähren sie sich vor= zugsweise von Gras= und Krautsämereien und Beeren, und man sieht sie dann

in kleinen Flügen befonders auf angebautem Boden. Im Oktober beginnt die
Wanderung. Auch die bekannteren Naturforfcher Audubon und Nuttall ver=
gleichen den Gefang mit den Lauten eines unfertigen Kanarienfängers und heben
befonders hervor, daß er unermüdlich, felbft in tiefer Nacht, fich hören läßt.
In letzterer Zeit ift diefer Vogel mehrfach, jedoch größtentheils nur in
einzelnen Köpfen, von Herrn E. Reiche und Frl. Chr. Hagenbeck, aber auch
von Anderen, fo namentlich von E. Geupel, zuweilen in den Handel gebracht.
Ein Pärchen für die Vogelftube ift jedoch kaum zu erlangen. Ich habe ihn hier
nur deshalb fo ausführlich behandelt, weil er gewiffermaßen als das Mufterbild
aller übrigen folgenden anzufehen ift. Der Preis läßt fich nicht angeben, doch
pflegt er nur wenige Mark für den Kopf zu betragen.

Der Gefellfchafts=Ammerfperling, Gefellfchaftsfperling, Gefellfchaftsfpaz oder Gefell=
fchaftsfink, heißt auch Raspelfperling, Zirpfink (Nehrl.) und Gefellfchafts=Ammerfink (Br.).
Le Moineau chapelant; Chipping Sparrow.
Nomenclatur: Fringilla socialis, *Wls.*, *Audb.*; Spizella socialis, *Bp.*, *Brd.*,
*Gntr.*; Emberiza socialis, *Audb.*; Spinites socialis, *Cb.*; Zonotrichia socialis, *Gr.*, *Br.*
Wiffenfchaftliche Befchreibung fiehe S. 457.

Fringilla socialis: fronte nigricante fusca; linea verticali striaque superciliari albis; pileo rubiginoso, nigricante striolato; vitta angusta per oculum nigra;
capitis collique lateribus cinereis; interscapilio humerisque ferruginosis, scapo
plumarum dilute terminatarum obscuro; tectricibus al. superioribus, uropygio et
supracaudalibus fumigatis; remigibus caudaque fuscis; fasciis duabus trans alas
albis; gastraeo cano; gula crissoque albicantibus; rostro fusco; iride fusca; pedibus carneis.

Befchreibung des Eies: glänzend hellgrün, am dickeren Ende mit braunen und
fchwärzlichen Flecken gezeichnet; verhältnißmäßig klein und fehr zartfchalig (Nehrl.). Bläulich=
grün, am breiteren Ende umberfarben und dunkelbraun gefleckt; länglich eiförmig (Gentr.).
Ovum: nitide virens, basi fusco et nigricante maculata; sat parvum, tenerrimum
(Nehrl.). Ovum subaeruginosum maculis baseos umbrinis fuscisque; oblongo-ovatum
(Gentry).

**Der Berg=Ammerfperling** [Fringilla monticola, *Gml.*] ift am Oberkopf röthlichkaftanien=
braun; Zügel und Augenbrauenftreif, fowie Kopf= und Halsfeiten bräunlichgrau, Schläfen= und
Bartftreif röthlichbraun; Mantel und Schultern roftröthlichbraun, jede Feder mit dunklem
Schaftftrich und gelblichem Außenfaum; Flügel mit zwei weißen Querbinden; Kehle und Ober=
bruft fahlbräunlichgrau, Mitte der Oberbruft und Bruftfeiten röthlichbraun, ganze übrige Unter=
feite düfterweiß; Schnabel fchwarz, Unterfchnabel gelblich; Auge braun; Füße dunkelbraun;
Finkengröße. Der Vogel kommt nach Baird im ganzen öftlichen Nordamerika bis zum
Miffouri und auch in Neumexiko vor und gleicht nach Gentry u. A. in der Lebensweife dem
vorigen; er wandert bis in die Südftaaten und kehrt erft fpät im April nach feiner nordifchen
Heimat zurück. Der Eine lobt feinen Gefang, der Andre hält ihn für einen Stümper; ein be=
fondrer Künftler wird er wol fchwerlich fein. Bis jetzt ift er nur höchft felten in einzelnen
Köpfen von Jamrach eingeführt. — Baumfperling in Amerika; rothfcheiteliger Fink (Pr. Wied);
Bergammerfink (Br.). — Moineau des arbres ou Moineau du Canada; Tree Sparrow
or Canadian Sparrow. — Passer canadensis, *Brss.*; Fringilla arborea, *Wls.* [Moineau
du Canada, *Buff.*; Mountain Finch, *Lath.*].

**Der Zwerg-Ammersperling** [Fringilla pusilla, *Wls.*], deſſen Heimat nach Baird über das öſtliche Nordamerika bis zum Miſſouri ſich erſtreckt, gewährt für die Liebhaberei auch kein beſondres Intereſſe. Da er meines wiſſens bisher nur ein einzigesmal, von Herrn Möller in Hamburg, eingeführt worden, ſo genügt die beiläufige Erwähnung. An Oberkopf und Nacken iſt er roſtbraun, Kopf- und Halsſeiten ſind bräunlichroſtroth, Backen dunkler; Mantel und Schultern roſtröthlichbraun, jede Feder mit dunklerem Schaftſtrich; ganze Unterſeite grau-bräunlich, von der Bauchmitte ab weißlich. Etwas unter Feldſperlingsgröße. Das Freileben ſoll dem der vorigen gleichen. Ueber den Geſang ſind die Meinungen verſchieden. Nach Gentry iſt er melodiſch und wechſelvoll, nach Anderen gering. — Zwerg- und Feldſperling in Amerika; Zwerg- und Feldammerfink (Br.). — Le Moineau nain; Dwarf Sparrow; Field Sparrow (*Baird.*). — (Fringilla juncorum, *Nttl.* [Little brown Sparrow, *Cat.*]).

**Der blaſſe Ammerſperling** [Fringilla pallida, *Sws.*, nec *Audb.*] iſt bisher noch garnicht eingeführt. Oberhalb bräunlichgelbgrau; Oberkopf und Mantel ſchwärzlich geſtrichelt, erſterer mit grauem Scheitelſtreif; Augenbrauenſtreif weißlich; Backen bräunlichgelb; Nacken und Hals-ſeiten aſchgrau; undeutliche dunkle Bart- und Backenſtreifen; Flügel und Schwanz dunkelbraun, jede Feder mit fahlem Außenſaum, über den erſteren zwei helle Querbinden; Bruſt bräunlich, ganze übrige Unterſeite düſterweiß. Das Weibchen ſoll fahler ſein. Größe des vorigen. Die Heimat des Vogels ſind der obere Miſſourifluß und die hohen Zentralebenen; er kommt nach Gundlach auch auf Kuba vor. In allem übrigen dürfte er ebenfalls den vorigen gleichen. — Blaßammerfink (Br.) — Clay-colored Bunting (*Brd.*). — (Emberiza Shattuckii, *Audb.*).

**Brewer's Ammerſperling** [Fringilla Breweri, *Css.*]. Dem vorigen ſehr ähnlich, die Zeichnungen jedoch dunkler; Kopfplatte ſchwarz geſtreift, ohne die hellen Mittel- und Augen-brauenſtreifen. Größe ein wenig geringer. Heimat das Felſengebirge der Vereinigten Staten bis zur Küſte des ſtillen Ozeans.. Ueber das Freileben iſt nichts näheres bekannt; es gleicht auch wol dem der vorigen. — Brewer's Sparrow (*Brd.*). — (Emberiza pallida, *Audb.*, nec *Swns.*).

**Der ſchwarzkehlige Ammerſperling** [Fringilla atrigularis, *Cb.*]. Kopf bis zum Nacken und ganze Unterſeite grau, letztere heller als der Kopf; Gegend um den Schnabel und der obere Theil der Kehle ſchwarz; Schnabel röthlich; Füße dunkel (Cb.). Feldſperlingsgröße. Heimat Mexiko, ſüdlich vom Rio Grande (Brd.). Kehlammerfink (Br.). Black-chinned Sparrow, (*Brd.*). — (Struthus atrimentalis, *Cch.*).

## Der Sing-Ammerſperling [Fringilla melódia].

Vor allen übrigen Verwandten zeichnet ſich dieſer Spaz durch eine Eigen-thümlichkeit aus, die ihm den Namen eingetragen und die ihn zugleich werthvoll für die Liebhaberei macht, durch den Geſang nämlich. Er iſt oberhalb roſtröthlich-grau mit dunkleren rothbraunen Schaftflecken; über den Kopf ein grauer, fein dunkel geſtrichelter Mittelſtreif und zwei breitere rothbraune Längsſtreifen; Zügel- und Augenbrauenſtreif aſchgrau; ein Backenſtreif nach oben zu fahl gelblichroſtroth, ein Backenſtreif nach unten zu rothbraun; ein Bartſtreif hell und dunkelbraun gefleckt; Wangen aſchgrau; Kopfſeiten fahl röthlichgelb; Flügel- und Schwanzfedern dunkelbraun mit röthlichbraunen Außenſäumen; unterhalb grau-röthlichweiß; an Oberbruſt und Seiten dunkler röthlichfahl und fein braun ſchaftſtreifig, Bruſt-mitte mit länglichem ſchwarzen Fleck. Schnabel ſchwärzlichbraun, Unterſchnabel heller bläulich, am Grunde gelblichgrau; Auge braun; Füße fahlbraun. Das Weibchen ſoll nicht verſchieden ſein. Finkengröße. Die Heimat erſtreckt ſich über den ganzen Oſten von Nord-amerika und nördlich hinauf bis Kanada.

Prinz von Wied nennt ihn einen gemeinen Vogel in Nordamerika, beſonders in Pennſylvanien, welcher in der Lebensweiſe viel Aehnlichkeit mit dem europäiſchen

Goldammer hat. „Man sieht ihn auf einem einzeln stehenden Baume oder auf einem Zaune sitzen, auch auf dem Boden, und er läßt einen kleinen zirpenden Lockton hören. Sein Gesang, welchen er in der Parungszeit oft erschallen läßt und nach welchem ihn die Amerikaner Singsperling benennen, ist ein, ich möchte sagen, erbärmliches, kurzes und leises Gezwitscher. Das Nest fand ich, wie bei dem Goldammer, am Ufer unter einer Baumwurzel angelegt. Dasselbe war ziemlich schlecht aus Grashalmen erbaut und innen mit Wurzeln und einzelnen Pferdehaaren ausgefüttert; es enthielt drei Eier, doch hatte der Vogel ohne Zweifel noch nicht ausgelegt. Im Winter hielten sich am Wabasch kleine Flüge mit pennsylvanischen, Berg- und Winter-Ammersperlingen, sowie Trauerzeisigen vereinigt auf, doch waren sie dann weniger zahlreich als die übrigen Standvögel." Eingehender berichtet über das Freileben Herr H. Nehrling in folgendem. „Er ist eine unserer gemeinsten Finkenarten. Sowol in Wiskonsin als auch in Illinois habe ich ihn zahlreich vorgefunden. Schon zu Mitte des Monats März kehrt er von seiner Wanderung zurück und läßt sogleich nach der Ankunft seinen wirklich angenehmen Gesang hören. In der Regel sitzt er dabei auf Pfählen, Fenzen, auch auf Bäumen oder anderen hervorstehenden Gegenständen und von denselben herab erschallen oft stundenlang froh und wohlgemuth seine zwar einfachen, doch anmuthigen Lieder. Den erfreundsten Eindruck macht dieser Gesang auf den Zuhörer, wenn die Erde noch mit Schnee bedeckt ist. Als Aufenthalt zieht der Vogel am Wasser gelegene Wiesen, in denen einzelne Bäume und Gebüsche stehen, allen anderen Oertlichkeiten vor. In wasserarmen, baum- und gebüschlosen Gegenden findet man ihn nicht. Das Nest steht gewöhnlich auf der Erde, doch zuweilen auch auf niedrigen Büschen, jedesmal aber nahe am Boden. Von außen besteht es aus Grashalmen und innen ist es mit Grasrispen oder auch mit Haaren ausgepolstert. Das Gelege bilden vier bis fünf Eier. Zwei, oft auch drei Bruten werden in jedem Jahre gemacht. Der Flug erscheint schwerfällig; auf den Bäumen und im Gebüsch aber und besonders auf dem Boden zeigt sich der Singfink sehr gewandt. Hier sucht er auch vornämlich seine Nahrung, welche im Frühlinge und Sommer zumeist aus Kerbthieren, im Herbst und Winter dagegen in allerlei kleinen Unkrautsämereien besteht. Mit Vorliebe liest er von den Blättern der Sträucher kleine unbehaarte Raupen ab. Schädlich wird er nie. Im Spätherbst zieht er in kleinen Flügen dem Süden zu. Schon im südlichen Illinois überwintert er zuweilen, jedoch nimmt die große Mehrzahl in den Staten, welche vom Golf von Mexiko bespült werden, Winterherberge. Wie alle Ammersperlinge, so eignet auch er sich vortrefflich zum Stubengenossen. Immer heiter und munter, glatt und schmuck im Gefieder, genügsam und seinem Pfleger sehr zugethan und in den Frühlingsmonaten unermüdlich im Vortragen seiner Lieder, das sind seine bemerkenswerthesten Eigenthümlichkeiten."

Auch Th. Gentry gibt eine ausführliche Schilderung, welche im wesent=
lichen mit der vorhergehenden übereinstimmt. Er spricht aber förmlich mit
Schwärmerei von dem Gesange dieses Sperlings: „Bereits wochenlang vor dem
Beginn des Nistens läßt das Männchen von der höchsten Baumspitze herab seine
lieblichen Töne erschallen; etwa von der Mitte des Monats März an hört man
den Gesang ununterbrochen vom frühen Morgen bis lange nach Sonnenuntergang.
Selbst in der Mittagsstunde, wenn die meisten Vögel doch still sind und im
Schatten ruhen, vernimmt man ihn in gleicher Weise. In Hinsicht der Mannig=
faltigkeit und des Reichthums der Töne wird er nur von wenigen anderen über=
troffen. Einige Wendungen erinnern an das liebliche Lied der Mäusedrossel
(Turdus mustelinus, *Gml.*), andere zeigen große Aehnlichkeit mit dem des
Berg=Ammersperlings. Gewöhnlich erklingt der Gesang lebhaft und munter,
zuweilen jedoch auch klagend. Der des Kanarienvogels übertrifft ihn wol an
Abwechselung, steht jedoch an Anmut und Lebendigkeit hinter ihm zurück.
Folgende Silben bilden mit leidlicher Genauigkeit das Lied eines Meisters
dieser Art: tsi=tsi=tsi=t'wiih=teio=tw'=tw' — whe=wheeeee=kih=kih=kih, tsi=tsi=
tsi=twiih=twiiiii, tsi=tsi=tsi=tweh=törrrr, tsi=tsi=tsi=tweh=törrrr —tsi=tweh=tweh=
twiiiih=tw' (tsĭ-tsĭ-tsĭ-t'wëē-tū-tw'-tw-whā-whāāāāā-kē-kē-kē-tsĭ-tsĭ-
tsĭ-twēē-twiīīīī, tsĭ-tsĭ-tsĭ-twā-türrrr, tsĭ-tsĭ-tsĭ-t'wā-türrrr—tsĭ-twā-
twā-twiīīīī-tw'). Sein Lockton ist ein einfaches wit (hwĭt), welches langsam
und in Zwischenräumen ertönt. Dieselben Silben scharf und kurz ausgestoßen,
drücken Unbehagen oder Aufregung aus. Die Einleitung zum Gesange gleicht
fast der des Berg=Ammerfink und mag etwa in folgender Weise erklingen: twi=
twi=twi=twi=twi=i=i=i (twĭ-twĭ-twĭ-twĭ-twĭ-ĭ-ĭ-ĭ), sie wird jedoch viel
weniger lebhaft vorgetragen."

Die hervorragenden Naturforscher Audubon, Nuttall u. A. sagen im
wesentlichen dasselbe über das Lied des Vogels, als die beiden letzteren Schrift=
steller, deren eingehende Schilderung ich angeführt habe, und Nuttall hebt be=
sonders hervor, daß es zu wechselnden Zeiten auch mannigfaltig verschieden er=
klinge. „Da aber", sagt er, „der Vogel zu den allergewöhnlichsten gehört und
überall und fortwährend singt, so wird auf sein muntres und melodisches Lied
gewöhnlich wenig Werth gelegt."

Nicht ganz so selten im Handel als die übrigen Verwandten, wird er zeit=
weise in einigen Köpfen oder Pärchen von allen Großhändlern eingeführt, welche
nordamerikanische Vögel auf den Markt bringen; früher erhielt ihn der Händler
Hieronymi in Braunschweig mehrmals in bedeutenden Sendungen; die unschein=
baren Spazen blieben jedoch in der großen Anzahl der damals zu uns gelangenden
farbenreichen Vögel unbeachtet, zumal sie in ihrer Haupteigenthümlichkeit, dem
Gesange, nicht bekannt waren; sie wurden an das Berliner Aquarium im ganzen

Schwarm mit verlauft und gingen dort allmälig zugrunde. In der Vogel=
ſtube zeigt ſich der Singſperling friedlich, anſpruchlos und ausdauernd; obwol
ich aber ihrer drei Köpfe länger als ein Jahr beherbergt, ſo haben ſie weder
geniſtet, noch einmal geſungen. Sie kamen freilich in ſehr traurigem Zuſtande
an und während ſie ſich erholten und mauſerten, fraßen ſie ſich zugleich an den
langentbehrten Leckereien zu fett, ſobaß ſie im nächſten Frühjahre noch vor der
beginnenden Brut erkrankten und dann auch herausgefangen und ſorgfältig behan=
delt nicht mehr zu retten waren. Wer Freude an dieſem Sperling haben will,
wird ihn wol einzeln im kleinen Käfige halten müſſen, wo er ſein Lied ſicherlich
angenehm und fleißig erſchallen laſſen mag. Der Preis beträgt für das Pärchen
15 Mark und für den einzelnen Kopf 6 bis 9 Mark. Für einen ſolchen Preis
iſt das Männchen trotz der Unſcheinbarkeit ſeiner Farben immerhin als ange=
nehmer Stubenvogel anzuſehen.

Der Sing=Ammerſperling oder Singſperling iſt auch Singfink und Singammerfink
(Br.) benannt. — Le Moineau melodieux; Song Sparrow or Melodious Sparrow.
Nomenclatur: Fringilla melodia; *Wls., Lchst., Audb.*; Zonotrichia melodia,
*Bp., Br.*; Melospiza melodia, *Brd.*

Wiſſenſchaftliche Beſchreibung ſ. S. 460.

Fringilla melodia: supra ferruginoso-cinerea badio-striata; striis trans
caput tribus, utraque *l*aterali latiore badia, intermedia cinerea, subtiliter obscure
lineata; stria lororum striaque superciliari cinereis; striis duabus malaribus,
una seorsum livide ferruginosa, altera deorsum badia; vitta mystacali dilutius
obscuriusque maculata; genis cinereis; capitis lateribus livide fulvis; remigibus
rectricibusque fuscis, exterius badio-limbatis, subtus rubente incana, gutture
pectorisque lateribus luride subfulvis, fusco-lineolatis; macula oblonga pectoris medii
nigra; mandibula rostri nigricante fusci subcoerulea, basi testacea; iride fusca;
pedibus livide umbrinis. ♀ haud distincta.

Länge 15,2 cm., Flügelbreite 19,8 cm., Flügel 7,3 cm., Schwanz 6,1 cm.

Jugendkleid: Oberhalb blaſſer als das der Alten, doch deutlicher geſtreift; die Streifen
auf dem Kopf kaum bemerkbar; unterhalb gelblich fein, doch ſcharf dunkelbraun geſtrichelt (Brd.).

Juvenis: supra avi adulta dilutior, at distinctius striata; striis capitis fere
evanidis; subtus flavicans, sed distincte fusco-lineata.

Beſchreibung des Eies: Bläulich; ſtark, aber fein rothbräunlich gepunktet (Prinz
von Wied). Ei auf grünlichweißem Grunde mit vielen großen und kleinen dunkelbraunen
Flecken bezeichnet (Nehrling). Ei düſterweiß mit roſtfarbenen und lichtpurpurnen Flecken ge=
zeichnet, welche gleichmäßig über die Oberfläche vertheilt ſind. Bei einigen Exemplaren ſind die
Flecke ſo zahlreich, daß ſie die Grundfarbe ganz verdecken, bei anderen ſind ſie unregelmäßig
vertheilt, ſobaß leere Stellen bleiben (Gntr.).

Ovum: coerulescens dense sed subtiliter subrufo-punctulatum (Pr. Wied).
— Ovum virente album maculis numerosis et majoribus et minoribus notatum (Nehrling). — Ovum luride album maculis ferrugineis et dilute purpureis, aequabiliter
dispersis notatum, interdum creberrimis colorem occultantibus principalem, rarius irre-
guraliter coacervatis (Gentry).

**Heermann's Ammerſperling** [Fringilla Heermanni, *Brd.*]. Dem vorigen ſehr ähnlich;
oberhalb roſtröthlichbraun, ſchwarz ſchaftſtreifig, an den Seiten dunkler braun und breiter ſchaft=
fleckig oder vielmehr dunkelbraun längsgeſtreift; die unteren Schwanzdecken roſtröthlichgelb, fein

dunkelbraun schaftstreifig. Größe beträchtlich geringer. Heimat Kalifornien bis zu den Felsen=
bergen. In allem übrigen dem vorigen gleich; auch der Gesang soll nach Cooper's u. A.
Mittheilungen ziemlich übereinstimmend sein. Lebend eingeführt ist er noch nicht. — Schlag
Ammerfink (Br.) — Heermann's Song Sparrow (Brd.).

**Gould's Ammersperling** [Fringilla Gouldi, Brd.], von Kalifornien, ist dem Sing=Ammer=
sperling und noch mehr Heermann's Sperling ähnlich, an Brust und Seiten deutlich schwarz
gestreift und ebenso an Kopf und Oberrücken gestrichelt; doch ist er viel kleiner.

**Der rothe Ammersperling** [Fringilla rufina, Brndt.] ist im Westen der Vereinigten
Staten vom stillen Ozean nördlich bis zum russischen Amerika verbreitet. Er erscheint wiederum
dem Singsperling ähnlich, aber dunkler röthlich und die Zeichnungen sind mehr verschwommen;
etwas größer als der Singsperling. Näheres ist über ihn nicht angegeben. — (Fringilla cinerea,
[Gml.] Audb.; F. guttata, Nttll.).

**Der Trugammersperling** [Fringilla fallax, Brd.], heimisch in den Felsenbergen bis
zum Kolorado, ist wiederum dem Sing=Ammerfink sehr ähnlich, hat aber nicht die dunkelen
Schaftstriche an der Unterseite und ist beträchtlich größer. — Trugammerfink (Br.) — Melospiza
fallax, Brd.

**Linkoln's Ammersperling** [Fringilla Lincolni, Audb.], durch die Vereinigten Staten
vom atlantischen bis zum stillen Ozean verbreitet und Zugvogel, der zum Winter bis Mexiko
und noch weiter hinab bis Guatemala wandert. Er ist oberhalb fahlbraun, schwarz schaft=
streifig; über den Kopf ein bräunlichgrauer, schwarzgestrichelter Mittelstreif, Zügel= und Augen=
brauenstreif bräunlichgrau; Wangen graubraun, fein hellgestrichelt; Schwingen und Schwanz=
federn dunkelbraun, fahlbräunlich außengesäumt, Oberflügel mit zwei schmalen Querbinden; von
der Kehle bis zum Hinterleib düsterweiß. Schnabel braun, am Grunde bläulich; Auge braun;
Füße gelbbraun. Das Weibchen soll übereinstimmend sein. Größe des Feldsperlings. Gentry
berichtet, daß er im Freileben dem Singsperling ähnlich sei und wie dieser stundenlang ohne
Unterbrechung von der Spitze eines niedrigen Baumes oder Busches herab seinen Gesang er=
schallen lasse; doch sei er weniger zutraulich, lebe nicht in der Nähe des Menschen, sondern mehr
im Dickicht. Nach Westen hin zeige er sich immer zahlreicher und in Mexiko sei er sehr gemein.
Meines wissens ist er bis jetzt nur von Frl. Hagenbeck eingeführt. — Linkolnspaz (Ruß' „Hand=
buch"), Saumammerfink (Br.). — Moineau de Lincoln; Lincoln's Sparrow; Lincoln's
Finch (Brd.). — Fringilla Lincolni, Audb.; Passerculus zonarius (Bp.), Scl.

**Der Bruch=Ammersperling** [Fringilla palustris, Wls.], am Vorderkopf schwarz, Ober=
und Hinterkopf dunkelrothbraun, ein breiter Augenbrauenstreif aschgrau, ein schmaler Wangenstreif
schwarz, ein Bartstreif weißlich und ein Streif an der Kehle hinunter schwärzlich, Wangen und
Halsseiten aschgrau; Nacken schwarz, mit einer graubraunen, dunkel gestrichelten Mittellinie;
ganze Unterseite grünlichweiß, Oberbrust und Schenkel düsterer bräunlich, fein dunkel gestrichelt;
Schnabel dunkelbraun; Auge braun; Füße gelbgrau. Das Weibchen soll nicht verschieden sein.
Die Heimat erstreckt sich nach Baird über den Osten Nordamerikas vom atlantischen Meere
bis zum Missouri. Ueber das Freileben berichtet Gentry ausführlich. In Ostpennsylvanien
ist der Vogel nur Wintergast. Er lebt in sumpfigen mit Strauch bestandenen Gegenden, an
Flußufern sehr versteckt und wird nur von Kundigen bemerkt. Der Gesang ist laut und leb=
haft, aber eintönig und ohne angenehme Melodie. Das Nest steht in hohem Grase und Binsen,
und die vier bis fünf Eier sind weißlichblau oder grau bespritzt und bepunktet. Von Herrn
Gudera wurde er früher mehrmals eingeführt, doch hat er keine Bedeutung für die Liebhaberei.
— Bruchsperling (Ruß' „Handbuch"); Riedammerfink (Br.). — Le Moineau palus; Swamp
Sparrow. — Fringilla georgia, Nttll.

## Der weißkehlige Ammersperling [Fringilla albicollis].

Er gehört zu den häufiger eingeführten und auch beliebteren dieser sonst doch keineswegs besonders geschätzten, weil unscheinbaren Vögel. An Ober= und Hinterkopf ist er schwarz mit einem schmalen weißen Mittel= und breitem gelben Augenbrauen= streif; Wangen aschgrau mit feinem schwarzen Strich; oberhalb roströthlichbraun, an Mantel und Schultern jede Feder schwarz schaftfleckig und fahl röthlichgelb außengesäumt; Schwingen olivengrünlichbraun, schmal fahl außengesäumt, über den Flügel zwei düstergelblichweiße Quer= binden; Bürzel fahl roströthlichbraun; Schwanzfedern olivengrünlichbraun, schmal fahl außen= gesäumt; Kehle weiß; Unterkehle und Oberbrust bräunlichgrau; ganze Unterseite düsterweiß, Brust= und Bauchseiten dunkel längsgestrichelt; Schnabel bräunlichgrau, Unterschnabel hellblau; Auge braun; Füße fleischroth. Das Weibchen ist matter gefärbt; das Weiße an der Kehle düsterer und nicht so rein; die Flügelbinden fast garnicht gelblich. Ammergröße.

Seine Heimat erstreckt sich über den Osten von Nordamerika bis zum Missouri. „Als Brutvogel", sagt Nehrling, „findet man ihn in Illinois und im mittleren Wiskonsin nicht; im Norden des letztgenannten States nistet er jedoch zahlreich. Zur Zeit der Wanderung zeigt er durchaus keine Scheu, sondern besucht zutrau= lich die Gärten und selbst die unmittelbare Nähe der menschlichen Wohnungen. Gewöhnlich sieht man ihn in kleinen Gesellschaften von 10 bis 20 Köpfen, oft auch gemeinsam mit dem Winterammerfink, mit dem er zugleich kommt und weg= zieht. Etwa zu Mitte Oktobers erscheinen die Flüge im nördlichen Illinois, verweilen hier bis Schnee fällt und ziehen dann südwärts. Zuweilen kann man sie sechs bis acht Wochen in ein und derselben Gegend beobachten. Zu Anfang des Monats April kehren sie zurück, bleiben etwa bis Mitte Mai und ver= schwinden dann gewöhnlich plötzlich. Auf dem Boden laufen sie geschickt umher und suchen ihre in kleinen Sämereien bestehende Nahrung, wobei sie die besondre Eigenthümlichkeit zeigen, daß sie wie die Hühner mit den Füßen kratzen und scharren. Ich habe viele von ihnen in mancherlei Weise gefangen und es bietet eben durchaus keine Schwierigkeit, ihrer habhaft zu werden, da sie völlig furchtlos sind; so kommen sie z. B. dreist unter mein Fenster, um die hingestreuten Körner aufzulesen. Auch gewöhnen sie sich schnell ein und machen dem Besitzer durch Beweglichkeit und Zutraulichkeit, sowie Schmuckheit, Ausdauer und Genügsamkeit, namentlich aber durch anmuthigen Gesang, viele Freude."

Th. Gentry schildert diesen Spaz sehr eingehend, und zur Ergänzung des obigen sei folgendes entlehnt. „Er ist in Ostpennsylvanien nicht sehr häufig, erscheint im letzten Drittel des April und zwar stets mit dem weißgekrönten Ammersperlinge (Fringilla leucophrys, *Frstr.*) gemeinsam, hält sich im nie= drigen Gebüsch feuchter und abgelegener Gebiete auf und ist wenig scheu. Sein Gesang ist laut und klangvoll und besteht in zwölf Lauten, welche eintönig und ohne Unterbrechung vom frühen Morgen bis zum späten Abend erschallen. Die Nahrung bilden Gräser= und Kräutersämereien und mancherlei Kerbthiere. Hier

bei uns niſtet er nicht. Nach Dr. Brewer's Beobachtung brütet er einzeln im
nordweſtlichen Theile von Maſſachuſetts und ſehr häufig in den britiſchen Pro=
vinzen. John Richardſon fand ein Neſt am 4. Juni, welches aus Gras ge=
baut und mit Federn und Haren gepolſtert war, ein andres mit Pflanzenwolle;
im übrigen gleicht es denen der Verwandten. Es ſteht immer auf dem Boden,
im dichten Graſe, im Gebüſch oder am Fuße eines Baumes und enthält 4 bis
6 Eier. In manchen Gegenden ſoll der Vogel überaus ſcheu und mißtrauiſch
ſein, in anderen wiederum in den Gärten dicht bei den Häuſern und ebenſo zu=
traulich als der Singſperling leben; in Südkarolina und Louiſiana ſcharen ſie
ſich manchmal zu 50 Köpfen und darüber zuſammen.‟

Im übrigen berichten die Vogelkundigen wenig über das Freileben. Audubon
gibt nur noch an, daß er trotz ſeiner ſonſtigen Aengſtlichkeit und ſeines ſchlechten
Fluges nicht ſelten weit hinaus ins Freie nach Nahrung ſuchend pilgert. Den
Geſang nennt er ſanft, klagend und lieblich, wenn auch nur kurz. Auch Wilſon
fügt nichts beſondres hinzu, und Prinz Wied, der die Art in Indiana und am
Miſſouri beobachtete, ebenfalls nicht. Den Geſang bezeichnet letzterer als gering.

Zuweilen ſieht man den Vogel bei allen Händlern, jedoch ſtets nur in
wenigen Köpfen. Im Jahre 1874 wurde er von Herrn Schoebel in vielen
Pärchen eingeführt, von denen drei in meine Vogelſtube gelangten. Sei es nun
aber, daß dieſelben auf der Ueberfahrt vernachläſſigt worden oder durch irgend
eine andre Urſache in ſchlechtem Zuſtande in den Beſitz des genannten Händlers
gekommen waren, kurz und gut, ſie erſchienen äußerſt abgezehrt und ſtrotzten
förmlich von Ungeziefer und zwar von ganz eigenartigen überaus großen Milben.
Durch die nöthige Vorſicht und Sorgfalt konnte ich meine übrigen Vögel vor
jener Plage wol bewahren, aber die Spazen gingen mir ſämmtlich ein und ich
vermochte weder den Geſang noch die Brut zu beobachten. Trotzdem dieſer
Sperling im Handel alſo nicht zu ſelten iſt, hat ihn bis jetzt doch meines wiſſens
noch Niemand gezüchtet. Sonderbarerweiſe zeigte ein einzelner, den ich im Jahre
1876 von Herrn Lintz erhielt, ebenfalls einige ſolcher Milben; ich will es jedoch
dahingeſtellt ſein laſſen, ob dieſelben nur dieſem Vogel und ſeinen nächſten Ver=
wandten eigenthümlich ſind. Jedenfalls iſt beim Ankauf derartiger neuen Gäſte für
die Vogelſtube Vorſicht geboten. Der Preis pflegt 15 Mark für das Pärchen
zu betragen; bei größerer Einfuhr 9 Mark.

Der weißkehlige Ammerſperling oder pennſylvaniſche Sperling (Ruß' „Handbuch‟)
heißt noch weißkehliger Fink (Prinz Wied), fälſchlich Weißhalsſperling und auch Bäffchen=
ammerfink! (Br.).

Le Moineau à gorge blanche ou le Moineau de Pennſylvanie. White-throated
Sparrow or White-throated Song Sparrow and Pennſylvanian Sparrow.

Nomenclatur: Fringilla albicollis, *Gml., Wls., Lchtst.*; Zonotrichia albicollis,
*Bp., Cb., Brd., Br.*; Passer pennsylvanicus, *Brss.*; Fringilla pennsylvanica, *Lth., Audb.,
Swns.*; Zonotrichia pennsylvanica, *Swns., Bp.*

Wiſſenſchaftliche Beſchreibung ſ. S. 465.

Fringilla albicollis: pileo accipiteque nigris; stria verticali angusta albâ, utraque superciliari lata flava; lineola genarum cinerearum nigra; supra badia, plumis interscapilii et humerorum nigro-striatorum exterius livide fulvolimbatis; remigibus olivaceo-virente fuscis, exterius livide limbatis; fasciis trans alam duabus luride gilvis; uropygio livide ferrugineo; rectricibus olivaceovirescente fuscis, exterius anguste livide marginatis; gula alba, gutture fumigato; subtus sordide alba, pectoris abdominisque lateribus obscure lineolatis; rostro fumido, mandibula subcoerulea; iride fusca; pedibus carneis. — ♀ pallidior gula luride albida, fasciis alarum parum flavescentibus.

Länge 16,3 cm.; Flügel 7 cm.; Schwanz 7 cm.

Beſchreibung des Eies: Grünlichweiß mit roſtbräunlichen Flecken überdeckt, gewöhnlich ſo zahlreich, daß die Grundfarbe kaum zur Geltung kommt (Gntr.).

Ovum: virente album maculis numerosis colorem principalem interdum prope obtegentibus obsitum ferrugineis (Gtr.).

Der Ammerſperling mit weißer Krone [Fringilla leucophrys, Frstr.], heimiſch in Nord= amerika vom atlantiſchen Ozean bis zum Felſengebirge; Reinhardt will ihn auch in Grön= land gefunden haben. Oberkopf mit kleiner weißer Platte und zwei breiten ſchwarzen Längs= ſtreifen über dieſelbe hinweg von der Stirn bis zum Hinterkopf; Augenbrauen= und Schläfenſtreif weiß, darunter ein ſchwarzer Streif und der Zügel weißlich; Kopf= und Halsſeiten aſchgrau, Mantel und Schultern grau, rothbraun ſchaftfleckig; Schwingen= und Schwanzfedern dunkel= braun, fahl röthlich außengeſäumt, Flügel braun mit zwei weißlichen Querbinden; Bürzel fahl röthlichbraun; Unterſeite hell aſchgrau; Kehle, Bruſt= und Bauchmitte weißlich, Seiten und Hinterleib fahl röthlichgelb; Schnabel bräunlichroth; Auge braun; Füße dunkel graubraun. Das Weibchen hat nicht die weiße Platte, iſt am Oberkopf rothbraun mit einem röthlich fahlen Mittelſtreif. Größe des vorigen. Audubon, dann Prinz Wied, geben kurze, und Gentry eine ſehr ausführliche Beſchreibung des Freilebens, welches im weſentlichen mit dem des weiß= kehligen Sperlings übereinſtimmt. Seine eigentliche Heimat ſind ſumpfige Gegenden mit niedrigen Nadelholzbäumen und dichter Moosdecke, namentlich in den Wäldern von Labrador. Der Geſang beſteht nach Audubon in fünf bis ſechs lauten, klangvollen, doch klagenden Tönen mit angenehmem Schluß. Gentry ſagt: „Derſelbe währt mit kleinen Pauſen von früh morgens bis ſpät abends und iſt eigentlich ein ſanftes Flöten in nur zwei langgezogenen Silben beſtehend, bald anſchwellend, bald erſterbend, denen dann fünf andere Laute folgen, welche ziemlich ſchnell ſteigend und fallend wiederholt werden.“ Er drückt den Geſang in folgenden Silben aus: piih=biih=bii=bii=bii=bii=bii (pēē-dēē-dēē-dēē-dēē-dēē-dēē). Im Handel erſcheint der Vogel ſehr ſelten; meines Wiſſens iſt er nur einmal im Jahre 1873 von Herrn Gudera in drei Köpfen eingeführt. Ein Preis läßt ſich nicht angeben. — Weißſcheiteliger Fink (Pr. Wb.); Weißkronſperling und .Weißkronfink (Br.) — Le Moineau à couronne blanche; White-crowned Sparrow and White-eyebrowed Finch.

Gambell's Ammerſperling [Fringilla Gambelli, Nttll.], dem vorigen überaus ähnlich, aber mit düſterm, nicht weißem Schläfenſtreif; Augenbrauenſtreif dagegen weiß; Größe etwas geringer. Heimat vom Felſengebirge bis zur Küſte des ſtillen Ozeans (Brd.). Der Vogel zeigt keine Ausſicht in größerer Anzahl lebend eingeführt zu werden und ſelbſt wenn dies auch einmal der Fall ſein ſollte, ſo wird dieſe Erwähnung genügen, da er einerſeits keinen beſondern Werth für die Liebhaberei haben kann und andrerſeits wol in jeder Hinſicht den vorher= geſchilderten Verwandten gleicht. — Silberkronfink (Br.). — Zonotrichia leucophrys, Nwbr. [nec Frstr.].

Der Kron=Ammerſperling [Fringilla coronata, Pll.] iſt an Ober= und Hinterkopf ſchwarz mit gelbem, nach dem Nacken zu grauem Mittelfleck; Kopf= und Halsſeiten grau, Nacken und

Hinterhals schwarzlichgrau; ganze übrige Oberseite röthlichbraun, an Mantel und Schultern breit schwarzbraun schaftstreifig; Schwingen dunkelbraun, schmal fahl außengesäumt, Flügel mit zwei schmalen weißen Querbinden; Schwanzfedern dunkelbraun mit feinem fahlen Außensaum; Kehle hellgrau, Brust und übrige Unterseite bräunlichgrau, Bauch und Hinterleib fahl röthlich= braun; Schnabel bräunlichhorngrau; Unterschnabel heller gelblich; Auge braun; Füße gelblich= grau. Weibchen nur mit matt grünlichgelbem Scheitelstreif, an Kopfseiten und Brust fahl roströthlich. Ammergröße. Heimat der Nordwesten der Vereinigten Staten bis zum südlichen Kalifornien. Wandervogel, der zum Winter südwärts zieht. Bis jetzt dürfte er noch nicht lebend eingeführt sein und im übrigen gilt von ihm das vom vorigen gesagte. — Goldkronfink (Br.) und Goldkronsperling. — Golden - crowned Sparrow (Brd.). — Emberiza atricapilla, Audb. [nec Gml.]; Fringilla aurocapilla, Nttll. [Black - crowned Bunting, Penn., Lath.].

Harris' Ammersperling [Fringilla quérula, Nttll.], heimisch an den Ufern des Missouri, nach Baird bei Fort Leavenworth und nach Prinz Wied unweit der Mündung des Laplata= flusses. Dadurch von allen vorhergehenden verschieden, daß er an Oberkopf, Gesicht, Kopfseiten, Kehle bis zur Oberbrust reinschwarz, unterhalb an Brust und Bauch reinweiß erscheint, mit röthlichbraunem dunkelschaftstreifigen Rücken und zwei weißen Binden über die Flügel. In der Größe und wahrscheinlich auch in allem übrigen ist er ebenfalls den vorigen gleich; be= stimmtes ist weiter nicht angegeben. — Harris' Finch, Brd. -- (Fringilla comata, Pr. Wd.; F. Harrisi, Audb.).

Der bärtige Ammersperling [Fringilla mystacalis, Hrtl.] aus Mexiko, von Finkengröße; an Kopf, Hals und Oberbrust graubraun, mit kurzem weißen Bartstreif, längerem weißen Streif vom Schnabelwinkel abwärts und schwarzem Zügelstreif; oberhalb roströthlichgraubraun, schwarz schaftstreifig, die dunkleren Schwingen fahl außengesäumt, über den Flügel zwei weiße Quer= binden; Schwanzfedern schwarz, schmal weiß gesäumt; Brust und Bauch weiß, Hinterleib röthlich= fahl. Das Weibchen soll übereinstimmend sein. Eingeführt ist der Vogel noch nicht; und dürfte in allem übrigen den vorigen gleichen. — Bartammerfink (Br.).

## Der Morgen=Ammersperling [Fringilla matutina].

Zu den nicht ganz selten eingeführten zählend, hat dieser Ammerspaz zu= gleich den Vorzug, daß Prinz von Wied, Burmeister und neuerdings Landbeck ausführliche Nachrichten über sein Freileben gegeben. Er ähnelt mehr dem Rohr= ammer als dem Haussperlinge im Ansehen. Sein Oberkopf ist grau mit einem schwarzen Streif über jedem Auge; Ohrdecken oben weiß, dann schieferschwarz, meist gestrichelt, Nacken rostroth; Rückengefieder und Flügel röthlichbraun, jede Feder mit breitem schwarzen Schaftstreif, die großen Deck= und die Achselfedern außerdem mit fahlgelbem Endfleck und die Reihe der kleinen weißgespitzt; Schwingen schwarzbraun, fein graulichrothbraun gerandet, die letzten Arm= schwingen mit breitem, mehr rostrothem Saum; Schwanz oberhalb schwarz jede Feder rostroth gerandet, unterhalb grau und ebenso die Innenseite der Schwingen; Kehle weiß mit schwarzem Seitenstreif vom Auge bis zur Halsmitte; Brustmitte und Bauch bis zu den Beinen weiß, Seiten bräunlichgrau, Bauchmitte hellrostroth, Hinterleib grauweiß. Schnabel braun, Unter= tiefer graugelb; Auge graubraun; Füße gelblichfleischfarben. Das Weibchen ist übereinstimmend, doch mit viel blaßerm Farbenton. (Nach Burmeister). Finkengröße. Heimat wol der größte Theil von Südamerika, insbesondre ganz Brasilien. „Man trifft", sagt der letztgenannte Forscher, „diesen Vogel in jedem Dorfe in großer Zahl, sieht ihn auf den Straßen im Pferdedung umhersuchen, wie bei uns die Sperlinge und Ammern und hört morgens gleich nach Sonnenaufgang seine sanfte, melodische

Stimme von der Dachfirſte herab. Er niſtet aber nicht an den Gebäuden, wie die eigentlichen Sperlinge, ſondern nur in den Gebüſchen der Gärten, baut ein großes Neſt aus trockenen Halmen, Haren und Federn und legt vier bis fünf Eier. Im Walde begegnet man ihm ſehr ſelten, nur in einſamen, nicht ſehr be= völkerten Gegenden am Rande der Wälder. Seine Nahrung ſind Sämereien, welche er am Boden ſucht." Dieſe Mittheilung ergänzt Landbeck in folgendem. „Der hübſche Fink kann als Vertreter des Feldſperlings angeſehen werden, mit dem er im Aeußern einige, im Benehmen aber große Aehnlichkeit hat. Er iſt faſt überall häufig, lebt in der Nähe der menſchlichen Wohnungen, in Geſellſchaft des chileniſchen Sperlings (Fringilla diuca, Mln.) und ernährt ſich dem Hausſperlinge gleich, indem er alles eßbare frißt und namentlich an reifen Kirſchen und Feigen Schaden verurſacht. Er iſt ſehr zutraulich, kommt nicht ſelten in die Zimmer herein, um Brotkrumen aufzuleſen, und erfreut durch ſeine Zahmheit und zierliche Geſtalt. Geſäeten Sämereien wird er dort, wo er häufig iſt, ſchädlich, indem er dieſelben aus der Erde ſcharrt und frißt; ſo nament= lich Gerſte und Hafer. Er ſingt ammerartig während des ganzen Tages, nicht ſelten auch in finſtrer Nacht, gleichſam im Schlafe, und zwar etwa folgende Strofen: gie-tie-tie-tweih oder ſoviel als zieh, zieh, ih. Bei den Chilenen ſingt er: ,mi dio Auguſtin' (mein Onkel Auguſtin). Er macht mehrere Bruten im Jahre, und das Neſt, welches im Gebüſch oder Graſe auf der Erde ſteht, hat die größte Aehnlichkeit mit dem des Goldammers. Im Käfige iſt er leicht zu er= halten und ſingt auch fleißig. Nicht ſelten kommen weißgefleckte oder ganz weiße Spielarten vor." Auch Burmeiſter berichtet von einer ſolchen.

Obwol er von den Großhändlern, Fräulein Hagenbeck, Reiche und früher auch von Schöbel einzeln ziemlich oft, manchmal ſogar in mehreren Pärchen ein= geführt wurde, ſo hat er für die Liebhaberei doch keine Bedeutung erlangt, weil er keinerlei beſondere Vorzüge zeigt. Gezüchtet iſt er noch nicht, da bis jetzt wol Niemand ſich die Mühe gegeben hat, mit dieſem unſcheinbaren Spaz der= artige Verſuche anzuſtellen.

Den Morgen=Ammerſperling, Morgenfink oder braſilianiſchen Sperling (Brmſt.) nennen die Braſilianer Chingolo und Chingolino, in Minas Ticko-Ticko (nach Bur= meiſter); bei den Chilenen heißt er Chingol (Landbeck).

Le Moineau Chingolo; Chingolo Sparrow.

Nomenclatur: Fringilla matutina, Lchtst.; Tanagra ruficollis, Spx.; Fringilla chilensis, Mn.; F. nuchalis, Tmm.; Zonotrichia subtorquata, Swns.; Pyrgita peruviana et peruviensis, Lss.; Passer pileatus, Bdd. — [Fringilla capensis, Lth., Bff.].

Wiſſenſchaftliche Beſchreibüng ſ. S. 468.

Fringilla matutina: pileo cinereo, stria superciliari nigra; regione parotica schistacea, seorsum alba, plerumque striolata; cervice ferrugineo; alis dorsoque badiis, late nigro-striatis; tectricibus majoribus et axillaribus gilvo-, minoribus albo-terminatis; remigibus fusco-nigris, fumide rufescente submarginatis, brachia-libus ultimis late ferruginoso-limbatis; rectricibus supra nigris, rubiginoso-marginatis, his ut remigibus subtus cinereis; vitta laterali utrinsecus gulam albam ab oculo usque ad collum medium vergente nigra; pectore medio abdomineque albis; hypochondriis fumidis; ventre medio rufescente; crisso incano; rostro fusco, mandibula luride gilva; iride umbrina; pedibus flavide carneis. — ♀ couveniens, sed pallidior.

Als Ammerfperling von Bolivien [Fringilla hypochondria, *Orbg.*] erwähnt Burmeifter einen Vogel, über welchen jedoch nichts näheres vorhanden ist und der daher hier nur genannt fei.

## Der Savannen=Ammerfperling [Fringilla savanna].

Ein kleiner Spaz, der wiederum zu den gewöhnlichen Erscheinungen des Vogelmarkts gehört, doch ebenfo wenig beliebt als die anderen ift. Oberkopf bräunlich= fchwarz mit düftergelblichem Mittelftreif, Augenbrauenftreif bis zum Hinterkopf gelb, darunter ein brauner Streif. Wangen düfter röthlichgelb mit fchwarzem und feinem gelblichen Backen= ftreif und fchwarzem Bartftreif; ganze Oberfeite röthlichbraun, jede Feder mit fchwärzlichblauem Schaftfleck und fahlem Außenfaum; Schwingen fchwarzbraun, fchmal fahl außengefäumt, Flügel= decken breiter fahl gelblich außengefäumt und gerandet; Schwanzfedern fchwarzbraun mit fahlen Außenfäumen; Kehle gelblichweiß, vom Bartftreif eingefaßt, Bruft röthlichbraun, dunkelbraun fchaftfleckig; ganze Unterfeite reinweiß, untere Schwanzdecken dunkelfchaftfleckig; Schnabel braun; Auge dunkelbraun; Füße gelbgrau. Das Weibchen foll übereinftimmend fein. Sperlingsgröße.

Heimat nach Baird öftliches Nordamerika bis zu den Miffouri=Ebenen; wandert zum Winter füdwärts; Gundlach fand ihn auch auf Kuba und zwar vom November bis zum April.

Gentry gibt eine eingehende Schilderung auch feines Freilebens. Dort, in Oftpennfylvanien, hält er fich in der Regel nur vom Anfang des März bis zur Mitte Aprils auf und eilt dann nordwärts. Seine Lebensweife ift viel mehr als die der vorigen auf den Boden befchränkt und nur felten fieht man ihn auf einem Bufch oder Baum. Nach Mr. Verrill ift er im weftlichen Maine ein gemeiner Sommergaft und niftet dort zuende des Monats Mai; nach Dr. Brewer findet man die Nefter am Meeresufer in den Felfen und Klippen zu vielen ge= fellig beifammen. Während des niftens ift er mißtrauifch und vorfichtig. In Hinficht der Ernährung, des Neftbaues und Geleges (die Eier find auf grünlich= weißem Grunde röthlichblau oder roftgelblich gefleckt) und in allem übrigen gleicht er den vorigen. Ueber den Gefang fagt Gentry nichts; Nuttall dagegen be= zeichnet denfelben als laut und in einzelnen Strofen dem des Kanarienvogels ähnlich. Nachts, fagt der letztere, zirpe er heufchreckenähnlich. Gundlach fügt nichts wefentliches hinzu, nur daß er zuweilen in den Reisfeldern Schaden an= richte und daß fein Fleifch, wenn er fett ift, wohlfchmeckend fei.

Der Savannen=Ammerfperling oder Savannenfperling (Ruß' „Handbuch") heißt bei Br. Steppenammerfink. — Graminero auf Kuba (nach Gundl.). — Le Moineau des Savannes; Savannah Sparrow.

Nomenclatur: Fringilla savanna, *Wls.*, *Audb.*; Linaria savanna, *Rchrds.*; Passerculus savanna, *Bp.*, *Cb.*, *Brd.*, *Gndl.*; Emberiza savanna, *Audb.*; Zonotrichia savanna, *Gr.*, *Br.*

Wiſſenſchaftliche Beſchreibung ſ. S. 470.

Fringilla savanna: stria media pilei subfusco-nigri sordide flavida; stria superciliari usque ad occiput flava, altera subter fusca; stria genarum luride fulvarum subtili flavida, altera mystacali gulae albae circumdata nigra; notaeo toto badio, macula scapi plumarum livide marginatarum nigricante coerulea; remigibus nigro-fuscis, exterius anguste livide limbatis; tectricibus al. exterius latius subgilvo-limbatis; rectricibus e nigro fuscis, exterius livide limbatis; pectore badio, fusco-striolato; gastraeo toto albissimo; infracaudalibus obscure striatis; tomiis et gnathidiis rostri fusci rubente albis; iride fusca; pedibus e gilvo canis. — ♀ conveniens.

Länge 13 cm.; Flügelbreite 20,8 cm. (Gundlach).

**Der nordiſche Ammerſperling** [Fringilla sandwichensis, *Gml.*]. Dem vorigen nach Baird überaus ähnlich, doch etwas dunkler, an Nacken und Halsſeiten gelblichroſtroth, ſchwach dunkel ſchaftſtreifig; Schwingen und Flügeldecken mit breiten roſtröthlichen Außenſäumen; ganze Unterſeite reinweiß. Feldſperlingsgröße. Heimat das nordweſtliche Nordamerika vom Kolumbia-fluſſe bis zum hohen Norden. Baird bemerkt, daß der Name nicht von den Sandwich-Inſeln, ſondern vom Sandwichſund hergeleitet iſt. In Lebensweiſe und allem übrigen wird er wol mit den vorigen übereinſtimmen und lebend vorhanden dürfte er bisher nur im zoologiſchen Garten von Hamburg geweſen ſein. — Polarſperling (Ruß' „Handbuch"), Polarammerfink (Br.). — Emberiza arctica, *Lth.*; Emberiza chrysops, *Pll.* [Sandwich-Bunting, *Lath.*; Unalaschka Bunting, *Penn.*].

**Der Gras-Ammerſperling** [Fringilla graminea, *Gml.*] iſt über ganz Nordamerika ver-breitet und überall gemein, trotzdem aber bis jetzt nur einzeln und ſelten lebend eingeführt. Er iſt oberhalb hellgelblichbraun, dunkelbraun ſchaftſtreifig; Augenbrauen- und Backenſtreif weißlich, letzterer ober- und unterhalb ſein dunkel begrenzt; Wangen braun, fahl geſtreift; Schultern und Flügel hellkaſtanienbraun, jede Feder heller außengeſäumt, letztere mit weißlicher Querbinde; Schwanz ſchwarzbraun, die äußerſten Federn weiß und die nächſten nur weiß geſpitzt; Hals, Bruſt und Seiten fahlbraun, dunkler geſtrichelt; ganze übrige Unterſeite düſterweiß; Schnabel braun; Auge braun; Füße fleiſchroth. Finkengröße. (Nach Baird.) Ueber das Freileben be-richtet Gentry eingehend. Trockene Felder und Weiden ſind ſein Aufenthalt und er lebt hier in der Weiſe der Feldlerche; ſingend ſitzt er jedoch auf einem Strauche oder niedrigen Baume. Das Neſt iſt ſtets an der Erde verſteckt zwiſchen hohem Graſe oder niedrigem Geſträuch. Gelege vier bis fünf röthlichweiße, roth und braun gefleckte Eier. Der Geſang iſt dem des Sing-ſperlings ähnlich, doch nicht ſo wechſelvoll. Die Forſcher Audubon, Nuttall, Cooper u. A., mit deren ausführlicher Schilderung dieſe Angaben übereinſtimmen, loben den Geſang faſt alle mehr; er ſoll namentlich dem des Kanarienvogels ähnlich ſein. In der übrigen Lebens-weiſe gleicht er den vorigen. Er wurde von Reiche und dann auch von Geupel einmal ein-geführt. — Grasſperling (Ruß' „Handbuch"); Grasammerfink (Br.). — Le Moineau du gazon. — Grass-Finch or Bay-winged Bunting (*Brd.*).

**Der gelbflügelige Ammerſperling** [Fringilla passerína, *Wls.*] iſt über den Oſten von Nordamerika verbreitet und kommt nach Gundlach auch auf Kuba vor. Oberhalb rothbraun, jede Feder grau geſäumt und mit ſchwarzbraunem Schaftfleck; über den Kopf ein fahlrother ſeiner Scheitelſtreif; bräunlichrother Zügelſtreif; Wangen bräunlichgrau, von ſeinem roth-braunen Streif begrenzt; Flügel- und Schwanzfedern ſchwach olivengräulichbraun, fahlröthlich außengeſäumt, kleine Flügeldecken hellgelb, große röthlichbraun gefleckt, wodurch zwei Quer-binden über den Flügel gebildet ſind; ganze Unterſeite weiß; Schnabel röthlichgrau, Unter-ſchnabel heller gelblich; Auge braun; Füße gelbgrau. Etwas unter Sperlingsgröße. Das Weibchen ſoll nur fahler ſein. Gentry ſchildert auch ihn ausführlich. Er iſt Zugvogel und kommt zuende April oder anfangs Mai und zeigt ſich in manchen Gegenden häufig, in anderen selten. In der Lebensweise, Ernährung, im Niften und in allem übrigen gleicht er den Verwandten. Nach Gundlach läuft er einer Maus ähnlich auf dem Boden, verbirgt sich gern hinter Grasbüscheln, Erdschollen, Steinen, setzt sich wol nie auf einen Baum, sondern allenfalls auf einen Busch. Der Gesang ist eigentlich nur ein Lockton; auch Gentry nennt den erstern kurz und schwach, dem Zirpen einer Heuschrecke ähnlich; Audubon dagegen bezeichnet ihn als eine melodische Weise. Da der Vogel sehr verbreitet und auch häufig ist, so wird er demnächst wol eingeführt werden. — Sperlingsammerfink (Br.). — Yellow-winged Sparrow (Brd.). — Fringilla savannarum, Gml., Nttll.

**Henslow's Ammersperling** [Fringilla Henslowi, Audb.], ebenfalls aus dem Often Nord= amerikas. Oberhalb röthlichbraun; Oberkopf, Hals und Oberrücken grünlichgelb, Scheitelstreif breit schwarz, fein heller gefleckt, zwei feine schwarze Bartstreifen an jeder Seite; Wangen schwärzlichgrau; Kehle weißlichgelb; im übrigen den vorigen ähnlich. Sperlingsgröße. — Spazen= ammerfink (Br.). Henslow's Bunting (Brd.).

**Leconte's Ammersperling** [Fringilla Lecontei, Audb.], ebenfalls von Nordamerika und den beiden vorigen ähnlich, mit gelblichweißem Strich über den Kopf; Wangen und breiter Augenbrauenstreif gelblichorangeroth; an der ganzen Oberseite licht gelblichroth, schwärzlichbraun schaftstreifig; ganze Unterseite einfarbig, nicht gestrichelt; etwas kleiner als der gelbflügelige Sperling. Leconte's Bunting (Brd.).

**Der bleigraue Ammersperling** [Fringilla manimbe, Lchtst.] aus Brasilien; den Orni- thologen sehr bekannt, jedoch lebend noch nicht eingeführt. Grau; Rückengefieder mit schwarz= braunen Schaftstreifen; Armschwingen rothbraun gesäumt; Zügel und Flügelrand am Bug goldgelb; Mitte der Unterseite weiß. Vom Ansehen und der Größe eines weiblichen Haus- sperlings, nur klarer und mehr bleigrau. Schnabel blaßgelb; Auge braun; Füße gelblichfleisch= farben. Aufenthalt Wiesen und Umgebung der Flüsse mit einzelnen Büschen. Nest an einem Zweige hängend. Eier röthlichweiß, heller oder dunkler rothbraun gefleckt. Lebensweise sperlings= artig; Gesang leise, etwas melodisch (nach Burmeister). — Wachtelammerfink (Br.). — Am= modromus xanthornus, Gld. [Manimbé, Azr.].

**Der spitzschwänzige Ammersperling** [Fringilla caudacuta, Gml., nec Lath.]. Oberkopf dunkelaschgrau mit breitem gelblichrothbraunen Backen= und Schnurrbartstreif, Hinterkopf fahl olivengrünlichbraun; ganze übrige Oberseite olivengrünlichgrau; Flügelrand gelb; Kehle und Brust hellröthlichbraun, fein dunkel schaftstreifig; ganze übrige Unterseite weiß. Sperlingsgröße. Die Heimat erstreckt sich über den Often von Nordamerika. Näheres ist nicht angegeben, und eingeführt ist er bis jetzt auch noch nicht. — Küstenammerfink (Br.). — Sharp-tailed Finch (Brd.). — Fringilla littoralis, Nttll. [Sharp-tailed Oriole, Penn.].

**Der Strand=Ammersperling** [Fringilla maritima, Wls.]. Dem vorigen ähnlich, aber am Oberkopf mehr gestrichelt und in der ganzen Färbung oberhalb mehr olivengrünlichbraun; Hinterkopf und Nacken röthlicholivenbraun; Backenstreif dunkelbraun, fein gestrichelt und ein zweiter feiner hochgelb; Bartstreif dunkelgrau; Kehle weiß; Flügelrand gelb; ganze Unter= seite olivenbräunlichgrau. Sperlingsgröße. Heimat das östliche Nordamerika. Aufenthalt Sümpfe und Grasflächen neben Gewässern. Er zeigt in seiner Lebensweise nichts bemerkens= werthes weiter, als daß man sein Nest sehr zahlreich auf erhöhten Stellen an den Gewässern und oberhalb derselben findet. Einen Gesang hat er nicht, und abgesehen davon, daß er wol niemals zahlreich zu uns gelangen wird, ist er auch für die Liebhaberei werthlos; ich habe ihn nur einzeln im zoologischen Garten von Berlin gesehen. — Seeammerfink (Br.); Strand= sperling (Ruß' „Handbuch"). — Le Moineau maritime; Seaside Finch; Maritime Spar- row. — Ammodromus Macgillivrayi, Audb.

**Samuel's Ammersperling** [Fringilla Samuëlis, Brd.], von Kalifornien, ähnelt nach Baird dem Singsperling, ist jedoch beträchtlich kleiner und düsterer; Kopf und ganze Oberseite braun, dunkler schaftstreifig und jede Feder fahl gesäumt, über den Kopf ein schmaler dunkler Mittelstreif, Augenbrauenstreif grauweiß, Backenstreif fast weiß; Flügel fast einfarbig bräunlichroth; Kehle, Brust und Seiten grau, schwärzlich gestreift und gefleckt; ganze übrige Unterseite bläulichweiß. Näheres ist nicht bekannt, und der Vogel zeigt auch keine Aussicht, eingeführt zu werden.

**Der gestreifte Ammersperling** [Fringilla grammaca, *Say*] ist verbreitet über ganz Nordamerika, auch Texas und Mexiko. Oberkopf kastanienbraun, gegen die Stirn hin schwarz, Mittel- und Augenbrauenstreif weiß, Zügelstreif schwarzbraun, Backenstreif und kleiner Streif vom Auge bis zum Schnabel schwarz, Halbmond unter dem Auge weiß, Wangenfleck rothbraun, Bartstreif schwarz; ganze Oberseite graulichbraun, dunkelschaftstreifig; Flügel mit röthlichfahler Querbinde; Schwanzfedern schwarzbraun, breit weiß gespitzt; ganze Unterseite weiß. Wenig über Sperlingsgröße. In der Lebensweise und in allem übrigen dürfte er mit den verwandten übereinstimmen. Eingeführt ist er nur höchst selten, doch wird dies demnächst wol häufiger geschehen, da er zu den verbreitetsten und häufigsten Vögeln Nordamerikas zählt. — Strichelammerfink (Br.); Lerchenspaz (Ruß „Handbuch"). — Moineau-alouette; Lark Sparrow or Lark Finch. — Chondestes strigatus, *Swns.*

**Der zweistreifige Ammersperling** [Fringilla bilineata, *Css.*]. Oberhalb einfarbig düster bräunlichaschgrau, an Kopf und Brust reiner bleigrau; Augenbrauen- und Backenstreif reinweiß, ersterer nach innen schwarz gerandet, Wangen schwarz, nach dem Hinterkopf zu schiefergrau, Bartstreif weiß, Kehle bis zur Oberbrust schwarz; Schwanz schwarz, die äußeren Federn weiß; ganze Unterseite reinweiß; Schnabel blau. Nach Baird nur im Thal des Rio Grande gefunden. Black-throated Sparrow (*Brd.*) — **Bell's Ammersperling** [Fringilla Belli, *Css.*] aus Kalifornien. Oberhalb bläulichaschgrau; Kopfplatte gelblichgrau, Augenbrauenstreif, Streif vom Auge zum Schnabel und Wangen weiß, Streif an der Kehlseite und Kehle bis zur Oberbrust schwärzlichgrau; Flügelfedern gelblichbraun gerandet, Flügelbug gelblichgrün; Schwanzfedern schwarz, die äußersten weiß gerandet; unterseits reinweiß; Schnabel und Füße blau. Etwas größer als der vorige. Bell's finch (*Brd.*). — **Der breitschwänzige Ammersperling** [Fringilla lateralis, *Nttr.*]. Oberkopf und Nacken grau, über dem Auge ein weißer Streif; Rücken und Bürzel rostroth überlaufen; Bauchseiten rostroth; seitliche Schwanzfedern mit weißer Spitze. Heimat Brasilien, nirgends häufig (Brmstr.). Als bezeichnend ist zu bemerken, daß Kehle und Brust ockergelb sind und die drei äußersten Schwanzfedern breite weiße Spitzen haben (Cbns.). Pipilo superciliosa, *Swns.* [Montese obscuro y roxo, *Azr.*]. — Sehr ähnlich ist der weißbrüstige Ammersperling [Fringilla assimilis, *Bss.*] aus dem südlichen Brasilien und Paraguay, daran allein zu erkennen, daß Kehle und Brust weißlich oder weißgrau und nur die beiden äußersten Schwanzfedern weißgespitzt sind. — **Cabanis' Ammersperling** [Fringilla Cabanisi, *Bp.*] soll nur dadurch verschieden sein, daß er keinen rostroth überlaufenen Unterrücken und Bürzel hat. — **Der schwarzrothe Ammersperling** [Fringilla nigrorufa, *Lfrns.* et *Orbg.*] aus Südbrasilien und Paraguay. Oberkopf, Backen, Rücken, Flügel und Schwanz mattschwarzbraun, Streif über dem Auge und Rand der rostrothen Kehle weiß; Rückengefieder schwarzbraun; Steiß gelb; Bauchseiten rothbraun; Bauchmitte und Spitzen der äußeren Schwanzfedern weiß; Sperlingsgröße (Brmstr.). Pipilo personata, *Swns.* [Chipiu negro y canela, *Azr.*]. — **Der graurückige Ammersperling** [Fringilla thoracica, *Nrdm.*]. Oberkopf schwärzlichgrau, heller schaftstreifig, Streif unterm Auge weiß, Wangen grau; Rückengefieder grau, olivengrünlich überlaufen, über dem Flügel eine weiße Binde; Kehle weiß, Oberkopf und Seiten lebhaft rostroth; Brust, Bauchseiten und Bürzel heller und die Brustmitte weißlichgelb. Etwa Sperlingsgröße. Heimat Südaustralien. (Nach Burmeister). Pipilo rufitorques, *Swns.*; Carduelis rufogularis, *Lss.* — **Der schiefergraue Ammersperling** [Fringilla schistacea, *Lchtst.*]; ganze Oberseite hell schiefergrau, Zügel und Ohrgegend mattschwärzlich, Backen schwarz, Kehle mit weißgelblichem Anfluge; Unterseite weiß, Bauchseiten hellgrau; Schwanzfedern weißgespitzt.

Größe des vorigen. Heimat das Innere Brasiliens. (Nach Cbns. und Brmstr). — Der schwarzweiße Ammersperling [Fringilla melanoleuca, *Lfrsn.* et *Orbg.*] ist an Oberkopf und Backen, Flügel= und Schwanzfedern schwarz, Schwingen grau gerandet und die drei äußersten Schwanzfedern weißgespitzt, Rückengefieder im übrigen bräunlichgrau; Unterseite weiß, Bauchseite graulich. Heimat Süd= und Westbrasilien. (Nach Brmstr.). Chipiu negro y blanca, *Azr.* — Der Halsband=Ammersperling [Fringilla torquata, *Bp.*] aus den Laplatastaten; Augenbrauenstreif bis zum Nacken weiß; Wangen und Brustbinde schwarz; ganze Oberseite bleigrau, Flügel und Schwanz schwärzlich, Schwingen und Deckfedern weißgerandet, äußere Schwanzfedern ganz weiß, die folgenden weißgespitzt; Steiß rostroth; Bauchmitte weiß (Brmstr.). Weshalb er Halsbandsperling heißt, weiß ich nicht. — Der olivengrüne Ammersperling [Fringilla olivácea, *Bp.*] aus Brasilien; an Oberkopf und Flügeln olivengrünlichgrau; Augenstreif weiß; ganze Oberseite olivengrün; Unterseite weißlichgrün, Kehle am hellsten (Brmstr.). — Der Sommer=Ammersperling [Fringilla aestivalis, *Lchtst.*] aus dem mittleren und südlicheren Nordamerika; oberhalb dunkelbraun mit graublauem Scheitelstreif und grauem Augenbrauenstreif; Schwingen und Schwanzfedern fahl außengesäumt; Unterseite fahl gelblichbraun, Binde an der Oberbrust dunkler braun, Brust schwach dunkel gefleckt. Er soll sich nach Bachmann durch vorzüglichen Gesang vor allen Verwandten auszeichnen. Sommerammerfink (Br.); Bachman's Finch, *Brd.* (Fringilla Bachmani, *Audb.*; F. aestiva, *Nttll.* [Summer-finch, *Lath.*]). — Cassin's Ammersperling Fringilla Cassini, *Wdhs.*] ist dem vorigen sehr ähnlich, ein wenig kleiner; oberhalb blasser, die aschgrauen Federsäume ausgedehnter, die Rückenfedern nicht ganz dunkelbraun, sondern nur schaftfleckig; Augenbrauenstreif kaum bemerkbar, Kopfseiten heller; ganze Unterseite weiß. Heimat Texas. (Nach Baird). — Der rothköppige Ammersperling [Fringilla ruficeps, *Css.*] aus Kalifornien; oberhalb bräunlichaschgrau; Oberkopf und Nacken kastanienbraunroth; Augenbrauenstreif weißlichgrau; Bartstreif schwarz; ganze Unterseite fahl bräunlichgelb, Brust und Seiten dunkler aschgrau. Etwas über Sperlingsgröße (Brd.). — Der rothscheitelige Ammersperling [Fringilla rufivirgata, *Lwrnc.*] aus dem Südwesten Nordamerikas und von Mexiko; oberhalb düster olivengrünlichbraun; Oberkopf mit breitem rothbraunen Scheitelstreif, Zügel und Wangenstreif grau, darunter mit schmalem rothbraunen Strich; Flügelrand gelb; Kehle und ganze Unterseite weißlich. Sperlingsgröße (Brd.). — Der Plata=Ammersperling [Fringilla platensis, *Gml.*]; grau; Rücken, Flügel und Schwanz grünschwärzlich schaftstreifig und fahlgelb gespitzt, große Deckfedern gelbgrün gerandet; unterhalb hellgrau; Schnabel schwarz, Unterschnabel weißgelb; Auge braunschwarz; Füße gelblichfleischroth. Drosselgröße. Heimat Südbrasilien, Laplatastaten und Paraguay. Bis jetzt ist der schöne, stattliche Ammerspaz noch nicht lebend eingeführt, da jedoch Brasilien dem Vogelhandel immer mehr aufgeschlossen wird, so dürfen wir ihn vielleicht bald erwarten. Sumpfammerfink (Br.). Embernagra dumetorum, *Lss.*; Emberizoides poliocephalus, *Drw.* [Habia de banado, *Azr.*]. — Der fuchsrothe Ammersperling [Fringilla iliaca, *Mrrm.*]. Seine Heimat ist der Osten der Vereinigten Staten bis zum Missisippi (Baird). Oberhalb dunkelkastanienbraun, Kopf und Mantel grau schimmernd und schwach dunkel längsgestrichelt; Zügel und Augenring weißlich, Schläfenstrich grau, Kopfseiten mit weißer Binde, Wangen weißlich gestrichelt; Schwingen und Schwanzfedern mit helleren Außensäumen und Flügel mit verwaschenen Binden; Unterseite weiß, zimmtroth gefleckt. Ammergröße. Gentry gibt eine ausführliche Schilderung, nach welcher er in der Lebensweise mit den verwandten übereinstimmt. Das Nest steht gewöhnlich über Mannshöhe und immer nur in Waldgegenden; Audubon fand es jedoch auch auf dem Boden im Grase versteckt. Er wandert nach Letzterem bis Karolina und Florida hinab. Dr. Brewer rühmt den Gesang und nennt ihn melodisch, reich und wechselvoll; derselbe werde von dem keines Vogels in seiner Familie übertroffen. Gentry hat den Gesang nicht gehört. Bis jetzt dürfte dieser Sperling erst in wenigen Köpfen von Reiche eingeführt sein; hoffentlich gelangt er jedoch demnächst zahlreich in den Handel und dann wollen wir ihn als guten Sänger begrüßen. Fuchsfarbiger Fink (Prinz v. Wied); Fuchsammerfink (Br.); Fuchssperling (Ruß „Handbuch"). Le Moineau à couleur de renard; Fox-colored Sparrow (*Brd.*). Fringilla ferruginea,

*Gml.*; F. rufa, *Wls.* — **Der Amſel-Ammerſperling** [Fringilla Townsendi, *Audb.*] aus dem Weſten von Nordamerika, oberhalb dunkel olivengrünlichbraun, Schwingen, Flügel- und Schwanz-decken, wie Schwanzfedern röthlichbraun außengeſäumt; ganze Unterſeite weiß, rothbraun geflect. Amſelgröße. Amſelammerfink (Br.). Fringilla meruloides! *Vgrs.*; [Emberiza unalaschcensis, *Gml.*]. — **Der rothbraune Ammerſperling** [Fringilla rufescens, *Swns.*] aus Mexiko. Ober-kopf mit roſtbraunem Mittelſtreif und jederſeits ſchwarzem Längsſtrich, Augenbrauenſtreif grau; Zügel-, Backen- und Bartſtreif ſchwarz, neben dem letztern ein gelblicher Streif; ganze Oberſeite roſtbraun, jede Feder fahl außengeſäumt; Flügeldecken und Schwanz dunkler braun, röthlich außengeſäumt; Kehle weiß, Vorder- und Hinterhals röthlichgrau; Bruſt- und Bauchſeiten röthlich-braun; Bruſt, Bauchmitte und Hinterleib weiß. Ueber Finkengröße. Dornammerfink (Br.). — **Der Erd-Ammerſperling** [Fringilla humeralis, *Lchtst.*] aus Mexiko; Haube und Nacken dunkelbraun, Bartſtreif weiß, Geſicht und Halsſeiten ſchwärzlich; Flügel dunkelbraun, kleine Flügeldecken und Rücken rothbraun, dunkel ſchaftflectig, größere Flügeldecken weißlich gerandet; Schwanz dunkelbraun, äußerſte Feder weißlich gerandet; Kehle weiß, deren Einfaſſung und Bruſtbinde ſchwarz; Bauch weiß; Weichen und untere Schwanzdecken graugelb. Ueber Sperlings-größe (Cab.). — **Der ſtille Ammerſperling** [Fringilla silens, *Lth.*] aus dem mittleren Bra-ſilien; Kopf ganz ſchwarz, über den Scheitel ein grauer, über jedem Auge ein weißer Streif; Nacken und Bruſtſeiten grau; Rücken und Flügel olivengrün; Schwingen und Schwanzfedern braun, grün-lich gerandet; Flügelbug gelb; Kehle weiß mit ſchwarzem Halsring; Bruſt und Bauch weiß, Seiten bleigrau; Schnabel ſchwarz. Größe des vorigen. Ammerhabia (Br.). Arremon torquatus, *Vll.* — **Der grünſcheitelige Ammerſperling** [Fringilla affinis, *Lfrsn.*] aus dem inneren Bra-ſilien. Kopf ſchwarz mit grünlicher Scheitelmitte, weißem Augenſtreif bis zum graugrünen Nacken-ringe; Rücken und Flügel olivengrün; Schwingen und Schwanzfedern braun, grünlich ge-randet, Bugrand ſchmal gelb; Kehle weiß mit ſchwarzem Halsring; Bruſt und Bauch weiß-lich; Seiten grünlichgrau, Hinterleib aſchgrau; Schnabel ſchwarz. Größe des vorigen. (Brmſtr.). Embernagra torquata, *Lfrsn.*; Arremon conirostris, *Mus. Par.* — **Der gelbſchnäbelige Ammerſperling** [Fringilla flavirostris, *Swns.*] aus dem nördlichen Bra-ſilien. Dem vorigen überaus ähnlich und hauptſächlich nur durch den blaßgelblichen Schnabel verſchieden. Es dürfte daher noch nicht feſtgeſtellt ſein, ob er wirklich eine ſichere Art bildet (Brmſtr.). Gelbſchnabelhabia (Br.). — **Der Ammerſperling mit braunem Nacken** [Frin-gilla brunneinucha, *Lfrsn.*] von Mittelamerika iſt in der Grundfarbe dunkel olivengrün; Vorderkopf, Zügel und breiter Streif durchs Auge ſchwarz, an der Wange ein kleiner, weißer Flect, Ober-, Hinterkopf und Nacken braun, von der Kehle an die ganze Unterſeite weiß, doch erſtere mit breitem ſchwarzen Querband. A. von Frantzius fand ihn in den Gebirgs-waldungen von Koſtarika und Sclater hat ihn beſchrieben; ſonſt iſt nichts über ihn be-kannt. Braunnackenhabia (Br.). — Arremon frontalis, *Tschd.* [Buarremon xantho-genys, *Cb.*]. — **Der keilſchwänzige Ammerſperling** [Fringilla sphenúra, *Vll.*]*), nicht ſelten im Innern Braſiliens. Graubraun, oberſeits ſchwarz ſchaftſtreifig; Flügelrand grünlichgelb; Bürzel und Schwanz roſtgelb; Unterſeite düſterweiß. Etwas unter Droſſelgröße. Er lebt ammerartig vorzugsweiſe auf der Erde, namentlich an den Wegen. (Nach Brmſtr.). Der Vogel dürfte demnächſt wol nebſt anderen zu uns gelangen. (Emberizoides marginalis, *Tmm.*; Sylvia herbicola, *Vll.*; Sphenura fringillaris, *Lchtst.*; Embernagra macroura, *Orbg.*). Cola aguda encuentro amarillo, *Azr.* — **Der ſchwarzgeſichtige Ammerſperling** [Fringilla melanótis, *Tmm.*] aus dem Innern Braſiliens. Oberkopf, Backen und Bruſtſeiten ſchwarz; Augenbrauen-ſtreif bis zum Nacken weiß; Rücken und Flügel braungrau, dunkel ſchaftflectig; Flügelrand am Bug goldgelb; Schwanz ſchwarz; ganze Unterſeite roſtgelblichweiß. Hänflingsgröße. (Nach Brmſtr.). [Oreja negra, *Azr.*]. — **Der einfarbige Ammerſperling** [Fringilla unicolor, *Lfrsn.*].

---

*) Da ich S. 399 bereits einen Fink mit der lateiniſchen Bezeichnung F. marginalis geſchildert habe, ſo muß ich hier auf eine neuere zurückgreifen.

Heimat der größte Theil Südamerikas. Er ist dunkel bleigrau mit schieferschwarzem Unter-
gefieder; Schwingen und Schwanz bräunlich, Handschwingen am Außenrande weiß; Unterkörper
einfarbig bleigrau. Das Weibchen ist olivengrünlichgrau; Schwingen und Schwanz mehr
braun; Unterseite weißlichgrün, dunkel schaftstreifig. Sperlingsgröße. Landbeck fand ihn in
den Kordilleren bis zu etwa 2000 Meter Höhe; in der Lebensweise pieperähnlich und wenig scheu.
Er singe fliegend oder auf Felsen, auch wol auf Baumspitzen sitzend. Näheres ist nicht gesagt.
Schieferammerfink (Br.). [Chlorospiza plumbea, Ph. et Ldb.] — Der Feld=Ammersperling
[Fringilla rustica, Tschd.] aus Peru; bleigrau, Scheitel und Rücken dunkler, letzterer bräunlich überlaufen; Schwingen und Schwanzfedern schwarzbraun, lichter gerandet; Unterkörper
heller bleigrau; Bauchmitte und Hinterleib weiß. Weibchen grünlichgrau, unterseits heller,
dunkel gestreift. Beträchtlich unter Feldsperlingsgröße. (Nach Brmstr.). — Der kohlschwarze
Ammersperling [Fringilla carbonaria, Orb.] aus Patagonien. Dunkelschieferschwarz, bläulich überlaufen, alle Federn* des Nackens und Rückens in der Mitte dunkler, Schwingen
und Deckfedern lichter gerandet; Stirnrand und Schwanz reiner schwarz. Schnabel und Füße
blaßgelb. Nahezu Feldsperlingsgröße (nach Brmstr.). — Gay's Ammersperling [Fringilla
Gayi, Eyd. et Gerv.] aus Chile und Patagonien; schiefergrau; Rücken olivengrünlichbraun;
Brustmitte, Bauch, Bürzel und Steiß gelblich; Weibchen graulicher im Ton; Flügel und
Schwanz brauner; nahezu Haussperlingsgröße (nach Brmstr.). Landbeck sagt, daß er in der
Weise des Bergfink lebe, munter sei, immer mit dem Schwanze schwippe und dreist in die Nähe
der Wohnungen komme und gern Ueberbleibsel, namentlich Kartoffeln, fresse. Er ist eben-
laute tschipp; der Gesang sei einfach und nur eine vielmalige Wiederholung des Rufs: tiht,
twiii. Seiner Schönheit wegen werde er gern gehalten und zeige sich anspruchslos und ausdauernd. Chanchito der Chilenen (Landb.) — Burmeister's Ammersperling [Fringilla Bur-
meisteri] aus den Laplatastaten; „völlig vom Aussehen des vorigen; Kopf, Vorderhals und
Flügeldecken hell bleigrau, jede Feder mit schwarzgrauem Mittelstreif, wodurch an der Kehle
zwei dunklere Streifen; Schwingen und Schwanzfedern braungrau, fein bleigrau gerandet;
Rücken olivengrün, dunkler gescheckt; Brust rostgelblichgrün, fast orange; Bauch und Steiß gelbgrau, untere Schwanzseite in der Mitte schwarz; Oberschnabel hornbraun, Unterschnabel weiß;
Auge hell-, Füße hornbraun; über Sperlingsgröße." (Brmstr.). Phrygilus caniceps, Brmst.
(Auch eine Fringilla caniceps habe ich bereits S. 402 angeführt, daher muß ich für diese Art
eine andere Benennung wählen; ich thue dies zu Ehren des Vogelkundigen, der sie zuerst beschrieben). — Der Lerchen=Ammersperling [Fringilla alaudina, Kttl.] von Chile und Peru.
Oberseits lerchenfarbig, braun und schwarz gestreift; Kopf, Hals, Brust und Bauch bleigrau,
Hinterleib weiß; Schwanzfedern schwarz mit weißem Fleck an der Innenfahne; Schnabel
gelb. Finkengröße. Nach Landbeck bewohnt er gleich dem vorigen steinige Anhöhen,
treibt sich nach Lerchenart umher, singt pieperähnlich und steigt auch singend in die Luft
und ebenso flatternd langsam herab. Im Dezember fand der Reisende ihn zahlreich auf den
Bergen an der Seeküste in Gerstenfeldern mit eben flügge gewordenen Jungen. Er ist ebenfalls leicht einzugewöhnen und als Stubenvogel zu empfehlen. Tropfenammerfink (Br.).
Emberiza guttata, Mn.; Fringilla erythrorhyncha, Lss.; F. campestris, Bp. — Der
Strauch=Ammersperling [Fringilla fruticéti, Kttl.] von Chile und Patagonien. Schiefergrau,
am Oberkopf und Rücken schwarz gestreift; Flügeldecken mit zwei weißen Binden; Handschwingen
weiß gerandet; Zügel, Kehle, Vorderhals und Brust schwarz, Bauch und Steiß weiß; Schnabel
und Füße gelblichfleischfarben; Auge braun. Weibchen heller, oberseits braungrau, unterseits
grau; am Oberkopf bräunlich; Kehle schwärzlich (Kittlitz). Etwas über Sperlingsgröße. Nach
Landbeck ist er in Chile gemein, geht sommers auf die Kordilleren bis zu etwa 4000 Meter
Höhe, nistet dort und kommt dann in die Thäler wieder herab. Sein fleißiger Gesang ist nicht
schön, sondern besteht nur in einem kreischenden Triller, der wie zittjähnt erklingt und mit einer
lauten Schlußstrofe endet. In der Gefangenschaft hält er sich sehr gut und erträgt die Ueberfahrt nach Europa vortrefflich. Buschammerfink (Br.). Emberiza luctuosa, Eyd. Gerv.;
Rara negra (Heimatsname nach Landb.). — Der gelbgestreifte Ammersperling [Fringilla

xanthogramma, *Gr.*] würde hier wol ganz zu übergehen ſein — da in der geſammten wiſſen=
ſchaftlichen Literatur garnichts über ihn zu finden iſt — wenn nicht Landbeck („Zoologiſcher
Garten" 1877) bemerkte, daß er als eine Zierde des Vogelhauſes betrachtet werden dürfe, zumal
er auch ein guter Sänger ſein ſolle. „Ein hübſch ausſehender Vogel, oberſeits olivengrün,
unterſeits blaßgelb, ein Streif über dem Auge und ein ſolcher an der Seite der Kehle lebhaft
gelb, letztere und Zügel kohlſchwarz. Das Weibchen iſt ſchwarz und grau geſtreift, ohne Gelb.
Gimpelgröße, aber geſtreckter und langflügeliger. Er wurde zuerſt auf den Falklandsinſeln und
im Feuerlande gefunden, doch iſt er auch nicht ſelten auf den höchſten Kordillerenpäſſen zwiſchen
Chile und Mendoza. Ueber die Lebensweiſe iſt nur wenig bekannt."

## Der Diuka=Ammerſperling [Fringilla diuca].

Unter den leider immer einzeln und ſelbſt pärchenweiſe nur ſelten zu uns
gelangenden mittel= und ſüdamerikaniſchen Finken haben Reiche und Chs. Jam=
rach in London hin und wieder einmal den ſog. Nachtſperling erhalten und der=
ſelbe iſt auch ſeit dem Juli 1875 im zoologiſchen Garten von London vorhanden.
Er iſt oberſeits bleigrau; Schwingen und Schwanzfedern bräunlichgrau, außen dunkelgrau, innen
weiß geſäumt, die äußerſten Schwanzfedern ſchräg, von außen nach innen abnehmend, weiß ge=
ſpitzt; ganze Unterſeite weiß, doch mit dunkelgrauer Binde über die Oberbruſt; Bauchmitte und
Hinterleib bräunlich überflogen; Schnabel ſchwarz; Auge braun; Füße bleigrau. Das Weibchen
ſoll übereinſtimmend ſein. Beträchtlich über Sperlingsgröße. Er gilt nach Burmeiſter
in Chile als ein beliebter Sänger, und Landbeck ſchildert ihn in folgendem: „Dieſer
eigentliche chileniſche Sperling iſt hier überall verbreitet, wird aber auch in den
Laplataſtaten, im Gebiet der Kordilleren gefunden. In Chile iſt er ungemein
zahlreich, bewohnt Städte, Dörfer, einzelne Gehöfte, Gärten, Blumenfelder u. a.,
brütet auf Bäumen und Gebüſchen mehrmals im Jahre, macht ein großes Neſt aus
Wurzeln, Reiſern, Federn, Haren, Lappen und legt 5—6 Eier von weißlicher
Grundfarbe, grau gefleckt und beſchnirkelt. Er iſt klug und vorſichtig wie der
Hausſperling, ernährt ſich von allem möglichen, beſonders aber von Obſt und Ge=
treide und verurſacht an Süßkirſchen nicht unbeträchtlichen Schaden. Ein hübſcher
munterer Vogel, der auf der Erde gleich einer Lerche umherläuft. Seine Locktöne
ſind ſperlingsartig und ſehr mannigfaltig, und ſein Geſang, der eigentlich mehr ge=
ſprochen als geſungen wird, lautet ungefähr wie ſcheu=ſchin, tweu=jo, jotſchin,
tſchiro, tſchiri, tſchiu, tren, tio, twoit, tſchatt, tſchin, ſchan, hoid u. ſ. w. Den
einfachen Geſang beginnt er mit Tagesgrauen, im Sommer um 4 Uhr morgens
und dann ſingt er faſt während des ganzen Tages. Bei den Chilenen iſt er ein
beliebter Stubenvogel, der ſeines Geſangs wegen im Käfige gehalten wird. Semmel=
farbige und ſchneeweiße Spielarten ſind nicht ſelten."

Der Diuka=Ammerſperling iſt auch Edelammerfink (Br.) und Nachtfink (Ruß' „Hndb.")
benannt. — Le Moineau Diuca; Diuca Finch or Diuca Sparrow; Diuca der Chilenen (Landb.).

Nomenclatur: Fringilla Diuca, *Mln.*, *Gml.*, *Kttl.*, *Brmst.*; Emberiza diuca,
*Orbg.*; Euspiza diuca, *Gr.*; Hedyglossa Diuca, *Cb.*; Phrygilus diuca, *Br.*

Wiſſenſchaftliche Beſchreibung ſ. oben.

Fringilla diuca: supra plumbea; remigibus rectricibusque subfumidis, exterius cinereo-, interius albo-limbatis; apicibus rectricum extimarum ab extera ad interiorem oblique decrescentibus albis; gastraeo toto albo; fascia pectoris obscure cinerea; abdomine medio crissoque subfusco-lavatis; rostro nigro; iride fusca; pedibus plumbeis. — ♀ conveniens.

**Der gebänderte Diuka-Ammerſperling** [Fringilla fasciata, *Lchtst.*]. Dem vorigen über=aus ähnlich, doch Stirnrand, Zügel und Backen unter dem Auge ſchwarz; Flügel ſchwarz, letzte Reihe der kleinen Deckfedern weiß; große Deckfedern mit weißlichem Rande; Mittelſchwanzfedern ſchiefergrau, die ſeitlichen ſchwarz, an Spitze und Außenſaum grau; Oberſchnabel braun, Unter=ſchnabel weißlich. In den Gebüſchen des Kampoʒgebiets bei Lagoaſanta in Braſilien iſt er nicht ſelten; er zeigt ſich munter und wenig ſcheu, hat eine kurze Melodie, iſt aber kein eigent=licher Sänger. In allem übrigen ſtimmt er wahrſcheinlich mit dem vorigen durchaus überein. (Nach Brmſt.). — Tanagra axillaris, *Sp.*; Diuca fasciata, *Brmst.* etc. — **Der Diuka=Ammerſperling aus Bolivien** [Fringilla speculifera, *Orbg.*] weicht durch breit am Außen=rande weißgefärbte mittlere Handſchwingen und einen reinweißen Bauch nebſt Steiß, ganz weiße äußere Schwanzfedern und einen weißen Fleck unter dem Auge von dem vorigen ab. (Brmſtr.).

Es gibt noch eine recht beträchtliche Anzahl verwandter Ammerſperlinge, welche von manchen Gelehrten und Forſchern in ſeltſamer Weiſe umhergeworfen werden, ſodaß ſie bald hier, bald dort ihren Platz finden. Will man eine ſolche Vogelgemeinſchaft in unzählige kleine Sippen und Geſchlechter zerſplittern, ſo läßt ſich allenfalls eine Aufſtellung ermöglichen, welche freilich ihre bedeutſamen Schwächen hat und für den Laien, bʒl. den Liebhaber und Züchter, keinenfalls verſtändlich iſt; will man dagegen die offenbar naheſtehenden einheitlich aneinanderreihen, ſo ſtößt man natürlich auf nicht geringe Schwierigkeiten. Trotz der letzieren darf ich mich jedoch nicht beirren laſſen, ſondern will hier auch die nachfolgend verzeichneten Arten als Ammerſperlinge mit=zählen: **Der braunohrige Ammerſperling** [Fringilla biarcuata, *Lfrsn.*] von Koſtarika, Guate=mala und Mexiko; Oberſeite bräunlich, Unterſeite weißlich, Hinterleib graubraun; mit weißer Färbung der Gegend um die Augen, des Zügel= und breiten Backenſtreifs; Vorderkopf, Stirn=mitte, Bartſtreif und Binde auf der Bruſtmitte ſchwarz; Hinterkopf, Nacken und Ohrgegend braunroth; untere Schwanzdecken ſchwach graugelblich. (Nach Cb.) (Pyrgisoma Kieneri, *Bp.*; Atlapetes rubricatus, *Cb.*) — **Der weißohrige Ammerſperling** [Fringilla leucótis, *Cb.*] von Koſtarika. Durch weiße Einfaſſung der Augen, großen weißen Fleck zwiſchen Oberſchnabel und Auge, weiße, ſchwarz eingefaßte Ohrgegend und lebhafte gelbe Halsſeiten ausgezeichnet; im übrigen oberhalb röthlicholivengrünlichgrau, Bruſt mit breiter Binde (Cb.). Weit über Sper=lingsgröße. — **Der gelbkehlige Ammerſperling** [Fringilla flavigularis, *Scl.*] von Neugranada. Oberhalb olivengrün, Flügel und Schwanz dunkelbraun; Kehle gelb, Unterſeite aſchgrau, Bauch gelblichweiß. Sperlingsgröße. — **Der grünſteißige Ammerſperling** [Fringilla chryso-pógon, *Bp.*] von Mittelamerika; **der weißnackige Ammerſperling** [Fringilla albinucha, *Lfrsn.*] von Mexiko; **der blaßnackige Ammerſperling** [Fringilla pallidinucha, *Bss.*] von Kolumbien; **der ſchwarzköpfige Ammerſperling** [Fringilla capitalis, *Cb.*] von Koſtarika; **der zimmtfarbene Ammerſperling** [Fringilla semirufa, *Bss.*] von Neu=granada (Röthelhabia, *Br.*); **der Augenbrauen=Ammerſperling** [Fringilla superciliaris, *Lfrsn.*] ebenfalls von Neugranada; **der weißſtirnige Ammerſperling** [Fringilla albifrons, *Vll.*] vom Rio grande; **Deville's Ammerſperling** [Fringilla Devillei, *Bp.*] von Bra=ſilien; **der weißbrillige Ammerſperling** [Fringilla ophthalmica, *Dbs.*] von Mexiko; **der ſchwarzbrillige Ammerſperling** [Fringilla postocularis, *Cb.*] von Guatemala, ſeien blos erwähnt; ſie, ſowie verſchiedene andere, mehr oder minder feſtſtehende Arten muß ich hier übergehen, da ſie für die Liebhaberei keine Bedeutung haben und eine ſolche auch ſchwerlich er=langen werden.

## Der rothäugige Grundammerſperling oder Grundröthel
### [Fringilla erythrophthalma].

Von Zeit zu Zeit kommt dieſer größte und ſtattlichſte aller Ammerſperlinge
in den Handel und um ſeiner abſonderlichen Geſtalt und Färbung und ſeines
anmuthigen Ausſehens halber findet er immer willige Aufnahme. Man hält ihn
gern in den Vogelſtuben, namentlich aber iſt er nicht ſelten in den zoologiſchen
Gärten vorhanden. Der Kopf, ſowie die ganze Oberſeite und die Bruſt ſind glanzendſchwarz;
Schwingen bräunlichſchwarz, die erſten an der Außenfahne mit weißem Fleck, die nächſten am
Ende der Außenfahne weißlich; Schwanz ſchwarz, die äußerſten Federn mit breitem weißen
Ende, die nächſten weniger weiß; Unterkörper weiß, die Seiten jedoch mit breiter gelblichroſtrother
Binde; untere Flügelſeite weiß, untere Schwanzdecken gelblichweiß. Schnabel bräunlichgrau,
Unterſchnabel gelbgrau; Auge feuerroth; Füße gelblichbraun. Das Weibchen iſt überein-
ſtimmend, doch hat es anſtatt der ſchwarzen Färbung nur mattes, ſchwärzliches Braun und der
Schwanz iſt düſter röthlichbraun. Seine Größe iſt beträchtlicher als die eines Gimpels.

Die Heimat erſtreckt ſich nach Baird weit über den Oſten Nordamerikas
bis zum Miſſourifluß; nach Anderen ziemlich über die ganzen Vereinigten Staten.
Er iſt Zugvogel und ſoll gleich dem europäiſchen Edelfink in getrennten Geſchlechtern wandern. Ueber die Lebensweiſe haben mehrere Schriftſteller, namentlich
Audubon, berichtet und zwar ſtimmt dieſelbe im weſentlichen mit der aller hier
bereits geſchilderten Verwandten, welche vorzugsweiſe auf der Erde leben, überein. Prinz von Wied berichtet folgendes: „Wir haben ihn überall angetroffen,
ſowol im Alleghany-Gebirge in Pennſylvanien, als auch am Ohio, Wabaſch,
Miſſiſippi und Miſſouri. Er ſchlüpft in dichtem Gebüſch umher, meiſt parweiſe
und läßt ſeine Stimme hören, die wie to-hi klingt. Sahen wir im Sommer
im dichten, mit Brombeerranken durchzogenen und mit hohem Graſe und anderen
Pflanzen durchwachſenem Gebüſch und ebenſo auf den Inſeln des Miſſouri im
Weidendickicht einzelne Vögel ſchlüpfen und ſchoſſen ſie, ſo waren es meiſtens
dieſe. Im ſtrengſten Winter ſoll der Grundröthel mehr ſüdlich ziehen, allein in
Indiana traf man ihn den ganzen Winter hindurch, wenigſtens im Monat Dezember.“
Ausführliche Mittheilungen, theils nach eigenen Anſchauungen, theils nach anderen
Schriftſtellern, macht ſodann Gentry: „Im Frühlinge iſt er in Oſtpennſylvanien
häufig; zur Mitte des Monats April kommt er in Scharen an, bald aber trennen
ſie ſich in einzelne Pärchen. Ihren Hauptaufenthalt bilden mit dichtem Geſtrüpp
und Gras bewachſene Ebenen und feuchte Walddickichte, doch ſieht man ſie auch
in weniger abgelegenen Gegenden, ſelbſt in Büſchen an belebten Wegen, und ſie
zeigen ſich hier keineswegs ſcheu. Wenige verwandte Arten gibt es, die ſich ſo
beſtändig an der Erde aufhalten, wie der Grundröthel (daher auch der Name);
nur zufällig ſetzt er ſich auf niedriges Gebüſch, auf hohe Bäume aber garnicht.
Wie alle ſeine nächſten Verwandten zeigt er ein ſonderbares hühnerähnliches

Scharren. Wenn man bei stillem Wetter hier und da im Walde das trockene Laub am Boden sonderbar rascheln hört, so rührt dies von seinen Bewegungen her, indem er dort, namentlich unterhalb der Brombeerranken und Nadelholz= gebüsche emsig und stundenlang nach Nahrung sucht. Sein Flug ist niedrig, schnurrend und wellenförmig. Auf der Erde bewegt er sich sehr behend, laufend und hüpfend. Der einfache Lockruf klingt laut ko=rüt (ko-reet); erschreckt läßt er den scharfen schrillen Ruf tschi=wiuk (chē-wink) dreimal wiederholt hören. Sein Gesang mag durch folgende Silben ausgedrückt sein, welche von der Nuttall= schen Angabe etwas verschieden erscheinen dürften: t'wit=t' witiih=ti=ti (t'whĭt-t' wĭtēē-tĕ-tĕ). Die Nahrung besteht in Sämereien, Beeren und verschiedenen Kerbthieren. Gegen Mitte des Monats Mai beginnt die Parung und im letzten Drittel des Monats der Nestbau. An Dickichträndern steht das Nest auf dem Boden, zwischen den großen Laubmassen, welche den letztern bedecken und im Ge= büsch. Es wird von beiden Gatten des Pärchens sehr eifrig und in wenigen Tagen erbaut; besteht von außen aus Blättern, Stengeln und dünnen Reisern, innen aus Fasern und Rindenbast und ist mit feinen Würzelchen und Lärchen= tannennadeln ausgelegt. Die Eier, gewöhnlich vier Stück, sind ovalrund, auf düsterweißlichem Grunde mit lichtbraunen Punkten und Flecken, am dickeren Ende am dichtesten, besetzt. Die Brutdauer beträgt 13 Tage; nach etwa 14 Tagen verlassen die Jungen das Nest und nach abermals 10 Tagen sind sie selbständig, doch bleiben sie mit den Alten familienweise bis zum Abzuge Mitte Oktobers beisammen. Sie machen alljährlich nur eine Brut." In einer Schilderung der Singvögel Amerikas von J. Straubenmüller nach dem New=Yorker "Belle= tristischen Journal", mit Erläuterungen in der Zeitschrift "Die gefiederte Welt" gegeben, ist gesagt, daß der Grundröthel ein ganz absonderliches Benehmen zeige, wenn ein Mensch seinem Neste nahe; er stelle sich flügellahm — wie dies be= kanntlich auch andere Vögel thun — und wälze sich anscheinend krank auf dem Boden, um den Feind von seiner Brut fortzulocken.

In der Vogelstube hält sich das Pärchen für gewöhnlich still und versteckt im Gebüsch, hurtig durch die Zweige schlüpfend; zum Frühjahr hin läßt das Männchen aber seinen lauten wunderlichen Ruf, der mit dem Miauen einer Katze wenigstens eine entfernte Aehnlichkeit hat, häufig hören. Dann stimmt es auch, flügelschlagend und schwanzwippend einige zusammenhängende Töne an, welche freilich die Bezeichnung Gesang keineswegs verdienen. Trotzdem würde es als Bewohner der Vogelstube immerhin willkommen sein, zumal das Pärchen dort wol unschwer zur Brut schreiten dürfte; allein jetzt beginnen sie beide eine unheilvolle Thätig= keit, indem sie über alle schwächeren Genossen mörderisch herfallen und daher schleunigst entfernt werden müssen. Sicherlich mit Erfolg züchten würde man sie in einem entsprechend eingerichteten, geräumigen Käfige, und zu derartigen Ver=

ſuchen möchte ich hier umſomehr anregen, als mit allen dieſen Ammerfinken bisher noch keinerlei Ergebniſſe erreicht worden. Der Preis beträgt im Großhandel 10 Mark für das Par, einzeln 15 bis 24 Mark. Herr Reiche führt jährlich etwa 50 Par ein.

Der rothäugige Grundammerſperling oder Grundröthel heißt auch Grund- oder Bodenfink, rothäugiger Fink, Fink mit rothbraunen Augen (Prinz von Wied) und Tohivogel.

Le Pinson rouge-gorge; Ground Robin; Towhee; Chewink; Red-eyed Ground-finch.

Nomenclatur: Fringilla erythrophthalma *L.*, *Audb.*; Emberiza erythrophthalma, *Gml.*, *Wls.*; Pipilo ater, *Vll.*; Pipilo erythrophthalmus, *Vll.*, *Bp.*, *Audb.*, *Cb.*, *Brd.*, *Br.*; [Towhee Bird, *Cat.*; Towhee Bunting, *Lath.*, *Penn.*].

Wiſſenſchaftliche Beſchreibung ſ. S. 479.

Fringilla erythrophthalma: capite, notaeo toto pectoreque nitide, nigris; remigibus subfusco-nigris, exterioribus exterius maculam offerentibus albam, interioribus exterius albido-terminatis; rectricibus nigris, extimis latius, sequentibus angustius albo-terminatis; subtus alba vitta laterali utrinque subfulva; subalaribus albis; subcaudalibus substramineis; rostro subfumido, mandibula livide cana; iride ignea; pedibus ochraceo-umbrinis. — ♀ aequalis, at nigrescente-fuscior, cauda sordide badia.

Länge 19,9 cm.; Flügel 8,3 cm., Schwanz 9,1 cm.

Der gefleckte Grundammerſperling [Fringilla maculata, *Swns.*], dem vorigen im allgemeinen gleich, doch nach Baird beträchtlich kleiner und nicht, wie ein populärer Schriftſteller angibt, etwas größer; im übrigen hauptſächlich nur dadurch verſchieden, daß die kleinen Flügeldeckfedern an der Schulter auf der Außenfahne weiße Längsflecke haben, die erſten Schwingen weniger weiß ſind, die Außenfahne an der äußerſten Schwanzfeder dagegen reinweiß iſt. Der bedeutſamſte Unterſchied liegt alſo in der Größe, und darin daß dieſer viel kräftigere Beine hat. Seine Heimat erſtreckt ſich über die Südküſte von Kalifornien und die Thäler des Gila und Rio Grande (Baird). Im Freileben, ſowie in allen anderen Eigenthümlichkeiten dürfte er mit dem Verwandten völlig übereinſtimmen. Seiner ſonderbaren Lockrufe wegen ſollen ihn die Bewohner Kaliforniens auch Katzenvogel nennen. Im Laufe der Jahre hat Herr Vogelhändler Mieth zweimal einen einzelnen von kleinen Hamburger Händlern mitgebracht, doch ſind beide vor dem Verkauf geſtorben. — Katzenammerfink (Br.); Kaliforniſcher Grundröthel (Ruß' „Handbuch"). — Moineau-chat; Cat Sparrow or Californian Ground Robin. — Pipilo megalonyx, *Brd.*

Außerdem führt Baird noch mehrere nahe verwandte Vögel an, welche im weſentlichen von den beiden vorigen ſehr wenig verſchieden ſind und nicht allein in allen ihren Eigenthümlichkeiten, namentlich in der Lebensweiſe, ſondern auch in der geringen Bedeutung, welche ſie für die Liebhaberei, ſelbſt bei zeitweiliger Einführung erreichen könnten, wol völlig übereinſtimmen und die ich daher nur beiläufig mitzählen darf: Der weißſchulterige Grundammerſperling [Fringilla scapularis, *Rss.*] aus dem Oregon- und Waſhington-Gebiete unterſcheidet ſich von dem Grundröthel hauptſächlich durch breites Weiß auf den Schultern und wenig geringere Größe. — Fringilla oregona, *Bell.*; F. et Pipilo arctica, *Audb.*, nec *Swns.* (Da unter den bis hierher geſchilderten Finken für die beiden letztgenannten Synonyme bereits vorhanden ſind, ſo mußte ich auch für dieſen nothgedrungen eine andere lateiniſche Bezeichnung wählen). — Baird's Grundammerſperling [Fringilla Bairdi, *Rss.*] von der Hochebene am obern Miſſouri; dem Grundröthel wiederum ähnlich, ohne weißes Abzeichen auf den Schultern und Flügeldecken, mit weniger gleichmäßig weiß gezeichnetem Schwanz und etwas kleiner. — Pyrgita arctica, *Swns.* [nec *Audb.*]; Pipilo arcticus, *Brd.* (Auch dieſer Art will ich, da unter den Ammerſperlingen mehrere Arten das Synonym arctica zeigen, einen neuen lateiniſchen Namen beilegen. Zunächſt hätte nun der ältere Autor Swainſon berückſichtigt werden müſſen, da aber eine Fr. Swainsoni S. 430 ſchon vorhanden, ſo ziehe ich den zweiten Autor Baird heran). — Abert's Grundammerſperling [Fringilla Aberti, *Brd.*]; oberhalb blaß bräunlichgelbroth, unterhalb

heller, am lichtesten auf der Bauchmitte; Kopfseite und Gegend rund um den Schnabel dunkel=
braun; wenig größer als der Grundröthel. Heimat Neumexiko und die Gegenden am Fuß der
Felsenberge überhaupt. — Der braune Grundammersperling [Fringilla fusca, *Swns.*]; viel
dunkler als die vorigen, an Kopfseiten, Schnabelumgebung und Oberkehle blaßröthlichbraun;
Kehle dunkel gefleckt. Größe des vorigen. Heimat die Küstengegenden Kaliforniens. Braun=
ammerfink (Br.). Fringilla crissalis, *Vgrs.*; Pipilo mesoleuca, *Brd.* — Der grünschwänzige
Grundammersperling [Fringilla chlorúra, *Audb.*] ist oberhalb olivengrün mit einfarbig
kastanienbrauner Kopfplatte; Stirn, Augenbrauenstreif, Kopfseiten, Hals, Oberbrust und Körper=
seiten bläulichaschgrau; Kinnbackenstreif und Kehle weiß; Flügel hellolivengrün, hellgelb ge=
randet; Schwanz hellolivengrün. Die Heimat erstreckt sich über die Felsenberge bis zum Süden
von Mexiko; insbesondre aber das Thal vom Rio grande (Brd.). Blanding's Finch (*Brd.*).
Fringilla blandingiana, *Gmbl.*; Pipilo rufipileus, *Lfrsn.* — Einige von den Forschern noch
außerdem aufgeführte Arten, wie der grüne Grundammersperling [Fringilla — Pipilo —
mácronyx, *Swns.*], der rothbraune Grundammersperling [Fringilla — P. — rútila,
*Pll.*] seien nur der Vollständigkeit halber wenigstens erwähnt.

# Die Gimpel [Pyrrhulinae].

~~~~~~~~~~

Von der großen Familie der Finkenvögel im allgemeinen und der Unter=
familie der Finken im besondern unterscheidet sich die kleine Sippschaft der Gimpel
durch solche Merkmale, daß man sie nicht ohne weiteres unter die letzteren ein=
reihen darf.

Es sind kräftige Vögel mit verhältnißmäßig großem Kopf, kurzem, dicken,
kolbigen und seitlich gewölbten Schnabel, der in einen kleinen Haken sich zu=
spitzt, die Schnabelwurzel ist kurz beborstet; die Flügel sind mittellang, der
Schwanz ziemlich lang, die Füße kurz und recht stark, das Gefieder weich und
dicht, stets angenehm gefärbt und die Geschlechter sind verschieden. Die Ver=
breitung erstreckt sich über Europa, Asien, Afrika und Amerika; in Australien
hat man noch keine Art gefunden. Ihre Nahrung besteht in Sämereien, den Kör=
nern von Beeren, deren Fleisch sie fortwerfen, und Knospen, sowie bei den meisten
auch nebenbei in Kerbthieren; einige verursachen zeitweise beträchtlichen Schaden
an den Blütenknospen der Obstbäume u. a. Sie sind Zug= oder Strichvögel,
halten sich vornämlich auf Bäumen, in Vorhölzern, Hainen, Baumgärten, weniger
im tiefen Walde auf. Lockton und Gesang sind angenehm, letzterer ist bei einigen
auch wechselvoll und melodienreich; andere lernen vorzüglich fremde Lieder oder
sind zum Nachflöten beliebter Weisen abzurichten.

Das Nest findet man auf Bäumen, bei manchen Arten auch in Felsenspalten,
es bildet immer eine offene Schale und ist dem der nahestehenden Finken ähnlich, wenn
auch an Kunstfertigkeit nicht gleich; es enthält ein Gelege von vier bis sechs gefleckten
Eiern. Im übrigen gleicht die ganze Brut ebenfalls denen jener nächsten Verwandten.

Alle Gimpel leben gesellig und erscheinen ebenso in der Gefangenschaft wie
im Freileben als verträgliche, liebenswürdige und anmutige Vögel. Der Volks=
glaube hält sie für einfältig, denn als Gimpel wird ein geistig beschränkter Mensch
gescholten. Dies ist jedoch unrichtig, da sie wol harmlos und zutraulich, dabei
aber auch klug und scharfsinnig sind; selbst ein Dompfaff oder gemeiner Gimpel,
welcher aus dem hohen Norden gekommen, den vielen Verfolgungen und Ge=
fahren glücklich entgangen ist und seine Harmlosigkeit verloren hat, läßt sich keines=
wegs leicht überlisten.

Sie haben fast sämmtlich für die Stubenvogel=Liebhaberei großen Werth und
einige Arten sind für dieselbe sogar von hoher Bedeutung. Leider kommen die
meisten fremdländischen Gimpel nur selten und zeitweise in den Handel. Während

fie unfchwer fich eingewöhnen und bald zutraulich werden, ftellen fie dem Pfleger aber zwei erhebliche, bis jetzt noch keineswegs befiegte Schwierigkeiten entgegen. Einige von ihnen find nämlich überaus fchwer für die Dauer zu erhalten, wohingegen andere nur zu bald ihre prachtvolle rothe Farbe in den verfchiedenen Schattirungen verlieren und fich in unfcheinbares Gelbgrau färben. In der Schilderung der einzelnen Arten und namentlich bei den Angaben über ihre Fütterung werde ich auf diefen Uebelftand noch näher zurückkommen.

Da man in neuerer Zeit den europäifchen Gimpel oder Dompfaff in Flugkäfigen im Freien und felbft in Vogelftuben vielfach gezüchtet hat, fo ift nicht daran zu zweifeln, daß dies auch mit den meiften feiner Verwandten ebenfalls erreicht werden kann. Vorläufig fei hier nur der Hinweis gegeben, daß die Seite 326 erwähnten Rathfchläge für folche Zucht zu beachten find. Weiterhin werde ich diefelbe eingehender befprechen. Alles nähere wollen die Lefer in der Darftellung jeder einzelnen Art fuchen.

Ohne weitere Theilung faffe ich diefe ganze Sippe zufammen, indem ich die wiffenfchaftlich aufgeftellten Gefchlechter eigentlicher Gimpel [Pýrrhula, Cv.], Karmingimpel [Carpódacus, Kp.], Hakengimpel [Pinícola, Vll.], langfchwänziger Gimpel [Urágus, K. et Bl.] und Wüftengimpel [Bucanétes, Cb.] nicht mehr in ihren befonderen, einander mehr oder minder hervortretend gegenüberftehenden Merkmalen abgrenze, fondern vielmehr den größten Nachdruck auf die ausführliche Schilderung der einzelnen Arten nach allen ihren Eigenthümlichkeiten hin lege.

### Der Karmingimpel [Pýrrhula erythrína].

Wenn auch nicht zu den überfeeifchen, fo gehört diefer fchöne Gimpel doch zu den fremdländifchen Stubenvögeln und deshalb fei er hier eingehend behandelt, obwol ich ihn auch in das „Handbuch für Vogelliebhaber" II aufgenommen habe. Da er nämlich in Deutfchland hier und dort vorkommt und fogar, wennfchon nur felten, auch bei uns niften foll, fo mußte ich ihn unter den einheimifchen Stubenvögeln berückfichtigen.

Seine Färbung ift prächtig; an Kopf und Bürzel hellkarminroth; Rücken rothbraun; Flügel und Schwanz dunkler röthlichbraun, erftere mit zwei weißlichen Querbinden; Hals und Oberbruft kräftig rofenroth, Unterbruft röthlichweiß. Die Größe ftimmt nahezu mit der des Hausfperlings überein. Das Weibchen ift einfarbig grau mit gelbgrünem Bürzel.

Vom nördlichen Europa, Schweden, Lappland, Finnland und faft ganz Rußland an erftreckt fich feine Heimat über einen großen Theil Sibiriens bis Kamtfchatka und das Amurland; als Wandervogel bringt er auch nach Polen, weit hinein nach Deutfchland und ebenfo in den Süden Afiens. Dr. Hans=

mann erlegte i. J. 1874 ein prächtiges Männchen in der Nähe von Stettin; R. Tobias hat nachgewiesen, daß er in Schlesien hier und da niftet. Dr. J. W. v. Müller gibt an, daß er alljährlich regelmäßig im August oder September pärchenweise ins südliche Frankreich (Provence) komme. Im Jahre 1876 er= hielt Chs. Jamrach in London eine beträchtliche Anzahl von einem aus Kal= lutta anlangenden Schiffe, und Blyth sagt, daß er dort bei den Vogelhändlern zu finden sei. Jerdon fügt hinzu, daß er gegen den November von Norden her auf der Halbinsel einwandere und bis zum März bleibe. Der letztere Forscher beobachtete ihn in den dichten Dschunglegebüschen und in großen Hainen des nördlichen Flachlands. Auch hier wird er zuweilen gefangen und seines Gesangs wegen im Käfige gehalten. Nach R. Swinhoë's Angaben ist er zur Winter= zeit auch in China vorhanden. Man hat behauptet, daß er je mehr nach dem Osten zu, desto schöner in den Farben erscheine; und daß die schönsten die in China vorkommenden seien. Dr. Eversmann sagt, daß er an der mittleren Wolga und im südlichen Ural sehr gemein sei, gegen den Herbst hin sich in Scharen zusammenrotte, noch eine zeitlang die lichten Waldungen durchstreiche, dann im September und Oktober fortziehe und in der ersten Hälfte des Aprils zurückkehre. In der Gegend von Turkestan erscheint er nach Dr. Severzow im April und zieht im August bereits ab. Man will festgestellt haben, daß er gleich einigen anderen Vögeln nach einer gewissen Richtung hin allmälig weiter vordringe und zwar west= und südwärts. So berichtet Professor A. v. Nord= mann, daß er im zweiten Jahrzehnt unseres Jahrhunderts in Finnland kaum bekannt gewesen; man habe den ersten i. J. 1824 dort geschossen; aber schon seit der zweiten Hälfte der fünfziger Jahre zeige er sich allenthalben zahlreich. In Helsingfors, wo im botanischen Garten sieben Pärchen nisteten, ließ er sich erst in der zweiten Hälfte des Mai hören und Dr. Dybowski meint, daß er überall in Ostsibirien spät eintreffe; selbst die Angaben hervorragender Forscher, wie v. Middendorff und Radde, beruhten in dieser Hinsicht in Irrthum und einer wahrscheinlichen Verwechselung mit dem Rosengimpel.

Als seinen Aufenthalt bezeichnen die Reisenden feuchte und buschige Oertlich= keiten, insbesondre das Weidengebüsch längs der Flußufer, auch ohne hohe Bäume. Das Nest steht im Nadelholz= und Dorngesträuch etwa mannshoch über der Erde, von außen aus langen, dürren Grashalmen locker gewebt, innen mit Gras= rispen und Pferdeharen sauber gerundet; es enthält gegen die Mitte des Juni vier bis sechs Eier. Die beiden alten Vögel stürzen dem sich nahenden Menschen muthvoll und stürmisch entgegen. Sie sollen jährlich nur eine Brut machen.

In meinem oben erwähnten kleineren Werke hatte ich angegeben, daß der Karmingimpel angeblich auch in Deutschland nifte. Herr Professor Zeit= teles in Salzburg berichtete darauf das folgende: „Ich habe mit Sicherheit

eine Brut dieser schönen Vogelart in Niederösterreich (und wir Deutsch=
österreicher rechnen alle Länder westlich von der Leitha immer zu Deutschland
mit) festgestellt. Im Juni des Jahres 1869 ward nämlich ein Männchen in
dem ganz nahe am Ufer des Traisenflusses gelegnen Garten des Kreisingenieur
Oppenheim in St. Pölten beobachtet. Der Gärtner sah sodann vier junge
Vögel unter einem Strauch am Boden liegen. Ein Nest konnte er aber trotz
vielen Suchens nicht entdecken. Die wahrscheinlich soeben ausgeflogenen Jungen
wurden in einen Käfig gethan und dieser an einer Mauer im Garten aufgehängt.
Das eine starb schon am ersten Tage, die anderen aber fütterte der an seiner
rothen Färbung erkennbare Alte durch das Drahtgitter. Als mir Herr Oppen=
heim dies erzählte, vermuthete ich anfangs, daß es ein Kreuzschnabel wäre, bald aber
überzeugte ich mich, zuerst an den Jungen und dann mit meinem Fernrohr auch
an dem Alten, daß ich im Irrthum sei. Herr Oppenheim befürchtete, daß
der seltene Gast die Beute eines Raubvogels oder einer Katze werden könnte und
beschloß, ihn einzufangen. Das gelang bald; allein schon an demselben Nach=
mittage war er todt und am nächsten Tage starben auch die drei Jungen. Der
prächtige alte Karmingimpel befindet sich ausgestopft in der Naturaliensammlung
der Oberrealschule von St. Pölten."

Ueber das Freileben in seinen eigentlichen Heimatsstrichen berichten nament=
lich die bereits oben genannten Forscher und Reisenden. Der Vogel ist munter
und lebhaft, fliegt schnurrend, flach, bogenlinig und geht nicht ungeschickt auf der
Erde. Im Frühlinge und Sommer sieht man ihn pärchenweise, im Herbst und
Winter in großen Scharen umherstreichend. Die Nahrung besteht in mancherlei,
namentlich öligen Sämereien, auch Knospen und jungen Schößlingen. Durch
Verwüstung von Flachsfeldern oder Blütenknospen werthvoller Obstbäume wird
er nicht selten recht schädlich. Nach v. Nordmann's Angabe frißt er vorzugs=
weise die Samen von Ulmen und Rüstern. Sein Lockton erklingt hüz, wiihi und
hell pfeifend bio. Auch über seinen Gesang sind die Urtheile verschieden. Der
Naturforscher Blyth bezeichnet denselben als schwach, zwitschernd, doch sanft und
angenehm, etwa mit denen des europäischen Distelfink und Hänfling über=
einstimmend; der Lockruf gleiche einigermaßen dem des Kanarienvogels. Auch
Altvater Naumann hatte ihn bekanntlich als dem des Hänflings und zugleich
dem des Rohrammers ähnlich gelobt. Weitere maßgebende Urtheile sind nicht
veröffentlicht. Näheres über seine Lebensweise ist leider nicht angegeben, doch
wird dieselbe sicherlich der S. 483 im allgemeinen geschilderten aller Gimpel
überhaupt gleichen. Middendorff fand ein Pärchen noch etwa 5600 Meter
hoch über dem Meere. Radde erlegte in Sibirien ein Männchen, welches die
prachtvolle rothe Färbung verloren hatte und in dem fahlen Kleide erschien, das
diese Vögel, wie erwähnt, in der Gefangenschaft anlegen.

Vieillot schildert ihn ebenfalls schon, freilich mit mancherlei Irrthümern. Er kannte als Vaterland nur Indien, von wo aus diese Art also bereits damals in den Handel gebracht wurde. Auch für sie schlägt er einen hohen Wärmegrad vor und meint, daß sie bei solchem, wenn auch schwierig, doch wol zu züchten sei. Die graubraune Färbung nach dem Verlust des schönen Roth hält er für das Winterkleid. Obwol dieser Gimpel aber seitdem allenthalben vielfach gehalten worden, hat man doch fast garkeine weiteren Aufzeichnungen über sein Gefangenleben veröffentlicht. Im Laufe der Jahre habe ich ihn mehrmals beherbergt. Zuerst hatte ich ein Männchen, welches mit einem Weibchen des amerikanischen Purpurgimpels, jedoch erfolglos, nistete; dann aber erzog ein Par in der Vogelstube drei Junge. Das Nest stand in einem dichten Gebüsch ziemlich hoch, unmittelbar an der Wand, war im äußeren Bau aus Grasrispen, Rohrfahnen, weichen Papierstreifen und Fäden geformt und innen zierlich mit langen Pferdeharen — Agavefasern hatte ich damals für meine Vögel noch nicht — gerundet. Die drei Eier wurden in zwölf Tagen erbrütet und die Jungen erschienen im schwachen bläulichen Flaum. Die genaue, gewissenhafte Beschreibung des Jugendkleides, welche ich bereits im Sommer 1872 und sicherlich zuerst veröffentlicht habe, stimmt mit der dann von Herrn Professor Zeitteles in der „Gefiederten Welt" (November 1873) gegebnen fast völlig überein. Ich darf hierauf wol mit Nachdruck hinweisen, einerseits um die Bedeutung solcher Vogelzüchtungen wieder einmal hervorzuheben und andrerseits um den haltlosen Angriffen meiner Widersacher, namentlich des Herrn Alfred Edmund Brehm, immer von neuem durch Thatsachen entgegenzutreten. Spätere Züchtungsversuche, die man besonders im Käfige angestellt, haben keine Erfolge gebracht. Wenigstens ist ein solcher nirgends mitgetheilt.

Der Fang geschieht vermittelst Fußschlingen oder Leimruten, welche vornämlich mit Flachssamen geködert werden. Wie bei allen Gimpeln, so ist auch seine Eingewöhnung ohne Schwierigkeit und man füttert ihn mit Rübsen, abwechselnd mit Hanf-, Kanarien- und Leinsamen, nebst Grünkraut und Weichfutter aus geriebenen Mören, eingeweichtem Weißbrot und Mohn. Ohne Zweifel würde er zu den angenehmsten Stubenvögeln zu zählen sein, denn er ist doch ein hervorragender Sänger, zugleich schön, verträglich und ausdauernd, aber seine Farbe ist so vergänglich, daß das Roth bereits nach kurzer Zeit mehr und mehr abblaßt und in der ersten Mauser völlig und auf Nimmerwiedererscheinen verschwindet; die Färbung verwandelt sich dann in ein ziemlich gleichmäßiges, unscheinbares, wenn auch nicht unschönes Bronzegelbbraun. Was die Ursachen der Vergänglichkeit des prächtigen Roths anbetrifft, so hat man mit Sicherheit bis jetzt noch nichts feststellen können. Weder die Behauptung, daß die Fütterung, noch die, daß die Lichtverhältnisse einen derartigen Einfluß äußern können, hat

fich als burchaus ftichhaltig erwiefen; vielmehr hat fich das Ergebniß gezeigt, daß
folche Finken felbft bei vollem unmittelbaren Sonnenlicht fich entfärbten, während
andrerfeits die mannigfaltigften Futtergaben ebenfalls dies nicht verhinderten.
Trotzdem dürfte nach meiner Ueberzeugung doch der Mangel irgend eines Nah=
rungsmittels fich geltend machen. Kürzlich hat Herr Karl Scholz in Poisdorf
in meiner oben erwähnten Zeitfchrift mitgetheilt, daß ein Hänfling bei ihm die
fchöne rothe Farbe nach der Maufer wiederbekommen und ein 6 Jahre hindurch
im Käfige gehaltner Stiglitz feine Prachtfarbe nicht verloren. Den Hänfling
hatte Herr Scholz zwifchen ein Fenfter gebracht, in welches er eine Tanne
geftellt, und er gibt an, daß derfelbe viel von ihrem Grün gefreffen und fich
darauf verfärbt habe. Vielleicht liegt hierin ein Wink für die zweckmäßige
Verpflegung zur Erhaltung des Prachtgefieders aller diefer rothen Vögel; ich bitte
die Lefer baher, derartige Verfuche zu machen, um wennmöglich ein folches Ziel
zu erreichen.

Ziemlich regelmäßig alljährlich wird der Karmingimpel durch den Herrn
Gleitzmann aus Mostau und durch kleinere deutfche Händler in mehr oder
minder bedeutender Anzahl, neuerdings auch pärchenweife, bei uns, fowie nach
England und Frankreich eingeführt. Der Preis ift erheblich geftiegen, denn
während er früher 7,50 bis 9 Mark betrug, fteht er gegenwärtig auf 15 bis
18 Mark für das Pärchen und etwa 9 bis 12 Mark für das Männchen.

Der Karmingimpel heißt auch Karminhänfling oder Brandfink (fälfchlich rothhäubiger
Fink und fchwarzer Zeifig).

Le Bouvreuil rougeâtre; Ruddy Finch or Carmine Bunting.

Nomenclatur: Loxia et Pyrrhula erythrina, *Pll.*; Loxia erythrina et L. obscura
*Gml.*; Fringilla erythrina, *Meyer, Rss.* („Handbuch"); Loxia cardinalis, *Bsk.*; Cocco-
thraustes rosea, C. erythrina et Loxia rosea, *Vll.*; Haemorrhous roseus, *Jerd.*; L. ery-
thraea, *Endl.* et *Schlz.*; Erythrothorax rubrifrons, *Br.*; Erythrospiza erythrina, *Bp.*,
*Gld.*, *Blth.*, *Strckl.*; Pyrrhulinota roseata et Propasser sordidus, *Hdgs.*; Carpodacus
erythrinus, *Kp.*, *Gr.*, *Hdgs.*, *Blth.*, *Bp.* et *Schlg.*, *Bp.*, *Cb.*, *Hrsf.* et *Mr.* [Tooty Finch,
*Lth.*; Tuti or Surklar Tuti (in Hindustan), *Blth.*, *Jerd.*; Amonga Tuti (in Nepal), *Hdgs.*;
Chota Tuti (in Sylhet), *Hamilt.*].

Wiffenfchaftliche Befchreibung: Kopf, Kehle, Oberhals und Bürzel karminroth;
Hinterhals und Rücken braungrau, dunkler röthlich gefleckt; Schwingen dunkelbraun, gelblich=
weiß und röthlich außengefäumt, über den Flügel zwei weißliche Querftreifen; Schwanz graubraun, heller röthlich gekantet; Bruft weißlich karminroth; Bauch, Hinterleib und innere Flügel-
feite graubräunlichweiß. Schnabel horngrau; Auge dunkelbraun; Füße dunkelfleifchroth. —
Weibchen oberhalb matt olivengrünlichbraun, jede Feder heller gefäumt; Wangen bräunlich=
grau; Flügeldecken fahl gerandet, über den Flügel zwei weißliche Binden; Schwingen und
Schwanzfedern fahl grünlichgelb gerandet; Bürzel matt gelblichgrün; Kehle weißlichgrau, bräunlich
längsgefleckt; Bruft fahlbräunlichgrau, braun längsgefleckt; Unterleib düfterweiß, meift ungefleckt.
— Jugendkleid: Oberhalb braungrau mit grünlichem Schein; Bürzel düfter gelblichgrüngrau;
Unterkörper düfter bräunlichweiß, fahlbraun gefleckt. (Ruß). Nach der erften Maufer kommt
wenig Roth zum Vorfchein und erft im britten oder vierten Jahre foll der fchöne Vogel feine
volle prächtige Färbung erlangen. — Gelblichbraun ohne jegliche Spur von Roth, oben etwas

dunkler, die Federn eigentlich braun mit gelben Säumen, unten gelb mit braunen Längsflecken; Flügel mit zwei rostbräunlichen Binden; Bauch weißgelblich, fast ungefleckt. (Jeitteles).

Pyrrhula erythrína: capite, gula, jugulo et uropygio kermesinis, nucha dorsoque fumidis, obscurius rubicunde maculatis; remigibus fuscis, exterius rubente et subgilvo-marginatis; vittis duabus trans alam albidis; rectricibus fumidis, rubicunde terminatis; pectore albente kermesino; abdomine, crisso et subalaribus luride albidis; rostro corneo, iride fusca; pedibus obscure carneis. — ♀ supra olivaceo-virente fusca plumis singulis dilutius limbatis; genis fumidis; tectricibus al. livide marginatis; fasciis duabus trans alam albentibus; remigibus caudaque livide virescente marginatis; uropygio luride flavido-viridi; gula incana, subfusco-striata; pectore livide fumigato, fusco-striato; abdomine sordide albo, plerumque immaculato.

Länge 15,7ᶜᵐ.; Flügelbreite 27,7ᶜᵐ.; Schwanz 5,9ᶜᵐ.

Juvenis: supra fumida, virente lavata; uropygio luride gilvo-viridi; subtus sordide albida, livide subfusco-maculata *(Russ)*. Ochraceo-fusca rubro prorsus carens; supra paululum obscurior plumis fuscis, flavido-limbatis; subtus flava, fusco-striata; fasciis duabus trans alam ferruginosis; abdomine albente flavida maculis vix ullis *(Jeitteles)*.

Beschreibung des Eies: Tief blaugrün, am dickeren Ende schwarzbraun, reinschwarz und rothbraun gefleckt, gepunktet und gestrichelt. (Naumann). — Blaugrün, rothbraun und schwarz fein gepunktet und gestrichelt. (Ruß). Grundfarbe kräftig blaugrün mit dunkelbraunen und schwärzlichen scharf abgegrenzten Punkten, welche am stumpfen Ende meistens zu einem Kranze vereinigt sind; glänzend; Gestalt schön eiförmig. Länge 20 mm.; Breite 14 mm. (Nehrkorn).

Ovum: saturate aeruginosum basi nigro-fusca, nigro- et badio-maculatum, punctulatum et lineolatum *(Naumann)*. — Aeruginosum rufo-nigroque punctulatum et lineolatum *(Russ)*. — Saturate aeruginosum maculis fuscis nigrisque circumscriptis, circa basin plerumque in coronulam congestis notatum; pulchre ovatum *(Nehrkorn)*.

**Der Rosengimpel** [Pyrrhula rósea, Pll.]. Fast noch schöner als der vorige läßt er es umsomehr bedauern, daß er niemals auf unserm Vogelmarkt erscheint. Als hochnordischer Vogel — seine Heimat erstreckt sich über den größten Theil Sibiriens — dürfte er freilich, wenigstens nach den Erfahrungen, welche man solchen Gästen unserer Vogelstuben gegenüber bisher gemacht hat, wol nur schwierig für die Dauer im Käfige zu erhalten sein; abgesehen davon, daß seine prachtvolle zarte Färbung binnen kürzester Frist verschwinden würde. Er ist am Oberkopf karminroth, dunkler geschuppt und silberfarben glänzend; der übrige Kopf und Hals sind bräunlichkarminroth; Kopfseiten und Hinterkopf rosenroth; Mantel dunkelbraun, roth schaftstreifig, Schulterfedern braun, weißlich gesäumt; Schwingen dunkelbraun, gelblich gesäumt; über dem Flügel eine weiße und eine röthlichweiße Querbinde; Bürzel rosenroth; obere Schwanzdecken rosa, dunkel schaftfleckig; Schwanz dunkelbraun, jede Feder rosenroth gesäumt; Kehle wie der Oberkopf, Vorderhals und Brust hoch rosenroth, Brustseiten dunkelroth schaftfleckig; Bauch weiß, jede Feder schwach rosenroth gesäumt, ebenso, aber kräftiger die ebenfalls weißen unteren Schwanzdecken; Schnabel horngrau; Auge braun; Füße horngrau. Weibchen oberhalb lerchengrau; Kopf dunkel rosenroth; Bürzel karminroth. (Größe des vorigen.

Buffon u. a. ältere Schriftsteller erwähnen ihn nur ganz kurz. Ueber sein Freileben sind fast garkeine Mittheilungen gemacht; die Reisenden haben ihn nur als Wandervogel beobachtet, Radde in Laubwaldungen, auch im Gebirge. Dybowski berichtet aus Ostsibirien: „Er kommt im Frühjahr in großen Scharen zu Ende des Monats März, und der Durchzug dauert bis zur Hälfte des April; einzelne verweilen auch bis zur Mitte des Mai. Im Herbst erscheint er vom 25. September an und verweilt bis zum 24. Oktober auf dem Durchzuge. Nach Angabe des Herrn Crekanowski nistet er in den am Angorafluß unweit des Dorfes Paduna gelegenen Thälern." Die Brut ist jedoch durchaus unbekannt; sie wird, sowie die ganze Lebensweise, wol denen der Verwandten gleichen. Bemerkenswerth ist dann nur noch, daß er auch zuweilen in Europa vorkommt; so nach Blasius auf Helgoland. — Bouvreuil rose; Rosy Bullfinch. — Erythróthorax albifrons, *Br.*

## Der Purpurgimpel [Pyrrhula purpúrea].

### Tafel XII. Vogel 58.

Als einen stattlichen, überaus schönen und zugleich leidlich gut singenden Vogel habe ich diesen Gimpel schon früher und wol mit Recht bezeichnet. Seine Grund=farbe ist grau, jedoch am ganzen Oberkörper, an der Brust bis zum Bauch rosen=bis dunkelpurpurroth überlaufen. Das Weibchen ist einfarbig grau, an Brust und Unterleib drosselähnlich gefleckt. In der Größe gleicht er dem Haussperlinge. Die Heimat erstreckt sich über ganz Nordamerika; freilich erscheint er in den südlicheren Gegenden nur als Wanderer.

Die älteren Schriftsteller führen ihn als violetten karolinischen Gimpel auf, ohne jedoch etwas besondres über ihn zu sagen. Bechstein gibt auch nichts nähres an und fügt nur hinzu, daß seine Schönheit mehr werth sei, als sein zwitschernder Gesang.

Ueber das Freileben berichten die bekannten amerikanischen Naturforscher, namentlich Audubon und Nuttall; nach ihnen gibt auch Gentry eine aus=führliche Schilderung. In Ostpennsylvanien sieht man ihn vom Anfang des Monats Oktober bis zur Mitte des April recht zahlreich in kleinen Scharen, welche sich bei starker Kälte und Nahrungsmangel pärchenweise vereinzeln und bei mildem Wetter wieder vereinigen. Zutraulich und dreist kommen sie mit den Winterfinken zusammen in die Nähe der Gebäude, besonders auf die Ge=flügelhöfe. Ihre Nahrung besteht in allerlei Gräser= und Kräutersämereien, Knospen und Blüten, sowie Kerbthieren und deren Bruten. Auch dieser Gimpel soll in den Obstgärten an den Blütenknospen nicht selten argen Schaden ver=ursachen. Der Flug gleicht dem des europäischen Grünfink; aufgescheucht und davoneilend, kehrt er dann im Bogen fast regelmäßig zu derselben Stelle zurück. Das Nest steht gewöhnlich etwa mannshoch auf dem Zweige einer Pechtanne oder Zeder und ist aus Stengeln, Reisern, Fasern und Baststreifen geschichtet, innen mit Federn, zarter Thier= und Pflanzenwolle gepolstert. Man findet es nur in den nördlicheren Gegenden; selbst in Pennsylvanien nistet er nach Gentry nicht mehr. Wie die Lebensweise, so gleicht auch die Brut in ihrer ganzen Ent=wicklung der des vorhin geschilderten nahen Verwandten. Seinen Gesang hat man mit dem des Kanarienvogels verglichen, doch ist er weniger wechselvoll, sanfter, klagender. Während des Singens sträubt das Männchen die Stirnfedern und bläst die Kehle auf. Inbetreff der Beurtheilung auch seines Liedes sind die Meinungen sehr verschieden. Die amerikanischen Vogelkundigen schildern dasselbe zwar als lebhaft, anmuthig, fröhlich, keineswegs aber als hervor=ragend; damit stimmt der Ausspruch eines populären Schriftstellers nicht überein, welcher es als verhältnißmäßig ausgezeichnet rühmt und versichert, daß es ihm die größte Freude bereitet habe. Ein tüchtiger Musikkenner, Herr Landkammerrath Vogt in Blankenhain, meint, es sei ein harmloser, doch ziemlich einfacher, nichts weniger als vorzüglicher Gesang; ebenso habe ich denselben schon früher als immerhin recht angenehm bezeichnet.

Im ganzen Wesen, in der Verpflegung und in allem übrigen überhaupt ist er ebenfalls mit dem Karmingimpel übereinstimmend, so namentlich inhinsicht seines ruhigen und friedlichen Benehmens in der Vogelstube. Audubon und Wilson schildern ihn zwar als zänkisch und tyrannisch unter kleineren Vögeln, dergleichen habe ich jedoch an mehreren Pärchen in meiner Vogelstube nicht wahrgenommen, und die vielen Liebhaber und Züchter, welche ihn außer mir gehalten, haben auch zu keinerlei Klagen Anlaß gefunden. In ergötzlicher Weise schildert Herr Vogt das Benehmen eines Männchens im Flugbauer. „Von den drei Atlaswidafinken, welche mein Vogelhaus bewohnen, sind zwei harmlos und thun keinem andern Genossen etwas zu Leibe. Der dritte dagegen ist bösartig und verfolgt gerade die kleinsten und schwächsten unausgesetzt, indem er sie weiblich quält. Zu meiner Freude aber handhabt ein Purpurfink gewissermaßen die polizeiliche Gewalt. Sobald der Atlasvogel über einen kleinen herfällt, stürzt der Purpurgimpel sofort hinzu und zerzaust den Raufbold, daß die Federn nur so stäuben. Alle übrigen Mitbewohner aber läßt er durchaus unbehelligt."

Bis jetzt ist dieser schöne Gimpel noch nicht in der Gefangenschaft gezüchtet, und dies mag daran liegen, daß er gleich den Verwandten nur zu bald seine prächtige Farbe verliert und damit den Reiz für die Liebhaber, sodaß dieselben es nicht der Mühe für werth erachten, derartige Versuche anzustellen. Von Herrn Reiche oder Frl. Hagenbeck in einzelnen Köpfen oder Pärchen eingeführt, zeigt er sich nach überstandener Reise gewöhnlich ruppig, kahl, mit abgestoßenem Schwanze, und wenn dann endlich das Gefieder in der Mauser sich erneuert, so ist das schöne Roth für immer verschwunden und ein ähnliches Bronzegelb wie bei dem vorigen erschienen. Deshalb wird er selbst bei bedeutenderer Einführung doch wol niemals zu großer Beliebtheit gelangen. Im übrigen dürfte auch er nicht schwierig zu züchten sein. Der Preis beträgt zwischen 15 bis 24 Mark.

Der Purpurgimpel oder Purpurfink hat keine weiteren Namen. [Purpurfarbner Fink, Seeligm.].

Bouvreuil pourpre; Purple Finch or Purple Bullfinch.

Nomenclatur: Fringilla purpurea, *Gml.*, *Wls.*, *Audb.*, *Rss.* [„Hndbch."]; Pyrrhula purpurea, *Tmm.*; Haemórrhous purpurea, *Swns.*; Erythrospiza purpurea, *Bp.*, *Audb.*; Carpodacus purpureus, *Gr.*, *Bp.*, *Bp.* et *Schlg.*, *Cb.*, *Brd.*, *Br.* [Pyrrhula carolinensis violacea, *Brss.*; Bouvreuil violet de la Caroline, *Briss.*; Pinson violet, *Cat.*; Purple-finch, *Cat.*, *Penn.*, *Lath.*; le Bouvreuil ou Bec-rond violet de la Caroline, *Buff.*; Hempbird, *Brtr.*].

Wissenschaftliche Beschreibung: Der ganze Körper ist schön karminroth, an Kopf und Rücken dunkler, letzterer mit schwarzbraunen Schaftstrichen, ein schmaler Stirnstreif, Wangen, Zügel und ganzes Gesicht heller rosenroth; Flügel- und Schwanzfedern dunkel röthlichbraun, jede Feder fahl roth außengesäumt und gespitzt, zwei undeutliche röthliche Querbinden über den Flügel; Brust blasser rosenroth, Bauch und Hinterleib fast reinweiß. Schnabel horngrau; Auge braun; Füße fleischfarben. — Weibchen oberhalb bräunlichgrau, an Mantel und Flügeln jede Feder fahl gerandet; Augenbrauenstreif weiß; Bürzel olivengrünlichgelb; ganze Unterseite graulichweiß, jede Feder mit großem dunklen Längsfleck. Es ist an dieser drossel= ähnlichen bunten Unterseite unschwer zu erkennen.

Pyrrhula purpúrea: pulchre kermesina, capite dorsoque obscurioribus, hoc fusco-nigro-striato; vitta angusta frontali, genis, loris faciequе tota rosaceis; remigibus rectricibusque badiis, exterius livide fulvo-marginatis et terminatis; fasciis elutis duabus trans alam rubentibus; pectore subroseo; abdomine crissoque albioribus; rostro corneo; iride fusca; pedibus carneis. — ♀ supra subfumea plumis interscapilii alarumque livide marginatis; stria superciliari alba; uropygio oli-vaceo-virescente; subtus incana plumis singulis maculam magnam nigram offerentibus oblongam. Avis gastraeo turdi instar picto facile distincta.

Länge 15,2ᶜᵐ·; Flügel 8ᶜᵐ·; Schwanz 5,7ᶜᵐ·

**Der kalifornische Purpurgimpel** [Pyrrhula californica, _Brd._], aus dem Westen der Vereinigten Staten von Nordamerika; dem vorigen sehr ähnlich, doch an Kopf und Bürzel dunkler purpurroth, mit einem breiten helleren Augenbrauenstreif und lichtrosenrothem Strich vom Schnabel über die Wangen bis zum Hinterkopf. Das Weibchen ist oberhalb mehr oliven= grünlich und die Mittelflecke der Federn am unteren Körper sind breiter und nicht so scharf abgegrenzt. In allem übrigen wird er mit dem vorigen wol übereinstimmen; eingeführt ist er noch nicht. — Western Purple Finch, _Brd._ — Carpódacus californicus, _Brd._ — Als Cassin's Purpurgimpel [Pyrrhula Cassini, _Brd._] aus den Felsenbergen erwähnt der amerikanische Forscher Baird eine Art, die auch in Asien vorkommen solle, welche aber Dr. Dybowski und dann auch Prof. Cabanis als solche nicht gelten lassen. Sie bedarf daher hier nur der Erwähnung.

**Der Hausgimpel** [Pyrrhula familiaris, _M'Cll._]. Ein Vogel, den Baird nur beschreibt und von dem er sagt, daß seine Heimat sich von dem Felsengebirge bis zum stillen Ozean erstrecke, und welcher bisher lebend noch nicht bei uns eingeführt worden, veranlaßt mich trotz= dem, seine ausführliche Schilderung hier aufzunehmen, und zwar einerseits, weil dieselbe in überaus interessanter geistvoller Weise nach Cassin's Darstellung von Dr. Karl Bolle gegeben ist und andrerseits, weil ich der festen Ueberzeugung bin, daß er demnächst bald einmal lebend zu uns gelangen wird. „Wenn der Winter unserer nördlichen Himmelsstriche in seiner Strenge nachgelassen hat und die Jahreszeit einer glänzenderen Sonne und neu aufsprossender Blumen zurückkehrt, wird keiner ihrer ersten Vorboten mit freudigeren Em= pfindungen bewillkommnet, als die wiedererscheinenden zutraulichen Vögel, welche, wie der Zaunkönig, der Blauvogel und der Haustyrann es lieben, in die unmittelbare Nähe unserer Wohnungen zu kommen und dort eine passende Stelle zu suchen, wo sie ihr Nest erbauen und ihre Jungen großziehen können. Sie nehmen die Gastfreundschaft des prunkvollen Palastes nicht minder in Anspruch, als die des einfachsten Häuschens, und in beiden werden sie mit gleicher Freude begrüßt. Unter allen solchen Vögeln erscheint kaum eine Art durch ihre große Zutraulichkeit so bemerkenswerth, als der oben genannte kleine Fink, dessen Heimat die west= lichen Länder Nordamerikas sind. Er nähert sich nicht blos den menschlichen Wohnungen ohne Furcht und macht eine Gewohnheit daraus, in passenden Räumlichkeiten und anderen Gebäuden eine Niststätte zu beziehen, sondern er sucht sogar in beträchtlicher Zahl solche anscheinend wenig für ihn geeigneten Oertlichkeiten, wie es Ortschaften und Städte doch sind, auf. In mehreren derselben in Kalifornien und Neumexiko ist er überaus zahlreich zu finden und gilt entschieden als ein Liebling der Bevölkerung.

„Verschiedene Arten der Gattung, zu welcher er gehört, alle einander ziemlich ähnlich, bewohnen den Norden Amerikas; andere wiederum leben unter denselben Breitengraden in der alten Welt. Die Männchen aller tragen ein Kleid vom schönsten Karmoisinroth oder von mannigfach und zart schattirtem Purpur; die Weibchen sind stets viel einfacher gefärbt und zeigen im allgemeinen mit jenen wenig Aehnlichkeit. Der bekannteste dieser Vögel in Nordamerika ist der Purpurfink, ein gewöhnlicher Wintergast in den mittleren und südlichen Staten, wo er ein umherschweifendes Leben in den Waldungen führt, im Frühlinge aber nach dem Norden und in die Gebirge Pennsylvaniens zurückkehrt, wo man ihn seiner Schönheit und seines angenehmen Gesanges wegen sehr gern sieht.

„Der oben genannte Vogel aber scheint die Art zu sein, welche Gambel im Journal der Akademie von Philadelphia den karmoisinstirnigen Fink (Erythrospiza frontalis, Say) nennt und in folgendem schildert: ‚Dieser niedliche Sänger ward zuerst in Neumexiko beobachtet, namentlich in Santa Fé, wo er häufig und sehr zutraulich lebt, sich um die Höfe und Gärten herum aufhält und sein Nest unter die Portale und Schuppen der Häuser baut. Im Juli waren die Jungen flügge. Unter einem langen Schuppen am Marktplatze standen außerordentlich viele Nester, und die alten Vögel setzten sich uns zuweilen, während wir vor der Thür saßen, dicht vor die Füße, um Krümchen für ihre Jungen aufzulesen. In Kalifornien trifft man sie ebenfalls in großer Anzahl an, und hier sind sie nicht minder zahm; sie werden dort von den Einwohnern Buriones (soll wol heißen Gorriones, d. h. Sperlinge, Bll.) genannt. Den Winter hindurch leben sie in Scharen an buschigen Bergabhängen, Hecken, Weinbergen und in Gärten, wo sie sich von verschiedenen Sämereien ernähren und zuweilen an den Trauben beträchtlichen Schaden verursachen. Früh im März erfolgt die Parung, und bald sieht man sie eifrig mit dem Bau der Nester beschäftigt. Sie zeigen dabei, obwol oft getäuscht, das vollste Vertrauen zum Menschen und nisten beständig an den Häusern auf vorspringenden Balken, unter Thorwegen, an Dachrinnen, in Schauern, Kästchen oder in irgendwelchen Winkeln, welche sie vorfinden. Ein Nest erblickte ich in einem über der Thür aufgehängten Samenkasten. Sie bauen auch auf dem wagerechten Zweige eines Baumes im Garten, und sehr viele Nester werden in den Weidenhecken der Weinberge angelegt. Jedem andern Platze aber ziehen sie die Balken unter den Schuppen und an den Häusern vor und lohnen, wenn man es ihnen gestattet, mit ihren lieblichen Liedern, welche den ganzen Sommer hindurch vom Dache herab in der Nähe des Nestes ertönen. Das letztere besteht aus kleinen Reisern und Kräuterstielen, Weidenkätzchen und Flaum und wird mit Pferdehaar ausgefüttert; oft ist es auch vorzugsweise aus Federn, Baumwolle oder Wolle mit einigen Reisern und trocknem Gras zusammengesetzt und ebenfalls mit Pferdehaar ausgelegt. Fünf Eier, bisweilen von einfach bläulichweißer Farbe, meistens jedoch mit wenigen zerstreuten dunkelbraunen Strichen und Tüpfelchen am stumpfen Ende, bilden gewöhnlich das Gelege; manchmal findet man auch blos vier Eier und nicht selten zeigen diese nur auf einer Seite wenige Fleckchen und Strichelchen. Unmöglich ist es, mit Worten den Gesang dieses Orpheus des Westens zu schildern, und obwol Kalifornien viele gute Sänger, u. a. den Spottvogel besitzt, so hat es doch keinen aufzuweisen, dessen Lied das Herz mehr erfreute oder dem Ohre melodischer und zärtlicher erklänge, als das dieses Finken.‘

„Der Vogel ward zuerst vom Oberst M'Call mit hinreichender Genauigkeit beschrieben. ‚Ich fand diesen lieblichen kleinen Fink zu Santa Fé, wo er im März zu nisten begann, obwol das Wetter noch winterlich war und häufiger Schneefall noch länger als einen Monat hindurch immer wiederkehrte. Trotzdem hörte der Gesang des Männchens nicht auf. Die Klänge mahnten mich oft an die sanften Triller des Hauszaunkönigs und ebenso an das helle Schmettern des Kanarienvogels. Die Männchen vom vorigen Jahre waren zwar bereits gepart und sangen nicht minder fleißig als die älteren, doch trugen sie noch nicht ihr volles Gefieder und hatten wenig oder nichts von dem Roth, welches den völlig erwachsenen Vogel auszeichnet. Die Nester befanden sich in den schon genannten Oertlichkeiten und waren außer den bereits aufgezählten

Stoffen auch aus langen Baumwollfäden und Stückchen alten Zeuges, kurz aus unzähligen Resten und Abfällen dicht gewoben. Mitte Aprils wurden die Jungen der ersten und oft erst im August die der dritten Brut flügge; vor Ende Septembers aber waren fast alle aus der Umgebung der Stadt verschwunden. Als ich in Neumexiko wohnte, beobachtete ich stets eine liebenswürdige Zartheit im Wesen dieses lebhaften kleinen Sängers und dieselbe trug ihm die volle Zuneigung Aller, ebenso des reichen Eigenthümers eines Landguts als des ärmlichen Tagelöhners ein. Denn dieselbe fröhliche Melodie, welche zur Mittagszeit dem Ohr des erstern schmeichelte, während er sich in seiner Hängematte schaukelte, begrüßte auch den letztern, wenn er bei Tagesanbruch auf Arbeit ging. Diese vertrauliche Zahmheit bewog mich dazu, den obigen Namen ihm beizulegen. Auch sein Benehmen gegen andere Vögel erscheint mild und friedfertig und ich will nur ein Beispiel erzählen. Auf der Piazza des Hauses, welches ich bewohnte, hatte sich eine ganze Ansiedelung dieser Vögel gebildet. Als die Jahreszeit milder wurde und die zarteren Vögel vom Süden her anlangten, erschien auch ein Pärchen rother Schwalben (Hirundo rufa, *Vll.*) und begann inmitten jener Nester das seinige zu erbauen. Eine solche Zudringlichkeit würde doch die meisten anderen Vögel zur Befehdung der Eindringlinge erregt haben. Ganz anders aber benahmen sich die kleinen Hausfinken. Zuerst wichen sie und schienen die Fremdlinge mit Mißtrauen anzusehen; als diese aber ruhig in ihrer Arbeit fortfuhren, wurden sie von ihnen durchaus nicht gestört, und so sah ich die ganze Gesellschaft in vollkommener Eintracht nisten.'

„Am westlichen Abhange ist der Hausfink in ganz Kalifornien gemein, aber nicht im Orangegebiet. Er nistet sowol in Hecken als auch an Gebäuden. Oft fand ich ihn in großen Schwärmen an den Rändern der ausgedehnten Felder mit wildem Senf. Diese ursprünglich von den spanischen Missionären eingeführte Pflanze überzieht hier nämlich jetzt ganze Bezirke und erreicht eine fast baumartige Größe. Ob er in diesen Dickichten niste, konnte ich nicht in Erfahrung bringen. Seine Nahrung besteht je nach den Jahreszeiten in Knospen, Früchten, verschiedenen Gräser- und Kräutersamen, welche letzteren er, oft mit dem Kopf nach unten oder seitwärts an die schwankenden Stengel sich klammernd, aus den Kapseln holt. Auch Insekten verzehrt er, wie ich glaube, jederzeit. In dem Zustande als halbes Hausgeflügel zu Santa Fé schien er übrigens nichts eßbares zu verschmähen. Mit dem Schluß des Sommers scheint er sich in Scharen zusammenzuschlagen und in der Weise des nächsten Verwandten, des Purpurgimpels, zu wandern. Die Schwärme ziehen dann für den ganzen Winter fort nach Mexiko und wahrscheinlich auch nach Mittelamerika."

Der Hausgimpel gleicht im allgemeinen dem Purpurfink, doch ist er bedeutend kleiner. Der ganze Kopf, Rücken, Steiß, Vorderhals und die Brust sind bräunlichroth, ins Karmoisinrothe spielend, am hellsten an Stirn, Unterrücken und oberen Schwanzdecken, am dunkelsten auf dem Rücken; Schwingen und Schwanz sind schwärzlichbraun, jede Feder bleicher gesäumt; Bauch und untere Schwanzdecken sind weiß, jede Feder braun längsgestreift. Schnabel gelbbraun, Unterschnabel heller. Das Weibchen ist am Oberkörper dunkelbraun, jede Feder dunkler längsgestreift und heller aschgraulich gerandet. Unterkörper düsterweiß, braun längsgestrichelt; überall ganz ohne Roth. (Cassin). Ich glaube umsoeher, daß der Vogel demnächst bei uns auf dem Markte erscheinen werde, als ja nicht allein kalifornische Vögel bereits hin und wieder in den europäischen Handel, sondern seltsamerweise auch manchmal Vögel aus anderen Welttheilen von Kalifornien aus nach Europa gebracht werden, so z. B. einmal eine bedeutende Anzahl von Sonnenvögeln.

Der **Hausgimpel** oder kalifornische **Hausfink** (Cass.). — The Américan House-Finch (*M'Cll.*), Bourion; House Finch (*Brd.*). — Fringilla frontalis\*), *Say, Gmb.*; Fringilla haemórrhoa, *Lchtst.*

---

\*) Die eingangs stehende lateinische Bezeichnung, welche dem schönen englischen, bzl. deutschen Namen entspricht, mußte ich hier an Stelle der allerdings älteren beibehalten, da ich S. 448 bereits eine Fringilla frontalis geschildert habe und da ich die leidigen Doppelnamen selbst innerhalb einer großen Familie soweit als irgend möglich vermeiden will.

Der rothbäuchige Gimpel [Pyrrhula rhodocolpus, *Cb.*] wird im „Museum Heineanum" als feststehende Art angeführt, während die Herren Bonaparte und Schlegel ihn nur für ein junges Männchen des vorigen halten. „Er ist kaum kleiner und unterscheidet sich durch eine andre Schattirung des Roth, welches dem des Purpurgimpels sehr ähnlich ist; auch erscheint die Begrenzung weniger scharf, und Scheitel, Oberrücken und die ganze Brust sind röthlich angeflogen. Ein Männchen befindet sich im Berliner Museum." Bei dieser Erwähnung muß ich es bewenden lassen. — Der rothmantelige Gimpel [Pyrrhula rhodóchlamys, *Bp.*] aus Sibirien darf ebenfalls nur erwähnt werden, da irgend etwas näheres über ihn nicht aufzufinden ist. (Carpodacus Sóphia, *Bp.* et *Schlg.*; C. grandis, *Blth.*; [Red-mantled Grosbeak, *Gould.*]). — Der Gimpel vom Sinai [Pyrrhula sinaitica, *Lchtst.*] „lebt parweise und in Flügen im petraischen Arabien auf Felsen, sonnigen Abhängen, Viehtriften und an Regenbetten. Er ist ein sehr lebhafter und ziemlich scheuer Vogel, ernährt sich vornämlich von seinen Gräsersämereien und zieht wahrscheinlich im Winter fort. Auf Gebüsch habe ich ihn nicht gesehen; aufgescheucht streicht er schreiend und niedrig über dem Boden fort, um sich meistens bald wieder auf Steinen niederzulassen. Er ist in der Grundfarbe schwärzlichaschgrau, schön rosenroth übergossen und im übrigen den vorhergehenden Verwandten, unter denen er zu den größten gehört, ähnlich. Wie weit seine Verbreitung reicht, dürfte wol kaum bekannt sein." (Hgl.). Sinaitischer Gimpel und Rosengimpel, Gimpel und Rosengimpel vom Sinai nach Hgl. Fringilla sinaitica, *Lchtst.*; Pyrrhula sinoica, *Tmm.*; Carpódacus synoicus, *Gr.*; Pyrrhula sinaica, *Rpp.* — Der rothschulterige Gimpel [Pyrrhula rhodóptera, *Lchtst.*], ein Vogel, welchen Heuglin hier einreiht, den Cabanis dagegen als Mittelglied zwischen den Steinsperlingen (Petronia, *Kaup*) und Kernbeißern (Coccothraustes, *Bchst.*) hinstellt. Er zeichnet sich durch seinen sehr dicken rothen Schnabel, blutrothe Füße und sehr lange und spitze Flügel aus. Seine Heimat ist Arabien, Palästina, der Libanon; im nördlichen Persien kommt er als Zugvogel vor. Näheres ist nicht bekannt. (Montifringilla sanguínea, *Gld.*; Erythrospiza phoenicóptera, *Bp.*).

## Der Hakengimpel [Pyrrhula enucleator].

Wiederum ein hochnordischer Gimpel, dessen Heimat sich über die nördlichsten Theile Europas, Asiens und Amerikas erstreckt. Zum Winter kommt er nach dem Süden Schwebens, in die russischen Ostseeprovinzen und bis nach Rußland weiter hinein, bei sehr starker Kälte nach Nord- und Mitteldeutschland, in einzelnen Köpfen sogar bis Süddeutschland streichend und immer den Ebereschenbeeren nachgehend.

Sein Gefieder ist lebhaft und prächtig roth, Kopf und Hals fast karmoisin, Rücken und Mantel dunkler roth, aschgrau überhaucht, Flügel röthlichaschgrau mit zwei weißlichen Querbinden, Schwingen und Schwanz schwarzbraun, jede Feder fein hell gesäumt. Das Weibchen ist oberhalb gelblichaschgrau, an Kopf und Hals düster ockergelb, unterhalb heller graugelb. Er ist von Drosselgröße.

Vorzugsweise die Nadelholzwälder der Ebenen, seltener gebirgige oder gemischte, niemals reine Laubholzwaldungen dienen zu seinem Aufenthalt. Hier steht das Nest etwa mannshoch und darüber stets auf kleinen Bäumen, meistens dicht am Stamm, als eine aus Reisern, Halmen, Flechten, Würzelchen, sehr dicht gewebte, mit Haren und Federn gepolsterte offene Mulde, welche von beiden Gatten des Pärchens gemeinsam erbaut wird. Vier bis sechs Eier bilden das Gelege. Das Weibchen brütet allein und die Brutdauer soll 14 Tage betragen. Die

Nahrung soll vornämlich in Nadelholzsämereien, ferner in den Kernen von Vogel-
und anderen Beeren und Baumknospen bestehen; wahrscheinlich auch in Kerbthieren.
Sein Locken erklingt sanft hihüü! und den leisen, jedoch sehr lieblichen und wechselreich flötenden Gesang läßt er besonders eifrig im Frühlinge, doch auch den ganzen
Winter hindurch hören. Der Flug ist schnell, wellenlinig, vor dem Niedersetzen
schwebend; auf dem Boden springt er ungeschickt, im Gezweige aber zeigt er sich
hurtig und gewandt. Gleich den meisten nordischen Vögeln ist er nicht scheu, sondern dreist und daher leicht zu überlisten; er wird auf Leimruten, in Sprenkeln,
Schlaggarnen u. a. unschwer gefangen und soll sich sogar, wie schon Buffon und
andere ältere Schriftsteller und neuerdings auch Nordmann berichten, eine Pferde-
harschlinge, welche an einer langen Stange befestigt ist, über den Kopf streifen
lassen. Ebenso leicht geht seine Eingewöhnung vonstatten. Er frißt ohne weiteres,
wird sehr zahm und zutraulich, verliert aber ebenfalls nach der Mauser die rothe
Farbe und erscheint dann schlicht orangegelbgrau. Im Zimmer singt er in den
letzten Frühlingsmonaten besonders schön. Frisch eingefangen darf er nicht sogleich in eine warme Stube gebracht werden, denn er kann die Wärme überhaupt
nicht gut ertragen, am wenigsten aber einen plötzlichen starken Temperaturwechsel.
Die Händler füttern ihn gewöhnlich nur mit Hanfsamen, doch dürfte es sicherlich
gut sein, wenn man ihn an Rübsen, Hafer nebst Ebereschen- und Wachholderbeeren
gewöhnt und ihm auch namentlich zur Mauserzeit Mehlwürmer und ein Futter-
gemisch aus Ameisenpuppen bietet. Er soll nur wenige Jahre in der Gefangenschaft ausdauern, aber freifliegend oder im Flugkäfige nicht schwierig nisten.

Gerade über diesen Vogel ist eine ungemein reiche Literatur vorhanden und
von Schriftstellern aller Zeiten, von Brisson, Edwards, Buffon u. A. bis zu
Bechstein und jüngeren Zeitgenossen herab, sind mehr oder minder eingehende
Schilderungen oder doch Beiträge zu seiner Kenntniß aufgezeichnet; nach denselben habe ich die vorstehende kurze Darstellung gegeben. Wenn trotzdem sein
Brutgeschäft erst wenig erforscht worden, so liegt dies eben darin, daß er in jenen
unwirthlichen Gegenden des Nordens nistet, wo bis jetzt die Vogelkunde doch nur
verhältnißmäßig geringe, derartige Ergebnisse erreichen konnte. Nach den Aussagen
der meisten Reisenden ist er ein Wandervogel, welcher in der Lebensweise dem
verwandten Karmingimpel gleichen dürfte. Radde gibt an, daß er in Ostsibirien
in der ersten Hälfte des Oktobers in die Mauser komme, während dieselbe anderwärts schon zu Anfang Septembers oder zu Ende des August vollendet sein soll.
In Schweden wird er nach den Mittheilungen von Meves in manchen Jahren
in der Zeit vom Oktober bis zum Februar zu Hunderten aus Upland und Norland, weniger aus der Umgegend von Stockholm, auf den Markt gebracht; in
ähnlicher Weise, wenn auch beiweitem nicht in so großer Anzahl, gelangt er zuweilen aus dem preußischen Litauen als Krammetsvogel nach Berlin.

Die beste Schilderung in der neueren Zeit hat Herr B. Marquardt in Bernau in der Zeitschrift „Die gefiederte Welt" veröffentlicht: „Der Hakengimpel erscheint in Livland jeden Winter mit Sicherheit, wenn die Ebereschen reichlich tragen. Sobald die Beeren reifen, kommen sie einzeln oder in kleinen Gesellschaften von 3 bis 5 Köpfen, nach und nach in immer zahlreicheren Scharen, so daß solche gegen Weihnachten hin 30 bis 50 Köpfe zählen, an. Auffallend ist der Größenunterschied unter den Vögeln in einunddemselben Fluge, indem er bei den von mir gemessenen Exemplaren zwischen Gimpel- und Drosselgröße (17 — 23,4 cm.) schwankte. Erst in den großen Schwärmen sieht man ausgefärbte Männchen und immerhin verhältnißmäßig selten, so daß man wol annehmen muß, dieser Gimpel erhalte sein Prachtkleid erst ziemlich spät. Von Weihnachten an verringert sich die Anzahl in den Scharen und die letzten habe ich im April bemerkt. Ob er in Livland nisle, ist mir nicht bekannt. Die Flüge streifen im Lande umher, ohne daß man eine bestimmte Richtung wahrnehmen kann, doch mögen sie im ganzen wol die südliche festhalten. Sie wandern in den frühen Morgenstunden und zwar von einem größeren Walde zum andern; einst sah ich einen Flug mittags ziemlich hoch und mit lautem Locken dahinziehen. Immer wählen sie zum Aufent- halt weite Waldungen, in denen Fichten vorherrschen und die Drosseln für reichliche Ansamung von Ebereschen gesorgt haben. Mit anderen Vögeln, welche auf den- selben Futterbäumen zehren, wie Seidenschwänze, Drosseln, Dompfaffen, vereinigen sie sich nicht. Ihre Nahrung besteht hauptsächlich in Fichtenknospen, nicht in Fichtensamen, wie fälschlich angegeben wird. Wo sich eine Schar einige Tage hindurch aufgehalten hat, ist der Schnee rings herum mit den Hüllblättchen der Knospen bestreut. Niemals habe ich bemerkt, daß der Hakenschnabel zum Hervorziehen des Samens aus den Zapfen biene; auch bei meinen Gefangenen sah ich dies nie, der Same mochte noch so verlockend zwischen den Schuppen hervorstehen. Sie werfen die Zapfen wol spielend hin und her, wie sie es mit anderen Gegenständen ebenfalls zu thun pflegen; fiel der Same heraus, so fraßen sie ihn garnicht einmal. Arbeiteten sie wirklich mit Ernst an einem Zapfen, so geschah dies regelmäßig, um eine kleine braune Wanze zwischen den Schuppen hervorzuziehen, welche dort Winterherberge gefunden hatte. Brachte ich ihnen dagegen eine knospenreiche Fichte ins Zimmer, so gingen alle mit dem größten Eifer ans Werk, und in unglaublich kurzer Zeit war selbst die kleinste und versteckteste Knospe verzehrt. Beim Fressen auf den schwanken Zweigen benutzen sie fort- während die Flügel, um sich im Gleichgewicht zu erhalten und den Schnabel ähnlich wie die Kreuzschnäbel. Auch sieht man wie bei jenen und den Seiden- schwänzen besonders die alten Männchen auf den Wipfeln, wahrscheinlich als Wächter. So stand ich einst beobachtend vor einem Baume, als ein Männchen von der Spitze desselben herab seinen Warnungsruf ertönen ließ und im Augenblick die ganze Gesellschaft in die dichtesten Zweige geschlüpft war. Ich wunderte mich darüber, da sie doch sonst gegen einen Menschen fast garkeine Scheu zeigen; allein das Räthsel löste sich, als einige Augenblicke später ein Sperber dahergestrichen kam, den der Warner also bemerkt hatte. Nahrungsuchend hält sich die Schar durch beständiges Locken zusammen. Nach einer kurzen Mittagsrast fliegen sie noch einmal zu den Ebereschen, dann aber ziemlich früh zu ihren Schlafplätzen. Auf noch unbelaubten Bäumen sah ich sie nie, obgleich z. B. die Birken einen bedeutenden Theil der livländischen Wälder bilden und von den Dompfaffen der Knospen wegen regelmäßig besucht werden, auf Wachholderbüschen nur einmal.

„Von den Bauern, welche in den Wäldern wohnen, werden sie häufig gefangen und zwar vermittelst Brettchen, die mit Schlingen besteckt und mit Ebereschenbeeren geködert, an hohen Stangen angebracht und aufgestellt werden. Mir selbst ist der Fang nicht gelungen, während doch z. B. Dompfaffen ohne weiteres in meine Fallen gingen. Für die Gefangenschaft eignet sich kein Vogel besser als er und die entgegengesetzten Erfahrungen mögen wol daher rühren, daß die Hakengimpel von den Fängern und Händlern eine zu üble Behandlung erdulden müssen, bevor sie in verständige Pflege gelangen. Ich ließ die meinigen im Zimmer frei fliegen und alle ohne Ausnahme waren schon nach einer Woche überaus zahm und nach weiteren acht Tagen kamen sie geflogen, um mir das Futter aus der Hand zu nehmen. Kein einziger ist mir gestorben und ich setzte sie nach jahrelanger Gefangenschaft vollkommen gesund in Freiheit, als ich Livland verließ. Sie erhielten im Winter Hanf und Ebereschenbeeren, dazu recht mannigfaltiges Grünzeug, namentlich aber Knospen von Fichten, Espen u. a. Bäumen. Da ich weder Mehlwürmer noch Ameisenpuppen hatte, so setzte ich ihnen fein gehacktes Fleisch mit Weißbrot vor, doch fraßen sie es nicht. Ein einziger gewöhnte sich an Fleisch und zog dann gepökeltes vor. Im Sommer suchte ich ihnen so viele Kerbthiere als möglich zu verschaffen, brachte ihnen besonders Disteln, welche mit schwarzen Blattläusen bedeckt waren und fütterte sie wochenlang mit den grünen Afterraupen der Stachelbeerwespe. Auch fraßen sie halbtodte Fliegen und Schaben, selbst rothe Schwärmerraupen verzehrten sie nach und nach und versteckten dann wol den Rest. Sie badeten fast mit derselben Leidenschaft wie die Stare, auch fischten sie aus kleineren Aquarien die Libellenlarven heraus und noch mehr die Wasserspinnen; auf letztere lauerten sie förmlich und ergriffen sie mit Sicherheit, sowie sie an die Oberfläche kamen. Ich hielt sie im geheizten Zimmer und die Stubenwärme wurde ihnen durchaus nicht schädlich, während dies doch bei anderen nordischen Vögeln, z. B. den Schneeammern, der Fall ist; ja, im Gegentheil suchten sie die Nähe des Ofens auf, sodaß ich ihnen dort einen Sitz anbringen mußte, um zu verhüten, daß sie sich die Füße auf dem heißen Griff der Ofenthür verbrannten. Mit ihren kräftigen Schnäbeln richteten sie freilich Unfug genug an, zernagten namentlich Bücher, doch zeigten sie andrerseits wiederum soviel Anmuth, Klugheit, Zahmheit, daß ich es nicht über mich gewinnen konnte, sie einzusperren. Ein altes Männchen, dem ich den Flügel abgeschossen hatte, und das also zum Fliegen unfähig war, hielt ich vier Jahre hindurch im Bauer und es starb nur, weil ich es beim Wechsel des Wohnorts unverständiger Pflege anvertrauen mußte. Bei diesem Hakengimpel beobachtete ich die merkwürdige Erscheinung, daß sich bei der letzten Mauser wieder ein rother Fleck im Nacken zeigte, der sich zu einem breiten Bande ausdehnte während sich der Scheitel orange färbte. Ich will noch hinzufügen, daß ich in Livland wiederholt die Behauptung aussprechen hörte, man könne durch aus= schließliche Fütterung mit Ebereschen die rothe Farbe dauernd erhalten. Ob die= selbe sich auf eine Thatsache stützt, weiß ich freilich nicht. Die oben mitgetheilten Beobachtungen habe ich in einem Zeitraum von sechs Jahren gemacht. Sie weichen von denen Anderer bedeutend ab, und da der Vogel doch beiweitem noch nicht bekannt genug ist, so mögen sie als gewissenhafter Beitrag zu seiner Kennt= niß doch einigermaßen von Werth sein."

Bereits vor mehr als 50 Jahren hat der Hofgärtner Klöber zu Karls= ruhe in Oberschlesien, ein recht guter Vogelkenner und Züchter, nach Mittheilung des Dr. Gloger an das zoologische Museum zu Breslau Hakengimpeleier ge= geben, welche bei ihm in der Gefangenschaft gelegt waren. Dann hat ein Herr Becker nach Brehm's Angaben den Erfolg erzielt, daß ein Pärchen im Flug= bauer zweimal, jedoch leider ohne die Jungen aufzubringen, nistete. Das Nest war aus Graswurzeln, Kokusbast und Pferdehaaren erbaut und stand ganz frei ohne jeden Schutz etwa 1 Meter hoch über dem Boden in einer kleinen Fichte zwischen zwei Zweigen. Ein Gelege bestand in drei, das andre in zwei Eiern, doch starb das Weibchen beim dritten. Weitere Züchtungsversuche sind bis jetzt leider nicht bekannt geworden. Herr von Homeyer hat in der „Isis" (1834) berichtet, daß ein gerade in der Mauser befindlicher Hakengimpel, welcher ent= flogen, dann in einer Dohne erhängt gefunden und mit Sicherheit wiedererkannt worden, die Erscheinung zeigte, daß die in der Freiheit hervorgekommenen Federn von natürlicher hochrother Farbe waren, die in der Gefangenschaft bereits her= vorgesproßten jedoch die gelbe Farbe unverändert beibehalten hatten. Einen Beweis für meine Behauptung, daß die rothe Farbe bei allen diesen Vögeln doch im wesentlichen in der Nahrung begründet liege, gibt Herr Professor A. v. Nordmann in der Beobachtung, daß selbst noch nicht vermauserte junge Hakengimpel, welche an der Schnabelwachshaut sicher zu erkennen sind, bereits das schöne rothe Gefieder haben, und wennschon der Vorgang und die Zeit des Ueberganges aus dem grünlichgrauen schwarzgefleckten Nestkleide in ein gelbes und dann rothes noch keineswegs beschrieben worden, dürfte es sich doch wol mit

Beſtimmtheit annehmen laſſen, daß eine ſolche ausnahmsweiſe frühe Färbung lediglich in Ernährungsverhältniſſen begründet liegen kann. Die Angabe Mar=quardt's, daß der Hakengimpel die Maden in den Tannenzapfen freſſe, beſtätigt übrigens nur eine bereits im Jahre 1864 von F. Schwaitzer gemachte Mit-theilung, in welcher derſelbe berichtet, daß er bei der Unterſuchung im Kopfe eines geſchoſſenen Männchens jene Maden ebenfalls gefunden habe.

Während alle älteren Schriftſteller anführen, daß der Hakengimpel auch im Norden Amerikas vorkomme, behaupten jüngere amerikaniſche Gelehrte, insbeſondre Profeſſor Spencer F. Baird, daß der dortige eine ſelbſtändige feſtſtehende Art ſei. Dieſe, der kanadiſche Hakengimpel, ſei etwas größer und zeige einige beſtimmte Unterſcheidungsmerkmale, auf welche ich weiterhin in der wiſſen-ſchaftlichen Beſchreibung zurückkommen werde. Seine Heimat erſtrecke ſich über den hohen Norden Amerikas und in ſtrengen Wintern komme er bis in den Süden der Vereinigten Staten herab. Gentry gibt ſodann eine Schilderung ſeines Freilebens, der ich nun folgendes entnehme. In Oſtpennſylvanien erſcheint er zu Anfang des Monats Dezember und hält ſich bei kaltem Wetter in den dichten Nadelholzwäldern auf, welche er jedoch zum Frühjahr hin verläßt, um die Aepfel- und Birnengärten aufzuſuchen, wo er durch Zerſtörung von Knoſpen nicht ſelten argen Schaden anrichtet. Die kleinen Scharen zeigen ſich ſo wenig ſcheu, daß ſie nicht einmal davonfliegen, wenn einer heruntergeſchoſſen wird. In anderen Theilen Nordamerikas ſieht man ihn beſonders in Pappel= und Weidenhainen zahlreich. Das Neſt, welches nur in hochnordiſchen Gegenden gefunden wird, entdeckte Mr. Boardmann in einem Erlenbuſch nahezu mannshoch vom Boden; es war durchgängig nur aus grobem grünen Mooſe hergeſtellt und enthielt zwei Eier. Näheres iſt von den amerikaniſchen Schriftſtellern leider nicht mitgetheilt.

Als das Berliner Aquarium unter dem erſten und dann auch unter dem zweiten Direktor inhinſicht der Vogelwelt noch in vollem Glanze daſtand, brachte der Händler Staber aus Moskau faſt regelmäßig alljährlich eine beträchtliche Anzahl von Hakengimpeln in den Handel; nachdem der Genannte von Deutſch=land fern geblieben, gelangte höchſtens dann und wann einmal ein Exemplar durch den alten Brune zu uns. Vor einigen Jahren aber kaufte ich ein ein-zelnes Männchen von Bewig unter den Königskolonaden in Berlin. Seitdem waren ſie wol völlig vom Markt verſchwunden. Im Dezember 1877 führte ſo=dann der Händler Gleitzmann aus Moskau eine überaus große Anzahl nordiſcher Vögel aus Rußland durch Berlin, um ſie in London zu verkaufen, und in der=ſelben befanden ſich etwa 140 Köpfe Hakengimpel, unter ihnen nur dreißig Männ=chen im prachtvoll rothen Kleide; alle übrigen waren jüngere Männchen und Weibchen. Kurz nachher erſchienen die Hakengimpel auch in Deutſchland ziemlich zahlreich im Handel, und zwar hauptſächlich durch Herrn Sanitätsrath Dr. Grun in

Braunsberg (Ostpreußen), durch die Händler Fürstenberg ebendort und Bartsch in Berlin. Den meisten Liebhabern ist es jedoch diesmal leider gerade so wie früher ergangen, indem die Vögel nur zu bald starben. Für ihre Verpflegung, bzl. Erhaltung, dürfte daher der Hinweis des Herrn Marquardt auf die Haupt= und Lieblingsnahrung, Nadelholzschößlinge, wol zu beachten sein.

Der Preis ist überaus schwankend. Gleißmann wollte das Pärchen nicht unter 24 bis 30 Mark abgeben; Fürstenberg bot sie dann, das prächtig rothe Männchen für 9 Mark, das orangefarbene Männchen für 5 Mark und das Weibchen für 1 Mark aus.

Der Hakengimpel heißt auch Hakenfink, Hakenkernbeißer und fälschlich Hakenkreuzschnabel und größter Kreuzschnabel, Hartschnabel, Fichtengimpel und Fichtenhacker, Kernfresser, Krappenfresser, finnischer Papagei (in Livland), Pariser Papagei, schwedischer Papagei (Linné) und Parisvogel. Bouvreuil pin; Pine Finch. — Tallbit und Nachtwach in Schweden (Bff.); Tallbitarna (ebendort nach Meves); Nattvaka (b. h. Nachtwächter) in Norland (nach Albrecht). Nomenclatur: Loxia enucleator, L., Gml.; L. flamengo, Sprrm., Gml.; L. psittácea, Pll. [nec Lth.]; Fringilla enucleator, Meyer, Rss. [„Hndbch."]; Strobilóphaga enucleator, Vll.; Corythus enucleator, Cv., Bp., Bp. et Schlg., Gld.; Pinícola enucleator, Cb., Br. — Coccothraustes canadensis, Brss.; Loxia enucleator, Frstr., Wls.; Pyrrhula enucleator, Audb.; Córythus enucleator, Bp., Audb.; Pinicola canadensis, Cb., Brd.; P. americana, Cb.; [P. enucleator, Cb.].

Wissenschaftliche Beschreibung: Lebhaft und prächtig roth; Kopf und Hals fast karmoisinroth; Rücken und Mantel dunkler roth, aschgrauschimmernd, indem jede Feder nur breit roth gerandet ist; Schwingen schwärzlichgrau mit feinen röthlichen Außensäumen und hellgrauen Innensäumen; Flügel aschgrau mit zwei breiten weißlichen, rosenroth schimmernden Binden; Bürzel reiner und heller roth; Schwanzfedern schwärzlichgrau mit feinem fahlen Außensaum, schwach grünlich überhaucht; ganze Unterseite himbeerroth, von weitem wie heller geschuppt erscheinend; Hinterleib und untere Schwanzseite aschgrau, die unteren Schwanzdecken fahl gesäumt. Schnabel schwärzlichgrau, Unterschnabel am Grunde heller; Auge braun; Füße schwarzbraun. — Das Weibchen ist an Kopf und Hals grünlichgelbgrau, Zügel und Kehle heller gelblich; Rücken grau, jede Feder fahl gelb gerandet; Schwingen und Schwanzfedern schwärzlichgrau, jede Feder fahl außengerandet und gekantet; über dem Flügel zwei weißliche Binden; Brust gelblichgrau, Bauch reiner grau. Schnabel fahler horngrau; Auge braun; Füße schwärzlichgrau. — Die jungen Männchen erscheinen im Uebergangskleide graugelb, mehr oder weniger dunkel mit bräunlichem Ton und dürften in der Regel erst im dritten Jahre das volle schöne Roth erhalten. — Beim Vergleichen eines amerikanischen Hakengimpels mit einem europäischen in der Sammlung der Akademie von Philadelphia fand Baird folgende Unterschiede: Die Große des erstern ist, wie bereits S. 500 erwähnt, bedeutender; das Roth ist etwas verschieden, der Flügel zeige mehr Weiß in ziemlich breiten und scharf abgegrenzten, reinweißen Außenrändern der großen Flügeldecken, die beiden Binden über dem Flügel sind also breiter, reiner; der Schnabel ist tief dunkelbraun und die Füße sind schwarz.

Pyrrhula enucleátor: laetissime rubra, capite colloque subkermesinis; dorso et interscapilio obscurius rubris ac plumae cujusque tantum late rubromarginatae causa lumen offerentius cinereum; remigibus subnigro-cinereis, exterius subtiliter rubente, interius incano-marginatis; fasciis duabus trans alam cineraceam latis albidis, rubro-micantibus; uropygio dilutius rubro; rectricibus nigricante cinereis, exterius livide limbatis, virente afflatis; gastraeo toto kermesino, dilutius squamulato; crisso latereque caudae inferiore cinereis; subcaudalibus livide limbatis; rostro nigricante cinereo, basi mandibulae dilutiore; iride fusca; pedibus nigro-fuscis. —

♀ capite colloque virente gilvis; loris gulaque nigricante cinereis; plumis dorsi cinerei livide flavido-marginatis; remigibus rectricibusque e nigro cinereis, livide exterius marginatis et terminatis; fasciis duabus trans alam albidis.

Länge 23,5 cm.; Flügelbreite 34 cm.; Schwanz 8,5 cm.; (Flügel 10,7 bis 11 cm. nach Albr.). Juvenis: maris junioris vestimentum transitorium gilvum, plus minus fuscatum.

Beschreibung des Eies: länglich-eiförmig, schiefergrau mit grünlichem Schein, mit dichten braunen Flecken besprizt und namentlich am dickeren Ende schwärzlichbraun und dunkelpurpurröthlich gefleckt (Wolley). — Grundfarbe lebhaft bläulichgrün, am stumpfen Ende verwaschen rothbraun gewölkt und hier auch mit einzelnen kastanienbraunen Flecken; den Eiern des gemeinen Gimpels ähnlich, doch so groß wie die des Kernbeißers (Päßler).

Ovum: oblongo-ovatum, schistaceum, subviride micans, maculis dense conspersum fuscis, in basi praesertim obsitum subnigro-fuscis et purpureis (Wolley). — Ovum laete subaeruginosum basi elute rufo-nubilata necnon castaneo-submaculata (Pässler).

Die **fremdländischen eigentlichen Gimpel,** welche dem europäischen Gimpel oder Dompfaff in der Gestalt, Färbung und im ganzen Wesen mehr oder minder gleichen, haben für die Liebhaberei bisher erst geringe Bedeutung und zwar einerseits, weil sie entweder noch garnicht oder doch nur selten lebend in den Handel gelangt und andrerseits, weil manche von ihnen als Arten noch keineswegs sicher festgestellt sind. Da einige aber ebensowol von den russischen Händlern, als auch von Ostindien aus über London oder Hamburg wenigstens einzeln eingeführt werden, so will ich sie sämmtlich kurz aufführen.

**Der rothköpfige Gimpel** [Pyrrhula erythrocéphala, Vgrs.] ist eine unbestritten feststehende Art, deren Heimat das Gebiet des Himalaya und die als Strichvogel in Indien vorkommt. Er unterscheidet sich von dem europäischen Verwandten schon von vornherein dadurch, daß er an Kopf und Halsseiten dunkelroth ist, mit einem schmalen schwarzen Bande um den Schnabel; Nacken und Schultern düster röthlichgrau; Schwingen und kleine Flügeldecken schwarz, große Flügeldecken aschgrau, über den Flügel eine weiße Querbinde; Bürzel, sowie Ober- und Unterschwanzdecken weiß; Schwanz schwarz; Kehle, Brust und Oberbauch hell zinnoberroth mit orangegelbem Schein; Unterbauch und Hinterleib fahl bräunlichgrau; Schnabel schwarz; Auge braun; Füße fahl röthlichbraun. Das Weibchen ist an Kopf und Hals fahl grünlichgelbgrau; oberhalb dunkel bräunlichgrau mit einer weißen Querbinde über den Flügel; Schwanz schwärzlichgrau; ganze Unterseite hell bräunlichgrau. In der Lebensweise und in jeder andern Hinsicht dürfte er mit unserm europäischen Dompfaff übereinstimmen, und ich bitte daher, die Schilderung desselben in meinem „Handbuch für Vogelliebhaber" II. (Einheimische Vögel) nachzulesen. — Rothkopfgimpel (Br.) — [Red-headed Bullfinch, Hrsf. et Mr.].

Nach Prof. Cabanis kennt man bis jetzt neun Gimpelarten, welche von Tristram in folgender Weise neben einander gestellt sind. Die Gimpel aus nördlichen Gegenden haben sämmtlich den schwarzen Kopf und die vier zuerst folgenden Arten zeigen auch einen weißen Bürzel; von ihnen sind zwei größer und zwar:

**Der kochenillerothe Gimpel** [Pyrrhula coccínea, Selys.] in Europa heimisch, und

**Cassin's Gimpel** [Pyrrhula Cassini, Brd.] aus Nordamerika.

Drei Arten sind kleiner, und zwar außer unserm gemeinen Dompfaff:

**Der graubäuchige Gimpel** [Pyrrhula griseiventris, Lfrs.; P. orientalis, Tmm.] aus Japan, und

**Der mäusegraue Gimpel** [Pyrrhula murína, Gdm.] von den Azoren; dieser leztre hat keinen weißen Bürzel.

Die Gimpel aus dem Himalaya unterscheiden sich in folgender Weise. Keiner hat den schwarzen Kopf. Der bereits oben beschriebene rothköpfige Gimpel zeigt, wie der Name ergibt, einen rothen und sein Weibchen einen gelben Kopf.

**Der pomeranzengelbe Gimpel** [Pyrrhula aurantíaca, Gld.] von Kaschmir ist an Kopf und Rücken orangefarben;

**Der rothſchwänzige Gimpel** [Pyrrhula eríthacus, *Blh.*] von Silhim iſt an Kopf und Rücken aſchfarben mit lebhaft rother Bruſt und nicht ſchwarzem, ſondern rothem Schwanz;

**Der Nepal-Gimpel** [Pyrrhula nipalensis, *Hdgs.*] vom öſtlichen Himalaya iſt an Kopf und Rücken aſchfarben mit heller aſchgrauer Unterſeite.

Nachdem ſodann mit ziemlicher Sicherheit feſtgeſtellt worden, daß Caſſin's Gimpel als eine beſtimmte Art fortfällt und ſich als Weibchen des kochenillerothen Gimpels erweiſt, welches ſich aus dem Norden Oſtſibiriens nach den vormals ruſſiſch-amerikaniſchen Beſitzungen verflogen hat, tritt an deſſen Stelle:

**Der aſchgraue Gimpel** [Pyrrhula cinerácea, *Cb.*] aus Oſtſibirien, mit ſchwarzem Ober-kopf, hellaſchgrauem Mantel, ohne röthliche Färbung der Bruſt, weißem Bürzel und hellaſch-grauem Unterleib. Das Weibchen iſt mehr reingrau, am Unterleib blaßgrau, Unterbauch und Unterſchwanzdecken weiß.

Die Akten inbetreff der gelehrten Unterſuchungen ſind noch keineswegs geſchloſſen, und ob dieſe oder jene Art mit einer andern zuſammenfällt oder noch neue hinzutreten, das muß den Forſchungen der Zukunft vorbehalten bleiben. Für die Liebhaberei dürfte es ausreichend ſein, daß wir dieſe fremdländiſchen Gimpel im allgemeinen kennen und wiſſen, durch welche Haupt-merkmale ſie ſich von einander unterſcheiden. Im übrigen verweiſe ich hinſichts ihrer Haltung und Verpflegung auf das in der Einleitung geſagte.

**Der ſibiriſche langſchwänzige Gimpel** [Pyrrhula sibirica], welcher auch in Japan vor-kommen und ſich laut Temmink ſogar ſchon bis nach Europa verflogen haben ſoll, iſt roſen-roth, ſilbergrau ſchillernd; Stirn hochroth, Oberkopf mehr ſilbergrau, Nacken röthlichdunkelbraun, grau ſcheinend; Flügel braun, jede Feder weiß oder röthlichweiß geſäumt, zwei breite röthlich-weiße Binden über den Flügel; Schwanzfedern braun, roth außengerandet, die äußerſten weiß; Bürzel roſenroth; Kehle ſilbergrau, Bruſt und Bauch weißlichkarminroth; Schnabel horngrau; Füße gelblichgrau. Zur Niſtzeit ſoll das ganze Gefieder prächtig roſenroth ſich färben. Das Weibchen iſt weißlichgrau mit den roſenrothen Abzeichen des Männchens, doch matter. Bach-ſtelzengröße. Bis jetzt iſt dieſer ſchöne Gimpel noch nicht lebend eingeführt, da er jedoch nach Radde in Sibirien gefangen und im Käfige gehalten werden ſoll, ſo dürfen wir wol erwarten, daß die ruſſiſchen Händler auch ihn bald einmal zu uns bringen, zumal gegenwärtig der Vogel-handel nach Rußland hinein und von dort her zu uns überaus lebhaft ſich entwickelt. In der Lebensweiſe dürfte er den übrigen ausführlich geſchilderten, namentlich aber dem Karmingimpel gleichen, doch ſoll er ſich vorzugsweiſe in ſumpfigen Gegenden aufhalten. Seine Brut hat man im Juni und Juli beobachtet. Das Neſt ſteht auf Zwergbirken, ſeltener Weiden oder Lärchen, etwa 1,50 bis 2 Meter hoch, dicht am Stamm; es iſt ſehr künſtlich aus Faſern und Stengeln erbaut, dickwandig, gewöhnlich kegelförmig, ſeltener halbkugelig, mit zarten Grashalmen und Thierharen, manchmal auch mit Federn ausgefüttert, doch nicht um die Aeſte geflochten. Das Gelege beſteht in drei bis fünf blaugrünlichen, namentlich am dickern Ende ſchwärzlich gefleckten und kurz geſtreiften Eiern. Dr. Dybowski fand den Vogel in Oſtſibirien, winters auf den nach Süden gelegenen Bergabhängen, ſommers in den Thälern und namentlich in den Ge-büſchen und Hainen an Fluß- und Bachufern, ſowie an den Rändern der Steppenquellen. Sehr ſcheu, verläßt er die Eier leicht und nimmt auch niemals ein Kukuksei an, ſondern zerſtört lieber das Neſt. Der Geſang iſt leiſe, doch angenehm. Die Reiſenden Severzow, Dybowski, Parrex, Przewalski, Radde u. A. haben ihn in Daurien, Turkeſtan und in der Mongolei geſehen. — Meiſengimpel (*Br.*). — Loxia sibirica et Pyrrhula caudata, *Pll.*; Pyrrhula longicauda, *Tmm.*; Urágus sibiricus et Pyrrhula sibirica, *K. et Bl., Schlg., Bp.*

**Der blutrothe langſchwänzige Gimpel** [Pyrrhula sanguinolenta, *Tmm.* et *Schlg.*] wird, obwol dem vorigen ſehr verwandt, doch als eine beſondre Art erachtet und kommt außer in Japan auch auf dem oſtaſiatiſchen Feſtlande vor. Bevor näheres über ihn bekannt iſt, muß ich es bei dieſer Erwähnung bewenden laſſen, zumal der überaus ſeltene Vogel bisher keine Ausſicht zeigt, lebend eingeführt zu werden.

### Der Wüstengimpel [Pyrrhula githaginea].

Es gewährt besondere Freude, das Leben eines Vogels darzustellen, welcher nicht allein den Liebhabern vorzugsweise anmuthig und lieblich erscheint, sondern auch in seinem Freileben bereits eingehend erforscht und geschildert ist. Ein solcher, der sog. Wüstentrompeter, tritt uns jetzt entgegen, und wir würden ihn als einen der liebenswürdigsten und werthvollsten Stubenvögel zugleich bezeichnen müssen, wenn nicht ein Uebelstand gar schwer ins Gewicht fiele, nämlich der, daß er leider nur höchst selten in den Handel gelangt.

Sein ganzes Gefieder ist rosenroth, mehr oder minder grau gemischt; Oberkopf aschgrau, Mantel graubraun, Flügel und Schwanz bräunlichgrau, alles rosenroth überhaucht; unterhalb lebhaft rosenroth. Das Weibchen ist bedeutend mehr braungrau, doch ebenfalls stark rosenroth überhaucht. „Es ist ein lebhaftes und schönes Vögelchen, ein wenig stärker als der Kanarienvogel, dem das etwas dicke Köpfchen mit dem papageienartig gewölbten Scharlachschnabel, da dasselbe von einem keineswegs kurzen und sehr beweglichen Halse getragen wird, nichts von der Zierlichkeit seiner Formen raubt. Der etwas gedrungene Körper, welcher meistens eine mehr aufrechte als wagerechte Stellung zeigt, ruht auf blaßrothen Beinen, die nebst Füßen und Nägeln von bemerkenswerther Zartheit für einen Vogel sind, der sich fast beständig auf dem harten Erdboden bewegt. Die weit geöffneten Augen heben sich vermittelst eines Kranzes weißlicher Federchen vortheilhaft von dem Grundton des Gefieders ab.“

Seine Verbreitung erstreckt sich über alle Gegenden Nordost-Afrikas, in denen die Wüste bis an das Stromthal herantritt und über diese selbst, also Oberegypten und Nubien, die Sahara, nicht minder aber auch das steinige Arabien, über die Kanarischen Inseln und ebenso Westasien. „Als die Länder Südeuropas, in denen er vorkommt, sind die französische Provence, Toskana und der griechische Archipel bekannt, am häufigsten ist er an einem der im äußersten Süden unseres Welttheils liegenden Punkte, der Insel Malta, wo er in jedem Winter einkehrt und vom Dezember bis März verweilt. Die eigentliche Heimat ist aber immer nur die Wüste.“

Die älteren Schriftsteller haben ihn kaum gekannt, wenigstens nur kurze Bemerkungen über ihn veröffentlicht. Seine Abbildung gaben Temminck, Roux, Prinz Bonaparte und dann Gould. „Die Ornithologie kennt unsern Vogel erst seit dem Feldzuge der Franzosen gegen Egypten. Obwol am Nil und in Palästina Zeuge sehr alter Civilisationen und Europa so nahe wohnend, war er doch bis dahin der Wissenschaft fremd geblieben. Kein naturgeschichtlicher Schriftsteller erwähnt seiner vor der Erforschung Egyptens, die mit dem Degen in der Faust geschah. Seine Geschlechter hatten auf den Sphinxen der Pharaonen geruht, in der Cyrenaika griechische Kultur erblühen und fallen gesehen. Sie waren um die Tempelpforten des Jupiter Ammon und um die Zellen der Einsiedler in der Thebais geschlüpft; was kümmerte den Menschen der kleine Vogel, was kümmerte er die erst so spät neugierig gewordene, noch junge Wissenschaft! Sie erfuhr erst im Beginn unsres Jahrhunderts; daß die Wüsten Afrikas einen rosen= farbenen Gimpel haben."

Obwol ich im Hinblick darauf, daß in diesem, seinem Abschlusse nahenden ersten Bande meines Werks noch eine beträchtliche Anzahl der Finkenvögel be= handelt werden müssen, zu größtmöglichster Raumersparniß gezwungen bin, so kann ich es mir doch nicht versagen, die herrliche Schilderung, welche Dr. Karl Bolle gegeben und aus der bereits das Obige entlehnt ist, wenigstens im Aus= zuge hier noch weiter mitzutheilen:

„Baumlos und von der heißen Sonne der Küstengegend beschienen muß das Wohngebiet sein, welches der Wüstengimpel liebt, und hier gibt er den dürrsten und steinigsten Orten den Vorzug; hier lebt er, mehr Geröll= als Felsenvogel stets gesellig, außer der Brutzeit, familienweise oder in kleinen Trupps. Gar bald würden wir seine Spur zwischen den seinem Gefieder so unmerkbar gleich= gefärbten Steinen verlieren, wenn nicht seine Stimme, eine der größten Merk= würdigkeiten des Vogels, uns als Wegweiser diente. Horch! ein Ton, wie der einer kleinen Trompete zittert durch die Luft: gedehnt, vibrirend, und wenn unser Ohr ein feines ist und wir gut gehört, werden wir diesem seltsamen Klange vor= hergehend, oder unmittelbar nach ihm, einige leise, silberhelle Noten vernommen haben, die wie die kaum hörbaren Akkorde einer von unsichtbaren Händen gerührten Harmonika glockenrein durch die stille Wüste hinklangen. Oder es sind sonderbar tiefe, dem Gequak des kanarischen Frosches nicht unähnliche, nur weniger rauhe, haftig wiederholte Silben, die der Vogel selbst mit fast gleichen, aber schwächeren Lauten, bauchrednerisch, als kämen sie aus weiter Ferne, beantwortet. Ist es schon mißlich, Vogeltöne überhaupt durch Buchstaben wiederzugeben, so dürfte es bei diesen um so schwieriger sein. Es sind eben Stimmen, die man vernommen haben muß, um sich von ihnen eine richtige Vorstellung zu machen. Niemand wird einen wirklichen Gesang von einem Vogel so beschaffener Gegenden erwarten. Die erwähnten, abenteuerlichen Klänge, denen er oft noch eine Reihe krähender und schnurrender anhängt, vertreten bei ihm die Stelle eines solchen. Sie passen in ihrer Seltsamkeit so vollkommen zu der gleichfalls ungewöhnlichen Umgebung, daß man ihnen stets freudig lauscht und auf sie horcht, sobald sie schweigen. Diese Trompetenstößchen sind wie eine der melancholischen Stimmen der Wüste selbst oder als ob die Djinns der Einöde redeten, „Vox clamantis in deserto". Während er steiles, felsiges Gebirg nicht gerade aufzusuchen scheint, liebt er be= sonders das Malpais, jene öden schwarzen Lavaströme voll gletscherartig klaffender

Risse und Schlünde, auf denen kaum ein Hälmchen grünt, die ihn aber in ihren
Höhlungen sichere Schlupfwinkel bieten. Nie sieht man ihn gleich dem Stein=
sperlinge sich auf einen Baum oder Strauch niederlassen. In bewohnteren
Gegenden ziemlich scheu, zeigt er sich in dem Schweigen und der Einsamkeit der
Wüste recht zutraulich, namentlich die Jungen. Die Nahrung besteht ganz oder
fast allein in Pflanzenstoffen, insbesondre in Gräsersämereien, die man im Magen
der erlegten als mehlartigen Brei vorfindet. Auch ist er begierig nach den öl=
haltigen Körnchen der Vereins- und Kreuzblütler und mag wol junge Blätter ebenfalls
verzehren, da er sich solche in der Gefangenschaft gutschmecken läßt. Obgleich er
als Bewohner sehr trockener Gegenden lange dursten kann, so vermag er doch
nicht, Wasser auf die Dauer zu entbehren. Wie spärlich, trüb und lau auch die
Quelle rinnt oder der Teich fault, sie müssen durch einen, wenn auch meilenweiten
Flug täglich einmal wenigstens erreichbar sein. Diese Finken sind daher auf die
Nachbarschaft der Oasen angewiesen und ihr Erscheinen ist für durstgequälte Ka=
rawanen ein günstiges Vorzeichen. Ich selbst sah sie auf den Kanaren meist morgens
und abends zur Tränke fliegen. Sie trinken viel auf einmal, in langen Zügen,
zwischen welchen sie den Kopf erheben, baden sich auch wol nachher im seichten
Wasser, wenn es vom Schlamm nicht allzusehr verunreinigt ist. Nie habe ich
bemerkt, daß sie wie die Sperlinge im Sande sich wätzen und stäuben. Die
Brutzeit beginnt im März. Der Gewohnheit der meisten Wüstenvögel treu, wird
das Nest so versteckt angebracht und mit so ungemein großer Vorsicht verhehlt,
daß man es selten auffindet. Mir ist es nie gelungen, eines zu entdecken, soviel
ich mich auch danach umgeschaut; doch weiß ich von Augenzeugen, namentlich der
Ziegenhirten Fuertaventuras, daß sie, wo Malpais vorhanden, am liebsten in dessen
Schründen nisten, sonst aber ihr Nest auf der Erde unter große, überhängende
Zweige bauen. An solch' einer Stelle hatte es der Mayordomo von Arguineguin,
wie er mir erzählte, als Knabe bei Jinamar auf Kanaria gefunden. Auch steht
es bisweilen in den Zwischenräumen der Feldsteine, aus denen die die trockenen
Aecker umgebenden Mauern roh aufgethürmt sind und in Felsspalten mit weitem
Eingange. Es hat einen ziemlich tiefen Napf und ist kunstlos aus dem groben
Stroh der Wüstengräser geflochten, innen mit größeren Federn, meistens denen
des Gangahuhns, auch wol mit einigen Flocken von Kameelwolle oder Ziegenhar
leicht gepolstert. Das Gelege bilden 3 bis 5 Eier. Wie viele Bruten alljährlich
gemacht werden, vermag ich nicht mit Sicherheit anzugeben. Weniger als zwei
möchten es indeß nicht leicht sein, da ich noch im Juli die Alten parweise traf,
auch der Vogel an für ihn geeigneten Orten häufig genug ist. Die flügge=
gewordenen Jungen streichen in Trupps umher, denen sich nach der Nistzeit auch
die Eltern, deren Mauser in der zweiten Hälfte des Juli anfängt, zugesellen und
sie so zahlreicher machen. Im Herbst und Winter werden diese Scharen durch

viele aus Afrika herüberkommende verstärkt, denen es ein leichtes ist, den Meeres=
arm zwischen den Inseln und der Küste zu überfliegen. Man hat schon ermüdete
Wüstenfinken an Bord der Fahrzeuge, mit denen die Isleñofischer auf jener von
größeren Schiffen gemiedenen See kreuzen, sich niederlassen sehen. Diese seine
Reisen erklären auch, indem sie ihn uns zugleich als Reisevogel vorführen, sein
alljährliches Erscheinen auf Malta."

Bevor ich die Bolle'schen Darstellung fortsetze, muß ich zunächst die An=
gaben anderer Reisenden über das Freileben anfügen. A. Leith Adams fand
ihn in Egypten häufig: „Man hört den hellen klingenden Ruf längs der Grenzen
der felsigen, die Wüste begrenzenden und der daranstoßenden beackerten Gebiete.
Hier schützt ihn seine Färbung einigermaßen gegen Feinde. Er nistet neben dem
Haussperlinge in alten thebaischen Gräbern. In Nubien sieht man nicht selten,
daß ein Sperber mit einem Wüstentrompeter in den Klauen um die Fels=
klippen streicht, verfolgt von den hellen und klangvollen Klagetönen des ganzen
Schwarms. Im Januar nähern sich die Männchen den Weibchen und beginnen
ihre Liebesspiele; jene leisten lange Widerstand und erst zu Ende des Monats
findet die Parung statt; wie bei anderen Vögeln, so zeigen sich auch bei ihnen
die kräftigsten und am üppigsten gefiederten Männchen am begehrlichsten." Nach
Dr. Robert Hartmann's Angaben schädigt er mit dem Weidensperlinge ge=
meinschaftlich in großen Scharen in Nordost=Afrika nicht selten arg die Weizen=
saten, und läßt sich weder durch Schleudern, noch Scheuchen oder Geschrei ge=
hörig vertreiben. Dies bestätigt auch Chalihl=Effendi, dessen Heimatsangabe
ich oben benutzt habe, indem er noch folgendes hinzufügt: „In Nord= und Mittel=
nubien und in Egypten lebt er in großen Flügen, oft wol von 80 Köpfen, fällt
wie andere Finken auf den Feldern ein und streicht auf ihnen zwischen dem
Strome und Gebirge umher. Je wilder und zerklüfteter das letztere, umso sicherer
ist er zu finden. Man verfolgt ihn nicht und er zeigt sich daher sehr zutraulich,
hält sich aber fern von anderen Vögeln, selbst an den Brunnen der Wüste, wo
er in jeder Oase vorkommen dürfte. Am Brunnen der Bajuda war er der
häufigste Vogel, und sogar zahlreicher als die Wüstenlerchen und Wüstenammern.
Nach den Grenzen der Wüste hin scheint er seltener zu sein; in Mittel= und Unter=
egypten habe ich ihn niemals gesehen." Heuglin beobachtete ihn längs des Nil
zwischen dem 27. und 23. Grad nördlicher Breite und ebenso im peträischen
Arabien; er meint, daß die Brutzeit wol schon in den März, sicher aber in
den April und Anfang Mai falle. „Im Juni scharen sie sich in kleine Flüge
zusammen, welche auf Brachäckern, an Wegen, in Steinbrüchen und Klüften, auf
Ruinen und Felseninseln und am Rande der Wüste sich flüchtig umhertreiben und
meistens von Gräsersämereien sich ernähren. Sie scheinen im Spätherbst zu
streichen, ohne eigentlich zu wandern. Gewöhnlich sind sie garnicht scheu und

bilden immerhin eine liebliche Erscheinung auf den glühenden kahlen Felsen oder
in der ausgebrannten pflanzenlosen Wüste. Der Lockton ist ein hölzernes ter, ter,
der Gesang ist unbedeutend, oft schwätzend oder mehr zirpend, aber immer mischen
sich Laute hinein, die mit denen eines Kindertrompetchens zu vergleichen sind."

Der zuerst genannte Forscher fährt sodann folgendermaßen fort: „Lange
hat es gedauert, ehe es mir gelang, lebende Wüstentrompeter zu erhalten, und
erst nach vier Jahren, nachdem in Fuertaventura alle meine Bemühungen vergeblich
gewesen, war ich glücklich genug, in Kanaria diesen sehnlichen Wunsch erfüllt zu
sehen. Nun erfuhr ich auch, wie man sie fängt, und zwar bedarf man dazu
eines Garnes und eines Lockvogels (Reklamo) derselben Art. Letztern fesselt
man möglichst fern von Busch und Baum in einem wüsten Thalgrunde u. a.
Orten, wo man weiß, daß die Art umherstreicht, zu ebener Erde an. Auf seine
unaufhörlich ausgestoßenen Lockrufe erscheinen bald die Kameraden, hüpfen wie
tanzend von Stein zu Stein und picken von dem um den Lockvogel herum aus=
gestreuten Futter. Da klappt das Netz über ihnen zusammen — und sie sind
gefangen. Anfangs trotzig und wild, nehmen sie doch bald den gebotnen Kanarien=
samen. Da ich ihrer zehn mit nach Deutschland gebracht habe und deren noch
mehrere besitze, so bin ich im Stande, über sie als Stubenvögel zu berichten. Sie
sind hart und ausdauernd und vermögen, obwol sie im Winter die Nähe des
Ofens aufsuchen, doch eine ziemlich niedrige Temperatur zu ertragen. Ich verlor
während der Seereise, der andere Vögel so leicht unterliegen, keinen einzigen von
ihnen. Man kann sie in Deutschland recht gut vom April bis zum Oktober im
Freien lassen, nur ist es selbstredend, daß sie gegen wirklichen scharfen Frost verwahrt
werden müssen. Ueberaus angenehm werden sie im Zimmer dadurch, daß sie
abends bei Licht stets munter und fast noch lebhafter als am Tage sind. Kaum
wird die Lampe angezündet, so erschallen ihre Trompetentöne, ohne daß sie durch
Flattern, wie viele Kerbthierfresser, zu später Stunde lästig würden. Sie
führen dann belustigende Konzerte auf; bald sind es schöne und helle, aber kurze
Trompetenklänge, bald ist es jener langgedehnte dröhnende Ton, welcher die Haupt=
note ihres Gesangs bildet. An den letztern reihen sich oft ein Schnurren oder
verschieden betonte Laute, welche fast wie das Miauen einer Katze sich anhören;
oder sie beginnen mit leisen und reinen Tönen, dem Läuten eines Silberglöckchens
ähnlich und dann folgt ein ganz entgegengesetztes, fast ammerartiges Geschrei.
Auf den quakenden Ton käk, käk, käk, welchen sie häufig wiederholen, antwortet
regelmäßig ein viel tieferer, leise und kurz ausgestoßener. Durch alle diese, bald
rauhen und fast krächzenden, bald flötend klingenden, immer jedoch höchst aus=
drucksvoll vorgetragenen Laute gibt der Vogel seine verschiedenen Empfindungen
zu erkennen. Selten hört man ein zwar unzusammenhängendes, doch länger
währendes Geplauder, dem kleiner Papageien ähnlich. Alle jene Töne aber, fast

ohne Ausnahme, sind so absonderlich sprechend und wohlklingend, daß man wol darüber erstaunt, sie von einem so kleinen Vogel zu vernehmen. Vielleicht wäre seine Stimme durch Erziehung einer ähnlichen Vervollkommnung fähig, wie wir solche an unserm Dompfaff bewundern. Er zeigt ein keckes, anmuthiges Wesen, Zahmheit gegen Menschen und Verträglichkeit gegen seinesgleichen und andere Vögel. Die sonderbaren, stark betonten Trompetenrufe der Männchen — nur diese lassen solche hören — erschallen auch im Spätherbst und Winter, indem sie mit denselben einander fortwährend locken. Am lautesten trompeten sie im Frühlinge. Dabei legen sie den Kopf hinten über in den Nacken und richten den weitgeöffneten Schnabel gerade hoch; die leiseren Töne bringen sie mit geschlossenem Schnabel hervor. Zur Parungszeit namentlich, aber auch beim Singen überhaupt, machen sie komische Bewegungen, tanzen förmlich um einander und verfolgen sich gegenseitig hitzig, wenn sie erregt sind. Ueber den Erdboden huschen und hüpfen sie mit großer Schnelligkeit, ducken und verbergen sich, kriechen aber nie in Höhlungen mit engem Eingang. In den Sonnenstralen strecken sie sich behaglich mit gesträubtem Gefieder aus, reizende Gruppen bildend. Sie baden nicht oft; zur Mauserzeit bedürfen sie vorzüglich sorgsamer Pflege, da sie ohne solche leicht kränkeln und erliegen.

„Auch im Käfige halten sie sich ihrer Lebensweise gemäß am liebsten am Boden auf, lernen jedoch, sich auf Sprossen und Stangen zu setzen. — Im April d. J. 1858 brachte ich ein Pärchen in eine zum Gebauer eingerichtete Kammer, deren vergittertes Fenster den Stralen der Mittagssonne zugänglich war. Bald hatte ich die Freude, zu sehen, daß sie alle der Parung vorangehenden Spiele durchmachten. Sie trieben einander mit hoch aufgerichteter Haube, schnäbelten und fütterten sich aus dem Kropfe, zwar nicht oft, aber um so leidenschaftlicher stets in höchster Erregung mit gesträubten Scheitelfedern und herabhängenden, wie krampfhaft zuckenden Flügeln. Als Nistort wählten sie ein hoch an der Decke hängendes Harzerbauerchen und bauten das Nest fast nur aus Stroh, innen mit Federn ausgelegt. Beim Eintragen nahmen sie nicht wie andere Vögel nur einen Halm, sondern deren so viele in den Schnabel, als dieser zu fassen vermochte. Der schlichte einfache Bau ging nur langsam vonstatten und wurde fast ausschließlich vom Weibchen ausgeführt, obwol auch das Männchen etwas eintrug. Niemals verweilten beide längere Zeit zusammen im Nest; wenn der eine hinzukam, so schlüpfte der andere sogleich hinaus. Am Morgen des 24. April fand ich das erste Ei im Neste und an jedem folgenden Tage ward ein solches hinzugelegt, bis ihre Zahl vier betrug. Das Weibchen hatte bis dahin zwar noch nicht fest gesessen, würde jedoch wahrscheinlich gebrütet haben, wenn ich mich nicht entschlossen hätte, die Hälfte dieses ersten Geleges auf dem Altar der Eierkunde zu opfern. Die übrig gebliebenen beiden Eier legte ich einem

Kanarienweibchen unter, welches sich als vortreffliche Brüterin bewährt hatte und nach Brutdauer von 14 Tagen auch ein Junges ausbrachte. Dies sah garnicht so häßlich aus, wie sonst wol junge Singvögel, sondern ganz niedlich. An den nackten Theilen, namentlich am Halse, war es fleischfarben, sonst ziemlich dicht mit zartem schneeweißen wol 8 mm. langen Flaum bedeckt, welcher am Oberkopf gleichsam ein langes Häubchen bildete. Trotz der guten Pflege seitens des Kanarien= weibchens starb es kaum eine Woche alt, vielleicht an überreichlicher Atzung, da es das einzige Junge im Neste war. Bald darauf begannen die Trompeterchen eine zweite Brut; vom 3. bis 5. Mai bezogen sie ein neues Nest, verließen dieses jedoch, besserten das halbzerstörte aus und nahmen es dann wieder an. Am 9. Mai wurde das erste Ei gelegt, welchem noch zwei andere folgten. Leider fing nun aber das Weibchen an zu kränkeln und wollte nicht mehr brüten, während ich ihm diesmal die Eier ließ. Still und betrübt saß das Männchen neben dem Neste und wurde erst unruhig, nachdem sein Weibchen, das letzte, welches ich be= saß, gestorben war; mehrere Tage hindurch flatterte es dann ruhelos umher.

„Gleich anderen Finken habe ich die Wüstentrompeter mit allerlei Sämereien versorgt, in deren Auswahl der Vogel zwar nicht heikel ist, doch die größeren öligen, z. B. Hanf, den mehlhaltigen wie Hirse und Kanariensamen vorzieht. Ferner frißt er gern die Samen des Löwenzahns, welche er aus den grünen Köpfchen geschickt hervorzuholen versteht, sodann die Körner aus den halb= oder ganz reifen Kornähren, die Früchte verschiedener Amaranthus=Arten und die zarten Blätter von Kohl, Salat, Kreuzkraut und Vogelmiere; von thierischen Stoffen nur Ameisenpuppen, während lebende Kerbthiere unberührt bleiben. Er ist übrigens überaus leicht zu erhalten; ich sah, daß man auf den Kanaren einige mit bloßem zerkleinerten Mais fütterte. Uebrigens frißt er auch allerlei weiches Futter, in Milch oder Wasser geweichte Semmel, selbst gekochte Kartoffeln, ferner Obst u. drgl. gern. Das passendste Futter für ihn dürfte jedoch ein Gemisch von Hirse oder Kanariensamen mit ein wenig Hanf und von Zeit zu Zeit etwas Grünkraut sein. Auf den kanarischen Inseln wird er trotz seiner Vorzüge kaum jemals als Stubenvogel gehalten, weil er dort so gemein ist, wie mir neuerdings ein Freund schreibt. Ich glaube indeß eher aus Mangel an Liebhaberei, die sich in jenen Gegenden nur auf wenige Singvögel beschränkt."

Dr. Bolle hatte schon darauf hingewiesen, daß der Vogel sich zur Nistzeit hin in ein ungleich prächtigeres lebhafteres Hochzeitskleid verfärbt, und dies be= stätigt namentlich Chalihl=Effendi. — Aber gleich allen übrigen Verwandten verliert auch er das schöne Roth mehr und mehr in der Gefangenschaft.

Als einen Gegenstand des Vogelhandels darf man diesen prachtvollen Gimpel leider noch nicht ansehen, denn außer den von Bolle mitgebrachten zehn Köpfen waren wol kaum jemals andere in den Handel gelangt. Erst im Jahre 1874 führte Ch. Jamrach in London wenige Exemplare ein, und zwar ohne die Art zu kennen, unter der wunderlichen Bezeichnung rosenrothe Pabbas; von denselben erhielt ich drei. Außerdem dürfte nur noch Herr Universitätsbuchhändler Fiedler in Agram ein Pärchen besessen haben. Die meine Vogelstube bewohnenden, von denen ich ein Par an Herrn Graf Rödern in Breslau abtrat, während der einzelne bald zugrunde ging, haben leider keine Gelegenheit zu weiteren Beobachtungen gegeben. Sie hielten sich fast ausschließlich auf dem oberen Boden eines großen, hoch oben an der Decke hängenden Käfigs auf, welcher den kleineren Prachtfinken zur Nistherberge diente und auf dem sie rastlos hin- und herliefen. Ihre Töne habe ich garnicht gehört und ich muß annehmen, daß sie infolge unzweckmäßiger Verpflegung während der Ueberfahrt krankhaft in meine Hände gelangten. Da der Trompeter in seiner Heimat keineswegs selten ist, so läßt sich wol erwarten, daß er über kurz oder lang zahlreicher zu uns kommen und die schöne Bolle'sche Schilderung ergibt, daß er sich dann nicht allein als ein herrlicher, sondern auch als ein kräftiger, keineswegs weichlicher Vogel zeigen werde. Denn, wenn er unschwer zur Brut schreitet, so muß er doch auch ausdauernd sein. Der Preis dürfte immerhin hoch stehen, denn unter 45 Mark wird man das Pärchen schwerlich erlangen können.

Der Wüstengimpel oder Wüstentrompeter ist auch Wüstenfink, Trompeter- und Papageiengimpel benannt.

Le Bouvreuil de la désert; Desert Bullfinch. — Trumbettier (Trompeter), auf Malta; Pajaro moro (der maurische Vogel) oder schlechtweg Moro auf den Kanaren im allgemeinen, Pajaro majorero oder Pispo und nach Berthelot auch Gorrion colorado (bunter Sperling) auf Fuertaventura und Lanzarote (Bolle); Asfur el hadjar (d. h. kleiner Steinvogel) in Egypten (Ch.-Eff.).

Nomenclatur: Fringilla githaginea, *Lchtst.*, *Rss.* [„Hndb.‘]; Pyrrhula Paraudaei, *Audb.*; Pyrrhula githaginea, *Tmm.*, *Rpp.*, *Bl.* et *Ksl.*, *Hgl.*, *Br.*; Erythrospiza githaginea, *Bp.*, *Bp.* et *Schlg.*, *Gld.*, *Adms.*, *Hrtm.*, *Bll.*, *Frstr.*, *Chmbrs.*, *Tlr.*, *Hgl.*; Carpodacus Paraudaei, *Gr.*, *Cb.*, *Rx.*, *Gld.*; Bucanetes githagineus, *Cb.*, *Hgl.*, *Mlhrb.*, *Wrght.*, *Antm.*, *Br.*; Carpodacus githagineus, *Br.*

Wissenschaftliche Beschreibung: Scheitel und Nacken rein aschgrau, mit seidenartigem Glanz, Schultern und Rücken mehr oder weniger bräunlichaschgrau, mit röthlichem, durch so gefärbte Federn gebildeten Anfluge; die größeren Flügeldecken blaßbräunlich, breit rosenroth gerandet; Schwingen und Steuerfedern dunkelbraungrau, an der äußern Fahne karminroth, an der innern weißlich und an der Spitze etwas breiter verwaschen weißlich gerandet; das übrige Gefieder zeigt eine mattglänzende, schwer zu beschreibende Mischfarbe von Atlasgrau und Rosa, welche namentlich an der Stirn, den Zügeln, der oberen Augengegend, den Backen und der Kehle, am kräftigsten unmittelbar um den Schnabel, in reines rosiges Karmin übergeht. Mehr oder minder stark hervortretende, breitere oder schmälere rothe Ränder aller Federn bedingen diese Farbenmischung. Der Bauch und die unteren Steißfedern sind blaßrosenröthlich. Ganz alte, besonders schön ausgefärbte Männchen zeigen auch rothgesäumte Achselfedern und einen viel stärker angehauchten Rücken. Die Unterseite ist bei ihnen fast ganz dunkel rosa und alle Theile sind von kräftiger mehr gesättigter Karminfarbe als bei den jüngeren, mitunter fast blutroth. Schnabel wundervoll korallenroth; Auge dunkelbraun; Füße blaßroth, mit hornfarbenen Nägeln. — Das Weibchen ist am ganzen Oberleibe bräunlichgrau. Diese Färbung verliert sich allmälig in die hellere der Unterseite, welche von der Kehle bis zu dem weißlichen Bauche röthlich überflogen ist und überhaupt einen rothgrauen Farbenton zeigt. Am meisten spielt derselbe noch an der Kehle, unmittelbar unter dem Schnabel ins reine Rosa. Der Bürzel ist von ziemlich gesättigter, doch unrein rosenrother Farbe, welche nach hinten zu durch die breiter werdenden Säume kräftiger erscheint. Die Schulterfedern sind schmutzigrosenroth gekantet, die inneren Flügeldecken weißlich; die größeren Flügeldecken, Schwung- und Schwanzfedern gleichen denen des Männchens, nur sind sie nach außen hin schmäler und viel weniger reinkarminroth gerändert; wie beim letztern sind die Kanten der mittleren Steißfedern am breitesten roth, je mehr nach außen hin, desto schmäler und grauer werden sie, an den beiden äußersten erscheinen sie ganz blaßgrau. Die unteren Schwanzdecken sind nach dem After zu blaßrothgrau, am Hinterbauch, wo sie an Größe zunehmen, weißgrau mit undeutlich bräunlichen Schaftstrichen. Schnabel gesättigt gelbroth; Füße blasser roth als die des Männchens. (Bolle).

Jugendkleid: hellehm- oder schmutzigisabellgelb; große und kleine Flügeldecken, Schwingen und Schwanzfedern schwärzlichbraun, beiderseits graugelb gesäumt; Bürzel isabellgelb; Wangen gelblich; Kehle bis über die Brust weißlich; Bauch düsterweiß, untere Schwanzdecken gelblich. Schnabel und Füße fleischfarben. (Bolle).

Pyrrhula githaginea: subroseo-cinerea (ob plumas cinereas roseo-marginatas), vertice cerviceque pure cinereis, serico-nitentibus; fronte, capistro*), loris, regione superoculari, genis, gulaque subkermesinis; humeris dorsoque fuscato-cinereis, rufescente afflatis; tectricibus al. subumbrinis late roseo-marginatis; remigibus rectricibusque fumigatis, exterius kermesino, interius albido-limbatis, latiusque albido-terminatis; abdomine crissoque subrosaceis; rostro laetissime corallino; iride fusca; pedibus rubentibus; unguibus corneis. — ♀ supra fumido-cinerea; subtus dilutior; a gula usque ad abdomen albidum rosaceo-afflata; uropygio sordide roseo; plumis humeralibus luride roseo-marginatis; tectricibus al. majoribus, remigibus et rectricibus angustius subroseo-marginatis; subalaribus albidis; crisso cano, medio rubente; infracaudalibus anterioribus subrubris, posterioribus incanis, subfusco-striatis; rostro aurantio; pedibus dilute rubentibus.
Länge 13 cm.; Flügel 7,8 cm.; Schwanz 2,8 cm.
Juvenis: testacea vel luride isabellina, tectricibus al. majoribus et minoribus, remigibus rectricibusque nigricante fuscis, utrinque gilvo-limbatis; uropygio isabellino; genis flavidis; collo a gula usque ad pectus albido; abdomine luride albo; infracaudalibus flavidis; rostro pedibusque carneis.

Beschreibung des Eies: Farbe blaßmeergrün oder noch heller, mit zerstreuten rothbraunen Pünktchen und Flecken, die am spitzen Ende sehr vereinzelt stehen, am stumpfen einen Kranz bilden. Dieser zeigt außer mehreren feinen dünnlinigen Schnörkeln und Zickzacken auch nicht selten ziemlich große hellrothbraune, an den Rändern verwaschene Flecke, die meist in ein geschlängeltes Schwänzchen auslaufen, manchmal aber fast rund sind und in einzelnen Fällen auch über die mehr einfarbige Hälfte des Eies zerstreut stehen. (Bolle).
Ovum: pallide aeruginosum punctulis maculisque badiis dispersis, basin versus magis minus coacervatis, illic interdum in maculam confluentibus unam obsitum.

Der düstere Wüstengimpel [Pyrrhula obsoléta, Lchtst.], welcher nach Dr. Severzow in Zentralasien, bzl. Turkestan, im Tieflande, als eigentlicher Gartenvogel lebt und dessen volle Verbreitung bis jetzt noch unbekannt sein dürfte, wurde zuerst von Eversmann in der Bucharei gefunden. Näheres über ihn ist nicht angegeben und daher muß ich es bei dieser Erwähnung bewenden lassen, zumal er in der Lebensweise und in allem übrigen mit den Verwandten wol übereinstimmen dürfte, und da er, wenigstens vorläufig, ohne jede Bedeutung für die Liebhaberei ist. (Erythrospiza obsoleta, Eversm.).

---

*) capistrum = Gegend um den Schnabel herum.

# Die Kernbeißer und Kernbeißerfinken [Coccothraustinae].

Als einheitliche Vogelgemeinschaft muß ich jetzt eine vielgestaltige Gruppe zusammfassen und schildern, obwol die Angehörigen derselben von anderen volks= thümlichen und gelehrten Schriftstellern in überaus zahlreiche Sippen zersplittert worden. Da sie jedoch in vielen Hauptmerkmalen im wesentlichen übereinstimmen, in Lebensweise, Ernährung und Fortpflanzung wenig von einander abweichen und da ich mir vorbehalte, bei jedem einzelnen Geschlecht die besonderen Eigenthümlich= keiten hervorzuheben, so darf ich sie ohne Bedenken zusammenstellen.

Mit Ausnahme von Australien findet man zugehörige Arten in allen Welt= theilen. Es sind der Mehrzahl nach größere Finken bis zu Drossel=, doch auch hinab bis zu Prachtfinkengröße. Kräftig gebaut mit verhältnißmäßig großem Kopf zeigen sie als Hauptkennzeichen einen starken und dicken, nicht sehr abweichend, meistens kegelförmig gestalteten, doch auch zusammengedrückten oder bauchigen Schnabel und stämmige, kräftig und scharf bekrallte Füße. Die Gestalt ist ge= drungen, selten schlank. Die Flügel sind mehr oder minder kurz, nur bei wenigen lang und spitz, mit dritter oder vierter längster Schwinge; Schwanz in der Regel kurz ausgeschnitten, auch gerundet, nur bei einer geringen Anzahl lang. Das Gefieder ist dicht und weich mit angenehmen, bei manchen recht prächtigen Farben, und mit verschiedener Färbung der Geschlechter. Einige Arten tragen als Zierde einen Federschopf. Nicht wenige darf man als angenehme, bzl. hervorragende Sänger erachten; eine Beurtheilung dieser Eigenthümlichkeit muß ich mir für jede einzelne Art vorbehalten.

Vorzugsweise Baumvögel, stimmen sie in der Lebensweise fast ganz mit den eigentlichen Finken überein. Ihre Nahrung besteht in mancherlei Sämereien, Kernen, Früchten und Beeren, sowie auch in Kerbthieren und Gewürm. Das Nest steht immer frei im Gebüsch auf Bäumen und Sträuchern, nur setten hoch; es bildet stets eine offne Mulde und enthält farbige und gezeichnete Eier.

Für die Liebhaberei sind sie größtentheils von hohem Werth. Viele von ihnen gehören zu den regelmäßig und auch in großer Anzahl anlangenden Gästen des Vogelmarkts, so namentlich die Kardinäle in fast allen Arten. Manche hat man auch bereits mit Glück in der Gefangenschaft gezüchtet; im allgemeinen aber sind doch noch nicht viele derartige Versuche mit ihnen angestellt worden. Man füttert sie mit verschiedenen Sämereien, mehligen und öligen, nebst Zugabe von Ameisenpuppengemisch, Mehlwürmern, Eierbrot, Beeren u. a. Früchten, Grün=

kraut u. drgl. Im übrigen sei auf die Abschnitte über Verpflegung und Zucht
überhaupt hingewiesen. Hier muß ich vorläufig nur mit Bezug auf eine be=
sondre Eigenthümlichkeit Rathschläge geben. Kräftig und ausbauernd im Käfige,
fressen gleich vielen anderen Finkenvögeln auch einige hierher gehörende sich leicht
zu fett und gehen dann an Unterleibsentzündung u. a. zugrunde. Man besichtige
besonders die ruhigen, meist still sitzenden hin und wieder, und sobald sie auf=
fallend fett erscheinen, entziehe man ihnen alle nahrhaften Futterzugaben, reiche
ihnen nur Körner, auch viel Grünkraut, und bringe sie, wenn möglich, in einen
geräumigen Flugkäfig, vielleicht gar mit einigen unfriedlichen Genossen zusammen.

*  *  *

Unter den eigentlichen Kernbeißern [Coccothraustes, *Bchst.*] und Kernbeißerfinken oder
Kernknackern [Coccoborus, *Swns.*], zu denen ich auch die sog. Kardinäle [Cardinalis, *Bp.*],
die Pfäffchen [Sporóphila, *Cb.*] und die Ruber= oder Papageifinken [Pítylus, *Cv.*] zähle,
gibt es verhältnißmäßig viele im Handel vorkommende Arten, von denen jedoch nur wenige als
vorzugsweise beliebte Stubenvögel gelten dürfen. Als Hauptmerkmale der Kernbeißer sind ein
eigenthümlicher Höcker am Oberschnabel, welcher in den Unterschnabel hineinpaßt und dann
einige hakenförmig gebildete Schwingen im Flügel zu erachten. Die übrigen Verwandten zeigen
jene Absonderlichkeit an ihren mehr oder minder langen und spitzen Schwingen nicht und ihre
kegelförmigen Schnäbel haben auch nicht den erwähnten Höcker. In der Lebensweise und in
allem übrigen sind sie aber völlig übereinstimmend; auf alle abweichenden besonderen Kenn=
zeichen werde ich bei den einzelnen Arten näher eingehen.

### Der Maskenkernbeißer [Coccothraustes personatus].

Zu den größten und stattlichsten der fremdländischen Finken gehörend, wird
er leider nur selten von Fräulein Hagenbeck oder Chs. Jamrach in einzelnen
Köpfen, höchstens in einigen Pärchen in den Handel gebracht. An Oberkopf, Gesicht
und Kehle ist er tief glänzendschwarz; ganze übrige Oberseite röthlichfahl=bräunlichgrau; Flügel
und Schwanz ebenfalls schwarz, die ersteren mit breiter weißer Querbinde in der Mitte;
Unterseite fahl bräunlichgrau; Bauchmitte, Hinterleib, untere Flügel= und Schwanzdecken rein=
weiß; Schnabel düster orangegelb; Auge tiefbraun; Füße gelblichgrau. Das Weibchen ist
bräunlichgrau, am Kopf nicht tiefschwarz, sondern nur dunkler schwärzlichbraungrau; über dem
Flügel eine schmale weißliche Querbinde. Größe etwas bedeutender als die des euro=
päischen Kernbeißers. Heimat nur Japan. Ueber das Freileben ist fast gar=
nichts bekannt. In der Fauna von Japan haben Temminck und Schlegel
nur die Beschreibung, jedoch nichts bemerkenswerthes über die Lebensweise ge=
boten; dieselbe dürfte wol mit der des europäischen Kernbeißers übereinstimmen.
Die Forscher Dr. Dybowski und Godlewski erlegten ein Pärchen auf ihrer
Reise im südlichen Assurilande und an den Küsten des japanischen Meeres, wie
sie sagen, während der Brutzeit; doch ist leider ebenfalls nichts näheres an=
gegeben. Die in meiner Vogelstube mehrmals vorhanden gewesenen Männchen
(ein Weibchen erhielt ich nur einmal und dasselbe starb sogleich) erschienen im
Wesen und Benehmen dem erwähnten Verwandten durchaus gleich, doch habe

ich von einem derselben einen fleißig vorgetragnen, einfachen und kleinen, nicht un=
angenehmen Gesang gehört. Herr Aug. F. Wiener in London verlor ein
Männchen an Ueberfütterung und warnt dringend, daß man sie nicht immer frei
in der Vogelstube fliegen lassen, sondern wenigstens zeitweise absondern und dann
mager füttern solle. Im übrigen zeigt dieser Kernbeißer sich harmlos und fried=
lich und er dürfte immerhin einen Schmuck für die zoologischen Gärten bilden;
für die Vogelstuben hat er jedoch ungleich geringern Werth. Freilich wird er
wol überall unschwer zum nisten schreiten, denn im Berliner Aquarium begann
ein Pärchen bereits ein Nest zu erbauen. Im Verhältniß zu seinem Preise,
20 Mark für den Kopf, ist er aber weder schön noch liebenswürdig genug.

Der Maskenkernbeißer ist auch japanesischer Kernbeißer (Ruß' „Handbuch")  und
schwarzköpfiger Kernbeißer (Wiener) benannt. — Le Grosbec du Japon et le Grosbec ou
Coccothraustes masqué; Masked Hawfinch.

Nomenclatur: Coccothraustes personatus, *Tmm.* et *Schlg.*; Eophóna personata,
*Swnh.*; Fringilla personata, *Rss.* („Handbuch").

Wissenschaftliche Beschreibung s. S. 514.

Coccothraustes personatus: supra fumigato-rufescens, pileo, facie gulaque nitide aterrimis, alis caudaque nigris; fascia trans alam mediam alba; subtus
livide fumigatus, abdomine medio, crisso, subalaribus et infracaudalibus pure
albis; rostro luride aurantio; iride obscure fusca; pedibus gilvis. — ♀ subfumida
capite obscurius fumigato; fascia trans alam angusta albida.

## Der schwarzschwänzige Kernbeißer [Coccothraustes melanúrus].

Noch seltener im Handel als der vorige, wird er zuweilen von Vekemans
in Antwerpen, fast immer jedoch nur einzeln eingeführt; im zoologischen Garten
von London ist er bereits mehrmals vorhanden gewesen. Die vier Köpfe aber,
welche das Berliner Aquarium unter dem ersten Direktor von der Antwerpener
Versteigerung erhalten, waren keineswegs, wie im „Führer" fälschlich angegeben,
diese Art, sondern die vorhergehende. Der zoologische Garten von Berlin hat
den kleineren Kernbeißer nur ein einzigesmal im Jahre 1875 in einem Exemplar
besessen, und ich glaube auch kaum, daß derselbe außerdem schon jemals nach Deutsch=
land gelangte. Er ist am ganzen Kopf und an der Kehle bis zur Oberbrust hinab glänzend
schwarz, an der letztern allmälig dunkelbraungrau werdend; Rücken und Schultern fahlbraun;
Flügel schwarz mit breitem weißen Querfleck und weißem Rande; Bürzel bräunlichgrau; obere
Schwanzdecken grauweiß; Schwanz metallglänzend schwarz; Körperseiten gelblichbraun; ganze
Unterseite reinweiß; Schnabel schwach bräunlichgelb; Auge rothbraun; Füße weißlichhorngrau.
Das Weibchen ist am Kopf und der ganzen Oberseite bräunlichgrau; Oberkopf und Kopfseiten
reiner grau; Schwingen schwarz mit weißer Querbinde; Bürzel bräunlichgrau; Schwanzfedern
grau mit schwarzen Spitzen, die äußersten ganz schwarz; Kehle weißlich; Brust bräunlichgrau;
Seiten gelblichbraun; Bauch gelblichweiß. Die Größe ist beträchtlich geringer, als die
des vorigen. Als Heimat ist China bekannt. Irgend etwas näheres über die
Lebensweise ist leider nicht zu finden, nur die kurze Angabe, daß auch von dieser
Art ein altes Pärchen in der Brutzeit durch die vorhin genannten Reisenden

33*

geſchoſſen worben. Man kann wol mit Sicherheit annehmen, daß er mit dem vorigen, bzl. den einheimiſchen Kernbeißer, in jeder Hinſicht übereinſtimmend iſt.

Der ſchwarzſchwänzige Kernbeißer iſt auch Schwarzſchwanzkernbeißer (Br.) und Kernbeißer von China (Ruß' „Handbuch") geheißen.

Le Coccothrauste à queue mélaïne, Grosbec à queue mélaïne ou Grosbec de la Chine (*Vekemans*); Black-tailed Hawfinch.

Nomenclatur: Loxia melanura, *Gml., Shw., Lth.*; Eophóna melanura, *Gld., Hrsf.* et *Mr.*; Coccothraustes melanura, *Jard.* et *Slb., Gr.*; Hesperiphóna melanura, *Bp.*; Fringilla melanura, *Rss.* [„Handbuch"]. — Black-tailed Grosbeack, *Lath.*

Wiſſenſchaftliche Beſchreibung ſ. S. 515.

Coccothraustes melanurus: capite, gula, gutture nitide nigris, hoc sensim fumigato; dorso humerisque livide fuscis; alis nigris maculam transversam latam campteriumque exhibentibus alba; uropygio fumido; supracaudalibus incanis; cauda nigra, metallice nitido; lateribus livide umbrinis; gastraeo toto albissimo; rostro testaceo; iride badia; pedibus albente corneis. — ♀ subfumida pileo capitisque lateribus cineraceis; fascia trans remiges nigros alba; uropygio fumigato; rectricibus cinereis nigro-terminatis, extimis totis nigris; gula albida; pectore fumida; lateribus ferruginosis; abdomine flavente albo.

Hierher gehörende nahe verwandte Vögel ſind noch die folgenden: **Der japaneſiſche Kern=beißer** [Coccothraustes japonicus, *Tmm.* et *Schlg.*], ebenfalls aus Japan und den vorigen in der Färbung ähnlich. Dr. Dybowski verwechſelte ihn in Oſtſibirien, wo er ihn zur Sommerzeit in geringer Anzahl in den mit Vogelpflaumen bewachſenen Sträuchern beobachtete, mit dem gemeinen Kernbeißer und Taczanowski bemerkt dazu, daß dieſe Arten einander überaus naheſtehend ſeien. Eine nähere Beſchreibung und Schilderung brauche ich nicht zu geben, da die Art noch nicht lebend eingeführt iſt und dazu auch keine Ausſicht zeigt. — **Der Kernbeißer mit fleiſchfarbenen Füßen** [Coccothraustes carnipes, *Hdgs.*] iſt in Turkeſtan von Seberzow gefunden und zwar überall in der Zone der Nadelhölzer. Im Muſeum der oſt=indiſchen Kompagnie iſt er aus Nepal vorhanden. (Flesh-footed Grosbeak, *Hdgs.*; Cocco-thraustes speculigerus, *Brndt.*). — **Der gelbliche Kernbeißer** [Coccothraustes icteroídes, *Vgrs.*] wurde von Dr. v. Stoliczka im Winter in Kotegurh im Himalaya geſammelt, und das Muſeum der oſtindiſchen Kompagnie enthält Exemplare aus Bengalen. (Icterine Gros-beak, *Gr.*). — **Der ſchwarzgelbe Kernbeißer** [Coccothraustes melanoxanthus, *Hdgs.*] be=wohnt nach den Angaben des Forſchers Hodgſon die nördlichen Gegenden Nepals, wandert von dort im Sommer ſogar ins Innere, reife Steinfrüchte ſuchend. (Coccothraustes fortirostris, *Lfrsn.*; Black and yellow Grosbeak, *Hdgs.*).

### Der roſenbrüſtige Kernbeißer [Coccothraustes ludovicianus].
#### Tafel XIII. Vogel 68.

Hochobenan in der Reihe aller beliebten fremdländiſchen Stubenvögel ſtehend, zählt er zugleich zu denen, welche der Handel, wenn auch nicht gerade häufig und in großer Anzahl, ſo doch nicht gar zu ſelten bietet. Er wird ziemlich regelmäßig alljährlich von Herrn C. Reiche und Fräulein Hagenbeck einge=führt; auf den großen Berliner Ausſtellungen der Jahre 1877/78 hatte Herr R. Schoebel einige Pärchen.

Theils als Sänger einzeln im kleineren Käfige, theils parweiſe zum Hecken in der Vogelſtube wird er ſehr gern gehalten, und in dieſer wie in jener Hinſicht kommen mehrere seiner angenehmen Eigenschaften zur Geltung. An Kopf, Nacken, Rücken, Flügeln und Schwanz ist er glänzendschwarz, mit weißen Binden über den Flügel; Unterhals und Oberbrust spitz nach dem Bauch zu laufend und ebenso die Schultern sind prächtig karminroth; Unterflügeldecken lichtrosenroth; Brust und Bauch reinweiß. Das Weibchen ist schlichtgrau, ohne schwarzen Kopf, unterhalb drosselartig gefleckt und nur am Flügelrande rosenroth überhaucht. Die Größe stimmt mit der des gemeinen Kernbeißers überein. Nach Baird erstreckt sich seine Verbreitung über den ganzen Osten der Vereinigten Staten von Nord= amerika und zwar westlich bis zu den Missouri=Ebenen und südlich bis Guatemala. Zum Winter wandert er bis Neugranada hinab.

Die alten Schriftsteller erwähnen ihn nur kurz, wie Brisson und Buffon, oder sie haben ihn garnicht gekannt; die beiden Genannten geben auch bereits Abbildungen und der erstere beschreibt ihn als Dickschnabel von Luisiana. Un= gleich reicher ist die neuere und neueste Literatur an eingehenden Darstellungen seines Frei= und Gefangenlebens zugleich.

Wenden wir uns nun zunächst dem erstern zu. Prinz von Wied, der ihn in Pennsylvanien und am Missouri erlegte, sagt nur kurz, daß er in der Lebens= weise anderen Kernbeißern und verwandten Finken gleiche und nicht scheu sei. Auf der Insel Kuba beobachtete ihn Dr. Gundlach im Oktober und noch mehr im April, auf höheren Bäumen nach Beeren oder Samen suchend, doch nicht in allen Jahren regelmäßig. Ebenso kommt er nach Hill auf der Insel Jamaika vor und nach Dr. v. Frantzius gehört er auch zu den Vögeln Kostarikas. Der letzte Forscher sah ihn zuweilen, obwol nicht häufig, vom Februar bis Juni bei St. José und zwar gewöhnlich Weibchen und junge, noch nicht ausge= färbte Männchen, nur einmal ein altes Männchen im vollkommenen Farbenschmuck. Ob er hier nistet, ist nicht festgestellt und als Sänger kennt man ihn ebenfalls nicht.

Eine kurze, hübsche Schilderung des Freilebens gibt Herr H. Nehrling in folgendem: „Zu den interessantesten und schönsten Vögeln der gemischten Waldungen von Wiskonsin darf ich wol ohne Bedenken den rosenbrüstigen Kern= beißer zählen. Von den deutschen Ansiedlern wird er recht bezeichnend Roth= brust genannt. Er ist von allen unseren einheimischen Vögeln mein besondrer Liebling, denn an ihn knüpfen sich wie an keinen andern, süße Jugenderinnerungen. Im mittleren Wiskonsin, etwa zwölf englische Meilen von der am Michigansee erbauten Stadt Scheboygan liegt ein kleiner Landsee, welcher ringsum von Bergen umgeben ist, die theils mit Nadel=, theils mit Laubholzbäumen bewachsen sind und aus denen eine Anzahl Quellen hervorrieseln. Hier, in dieser romantischen Gegend, in welcher die Vogelwelt überaus reichhaltig und mannigfaltig vertreten ist, verlebte ich meine Jugendjahre. In den Sommermonaten weilte ich fast täglich auf einem dieser Berge. Nicht allein die schönen Tannen und anderen

Waldbäume oder die Kristallquellen waren es, welche mich fesselten, sondern
namentlich ein Vogel, der hoch oben im luftigen Gezweige seine wunderlieblichen
Lieder ertönen ließ — und zwar der rosenbrüstige Kernbeißer. Man muß seinen
Gesang in einer Gegend, in welche er so recht hinein gehört, selber belauscht
haben, um ihn recht würdigen und ihm das verdiente Lob spenden zu können.
Etwa anfangs Mai stellte sich das Pärchen ein und verblieb bis in den September.
Der Vogel ist hier keineswegs häufig. Man findet ihn nur an den günstigsten
Oertlichkeiten, in gemischten, bergigen, nicht allzu dichten, von kleineren Flüssen
durchzogenen oder von ebensolchen Seen begrenzten Waldungen. Im nördlichen
Illinois habe ich ihn niemals gefunden. Herr Kämpfer, Vogelhändler in
Chikago, bezieht diese Kernbeißer stets aus dem Osten, vornämlich aus dem
Staate New-York."

Ausführlicher berichtet Gentry über das Freileben: „Er ist in Ostpenn=
sylvanien keineswegs häufig und kommt auch unregelmäßig, etwa zur Mitte
des Monats Mai an. Dann sieht man ihn in hohen offenen Wäldern in den
Baumgipfeln, niemals aber, gleich verwandten Vögeln, im Gebüsch und auf
niedrigen Bäumen längs der Flüsse. Er ist überaus scheu, liebt einsame Oert=
lichkeiten, hält sich auf den großen Eichen immer außer Schußweite und flüchtet
schleunigst beim Nahen eines Menschen davon, während ein Flug sonst stunden=
lang auf einunddemselben Baume verweilt. In großen Schwärmen lebt er nicht,
sondern scheint bereits parweise einzutreffen, denn man findet die Pärchen stets zu=
sammen und zwar sogleich nach der Ankunft. Aufmerksame Beobachtung hat mich
davon überzeugt, daß er in unserer Gegend nicht nistet, während das zärtliche
Benehmen der Pärchen mich doch darauf schließen ließ; so kämpfen namentlich die
Männchen hitzig um die Weibchen. Der Flug ist leicht wellenförmig und meist
langgezogen. Man findet sie nahrungsuchend nur selten auf der Erde. — John
Richardson beschreibt den Gesang als klar, weich und harmonisch. Nuttall,
der ein Männchen im Käfig hielt, sagt, daß es ein melodischer und unermüdlicher
Sänger sei, welcher fast die ganze Nacht hindurch seine Töne erschallen lasse.
Diese seien theils kräftig und durchdringend, theils klagend und süß. Während des
Singens zeige er eine Erregung oder ein Entzücken, das auch in körperlichen
Bewegungen sich auspräge. An Ausdruck und Kraft des Gesanges werde er
nur von der Spottdrossel übertroffen. Sein Lockruf ertönt sanft tschuck (chuck).
Während seines nur zweiwöchentlichen Aufenthalts ernährt er sich von Sämereien
und Beeren, sowie von Kerbthieren in allen ihren Verwandlungen und Bruten,
und vor dem Abzuge frißt er namentlich Baumknospen, saftige Tannenschößlinge,
Staubgefäße und Stempel aus Baumblüten, besonders denen des rothen Ahorns.
Nach dem Osten von Massachusetts, gibt Dr. Brewer an, kommt er gegen Mitte
des Monats Mai und nistet in der ersten Woche des Juni auf niedrigen Bäumen

an Waldrändern, vorzugsweise in kleinen Hainen, an den Ufern der Ströme.
Ebenso fand ihn Allan nistend in Kanada. Das Nest ist aus groben Pflanzenstengeln, Blattstückchen, Halmen und Reisern geschichtet, außen auch mit Mos-
flöckchen durchwebt und innen mit feineren Stoffen ausgepolstert. Es ist eine
offene Mulde, welche 3 bis 4 Eier enthält, die in 14 Tagen erbrütet werden.
Alljährlich nistet das Pärchen nur einmal. Auch in Wiskonsin fand Dr. Hoy
sieben Nester auf einer fünf Morgen großen Fläche, welche im Dorngebüsch etwa
2 bis 3 Meter hoch vom Boden standen, und zwar nisteten hier diese Pärchen
alljährlich in gleicher Geselligkeit. Männchen und Weibchen brüten abwechselnd
und ersteres läßt während des nistens, am fleißigsten und anmuthigsten in der
Nähe des Nestes, seinen Gesang erschallen, so daß es dadurch nur zu leicht den
Stand desselben verräth."

Alle derartigen Schilderungen finden ihre Bestätigung im wesentlichen in
der eines der hervorragendsten amerikanischen Forscher, Audubon's nämlich.
Dieser beobachtete den Vogel nistend nur in großen zusammenhängenden Waldungen, wo das Nest im Frühlinge oder Frühsommer stets in der Nähe eines
Gewässers auf einem hohen Busch, ja meistens sogar auf einem hohen Baume
stand und außen aus Reisern, Laub, Rindenbast und Fasern von wilden Reben,
innen aus Würzelchen und Pferdeharen erbaut war. Die Jungen werden anfangs fast ausschließlich mit kleinen weichen Kerbthieren und deren Bruten, später-
hin· mit Sämereien gefüttert. Erst im dritten Jahre gelange das Männchen zum
vollen Prachtgefieder. Bachmann hebt besonders hervor, daß das Pärchen
während der Brut allerlei Kerbthiere, namentlich Maikäfer, Heuschrecken und
selbst hurtige, wie Fliegen, emsig verfolgt.

Wie schon erwähnt, wird dieser Kernbeißer vielfach in den Vogelstuben gehalten und unter Anderen hat Herr Graf York von Wartenburg schon längst
darauf hingewiesen, daß er hier, im Gegensatz zu vielen seiner Verwandten, als
ein durchaus friedlicher und harmloser Vogel auftritt; nur im engen Käfige und
mit vielen kleineren Vögeln zusammen ist er, namentlich am Futternapf, bissig und
vermag mit seinem starken Schnabel wol hin und wieder einem kleinen Prachtfink recht gefährlich zu werden. Die Fütterung ist einfach die in der allgemeinen
Uebersicht der Kernbeißer angegebene und mit Vorliebe frißt er Hanfsamen. Herr
v. Schlechtendal beobachtete, daß er auch gern frisch getödtete Drohnen verzehrte. Gleich allen Verwandten frißt er sich ebenfalls leicht zu fett und stirbt
dann an Unterleibsentzündung und dergleichen Krankheiten. Man fängt daher
besonders gegen das Frühjahr hin das Heckpärchen aus der Vogelstube oder den
einzelnen Sänger aus dem Käfige, untersucht sie genau und behandelt sie wie
S. 514 angegeben. Bei solcher Verpflegung zeigen sie sich so ausdauernd, daß
man sie viele Jahre hindurch erhalten kann.

Die Meinungen der Vogelliebhaber stehen einander inbetreff keiner Eigen=
schaft ihrer gefiederten Lieblinge so widersprechend gegenüber, als hinsichts des
Gesangs. Der eine preist ausschließlich unsere europäischen sog. Meistersänger,
die Nachtigal, den Sprosser und deren Verwandte, während ein andrer auch den
Sängern unter den Finkenvögeln Gerechtigkeit widerfahren läßt. In der Ver=
schiedenheit der Urtheile aber, für und wider den hervorragenderen Gesang dieser
oder jener Vogelgruppe, erscheint es dem Unbefangenen am auffallendsten, daß
sich nicht selten ein heftiger Streit über einunddieselbe Art erhebt. Nun würde
zwar das alte Sprichwort zur Geltung kommen: über den Geschmack läßt sich
nicht rechten — allein im Eifer des Ausfechtens einer Meinung kann man
es ja garnicht vermeiden, daß in dem Lob oder Tadel entschieden zu viel gethan
und der rechte Weg der Wahrheit verfehlt wird. Die amerikanischen Schrift=
steller Audubon, Wilson, Baird u. A. außer den bereits erwähnten, loben
fast einstimmig eine Anzahl der dortigen Finkenvögel als die vorzüglichsten Sänger,
und mehrere der letzteren tragen bekanntlich den Beinamen der europäischen Ge=
sangskönigin, wie die virginische Nachtigal (der rothe Kardinal), die brasilische
Nachtigal (der graue Kardinal) u. a. m., während man auch den Vögeln
anderer Welttheile in dieser Hinsicht Lob spendet und z. B. den Bülbül im
allgemeinen als ostindische Nachtigal bezeichnet. Wenn diese Vögel aber bei
uns im Käfige oder in der Vogelstube sich hören lassen, da können wir solch'
begeistertes Lob nicht begreifen, und die meisten sachverständigen Beurtheiler des
Vogelgesangs unter uns schätzen nicht einmal das Lied der amerikanischen Spott=
drossel hoch, welches doch von vielen Anderen als das herrlichste unter allen
und weit bedeutender, als das unserer Nachtigal erachtet wird. Eine wenigstens
annähernd richtige Erklärung dürfte allerdings darin zu finden sein, daß bei den
Aussprüchen über die Vogellieder doch zweifellos ganz besondere Verhältnisse
gewichtig sich geltend machen, und zwar vor allem die Stimmung des Hörenden,
beeinflußt durch die Naturumgebung und Oertlichkeit, die Tageszeiten u. f. w.
Wer einsam am Rande des Hochwalds, zwischen Wiesen und blumigen Auen
wandelnd in den wonnigen Eindrücken eines lieblichen Frühsommerabends schwelgt,
wird das Lied der Drossel im hohen Föhrenwipfel ganz anders beurtheilen, als
der, welcher denselben Vogel im engen Zimmer hört und von seinen lautschallen=
den Tönen sich belästigt fühlt. Bedenken wir dazu noch, daß die meisten der zu uns
gelangenden fremdländischen Vögel entweder aus dem Nest genommene und in
der Hand aufgefütterte Pfleglinge, welche den ursprünglichen Gesang ihrer Art nie=
mals gehört und also auch nicht gelernt haben, oder daß sie durch den Fang und
die Ueberfahrt arg gemißhandelte Exemplare sind, so wird ein ehrlicher Vogelfreund
sich ebenso hüten, ihrer Fähigkeit und ihren Leistungen jeden Werth abzusprechen,
wie er sich nicht leicht zu überschwenglicher Begeisterung durch dieselben hinreißen

läßt. Von diesen Gesichtspunkten aus beurtheilt, findet man zunächst den Gesang der Vögel von einundderselben Art je nach abweichender Begabung, bzl.
je nach der Behandlung überaus verschieden. So auch bei unserm rosenbrüstigen
Kernbeißer; der eine singt gut, der andre schlecht. Im ganzen ist das Lied
viel mehr lieblich, als von hervorragend künstlerischer Bedeutung. Es ertönt als
eine sanfte, süße Klage, die aber einerseits zu geringe Abwechselung bietet und
andrerseits bei einzelnen Vögeln mit schrillen unschönen Lauten durchwebt wird;
besonders anmuthend dünkt sie uns abends beim Mondschein oder bei Lampen-
licht. Selbst der beste Sänger aber unter den rosenbrüstigen Kernbeißern dürfte
das überschwengliche begeisterte Lob der amerikanischen Schriftsteller kaum verdienen.

Will man aber einen schönen Vogel anschaffen, welcher nicht durch schmetternden Gesang stört, vielmehr ungemein zutraulich und zahm wird, unschwer nistet
und bei einfacher, selbstverständlich sachgemäßer Pflege viele Jahre hindurch vortrefflich ausdauert, so wähle man ihn.

An den Männchen in meiner Vogelstube beobachtete ich im Laufe der Zeit
einen Vorgang, welcher vielen Liebhabern noch neu sein dürfte. Im Winter des
ersten Jahres, in welchem ich ein Pärchen hielt, bemerkte ich, daß das Männchen
nach und nach sein schönes Roth verlor. Da das Rosenroth, wie die rothe Farbe
in ihren verschiedenen Schattirungen überhaupt, bei einer beträchtlichen Anzahl
von Vögeln bekanntlich in der Gefangenschaft verschwindet, so hielt ich meinen
prächtigen Kernbeißer nun für ziemlich werthlos. Zur nahenden Nistzeit
unterwarf ich ihn längere Frist hindurch einer spärlicheren Verpflegung, weil er
sich im Herbst an Obst, Eierbrot u. a. zu fett gefressen; als ich ihn dann aber,
nach überstandner Hungerkur, nebst seinem Weibchen freifliegen ließ, er sich von
neuem gehörig verpflegte und in die hochzeitliche Erregung gerieth, trat zu meiner
Verwunderung der rothe Brustlatz wieder groß und kräftig hervor. Diese Erscheinung wiederholte sich auch späterhin bei mehreren Männchen und nachdem
ich sie bereits im Sommer 1875 veröffentlicht, ist sie seitdem noch von verschiedenen anderen Seiten bestätigt worden.

Auch die Züchtung dieses Kernbeißers in der Gefangenschaft habe ich wol
zuerst erreicht. Das Pärchen baute ein sehr großes, nichts weniger als kunstvolles Nest, entweder auf dem Boden eines hochhängenden Drahtkäfigs in eins
der größeren Nistkörbchen oder in ein leeres Harzerbauerchen in der sog. Krone
der Vogelstube. Immer wurde der Ort möglichst hoch gewählt. Das Weibchen
trug fast allein die Baustoffe zusammen und zwar mit Vorliebe halbtrockene ver-
schleppte Vogelmiere, und auf einem Haufen derselben wurde dann aus Agavefasern eine nur leichte, nicht besonders künstliche Mulde geformt und mit einigen
Federn ausgelegt. Das Gelege bestand fast regelmäßig in vier Eiern und abweichend von den Angaben der Naturforscher hinsichtlich des Freilebens brütete

522 Die Kernbeißer und Kernbeißerfinken.

nur das Weibchen allein; ebenso nisteten meine Vögel und zwar habe ich im
Laufe der Zeit mehrere Pärchen gehalten, faſt regelmäßig zweimal im Frühjahr.
Beide Gatten des Pärchens füttern die Jungen ſehr eifrig und zwar anfangs
vorzugsweiſe mit friſchen Ameiſenpuppen oder dem Gemiſch aus gequellten und
Eierbrot, ſpäterhin faſt lediglich mit dem letztern und eingeweichten Sämereien,
auch nehmen ſie ſehr gern allerlei Kerbthiere, Mehlwürmer, Maikäfer, Fliegen
u. a. m. Die Entwicklung im übrigen ſtimmt mit der in der Freiheit ge=
ſchilderten überein.

Der Preis iſt noch immer ziemlich hoch und beträgt 30 bis 54 Mark für
das Pärchen.

Der roſenbrüſtige Kernbeißer iſt auch Rothbruſt und wunderlicherweiſe Roſen=
bruſtknacker (Br.) genannt. [Louiſianiſcher Kernbeißer, Müller; Roſenkehlchen, Buff.].
Le Grosbec à poitrine rose ou Coccothrauste à poitrine rose; Rose-breasted
Grosbeak. Degollado, auf Kuba (nach Gundl.).

Nomenclatur: Loxia ludoviciana, *L.*, *Wls.*; Fringilla punícea et Loxia obscura,
*Gml.*; Loxia rosea, *Wls.*; Coccothraustes rubricollis, *Vll.*; Guiraca ludoviciana, *Swns.*,
*Bp.*, *Brd.*; Fringilla ludoviciana, *Audb.*, *Rss.* [„Hndbch"]; Pyrrhula ludoviciana, *Sb.*;
Coccothraustes ludoviciana, *Rchrds.*; Coccóborus ludovicianus, *Audb.*, *Pr. Wd.*; Gonia-
phea ludoviciana, *Bwdch.*, *Gntr.*; Hedýmeles ludoviciana, *Cb.*, *Scl.*, *Br.* [Coccothraustes
ludoviciana, *Brss.*; Le Grosbec de la Louisiane, *Briss.*; Rosè-gorge, *Bff.*].

Wiſſenſchaftliche Beſchreibung: Der ganze Kopf, Nacken, Oberkehle, Rücken, Flügel
und Schwanz glänzendſchwarz, über den Flügel zwei weiße Binden und die äußerſten Schwanz=
federn am unteren Theil der Innenfahne weiß; Schultern karminroth, untere Flügendecken licht=
roſenroth; Bürzel weiß; Unterhals und Oberbruſt ſpitz zu bis zur Bruſtmitte laufend pracht=
voll karminroth; Bruſt und Bauch reinweiß, Bauchſeiten ſparſam ſchwarz geſtrichelt; Schnabel
gelblichweiß, Spitze des Oberkiefers ſchwärzlich; Auge dunkelbraun; Füße bräunlichbleigrau.
— Weibchen oberhalb fahl olivengrünlichgrau, dunkelbraun ſchaftfleckig; Längsſtreif über den
Scheitel, Augenbrauenſtreif und Zügel düſterweiß; Kopfſeiten braun; Flügel und Schwanz
ſchwärzlichbraun, erſtere mit zwei weißlichen Querbinden, untere Flügelſeite gelb; ganze Unter=
ſeite bräunlichweiß, Bruſt mit dunkelen Längsſtreifen; hinterer Unterleib reinweiß. — Jugend=
kleid dem des alten Weibchens gleich, nur heller und matter. Schnabel horngrau; Auge
ſchwarz; Füße gelblichgrau. (Nach der erſten Mauſer tritt beim jungen Männchen an der innern
Flügelſeite zartes lichtes Roſenroth hervor, während es im übrigen völlig dem alten Weibchen
gleicht. Im zweiten Jahre erſcheinen einzelne roſenrothe Federchen an der Bruſt und dieſe iſt
viel reiner weiß als beim alten Weibchen; erſt im dritten Jahre kommt die volle rothe Färbung
zum Vorſchein.)

Coccothraustes ludovicianus: capite toto, cervice, gula, dorso, alis
caudaque nitide nigris; fasciis duabus trans alam necnon apicibus rectricum extimarum introrsum albis; humeris kermesinis; tectricibus subalaribus subroseis;
uropygio albo; colore a gutture usque ad pectus medium in tenuitatem pectinem
laetissime rosaceo; pectore abdomineque albis; hypochondriis nigro-substriatis;
rostro saturate gilvo-albo; iride fusca; pedibus fuscato-plumbeis. — ♀ supra
olivaceo-virente cana, fusco-striata; vitta trans verticem, stria superciliari lorisque
luride albis; capitis lateribus umbrinis; alis caudaque nigricante fuscis, illis fascias
duas albidas ostendentibus; subalaribus flavis; subtus luride albida, pectore obscure
striato; crisso albissimo.

Länge 18,9 cm.; Flügel 9,6 cm.; Flugbreite 29 cm.; Schwanz 7,1 cm.

Juvenis: femellae adultae simillimus, sed dilutior et pallidior; rostro corneo; iride nigra; pedibus gilvo-cinereis.

Beschreibung des Cies: Blaugrün, gelb- und zimmtbraun gestrichelt und gefleckt. (Aubb.). Spangrün oder grünlichweiß mit rostfarbenen Flecken gezeichnet, welche mehr oder weniger über die ganze Oberfläche vertheilt sind. (Gntr.). Grundfarbe schön blaugrün, einzelne heller mit violetten bis rothbraunen, theils verwischten, theils scharf begrenzten Flecken, besonders am stumpfen Ende; Gestalt schön eiförmig; wenig glänzend. Länge 24—26 mm.; Breite 16—18 mm. (Nhrt.).

Ovum: aeruginosum fulvo- et cinnamomeo-lineatum et maculatum (Audb.) O. aeruginosum vel virente album maculis ferrugineis, irregulariter dispersis (Gntr.). O. laete aeruginosum, interdum dilutius, maculis violaceis, ipsis badiis inprimis in basi obsitum parte elutis, parte circumscriptis; pulchre ovatum; parum nitens (Nhrk.).

Der schwarzköpfige Kernbeißer [Coccothraustes melanocéphalus], ein naher Verwandter des vorigen, dessen Heimat sich nach Baird über das Flachland von Mexiko bis zur Küste des stillen Ozeans erstreckt. Er ist am ganzen Kopf nebst Kinn, Mantel, Rücken, Flügeln und Schwanz schwarz; ein breiter Mittelstreif über den Kopf, Schläfenstreif und breiter Kragen am Hinterhals gelblichbraun, fast hellzimmtbraun; am Oberrücken jede Feder gelblichbraun gesäumt; Bürzel gelblichbraun, schwarz spitzfleckig; über den Flügel zwei breite weiße Binden; obere Schwanzdecken weiß, die beiden äußersten Schwanzfedern an der Grundhälfte ebenso; Unterseite weiß; Brustmitte mit zitrongelbem Fleck, Brust- und Bauchseiten bräunlichweiß; untere Flügeldecken lebhaft zitrongelb; Schnabel dunkelbraun, Unterschnabel heller; Auge braun; Füße fleischfarben. Das Weibchen ist dem Männchen ähnlich, doch sein Schwarz an Kopf, Flügeln und Schwanz weniger tief, mehr olivengrünlichgrau; untere Flügeldecken hellgelb. Die Größe ist etwas beträchtlicher als die des vorigen. Gundlach hatte irrthümlich angegeben, daß er auch auf Kuba vorkomme, späterhin hat er selbst dies jedoch widerlegt. Näheres über die Lebensweise oder sonstige Eigenthümlichkeiten ist nicht bekannt, doch wird er wol in allem dem rosenbrüstigen Kernbeißer gleichen. In den Handel gelangt er höchst selten und einzeln und dann nur in die zoologischen Gärten. — In Ruß' „Handbuch" mexikanischer Kernbeißer und bei Br. Schwarzkopfknacker. — Le Coccothrauste ou Grosbec du Mexique; Mexican Hawfinch, Black-headed Grosbeak, Brd. — Guiraca melanocephala, Swns., Bp., Brd.; Fringilla xanthomaschalis, Wgl.; Coccothraustes melanocephala, Rchrds.; Fringilla melanocephala, Audb., Rss. [„Hndbch."]; F. maculata, Audb.; Pitylus guttatus, Lss.; Coccoborus melanocephalus, Audb.; Hedymeles melanocephala, Cb., Br.; Fringilla epopoea, Lchtst.

Der grüne Kernbeißer [Coccothraustes viridis, Vll.] ist im ganzen Gefieder gelbgrün; Stirn mehr grünlichgelb; Zügel, Gesicht und Oberkehle schwarz; ganze Unterseite lebhaft gelb; Schnabel schwarz; Auge braun; Füße bräunlichfleischfarben. Größe des europäischen Kernbeißers. Seine Heimat ist ganz Brasilien und auch Guiana. (Burmeister zweigt noch einen brasilischen Kernbeißer, Coccothraustes brasiliensis, Cb., als besondre feststehende und nur in Brasilien vorkommende Art ab, doch werden beide wol zusammenfallen. In Lebensweise und allem übrigen stimmen sie sicherlich mit dem vorigen überein. — Maskenkernknacker (Br.). — Le Grosbec ou Coccothrauste vert; Green Hawfinch. — Coccothraustes cayanensis, Brss.; Loxia canadensis (!), L.; Coccothraustes viridis, Vll.; Pitylus canadensis, Cv.; P. personatus, Lss.; Caryothraustes viridis, Cb., Br.; Fringilla viridis, Rss. [„Hndbch."] — (Fringilla cayanensis, Lchtst.; F. viridis, Pr., Wd. [nec Vll.]; Caryothraustes brasiliensis, Cb., Brmst).

Der gelbe Kernbeißer [Coccothraustes tibialis] von Kostarika; oberhalb dunkel-, unterhalb hellgelb; Zügel schwarz, Kopfseiten und Hinterhals schwärzlich quergestreift; Mantel, Schultern, Flügel, obere Schwanzdecken und Schwanz schwarz, aber an Rücken und Schultern jede Feder fahlgelb gesäumt und an den Schwanzdecken weiß gespitzt; der Flügel auch mit einer weißen Querbinde. Das Weibchen soll nur matter gefärbt sein. Etwa von Kernbeißergröße. Dr. v. Frantzius beobachtete ihn auf Kostarika, wo er die Maisfelder besuchen und des Gesanges wegen im Käfige gehalten werden soll. Näheres ist nirgends angegeben; sein Gesang, gleiche dem des europäischen Gimpels, in welchem Falle er freilich als trefflicher Sänger, wie ein populärer Schriftsteller ihn bezeichnet, nicht gelten könnte. Lebend eingeführt dürfte er bis jetzt noch nicht sein. — Herkulesknacker (Br.). — Pheucticus tibialis, *Brd.*, *Frntz.*

Der **graubäuchige Kernbeißer** [Coccothraustes poliogaster, *Dbs.*] aus Mexiko und Mittelamerika, von Frantzius auch auf Kostarika gefunden, ist dem grünen Kernbeißer sehr ähnlich, aber an der ganzen Unterseite grau. Er gehört zu den am wenigsten bekannten Vögeln. — Graubauchknacker (Br.) — Pitylus flavocinereus, *Css.*; P. episcopus, *Bp.* — Den **gelbbäuchigen Kernbeißer** [Coccothraustes aureoventris, *Lfrsn.* et *Orb.*] aus Kolumbien, den **grünbäuchigen Kernbeißer** [Coccothraustes chrysopeplus, *Vgrs.*] und den **großschnäbligen Kernbeißer** [Coccothraustes magnirostris, *Bp.*] kann ich hier nur beiläufig erwähnen, da sie vorläufig keine Aussicht zeigen, eingeführt zu werden und näheres über sie auch nicht bekannt ist.

## Der rothe Kardinal [Coccothraustes virginianus].

### Tafel XIII. Vogel 63.

Mit der tiefen Finsterniß ist laut- und bewegungslose Ruhe in der Vogelstube eingetreten. Kaum glauben wir, daß in diesem Raume mit uns noch etwa zweihundert Wesen athmen; doch eine haftige Bewegung wäre dazu ausreichend, um einige der quecksilbernen kleinen Astrilde aufzustören, und binnen wenigen Minuten würden uns ihrer dann so viele umschwirren und umtoben, daß wir an der erwähnten Thatsache nicht mehr zweifeln könnten. Wir lassen das kleine Gefieder jedoch lieber ruhen und verhalten uns horchend still und regungslos.

Einen eigenthümlichen Eindruck macht es, wenn inmitten der Dunkelheit und Stille nun plötzlich ein lauter langgezogener Ton erschallt, der von Zeit zu Zeit wiederholt wird. Wir sind ja gewöhnt, Vogellieder nur bei heiterm Sonnenschein zu hören oder der Klage der Nachtigal mindestens bei silbernem Mondlicht zu lauschen. Jedenfalls finden wir aber diese Laute, welche immer häufiger sich erheben und zuletzt in einen zusammenhängenden Gesang übergehen, durchaus wohlklingend und angenehm. Der Sänger ist eben der rothe Kardinal, ein schöner dunkelrother Vogel mit scharlachrothem Kopfe nebst ebensolchem Federbusch, an Gesicht und Kehle tiefschwarz und mit starkem lichtkorallenrothem Schnabel; von der Größe des europäischen Kernbeißers. Das Weibchen ist am ganzen obern Körper röthlichgraubraun, an Stirn, Augenbrauen und Haube bräunlichroth und mit hellrothem Schnabel.

Seine Heimat erstreckt sich über das mittlere und südliche Nordamerika, nach Baird bis zum Missouri, sowie auch über Kalifornien und Mexiko. Einzeln kommt er jedoch auch ziemlich weit nördlich hinauf vor, so nach Prinz v. Wied im State New-York und in gelinden Wintern als Standvogel westlich vom Alleghany-Gebirge am Ohio und Wabasch. Je weiter nach Süden zu, desto zahlreicher soll er auftreten. Auf den Bermuda-Inseln lebt er nach Webder-

burn und Hurdis in den Gärten als Standvogel und nistet alljährlich zwei=
mal; die Jungen der ersten Brut werden im April, die der zweiten im Juli
flügge. Auch Baird bestätigt diese Angaben.

Den ältesten Schriftstellern war er schon bekannt; Seeligmann, Buffon u. A.
gaben Abbildungen und bereits zur Zeit des erstern wurde er lebend nach England
gebracht, wo man ihn schon damals um des Gesangs und der Schönheit willen
schätzte. Der ihm beigelegte Namen, die virginische Nachtigal, sei dahin zu er=
klären, daß er nachtigalähnliche oder gleiche Strofen hören lasse. Scopoli
hatte gemeint, daß man ihm die Bezeichnung Kardinal in spöttischer Weise ge=
geben, während Buffon gegen eine solche Behauptung Verwahrung einlegt und
hervorhebt, daß sich die Wissenschaft niemals zum Spott über die Religion her=
geben könne. Letzterer vergleicht ihn mit dem Hakengimpel und sagt, daß er, ab=
gesehen von dem Schopf, als eine Spielart desselben erachtet werden dürfe.
Uebrigens singe nicht allein das Männchen, sondern auch das Weibchen fleißig.
Ebenso preist Vieillot ihn, gleicherweise des prächtigen Gefieders, als des Ge=
sanges wegen. Man dürfe ihm zur Fütterung nur Hirse bieten, denn Hanf, so
gern er ihn fresse, sei ihm durchaus schädlich. Näheres gibt der Forscher aber
über diesen, bereits in jener Zeit vielbekannten und beliebten Vogel leider nicht an.
Bechstein sagt, daß er den Namen Nachtigal mit vollem Recht trage, denn sein
Gesang habe mit dem dieser Königin unter den Singvögeln die größte Aehnlichkeit.
Derselbe sei so laut, daß dem Hörer die Ohren gellen, und ertöne im Käfige
das ganze Jahr hindurch, die Mauserzeit allein ausgenommen. In der Freiheit
liebe er türkischen Weizen und Buchweizen, von welchem er oft ganze Haufen zu=
sammentrage, sie künstlich mit Laub und Zweigen bedecke und nur ein kleines Loch
zum Eingange in seine Vorrathskammer offen lasse; im Zimmer füttre man ihn
mit Hirse, Kanarien=, Rübsamen und Hanf und er befinde sich dabei viele Jahre
recht wohl. Man habe in England schon den Versuch gemacht, ihn in Vogel=
häusern, welche frei im Garten stehen, brüten zu lassen. — Damals kostete in
Deutschland das Pärchen 6 bis 8 Louisd'or. Seit Bechstein her ist er sodann
fortwährend eingeführt und bis zur Gegenwart hinauf als Stubenvogel altent=
halben gern gesehen.

Alle vogelkundigen Schriftsteller Amerikas sind entzückt von seinem Gesange;
sie schwärmen aber nicht nur von diesem, sondern auch von der Schönheit seines
Gefieders, welches schon von weitem in die Augen fällt und überall der Land=
schaft zu einer großen Zierde gereicht. Audubon sagt, daß man ihn tief im
einsamen Walde, in den Baum= und Gemüsegärten, in den weiten baumlosen
Feldern, ebenso wie inmitten der Städte und Dörfer finde. Namentlich in den
südlichen Staten könne man selten einen Garten betreten, ohne einen der präch=
tigen rothen Vögel durch die Zweige der Bäume huschen zu sehen. „Aber", fährt

er fort, „wo der Kardinal auch erscheint, überall ist er willkommen, ein Liebling
Jedermanns, weil seine Farbe so glänzendschön, sein Gesang so reich und melodisch
ist. Der letztere beginnt laut und klar und erinnert dann an die schönsten Töne
des Flageolets; mehr und mehr sinkt er aber, bis er zuletzt ganz leise erstirbt.
In der Zeit der Liebe wird das Lied mit großer Macht vorgetragen, denn der
Vogel ist sich dann seiner Vollkraft bewußt, er schwellt seine Brust, breitet den
Schwanz fächerartig aus, schlägt mit den Flügeln und wendet den Kopf bald
rechts, bald links, gleichsam als wolle er sein eignes Entzücken über die wundervollen Töne zu erkennen geben. Immer von neuem werden die Melodien wiederholt und der Sänger schweigt nur, um Luft zu schöpfen. Lange vorher, ehe die
Sonne den Himmel im Osten vergoldet, beginnt der Gesang und verstummt nur,
wenn das flammende Gestirn so heiße Stralen herabsendet, daß diese alles Leben
in der Natur zu zeitweiliger Ruhe zwingen. Sobald aber die nahende Kühlung
die verschmachtenden Thiere wieder hochaufathmen läßt, hebt das Lied von neuem
an, und so kräftig, als habe der Sänger noch niemals seine Lunge angestrengt,
ruft er das Echo wach in der ganzen Nachbarschaft. Nicht eher geht er zur
Ruhe, als bis die Abendschatten sich um ihn her verbreiten. In dieser Weise
sucht der Rothvogel Tag für Tag die Langeweile des brütenden Weibchens zu
vertreiben und von Zeit zu Zeit stimmt auch dieses, jedoch leiser, mit der Bescheidenheit seines Geschlechts, mit ein. Wenige Amerikaner verweigern diesem
holden Sänger den Zoll der Bewunderung. Wie erfreulich ist es, bei trüber
Witterung, wenn das Dunkel schon die Wälder deckt und man die Nacht bereits
hereingebrochen wähnt, dann plötzlich die herrlichen wohlbekannten Töne unseres
Lieblingsvogels erklingen zu hören! Gar oft ist mir dieses Vergnügen zutheil
geworden und um keinen Preis möchte ich es für immer missen.“

Mit kaum geringerer Begeisterung spricht Wilson von dem Rothvogel und
von den amerikanischen Singvögeln überhaupt. „Man hat den Kardinal oft als
die virginische Nachtigal bezeichnet und in der That verdient er diesen Namen,
der Klarheit und Mannigfaltigkeit seiner Töne wegen, welche ebenso wechsel- als
klangvoll sind und vom Beginn des März bis in den September hinein vernommen werden. Sein Gesang ist dem der europäischen Nachtigal völlig gleich
und doch stehen seine Töne, so herrlich sie auch erklingen mögen, noch weit unter
denen unserer Walddrossel (Turdus mustelinus, *Gml.*) und selbst unter denen
unserer braunen Drossel (Turdus fuscescens, *Stph.*). Unsere unübertreffliche
Spottdrossel (Turdus polyglottus, *L.*) aber ist längst als der Nachtigal ebenbürtig bekannt; und diese Vögel bilden noch nicht einmal ein Zehntel aller unserer
herrlichen Sänger. Könnten die Europäer an einem Maiabend gegen Sonnenuntergang an unseren Waldsäumen dem Vogelgesange lauschen, sie würden wahrlich vor Staunen und Bewunderung sich kaum zu fassen vermögen! Die Meinung

aber, welche man gewöhnlich in Europa hegt, daß der Vogelgesang in den Wäldern Amerikas mit den Vogelliedern in Europa sich nicht messen könne, würde sicherlich schwinden. Man kann freilich keinen Vergleich ziehen zwischen den tiefen Wäldern Amerikas und den fruchtbaren Feldern Englands, denn es ist ja wohlbekannt, daß es in den ersteren nur selten Singvögel gibt; wenn man aber gleiche Oert= lichkeiten in den Vereinigten Staten und in Europa inbetrachtzieht, so wird man zweifellos finden, daß jene nicht nachstehen und daß gerade der Westen in dieser Hinsicht bevorzugt ist. Die wenigen Singvögel, welche bis jetzt von hier nach Europa gebracht worden, haben die hervorragendsten Kenner in Verwunderung gesetzt."

„Ebenso durch herrliche Farbenpracht, als durch lebhaften Gesang ausge= zeichnet", sagt J. Straubenmüller in New=York, „hält man ihn viel in Käfigen. Nicht die Männchen allein, sondern auch die Weibchen singen. Die Töne sind laut und klar wie die einer Flöte; dann nehmen sie ab, werden sanft und weich und schwellen wiederum an, sodaß sie manchmal belästigen. Man hat die Erfahrung gemacht, daß ein solcher Vogel 21 Jahre hindurch in der Ge= fangenschaft ausdauerte."

Seltsamerweise sind die deutschen Naturforscher, welche den Gesang des Vogels in seiner Heimat gehört haben, von denselben keineswegs besonders erbaut. Prinz von Wied sagt kurz, daß derselbe mehr sonderbar als angenehm er= klinge; der Vogel werde eigentlich nur um seiner prächtigen Farbe willen im Käfige gehalten. Cabanis findet ihn ebenfalls nicht außerordentlich und Gerhardt sagt nur, er laute wie dihu dui dui diu diu diu diu bi und entspreche im übrigen nicht der Schönheit seines Gefieders.

Nach den Berichten sowol der amerikanischen als auch der deutschen Schrift= steller ist die Lebensweise ziemlich genau beobachtet. Er hält sich während der Frühlings= und Sommermonate parweise, im Herbst und Winter dagegen in kleinen Flügen, welche aus den Alten mit den erwachsenen Jungen bestehen, an den von Audubon genannten Orten auf. In gelinden Wintern bleibt er auch in den nördlichen Staten, wie in den südlichen immer, in der Heimat und kommt mit den verschiedenen Ammersperlingen, Ammern, Tauben u. a. zusammen in die ländlichen Gehöfte, auf die Höfe und vor die Scheunen und fliegt gern in die offenen Ställe, auf Kornböden u. a.; er übernachtet in den dichten Kronen der Obstbäume oder auch in den Heuschobern. Jeder strenge Winter dagegen zwingt ihn, südwärts zu wandern und er streicht dann überall umher, wo er Nahrung findet. Mit dem Beginn des Monats März kehrt er bereits wieder zurück und zwar erscheinen, ebenso wie bei manchen unserer europäischen Vögel, die Männchen früher als die Weibchen. Im übrigen ist sein Freileben dem der verwandten Kernbeißer wenig ähnlich. Nicht wie jene sitzt er stundenlang still

auf einer Stelle, sondern er ist stets ruhelos und in Bewegung, fliegt hin und
her, von Busch zu Busch, hüpft auf dem Boden, schlüpft gewandt durch das
dichteste Gebüsch und fliegt im kurzen, ruckweisen, harten und geräuschvollen Fluge.
Im Sitzen trägt er den Leib wagerecht, läßt den Schwanz gewöhnlich gerade
herabhängen, stelzt ihn aber auch zuweilen; fortwährendes Schwippen und Wippen
der Flügel und des Schwanzes begleiten jede seiner Bewegungen. Wenig scheu,
ist er leicht zu schießen, doch verfolgt man ihn wenig, im Gegentheil ist er bei
den Amerikanern, wie bei den Deutschen dort allgemein beliebt und wird gehegt
und beschützt und gefangen nur, um ihn als Stubenvogel zu halten. Wilson
gibt als vorzugsweise Nahrung Mais an; außerdem frißt er allerlei Sämereien,
Beeren, Kirschen und andere Früchte, sowie auch Kerbthiere. Sein Lieblingsfutter
sollen die Blüten des Zuckerahorns sein, sowie auch Holunderbeeren.

Je nach der Witterung, früher oder später im März, sondern sich die einzelnen
Pärchen von den bis dahin umherschweifenden Flügen ab, suchen die Brutplätze
auf und zwischen den in der Nähe wohnenden Männchen beginnen nun eifer=
süchtige Kämpfe. Streitlustig stürzen sie einander entgegen, balgen sich in der
Luft oder im Gesträuch wüthend umher, bis eines das andere besiegt hat und es
unter schrillem Geschrei weithin jagt. Der rückkehrende Sieger läßt dann einen
schmetternden Jubelgesang erschallen.

Das Nest wird sehr verschiedenartig angelegt. Der Oertlichkeit entsprechend
steht es auf einem einsamen Baum inmitten des Feldes, am Waldesrande, in
einem freien Gebüsch oder tief im finstern Dickicht und nicht selten befindet es
sich in unmittelbarer Nähe eines Gehöfts; am häufigsten sieht man es nahe bei
einem Gewässer. Dünne, biegsame Zweige, Halme und Rebenschlingen, darüber
trockene Blätter, Moos und Fasern bilden den Bau, und die innere Mulde soll
nur mit zarten Grashalmen ausgelegt werden. Das Gelege besteht in 4 bis 6
Eiern. In nördlicheren Gegenden findet regelmäßig blos eine Brut im Jahre
statt, während in den südlicheren jedes Pärchen ihrer zwei bis drei macht.

Eine ausführliche einigermaßen abweichende Schilderung des Freilebens bringt
Th. Gentry. Auch er lobt den Kardinal zunächst der Pracht seines Gefieders
und zugleich des herrlichen Gesangs wegen. „In Pennsylvanien ist er in feuchten
niedrigen Wäldern mit vielem Wachholder= u. a. Gebüsch und ebenso an den
mit Erlen bewachsenen Wasserläufen ein ständiger Gast. Hier zeigt er sich scheu
und furchtsam, sodaß man sich ihm nur schwer nähern kann. Die Pärchen scheinen
in dauernder Ehe zu leben, denn sie kommen gemeinsam an und äußern auch
außer der Brutzeit gewisse Zärtlichkeiten. Ihren Aufenthalt bildet vorzugsweise
niedriges Gebüsch und nahrungsuchend sieht man sie fast immer an der Erde.
Den Gesang darf man als wechselvoll und recht melodisch erachten; unschicklicher=
weise aber wird der Vogel als Nachtigal von Amerika bezeichnet. Denn um

diesem Namen zu entsprechen, entbehrt sein Lied viel zu sehr der Fülle, Mannigfaltigkeit und des süßen Wohlklangs, welche das jener Sängerin hat. Auch das
Weibchen wetteifert an emsigem Singen mit dem Männchen, was doch bei den
Vögeln im allgemeinen selten der Fall ist. In hellen Mondscheinnächten erschallt
der Gesang des Männchens oft bis zum Tagesanbruch. Es sei mir gestattet,
denselben durch folgende Silben, welche schnell, laut und rein vorgetragen werden,
zu veranschaulichen: hwi-tschii-hwi-tschii-whi-tschii, ku-tschi-ku-schi-hwii-tu-tiu-
tiu-kwiit (hwi-chēē-hwi-chēē-hwĭ-chēē, koo-chē-koo-chē-whēē-to-tiou-
tiou-kwēēt). In der Erregung ruft er ein lautes und scharfes tschip. Die
Nahrung besteht in Kräuter- und Gräsersämereien nebst Beeren u. a. Früchten,
sowie Kerbthieren in allen Verwandlungsstufen. Seine große Gefräßigkeit macht
ihn so dreist, daß er winters nicht allein vor den Ställen der Farmer auf den
Höfen u. a. erscheint, sondern auch an solchen Orten, wo man ihn eifrig verfolgt.
Man fängt ihn in Schlingen, welche entweder mit Buchweizen, nach dem er
sehr begierig ist, geködert sind oder für welche ein Weibchen als Lockvogel benutzt
wird. Wenn man kein lebendes hat, so kann man auch ein ausgestopftes so aufstellen, daß es weithin zu sehen ist, während Jemand im Versteck den Lockruf
nachahmt. Gegen die Mitte des Monats April hin beginnt die Nistzeit. Ein
Dorngesträuch von Hagebutten oder dergleichen, auch wol ein Dickicht von wilden
Reben oder virginischem Wachholder birgt das Nest, welches in etwa vier Tagen
von beiden Gatten des Pärchens erbaut wird und zwar auf einer Grundlage von
Reisern, Krautstengeln und Grashalmen, innen mit zarten Gräsern ausgelegt
und von der Größe eines Drosselnestes. Es steht ebensowol in der Ebene
als auch im Hochlande und enthält 4 bis 5 Eier, von denen täglich eins
gelegt wird. Das Weibchen brütet allein, gefüttert und bewacht vom Männchen,
und die Brutdauer beträgt 14 Tage. Gleich vielen anderen Vögeln sucht das
Männchen den nahenden Menschen oder jeden andern Feind durch Klagegeschrei
und wunderliche Geberden von dem Nest abzulenken. In jedem Jahre werden
zwei Bruten gemacht. Etwa 15 Tage alt, verlassen die Jungen das Nest und
nach weiteren 11 oder 12 Tagen sind sie selbständig, doch bleiben sie noch lange
mit den Alten zusammen. Sie werden anfangs mit allerlei weichen Kerbthieren,
deren Larven und Bruten und späterhin mit Beeren und Sämereien gefüttert."

Auch in der Gefangenschaft sind Lebensweise, Brutentwicklung und alle
übrigen Eigenthümlichkeiten bei ihm so eingehend beobachtet, als kaum bei einem
andern Vogel, und zwar erklärlicherweise deshalb, weil er eben zu den beliebtesten
unter allen fremdländischen gehört. Gleich manchen Prachtfinken u. a. ist er
bereits etwa in der Mitte des vorigen Jahrhunderts von Liebhabern in Holland
und dann auch in England gezüchtet worden. Leider sind jedoch keine zuverlässigen Aufzeichnungen über derartige Erfolge vorhanden. In Deutschland hat

ihn zuerst Herr Hermann Leuckfeld in Nordhausen gezüchtet, späterhin ist dies auch in verschiedenen zoologischen Gärten, insbesondre in Köln von dem damaligen Direktor Herrn Dr. Bodinus, und in neuerer Zeit auch in zahlreichen Vogelstuben erreicht worden.

Herr Leuckfeld erzählte seine Beobachtungen in folgendem: „Längere Zeit hindurch hielt ich ein Pärchen rother Kardinäle, ohne daß dieselben sich um einander bekümmerten; im Gegentheil, fast immer lagen sie einander in den Haren oder vielmehr in den Federn. Nach dem Tode des Männchens bezog ich ein andres sehr schönes, junges, damals von Herrn Karl Hagenbeck in Hamburg, welches sogleich anfing, mit dem Weibchen schönzuthun, was von demselben auch erwidert wurde. Ich beherbergte die Kardinäle in einer Vogelstube zwischen verschiedenen Finkenarten u. a. m. freifliegend und bemerkte bald zu meiner großen Freude, daß sie dicht an der Wand in einem Tannengebüsch den Nestbau begannen. Als Grundlage für das Nest brachten sie biegsames Reisig an und darüber nur noch Papierstreifen, obwol auch mancherlei andere Baustoffe vorhanden waren. Das Männchen arbeitete am meisten daran, brachte auch die nöthige Rundung durch Drehen mit dem Körper hervor und lockte dabei fortwährend mit den bekannten, schönen, langgezogenen Tönen. Zu weiterm gelangten sie aber nicht; entweder war es bereits zu spät im Jahre, denn der Herbst nahte schon, oder sie fanden sich durch die übrigen Vögel gestört, vielleicht war auch beides der Fall. Zugleich zeigten sie sich überaus unverträglich, denn die kleineren Vögel wurden von ihnen in grausamster Weise verfolgt, und nicht selten lebensgefährlich verletzt. Dieser Bösartigkeit halber setzte ich sie im nächsten Jahre allein in eine halbdunkle Kammer, welche ich durch einen kleinen Vorban aus Drahtgitter von meinem Geschäftslokal trennen ließ. Der Raum wurde mit feinem Kies ausgestreut, mit Sitzstangen und einem Tannenbäumchen nebst einem halboffnen Nistkasten ausgestattet und nun dem Pärchen allein überlassen. Sie schritten bald zur Brut. Sehr interessant war es, zu beobachten, wie das Männchen sein Weibchen zu ehelichen Liebkosungen lockt. Mit halbausgebreiteten Flügeln, den Schwanz fächerartig gespreizt, meistens tief hinabgesenkt, doch zuweilen, dem Pfau ähnlich in die Höhe schnellend, den Körper ganz zurückbiegend und den Kopf abwechselnd bald nach der einen, bald nach der andern Seite schief haltend, hüpft es in solcher drolligen Stellung hinter dem Weibchen her und läßt dabei seine schönen langgezogenen, denen der Nachtigal allerdings ähnlichen Töne erschallen. Bald legte das Weibchen, ohne vorher Lust zum Nestbau gezeigt zu haben, fünf Eier von der Sitzstange herab, sodaß ich zu meinem großen Verdruße an jedem Tage ein zerbrochenes entfernen mußte. Jetzt faßte ich den Entschluß, ihnen hinsichtlich des Nestbaus zuhilfe zu kommen. Dies ist bekanntlich bei fast allen Vögeln, mit Ausnahme der Kanarien nicht rathsam, hier glückte es jedoch. Ich hing in einer Ecke des Raumes einen alten hölzernen Käfig auf, ungefähr von der doppelten Größe eines Harzerbauerchens, mit einer offnen Seite und in demselben drehte ich eine Nestgrundlage aus frischen, biegsamen Besenreisern zusammen. Zu meiner Freude nahmen sie diese Vorrichtung an und bauten sie mit Papierstreifen und feinen langen Bastfasern aus. Das fertige Nest hatte etwa den Umfang des einer Drossel, enthielt aber viele aufgeschichtete Baustoffe und sah daher sehr hoch aus. Bei dieser Brut, sowie auch bei allen späteren baute nur das Weibchen allein. Das Gelege bestand in vier Eiern und wurde wiederum vom Weibchen allein bebrütet. Nach vierzehn= tägiger Brutdauer hörte ich — es war gerade der erste Pfingsttag — deutlich das Zirpen der Jungen, und nun beeilte ich mich, allerlei Futter zu bieten und zwar eingequellte Sämereien, hartgekochtes und geriebnes Eigelb, Ameisenpuppen und Mehlwürmer. Die Alten beachteten jedoch zunächst nur die letzteren nebst ein wenig Eigelb. Am nächsten Tage gab ich frischen, weißen Quarkkäse, über welchen sie mit wahrer Gier herfielen und von nun an nur mit solchem und Mehlwürmern fütterten; sie verbrauchten täglich ziemlich einen ganzen Käse und ein Schock der letzteren. Zur Stillung des eignen Hungers fraßen die Alten fast nur Sämereien. Bereits am zehnten Tage hüpften die Jungen aus dem Neste, trotzdem der Schwanz und die Schwingen noch beiweitem nicht völlig ent= wickelt waren. Sie sahen sehr häßlich und hochbeinig aus, doch wuchsen sie rasch heran und erreichten bald die Größe der Alten. Alle vier erschienen ganz gleich= mäßig dunkelbraungrau, fast wie das alte Weibchen, doch ohne jedes rothe Ab= zeichen und mit schwarzbraunem Schnabel. Sie wurden von beiden Alten ge= meinsam gefüttert und zwar noch sehr lange Zeit, nachdem sie schon recht gut selber fressen konnten. Sobald das Pärchen jedoch zur zweiten Brut schritt, be= gann zuerst das Weibchen die Jungen zu beißen, während das Männchen sie noch immer fütterte; nicht lange aber, da wurden sie von beiden und dann vom Männchen sogar am meisten gemißhandelt, sodaß ich sie aus dem Raume ent= fernen mußte. Ich sperrte sie zusammen in ein großes Bauer, wo sie sich jedoch unter einander ebenfalls schlecht vertrugen und sich gegenseitig die Federn aus= zupften, sodaß sie bald halbnackt und blutrünstig aussahen. Zuletzt war ich ge= nöthigt, ein jedes von ihnen allein zu setzen. Als ich später ein junges Weibchen versuchsweise zu dem alten Pare setzte, gerieth das des letztern in eine so eifersüchtige Wuth, daß es über das junge herfiel und dasselbe tödtlich verwundete, bevor ich dies noch verhindern konnte. Will man also rothe Kardinäle züchten, so darf man niemals zwei Pärchen zusammenbringen, und man sollte auch keine anderen Vögel in demselben Raume halten. Die Jungen verfärbten sich bald, und zwar waren es drei Männchen und ein Weibchen. Die Alten nisteten nur noch einmal in demselben Jahre und brachten in gleicher Weise drei Junge, und

34*

zwar zwei Männchen und ein Weibchen auf. Im nächstfolgenden Jahre hatte ich in der Heckkammer einige Veränderungen getroffen, namentlich aber war das Gebauerchen, in welchem die Vögel geniftet, verkramt und obwol ich ein andres ähnliches angebracht, zeigten sie doch durchaus keine Neigung zur Brut. Nachdem ich dann aber viel später jenen alten Niftkäfig wieder aufgefunden und ihn an derselben Stelle angebracht hatte, begannen sie sogleich noch mit einer Brut, obwol es bereits im Monat August war. Einen merkwürdigen Beweis von der Lebens= zähigkeit der Jungen muß ich noch anführen. Bei der letzten Hecke fand ich ein solches noch ganz nacktes anscheinend leblos auf dem Boden liegen; es war wahr= scheinlich beim schnellen Abfliegen des alten Weibchens aus dem Nefte gerissen worden und von dem letztern, etwa 1,50 Meter hoch, auf den Boden hinabge= fallen. Ich hielt es für todt, bemerkte aber bald, nachdem ich es in der warmen Hand gehabt, daß es noch ein Lebensfünkchen zeigte. Schnell erwärmte ich es daher, und das Geschöpfchen kam nicht allein wieder zum Leben, sondern erholte sich noch vollständig und wurde mit den anderen groß, nachdem ich es in das Neft zurückgebracht hatte. — Will man die Kardinäle lebens= und niftfähig er= halten, so muß man sie vor starker Wärme behüten. Ich habe die Beobachtung gemacht und bei einem meiner Bekannten bestätigt gefunden, daß ein Vogel dieser Art, in die Nähe eines nur einigermaßen stark geheizten Ofens gebracht, in Krämpfe verfiel. Ebenso darf man ihnen außerhalb der Brutzeit nur selten Mehlwürmer geben, wol aber möglichst oft Grünkraut."

Nach vieljahrelangen Erfahrungen in meiner Vogelstube kann ich die obigen werthvollen Mittheilungen noch einigermaßen ergänzen. Als ich mit den Züch= tungen fremdländischer Vögel begann, gehörte der rothe Kardinal noch zu denen, von welchen man nur die Männchen, theils zum Schmuck, theils als Sänger kaufte; die Weibchen wurden daher garnicht oder doch nur selten und einzeln mit eingeführt. Nur mit großer Mühe konnte ich ein solches erlangen und durch einen Zufall erhielt ich dann zwei zugleich, indem ich das erste bei Herrn Hagen= beck bestellt hatte, während mir Herr Leuckfeld ein andres von seiner Zucht sandte. Somit fing ich mit zwei Pärchen zugleich meine Versuche an. Die Männchen erschienen sehr verschieden, sowol im Aussehen als auch im Gesange. Das eine war ein alter Vogel, welcher bereits seit mehreren Jahren im Käfige gelebt, wodurch seine Färbung sich in ein matteres und abgebleichtes Roth ver= wandelt hatte, das andre, unlängst erst aus der Heimat gekommen, prangte noch im prächtigsten Schmuck glänzenddunkelrothen Gefieders. Außerordentlich kräftig und sehr fleißig ließ das erstere sein Lied erschallen, das letztere hingegen sang nur bruchstückweise und auch keineswegs so klar und stark. Ich hatte nun das ältere Männchen mit dem gezüchteten Weibchen zusammengebracht, und dieses Par hielt ich in einem sehr großen Käfige, das andere aber beherbergte ich

freifliegend in einem Verschlage mit Nymfen = und Wellensittichen zusammen.
Als Nestvorrichtungen hatte ich mehrere der von Herrn Leuckfeld beschrie=
benen halboffenen Niftbauerchen, ferner in einer Ecke ein großes und dichtes
Gebüsch und schließlich noch einen aus ganz frischen Birkenreisern geflochtenen,
der Größe der Kardinäle entsprechenden Korb, welcher inmitten eines großen und
dichten Reiserbesens stand, angebracht. Beide Pärchen wählten für alle Bruten
diese letzte Vorrichtung. Vorläufig gelangte jedoch nur das erstere Par zum
Ziel, während das letztere sich etwa sechs Wochen hindurch durchaus unthätig
zeigte. Das gezüchtete junge Weibchen baute das Nest ganz allein, indem das
Männchen nur hin und wieder einen Halm hinzutrug. In den Niftkorb wurde
eine Unterlage aus abgebissenen biegsamen Birkenreisern rundgelegt und darüber
eine Schicht von dünnen und sehr weichen Papierschnitzeln in großer Masse und
auf diese wiederum aus Sackfäden eine gut gerundete Nestmulde geformt. Die
Vögel waren indessen äußerst wild und scheu, und da ich in dieser Zeit gerade
viele Besuche in der Vogelstube erhielt, so wurden sie so sehr gestört, daß das
Weibchen eines Tages in der Haft beim Abfliegen das Genift aus dem Nest=
korbe herausriß und dann nach einander vier Eier in einer Ecke auf den Boden
des Käfigs legte. Ich versuchte nun ebenfalls, wie Herr Leuckfeld, ihnen zu
helfen, packte das ganze fein säuberlich in den Korb und dann die Eier hinein.
Zu meinem Bedauern wurde aber dies Nest nicht angenommen. Das zweite
Pärchen begann endlich, nachdem ich es aus der Kammer, wo es von den Wellen=
sittichen wol immer beunruhigt worden, in einen Käfig gebracht und ihm hier
eine Unterlage aus weichen Bastfasern gegeben, zu niften; das Weibchen brütete
auf einem Gelege von fünf Eiern vortrefflich, tödtete dann aber sämmtliche Junge,
sobald sie die Schale durchbrachen. Auch zeigte es sich gegen andere Vögel sehr
bösartig. Sobald nämlich ein solcher dem in der Vogelstube stehenden Käfige
zunahe kam, wurde er sofort bei den Beinen erpackt, durch das Drahtgitter hinab=
gerissen, ihm dann der Schädel zerquetscht und sein Gehirn gefressen. Nachdem
ich dies Weibchen abgeschafft und ein andres erhalten, nisteten beide Pärchen mehr=
mals gut und ich kann den Verlauf der Brut im allgemeinen, wie folgt, schildern.

Das Nest wird in der Regel vom Weibchen allein erbaut, und zwar am
liebsten frei im Gebüsch, auf einem dichtästigen wagerechten Zweige, wo es dann
auf einer Grundlage von Reisern und Moos oder auch Papierstreifen aus Würzel=
chen, Bastfasern, Fäden u. a. geformt und mit Agavefasern sorgsam gerundet ist.
Seltener wählt das Pärchen ein oben offenes Bauerchen und nur im Nothfall,
wenn der Nestbau garnicht zustande kommen will, darf man ihnen in der bereits
beschriebenen Weise hilfeleisten. Einen Tag um den andern wird ein Ei gelegt.
Das Weibchen brütet stets allein und wird sogar vom Männchen meistens nicht
einmal gefüttert, dagegen bewacht dieses sehr eifersüchtig die Brut und jagt jeden

nahenden fremden Vogel fort. Am vierzehnten Tage kommt das erste der Jungen aus. Die beiden Alten füttern diese gemeinschaftlich, und ihre Entwickelung schreitet sehr rasch vorwärts; am fünften Tage öffnen sie die Augen; zwischen dem zehnten bis zweiundzwanzigsten, gewöhnlich aber bereits früher verlassen sie das Nest. Erst in der fünften Woche erlangen sie volle Befiederung und die Größe der Alten, während das Weibchen inzwischen längst wieder nistet. Der Verlauf einer jeden Brut dürfte sich auf etwa fünf bis sechs Wochen abrunden. Schon in der fünften Woche nach dem Flüggewerden beginnt eine Verfärbung dahin, daß der röthliche Ton des Gefieders immer kräftiger hervortritt, die rothen Abzeichen erscheinen und ebenso der Schnabel durch Fahlgelb und Gelbroth in Roth über= geht. Im Frühjahr des dritten Jahres aber bekommt das junge Männchen erst die volle glänzende Farbe und den korallrothen Schnabel. Daher ist es nicht selten der Fall, daß sich zum Verdruß des Besitzers ein angebliches Weibchen gerade zur beginnenden Nistzeit als ein junges Männchen entpuppt.

Inhinsicht des Gesanges ist es außerordentlich schwer, ein sicheres Urtheil festzustellen. Zunächst kommt der Umstand zur Geltung, daß bei der Beur= theilung der Vogellieder im allgemeinen die Naturumgebung ihre Einflüsse in bedeutungsvoller Weise geltend macht; sodann ist der Vogel im Käfige, sei es in= folge überstandener Leiden beim Fange und auf der Reise, oder sei es infolge un= richtiger Behandlung und Verpflegung, meistens nicht imstande, seine naturgemäße Gesangkunst zu entfalten; schließlich aber muß auch der Umstand inbetracht ge= zogen werden, daß die Begabung der einzelnen Sänger doch eine überaus ver= schiedenartige ist. Im allgemeinen dürfte der rothe Kardinal wol zu den hervor= ragenderen Sängern gezählt werden können; nur wird sein sonst so angenehmer Gesang im Zimmer, insbesondre für nervenschwache Personen, nicht selten un= erträglich, weil er zu stark schallt. Die Liebhaber in Deutschland sind übrigens ziemlich einstimmig im Lobe desselben und hören namentlich die langgezogenen flötenden Töne gern. Herr Bruno Günther hebt besonders hervor, daß dieser Vogel vom März an unermüdlich und zwar von morgens 3 Uhr „seinen an= genehmen Schlag mit dem schönen Schluß trrrrrr" bis zum Abend erschallen läßt, dann nur während der spät im Herbst eintretenden Mauser schweigt und bereits im ersten Drittel des Dezembers wieder zu singen beginnt; selbst= verständlich nur bei bester Pflege. Betrachten wir im übrigen die Schönheit seiner Erscheinung, die Leichtigkeit und Billigkeit seiner Unterhaltung, seine kräf= tige Ausdauer, welche selbst manchen üebeln Einflüssen widersteht und schließlich auch seine nicht besonders schwierige Züchtung, so müssen wir anerkennen, daß er es verdient, zu den geschätztesten Stubenvögeln gezählt zu werden.

Im Laufe der letzten Jahre hat man, wie bereits erwähnt, vielfach glückliche Zucht sowol freifliegend in der Vogelstube, als auch in entsprechend eingerichteten großen Käfigen erzielt und die inbetreff derselben veröffentlichten Erfahrungen stimmen im wesentlichen mit den vorstehend mitgetheilten überein. Wenn die Alten, entweder Männchen oder Weibchen, die Jungen selber tödten und auf= fressen, wie dies leider nicht selten vorkommt, so liegt es in der Regel entweder an dem Mangel geeigneten Futters oder darin, daß sich die Vögel nicht sicher genug fühlen, um die volle Elternliebe zu entfalten, schließlich auch wol in ganz besondrer Bösartigkeit. Um trotzdem zum guten Ergebniß zu gelangen, bedarf es der größten Aufmerksamkeit, damit man die Ursache ermitteln und, wenn möglich, abstellen kann. Herr Pfarrer Winkler in Fischenthal in Zürich hielt rothe, graue, Dominikaner= und grüne Kardinäle zusammen in einem Raum, in welchem sie ziem= lich friedlich mit einander lebten; doch zur nahenden Nistzeit mit dem Beginn des Monats April fingen sie an, einander in erbitterter Weise zu befehden, sodaß sie getrennt und jedes Pärchen abgesondert werden mußte. Die rothen zeigten sich in der Herstellung der Nester überaus lässig, sodaß sie entweder auf den kahlen Boden des Körbchens die Eier legten oder fortwährend Baustoffe eintrugen und das Gelege überdeckten. Meines Erachtens war dies lediglich eine Folge der gegenseitigen Beunruhigungen oder doch Erregungen. Einzeln gehalten baut das Pärchen, falls es einerseits nicht zu junge oder andrerseits nicht zu alte, stürmisch= wilde Vögel sind, in der Regel ein gutes Nest, oder es nimmt doch die Hilfe zur Herstellung desselben an. In einem solchen Falle schob Herr Wiener in London eine Filzplatte unter die auf dem bloßen Korbe liegenden Eier und auf derselben wurden die Jungen erbrütet. Infolge einer Störung aber vernichteten die Alten die letzteren, und da man dies ja bereits mehrfach beobachtet hat, so sei vor jeder Beunruhigung dringend gewarnt, namentlich wenn das Par nicht ausreichend zahm ist.

Ueber die Parung und das Liebesspiel berichtet Herr Lithograph Farsky in Prag: „Seit nahezu zwei Jahren besaß ich ein prachtvolles Männchen, welches sehr friedliebend war, selbst gegen die kleinen Astrilde und höchstens einen Kampf mit seinem eignen Spiegelbilde im Fensterglase unternahm. Als ich dann ein Weibchen anschaffte und dieses in einem Käfige ins Vogelzimmer brachte, ent= faltete das Männchen unbeschreiblich liebenswürdige, reizende Bewegungen und lockte mit wehmüthig=süßen, förmlich rührenden Tönen. Trotzdem war das Weib= chen nicht zu beruhigen, sondern schoß wild im Bauer umher. Nach acht Tagen versuchte ich, beide in einem großen Käfige zusammenzubringen, aber ich mußte sie schleunigst trennen, da das Männchen mit Ungestüm das Weibchen verfolgte und letzteres mit Angstgeschrei vor ihm aus einer Ecke in die andre tobte. Erst im nächsten Frühjahre konnte ich sie wieder zusammensetzen und nun folgte das Männchen dem zirpenden Weibchen mit Locktönen und Liebesbezeigungen. Plötzlich wechselte das Par die Rollen; das Weibchen lockte und sprang vor, das Männchen

zirpte und sprang beiseite; jenes begann nun den ganzen Gesang dieses, aber
mit herrlichen Molltönen zu schlagen und führte dann girrend gleichsam einen
Tanz auf, welchen ein andermal das Männchen wiederholte, jedoch noch weit
komischer."

Einige wichtige Ergänzungen zu all' dem gesagten gibt Herr Realschullehrer
C. L. Zigann in Welau. „Nach vier verunglückten Bruten brachte das Pärchen
vier Junge aus und ernährte dieselben anfangs hauptsächlich mit reichlich ge-
botenen Heuschrecken. Dabei wurde das alte Weibchen so zahm, daß es das
Futter aus der Hand nahm. Die Jungen wuchsen kräftig heran und unterschieden
sich vom erstern späterhin nur durch die blasseren Schnäbel. Ein sechstes Gelege wurde gleich früheren garnicht bebrütet, aus dem siebenten dagegen wiederum eine Brut mit vier Jungen glücklich aufgefüttert. Das Pärchen hatte also
in dem einen Sommer zwanzig Eier gelegt und zweimal vier Junge erzogen.
Als Nahrung erhielten sie schon lange vor der Brut viel Weichfutter, rohes
Rind- und Schöpsenfleisch, sowie namentlich Mai-, Juni- und Julikäfer. Bei
zu reichlicher Fütterung mit den Käfern litt das Weibchen, trotzdem viel Grünkraut gegeben wurde, an Verstopfung. Vorzugsweise erpicht sind sie auf Heuschrecken, von denen sie eine unglaubliche Masse vertilgen können. Unter keinen
Umständen vergesse man reichliche Versorgung mit Sepia, denn während der
Brutzeit verzehrt das Pärchen wol täglich eine ganze Schale. Den Sommer
hindurch wurde der Heckäfig bei schönem Wetter stets des Morgens ins Freie
und Abends wieder ins Zimmer zurückgebracht, wodurch das brütende Weibchen
sich niemals stören ließ. Eine Hauptbedingung für die erfolgreiche Zucht ist aber
die, daß solche Vögel von vornherein gezähmt werden. Man stelle daher auch
im Zimmer den Käfig immer nur so, daß sie unter menschlicher Gesichtshöhe sich
befinden, wodurch sie am leichtesten zahm werden und damit erst begründete Aussicht auf gute Zuchtergebnisse gewähren. — Ein Kanarienvogel-Weibchen erbrütete
und erzog glücklich einen rothen Kardinal, ein Vorkommniß, welches bis jetzt
anderweit noch nicht beobachtet sein dürfte." Herr A. Hesler berichtet, daß ein
Kardinal-Weibchen die Jungen anderer Arten in liebevoller und bereitwilliger
Weise fütterte. „Es kann", sagt der Genannte, „für junge körnerfressende Vögel
wirklich garkeinen bessern Pfleger geben." Ich möchte jedoch hinzufügen, daß dies
wol nur ein günstiger Ausnahmefall sein wird, denn die meisten rothen Kardinäle
beißen, wie bereits erwähnt, alle in ihre Nähe gelangenden schwächlichen, kranken
oder jungen Vögel todt und fressen ihr Gehirn. Manches Pärchen freilich zeigt
sich nicht bösartig, wie namentlich Herr Apotheker Jänicke in Hoyerswerda angibt,
während die meisten anderen Liebhaber und Züchter, so Herr Dr. Fleischmann,
in der Vogelstube des Prinzen Ferdinand von Sachsen-Koburg u. A. immer
das Gegentheil feststellten.

Bei sehr aufmerksamer Betrachtung findet man wol, daß die in den Handel gebrachten Kardinäle nicht allein inhinsicht des Aussehens, sondern auch nament= lich des Gesangs bemerkenswerthe Verschiedenheit zeigen. Anfangs glaubte ich, dieselbe sei nur im Alter begründet, als ich dann jedoch die Angabe fand, daß der Engländer Ballock behaupte, die in Mexiko vorkommenden Rothvogel seien schöner gefärbt, als die nordamerikanischen, achtete ich bei den einzelnen Sendungen, welche die Großhandlungen empfingen, sorgsam auf den Bezugsort, soweit sich derselbe eben ermitteln läßt. Herr W. Mieth in Berlin erhielt im Jahre 1875 von dem Hamburger Händler Wucherpfennig eine beträchtliche Anzahl vorzugs= weise prächtig rother Vögel, welche auch einen ganz absonderlichen, ungleich schöneren Gesang hatten. Die Nachforschung ergab, daß diese Kardinäle auf einem französi= schen Schiffe über Marseille eingeführt und also wol aus dem Süden gekommen waren, während die übrigen nach Deutschland gelangenden doch fast regelmäßig über New-York von Herrn C. Reiche zu uns gebracht werden. Jene feurigrothen Südländer trugen fast sämmtlich, wahrscheinlich infolge unzweckmäßiger Verpflegung auf der weiten Reise, den Todeskeim und es war mir daher leider nicht möglich, näheres inbetreff ihrer festzustellen, zumal ich damals auch keine frischeingeführten Nordländer zum Vergleich erlangen konnte. Die Frage, ob diese und jene, selbst= verständlich nicht als besondere Arten, sondern eben nur als Lokalrassen inhin= sicht des Gesanges und der Farbe wirklich mehr oder minder von einander ab= weichen, muß bis auf weitres eine offene bleiben.

Auf Kuba hatte Dr. J. Gundlach im Januar 1861 im Walde bei Kardenas einen rothen Kardinal gesehen und ihn daher im Verzeichniß der Vögel dieser Insel aufgeführt, späterhin jedoch sich davon überzeugt, daß es nur ein aus dem Käfige entflohener gewesen sein konnte, da diese Art dort nicht freilebend vorkommt.

Herr Landkammerrath Vogt in Blankenhain erzählt, daß ein rother Kardinal im Juli dort entkommen, sich im Walde umhergetrieben und allen Nachstellungen entgangen sei; auch von den sonst so schießwüthigen Bauern war er verschont geblieben und hatte sich munter und frisch gezeigt, selbst im November bei 6 Grad Kälte, bis er vom Nahrungsmangel endlich in eine Falle getrieben wurde. Sein Gefieder war von außerordentlicher Pracht und herrlichem Glanz. Noch in= teressanter ist die Mittheilung des Herrn Reinhold Hoffmann, welchem in der Gegend von Stettin ein Pärchen entflogen war. Aus derselben sei folgendes entlehnt: „Zwei Tage hindurch harrte ich der Flüchtlinge bei offnem Fenster, jedoch vergebens, und so mußte ich sie für verloren halten. Doch wer beschreibt mein Erstaunen, als ich sie am Morgen des achten Tages außen am Fenster sitzen sah. So vorsichtig als möglich bemühte ich mich, den Flügel zu öffnen, aber sie flogen, in der Morgensonne förmlich erfunkelnd, dem nahen Walde zu und kamen, obwol ich sie mit allen möglichen Leckercien erwartete, nicht wieder zurück. Nach

538 Die Kernbeißer und Kernbeißerfinken.

drei Wochen etwa zeigten sie sich in einem Nachbargarten und der Versuch, sie
vermittelst einer Spritze mit Wasser zu erhaschen, gelang leider auch nicht,
weil sie sich, obgleich völlig naß, doch noch in eine dichte Hecke stürzen und so
entkommen konnten. Dann blieben sie durchaus verschwunden. Ein recht strenger
Winter war eingekehrt und vorübergegangen und ich bedauerte meine schönen
Vögel als längst umgekommen. Im erwachenden Frühlinge machte ich in Gesellschaft eines alten Freundes einen weiten Spaziergang. Frühmorgens wanderten
wir zum Dörfchen hinaus. Nach einem Marsch von drei Stunden Wegs gelangten wir zu einem von Wiese und Wald umgebnen Teiche und setzten uns
hier auf den Rasen. In das Anschauen der schönen Naturumgebung versunken,
bemerkte ich zwei rothe Vögel, welche hurtig über unseren Köpfen dahinflogen
und die ich im ersten Augenblick für Karmingimpel hielt. Um uns jedoch zu
überzeugen, erhoben wir uns schnell und folgten ihnen ins nahe Kieferndickicht.
Vorsichtig wandten wir uns der Stelle zu, wo sie eingefallen waren, als uns
plötzlich ein lauter durchdringender Schlag entgegentönte, welchen ich sogleich als
den des rothen Kardinals erkannte. Unwillkürlich dachte ich dabei an meine
Ausreißer. So drangen wir immer tiefer in das dichter werdende Gebüsch, als
uns lautes Zirpen verrieth, daß wir uns in der Nähe eines Nestes befanden.
Nach kurzem Suchen entdeckten wir auf einem struppigen Baume ein aus Halmen
und Würzelchen gebautes Nest mit zwei fast flüggen Jungen, rothen Kardinälen
nämlich. Meine Freude kannte keine Grenzen. Unter einem Busche versteckt
wollte ich nun vor allem beobachten, ob das Pärchen wirklich mein entflohenes
sei. In gleicher Weise hatte mein Freund sich mir gegenüber gelagert. Nicht
lange, da erschienen die Erwarteten und während das Männchen sich hoch auf
den Busch setzte, kam das Weibchen mir so nahe, daß ich es mit Sicherheit als
das meinige erkennen konnte und zwar daran, daß ihm die Vorderzehe am rechten
Fuß fehlte, welche ihm ein Papagei einst zerbissen hatte. Nach einigen Tagen
begab ich mich wieder in Begleitung meines Freundes und mit Leimruten und
Schlaggarn versehen, abermals dorthin, fing glücklich die Alten, nahm die Brut
mit mir und kann zum Schluß berichten, daß die letzte auch in der Gefangenschaft glücklich aufgefüttert wurde." Seitdem sind zahlreiche derartige Beispiele
mitgetheilt worden und es dürfte als unumstößlich feststehen, daß der nordamerikanische Rothvogel den Winter selbst im nördlichen Deutschland vortrefflich
zu überdauern vermag.

Zur zweckmäßigen Fütterung hat man gerade für einen so wichtigen Vogel
erklärlicherweise zahlreiche Vorschläge veröffentlicht, bzl. bereits Erfahrungen gemacht; in den Abschnitten, welche von der Pflege und Zucht der Vögel überhaupt
handeln, werde ich dieselben übersichtlich mittheilen. Vorläufig sei nur darauf
hingewiesen, daß man ihn in der ersten Zeit nach der Einführung nur ausschließlich

mit Hanfsamen füttern darf und erst allmälig an andere Sämereien gewöhnen kann. Ein Lieblingsfutter für ihn sind außer den Heuschrecken namentlich lebende Maikäfer.

Der Preis beträgt, wenn sie frisch angekommen sind, 15 bis 20 Mark für das Männchen und etwa 8 Mark für das Weibchen; bei eingewöhnten Vögeln bis 24 Mark das Männchen und bis 15 Mark das Weibchen. Das Dutzend Männchen verkauft Herr C. Reiche in Alfeld für 100 Mark und Weibchen für 50 Mark. Der genannte Großhändler führt jährlich etwa 2500 Männchen und 1000 Weibchen ein.

Der rothe Kardinal heißt auch blos Kardinal, virginischer Kardinal, nordamerikanischer Kardinal, virginische Nachtigal, Rothvogel, Haubenkernbeißer und Haubenblutfink. [Indischer Haubenfink, virginischer Dickschnabel, rother Steinbeißer, gehaubter Kardinal, karminrother Kirschenfink, rother Dickschnabel und Kardinalkernbeißer, nach alten Schriftstellern]. Le Cardinal rouge; Red Bird, Cardinal Grosbeak and Virginian Nightingale; Roode Kardinaal.

Nomenclatur: Coccothraustes virginianus, *Brss.*; Loxia cardinalis, *L.*, *Gml.*, *Wls.*; Coccothraustes cardinalis, *Vll.*; Fringilla (Coccothraustes) cardinalis, *Bp.*; Fringilla cardinalis, *Nttll.*, *Audb.*; Pitylus cardinalis, *Audb.*; Cardinalis virginianus, *Bp.*, *Cb.*, *Brd.*, *Br.* [Coccothraustes indica cristata, *Aldr.*; Enucleator indicus, Luscinia virginiana, *Frsch.*; Coccothraustes cristata, *Frsch.*, *Brss.*; Avis rubra, *Kln.*; Loxia rubra, *Scpl.* — Rouge Gros-bec, Rossignol de Virginie, *Alb.*; Cardinal Red-bird, *Cat.*; Grosbec de Virginie et Grosbec des *Indes*, *Brss.*; Virginian Nightingale, *Willugh.*; Cardinal huppé, *Buff.*; Cardinal Gros-bec, *Lath.*; Cardinal de Virginie, *Vll.*].

Wissenschaftliche Beschreibung: Ganzer Körper glänzendroth; Kopf nebst spitzer Tolle oder Federbusch scharlachroth; Zügelstreif bis ums Auge, Streif hinunter um den Schnabel nebst der Oberkehle tiefschwarz; Rücken, also Schultern, Mantel und Bürzel scharlachroth, jede Feder düsterer gesäumt; Schwingen und Flügeldecken dunkler roth, fahlbraun außen- und endgesäumt; Schwanz dunkelscharlachroth; ganze Unterseite heller scharlachroth. Schnabel glänzend zinnoberroth; Auge röthlichbraun; Füße bräunlichfleischfarben bis dunkelbraun. — Das Weibchen ist oberhalb olivenbraun; Stirn, Augenbrauen und Haube bräunlichhochroth, letztere fast reindüsterroth; Zügelstreif und Kehle nur schwach schwärzlich; Flügel bräunlichroth; Schwingen braun, mit düsterrothen Außenfahnen; Schwanzfedern braun, roth außengesäumt; ganze Unterseite gelbbraun. Schnabel zinnoberroth, meist schwach gelblich; Auge dunkelbraun; Füße bräunlichgrau.

Nestflaum: bläulich (das Junge hat einen sehr dicken Kopf und großen Mund und sieht häßlich aus). — Das Jugendkleid gleicht dem des alten Weibchens, doch erscheint das Braun mehr düstergrau; jedes rothe Abzeichen und auch der rothe Ton des Gefieders fehlt durchaus; Schnabel bräunlichschwarz, Füße dunkelgrau. — Jugendkleid in der Verfärbung nach Prinz Wied (Männchen im Dezember erlegt): Haube, Gesicht und Unterrücken bereits schön zinnoberroth; Rücken olivengraubraun, stark dunkelroth gefleckt und gemischt; Schwingen mit hellzinnoberrothem Außenrande und graubrauner Innenfahne; Schwanz dunkelroth; Unterhals, Brust- und Bauchseiten gelblichgraubraun gefleckt; innere Flügeldecken hell zinnoberroth, Schnabel zinnoberroth, Oberkiefer in der Mitte noch dunkelbräunlich; Füße röthlichgraubraun. Weibchen (zu Anfang Novembers erlegt): die schwarzen Federn um den Schnabel weißlich gemischt und gerandet, daher nur grau; Haube und Augenbrauen stark mit rothen Federn gemischt; Rücken olivengraubraun; Flügel und Schwanz bräunlichzinnoberroth; Unterhals und Oberbrust dunkelröthlichgelb, Brustmitte weißlich; innere Flügeldecken hellzinnoberroth; Schnabel wie beim Männchen; Füße bräunlichfleischfarben.

Coccothraustes virginianus: corpore toto nitide rubro, capite cum crista acuminata scarlatino; capistro, loris ad oculum usque gulaque atris; plumis interscapilii dorsique totius scarlatinorum obscurius limbatis; remigibus tectricibusque al. obscurius rubris, interius et in fine fumigato-limbatis; cauda obscure scarlatina; gastraeo toto dilutius scarlatino; rostro nitide cinnabarino; iride badia; pedibus fuscato-carneis, ipsis fuscis. — ♀ supra olivaceo-fusca, fronte, stria superciliari cristaque rufis, hace sat purius rubra; loris gulaque nigricantibus; alis rubicundis, pogonio remigum fuscorum sordide rubris; rectricibus fuscis, exterius rubro-limbatis; subtus omnino fulva; rostro cinnabarino, plerumque subflavide imbuto; iride fusca; pedibus fuscato-cinereis.

Länge 21,6 cm.; Flügel 9,6 cm.; Flügelbreite 29,3 cm.; Schwanz 10,3 cm.

Neonatus: lanugine coerulescente. — Juvenis: femellae adultae persimilis, attamen luridius cinereus; colore rubro prorsus carens; rostro fuscato-nigro; pedibus obscure cinereis. — Juvenis (sec. M. Wied) ♂ (m. Decemb. necatus) crista, facie tergoque jam laete cinnabarinis; dorso olivaceo-fumido, largiter rubro-maculato mixtoque; remigum pogonio interiore fumido, exteriore dilute cinnabarino-marginato; cauda ruberrima; gutture, pectoris abdominisque lateribus gilvo-fumide maculatis; tectricibus subalaribus dilute cinnabarinis; maxilla rostri cinnabarini media fuscata; pedibus luride rubentibus. — ♀ (m. Novb. necat.) capistro nigro albide submaculato; crista et superciliis largiter rubro-commixtis; dorso olivaceo-fumigato; alis caudaque rufis; gutture pectoreque obscure fulvis, hoce medio albente; tectricibus subalaribus dilute cinnabarinis; rostro ut maris picto; pedibus fuscato-carneis.

Beschreibung des Eies: Auf düsterweißlichem Grunde mit röthlichen und olivenbraunen Flecken gezeichnet (Audb.). Auf weißem, lavendelfarben scheinenden Grunde mit aschbraunen Flecken dicht gezeichnet; länglichoval (Gentry). Grundfarbe weiß, bläulich oder gelblichroth und ebenso verschieden theils violett, theils grau, braun oder fuchsig gefleckt, die Flecke über das ganze Ei vertheilt, manchmal aber auch am stumpfen Ende gehäuft; schön eiförmig; matt. Länge 23 bis 27mm., Breite 18mm. (Nehrk.). Bläulichweiß, olivengrün und bräunlichroth geflect (Ruß). Grünlichweiß und überall, insbesondre am stumpfen Ende gelblich- oder olivenbraun gefleckt; während aber das Weiß der Eier ein und desselben Geleges zwischen bläulich- und reinweiß wechselt, so sind auch die Flecke sehr verschieden vertheilt, sodaß ein Ei fast gleichmäßig dicht besprengt und das andre am spitzen Ende fast reinweiß erscheint (Leuckfeld).

Ovum: sordide albide rubens, olivaceo-fusco-maculatum (Audb.). Ovum albidum, lilacino-micans maculis olivaceo-fuscis dense notatum (Gentry). Ovum album, vel coerulescens, vel flavente rubidum, maculis variis, modo violaceis, modo cinereis, nunc fuscis, nunc rufis obsitum, aequaliter dispersis, interdum in basi coacervatis; pulchre ovatum, opacum (Nehrk.). O. subaeruginosum, olivaceo-virente fuscoque maculatum (Russ). O. subviride album, ubique praesertim in basi flavide vel olivaceo-maculatum; nonnunquam in apice fere albicans (Leuckf.).

**Der purpurrothe Kardinal** [Coccothraustes phoeniceus]. Auf der Hamburger Geflügelausstellung d. J. 1877 hatte Fräulein Hagenbeck einen einzelnen Vogel, welcher bis dahin sicherlich noch garnicht lebend eingeführt worden, den obengenannten Kardinal nämlich, dessen Heimat sich über Mittelamerika, Venezuela und Trinidad erstrecken soll. Er ist ansehnlich größer und stärker als der virginische rothe, mit kräftigerem mehr gewölbten, nicht rothen, sondern bleigrauen Schnabel. Zugleich zeigt sein Gefieder einen beiweitem tieferen dunkelrothen Farbenton; er hat nur einen schmalen reinschwarzen Rand um den Unterschnabel, und schließlich unterscheidet er sich durch die größere, mit dem oberen Winkel helmartig nach vorn zurückgekrümmte Haube; Flügel und Schwanz sind kaum bemerkbar dunkler als der Rücken, dagegen ist die untere Seite wahrnehmbar heller; das Auge ist hellbraun; die Füße sind dunkel bläulichbleigrau. Das Weibchen kenne ich nicht. Leider ist keinerlei nähere Schilderung dieser Art zu finden. Den Jahrgang 1837 der „Proceedings of the Zoological Society" (London), in welchem Gould ihn beschrieben, vermag ich leider nicht zurathe zu ziehen, ich habe die Beschreibung hier vielmehr nach eigner Anschauung und glücklicherweise sogar nach zwei Männchen gegeben und muß an ihrer Richtigkeit festhalten, obwol dieselbe mit der von Br. nach Gould aufgestellten keineswegs übereinstimmt. Fräulein Hagenbeck hatte auf der Berliner „Aegintha"-Ausstellung in demselben Jahre noch ein tadelloses Männchen, während das erwähnte erstere auf einem Auge blind war. Hoffentlich wird dieser den Verwandten an Schönheit fast noch übertreffende Kardinal mit der Zeit mehrfach im Handel erscheinen. — Purpurkardinal (Br.) — Cardinalis phoeniceus, Gld., Br.

Der spitzhäubige Kardinal [Coccothraustes sinuatus]. Im Gegensatz zu dem vorigen dürfte dieser Kardinal bis jetzt noch garnicht lebend zu uns gelangt sein, doch läßt sich wol erwarten, daß er demnächst auch einmal kommen werde. Baird gibt als seine Heimat das Thal vom Rio grande in Texas und auch Mexiko an und die Vögel namentlich des letztern Landes werden ja neuerdings immer mannigfaltiger und zahlreicher bei uns eingeführt. Seine aufgerichtete und spitze Haube (welche länger und schmaler als beim rothen Kardinal ist), Stirn, Zügelstreif und Wangen sind dunkel karmoisinroth; der Oberkopf, d. h. die vordere Seite der Haube, der Rücken und die ganze übrige Oberseite sind fahl graubraun; Schwingen und Flügeldecken dunkelroth, röthlichbraun gespitzt; Schwanzfedern bräunlichroth mit dunkel braunrothem Ende; Kehle, Brust, Bauch und Hinterleib nebst den unteren Flügeldecken hell karminroth, Brust- und Bauchseiten fahl bräunlichgrau, untere Schwanzdecken röthlichweiß; Schnabel gelblichgrau; Füße braungrau. Das Weibchen ist ähnlich, unterhalb bräunlichgelb; Kehle und Bauchmitte roth überhaucht; Schnabel bräunlichgrau. Die Größe stimmt mit der des rothen Kardinals überein (nach Baird). — Schmalschnabelkardinal (Br.) — Pyrrhuloxia sinuata, Bp.

### Der gehäubte graue Kardinal [Coccothraustes cucullatus].
Tafel XIII. Vogel 64.

### Der Dominikaner-Kardinal [Coccothraustes dominicanus].
Tafel XIII. Vogel 65.

### Der braunkehlige graue Kardinal [Coccothraustes capitatus].

### Der schwarzkehlige graue Kardinal [Coccothraustes gularis].

Prächtige Vögel sind es, welche ich ihrer Aehnlichkeit wegen ohne weiteres zusammenfassen darf, indem ich selbstverständlich in der Schilderung jedes einzelnen die besonderen unterscheidenden Merkmale hervorheben werde. Die beiden ersteren gehören zu den seit altersher allbekannten und bis zur Gegenwart auch allbeliebten fremdländischen Stubengenossen, während die beiden letzteren bis jetzt nur ausnahmsweise, höchst selten einmal in den Handel gelangt sind.

Der gehäubte graue Kardinal ist an Kopf, Kehle und von dieser aus im spitzen Winkel bis zur Oberbrust dunkel blutroth; Kopf mit spitzer ebenfalls rother Tolle oder Haube, welche aus zartgefaserten Federn besteht; Nacken, Rücken, Flügel und Schwanz dunkel schiefergrau, am erstern jede Feder weiß gefleckt, Schwingen und Schwanzfedern fahlgrau außengesäumt und Flügeldecken mit breiten aschgrauen Säumen; vom Ohr jederseits ein breiter Streif und ebenso die ganze Unterseite reinweiß, längs der Brustseiten schiefergrau gefleckt. Schnabel fleischfarben, an der obern First bräunlich; Auge röthlichbraun; Füße bräunlichgrau. Das Weibchen dürfte kaum zu unterscheiden sein; man meint zwar, daß sein Roth blasser, und sein Weiß düsterer erscheine, allein dies ist nach meiner Ueberzeugung nur bei jungen Vögeln der Fall.

Die Größe ist wenig geringer, als die des rothen Kardinals. Seine Heimat erstreckt sich über ganz Brasilien, Paraguay und Bolivien.

Der Dominikaner-Kardinal ist am ganzen ungehäubten Kopfe nebst einem, jedoch nicht spitzzulaufenden, sondern abgerundeten Schilde, welches kaum bis zur Oberbrust reicht, ebenfalls roth; der Nacken bis zum Mantel ist schwärzlich, jede Feder mit großem weißen Fleck; Mantel grau, jede Feder fein schwarz endgesäumt; Schwingen schwarzbraun, weißlich gesäumt, Flügeldecken dunkel grauschwarz; Schwanzfedern schwarz, schmal grau außengesäumt und fahl gespitzt; ganze untere Seite, vom Unterhals an nebst den unteren Flügeldecken reinweiß. Schnabel schwärzlichhorngrau, Unterschnabel weißlichgrau; Auge braun; Füße dunkelbraun. Das Weibchen dürfte ebenfalls kaum zu unterscheiden sein; man behauptet, daß es kleiner und sein Roth, besonders am Vorderhals matter und nicht so weit ausgedehnt sei. Sichere Merkmale sind dies jedoch keineswegs. Die Größe stimmt nahezu mit der des vorigen überein. Er ist in Nord- und Mittelbrasilien heimisch.

Der braunkehlige graue Kardinal hat ebenfalls einen scharlachrothen unbehäubten Kopf, doch ist die nach der Oberbrust hin spitz zulaufende Färbung von der Kehle an nicht roth, sondern schwärzlichbraun; Flügel und Schwanz sind schwarz, die Schwingen am Grunde und an der Innenfahne weißlich gesäumt; ganze Unterseite reinweiß; Schnabel hell rosenroth; Auge karminroth; Füße fleischfarben. Das Weibchen soll übereinstimmend sein, jedoch einen an der First dunkelbraunen Schnabel haben. Er ist bemerkbar kleiner, als die beiden vorigen. Südbrasilien, Paraguay und Bolivien sind seine Heimat.

Der schwarzkehlige graue Kardinal ist auch ungehäubt und dem Dominikaner ähnlich, erscheint jedoch im ganzen dunkler; Kopf und Kehle blutroth und darunter ein schwarzer Fleck; Nacken, Rücken, Flügel und Schwanz schieferschwarz (die Schwingen nicht weiß gerandet); Halsseiten bis zum Nacken und ganze Unterseite reinweiß; Schnabel hornschwarz, Unterschnabel weißlich; Auge braun; Füße bläulichschiefergrau, fleischroth scheinend. Das Weibchen wird wol nicht verschieden sein, doch ist es noch nicht beschrieben. In der Größe gleicht er dem vorigen. Die Heimat erstreckt sich über Guiana und süd- und ostwärts bis in das Gebiet des Amazonenstroms und des Rio negro.

Mit dem grauen Kardinal sowol, als auch mit dem Dominikaner haben sich bereits die alten ornithologischen Schriftsteller viel beschäftigt; schon Seeligmann, Brisson, Buffon u. A. gaben Abbildungen. Der letztere warf beide Vögel als eine Art zusammen und betrachtete den einen nur als Abänderung des andern. Die als Gattungsnamen gegebne heimische Bezeichnung Paroara hat wol zuerst Markgraf ("Historia naturalis Brasiliae"; 1648) gebraucht; Brisson verwarf sie, und während sie von Buffon u. A. noch beiläufig gebraucht wurde, stellte sie Bonaparte als Paroaria wieder hin. Ob der im Lateinischen wie im Deutschen schon seit altersher benutzte Name Dominikaner-Kardinal nicht ursprünglich Kardinal von Domingo bedeuten soll, wage ich nicht zu erörtern. Linné und dann Buffon nennen ihn freilich domingischer Sperling. — Seeligmann's Abbildung war bereits nach einem lebenden Vogel hergestellt und damals schon brachte man die Art mehrfach von Lissabon aus nach London. Vieillot trennte mit Sicherheit den gehäubten von dem glattköpfigen Kardinal und hielt den erstern für keinen Sänger; dennoch sei er, lediglich um seiner Schönheit

willen, sehr gesucht. In der Gefangenschaft zeige er sich bei der Fütterung mit
Hirse und Kanariensamen vortrefflich ausdauernd. Ihm gebühre vor dem glatt=
köpfigen der Vorzug. Dieser letzte sei schon zu jener Zeit in Frankreich gar=
nicht selten gewesen und habe sich als ein gegen Kälte nicht empfindlicher Vogel
erwiesen; ein solcher erhalte sich bei ihm seit sechs Jahren im Käfige sehr gut;
freilich dürfe man ihn nicht im Freien überwintern. Alt eingefangen bleibe er
wild und scheu. Auch er gehöre zwar nicht zu den Sängern, doch zu den farben=
prächtigsten Vögeln. Die Angaben Vieillot's über die Lebensweise im Freien
brauche ich nicht anzuführen, denn dieselben sind ja ausführlicher von den neueren
Schriftstellern gebracht. In Bechstein's Mittheilungen finden wir im wesent=
lichen nur die Buffon's wieder. Bemerkenswerth ist jedoch, daß ein Domini=
kaner=Kernbeißer damals 3 Louisd'or kostete und daß man, „ehe sich die Schiffs=
leute darauf legten, fremde Vögel mitzubringen", 5 bis 6 Louisd'or für einen
bezahlen mußte. In dem Verzeichniß von Dr. Karl Bolle ist angegeben, der
gehäubte singe, der glattköpfige aber nicht.

Eingehende Berichte über das Freileben aller dieser Graukardinäle haben
die reisenden Naturforscher leider nicht veröffentlicht. Burmeister sagt im
wesentlichen nach Azara's Angaben nur kurz folgendes: „Den grauen Kar=
dinal findet man im Innern Brasiliens auf feuchten buschigen Niederungen, am
Raube der großen Flüsse einzeln oder paarweise. Er nistet im dichten Gebüsch,
baut in mäßiger Höhe ein ziemlich großes Nest aus trockenen Halmen und legt
3 bis 4 Eier. Das Freileben des Dominikaners stimmt mit dem des vorigen
überein. Den braunkehligen Kardinal sieht man im Sommer meistens paarweise,
doch weder auf offenen Triften, noch im dichten Urwalde, im Winter in kleinen
Flügen, welche oft in die Nähe der Ansiedlungen kommen und besonders gern
das zum Trocknen ausgehängte Fleisch benaschen. Seine eigentliche Nahrung be=
steht in Sämereien und Insekten. Das Nest errichtet er im dichten Gebüsch
mäßig hoch und dasselbe enthält 3 bis 4 Eier. Der schwarzkehlige Kardinal
schließlich hält sich paarweise an den Ufern der Flüsse auf und man bemerkt ihn
in den übers Wasser hinaushängenden Zweigen." Prinz von Wied fügt nur
noch hinzu, daß die grauen Kardinäle einen hellen Lockruf haben, ihr Gesang
aber ein bloßes Gezwitscher sei. Sie werden vielfach gefangen und im Käfige mit
zerstoßnem Mais und Reis ernährt, bei welcher einfachen Fütterung sie sich sehr
gut erhalten lassen, aber still und einfältig erscheinen. Die Beobachtung in der Ge=
fangenschaft hingegen ergibt, daß sie sämmtlich als muntere und anmuthige, außer=
ordentlich lebhafte, nicht selten wildstürmische Vögel sich zeigen. Ebensowol in meiner
Vogelstube als auch in unzähligen anderen Sammlungen hat sich dies bestätigt, und
ich will sie nun zunächst nach den Mittheilungen schildern, welche zahlreiche Züchter
gemacht und denen ich dann schließlich meine Erfahrungen anreihen werde.

In seiner „Encyclopédie d'Histoire naturelle" (Paris) erzählt Chénu, daß Herr Passerini auf den Wunsch der Prinzessin von Florenz in den Jahren 1837 bis 1839 Züchtungsversuche mit grauen Kardinälen anstellte. Das Pärchen erbaute in den Zweigen eines kleinen Baums sein Nest vornämlich aus Blättern und Gräsern und dasselbe enthielt drei weiße mit kleinen grünen, am stumpfen Ende dichter stehenden Flecken bedeckte Eier. Die ersten Jungen, welche am 15. Juli nach fünfzehntägiger Brutdauer auskamen, ließen die Alten ver= hungern, und erst als zur Fütterung gehacktes Fleisch, Insekten, Würmer u. drgl. gegeben wurde, brachten sie eine andere Brut im August noch glücklich auf. Er beobachtete, daß die jungen Vögel die vollen schönen Farben des Gefieders nicht vor dem dritten Jahre erlangen.

In Deutschland, wo die Zucht der Sing= und Schmuckvögel bekanntlich erst in neuester Zeit erwacht und zu großer Bedeutung gelangt ist, hat den grauen Kardinal jedenfalls Herr Dr. Bodinus, zu gleicher Zeit mit dem rothen, damals in Köln gezüchtet, und zwar i. J. 1862. Die Schilderung einer gleichen Zucht i. J. 1863 gibt dann Herr Dr. Max Schmidt, Direktor des zoologischen Gartens von Frankfurt a. M.: „Unser Garten erhielt, nachdem er immer schon einzelne graue Kardinäle beherbergt, im Sommer 1862 drei, und zwar, wie sich später herausstellte, ein Männchen und zwei Weibchen. Sie wurden im Käfige in einem geheizten Vogelhause überwintert und zum Frühjahr hin in einen geräumi= gen Flug im Freien gebracht, wo sie mit grünen Kardinälen, mehreren großen Webern, Lerchen, je einem Dompfaff und Wachtelkönig und verschiedenen Wachtel= arten friedlich zusammenwohnten. Es war für Nistgelegenheiten von mancherlei Einrichtung gesorgt und zugleich wurden mannigfaltige Baustoffe geboten. Am 9. April wurde die Volière bevölkert, und bereits am 14. hatten die grauen Kar= dinäle einen Nistplatz erwählt, ein flaches Korbnest von etwa 15,5 $^{cm.}$ Durchmesser, welches in einem Gestell an der Wand befestigt und nach vorn mit einer 8 $^{cm.}$ hohen Leiste und verschiedenen Aesten versehen war. Unter vier gleichen Nestern hatten sie das gewählt, welches in der südlichen Ecke des Käfigs stand, am meisten gegen die Witterung geschützt, nach Mitternacht zu aber offen war. Männchen und Weibchen bauten gemeinschaftlich, lediglich aus Haidekrautstengeln. Das überzählige Weibchen hielt sich fast immer in der Nähe auf, wurde anscheinend ganz übersehen und nur vertrieben, wenn es an das Nest kam. Nachdem am 18. April das Nest vollendet war, doch ohne jede Ausfütterung, legte das Weib= chen am 19. und 21. und blieb vom Morgen des 23. an fest brütend sitzen; es wurde vom Männchen täglich mehrmals abgelöst. Am 5. Mai waren Junge im Nest vorhanden, welche die beiden Alten nun fleißig fütterten, anfangs vorzugs= weise mit Eigelb, später auch mit Eiweiß, gehacktem Fleisch, Ameiseneiern und zerschnittenen Regenwürmern. Bereits am 10. Mai wurden die Köpfe von zwei

Jungen über dem Nestrande sichtbar und dieselben schrieen jetzt fast unausgesetzt nach Nahrung. Das erste Junge kam am Morgen des 17. aus dem Nest geflattert und kletterte unbeholfen auf einem Baume umher, welchen es nicht verließ, sondern auf dem es auch übernachtete, während das zweite auf dem Nestrande sitzen blieb und erst am andern Tage ebenfalls ausflog. Die zweite Brut begann am 18. Mai und zwar richtete das Weibchen dasselbe Nest wieder her. Jetzt bemühte sich das überzählige Weibchen, auch die Aufmerksamkeit des Männchens zu erregen; es saß auf einem Nest in der Nähe und so oft das Männchen vorüberkam, sträubte es die Federn, breitete die Flügel aus, wendete den Kopf hin und her und führte auch wol unter heiserm Geschrei einige neckende Schnabelhiebe gegen den Nachbar, bis dieser sich ihm allmälig immer mehr näherte und dadurch Kampf zwischen beiden Weibchen erregt wurde, sodaß das einzelne entfernt werden mußte. Auch das zweite Gelege bestand in 2 Eiern, von denen eins hinausgeworfen und nur ein Junges erbrütet und aufgezogen wurde. Inzwischen fütterte das alte Männchen die Jungen der ersten Brut noch bis zum 3. Juni und das eine derselben setzte sich häufig auf den Rand des Nestes; während ich aber befürchtete, daß es die für das Kleine bestimmte Nahrung in Empfang nehmen könnte, bemerkte ich, daß es sich stets zur Seite drückte, wenn einer der Alten mit Futter kam und dann sah ich sogar, daß es selbst mitfütterte. Am 20. Juni bewegte sich das Junge im Nest viel und lebhaft, putzte sein Gefieder und kletterte endlich auf den Rand des Körbchens, um jedoch erst am 23. spät nachmittags auszufliegen. Die Alten schritten sodann zu noch einer Brut, diesmal aber im Nest nebenan; dieselbe ergab wieder zwei Junge, welche am 21. erbrütet wurden und an deren Auffütterung sich auch das Weibchen der grünen Kardinäle, welche mehrere Fehlbruten gemacht, betheiligte, obwol die Alten dasselbe jedesmal mit lautem Zanken vertrieben. Das erste Junge flog am 4. und das zweite am 8. August aus. Sie zeigten sich vor der vollen Befiederung recht weichlich, und als infolge eines Gewitters in der Nacht ein rasches und bedeutendes Sinken der Wärme eintrat, starben sie." — Auch im zoologischen Garten von Hannover zogen, wie Herr Dr. Niemeyer berichtet, ein Par graue Kardinäle i. J. 1868 ein Junges auf. In demselben Jahre züchtete Herr Emil Linden diese Art. Er hatte sechs Köpfe graue und Dominikaner-Kardinäle zusammen inmitten einer großen und mannigfaltigen Gesellschaft von einheimischen und fremdländischen Finken, welche sich anfangs sehr gut miteinander vertrugen, bis in den ersten Tagen des Monats April ein heftiger Kampf zwischen den gehäubten und ungehäubten entbrannte, sodaß die letzteren entfernt werden mußten. Dann begannen die ersteren sogleich zu nisten und zwar ein Männchen mit zwei Weibchen. Sie bauten in einem Schilfdickicht auf einem alten Tigerfinkennest, und als Herr Linden die Jungen besichtigte, setzten sich die Alten erbittert zur

Wehr und stießen ihn ins Gesicht. Die Auffütterung geschah hauptsächlich mit frischen Ameisenpuppen.

Trotzdem man im allgemeinen annehmen kann, daß die gehäubten grauen Kardinäle die kräftigeren sind, beobachtete Herr Pfarrer Winkler, daß ein Pärchen Dominikaner die ersteren vom Nest vertrieb und dieses zerstörte. Die grauen erbauten später aus Spargelzweigen und Würzelchen ein künstliches Nest ganz oben an der Decke in einem in einer lauschigen Ecke stehenden, zwischen Zweigen versteckten Körbchen; es bildete eine tabellose halbkugelige, sorgsam ausgerundete Mulde, während dasselbe Pärchen vorher ein unordentliches Nest errichtet hatte. Die Brut ging jedoch leider zugrunde. In einem großen Zimmerkäfige des Herrn Regierungsrath v. Schlechtendal zeigten sich die grauen Kardinäle überaus zank= süchtig und verhielten sich nur dann ruhig, wenn sie mit stärkeren Vögeln zusammen waren. Auch bei Herrn Dr. Stölker in St. Fiden erschienen sie bösartig, denn sie tödteten zwei Schneefinken, indem sie ihnen Rücken, Schultern und Flügel zer= hackten. Das Pärchen war so streitbar, daß es selbst die hinzugebrachten rothen Kardinäle in der wüthendsten Weise befehdete. Eine überaus merkwürdige Be= obachtung wurde von Herrn Präparator Martin im Vogelhause des Herrn Oskar Vetter zu Ludwigsburg gemacht. Alle Kardinäle zeigten sich hier zunächst unverträglich und überaus bösartig. Dann mußten sie bei 16 Grad Kälte aus dem geheizten Raum in eine offene Voliere gesetzt werden, wo sie sich trotzdem ganz gut erhielten und dann später auch zur Brut schritten. Da sie den außer= ordentlich großen Temperaturwechsel (einen Unterschied von etwa 30 Grad) ohne Nachtheil ertrugen, so ist damit wol der Beweis gegeben, daß sie ohne Gefahr im ungeheizten Raum überwintert werden dürfen, wie denn überhaupt alle grauen Kardinäle trotz ihrer tropischen Heimat sich keineswegs als weichliche, sondern vielmehr als sehr kräftige, ausdauernde Vögel zeigen. Herr Major Alexander v. Homeyer fand im zoologischen Garten zu Frankfurt a. M. einen grauen Kar= dinal, welcher mit Einschluß des rothen Kopfes fast ganz schwarz geworben war, und solche schwarze Färbung des Gefieders zeigt sich auch bei diesen Vögeln in den Handlungen garnicht selten.

Alle diese Beobachtungen seien nun durch die von mir gemachten noch in folgendem ergänzt. In meiner Vogelstube, wo ich zuerst ein Pärchen der gehäubten Kardinäle freifliegend hielt, belebten sie den ganzen Raum, ohne jedoch die kleineren Vögel zu scheuchen oder zu beängstigen. Zur Nistzeit hin begann das Männchen aber eine gar üble Eigenthümlichkeit zu entwickeln, indem es irgend einen kleinen Vogel jagte und zwar immer nur einunddenselben stundenlang, bis er schließlich in irgend einen Winkel sich verkroch, um nimmer wieder hervorzukommen oder bis er leblos zur Erde fiel. Da ich eine solche fortwährende Jagd nicht dulden mochte, so fing ich das Pärchen ein und brachte es in einen geräumigen, mit

Strauchwerk ausgestatteten Käfig. Hier errichtete es in einem offnen großen Harzerbauerchen, welches mit dünnen Birkenreisern durchflochten war, ein Nest, und zwar auf einer Unterlage aus Reiserchen und Würzelchen nur eine mit weichen Schweinsharen dünn ausgelegte Mulde; beide Gatten des Pärchens bauten gemeinsam. Da ich angenommen, daß jene Bösartigkeit des gehäubten grauen Kardinals nur ein absonderlicher Fehler des einzelnen Vogels sei, ließ ich versuchsweise nach der Entfernung der ersteren auch ein Pärchen Dominikaner in die Vogelstube fliegen und dieses zeigte sich geraume Zeit hindurch völlig friedlich, bis es im März zur Brut schritt und dann beiderseits eine ebenso verderbenbringende Thätigkeit entfaltete. Sie übten die Jagd förmlich mit Ueberlegung aus, indem sie den betreffenden Vogel einander zutrieben. Ich setzte auch sie dann in einen Käfig, und hier erbauten sie bereits nach wenigen Tagen in einem großen Birkenbusch ein Nest. Beide trugen eine Unterlage aus Reisern, Papierschnitzeln, Moos und Schilffahnen zusammen und formten darauf aus weichen Grashalmen, Schweinshar und Baumwollfäden eine recht hübsch geglättete Mulde. Das Gelege bestand aus 3 Eiern. Die Jungen hatten einen spärlichen weißen Nestflaum und verließen am 17. Tage das Nest (das Jugendkleid werde ich weiterhin angeben). Bereits nach einigen Wochen geht die Verfärbung vor sich, indem das Braun am Kopfe mehr und mehr rostroth, das Grau dunkler und schärfer abgegrenzt und das Weiß reiner wird; aber erst im Frühlinge des dritten Jahres erhalten sie das volle prächtige Roth. Nach dem Ausfliegen wurden die Jungen vom alten Männchen noch etwa zwei Wochen hindurch gefüttert, während das Weibchen bereits eine neue Brut begann, indem es in das alte Nest eine Lage von frischen Baustoffen schleppte und auf diese diesmal 4 Eier legte, aus denen sämmtlich Junge erbrütet und glücklich aufgezogen wurden. Eine Hauptbedingung für ihre Züchtung ist die, daß man alle Kardinäle nicht allein in den Pärchen einundderselben, sondern auch in denen verschiedener Arten getrennt und sie außerdem von allen anderen Vögeln abgesondert hält; sie dürfen also nur parweise in Käfigen gezüchtet werden. Brehm behauptet, daß sie ein bedecktes Körbchen zum Nestbau benutzen, dies beruht jedoch sicher nicht in wirklicher Beobachtung, denn sie errichten, wie ja alle Verwandten, entschieden eine offne Mulde, auch polstern sie diese, falls sie sich nur ungestört wissen und ruhig genug sind, sorgfältig aus. Die Eier werden regelmäßig einen Tag um den andern gelegt und die Brutdauer währt 14 Tage. Das Männchen löst täglich mindestens dreimal das Weibchen ab, doch brütet es im ganzen beiweitem nicht so lange als jenes.

Inbetreff des Gesangs sind die Urtheile sehr widersprechend. Der zuletzt genannte Schriftsteller schildert den des Dominikaners als aus mannigfaltigen wohllautenden Tönen zusammengesetzt, sich durch kräftiges, nicht unangenehmes Schmettern auszeichnend; der des grauen Kardinals sei ähnlich, doch kürzer und weniger ansprechend. Das Urtheil Bolle's habe ich bereits oben angeführt. Linden nennt den Gesang wohlklingend, aus langgedehnten mannigfaltigen, angenehmen Tönen, untermischt mit einem kurzen lauten Schmettern, bestehend. Die übrigen Beobachter geben leider nichts näheres an. Nach meiner Meinung sind die langgezogenen Laute im Gesange des grauen Kardinals allerdings recht angenehm, doch werden sie von schleifend klingenden, nicht besonders lieblichen vielfach unterbrochen. Das Lied des Dominikaners dagegen ist klangvoller, freilich nicht wechselreich, doch von nur wenigen Mißtönen verunstaltet.

Man darf wol mit voller Bestimmtheit annehmen, daß der braunkehlige und schwarzkehlige Kardinal bis zu Ende des Jahres 1872 noch niemals lebend nach Europa eingeführt worden, während der gemeine graue Kardinal und der Dominikaner doch zu den alltäglichen Erscheinungen des Vogelmarkts gehören und alljährlich regelmäßig in sehr beträchtlicher Anzahl in den Handel kommen. Von jenen beiden Arten kam die erstere i. J. 1873 in den zoologischen Garten von London und zu Anfang d. J. 1874 erhielt Fräulein Hagenbeck in Hamburg zum erstenmal eine Sendung. Diese Vögel gelangten bald in mehrere Vogelstuben und auch nach dem Berliner zoologischen Garten, ihre Züchtung hat man jedoch nicht erreicht. Die zweite Art wurde ebenfalls i. J. 1874 in einem Par von Bekemans in Antwerpen für den zoologischen Garten von Berlin angekauft, während sie im Londoner noch nicht vorhanden ist.

Der Preis des grauen Kardinals und des Dominikaners beträgt im Großhandel etwa 20 bis 24 Mark für das Par und durchschnittlich 15 Frank für den Kopf; bei den Händlern zweiter Hand 30 bis 36 Mark für das Par. Keine geringe Schwierigkeit verursacht es, beim Einlauf richtige Pärchen zu erlangen, zumal einerseits ein altes kräftiges Weibchen ebenso fleißig und auch ebenso laut singt, als ein Männchen und andrerseits selbst ein richtiges Par nur während der Nistzeit friedlich beisammenlebt. Wenn man zwei graue Kardinäle (gleichviel welcher Art) nebeneinanderhält, so erscheint das Roth des Männchens mindestens um eine Schattirung dunkler, als das des Weibchens, während das des letztern zugleich bemerkbar ins Goldgelbe spielt. Doch ist dieser Geschlechtsunterschied nur bei gleich alten und völlig ausgefärbten Vögeln stichhaltig.

Der gehäubte graue Kardinal heißt auch Graukardinal und brasilische Nachtigal. [Domingischer oder gezopfter domingischer Kardinal, Buff.].
Le Cardinal gris huppé rouge ou le Paroare huppé; Red-crested Cardinal. Roodkop of Grijze Kardinaal.
Nomenclatur: Loxia cucullata, Lth., Bff.; Fringilla cucullata, Lchtst.; Paroaria cucullata, Bp., Brmst., Br.; Spiza cucullata, Gr.; Calyptróphorus cucullatus, Cb.; Cardinalis cucullatus, Rss. ["Hndb."]. — [Tije guacu paroara, Markgr.; Le Cardinal dominicain huppé de la Louisiane et le Paroire, Buff.; Crested dominican Grosbeak, Lath.; Crestudo roxo, Azar.].
Wissenschaftliche Beschreibung s. S. 541.

Coccothraustes cucullatus: colore capitis gulaeque obscure sanguineo in angulum acutum ad guttur usque desinente; plumis cristae rubrae acuminatae
subtiliter fibratis; cervice, dorso, alis caudaque obscure schistaceis; plumis
cervicis albo-maculatis; remigibus rectricibusque exterius livide cano-, tectricibus al. late cinereo-limbatis; stria lata ab aure utrinque alba; subtus albissimus, pectoris lateribus schistaceo-maculatis; culmine rostri carnei fuscato; iride
badia; pedibus fumidis. — ♀ vix dissimilis paululum pallidior.

Länge 18,₃ ᶜᵐ·; Flügel 9,₁ ᶜᵐ·; Schwanz 6,₃ ᶜᵐ.

Jugendkleib: Weißlichgrau; Kopf fahl bräunlichrothgrau; Flügel und Rücken ein=
farbig düstergrau; ganze Unterseite fast reinweiß; Schnabel und Auge schwarz; Füße dunkel=
braungrau. (Bei der Verfärbung geht die Kopffarbe zunächst in mattes Rostgelb, dann mehr
in Rostroth und weiter in fahles Bräunlichroth über, bis sie zuletzt, und zwar erst im dritten
Jahre, voll und kräftig roth wird).

Juvenis: incanus; capite livide fumigato-rufescens; alis dorsoque unicoloribus
sordide cinereis; subtus albidus; rostro irideque nigris. (Trimus demum capite saturate rubro).

Beschreibung des Eies: Weiß, dicht graugrün besprengt, am stumpfen Ende dunkler;
länglichoval (Brmstr). Grünlichweiß, bräunlich= oder grünlichgrau gesprenkelt (Ruß). Grund=
farbe bläulichgrau mit graubräunlichen Schalenflecken und dunkleren Oberflecken, die am stumpfen
Ende gehäufter stehen. Länge 27 ᵐᵐ·; Breite 20 ᵐᵐ· (Rhrk.).

Ovum: album, dense glauco-adspersum, in basi obscurius; sublongo-ovatum
(Brmst.). O. virente album, subfusco- vel subglauco-variatum (Rss.).

Der Dominikaner=Karbinal heißt auch blos Dominikaner und ebenfalls brasilische
Nachtigal; glattköpfiger grauer Karbinal (Bll.); Dominikaner=Kernbeißer (Bchst.). [Domingi=
scher Karbinal und domingischer Sperling, nach alten Autoren].
Le Cardinal-Paroare ou le Paroare dominicain; Dominican Cardinal, Pope Bird.
Nomenclatur: Loxia dominicana, L., Bff., Lth., Vll.; Spiza dominicana et
Spiza larvata, Gr.; Fringilla dominicana. Pr. Wd.; Paroaria dominicana, Bp., Brmst.;
Calyptrophorus dominicanus, Cb.; Paroaria larvata, Bdd., Br.; Cardinalis larvatus,
Rss. [„Hndb.“]. — [Rubicilla americana, Wllghb.; Cardinalis dominicanus, Edw., Sgm.;
Coccothraustes brasiliensis, Brss. — Cardinal dominiquain, Briss.; Cardinal dominicain,
Buff.; Dominican Grosbeak, Lath.].
Wissenschaftliche Beschreibung s. S. 542.

Coccothraustes dominicanus: a capite toto gutturis tenus ruber; pluma
cervicis quaque maculam magnam ostendente albam; plumis interscapilii cinerei
subtiliter nigro-terminatis; remigibus nigro-fuscis albido-limbatis; tectricibus al.
schistaceis; tectricibus subalaribus albis; rectricibus nigris, exterius anguste
cinereo-limbatis livideque terminatis; subtus albissimus; rostro nigricante corneo,
mandibula incana; iride fusca; pedibus fuscis. — ♀ vix discrepans.

Länge 17ᶜᵐ·; Flügel 9,₁ ᶜᵐ·; Schwanz 6,₁ ᶜᵐ.

Jugendkleid: Weißlichgrau; die Kopffärbung düster graulichrostroth; Rücken und
Flügel gleichmäßig fahlgrau; Unterseite düsterweiß. Schnabel und Auge schwarz; Füße dunkel=
braun. (Der Vorgang der Verfärbung gleicht durchaus dem des vorigen).

Juvenis: incanus; capite sordide cano-ferrugineo; dorso alisque aequaliter livide
canis; subtus sordide albus; rostro irideque nigris; pedibus fuscis. (Trimus demum
perfecte coloratus).

Beschreibung des Eies: Auf weißlichgrünem Grunde mit bräunlichen Flecken be=
sprenkelt. Länge 26 ᵐᵐ·; Breite 19 ᵐᵐ. (Ruß).

Ovum: virente album subfusco-adspersum (Rss.).

Der braunkehlige graue Kardinal heißt auch Mantelkardinal (Br.). — Le Cardinal à gorge brune; Brown-throated or Yellow-billed Cardinal.

Nomenclatur: Tachýphonus capitatus, *Orb.*; Paroaria capitata, *Bp., Brmst., Br.*; Cardinalis capitata, *Rss.* [„Hndb."].

Wissenschaftliche Beschreibung s. S. 542.

Coccothraustes capitatus: priori similis, sed obscurior; capite scarlatino; colore a gula ad guttur usque cuneatim decurrente fuliginoso; alis caudaque nigris; basi pogonioque interiore remigum albido-limbatis; subtus albissimus; rostro subroseo; iride kermesina; pedibus carneis. — ♀ simillima, culmine verum rostri fuscato.

Länge 17 cm.; Flügel 9,4 cm.; Schwanz 6,5 cm.

(Jugendkleid nach Burmeister: matter, mehr braungrau am Rücken gefärbt; der Kopf anfangs bläßbraun, dann rostgelblich und erst später wirtlich roth; Schnabel und Beine sehr verloschen gefärbt. — Ei weiß, graubraun gepunktet).

Der schwarzkehlige graue Kardinal heißt auch Rothkopfkardinal und Rothkappe (Br.); rothköpfiger Kardinal (Ruß, „Handbuch").

Le Cardinal à gorge noire ou à tête rouge; Red-headed or Black-throated Cardinal.

Nomenclatur: Tanagra gularis, *L., Bff., Lth., Gr.*; Nemosia gularis, *Vll., Gr.*; Tachyphonus gularis, *Orb.*; Paroaria gularis, *Bp., Brmst., Br.*; Coccopsis et Calypthrophorus gularis, *Cb., Schmb.*; Cardinalis gularis, *Rss.* [„Hndb."].

Wissenschaftliche Beschreibung s. S. 542.

Coccothraustes gularis: capite gulaque sanguineis; macula gutturis nigra; cervice, dorso, alis caudaque schistaceis; colli lateribus totoque gastraeo albissimis; rostro nigricante corneo, mandibula albida; iride fusca; pedibus plumbeis, rubicunde micantibus. — ♀ forsan haud dissimilis.

Länge 17 cm.; Flügel 9,1 cm.; Schwanz 6,5 cm.

Der schwarzbäckige Kardinal [Coccothraustes melanógenys] von Porto Kabello ist im Heine'schen Museum nach Cabanis in einem alten Männchen und zwei Jungen vorhanden. Chenu beschreibt ihn wie folgt: Oberkopf, Kinn und Kehle roth, Wangen schwarz, Halsband weiß; ganzes übriges Gefieder tiefschwarz; Schnabel schwarz mit gelblichem Kieferrand. Als Heimat gibt er die Insel St. Thomas an. — Nemosia nigrogenys, *Lfrsn.*; Tanagra nigroaurita, *Css.*

## Der grüne Kardinal [Coccothraustes cristatellus].

### Tafel XVII. Vogel 66.

Unter den Vögeln, welche man im Sprachgebrauch Kardinäle nennt, gehört dieser zu den schönsten und beliebtesten. Er ist oberhalb dunkelgrünlichgelb, an Oberkopf nebst Federbusch und Kehle schwarz und an der ganzen Unterseite lebhaft hellgelb. Das Weibchen ist oberseits fahlgraugrün mit ebensolchem Federschopf und weißen Wangen; unterhalb fahlgrün. Die Größe ist kaum geringer als die des grauen und Dominikaner-Kardinals, doch erscheint er bemerkbar schlanker. Seine Heimat dürfte sich auf Südbrasilien, Paraguay und die Laplataländer beschränken; mit Sicherheit ist sie jedoch noch keineswegs festzustellen. Ueber das Freileben haben Azara und Burmeister nur ganz kurz berichtet: Während der Nistzeit parweise und nach derselben in kleinen Flügen lebend, hält er sich vor-

nämlich an der Erde in lichtem Gebüsch auf, erscheint träge, indem er ungern
weit fliegt, und ernährt sich von allerlei Sämereien, Kerbthieren und Gewürm.
Das sehr große, offne, wenig kunstfertige Nest steht in niedrigem Gesträuch. Er
wird unschwer in mancherlei Fallen gefangen.

Obwol er gegenwärtig zu den allbekannten Stubenvögeln zählt, so läßt sich
doch kaum nachweisen, wann er zuerst lebend eingeführt worden. Lesson theilt
zwar mit, daß ihn schon zu seiner Zeit, also etwa im ersten Drittel dieses
Jahrhunderts, Madame Freycinet in Paris aus Buenos-Ayres erhalten hatte.
Vieillot hat ihn in seinem Prachtwerk abgebildet, doch geben weder diese noch
andere ältere Schriftsteller näheres über ihn an. Bechstein erwähnt ihn in den
ersten Auflagen seiner Naturgeschichte nicht, dagegen führt ihn Bolle in dem
Verzeichniß der auf dem europäischen Markt vorhandenen Vögel vom Jahre
1858 auf.

In der neuesten Zeit ist sein Gefangenleben sehr eingehend geschildert worden,
da man ihn bereits vielfach und mit großem Glück gezüchtet hat. Zuerst dürfte
er im zoologischen Garten von Köln im Jahre 1863 beim damaligen Direktor,
Dr. Bodinus genistet haben; sodann hat ein Pärchen im Vogelhause des Herrn
Verlagsbuchhändler Eduard Hallberger in Stuttgart mehrere Bruten aufgezogen.
Darauf erzielte man derartige Erfolge in den zoologischen Gärten zu Frankfurt a. M.
und Berlin und im Berliner Aquarium, nicht minder aber auch in zahlreichen
Vogelstuben. Ein Hinderniß für seine Züchtung ist die Bösartigkeit, welche manches
Pärchen, zuweilen auch nur ein einzelnes Exemplar, in der Vogelstube gegen
andere, namentlich kleinere Genossen entwickelt und die der unheilvollen Thätigkeit
der grauen Kardinäle ziemlich gleichkommt. So berichten einstimmig Herr
Apotheker Jänicke in Hoyerswerda, Herr Präparator Martin aus dem Vogelhause des Herrn Fabrikant Vetter in Ludwigsburg und Herr Pfarrer Winkler
in Fischenthal bei Zürich. Letzterer schildert auch zugleich eine Brut: Das Pärchen
bewohnte eine kleine Stube mit grauen und rothen Kardinälen zusammen und
behauptete in dem Kampfe gegen dieselben seinen Standort. Sie wurden hier
nun zur Nistzeit allein gehalten und sofort baute das Männchen in einen kleinen
Korb, welcher in einer Astgabel hing, ein recht liederliches Nest, dessen Boden
nur mit einigen Blättern belegt war. „Ich kam ihnen dadurch zuhilfe, daß ich
das Körbchen in ein andres, mit Moos gefülltes einheftete, um so der Brut von
unten her Wärme zu sichern. Dies Nest, welches ich sogleich am alten Ort
wieder befestigte, bauten die Vögel nun nicht weiter, sondern bezogen es und am
21. Juli sah ich das erste und am nächsten Tage das zweite Ei. Das Weibchen
brütete allein, wurde aber vom Männchen gefüttert. Auffallend war es mir,
daß das erstere, wenn es zur Entleerung vom Nest kam, täglich sich babete, ohne
daß ich daraus einen Nachtheil wahrnehmen konnte. Am 15. Tage der Brut

lag im Neſt ein dunkles bewegliches Klümpchen, am nächſten Tage ein zweites und ſchon nach drei Tagen ſtreckten ſich aus der dunkelflaumigen Maſſe zwei große Schnäbel, dunkelbraun mit gelben Mundrändern empor. Am drolligſten war die Erſcheinung dieſer Neſtlinge ſeit dem Tage, an welchem zu allererſt von den ſichtbaren Federn die Kiele der Holle hervorſproßten und ſtarr aufwärts- ſtrebten. Das alte Par, welches von allen meinen Kardinälen am zutraulichſten geweſen, entfaltete jetzt eine rührende Sorgfalt; jede Annäherung ans Neſt ward mit Flügelſchlägen und wol gar mit Schnabelhieben zurückgewieſen. Vom erſten Tage an vermehrte ich die Gaben von friſchen Ameiſenpuppen und Mehlwürmern, letztere von 12 bis 15 Stück täglich bis auf dreißig; nach und nach verminderte ich dieſe Futterſtoffe aber wieder etwas und nöthigte ſo die Alten, zur Aetzung mehr Quarkkäſe und Brot zu verwenden. Die Entleerungen der Jungen zeigten nichts unregelmäßiges. Am 18. Auguſt morgens ſah ich das eine, abends das andre derſelben außerhalb des Neſtes; vom 22. Auguſt an blieben ſie auch des Nachts draußen. Noch ziemlich bettelhaft bekleidet hüpften ſie doch mit den Alten ſehr lebhaft von Zweig zu Zweig. Zu Ende Oktobers erſchienen ſie dem alten Weibchen ähnlich, nur alle Schattirungen verſchwommen. Einen weitern Niſtverſuch machten die grünen Kardinäle in dieſem Jahre nicht; wahrſcheinlich weil die Jahreszeit ſchon zu weit vorgeſchritten war."

Nach meinen Erfahrungen läßt ſich das Pärchen ſelbſt durch größere Vögel kaum ſtören. Im Berliner zoologiſchen Garten niſteten ſie in einem im freien befindlichen großen Flugkäfig, welchen Hühnervögel, Tauben und ſelbſt Glanzſtare mit ihnen zuſammen bewohnten und in meiner Vogelſtube vermochten ſie ſogar ein Par Singſittiche aus der Nähe des Neſtes zu vertreiben. Das letztere wird ſtets in einem Korbe angelegt und beſteht meiſtens nur aus einer nachläſſig zuſammengetragnen Schicht von allerlei groben Stoffen, ohne daß eine auch nur einigermaßen ſorgfältig geformte Mulde erſichtlich iſt. Das Gelege beſteht in 4 bis 6 Eiern und die Brutzeit währt 14 Tage. Das Männchen löſt während derſelben ſein Weibchen wol hin und wieder, jedoch nicht zu beſtimmten Zeiten ab, füttert es aber faſt ausſchließlich, ſo daß es bei dem täglichen Verlaſſen des Neſtes kaum einige Körner allein frißt. Die Jungen werden von beiden Gatten mit Ameiſenpuppen, Mehlwürmern, eingeweichtem Eierbrot, auch geſottnem Reis und Grünkraut, allerlei Früchten und ſelbſt gekochten Kartoffeln ernährt. Im übrigen weicht der Verlauf der Brut von dem der grauen Kardinäle in keiner Hinſicht ab.

Ziemlich regelmäßig wird der grüne Kardinal alljährlich über Marſeille und Bordeaux nach Europa eingeführt, meiſtens aber nur einzeln oder in wenigen Pärchen. Anfangs recht zart und gegen ſchwankende Temperatur, Naßkälte und andere üble Einflüſſe ſehr empfindlich, zeigt er ſich nach der Eingewöhnung ziemlich

kräftig und ausdauernd; immer jedoch bleibt er etwas weichlicher, als seine grauen
Verwandten. Den Gesang bezeichnet Herr Major Alexander v. Homeyer
als laut und wohlklingend: ſpia, ſpeut, ſpia, ſpia. Er hört ſich recht angenehm,
doch einförmig an, und man hält den Vogel ſicherlich mehr ſeines intereſſanten,
gewiſſermaßen wunderlichen Ausſehens, um deswillen ihn die Franzoſen Räuber-
hauptmann nennen, ſowie ſeines lebhaften Weſens und leichten Niſtens halber, als
daß man ihn als Sänger beſonders ſchätzen ſollte. Der Preis wechſelt zwiſchen
30 bis 45 Mark für das Pärchen; nur ſelten ſind die friſch angekommenen viel
billiger, etwa für 24 Mark das Par, zu haben.

Der grüne Kardinal heißt auch Ammerkardinal (Br.).
Le Bruant Commandeur; Black crested Cardinal. — Cardinal amarillo, in den
Laplataſtaten (*Brmst.*). Groene Kardinaal.

Nomenclatur: Gubernatrix cristatella, *Lss., Bp., Brmst., Br.*; Emberiza cristatella, *Vll.*; Emberiza gubernatrix, *Tmm.*; Gubernatrix cristata, *Swns.*; Lophocórythus
gubernatrix, *Gr.*; Cardinalis cristatella, *Rss.* [„*Hndbch.*“]. — Crestudo amarillo, *Azr.*;
Commandeur cristatelle, *Chénu.*

Wiſſenſchaftliche Beſchreibung: Kopf gelblicholivengrün mit langer ſpitzer ſchwarzer
Haube, breitem gelben Augenbrauenſtreif, ſchwarzem Zügelſtreif und kleinem gelben Streif unterm
Auge; Nacken und Wangen düſterolivengrün; Mantel und ganzer Rücken olivengrün, jede Feder
mit breitem ſchwarzen Schaftſtrich; Flügeldecken und Schwingen ſchwarz, erſtere mit breiten,
letztere mit ſchmalen gelbgrünen Außenſäumen; Unterrücken und Bürzel einfarbig düſter olivengrün; Schwanzfedern ſchwarz, ſchmal olivengrün außengeſäumt, die drei äußerſten Federn lebhaft
gelb; Kehle vom Schnabel bis zur Oberbruſt breit ſchwarz; vom Mundwinkel die Gegend neben
den Wangen ſowie Halsſeiten und ganze Unterſeite lebhaft gelb. Schnabel bräunlichhorngrau;
Auge braun; Füße ſchwärzlichgrau. — Weibchen: Kopf, Rücken und ganze Oberſeite fahl graugrün; Federſchopf graugrün; Augenbrauenſtreif und Wangen graulichweiß; Zügel und Kehle
ſchwärzlich; Mantelfedern mit ſchwärzlichem Schaftſtrich; Schwingen und Schwanzfedern ſchwärzlich,
weißlich außengerandet; ganze Unterſeite blaß grünlichgrau, an der Bruſt weißlich. Schnabel
bleigrau; Auge braun; Füße blaugrau.

Coccothraustes cristatellus: capite flavente olivaceo-viridi; crista pilei
longa, acuminata; stria superciliari lata flava, altera lororum nigra, tertiaque parva
subter oculum flava; genis cerviceque luride olivaveo-viridibus; scapo plumae
cujusque interscapilii dorsique totius late nigro; tectricibus al. et remigibus
nigris, illis late, his anguste exterius olivaceo-viride limbatis; tergo crissoque
unicoloribus sordide olivaceo-viridibus; rectricibus nigris, anguste olivaceo-viride
limbatis, extimis ternis laete flavis; gula a rostro ad guttur usque late nigra; colli
lateribus ab oris angulo totoque gastraeo flavissimis; rostro subfusco-corneo; iride
fusca; pedibus nigricante cinereis. — ♀ capite, dorso totoque notaeo fumigato-
viridibus; crista cano-viridi; stria superciliari genisque incanis; loris, gula scapoque
plumarum interscapilii nigrescentibus; remigibus rectricibusque subnigris, exterius
albido marginatis; subtus virente cana pectore albicante; rostro plumbeo; iride fusca;
pedibus caesiis.

Länge 17cm.; Flügel 9,1cm.; Schwanz 6,5cm.

Jugendkleid: Kopf, Rücken und ganze Oberſeite fahlgraugrün, die ſchwärzlichen Schaft-
ſtriche nur angedeutet; Schwingen und Schwanzfedern ſchwärzlichgrau, fahl außengerandet;
Federſchopf fahlgrünlichgrau; Augenbrauenſtreif und Wangen weißlich; Zügel und Kehle grau;
ganze Unterſeite fahlgrünlichgrau, Bruſt bis zum Bauch, auch die Seiten dunkelgrau gefleckt
oder vielmehr breit ſchaftſtreifig.

Juvenis: capite, dorso totoque notaeo livide cano-virentibus, vix nigricante substriatis; remigibus et rectricibus subnigro-cinereis, exterius livide marginatis; crista livide virente cana; stria superciliari genisque albidis; loris gulaque cinereis; gastraeo toto livide virescente cano; pectore ad abdomen usque et hypochondriis cinereo-maculatis.

Beschreibung des Eies: rein blaugrünlichweiß, mit einzelnen schwarzen Punkten und Flecken gezeichnet (Baldamus); auf grünlichem Grunde dunkler gesprenkelt (Brehm); hellgrünlichblau, schwarzbraun gepunktet und gefleckt (Nuß).

Ovum: aeruginoso-albidum punctis maculisque singulis obsitum nigris (Bld.). O. virescens obscurius conspersum (Br.). O. dilute aeruginosum, nigro-fusco-punctatum et maculatum (Rss.).

Der kleine grüne Kardinal [Coccothraustes cristatellína, Rss.] ist ein von Burmeister als neue Art beschriebner Vogel, welchen er in Tukuman in den Laplatastaten fand: Halb so groß als der vorige; Oberkopf schwarz, mit sehr langen Schopffedern; Zügel und Augenbrauen-streif bis zum Nacken weiß, ebenso Kehle und Vorderhals, aber am Kinn ein schwarzer Fleck; Flügelfedern mit weißlichen Rändern, die drei äußeren Steuerfedern mit weißer Spitze; das ganze übrige Gefieder bleigrau; Schnabel schieferschwarz, Unterschnabel weiß; Auge braun; Füße schieferschwarz. Das Weibchen ist ebenso, doch braungrau. Irgend etwas näheres ist nicht bekannt. (S. 460 habe ich bereits eine Fringilla pusilla aufgeführt und ich mußte daher auch hier eine neue lateinische Bezeichnung geben). — Gubernatrix pusilla, Brmst.

## Der hellblaue Kernbeißerfink [Coccothraustes coerúleus].
## Der dunkelblaue Kernbeißerfink [Coccothraustes Brissoni].

Von diesen beiden herrlichen Vögeln, im Handel hellblauer und dunkelblauer Bischof genannt, wird der letztre hin und wieder einzeln oder parweise von Fräulein Hagenbeck und den Herren Reiche, Lintz, Möller u. A. eingeführt, während der erstre zu den allerseltensten Erscheinungen gerechnet werden muß. Beide sind einfarbig, jener heller und dieser dunkler, indigoblau. Ebenso sind die Weibchen einfarbig braun, das des einen heller, fahlgelblichbraun, das des andern dunkler, fahlbraun. Die Größe beider übertrifft kaum bemerkbar die des Kanarienvogels. Die Heimat des erstern erstreckt sich vom Süden Nordamerikas bis Mittelamerika und Westindien, nach Baird auch über Mexiko und Kalifornien, also von der Küste des atlantischen bis zum stillen Ozean. Dr. v. Frantzius zählt ihn unter den Vögeln von Kostarika mit. Ebenso beobachtete ihn Dr. Gundlach auf der Insel Kuba, wo er zu Anfang des Monats April mit anderen Zugvögeln, jedoch nur selten und in gewissen Jahren, erscheint. Die Verbreitung des letztern dürfte sich auf Brasilien beschränken.

Während über den nordamerikanischen Vogel die Literatur von altersher mancherlei Aufschluß gibt, hat sie über den brasilischen bis zur Gegenwart nur ganz geringe Mittheilungen aufzuweisen; dieser aber bevölkert bereits hier und da die Vogelstuben, während jener bisher kaum in den zoologischen Gärten, geschweige denn bei den Liebhabern zu finden ist.

Die ältesten Schriftsteller bringen über beide unrichtige Angaben; sie werfen sie entweder als eine Art zusammen oder sie wissen sie doch nicht mit Sicherheit zu unterscheiden. Auch irren sie sich zuweilen inbetreff der Heimat, so nennt z. B. Edwards Afrika als die des hellblauen Bischofs, während andrerseits schon Brisson beide Arten getrennt hatte und die eine als in Karolina, die andre in Brasilien vorkommend, bezeichnete. Bereits Catesby berichtet, daß der hell= blaue in Karolina selten sei, einsam und stets parweise lebe, sich niemals zu Scharen versammle und zum Winter fortziehe. Sein Gesang sei einförmig, immer in demselben Ton fortlaufend. Im übrigen habe der Vogel viele Aehnlich= keit mit dem europäischen Gimpel.

Zu Vieillot's Zeit hatte man namentlich den hellblauen zuweilen in Lissabon, Paris und London lebend; er sei ruhig und gewöhne sich leicht ein, bedürfe jedoch winters einer hohen Wärme, um einige Jahre auszudauern. Sein Gesang sei unbedeutend, aber seine schöne Farbe mache ihn werthvoll. Unter günstigen Ver= hältnissen werde er jedenfalls in der Gefangenschaft nisten. Die fälschliche Heimats= angabe Edwards' berichtigt er und sagt, daß der Vogel nur in Brasilien und Paraguay lebe. Der dunkel= und der hellblaue seien einander zwar sehr ähnlich, keineswegs jedoch übereinstimmend.

Ebenso beschreibt Bechstein beide blauen Kernbeißer. Der hellere befand sich in der Sammlung des Herzogs von Meiningen, wo er mit Kanariensamen gefüttert wurde, wenig lockte und leise sang. Als Heimat des dunkelblauen gibt auch dieser Schriftsteller irrthümlich Angola an. Im übrigen habe er ebenfalls einen leisen, angenehmen Gesang, dem des Zeisigs ähnlich; auch zeige er sich immer munter und werde ungemein zahm, sodaß er das Futter aus der Hand nehme. In Dr. Bolle's Liste ist der erstere allein und zwar als selten vor= kommend mitgezählt.

Ueber das Freileben haben Audubon, Prinz v. Wied und Burmeister berichtet, der erstre hatte einen jung aus dem Neste genommenen und aufgefütterten hellblauen Kernbeißer nach Edinburg mitgebracht, welcher dadurch wunderlich er= schien, daß er eine blanke Münze, wenn solche auf den Tisch gelegt wurde, in den Schnabel nahm und mit sichtlichem Vergnügen damit spielte. Die Lebens= weise beider Arten dürfte sicherlich übereinstimmen und ich fasse daher vornäm= lich das über die letzterwähnte gesagte in folgendem zusammen. Das Pärchen hält sich im lichten Gebüsch an möglichst einsamen Stellen auf und erbaut hier meistens niedrig, bis zu Mannshöhe, immer sehr versteckt ein offnes Nest, welches außen aus dünnen Reisern, Würzelchen und Mos besteht und innen mit Gräsern und Haren zierlich gerundet ist und fast regelmäßig 4 Eier enthält. Das Weib= chen brütet allein, doch wird es vom Männchen gefüttert und ebenso ernähren beide gemeinsam die Jungen. Alljährlich werden zwei Bruten gemacht; nach der

letzten schweifen sie in kleinen Flügen umher und sollen namentlich am Mais
beträchtlichen Schaden verursachen. Als Wandrer soll er, und zwar Männchen
und Weibchen getrennt und jene zuerst, gegen den Winter hin bis Mittelamerika
ziehen und etwa von Mitte bis Ende März zurückkehren. Die Nahrung soll nur
in Sämereien, nicht aber in Beeren und Früchten bestehen. Da die dunkelblaue
Art jedoch in der Vogelstube ebensowol Ameisenpuppen, Mehlwürmer, Eierbrot,
als auch fein zerschnittene Aepfel, Vogelberen, Weintrauben und allerlei andre
Frucht frißt, so vermuthe ich, daß beide hierin von den Verwandten nicht ab=
weichen werden. „Im Kamposgebiet des ganzen innern Brasiliens", sagt Bur=
meister, „nicht im Urwalde, sondern nur an den Waldrändern, auf offenen, mit
Gebüsch bestandenen Flächen, sieht man den dunkelblauen einzeln oder im Winter
auch wol in kleinen Scharen. Häufig ist er mir indessen nicht vorgekommen."
Dr. Karl Euler fand am 9. Februar die genannte Art nestbauend.

Ein Pärchen derselben in meiner Vogelstube nistete im März d. J. 1876
und das Weibchen allein erbaute frei im Gebüsch ein napfförmiges Nest aus
Halmen und Fasern, innen mit Mos und Baumwolle gefüttert; ebenso erbrütete
es das Gelege von vier Eiern ohne Hilfe des Männchens, nur von diesem
gefüttert und zwar in 13 Tagen. Von anderen Züchtern dürfte ein solcher Er=
folg bisher weder mit dieser, noch mit jener Art erzielt sein, wie denn beide
ihrer Seltenheit wegen bis jetzt überhaupt erst wenig Gelegenheit zu derartigen
Versuchen gaben. In Karolina, Louisiana, Georgia u. a. Staten von Nord=
amerika, wo der hellblaue Vogel keineswegs selten ist, soll er ziemlich zahlreich
gefangen und zu dem billigen Preise von einem Dollar für den Kopf verkauft werden,
während er bereits in New=York um das doppelte bis dreifache theurer ist. Bei
uns bezahlt man den dunkelblauen Bischof, wenn er frisch angekommen ist, mit
20 bis 30 Mark für das Pärchen, doch zeigt er sich dann sehr hinfällig; ein=
gewöhnt beträgt der Preis 45 bis 60 Mark für das Par. Still, ruhig und
harmlos im Gesellschaftskäfige wie in der Vogelstube, läßt er einen einförmigen,
aber sanften und wohltönenden Gesang hören, ein hervorragender Sänger ist er
keinenfalls. Burmeister sagt allerdings, man höre ihm gern eine zeitlang zu,
wenn man die Gelegenheit habe, ihn an seinem Lieblingsstande zu belauschen.
Er wird ungemein zahm, sodaß er namentlich Mehlwürmer, nach denen er über=
aus lüstern ist, aus der Hand nimmt, doch ist zu beachten, daß er sich leicht zu
fett frißt. Herr v. Schlechtendal berichtet aus dem Gefangenleben über fol=
gende Erfahrungen: „Ich besitze zwei prächtige Männchen, von denen das eine
schon seit Jahr und Tag friedlich mit einem Pärchen Hüttensänger zusammen in
einem Käfige lebt, während das andre ein großes mit amerikanischen Körner=
fressern besetztes Flugbauer bewohnt. Hier zeigte sich bald, daß nicht alle Bischöfe
durchaus friedfertiger Natur sind; ein Indigofink, ein Gartentrupial und ein Trauer=

zeisig wurden arg befehdet, während es gegen die rosenbrüstigen Kernbeißer, sowie einen Soldatenstar nicht zu kämpfen wagte. Ebenso ließ ein amerikanischer Seiden=schwanz oder Zedernvogel sich durch das drohende Schnabelaufsperren des Bi=schofs nicht irre machen; er blieb ruhig sitzen und klappte höchstens auch einmal mit dem Schnabel. Abgesehen von der hin und wieder vorkommenden Streitlust sind die dunklen Bischöfe angenehme muntere Vögel, die zugleich recht hübsch singen und jedem Flugkäfige zur Zierde gereichen." Nach Gundlach wird er auch auf Kuba im Käfige gehalten, doch dürften dies von anderwärts hergebrachte Exemplare sein. Der hellblaue Bischof wird im Wesen und in allem übrigen wol mit ersterem übereinstimmen, näheres vermag ich jedoch nicht anzugeben, da ich ihn nur im Berliner zoologischen Garten und Aquarium in je einem Männchen und dann ebenso auf der großen Vogelausstellung d. J. 1877 in Berlin, im Besitz des Herrn Schöbel, gesehen habe. Dasselbe kaufte Herr v. Schlechtendal, nachdem der Preis von 75 Mark bis auf 40 Mark herabgegangen. Auch in der verständnißvollen Pflege dieses bewährten Vogelwirths erholte es sich leider nicht mehr, nachdem es auf den Ausstellungen wol bereits zu sehr gelitten. Außer den Sämereien verzehrte es übrigens nur Mehlwürmer und verschmähte Beren und Grünkraut. Mit Kubafinken u. a. kleinen Genossen lebte es verträglich bei=sammen. — Im Londoner zoologischen Garten war der hellblaue Kernbeißerfink schon seit dem Jahre 1862, der dunkelblaue aber erst seit d. J. 1865 vorhanden.

Der hellblaue Kernbeißerfink heißt auch blauer Bischof, blos Bischof, und Blaukern=beißer. [Blauer Kernbeißer, guianischer Blaufink, blauer Dickschnäbler, himmelblauer Kernbeißer und blauer nordamerikanischer oder karolinischer Gimpel, nach alten Autoren].

Le Grosbec ou Evêque bleu; Blue Grosbeak or Blue Bishop. — Azulejo real, auf Kuba nach Gndl.

Nomenclatur: Loxia coerulea, *L., Gml., Wls.*; Guiraca coerulea, *Swns., Gndl.*; Fringilla coerulea, *Ill., Lchtst., Bp., Audb., Rss.* [„*Hndb.*"]; Coccoborus coeruleus, *Swns., Audb., Cb.*; Cyanoloxia coerulea, *Bp.*; Goniaphea coerulea, *Bp., Br.*; Guiraca caerulea, *Brd.* [Pyrrhula carolinensis caerulea, *Brss.*; Coccothraustes caeruleus, *Kln.* — Bouvreuil bleu de la Caroline, *Briss.*; Blew Gros-beak. *Cat.*; Bec-rond ou Bouvreuil bleu d'Amérique, *Buff.*; Blue Grosbeak, *Penn.*

Wissenschaftliche Beschreibung: Kobaltblau; Schnabelgrund, Zügel und Ober=kehle fast reinschwarz; Rückenmitte dunkelblau, Schwingen schwarz, theilweise rothbraun ge=rändert, über den Flügel eine gelblichbraune Querbinde; Schwanzfedern schwarz, schmal blau außengesäumt; ganze untere Körperseite heller kobaltblau; untere Flügelseite schwärzlichgrau, untere Schwanzdecken weiß gesäumt; untere Schwanzseite graulichschwarz; Schnabel bräunlich=horngrau, Unterschnabel heller; Auge braun; Füße bräunlichgrau. — Weibchen fahlgelblichbraun, oberhalb dunkler, unterhalb heller; Wangen bläulich angehaucht; Schwingen und Schwanzfedern dunkelbraun, schmal bläulich außengesäumt; Flügel mit zwei fahlen Querbinden; Bürzel bläulich=graubraun; Oberkehle weißlich; Schnabel etwas heller braun, Auge und Füße übereinstimmend.

Coccothraustes coeruleus: nitide kobaltinus; rostri radice, loris gulaque subatris; dorso medio cyaneo; remigibus nigris, exterius caesio-limbatis; fascia trans alam ochracea; rectricibus nigris, exterius anguste coeruleo-limbatis; subtus dilutius kobaltinus; alis subtus nigricante cinereis; cauda subtus nigrescente; rostro subnigro-fusco, mandibula dilutiore; iride fusca; pedibus subfumidis. — ♀ livide ferruginea, supra obscurior, subtus dilutior; genis subcoeruleo - afflatis; remigibus rectricibusque fuscis, exterius anguste subcoeruleo-limbatis, illis fascias duas ostendentibus lividas; uropygio coerulescente fumigato; gula albida; rostro dilutius fusco; iride pedibus ut maris coloratis.

Länge 18,3 cm.; Flügel 8,2 cm.; Schwanz 7 cm.

Der dunkelblaue Kernbeißerfink heißt auch Blaugimpelfink (Br.); schwarzblauer Bischof (v. Schlechtendal); lasurblauer Kernbeißer (Bchst.) und dunkelblauer Bischof (Ruß' „Hbbch").

Le Grosbec bleu de ciel ou l'Evêque bleu de ciel; Brazilian Blue Grosbeak or Brazilian Blue Bishop.

Nomenclatur: Loxia cyánea, L., Lth.; Loxia coerulea, var. β Gml., Lth., Edw.; Coccot braustes cyaneus, Vll.; Fringilla Brissoni, Lchtst., Pr. Wd., Eul., Rss. [„Hndbch."]; Pitylus cyaneus, Gr.; P. Brissonii, Gr., Hrtl.; Coccoborus cyaneus, Cb., Brmst.; Goniaphea cyanea, Br.; [Pyrrhula brasiliensis caerulea, Brss. — L'Azulam, Vll.; Blue Grosbeak, Lath.; Pico grueso azulejo, Azr.].

Wissenschaftliche Beschreibung: Dunkel indigoblau, Oberkopf heller, über die Stirn oberhalb des Auges bis zum Ohr ein breiter hellblauer Streif; schmaler Rand um den Schnabel, Wangen und Oberkehle schwarz, erstere unterhalb hellblau umgeben; kleine Flügeldecken hellblau, Schwingen schwarz, sehr schmal außengesäumt; Unterdecken und Bürzel ein wenig heller blau als das übrige Gefieder; Schwanz schwarz; ganze Unterseite schwärzlichblau, untere Flügel- und Schwanzseite schwärzlichaschgrau. Schnabel schwarz, Unterschnabel am Grunde heller; Auge braun; Füße heller, bräunlichgrau. — Weibchen röthlichgelbbraun, oberhalb dunkler, unterhalb heller; Schwingen und Schwanzfedern graubraun, die großen Deckfedern dunkelbraun, röthlichfahl gerandet. Schnabel dunkelgraubraun; Auge braun; Füße bräunlichgrau. — Jugendkleid einfarbig fahlgraubraun, viel heller als das des Weibchens; Flügel und Schwanz schwärzlichgraubraun, doch mit breiten fahlen Außensäumen.

Coccothraustes Brissoni: saturate cyaneus, pileo dilutiore; stria frontali lata ultra oculum ad aurem usque coerulea; capistro, gula genisque nigris, his deorsum coeruleo succinctis; tectricibus al. minoribus coeruleis; remigibus nigris, exterius angustissime limbatis; tectricibus subalaribus uropygioque paululum pallidioribus quam plumis reliquis; cauda nigra; subtus nigricante coeruleus, subalaribus latereque caudae inferiore subnigro-cinereis; rostro nigricante corneo. mandibulae basi dilutiore; iride fusca; pedibus pallidioribus. — ♀ ferruginea, supra obscurior, subtus dilutior; remigibus rectricibusque fumidis; tectricibus al. majoribus fuscis, subfulvo-marginatis; rostro obscure fumigato; iride fusca; pedibus fumidis. — Juvenis unicolor livide fumidus, multo femella pallidior; alis caudaque nigricante fumidis, exterius verum late livide limbatis.

Länge 16,4 cm.; Flügel 7,8 cm.; Schwanz 6,5 cm.

Beschreibung des Eies: Weißlich, dicht rothbraun gefleckt (Ruß).

Ovum albidum, dense badio-maculatum (Rss.).

Der meerblaue Kernbeißerfink [Coccothraustes glaucocoeruleus, Orb.] aus dem Süden von Brasilien, Montevideo und dem Laplatagebiet, ist heller blau und die Schwingen und Schwanzfedern haben himmelblaue Ränder. Die Größe ist beträchtlich geringer als die des dunkelblauen Verwandten. — Pico grueso azul, Azr. (Nach Burmeister).

## Der schwarze Kernbeißerfink [Coccothraustes niger].

Schon den alten Schriftstellern bekannt, ist er trotzdem bis auf unsere Tage einer der seltensten Vögel im Handel, und dies müssen wir umsomehr bedauern, da er zu den schönsten der hierher gehörenden Verwandten zählt. Er ist am ganzen

Körper einfarbig tiefschwarz mit weißer Flügelbinde und das Weibchen ist bräunlich=
mattschwarz. Seine Größe ist beträchtlich geringer als die des dunkelblauen
Bischofs, etwa der des Muskatvogels gleich; doch erscheint er gedrungener und
dickerschnäbelig. Buffon erwähnt ihn und bringt eine Abbildung, weiß ihn jedoch
nicht mit Sicherheit einzureihen; während Linné Südamerika als Heimat ange=
führt, gibt erstrer wie schon Brisson und Catesby Mexiko als solche an. Letzterer,
der wol nicht nach Anschauung urtheilt, meint, daß er dem Papstfink ähnlich sein
müsse, weil er von den Spaniern Mariposa nigra, d. h. schwarzer Schmetterling
genannt werde und weil jener bekanntlich ebenfalls Mariposa heißt. Neuerdings
hat Gundlach festgestellt, daß diese Art nur auf Kuba vorkommt, wo sie ge=
mein ist, in der Niftzeit parweise und nach derselben familienweise in Wäldern
oder Vorgebüschen lebt. „Ihre Nahrung besteht in verschiedenen Sämereien und
Beren, vielleicht auch zuweilen in Insekten. In der Zeit vom April bis Juli
erbaut der Vogel zwischen Schlingpflanzen, auf Bäumen oder zwischen einem stark
veräftelten Zweige ein mehr oder weniger kugeliges Nest mit seitlichem Eingange
aus dürren Kräutern und Blättern, Haren, Borsten, Federchen und Würzelchen.
Das Gelege besteht in brei bis vier Eiern. Sein feiner Gesang ist bei den
Einwohnern beliebt, weshalb sie ihn auch vielfach fangen und in Käfigen halten, in
welchen letzteren sie ihn mit Kanariensamen und groben Maismehl ernähren. Ich
habe auch einen Albino gesehen, welcher nicht schwarz, sondern grauweiß gezeichnet
war." Bis zum Jahre 1877 war der schwarze Bischof, wie er von den Händlern
meistens genannt wird, sehr selten zu erlangen; ich hatte im Laufe der Jahre
nur ein Männchen im Berliner Aquarium gesehen und ein solches von Herrn
Karl Gudera in Leipzig erhalten. Dann schickte mir Herr Wiener in London
ebenfalls ein Männchen zur Bestimmung und schließlich führte zur genannten Zeit
Fräulein Chr. Hagenbeck eine beträchtliche Anzahl ein. Im zoologischen Garten
von Lonbon befindet er sich allerdings schon seit dem Jahre 1868. Nach meinen
Erfahrungen zeigt er sich friedlich und ausdauernd, im ganzen Wesen mit dem
dunkelblauen Bischof übereinstimmend; sein Gesang ist angenehm, aber ungemein
leise. Recht sehr bedaure ich, daß das Pärchen, welches Fräulein Hagenbeck
mir für die Vogelstube gesandt, nicht am Leben geblieben ist, denn ich hätte gern
eine Brut dieses Vogels beobachtet. Nach Dr. Gundlach's Angaben weicht
das Nest doch von dem aller Verwandten in der Gestalt ab und schon deshalb
wäre mir die Erforschung des Brutverlaufs vorzugsweise erwünscht gewesen.
Hoffentlich gelangt bald eine neue Sendung auf den Markt.

Der schwarze Kernbeißerfink heißt auch schwarzer Bischof (Ruß' „Handbuch") und
Schwarzgimpelfink nach Br. [Kleines schwarzes Rothschwänzlein, Seeligm.; schwarzer Rund=
schnabel, Buff.].
Le Grosbec noir ou l'Evêque noir; Black Bullfinch, Black Grosbeak or Black
Bishop. — Negrito auf Kuba, nach Gndl.

Nomenclatur: Loxia nigra, *L.*; Pyrrhula nigra et P. arenirostris, *Vll.*; Spermophila nigra, *Gr.*; Melopyrrhula nigra, *Bp.*, *Gndl.*; Goniaphea nigra, *Br.*; Fringilla nigra, *Rss.* [„*Hndb.*"]. — [Pyrrhula mexicana nigra, *Brss.*; Coccothraustes niger, *Kln.* — Bouvreuil noir du Mexique, *Brss.*; Little Black Bull-finch, *Cat.*; Bouvreuil ou Becrond noir et blanc, *Buff.* — Mariposa nigra, (b. h. schwarzer Schmetterling) von den Spaniern in der Heimat genannt, *Cat.*].

Wissenschaftliche Beschreibung: Tief= und glänzendschwarz, schwach bläulich scheinend; oberhalb des Auges einige weiße Federchen (jedoch nicht bei allen); kleine und große Flügel= decken, Flügelrand und die letzten Schwingen am Grunde reinweiß; Schnabel schwarz; Auge dunkelbraun; Füße schwärzlichbraun. — Das Weibchen ist im ganzen gleich, doch hat es weniger Glanz, und die schwarze Färbung ist nicht so tief.

Coccothraustes niger: nitide ater, subtiliter coerulescente micans; interdum plumulis nonnullis supra oculum albis; tectricibus al., camperio basique remigum ultimorum albissimis; rostro nigro; iride fusca; pedibus nigricante fuscis. — ♀ omnino concolor sed minus nitens nigraque.

Länge 15 ᶜᵐ.; Flugbreite 21,₅ ᶜᵐ.; Schwanz 6,₂ ᶜᵐ. (♀ Länge 13,₈ ᶜᵐ., Flugbreite 20 ᶜᵐ.; Schwanz 5,₅ ᶜᵐ.).

Jugendkleid ganz ohne Glanz und dunkelgrau überflogen (Gundlach).

Juvenis: splendore carens cinereo-afflatus.

Beschreibung des Eies: Gestalt gestreckt, ungleichhälftig, nach der Basis schnell und ziemlich stark nach der stumpfspitzen Höhe zu abfallend. Grundfarbe aus Schmutzigweiß wenig ins Grünliche ziehend, über die Oberfläche ungleich zerstreute und verworrene, um die Basis einen Kranz bildende, kleine und größere Fleckchen von bräunlichgrauer, blaß= und dunkel= brauner, nicht sehr lebhafter Färbung. Länge 17,₆ ᵐᵐ., Breite 12 ᵐᵐ.

Ovum: longiusculum, a basi apicem obtuso-acuminatum versus celeriter et fortiter decrescens; sordide albido-virens maculis minoribus majoribusque fumidis et subfuscis conspersum, coronulam circa basin fingentibus.

### Der schwarzköpfige Kernbeißerfink [Coccothraustes torridus].

Wenig größer und gedrungener als die kleinen Pfäffchen ist er denselben jedoch in Gestalt und Wesen, sowie auch in der Lebensweise überaus ähnlich; nur ist er beiweitem mehr dickschnäblig. Kopf und Flügel sind schwarz, auf jedem der letzteren ein kleiner weißer Fleck; der übrige Körper ist kastanienbraun. Das Weibchen ist einfarbig braun, oberhalb dunkler, unterhalb heller. Die Heimat erstreckt sich über das mittlere und nördliche Brasilien bis Guiana und wol süd= lich bis an die Grenzen der Tropen. Er ist nach Burmeister mehr im Innern, auf offenen Triften, als im Waldgebiet heimisch und nirgends häufig. Dr. Karl Euler sammelte ihn in der Provinz Rio de Janeiro. Im Vogelhandel erscheint er immer nur in wenigen Köpfen. Während er im zoologischen Garten von Londen bereits seit dem Jahre 1860 vorhanden ist, findet man ihn bei uns in den Thiergärten und ebenso in den Vogelstuben recht selten. Nach meinen Auf= zeichnungen wurde er i. J. 1873 von Herrn Lintz in Hamburg, 1875 von Fräulein Hagenbeck und 1877 von Herrn Möller einzeln oder pärchenweise eingeführt. Ueber zwei von letzterem bezogene Pärchen schreibt Herr v. Schlechten= dal folgendes: „Es sind stille, friedfertige kleine Vögel. Sie verschmähen Mehl=

würmer, Grünkraut und Früchte, halten sich nur an allerlei Gesäme und scheinen völlig gesang- und klanglos zu leben. Ein bereits durch Krankheit geschwächtes Männchen biß mich mit seinem kurzen dicken, scharf gespitzten Schnabel in empfind= licher Weise, als ich es in die Hand nehmen mußte, um es in einen andern Käfig zu versetzen." Gezüchtet ist er bis jetzt noch nicht, und im allgemeinen ge= währt er auch nur ein geringes Interesse. Wünschenswerth wäre es allerdings, daß aufmerksame Vogelfreunde ihn zur Zucht bringen, ihre Erfahrungen nieder= schreiben und dann veröffentlichen möchten.

Der schwarzköpfige Kernbeißerfink heißt auch blos Reisknacker (Br.) und schwarz= köpfiger Reisknacker (Ruß' „Handbuch").

Le Grosbec de riz à tête noire; Tropical Seedfinch, or Oryzoborus Finch. Nomenclatur: Loxia torrida, *Gml.*, *Lth.*, *Azr.*; Coccothraustes rufiventris, *Vll.*; Fringilla torrida, *Lchtst.*, *Pr. Wd.*, *Rss.* [„*Hndb.*"]; Loxia nasúta, *Spx.*; Pyrrhula torrida, *Tmm.*; Pitylus torridus, *Orb.*, *Gr.*; Coccoborus magnirostris, *Swns.*; Guiraca magnirostris, Spermóphila nasuta et S. angolensis, *Gr.*; Coccoborus torridus, *Tschd.*; Spermophila torrida, *Bp.*; Oryzóborus torridus,· *Cb.*, *Brmst.*; Goniaphea torrida, *Br.* [Loxia angolensis, *L.*, *Lth.*,. *Edw.*]. — Pico grueso negro y canela, *Azr.*

Wissenschaftliche Beschreibung: Kopf und Flügel schwarz, Schwingen am Grunde weiß und ebenso ein kleiner runder Fleck inmitten des Flügels weiß; Brust, Bauch und der ganze übrige Körper kastanienbraun; untere Flügelseite reinweiß; Schnabel schwärzlichgraubraun, Unterschnabel heller; Auge dunkelbraun; Füße dunkel röthlichgraubraun. — Das Weibchen ist olivengrünlichbraun, oberhalb dunkler, unterhalb heller, mehr roströthlichgelb; Schwingen und Schwanzfedern schwärzlichbraun; untere Flügelseite düsterweiß; Schnabel bräunlichhorngrau; Auge braun; Füße hell bräunlichgrau.

Coccothraustes torridus: capite alisque nigris, basi remigum maculaque parva alae mediae albis; pectore, abdomine corporeque reliquo castaneis; alis subtus albissimis; rostro fumido, mandibula dilutiore; iride fusca; pedibus rufescente fumigatis. — ♀ olivaceo-virente fusca, supra obscurior, subtus pallidior, subferruginea; remigibus caudaque nigricante fuscis; alis subtus sordide albidis; rostro subfusco-corneo; iride fusca; pedibus subfumidis.

Länge 13cm·; Flügel 6,5 cm·; Schwanz 3,9 cm·.

Der dickschnäblige schwarze Kernbeißerfink [Coccothraustes crassirostris], aus Brasilien, und zwar Guiana und Amazonenstromgebiet und Maximilian's schwarzer Kernbeißerfink [Coccothraustes Maximiliani], aus dem Waldgebiet des mittleren Brasiliens, sind beide ein= farbig schwarz, etwas grünlich schillernd, mit weißem Fleck inmitten des Flügels und mit unterer weißer Flügelseite. Die Unterscheidungsmerkmale zwischen beiden Arten bestehen nur darin, daß bei der erstern die unteren Schwanzdecken und Wurzeln der Schwanzfedern weiß sind, ebenso alle Hand= und Armschwingen an der Wurzel der Innenfahne wodurch ein großer weißer Flügelfleck gebildet wird, während der des letztern nur klein ist. Jene ist bereits einmal in einem einzelnen Männchen von Fräulein Hagenbeck eingeführt, diese sicherlich noch garnicht. Die Größe beider ist übereinstimmend, etwas beträchtlicher als die des vorigen, nahezu der des europäischen Hänflings gleich. Näheres ist nicht bekannt. — Der dickschnäblige schwarze Kernbeißer= fink heißt auch Schwarzknacker (Br.) und schwarzer Reisknacker („Ruß' Handbuch"). Le Gros= bec de riz noir; Black Tropical Seed-finch. Loxia crassirostris, *Gml.*, *Lth.* [nec *Pr. Wd.*].; Oryzóborus crassirostris, *Cb.*, *Brmst.* — Maximilian's schwarzer Kernbeißerfink hat keinen weitern Namen. Fringilla crassirostris, *Pr. Wd.* [nec *Gml.*]; Oryzoborus Maximiliani, *Cb.*, *Brmst.*

\*          \*

Unter der Bezeichnung Pfäffchen oder Papageischnäbelchen erscheinen kleine amerikanische Kernbeißerfinken im Handel, welche ihres komischen Aussehens, harmlosen und liebenswürdigen Wesens und mehr oder minder lieblichen Gesangs wegen hier und da freundliche Aufnahme finden, während sie in ihren schlichten Farben von den meisten Liebhabern und ebenso auch in den zoologischen Gärten gewöhnlich übersehen, bzl. garnicht angetauft werden. Die Färbung der Männchen ist grau in verschiedenen Schattirungen, seltener braun oder schwarz und weiß; die Weibchen sind sämmtlich olivengrünlichgelbgrau, mehr oder weniger düster und in den einzelnen Arten schwierig zu unterscheiden. In der Größe übertreffen die meisten nur um ein geringes die Prachtfinken; wenige Arten kommen dem Kanarienvogel nahezu gleich. Ein besonderes Kennzeichen für alle bildet ein weißer oder doch hellerer Fleck inmitten des Flügels und dann hauptsächlich der dicke sehr gewölbte kernbeißer- oder papageienartige Schnabel. Ueber ihr Freileben haben wir nur geringe Kunde; sie ernähren sich von Gräsersämereien und Kerbthieren und halten sich vornämlich im niedrigen Gebüsch am Rande der Felder und Gärten auf. In ihrer Heimat sollen sie häufig im Käfige gehalten werden; auf den Markt gelangen sie jedoch nur selten und meistens einzeln, obgleich es ihrer doch eine überaus große Mannigfaltigkeit gibt. Sie nisten unschwer in der Gefangenschaft, wollen aber durchaus ungestört sein und daher mag es sich wol schreiben, daß bis jetzt erst überaus wenige von ihnen gezüchtet sind. Die Verpflegung ist mit der, welche die Prachtfinken beanspruchen, in jeder Hinsicht übereinstimmend. Bis jetzt sind die Preise der Seltenheit wegen noch ziemlich hoch. Da sie zwar in beträchtlicher Artenzahl, wenn auch meistens nur in einzelnen Köpfen eingeführt werden, keineswegs jedoch entsprechende Bedeutung für die Liebhaberei erlangt haben, so darf ich sie hier nur kurz und übersichtlich besprechen und die allein ausführlicher behandeln, welche sich wenigstens bereits einer gewissen Beliebtheit erfreuen. Bei den Händlern wie bei den Liebhabern sind sie unter dem oben stehenden von Cabanis gegebnen Namen Pfäffchen überall bekannt, und deshalb behalte ich denselben bei, ebenso wie ich dies auch bei den Kardinälen mußte, während ich doch beide Gruppen eigentlich als Kernbeißerfinken hätte aufführen sollen.

### Das Schmuckpfäffchen [Coccothraustes ornatus].

Am häufigsten eingeführt und zeitweise bereits zu den gewöhnlichen Erscheinungen des Vogelmarkts gehörend, erfreut es sich doch keiner besondern Beliebtheit, weil es eben trotz seines prunkenden Namens gar unscheinbar aussieht. Es ist an Stirn, Zügel, Wangen, Kehle und dicht unterm Schnabel schwarz mit weißem Bartstreif; Kopf und Rücken dunkel schiefergrau, Schwingen und Schwanzfedern schwarzbraun, heller gerandet, Flügel mit weißem Fleck und an der ganzen untern Seite weiß; Mitte des Vorderhalses, Unterbrust, Bauch und Steiß weiß; Schnabel gelblichweiß; Auge braun; Füße schiefergrau. Weibchen gelblichschiefergrau, die großen Deckfedern und hinteren Armschwingen viel heller gerandet, mit weißlicher Spitze; unterseits weiß, nur die Kehle und eine Binde über die Brust schiefergrau; Füße graulichfleischfarben. Größe der Nonnen, doch stämmiger. „Es ist sehr gemein in der Umgebung von Rio de Janeiro und in Minas geraes, selten bei Mendoza und Paraná im Laplatagebiet, lebt besonders in sumpfigen Niederungen, sitzt schaarenweise im trocknen Schilf, ernährt sich von allerlei kleinen Sämereien und verursacht in den Reis-, besonders aber in den Hirsefeldern vielen Schaden. Seine Stimme hört man selten, die kleinen Diebe sind vielmehr ganz still und kreischen durchaus nicht, wie unsere Sperlinge" (Burmeister). Euler fand es nicht vor dem Dezember, vielmehr meistens im Januar nistend und meint, daß die zweite Brut wahrscheinlich im Februar stattfinde. Das Nest soll im niedrigen Gebüsch, oft in der Nähe menschlicher Wohnungen stehen und aus Würzelchen und Fasern als eine verhältnißmäßig kleine, tiefe und luftige, doch feste Mulde geformt sein. Nur zwei Eier bildeten das Gelege. Das Vögelchen wird fast regelmäßig alljährlich von Fräulein Hagenbeck in einigen Pärchen in den Handel gebracht und der Preis beträgt etwa 15 Mark für das Par. Ge-züchtet ist es noch nicht, obwol man es hier und da in den Vogelstuben hat.

Das Schmuckpfäffchen heißt auch Weißbärtchen (Br.). — Le Grosbec à collier; Ornamented Grosbeak or Ornamented Finch. — Papa Capim in Minas geraes, nach Brmstr.

Nomenclatur: Fringilla ornata, Lchtst., Rss. [„Hndb."]; Fringilla leucopógon, Pr. Wd.; Spermóphila ornata, Hrtl.; S. leucopógon et ornata, Gr.; Sporophila ornata, Cb., Brmst., Br. [Pico grueso gargantillo, Azr.; Gros-bec à collier, Azr.]

Wissenschaftliche Beschreibung siehe S. 562.

Coccothraustes ornatus: fronte, loris, genis, mento gulaque nigris; stria mystacali alba; capite dorsoque obscure schistaceis; remigibus rec-tricibusque nigro-fuscis, dilutius marginatis; macula alarum et subalaribus albis; collo anteriore medio, pectore, abdomine crissoque flavente albis; iride fusca; pedibus schistaceis. — ♀ gilvo-schistacea, tectricibus remigibusque brachialibus posticis dilutius marginatis, albido-terminatis; subtus alba, gula fasciaque trans pectus selis schistaceis; pedibus cano-carneis.

Länge 12,4 cm.; Flügel 6,3 cm; Schwanz 3,9 cm.

Jugendkleid gelblichschiefergrau, ganz mit dem des Weibchens übereinstimmend (Brmstr.). Juvenis: gilvo-schistaceus, omnino cum femella conveniens.

Beschreibung des Eies: Weißlichgrün, mit zahlreichen braunen Längsflecken und Punkten, welche ungleichmäßig über die ganze Oberfläche vertheilt sind (Natterer).

Ovum: albidulo-viride, maculis oblongis punctisque numerosis fuscis obsitum, irregulariter dispersis (Nttr.).

### Das blaugraue Pfäffchen [Coccothraustes intermedius].
#### Tafel XII. Vogel 61.

Ein Pärchen dieser Art, welches nur durch Zufall in meine Vogelstube ge-langt war, indem es ein Kaufmann aus seiner Heimat Venezuela mitgebracht hatte, gewöhnte sich sehr schnell ein, zeigte sich harmlos, zutraulich und als ein angenehmer Sänger, dessen Lied dem der Haidelerche einigermaßen ähnelt; auch nistete es bald erfolgreich. Das unscheinbare Vögelchen ist oberhalb bläulichaschgrau, an der Stirn fein schwärzlich gefleckt. Die Flügel sind schwärzlichgrau mit dem kleinen runden weißen Fleck und jede Feder ist fahl außengesäumt; die Schwanzfedern sind oberseits grau-schwarz, fein fahl gesäumt, unterseits dunkel silbergrau; die Unterseite von der Kehle bis zum Bauch ist blaugrau, letzterer bläulichgrauweiß; Schnabel schwach röthlichhornweiß; Auge braun; Füße horngrau. Das Weibchen ist einfarbig olivengrünlichgelbbraun, oberhalb dunkler, unter-halb heller, mit schwarzem Schnabel. Die Größe gleicht der des vorigen. Ueber das Frei-leben ist nichts bekannt, doch wird dasselbe sicherlich von dem der übrigen Arten nicht abweichen. Das oben erwähnte Pärchen erbaute in einem im Gebüsch hängenden Körbchen aus Fasern, Halmen und Baumwolle ein nicht besonders

künstliches, großes, flaches Nest, in welches brei bläulichhellgrüne Eier gelegt
wurden. · Nach zwölftägiger Brutdauer entschlüpften die Jungen mit reinweißem
spärlichen Nestflaum, und das Jugendkleid beim Verlassen des Nestes war dem des alten
Weibchens ähnlich, nur viel mehr graugrün ohne den gelbbraunen Farbenton. Im Jahre 1873
erhielt ich von Fräulein Hagenbeck ebenfalls ein Pärchen, außerdem aber dürften
gerade sie sonst kaum eingeführt sein; ein Preis läßt sich daher nicht angeben.

Das blaugraue Pfäffchen hat keine weiteren Namen. — Le Grosbec bleuâtre;
Bluish Grosbeak or Bluish Finch.

Nomenclatur: Sporophila intermedia, Cb., Brmst.; Gyrinorhynchus intermedius,
Gr.; Fringilla intermedia, Rss. [„Hndb."].

Wissenschaftliche Beschreibung, Jugendkleid und Beschreibung des Eies
siehe S. 563.

Coccothraustes intermedius: supra caesius, fronte subtiliter subnigro-
maculato; macula parva rotunda alarum nigricante cinerearum alba; pluma alarum
quaque exterius livide limbata; rectricibus supra cinereo-nigris, livide sublimbatis,
subtus argenteo-cinereis; subtus a gula ad abdomen coerulescente incanum usque
caesius; rostro rufescente albo-corneo; iride fusca; pedibus corneis. — ♀ unicolor olivaceo-fulva, supra obscurior, subtus dilutior; rostro nigro.

Länge 11,3 cm.; Flügel 6,3 cm.; Schwanz 3,9 cm.

Juvenis: lanugine parca, alba, serius cum femella adulta conveniens, sed magis
glaucus afflatu fulvo carens.

Ovum: dilute aeruginosum.


## Das bleigraue Pfäffchen [Coccothraustes plúmbeus].

Etwas zierlicher und anmuthiger als die meisten Verwandten, gelangt es
jedoch ebenso selten in den Handel. Es ist dem vorigen überaus ähnlich und hauptsächlich nur durch einen schwachröthlichweißen Schnabel und reinweißen Fleck neben dem Unterschnabel verschieden; also reinbleigrau, oberseits dunkler, unterseits heller; Schwingen und
Schwanzfedern schwarz, bleigrau gerandet, Handschwingen am Grunde weiß, ebenso die Innenseite der Flügel; Auge grau; Füße schwärzlichgrau. Das Weibchen ist olivengrünlichgelbgrau,
unterhalb heller, mit schwarzbraunem Schnabel. Kaum bemerkbar größer als die beiden vorigen.
Die Heimat erstreckt sich über das innere Brasilien von St. Paulo bis Bahia
und westlich bis an den Fuß der Korbilleren. „Hier lebt es in kleinen Flügen
auf offenen Stellen, hat eine angenehme melodische Stimme und gilt für den
besten Sänger des Binnenlandes. Ich sah es lebend in Kogonhas bei meinem
Wirth, welcher es als einen Schatz sehr hochhielt; da jedoch die Zeit der Mauser
und nachher der Winter eintrat, so konnte ich den Vogel nicht singen hören."
(Burmeister). Von Fräulein Hagenbeck erhielt ich im Laufe der Zeit mehrmals ein einzelnes Männchen oder Weibchen, doch konnte ich weiter keine Beobachtungen machen, als daß der Gesang recht unbedeutend ist. Im Londoner
zoologischen Garten ist dieses Pfäffchen seit d. J. 1870 vorhanden.

Das bleigraue Pfäffchen oder Graupfäffchen wird auch Bleischnäbelchen genannt. —
Le Grosbec de plomb; Plumbeous Grosbeak or Plumbeous Finch. — Batevio, bei den
Mineiros (nach Brmst.); Pico plata (Händlername in der Heimat).

Nomenclatur: Fringilla plumbea, *Pr. Wd., Kss.* [„Hndb."]; Pyrrhula cinerea, *Lfrsn.* et *Orb.*; Sporophila ardesiaca et cineréola, *Lchtst.*; Spermóphila cinerea, *Gr.*; Sporophila plumbea, *Cb., Brmst., Br.*

Wissenschaftliche Beschreibung siehe S. 564.

Coccothraustes plumbeus: priori simillimus, inprimis rostro rubente albido maculaque juxta mandibulam albissima distinctus; ceterum caesius, supra obscurior, subtus pallidior; remigibus rectricibusque nigris, plumbeo-marginatis; basi remigum primorum et subalaribus albis; iride cinerea, pedibus nigricante fuscis. — ♀ olivaceo-livida, subtus pallidior; rostro nigricante fusco.

Länge 11,8<sup>cm.</sup>; Flügel 6,1 <sup>cm.</sup>; Schwanz 3,9 <sup>cm.</sup>

## Das rothschnäbelige Pfäffchen [Coccothraustes hypoleucus].

Den beiden vorigen wiederum sehr ähnlich und eigentlich nur an dem noch etwas kräftiger rothen Schnabel zu erkennen, auch bemerkbar größer. Es ist oberhalb dunkelbleigrau; die schieferschwarzen Schwingen und Schwanzfedern sind matt bleigrau gerandet, die Handschwingen und inneren Deckfedern sind am Grunde weiß; Brustseiten bis zum Bauch hinab heller bleigrau, Bauchmitte und Steiß weiß. Der sehr dicke Schnabel ist in der Jugend blaßhorngelbgrau, später fleischroth, zuletzt beinahe korallroth; Auge graubraun; Füße schieferschwarz. Das Weibchen ist olivengrünlichbraun, Schwingen und Schwanzfedern dunkler braun, olivengrün gerandet; unterhalb heller und gelblicher, Bauchmitte und Steiß weiß; Schnabel nicht ganz roth, nur röthlichgelbbraun; Füße heller, graulichfleischroth. Die Heimat erstreckt sich über das Innere Brasiliens, wo es in kleinen Flügen häufig ist. Seiner angenehmen Stimme wegen wird es viel im Käfige gehalten. (Nach Burmeister). Ebenfalls sehr selten im Handel, dürfte es wol nur einigemale von Herrn Gudera eingeführt sein. Auch in der Vogelstube des Herrn Wiener und im Londoner zoologischen Garten, im letztern seit d. J. 1875, ist es vorhanden. Nach meinem Urtheile besteht der Gesang nur in wenigen kaum melodischen Lauten.

Das rothschnäbelige Pfäffchen heißt auch Korallenschnäbelchen. — Le Grosbec à bec olivâtre; Olivaceous-billed Grosbeak or Half-white Finch. Pico vermelho, bei den Mineiros (nach Brmst.).

Nomenclatur: Fringilla hypoleuca, *Ill., Rss.* („Hndb."); Pyrrhula cineréola, *Tmm.*; Fringilla rufirostris, *Pr. Wd.*; Spermophila cinereola, *Swns.*; Gyrinorhynchus hypoleucus, Spermophila cinereola et S. hypoleuca, *Gr.*; Sporophila hypoleuca, *Cb., Bp., Brmst., Br.* [Grosbec à bec olivâtre, *Azr.* — Pico triguenno, *Azr.*].

Wissenschaftliche Beschreibung siehe oben.

Coccothraustes hypoleucus: supra obscure plumbeus, remigibus rectricibusque schistaceis subplumbeo-marginatis; basi remigum primorum ut tectricum subalarium alba; pectoris lateribus ad abdomen usque dilutius plumbeis, ventre crissoque albis; rostro admodum crasso, juvenum gilvo-corneo, serius carneo, demum subcorallino; iride fumida; pedibus schistaceis. — ♀ olivaceo-viride fusca, remigibus rectricibusque obscurius fuscis, olivaceo-viride marginatis; subtus dilutior et flavior; ventre crissoque albis; rostro rufescente; pedibus dilutioribus, cano-carneis.

Länge 13 <sup>cm.</sup>; Flügel 6,5 <sup>cm.</sup>; Schwanz 4,4 <sup>cm.</sup>

## Das Erzpfäffchen [Coccothraustes collarius].

Weniger selten als die drei zuletzt besprochenen, erscheint es jedoch auch nur einzeln im Handel. Es ist an Kopf, Wangen und Rücken schwarzgrünlich, metallisch glänzend, die Rückenfedern zum Theil graugelb gerandet, im Nacken ein rostgelber Fleck; Flügeldeck= federn, Schwingen und Schwanzfedern schwarzbraun, gelblich gerandet, die Handschwingen am Grunde, alle Schwingen am Innensaum und die unteren Deckfedern weiß; Seiten und Bürzel rostgelb, obere Schwanzdecken grau, rostroth gespitzt; ein Fleck vor und unter dem Auge, Kehle und Vorderhals weiß, Brust mit schmaler schwarzer Binde; Bauchmitte weißlich; Schnabel grau= lichhornfarben, am Grunde schwärzlich und mit gelblicher Spitze; Füße graulichhornfarben; Auge dunkelbraun. Das Weibchen ist braungrau, wo das Männchen schwarz; Nackenring und Kehle weißgelb; Flügel= und Schwanzfedern brauner, gelbgrau gerandet; Schwanz dunkler als die Flügel; Brust und Bauch voller röthlichgelbgrau mit blasser Mitte. Die Größe ist ein wenig geringer als die des Schmuckpfäffchens. Das Jugendkleid gleicht dem des Weibchens, doch färbt sich das junge Männchen bald an Kopf, Oberrücken und Brustseiten dunkler, so daß an diesen Stellen schwärzliche Flecke erscheinen, die sich mehr und mehr ausdehnen, bis sie in einander übergehen. Im Innern Brasiliens, doch nicht in den ganz offenen, sondern mehr in den bewaldeten Gegenden pflegt es am Rande der Wälder auf sumpfigem Boden zu erscheinen, auch besucht es gern die Äcker nahegelegener Ansiedelungen, um Sämereien zu fressen (Burmeister). Ein Pärchen in meiner Vogelstube er= baute frei im Gebüsch ein kleines, offenes, tiefes, mit Watte ausgefüttertes Nest und das Gelege bildeten zwei bläulichweiße, braun gefleckte und gepunktete Eier. Die Brutentwicklung stimmt völlig mit der des blaugrauen Pfäffchens überein. Friedlich gegen alle übrigen Vögel, zeigt es sich doch gegen seinesgleichen während des Nistens recht bösartig. Sein Gesang besteht in einem wunderlichen sanften Gezwitscher. Der Preis pflegt für das Pärchen 12 bis 15 Mark zu betragen.

Das Erzpfäffchen hat keine weiteren Namen. — Le Grosbec-mine; Mine Grosbec.

Nomenclatur: Loxia collaria, *L.*, *Lth.*, *Bff.*; Coccothraustes melanocephalus, *Vll.*; Pyrrhula melanocephala, *Lfrsn.* et *Orb.*; Fringilla atricapilla, *Pr. Wd.*; Spermo- phila collaria, *Bp.*; Gyrinorhynchus collarius, *Gr.*; Sporophila collaria, *Brmst.*, *Br.*; Fringilla collaria, *Rss.* [„Hndb.“]. — [Pico, grueso variabile, *Azr.* (junge Vögel beiderlei Geschlechts); Pico grueso ceja blanca, *Azr.* (altes Männchen)].

Wissenschaftliche Beschreibung, Jugendkleid und Beschreibung des Eies s. oben.

Coccothraustes collarius: capite, genis dorsoque nigro-virescentibus, metallice nitentibus; plumis dorsualibus parte gilvo-marginatis; macula cervicali ferru- ginea; tectricibus al., remigibus rectricibusque nigro-fuscis, flavido-marginatis; basi remigum primorum; limbo remigum omnium interiore et tectricibus subalaribus albis; hypochondriis uropygioque ferrugineis; supracaudalibus cinereis, rufo- terminatis ; macula ante subterque oculum, gula guttureque albis; fascia angusta trans pectus nigra; ventre albido; basi rostri cano-cornei nigricante, apice flavido; pedibus cano-corneis; iride fusca. — ♀ picturam maris nigram offerens fumidam; annulo cervicali gulaque flavido-albis; remigibus rectricibusque umbrinis, livide mar- ginatis; cauda alis obscuriore, pectore abdomineque fulvescente canis mediis pallidioribus.

Länge 10,5 cm.; Flügel 5,9 cm.; Schwanz 4,8 cm.

Juvenis: cum femella ad. conveniens; ♂ juv. obscurior mox coloratus.

Ovum: coerulescens album, fusco-maculatum et punctatum (*Rss.*).

## Das weißstirnige Pfäffchen [Coccothraustes linéola].

Unter allen Papageienschnäbelchen ist dies wol eins der schönsten. Ober-halb schwarz, zart grünlich glänzend, hat es über die Stirnmitte und jederseits über die Wange einen weißen Streif und auf dem Flügel einen runden weißen Fleck; die ganze Unter-seite ist reinweiß; Schnabel glänzendschwarz; Auge braun; Füße bleigrau. Das Weibchen ist grünlichbraungrau, oberhalb dunkler, unterhalb heller; Flügel schwärzlichgrau, jede Feder mit fahlgrünlichgrauem Außensaum; Schnabel schwarz; Füße schwärzlichgrau. Die Größe kommt nahezu der des Schmuckpfäffchens gleich. Die Heimat erstreckt sich nach Burmeister über das nördliche Brasilien und Guiana, wo es in der Weise des Erzpfäffchens lebt. Es gelangt von allen Verwandten am zahlreichsten in den Handel und bevölkert seit der letztern Zeit recht viele Vogelstuben, wo es zutraulich, friedlich und anmuthig, still und harmlos erscheint und ein kleines liebliches Lied hören läßt, aber garnicht oder doch sehr schwierig nistet. Wahrscheinlich gelangt es nur dann zur Brut, wenn es völlig ungestört ist. Man kauft das Pärchen für 18 bis 24 Mark.

Das weißstirnige Pfäffchen ist auch Bläßchen (Br.) genannt. Bei den Händlern heißt es auch wol brasilianischer Schneefink. — Le Grosbec à front blanc; White-fronted Grosbeak or Lined Finch.

Nomenclatur: Loxia lineola, *L., Bff., Lth.*; Pyrrhula crispa, *Vll.*; Pyrrhula lineola, *Tmm.*; Spermophila lineola et Gyrinorhynchus lineola, *Gr.*; Fringilla lineola, *Pr. Wd., Kss.* [„Hndb."]; Sporophila lineola, *Cb., Bp., Brmst., Br.*

Wissenschaftliche Beschreibung siehe oben.

Coccothraustes linéola: supra niger, virente micans; stria supra frontem medium genasque alba; macula alae rotunda alba; subtus omnino albissimus; rostro nitide nigro; iride fusca; pedibus plumbeis. — ♀ virente fumida, supra obscurior, subtus dilutior; pluma alarum nigricante cinerearum quaque exterius livide viride cano-limbata; rostro nigro; pedibus subnigro-cinereis.

Länge 10,5 cm·; Flügel 5,4 cm·; Schwanz 3,9 cm.

## Das pomeranzengelbe Pfäffchen [Coccothraustes aurantius].

Sehr selten im Handel, wird es meistens nur einzeln von Fräulein Hagen-beck, Chs. Jamrach und neuerdings auch von H. Möller eingeführt. In der Vogelstube des Herrn Wiener war es wol zuerst und im zoologischen Garten von London seit d. J. 1875 vorhanden. Ich konnte zu verschiedenen Malen immer nur ein Männchen erlangen, während ich doch gerade mit dieser ebenfalls vorzugs-weise schönen Art gern einen Züchtungsversuch gemacht hätte. Das Männchen ist rostgelbroth, an der Kehle wenig lichter; der Oberkopf von der Stirn bis zum Nacken und der Zügel, ferner die Flügel und der Schwanz sind tief mattschwarz, erstere mit weißem Fleck, weißem Saum der Schwingen und grauer Unterseite, die Schwanzfedern mit weißgrauem Endrand. Das Weibchen ist roströthlichbraun; Oberkopf, sowie Flügel- und Schwanzfedern dunkler, letztere breit fahl gesäumt, nur ein kleiner weißer Fleck auf dem Flügel; die Unterseite ist lichter rostgelb-roth. Das junge Männchen ist trüber rostgelblichbraun, an Oberkopf, Flügeln und Schwanz schwarzbraun, Flügelfedern breiter grauweiß gerandet und der weiße Fleck auf dem Flügel kleiner; Schnabel und Beine blasser braun. (Burmeister). Die Größe ist etwas geringer, als die aller vorigen und es ist daher eins der kleinsten Pfäffchen. Seine Heimat erstreckt sich über ganz Brasilien und seine seltene Einführung ist daher umsomehr ver= wunderlich. Die alten Schriftsteller waren inbetreff aller Pfäffchen in Irr= thümern befangen; so gibt Buffon als die Heimat dieser Art, mit der er noch einen andern Vogel zusammenwirft, die Insel Bourbon an. Außer der Be= schreibung weiß er näheres über dieselbe nicht zu berichten. Nach Burmeister ist dies Pfäffchen überall gemein und in kleinen oder größeren Schwärmen besonders in den Hirsefeldern häufig zu sehen; sie verhalten sich dabei ganz ruhig und fliegen auch aufgescheucht ohne Geschrei davon. Einen Gesang hat er nie vernommen, so oft er sie auch in den Umgebungen von Neu=Freiburg und bei Lagoa Santa beobachtete. . Ueber die Brut gibt der Forscher leider nichts an und in den Vogel= stuben ist es bis jetzt noch nicht gezüchtet.

Das pomeranzengelbe Pfäffchen heißt auch orangegelbes und Orangen=Pfäffchen. — Le Grosbec de l'isle de Bourbon; Isle-Bourbon Grosbeak.

Nomenclatur: Loxia aurantia, *Gml.*, *Bff.*, *Lth.*; Pyrrhula pyrrhómelas, *Vll.*; Loxia brevirostris, *Spx.*; Fringilla pyrrhomelas, *Pr. Wd.*; Pyrrhula capistrata, *Vgrs.*; Loxia fratérculus, *Lss.*; Spermophila rubiginosa, *Swns.*; S. pyrrhomelas, *Bp.*, *Gr.*; S. capistrata et S. nigro-aurantia, *Gr.*; Sporophila aurantia, *Cb.*, *Brmst.*; Fringilla aurantia, *Rss.* [„Hndb.“]. — [Bouvreuil de l'isle de Bourbon, *Buff.*].

Wissenschaftliche Beschreibung und Jugendkleid siehe S. 567.

Coccothraustes aurantius: flavido-ferrugineus, gula paulo dilutiore; pileo a fronte ad cervicem usque et loris, necnon alis caudaque atris, illis maculam limbumque remigum alba et subalares cinereas offerentibus; apicibus rectricum albo-marginatis. — ♀ ferrugineo-umbrina, pileo, remigibus rectricibusque obscurioribus, his late livide limbatis; macula alae minuta alba; subtus dilutius ferrugineo-umbrina. — ♂ juv. luridius ferrugineus, pileo, alis caudaque nigro-fuscis, illis latius cano-marginatis; macula alae alba minore; rostro pedibusque pallidis fuscis (*Brmst.*).

. Länge 10 cm.; Flügel 5,2 cm.; Schnabel 2,6 cm.

Das zweifarbige Pfäffchen [Coccothraustes bicolor], ebenfalls aus Brasilien, wird von Burmeister als dem rothschnäbeligen Pfäffchen überaus ähnlich hingestellt; es soll sich nur durch einen dunkleren, mehr schieferschwarzen Rücken und ganz weiße Rumpfseiten unterscheiden. Näheres ist nicht angegeben. Pyrrhula bicolor, *Orbg.* — Das Pfäffchen mit schwarzer Brust= binde [Coccothraustes pectoralis] aus dem nördlichen Brasilien und Guiana ist oberhalb glänzendschwarz mit weißem Nackenring; Flügel mit zwei weißen Flecken; Bürzel grau; Unter= seite weiß, an der Brust eine schwarze Binde. Das Weibchen ist braungelbgrau, unterseits heller. Die Größe ist ein wenig geringer als die des Erzpfäffchens, welchem es im übrigen sehr ähnlich ist und dessen Lebensweise es zeigt, mit der Ausnahme, daß es sich mehr in der Nähe der Ansiedlungen aufhält. Bis jetzt dürfte es noch kaum lebend eingeführt sein. Loxia pectoralis, *Lath.*; Fringilla americana, *Gml.*; Sporophila americana, *Cb.*; Pyrrhula my-sia, *Vll.* — Hoffmann's Pfäffchen [Coccothraustes Hoffmanni] ist dem vorigen sehr ähnlich, doch durch die nicht weiße, sondern schwarze Kehle verschieden; der weiße Flügelfleck fehlt gänzlich und die Unterseite erscheint weniger reinweiß, da die Federn an der untern Hälfte schwarz sind (Cab.). Nachdem es i. J. 1860 Dr. Hoffmann auf Kostarika als bisher noch nicht bekannte Art entdeckt hatte, fand es dort auch Dr. v. Frantzius im Jahre 1869. Beide geben jedoch nichts näheres an. Sporophila Hoffmanni, *Cb.* — Das Trauerpfäffchen [Coccothraustes luctuosus], ebenfalls von Kostarika und Kolumbien, ist den beiden vorigen wiederum sehr ähnlich und nur durch den helleren Schnabel, entschieden schwärzere Bauchseiten, reinweiße Bauchmitte und untere Schwanzdecken und größern weißen Flügelfleck verschieden; die weißen Halsseiten fehlen gänzlich. Spermophila luctuosa, *Lfrsn.*, *Gr.*; Sporophila luctuosa, *Cb.* — **Das weißkehlige Pfäffchen** [Coccothraustes albogularis] aus dem Innern Brasiliens, in der Gegend des Amazonenstroms, ist oberhalb bräunlichgraubschwarz, unterhalb reinweiß mit einer schwarzen Binde über die Brust und schmaler weißer Binde über den Flügel; Oberkopf und Stirn fast kohlschwarz; Schnabel hellroth; Füße graulichfleischfarben. Das Weibchen ist oberhalb bräunlich= graugelb, unterhalb weißlich mit gelblichgrauem Schnabel und fleischbraunen Füßen. Die Größe kommt der des Erzpfäffchens nahezu gleich. Seit d. J. 1864 im Londoner zoologischen Garten und dann in der Vogelstube des Herrn Wiener vorhanden, ist es bei uns in Deutsch= land nur einzeln und höchst selten zu finden. Blos Pfäffchen (Br.). Le Grosbec à gorge blanche; White-throated Grosbeak or White-throated Finch. — Loxia albogularis, *Spx.*; Sporophila albogularis, *Cb.*, *Bp.*, *Brmst.*

## Das schwarzköpfige Pfäffchen [Coccothraustes gutturalis]

ist an Stirn, Oberkopf, Backen, Kehle und Vorderhals bis zur Brust kohlschwarz, nach hintenzu allmälig verwaschen, nicht scharf abgegrenzt; Rücken, Flügel und Schwanz grünlichgrau oder düster olivenfarben; Schwingen und Schwanzfedern graubraun, graugrünlich gerandet; ganze Unterseite grünlichgelbweiß, Bauchseiten mehr grau; Schnabel weiß; Auge braun; Füße bräunlich= schiefergrau. Das Weibchen ist bräunlicholivenfarben, oberhalb dunkler, unterhalb heller gelb= lich; Flügel= und Schwanzfedern schwärzlich, heller gerandet; Brust schwach röthlich angehaucht; Schnabel gelbgrau; Füße röthlichbraun. Die Größe stimmt mit der des Schmuckpfäffchens überein. Burmeister fand es bei Rio de Janeiro, wo es gleich den verwandten Arten auf offenen Triften lebt und sich von Gräsersämereien ernährt. Seit d. J. 1876 wird es von Fräulein Hagenbeck zuweilen einzeln oder parweise eingeführt und ein Pärchen befindet sich in der Vogelstube des Herrn Graf Yorck von Warten= burg. Gezüchtet ist es jedoch bis jetzt noch nicht.

Das schwarzkäppige Pfäffchen heißt auch Schwarzkäppchen (Br.). — Le Grosbec à calotte noire; Black-bonnet Grosbeak.

Nomenclatur: Fringilla gutturalis, *Lchtst.*, *Rss.* [„Hndb."]; Loxia plebeja, *Spx.*; Pyrrhula gutturalis, *Lss.*; Spermophila gutturalis, S. ignobilis et S. melano-cephala, *Gr.*; Phonipara gutturalis, *Bp.*; Sporophila gutturalis, *Cb.*, *Brmstr.*, *Br.*

Wissenschaftliche Beschreibung s. gutturalis.

Coccothraustes gutturalis: fronte, pileo, genis, gula guttureque ad pectus usque virente cinereis vel sordide olivaceis; remigibus rectricibusque fumidis, glauco-marginatis; subtus virente flavo-albus, hypochondriis cinerescenti-bus; rostro albido; iride fusca; pedibus fuscato-schistaceis. — ♀ fuscato-olivacea, supra obscurior, subtus dilutius flavida; remigibus rectricibusque subnigris, pallidius marginatis; pectore subrubido-afflato; rostro testaceo, pedibus badiis.

Länge 11,3 cm·; Flügel 5,9 cm·; Schwanz 4,2 cm·

Das gestreifte Pfäffchen [Coccothraustes lineatus], ebenfalls aus Brasilien und zwar bei Para von Azara u. A. gefunden. Das Männchen ist blauschwarz; Flügeldeckfedern weiß ge= spitzt, Hinterrücken und Unterseite weiß, quer über die Brust, besonders an den Seiten, schwärz= liche Flecke, welche eine Binde bilden, auch die oberen und unteren Schwanzdecken schwarz mit weißen Rändern. Ueber das Weibchen ist nichts genaues bekannt, doch nimmt Burmeister an, daß es oberhalb gelblicholivenbraun, unterhalb blaßgelb sei. Größe ein wenig bedeutender als die des Schmuckpfäffchens. Näheres ist nicht zu finden. Loxia lineata, *Gml.*; Sporophila leucopterygia, *Bp.*; Pyrrhula leucoptera, *Vll.* [Pico grueso negro y blanco, *Azr.*]. — **Das Wedelpfäffchen** [Coccothraustes flabéllifer, *Rss.*] aus Brasilien, ohne nähere Angabe der Verbreitung. Das Männchen ist kastanienbraun, an Kopf und Rücken heller rostroth, Oberkopf und Nacken jedoch dunkler braun; Flügel= und Schwanzfedern braun, die Deck= federn rostroth gerandet; Brust und Bauch heller rostroth. Das Weibchen ist nicht sicher be= schrieben. Die Größe stimmt mit der des rothschnäbligen Pfäffchens überein. (Nach Bur= meister). Loxia flabellifera, *Gml.* — **Das rothbrüstige Pfäffchen** [Coccothraustes hypoxan- thus], von Azara als das gemeinste unter allen Verwandten in Paraguay bezeichnet, soll auch in Montevideo heimisch sein. Das alte Männchen ist oberhalb schwarz, an Bürzel und Unterseite rostroth; das jüngere Männchen ist oberhalb grau, unterhalb blaßgelb mit rostrother Kehle. Das Weibchen erscheint oberseits braun, unterseits rostgelb und an der Brust rostroth. Die Größe stimmt mit der des weißstirnigen Pfäffchens überein. Fringilla hypoxantha, *Lchtst.* — Einige nahverwandte Vögel, welche vielleicht garnicht als selbständige Arten feststehen, sind hier wol ohne weitres anzureihen und zwar das **zimmtfarbne Pfäffchen** [Coccothraustes cinnamomeus, *Lfrsn.*] vom Rio grande, das **schwarzrothe Pfäffchen** [Coccothraustes nigrorufus, *Orb.*] von Bolivien, das **rothhalsige Pfäffchen** [Coccothraustes ruficollis, *Lchtst.*] von Montevideo, das **Telaskopfäffchen** [Coccothraustes telasco, *Lss.*] von Peru und das **Zwergpfäffchen** [Coccothraustes minutus, *L.*] von Kayenne, welches letztere ja bereits von Buffon erwähnt worden, ohne daß man jedoch sicheres und näheres über den Vogel weiß. — Ein **Blaupfäffchen** [Coccothraustes coerulescens, *Vll.*] hat Bonaparte ohne genauere Heimatsangabe beschrieben und es dürfte auch bei ihm zweifelhaft erscheinen, ob es eine sichre Art ist. H. v. Berlepsch zählt es sogar unter den Synonymen des Schmuck= pfäffchens auf. In der Liste des Londoner zoologischen Gartens ist angegeben, daß schon seit d. J. 1864 mehrere Männchen und Weibchen dort vorhanden seien, wahrscheinlich meint man aber das blaugraue oder auch wol das Schmuckpfäffchen. — Das **Brillenpfäffchen** [Cocco- thraustes ophthalmicus, *Scl.*] aus Bogota, von Br. deutsch benannt und sonst ohne jede nähere Angabe, zeichnet sich vor allen Verwandten durch einen schmalen grauen Ring um's Auge aus. Im Londoner zoologischen Garten soll es sich seit d. J. 1863, jedoch nur in einem Weibchen, befinden. **Das Lerchenpfäffchen** [Coccothraustes mitratus, *Lchtst.*] von Montevideo und Peru ist an Stirn, Zügel und Oberkopf schwarz; Nacken, Rücken und Bürzel lerchengrau, alle Federn breit weißlich gerandet, zum Theil ganz weiß; Flügel graubraun mit weißem Spiegelfleck und ebenfalls jede Feder weißlich gerandet; Schwanzfedern schwarzbraun, weißlich gespitzt und gerandet. Das Weibchen ist nicht mit Sicherheit bekannt, auch läßt es Bur= meister dahingestellt, ob der Vogel wirklich eine besondre Art bildet. Pyrrhula alaudína, *Lfrsn.* et *Orb.* (Diesen älteren Namen will ich hinter den neueren von Lichtenstein gegebnen zurückstellen, weil S. 476 bereits eine Fringilla alaudína vorhanden ist). — **Das Düster= pfäffchen** [Coccothraustes moestus, *Hrtl.*] ist von Hartlaub als neu entdeckte Art beschrieben mit der Angabe, daß sie wahrscheinlich aus Brasilien herstamme und der kleinen Gruppe der Reisknacker [Oryzóborus, *Cb.*] nahestehe. Kopf, Hals und Brust sind schwarz, Rücken und breite Ränder der Flügeldeckfedern dunkel schieferbläulich; die Schwung= und Schwanzfedern sind heller gesäumt, Innenrand der ersteren und die inneren Flügeldeckfedern zum Theil weiß; Unterseite dunkelbläulichgrau; Schnabel schwarz; Füße bräunlich. Größe des Schmuckpfäffchens. — **Das einfarbige Pfäffchen** [Coccothraustes concolor, *Brmst.*], bei Mendoza im Laplatagebiet von Burmeister gefunden, ist einfarbig bleigrau, an der Bauchseite lichter, Flügel ohne weiße Binde, Schnabel weißlich. — Außerdem führen die Reisenden noch eine beträchtliche Zahl hierher gehörender oder nahverwandter Vögel auf, über welche jedoch einerseits garnichts näheres angegeben ist, während es andrerseits auch nicht feststeht, ob sie zu den Pfäffchen oder zu anderen Familien gehören.

## Das Riesenpfäffchen [Coccothraustes Euleri].

In hohem Maße ist es erfreulich, wenn die Liebhaberei der Wissenschaft einen Dienst zu leisten vermag, und ein solcher Fall liegt hier wiederum vor. Der obengenannte Vogel war bis zum Jahre 1874 den Forschern nicht aus= reichend bekannt und in den Museen noch nicht vorhanden, während ich von Fräulein Hagenbeck bereits zwei Pärchen erhalten hatte und ihn ausführlich schildern konnte. Das Berliner zoologische Museum erhielt zwei Exemplare, welche Herr Karl Euler in Brasilien in der Provinz Rio de Janeiro gesammelt hatte und Professor Cabanis benannte die Art jenem Forscher zu Ehren. Das alte vollständig ausgefärbte Männchen ist an Kopf und Nacken grünlichgrau, Oberkopf fast rein= aschgrau, ein breiter weißer Stirn= und Augenbrauenstreif zieht sich über dem Ohre hin, fast bis zum Nacken; Wangen schwachgrünlichaschgrau; Mantel, Ober= und Unterrücken olivengrünlich= braun; Schwingen und Flügeldecken dunkelbräunlichaschgrau, erstere fein olivengrünlich außen= und breit weißlich innengesäumt, letztere breit olivengrünlich außengesäumt, zwei fahlgelbliche Binden über den Flügel, durch die Spitzen der mittleren und großen Flügeldecken gebildet; Schwanzfedern olivengrünlichaschgrau, fein grünlich außen= und weißlich innengesäumt; Kehle vom Schnabelgrunde an, ferner ein breiter Streif über die Brust und der ganze Bauch fahlgelblichweiß, Hinterleib fast reinweiß; Halsseiten grünlichaschgrau, Brust= und Bauchseiten olivengrünlichgrau, untere Schwanzdecken aschgrau, sehr breit fahlgelblichweiß gespitzt; untere Schwanz= und Flügelseite reinaschgrau. Schnabel bräunlichhorngrau, Unterschnabel wenig heller; Auge dunkelbraun; Füße bräunlichgrau. Das Weibchen ist oberseits olivengrünlichbraun, an Mantel und Rücken mit lebhaft grünem Anflug, die Schwingen und Flügeldecken sind, erstere schmal, letztere sehr breit, fahlgrau gesäumt, die Flügelbinden heben sich nicht ab; der Strich über den Augen ist schmaler und fahlgelblich; Oberkopf, Wangen und Halsseiten sind nicht aschgrau, sondern olivengrünlich= grau, Kehle, Brust und Bauchmitte sind fahlgelblich, fast weiß, die Seiten bräunlichgelbgrau, ohne grünlichen Anflug. Schnabel dunkler schwärzlichbraun, Unterschnabel nur mit hellem Mittelstreif, Auge braun; Füße schwärzlichgrau. Die Verbreitung ist bis jetzt noch nicht ausreichend festgestellt und dies konnte umsoweniger geschehen, als es noch fraglich bleibt, ob ein zweiter kleinerer, sonst aber fast völlig übereinstimmender Vogel, das falzschnäblige Pfäffchen (Coccothraustes falcirostris, *Tmm.* [nec Euler]), als besondre feststehende Art betrachtet werden darf. Für die Liebhaberei ist es von keiner Bedeutung, da dies letzte Pfäffchen sowieso keineswegs Interesse zu erwecken vermag. Beide zeichnen sich dadurch vor den Verwandten aus, daß der Schnabel sehr hoch und dick ist mit gebogner Firste und hakiger Spitze, der Oberschnabel kleiner, schmaler, niedriger und in den Unterschnabel vollständig eingelassen. Bur= meister, der wahrscheinlich nur ein Weibchen des kleineren Pfäffchens beschreibt, sagt blos, daß dasselbe im Waldgebiet der Küstengegend besonders bei Bahia lebe. Weiteres über dieses oder jenes ist leider nicht bekannt. Herr v. Pelzeln gab eine lateinische Beschreibung des alten Männchens vom Falzschnäbelchen, welche im wesentlichen mit der des Riesenpfäffchens übereinstimmt. Nachdem mir ein Pärchen gestorben, erbaute das andre in meiner Vogelstube frei im Gebüsch lediglich aus Baumwolle ein großes unförmliches Nest und erzog ein Junges, doch konnte ich die Brut nicht beobachten, weil ich gerade krank war. Der junge Vogel ist sodann bald nach dem Ausfliegen im Gebüsch abhanden gekommen, noch bevor es mir möglich war, die Beschreibung des Jugendkleides aufzuzeichnen, und eine fernere Brut zu erzielen, gelang mir leider auch nicht, weil das alte Männchen von einem Papagei todtgebissen wurde und ich kein andres beschaffen konnte. Der Gesang besteht in einem schnurrigen krähenden Geplauder mit einigen langgezogenen Tönen. Späterhin habe ich den Vogel noch einzeln auf den Aus= stellungen im Besitz der Großhändler gesehen; er dürfte also immerhin zeitweise eingeführt werden. Ein Preis läßt sich kaum feststellen; als besondre Seltenheit mußte ich das Pärchen mit 30 Mark bezahlen.

Das Riesenpfäffchen hat keine weiteren Namen. — Le Grosbec géant; Giant Grosbeak.

Nomenclatur: Fringilla falcirostris, *Euler* [nec *Tmm.*]; Sporophila Euleri, *Cb.*; Fringilla Euleri, *Rss.* [„Hndb."]. — (Pyrrhula falcirostris, *Tmm.* [nec *Euler*]; Fringilla falcirostris, *Pr. Wd.*; Sporophila olivascens, *Lchtst.*, *Lss.*; Sporophila falcirostris, *Bp.*, *Brmst.*).

Wissenschaftliche Beschreibung siehe S. 572.

Coccothraustes Euleri: capite cerviceque virente cinereis, pileo cine-rescente; stria lata frontali et superciliari supra aurem fere ad cervicem usque ex-tensis; genis virente cineraceis; interscapilio, dorso tergoque olivaceo-virente fuscis; remigibus et tectricibus àl. fumigatis, illis exterius subtiliter olivaceo-virente, interius late albido-limbatis, his exterius olivaceo-virente limbatis; apicibus tectricum majorum et mediorum fascias duas trans alam livide flavidas fingentibus; gula a rostri basi, stria trans pectus lata abdomineque toto livide albicantibus; crisso albido; colli lateribus virente cinereis; pectoris lateribus et hypochondriis olivaceo-virente cinereis; subcaudalibus cinereis, latissime livide albo-terminatis; latere caudae alarumque inferiore cinereis; rostro fuscato-corneo, mandibula paulo dilu-tiore; iride fusca; pedibus fumidis. — ♀ Supra olivaceo-virente fusca; interscapilio dorsoque laete viride afflatis; remigibus tectricibusque al., illis anguste, his latissime livide cano-marginatis; fasciis alarum parum conspicuis; stria superciliari angustiore lividaque; pileo, genis collique lateribus olivaceo-virente cinereis; gula, pectore ventreque livide albicantibus; hypochondriis subfulvo-cinereis; rostro obscurior, nigricante fusco; mandibula striam mediam offerente tantum dilutam; iride fusca; pedibus nigricante cinereis.

Länge 13,6 cm.; Flügel 7,2 cm.; Schwanz 5,2 cm. — Größe des falzschnäbligen Pfäffchens: Länge 10,5 cm.; Flügel 6,3 cm.; Schwanz 4,8 cm.

Das Kragenpfäffchen [Coccothraustes leucopsis], Morellet's Pfäffchen [Coccothraustes Morelleti] und das gelbbürzelige Pfäffchen [Coccothraustes ochropygus], alle drei von Kostarika dürften nur nebenbei erwähnt werden, da sie einerseits selbst in den Sammlungen der Museen noch selten sind und andrerseits für die Liebhaberei kaum Bedeutung erlangt hätten — wenn nicht das erstgenannte plötzlich im Handel erschienen wäre. Herr H. Möller in Hamburg hatte einige Köpfe erhalten und brachte ein schönes Männchen im Jahre 1877 auf die große Berliner Vogelausstellung. Die Art kommt dem Erzpfäffchen sehr nahe: Oberkopf, Kopfseiten, Hinterhals und ein breites Band über die Oberbrust sind wie bei jenem schwarz, nur mit dem Unterschiede, daß die Halsseiten und die Unterseite von der Brust bis zu den unteren Schwanzdecken fast weiß und ganz hell ockergelblich angeflogen sind; an der

Stirn und unter dem Auge beiderſeits je ein ziemlich großer weißer Fleck, Zügel ſchwarz, Backen weiß; Oberrücken und obere Schwanzdecken ſind in der Mitte ſchwarz, breit olivengrau gerandet, der ganze Unterrücken iſt olivengrau, am Bürzel eine helle ſchwachgelbbräunliche Stelle; es iſt bedeutend größer als das Verwandte. — Morellet's Pfäffchen hat in allen Alters= und Geſchlechtszuſtänden zwei Flügelbinden und das Männchen zeigt einen doppelten weißen Spiegelfleck im Flügel; die ganze Oberſeite iſt mehr gelbbräunlich und die Unterſeite iſt ent= ſchieden ockergelblich; die Ohrgegend iſt mehr ausgedehnt ſchwarz. In der Größe ſteht es be= trächtlich hinter jenem zurück.   Die Verbreitung erſtreckt ſich nach Baird über das Thal des Rio Grande in Texas und im Süden von Honduras. — Das gelbbürzelige Pfäffchen hat keine Flügelbinden und nur einen Spiegelfleck; Unterrücken und Bürzel lebhaft hell roſtroth, Hals= ſeiten faſt reinweiß, Unterſeite von der ſchwarzen Bruſtbinde aus nach hinten lebhaft roſtroth, Kehle und Bauchmitte heller. Das Weibchen unterſcheidet ſich durch den weniger lebhaften nicht gelbbräunlichen, ſondern mehr ins Olivengraue ziehenden Anflug des Gefieders. Dieſes und das Kragenpfäffchen unterſcheiden ſich von dem bedeutend kleineren Morellet's Pfäffchen zugleich durch einen auffallend größern Schnabel. „Man könnte", ſagt Cabanis übrigens, deſſen Be= ſchreibungen ich entlehnt, während ich die des Kragenpfäffchens nach dem vor mir befindlichen Exemplar noch etwas vervollſtändigt habe, „die lebhafte roſtrothe Farbe des Bürzels (der zuletzt beſchriebnen Art nämlich) für die höchſte Ausfärbung, mithin den Vogel für das ganz alte Männ= chen von Morellet's Pfäffchen halten, wenn nicht die bei dieſer Art in allen Uebergangskleidern vorhandenen hellen Flügelbinden und der mit der ſtärkern Ausfärbung gleichfalls zunehmende doppelte Spiegelfleck fehlten. Das Berliner Muſeum beſitzt zwei ausgefärbte Männchen und ein Weibchen aus Mexiko und ein Weibchen von Cuernavacca." Dr. v. Frantzius gibt über die Lebensweiſe von Morellet's Pfäffchen auf Koſtarika die folgende kurze Mittheilung: „Es findet ſich ſehr häufig in der Trockenzeit an den Rändern der Felder und an freien Plätzen, wo es von den hohen abgetrockneten Staudengewächſen friſche Beeren abzuleſen pflegt; man trifft es vorzugsweiſe, nebſt anderen verwandten Arten, an der ſonnigen Südweſtſeite des Landes überall an." — Wäre das Kragenpfäffchen in einem Pärchen vorhanden geweſen, ſo hätte ich es trotz des hohen Preiſes ſicherlich gekauft, um einen Züchtungsverſuch anzuſtellen. Es hat keinen weiteren Namen. Sporophila leucopsis, Cb. — Morellet's Pfäffchen. Spermophila Morelleti, Pchb., Bp., Scl., Brd..; Spermophila albigularis, Lwrc. [nec Spx.]; Sporophila Morelleti, Cb. — Das gelbbürzelige Pfäffchen. Fringilla ochropyga, Lchtst.; Sporophila ochropyga, Cb.

*   *   *

Als Ruder= oder Papageifinken reihe ich hier außer dem Geſchlecht Ruderfink [Pitylus, Cv.] auch die nächſtverwandten, wie Habia [Saltator, Vll.], Graumantel [Schistochlamys, Rchb.], Baſtardhabia [Orchesticus, Cb.] u. a. m. an. Da die hierhergehörenden Vögel jedoch ſämmtlich ohne Ausnahme noch nicht in den Handel gelangt ſind, ſo will ich ſie nur ganz kurz behandeln; völlig fortlaſſen darf ich ſie nicht, da manche von ihnen über kurz oder lang zweifellos im Vogelhandel erſcheinen werden.

Der rußſchwarze Papageifink [Coccothraustes fuliginosus] iſt im ganzen Gefieder dunkel= ſchieferſchwarz mit ſchwachem bläulichen Metallſchiller; Stirn, Backen, Kehle und Vorderhals kohl= ſchwarz; Flügel bräunlichſchiefergrau gerandet, Schwingen bläulich braungrau, untere Flügelſeite braungrau; Schnabel hellzinnoberroth; Auge braun; Füße ſchwarzbraun. Etwas über Droſſelgröße. (Nach Burmeiſter). Das Weibchen iſt im ganzen matter und düſterer gefärbt; Kehle und Kopfſeiten nur mattſchwärzlich; auch der Schnabel heller (Brlpſch.). Nach den Angaben des erſtern For= ſchers findet man ihn von St. Paulo bis Bahia und darüber hinaus; ſeine Verbreitung dürfte ſich jedoch ziemlich über ganz Braſilien erſtrecken. „Er iſt nicht häufig und lebt, gewöhnlich par= weiſe, nicht eigentlich im tiefen Walde, ſondern mehr an den Rändern auf buſchigen und ſonnigen Triften." Pitylus fuliginosus, Ddn., Scl., Pzln.; Coccothraustes coerulescens, Vll.; Fringilla gnatho, Lchtst.; Pitylus erytrorrhynchus, Swns.; P. ardesiacus, Lss. (Tanagra psittacína, *Spx.*). — **Der Papageifink mit weißem Rückenfleck** [Coccothraustes grossus, *L.*] ebenfalls aus Brasilien, ist dem vorigen sehr ähnlich, jedoch mehr graublau mit weißem Fleck auf dem Rücken und weißer, reinschwarz umrandeter Kehle; Schnabel gleicherweise roth. Größe beträchtlich geringer. (Nach Burmeister). Dr. v. Frantzius fand ihn auf Kostarika. — **Der große Papageifink** [Coccothraustes magnus] ist am Oberkopf bis zum Nacken nebst Wangen schiefergrau, Zügelstreif und Kehle weiß; Nacken, Rückenseite, Flügel und Schwanz olivengrün; Vorderhals rostgelb, Brust und Bauch grau, Steiß rostgelb; Schnabel schieferschwarz; Auge rothbraun; Füße schiefergrau. Weibchen wenig verschieden, nur matter. Jugendkleid düsterer und an der Unterseite dunkelschaftstreifig. Größe der Singdrossel. Im Waldgebiet der Küsten des ganzen tropischen Brasiliens von Rio de Janeiro bis nach Guyana (auch Peru) in Gärten und Gebüsch überall gemein, wenig scheu, aber hurtig und gewandt, durch schreiende Locktöne auffallend. Das Nest steht in mäßiger Höhe, ist aus Moos gebaut und enthält zwei blaß-grüne Eier mit dichten schwarzen Linien am stumpfen Ende (nach Burmeister). Mit diesen An-gaben stimmen im wesentlichen die des Herrn Karl Euler überein. Buntkehle. (Br.). Ta-nagra magna, *Gml.*; Saltator olivaceus, *Vll.* — **Der grauschwänzige Papageifink** [Coccothraustes similis] aus dem Innern Brasiliens, ebenfalls grau, nur die Rückenmitte und Flügel olivengrün; Schwanz einfarbig schiefergrau; Augenbrauenstreif bis zum Nacken hinab und Kehle weiß; Kinnstreif schwarz; ganze Unterseite rostgelblichgrau; Steiß rostgelb. Weibchen nur matter. Die Größe gleicht der des vorigen. Saltator similis, *Orb.*; Tanagra superciliaris, *Pr. Wd.* [nec *Spx.* et *Azr.*]. — **Der blaugraue Papageifink** [Coccothraustes caesius, *Rss.*] ist nach Burmeister im Süden Brasiliens, westwärts bis an die Kordilleren heimisch und besonders in Paraguay sehr gemein; später hat er ihn im Laplatagebiete gesehen. Den vorigen sehr ähnlich, ist er ebenfalls grau, Augenbrauenstreif und Kehle weiß, Kinnstreif schwarz, Rücken und Flügel olivenbraun überlaufen, Steiß rostgelb. Größe übereinstimmend. Sein Nest findet man in Gebüschen oder auf halber Höhe der Bäume aus Reisern und trockenen Blättern gebaut, und das Gelege besteht in zwei grünen mit feinen schwarzen Linien und Flecken am stumpfen Ende gezeichneten Eiern. In der Gefangenschaft läßt er sich gut zähmen und mit Brot, zer-quetschten Maiskörnern und Früchten nebst Fleischstückchen ernähren. Große Bissen kaut er im Schnabel förmlich wie ein Säugethier (nach Azara). Capi (Br.). Saltator coerulescens, *Lfrsn.*; Tanagra superciliaris, *Spx.* [nec *Pr. Wd.*]; Habia cejá blanca, *Azr.*]. (Da seine beiden lateinischen Benennungen an vorhergegangene Verwandte bereits vergeben sind, so mußte ich auch hier eine neue wählen. — **Der dickschnäblige Papageifink** [Coccothraustes maxillosus] von Montevideo, vom vorigen nur durch den größern und dickern Schnabel, weniger rostfarbne Unterseite und olivengrün angeflogene Flügelfedern verschieden, auch dem grauschwänzigen sehr ähnlich und von diesem durch nicht weiße, sondern schmutziggelbgraue Kehle und lebhafter rostgelbliche Schwanzdecken abweichend. Da über alle diese Arten fast noch garnichts bekannt geworden, so läßt sich nicht mit Sicherheit behaupten, ob sie wirklich als selbständige Arten gelten dürfen oder als übereinstimmend zusammenfallen. Tanagra maxil-losa, *Lchtst.*; Saltator maxillosus, *Cb.* — **Der olivengrüne Papageifink** [Coccothraustes oliváceus, *Cb.*] von Guyana ist wiederum dem blaugrauen Papageifink ähnlich, aber mehr olivengrün, Bauchseite rostgelb überlaufen und Steiß ganz rostgelb. Grünhabia (Br.). — **Der schwarzhalsige Papageifink** [Coccothraustes atricollis] aus dem Innern Brasiliens, doch vorzugsweise aus dem Süden. Stirnrand, Zügel, Backen und Kehle schwarz, Oberkopf dunkel-braun, Rücken olivengrünlichbraun; Schwingen und Schwanzfedern dunkelbraun, roströthlich gerandet und die letzteren gespitzt; ganze Unterseite hell rostgelblichroth; Schnabel braun; Auge orangeroth; Füße bräunlichfleischfarben. Drosselgröße. Weibchen nur matter gefärbt. Er soll neben Sämereien auch eifrig Kerbthiere fressen, was sich wol von allen Papageifinken voraus-setzen läßt. Wenn es sich bewahrheitet, daß er ein guter Sänger ist und daß seine Verbreitung eine bedeutende, sich auch über Paraguay und Bolivia erstreckt, so wollen wir wünschen, daß er recht bald eingeführt werde. Schwarzhalshabia (Br.). Saltator atricollis et S. validus, *Vll.*; T. jugularis, *Lchtst.* [Habia gola negra, *Azr.*]. — **Der schwarzköppige Papageifink**

[Coccothraustes atriceps] aus Mexiko ist den vorigen wiederum- sehr ähnlich, jedoch nur mit schwarzer Kopfplatte und Haube. Dr. v. Frantzius fand ihn auch auf Kostarika und sagt, daß ·er zu den Vögeln gehöre, welche die auf der Hochebene längs der Wege überall ange= pflanzten Heckenzäune beleben. Tanagra atriceps, *Lss.*; Arremon gigantéus, *Bp.* [nec *Cb.*].
— Der Riesenpapageifink [Coccothraustes gigantódes], auch von Mexiko und dem vorigen gleichend, doch mit grau und schwarz gemischter Haube. Im Freileben stimmt er ebenfalls mit ihm überein. Saltator magnoides [!] *Lfrsn.* S. gigantodes, *Cb.* [nec *Bp.*]. — Der größte Papageifink [Coccothraustes grandis], von Kostarika, ist bis jetzt noch fast garnicht bekannt. Tanagra grandis et T. muta, *Lchtst.*; Saltator rufiventris, *Vgrs.*; S. icterophrys, *Lfrsn.*; S. Vigorsi, *Gr.* — Azara's Papageifink [Coccothraustes Azarae, *Orbg.*] von Westbrasilien und Bolivia, soll ein guter Sänger sein. Näheres ist nicht zu finden. Grauhabia (Br.). — Ueber den Orinocco=Papageifink [Coccothraustus orenocensis, *Lfrsn.*] von Venezuela ist ebenfalls garnichts näheres angegeben. Ebensowenig bekannt ist der Schopfpapageifink [Coccothraustes occipitalis, *Nttr.*] aus dem Innern Brasiliens, denn außer der Beschreibung ist auch nichts über . ihn zu finden. Tanagra rufa, *Lss.*; Diucopsis leucophaea, *Bp.* [Tangara roux. *Less.*] —. Der elsterbunte Papageifink [Coccothraustes Leverianus] von Ost= und Südbrasilien ist an Kopf, Hals, Oberrücken und Brust schwärzlichstahlblau; Flügel schwarz= und weißbunt; Schwanz schwarz, weiß gespitzt; alles übrige reinweiß; nahezu von Drosselgröße. (Elsterling (Br.); Lanius leverianus, *Gml.*; L. picatus, *Lth.*; Cissopsis bicolor, *Vll.* — Der größere Papageifink Coccothraustes major, *Cb.*] von Brasilien, gleicht dem vorigen fast völlig, nur ist er bedeutend größer, nahezu wie eine Elster. Er lebt in den Waldungen der Küstengegend parweise oder in kleinen Flügen auf hohen Bäumen und läßt einen lauten, kurzen, nicht unangenehmen Ge= sang hören. Die Nahrung soll wie bei allen diesen sog. Elsterfinken, vorzugsweise in Kerb= thieren bestehen. Betylus picatus, *Bp.* [nec *auct.*]. — Der kleinste Papageifink [Coccothraustes minor, *Lfrsn.*] aus Peru, Bolivia und Ekuador. Mit dem vorigen nahezu überein= stimmend, erscheint er doch viel kleiner, unter Drosselgröße. — Der Diadem=Papageifink [Coccothraustes diadematus] von Brasilien, ist für die Leser dieses Werkes vor allen seinen Ver= wandten dadurch, daß er im Jahre 1873 von Herrn K. Gudera, damals in Leipzig, in drei Köpfen eingeführt wurde. Es waren prächtige Vögel, im ganzen Gefieder schwärzlichlasurblau; Stirn, Zügel, Kehle und Augenring schwarz; Oberkopf weißlichblau, die mittleren Federn mit glänzendblutrothen Flecken; große Flügeldecken, Schwingen und Schwanz= federn schwarz, fein grünlich gerandet, kleine Flügeldecken ultramarinblau, eine breite Flügelbinde bildend; Schnabel glänzendschwarz; Auge dunkelbraun; Füße schwarz. Das Weibchen ist nicht bekannt, es soll nach Burmeister einen heller weißen Oberkopf haben und wird auch wol matter gefärbt sein. Die Größe stimmt nahezu mit der einer Drossel überein und in Haltung und Ansehen gleicht dieser Vogel einem Gimpel. Ich erhielt ein Exemplar, welches jedoch leider bald einging und ausgestopft in meiner Sammlung steht. Es bleibt sehr zu wünschen, daß dieser ungemein schöne und stattliche Papageifink, der in den Wäldern bei Neu=Freiburg, frei= lich leider nicht häufig, in kleinen Trupps still und versteckt leben soll, wenigstens hin und wieder in den Handel gelangen möchte; er würde eine herrliche Bereicherung unserer Vogelstuben bilden. Blauer Diademfink, Händlername. Stephanóphorus coeruleus, *Strckl.*; Coccothraustes leucocephalus, *Vll.*; Tanagra diademata, *Nttr.*; Fringilla splendida, *Lchtst.*; Lindo azul cabeza blanca, *Azr.* (Da ein Coccothraustes coeruleus S. 554 bereits vorhanden ist und der Name C. leucocephala, *Vll.*, durchaus nicht zutrifft, so griff ich auf die neuere Bezeichnung von Natterer zurück. — Der graumantelige Papageifink [Coccothraustes leucophaeus] aus dem Süden und Osten Brasiliens, von Dompfaffengröße. An Stirn, Zügel, Augenrand und rings um den Schnabel schwarz; Oberkopf hellbraun; Wangen rostgelb; Nacken, Rücken, Flügel und Schwanz bleigrau; Schwingen und Schwanzfedern dunkler schiefergrau, fahl rostgelb ge= randet; Kehle, Vorderhals und Brust röthlichrostgelb; Bauch weißlich. „Ich fand den hübschen Vogel am Rande der Gebüsche und neben offenen Waldwegen meist einzeln oder parweise; er ist sehr wenig scheu." (Burmeister). Wenn ich nicht irre, so habe ich ihn im Berliner Aquarium

bald nach der Eröffnung in einem Männchen gesehen. Graumantel (Br.) Tanagra leucophaea, *Lchtst.*; Saltator ruficapillus, *Vll.*; T. capistrata, *Spx.*; Tanagra conspicillata, *Mus. Par.* — Der schwarze Papageifink [Coccothraustes ater] aus Südbrasilien und Peru. An Stirn, Backen, Kehle und Vorderhals schwarz; Rumpfgefieder bleigrau, Flügel bräunlich über=laufen; Schwanz schieferschwarz. Wenig kleiner als der vorige. Er bewohnt das Urwaldgebiet, hält sich aber vorzugsweise an Waldrändern und in den mit Gebüsch besetzten sumpfigen Niede=rungen, wo er ziemlich häufig ist. Schleierhabia (Br.). Tanagra atra, *Gml.*; T. melanopis, *Lth.* — Der orangeschnäbelige Papageifink [Coccothraustes aurantiirostris, *Lfrsn.*], welcher von Burmeister in den Laplatastaaten und von Frantzius auf Kostarika gefunden worden und einen hübschen Gesang haben soll, sowie der vielfarbige Papageifink [Coccothraustes multicolor, *Brmst.*] aus den Laplatastaaten, welcher letztre übrigens düsterfarbig wie die anderen ist und die vielversprechende Bezeichnung keineswegs verdient, seien nur beiläufig erwähnt.

# Die Ammern [Emberizinae].

Diese eigenartige Familie der Finkenvögel, welche theils den eigentlichen Finken, theils den Lerchen nahesteht, und daher von manchen Ornithologen als Mittelglied zwischen beiden betrachtet wird, hat für die Stubenvogelliebhaberei im allgemeinen nur eine geringe Bedeutung. Die hierher gehörenden Vögel sind mehr gedrungen und mehr dickleibig als jene ersteren und kürzerbeinig als die letzteren. Ihr Schnabel ist klein und kurz, an der Wurzel dick, vorn kegelförmig, doch spitz, der Oberschnabel ist schmaler als der untere, in welchen er hineinpaßt, während der Gaumen mit einem Höcker versehen ist, der zum Aufspelzen der Körner dient; Flügel mittellang, mit zweiter oder dritter längster Schwinge; Schwanz ziemlich lang, gerade oder ausgeschnitten; Füße kurz mit langen Zehen, deren hinterste meist spornartig verlängert ist. Das Gefieder ist locker und reich und bei den Männchen lebhafter gefärbt als bei den Weibchen, während das Jugendkleid von dem beider Alten sich verschieden zeigt. Alle Welttheile bilden ihre Heimat, nur in Australien hat man sie bis jetzt noch nicht gefunden. Als Aufenthalt wählen sie vorzugsweise niedriges Gebüsch und Rohr, wechselnd mit Aeckern und Wiesen. Ihr Flug ist ruckweise und bogenlinig, der Gang hüpfend und schreitend. Zug- oder Strichvögel, leben sie gesellig, manche auch während der Brut. Der Lockton ist langgezogen, der Gesang unbedeutend. Das Nest befindet sich am Boden oder im niedrigen Gesträuch und stellt eine große, offene, ziemlich künstlich geformte Mulde dar, in welcher das Gelege von vier bis sechs farbigen Eiern von beiden Gatten des Pärchens erbrütet wird. In allerlei Getreide- und Grassämereien, nicht aber in öligen Samen, dagegen in vielen Kerbthieren besteht ihre Nahrung. Sowol im Käfige als auch in der Vogelstube zeigen sie sich ungeschickt, wenig beweglich, ohne Anmuth, auch haben sie keinen nennenswerthen Gesang; nur wenige sind als besonders farbenprächtige Vögel geschätzt. Züchtungsversuche hat man mit ihnen bisher kaum angestellt, doch dürften die meisten wenigstens in der Vogelstube unschwer nisten. Ihre Fütterung und Verpflegung stimmt mit der für die Finken angegebnen überein. Die Preise dürften mit Sicherheit wol nicht festzustellen sein, denn alle Ammern sind eigentlich nur zufällige Gäste im Vogelhandel.

Auch sie hat man in mehrere kleine Sippen geschieden, deren Angehörige bald hier-, bald dorthin gestellt werden. Um Verwirrung zu vermeiden, reihe ich sie ebenfalls einheitlich aneinander.

### Der Weidenammer [Emberiza auréola].

Von allen in den Handel gelangenden Ammern erscheint dieser am häufigsten. Er ist oberhalb rothbraun, schwarz und weiß gestrichelt; Zügel und Gesicht schwarz, Kopfseiten rothbraun; Flügel und Schwanz dunkelbraun, erstere mit fahler Querbinde und großem weißen Fleck, auch jede Feder breit rothbraun gesäumt; Unterseite gelb, über die Oberbrust eine dunkelrothbraune Binde, hinterwärts weiß. Schnabel röthlichgrau mit schwarzer First; Auge braun, Füße fahl röthlichgrau. Das Weibchen ist fahler und matter gezeichnet; oberhalb röthlichbraun; schwärzlich schaftstreifig; Augenbrauenstreif fahl gelblichweiß; Flügelfedern breit schwärzlich schaftstreifig, über den Flügel eine fahle Binde; Schwanz röthlichbraun; Kehle röthlichgelb; Körperseiten bräunlichgelb, dunkel schaftstreifig; ganze übrige Unterseite düster bräunlichweiß. In der Größe stimmt er etwa mit dem Feldsperlinge überein. Die Heimat erstreckt sich über Nordasien und Nordosteuropa; auch er ist Zugvogel. Ueber sein Freileben haben die Reisenden ziemlich ausführlich berichtet und nach ihren Angaben weicht dasselbe von dem aller Ammern überhaupt nicht wesentlich ab. In Sibirien fand ihn der Naturforscher Radde bis zu einer Höhe von 2000 Meter in den Gebirgen und ebenso in der Ebene an den mit Weidengebüsch bewachsenen Flußufern, in kleinen Birkenwäldchen, niemals aber im Hochwalde. Nach Dr. Eversmann ist er in Sibirien im kasanschen Gouvernement häufig auf überschwemmten Wiesen, selten dagegen in den feuchten, grasreichen Thälern des Ural; er kommt erst spät, nicht vor dem Mai an. Dr. v. Nordmann sagt, daß er nach Liljeborg in Finnland am Onegasee gemein sei; ebenso sahen ihn Dr. Dybowsky und Parrex in Daurien zahlreich. Wie R. Swinhoë angibt, soll er in China allgemein verbreitet sein. In Beiträgen zur Kenntniß der Vögel Ostsibiriens und des Amurgebiets nach den Mittheilungen der Reisenden Radde, Middendorf und Schrenk sagt E. v. Homeyer: „Das südöstliche Sibirien scheint das rechte Vaterland dieses schönen Vogels zu sein, der jedoch, wie schon Pallas angegeben, bis nach Nordsibirien hinauf geht. Die ostasiatischen Weidenammern haben alle einen weißen oder gelben Nackenfleck, welchen die in Europa bemerkten Exemplare sämmtlich nicht zu tragen scheinen, wie dies auch die Abbildungen von Gould und Naumann zeigen. Hierdurch wird meine bereits anderweitig ausgesprochene Ansicht, daß die in Europa gefundenen, vermeintlich ostasiatischen Vögel ein näher gelegenes Vaterland haben, bestätigt." — „Unter den Ammern", sagt Taczanowski, „ist diese Art sowol zur Durchzugs- als auch zur Brutzeit die gewöhnlichste. Sie kommt um die Mitte des Monats Mai an, nistet überall in den Thälern und verbreitet sich bis an die Grenzen der Wälder, wo sie jedoch seltener ist, während sie in den Steppen allenthalben vorkommt, wenn es nur Sträucher oder größeres Unkraut gibt. Das Nest steht auf der Erde im Grase auf trockenen Wiesen oder in Sträuchern ein Meter hoch. In der Mitte des Monats Juni legt das Weibchen vier bis fünf, selten sechs Eier; auch das Männchen brütet. Außerdem wiederholt es unermüdlich sein eintöniges, doch melodisch erklingendes Lied. Das Weibchen brütet ſehr feſt, fliegt erſt unter den Füßen auf und flattert dann auf der Erde fort, um den Feind hinwegzuführen. Die Jungen verlaſſen das Neſt ſchon und verſtecken ſich im Graſe, wenn ſie zum Fluge noch nicht fähig ſind. Dann fallen die Alten jeden nahenden Störenfried hartnäckig an. Gegen Ende Septembers oder Anfang Oktobers ziehen ſie fort." Uebrigens ſoll nach Opel der Kukuk gern ihr Neſt heimſuchen. In Frankreich erſcheint dieſer Ammer in der Provence nach Dr. v. Müller's Mittheilung ganz un= regelmäßig; auch kommt er in Italien vor. In Bulgarien ſoll er garnicht zu finden ſein, dagegen gehört er zu den Vögeln, welche nach Blaſius auf Helgo= land beobachtet worden.

Er wird alljährlich von den nach Rußland reiſenden kleinen deutſchen Händ= lern, jedoch nicht in beträchtlicher Anzahl, eingeführt, und im Spätherbſt 1877 brachte der Händler A. C. Gleitzmann aus Moskau in einem großen Trans= port ruſſiſcher Vögel auch 21 Weidenammern nach Berlin, um ſie dann aber ſofort nach London überzuführen. Bei den Liebhabern und Züchtern findet dieſer Ammer keinen beſondern Beifall; man hält ihn allenfalls einzeln, um des an= genehm flötenden Geſangs willen, der in recht melodiſchen, doch immer wieder= holten und dadurch einförmig erklingenden Lauten beſteht. Ich hatte ein Pärchen lange Zeit hindurch in der Vogelſtube, ohne daß es niſtete und ich glaube daher, daß es nicht leicht ſein dürfte, ihn zu züchten. Auch iſt er nicht fried= lich, denn das Männchen verfolgt in ruheloſer Weiſe alle Genoſſen, welche es zu überwältigen vermag. Der Preis ſchwankt zwiſchen 9 bis 12 Mark für das Pärchen.

Der Weidenammer heißt auch fälſchlich Gartenammer. — L'Ortolan d'oré de Sibérie; Siberian Golden Bunting. — Altan gurguldai (burätiſch, nach Dybowski und Parrex).

Nomenclatur: Emberiza aureola, *Pll.*, *Lth.*, *Gld.*; Fringilla pinetorum, *Lpch.*; Passerina collaris, *Vll.*; Emberiza sibirica, *Erm.*; Euspiza aureola, *Gr.*, *Hdgs.*, *Bp.*, *Blth.*, *Hrsf.* et *Mr.*; Hypocentor aureolus, *Cb.*; Mirafra flavicollis, *Mc. Cll.*, *Gr.*; Euspiza flavigularis, *Blth.*, *Bp.* [Yellow-breasted Bunting].
Wiſſenſchaftliche Beſchreibung ſiehe S. 578.
Emberiza aureola: supra rufo-castanea, nigro-alboque striolata; loris facie-que nigris; capitis lateribus rufis; pennis alarum caudaeque fuscis, late rufo-limbatis; alis fasciam lividam maculamque magnam albam offerentibus; subtus flava; fascia trans guttur castanea, post alba.

Der Felſenammer [Emberiza fucata] von Aſien, und zwar China, Japan und Bengalen; oberhalb rothbraun, Oberkopf ſchwarz, Wangen rothbraun, Bartſtreif ſchwarz und darüber ein weißer Streif; Mantel und Schultern breit ſchwarz ſchaftfleckig; Schwingen dunkelbraun, ſchmal fahl außengeſäumt, über den Flügel zwei weißliche Querbinden; Schwanzfedern ſchwarz, die äußeren am Ende weiß und die inneren mit weißem Fleck; Kehle weiß, ſchwarz ſchaftfleckig; über die Oberbruſt ein rothbraunes Band, ganze übrige Unterſeite fahl gelbroth, Körperſeiten ebenſo, fein ſchwarz ſchaftſtreifig; Schnabel röthlichbraun mit ſchwarzer Firſt; Auge braun; Füße gelbgrau. Das Weibchen iſt oberhalb dunkelbräunlichroſtroth, ſchwarz ſchaftſtreifig; Augen= brauenſtreif und Kehle roſtgelb, Wangen rothbraun, Oberbruſt mit ſchwarzer Binde. Größe des

Feldsperlings. Nach Pallas gleicht er im Freileben den sibirischen Verwandten und ebenso gibt dies Taczanowski inhinsicht seiner Brut, des Nestes und der Eier an. Swinhoë meint, daß er in China mehr auf den Feldern als auf Felsen zu finden sei und daher den Namen wol garnicht verdiene. „In der Nähe von Kalkutta", sagt Blyth, „wo er gemein ist, wird er mit anderen Vögeln zusammen als ‚Ortolane' zum Verkauf auf den Markt gebracht, und von dort aus gelangt er auch, wiewol höchst selten und nur einzeln, in den Handel." Näheres vermag ich jedoch nicht über ihn anzugeben." — L'Ortolan teindu; Dyed Bunting; Emberiza fucata, Pll., Gld., Blth., Gr., Tmm. et Schlg., Bp.; Euspiza fucata, Blth., Hrsf. et Mr.; Onychospina [!] fucata, Bp.; Hypocentor fucatus, Cb.; Emberiza lesbia, Tmm.

Der gelbbäuchige Ammer [Emberiza flaviventris] kommt als einer der schönsten unter allen diesen Vögeln leider so selten in den Handel, daß er für die Liebhaberei eigentlich kaum eine Bedeutung hat. Er ist am Kopf bis zum Nacken tiefschwarz mit einer grauweißen Längsbinde über die Kopfmitte, je einer solchen übers Auge bis zum Schlaf und ebenso vom Mundwinkel bis zur Ohrgegend; Mantel= und Schulterfedern braun, schmal rostgrau gesäumt; Schwingen braunschwarz, fein fahlbraun außengesäumt, Oberflügel mit zwei weißen Querbinden; Hinterhals und Brustseiten röthlichgraubraun; Bürzel und obere Schwanzdecken aschgrau; Ober= kehle, Hinterleib, untere Flügel= und Schwanzdecken weiß; übrige Unterseite hochgelb; Brust röthlichorangefarben; Schnabel blei=, Unterschnabel röthlichgrau; Auge braun; Füße röthlich= gelbgrau. Weibchen oberhalb heller mit blaß rostfarbenen Kopfstreifen; obere kleine Flügel= decken weiß endgesäumt; ganze Unterseite heller gelb; Brust nur schwach orangefarben. Beim jungen Vogel haben nach Rchn. die Armdecken hellbraune Spitzen, beim älteren weiße. Größe nahezu des Goldammers. Die Verbreitung erstreckt sich weit über Afrika im Westen und Süden, auch über Südmozambik. Inbetreff des Freilebens berichtet Heuglin: „Er ist Zugvogel in Nordostafrika, langt mit den ersten Sommerregen an und zieht im November und Dezember fort. In der baumreichen Steppenlandschaft zeigt er sich einzeln oder parweise im Gezweige, kommt selten auf die Erde herab und meidet, wie es scheint, die Umgebung der Gewässer. Lock= ton und Gesang sind ammerartig; ersterer klingt etwa: biu=gäck, der letzte ist nicht laut, mehr schwätzend als zirpend und ertönt namentlich in den Vormittagsstunden nicht selten vom Gipfel eines Busches herab. Im Gebiet des Gazellenflusses beobachteten wir ihn von August bis ein= schließlich Oktober, Antinori dagegen im Februar, auch versichert dieser Reisende, daß er sich meist auf der Erde aufhalte. Hartmann traf im südlichen Senar zu Mitte d. M. Juni ganze Flüge, doch glaube ich fast, daß er sich geirrt und einen andern Vogel gesehen hat." Reichenow fand ihn häufig in den Niederungen des Kamerun: „Er lebt in den Steppen= gegenden und Feldern und dürfte im Wesen am meisten dem europäischen Oriolan gleichen. Frei auf einem Baumwipfel oder Zweige sitzend, läßt er ununterbrochen zwischen kurzen Pausen seinen einförmigen kleinen Gesang erschallen, der den schwermüthigen Klang unsres Goldammer= rufs hat und aus drei abfallenden Tönen zusammengesetzt ist. Die Nahrung besteht der Haupt= sache nach in Grassämereien." Einzeln und wol nur zufällig mit anderen Vögeln zusammen eingeführt, sieht man ihn hin und wieder in einem zoologischen Garten; bei den kleineren Händlern oder in den Vogelstuben dagegen kaum. Prachtammer bei Br. [Gelbbäuchiger Ortolan vom Vorgebirge der guten Hoffnung, Buff.]. L'Ortolan à ventre jaune; Yellow-bellied Bunting. Passerina flaviventris, Vll.; Emberiza xanthogastra, Stph.; Fringil-laria capensis, Swns.; F. bicincta, Gr.; Emberiza flavigastra, Rpp.; E. quinquevittata, Lchtst.; E. albicollis et affinis, Pr. Wrtmbg. [L'Ortolan à ventre jaune du cap de bonne espérance, Buff.; Cape-Bunting, Lath.]. — Cabanis' Ammer [Emberiza Cabanisi], dem vorigen nächstverwandt, ist er am Oberkörper dunkelbraun; Oberkopf schwarzbraun; Augen-brauenstreif bis zum Nacken weiß; Rückenfedern dunkelschaftstreifig; Schwingen, Deck= und Schwanzfedern schwarzbraun, Flügel mit zwei weißen Querbinden; Kehle weiß, ganze übrige Unterseite reingelb; Schnabel bleigrau, Unterschnabel heller; Auge nußbraun, Füße schmutzig-fleischfarben. Größe des vorigen. Näheres hat Herr Reichenow, welcher den Vogel in West=

afrika am Kamerun entdeckt, zuerst beschrieben und benannt, nicht angegeben. Polymitra (Fringillaria) Cabanisi, *Rchn.*

Den siebenstreifigen Ammer [Emberiza tahapisi] aus dem Innern Afrikas würde ich nur beiläufig zu erwähnen brauchen, wenn nicht der Umstand ihn als besonders interessant er= scheinen ließe, daß sich ein Exemplar in der großen Sammlung lebender Sing= und Schmuck= vögel des Herrn Wiener in London befindet, während er sonst wol niemals in den Handel gelangt und auch in keinem zoologischen Garten vorhanden ist. Kopf, Kinn und Kehle sind schwarz, ein Scheitelstreif, je ein Augenbrauen=, Wangen= und Bartstreif, im ganzen sieben, sämmtlich weiß; oberseits röthlichbraun, breit schwarz schaftstreifig; Schwingen und Schwanz= federn schwärzlichbraun, hell rothbraun außengesäumt; Oberkehle weißlichgrau, ganze übrige Unterseite hell gelblichbraun; Schnabel dunkelbraun, Unterschnabel heller, gelblich; Auge grau; Füße gelbgrau. Das Weibchen soll am Kopf schwärzlichgrau sein mit fahlröthlichen Streifen und am ganzen Körper fahler. Sperlingsgröße. Nach Heuglin ist er in Abessinien und im Bogosgebiet Standvogel: „Brehm behauptet, ihn im April im Samhar und in den tiefen Gebirgsthälern am Oftabfall von Mensa brütend gesehen zu haben, während ich das Nest zwischen Juni und Oktober in jenen Gegenden und im Dezember unfern von Gondar im Bette halb= ausgetrockneter Gewässer fand. Nach dem Berliner Museum soll er auch in Arabien heimisch sein. Er lebt in kleinen Familien oder parweise bis etwa 2000 Meter hoch meistens neben den Wildbächen auf Lichtungen und Felsen, doch kommt er auch in die Nähe menschlicher Woh= nungen, auf Zäune in den Gärten und auf Weideplätze. Lockton und Gesang sind dem der Verwandten gleich. Das kleine Nest besteht aus Grashalmen und ist hinter Steinen und Ge= büsch unmittelbar auf der Erde angelegt. Ich fand darin zwei bis drei weißliche, etwas lehm= farb angeflogene Eier mit dunkel erdbraunen Flecken, welche meist am stumpfen Ende kranzartig zusammengedrängt stehen. A. Brehm gibt an, daß der siebenstreifige Ammer an den felsigen Ufern des Nil in Südnubien sehr häufig sei; das dürfte jedoch in einer Verwechselung mit dem Streifenammer beruhen.“ In Westafrika fand ihn Du Chaillu am Kamma und Kap Lopez. Barboza du Bocage sagt, daß er im November und Dezember aus dem höher gelegenen Innern, wo die Regenzeit früher eintritt, nach Bibaïla komme. Nach Antinori soll er in Tunis häufig sein, doch meint Heuglin, daß dieß ein Irrthum und wol auf den Sáhara= ammer zu beziehen sei. Näheres ist auch über sein Freileben nicht bekannt. Wüsten=Sieben= streifenammer (Br.). Emberiza Tahapisi, *Smth.*; E. capistrata, *Lchtst.*; Polymitra septemstriata, *Cb.*; Emberiza septemstriata, *Rpp.*; Fringillaria rufa, *Swns.* — Der ge= streifte Ammer [Emberiza striolata] ist röthlichzimmtbraun, oberhalb dunkler; Kopf und Hals bis zur Brust aschgrau, schwärzlich schaftstreifig; über die Wangen vom Schnabel bis zu den Kopfseiten drei dunkle Längsstreifen; Mantel schwach dunkelschaftstreifig; Schwingen und Schwanzfedern dunkelbraun, breit röthlichbraun außengesäumt; Bürzel und obere Schwanzdecken lebhaft rostfarben; Brust bräunlichgrau, schwärzlich schaftstreifig; Bauch und Hinterleib düster roströthlichgrau; Schnabel braun, Unterschnabel heller, gelb; Auge braun; Füße gelbgrau. Das Weibchen soll nur matter gefärbt sein. Größe des vorigen. Die Verbreitung erstreckt sich über den nördlichen Theil von Afrika, einige Gegenden von Westasien und den Westen von Indien. „Er lebt“, sagt Heuglin, „als Standvogel im mittleren und südlichen Nubien u. a. bis zum 20. Gr. nördl. Br. und zwar meistens familienweise in der Steppe, wo steinige und felsige Striche mit Buschwerk und Gräsern bestanden sind, auf den Klippen der Stromschnellen des Nils und auf kahlen sandigen Flächen. Hier zeigt er sich ziemlich schüchtern und flüchtig und versteckt sich ohne aufzufliegen gern hinter Gestein; seine Stimme ist ammerartig, aber nicht laut und lebhaft.“ Chalihl=Effendi weist gelegentlich darauf hin, daß er an den Brunnen der Wüste häufig vorkommt. Im April d. J. 1869 beobachtete Dr. E. Rey in Portugal in der Nähe von Lagos ein Pärchen eines auffallend kleinen Ammers, welchen er für diese Art hielt. Da er hoffte, daß die Vögel dort an einer Gartenmauer nisten würden, so erlegte er sie nicht, doch waren sie bald darauf verschwunden, ohne daß er sie sicher feststellen konnte. Uebrigens fand man diesen Ammer auch bei Konstantinopel. Streifenammer (Br.). L'Ortolan strié; Striated Bunting. Fringilla striolata, *Lchtst.* — Der Sahara-Ammer [Emberiza Saharae] aus Algier, von dem vorigen nur dadurch verschieden, daß an der ganzen Oberseite die Schaftstreifen fehlen und daß er hier also einfarbig rothbraun erscheint. Er soll nach der Meinung mancher Ornithologen mit ihm als eine Art zusammenfallen, doch ist es mit Sicher= heit nicht festgestellt; für die Liebhaberei hat er in diesem wie in jenem Falle keine Bedeutung. Polymitra Saharae, *Lvll. jun.*

Der Ammer vom Vorgebirge der guten Hoffnung [Emberiza capensis], ein Vogel, der zu den seit altersher bekannten gehört und doch bis zur Gegenwart so selten ist, daß er unter den Stubenvögeln nur beiläufig mitgezählt werden darf. Er ist am Oberkopf schwarz mit fahlbraunem schwärzlich gestrichelten Streif über die Kopfmitte; Augenbrauen= und Backenstreif bräunlichweiß und darunter ein schmaler schwarzer Streif; ganze Oberseite braun, breit schwärz= lich schaftstreifig; Schwingen und Schwanzfedern schwarzbraun, schmal fahl außengesäumt, eine breite rostrothe Querbinde über den Flügel; ganze übrige Unterseite fahl bräunlichgrau, Kehle, Hinterleib und untere Schwanzdecken bräunlichweiß. Schnabel schwärzlichhorngrau; Auge braun; Füße dunkelbräunlichgrau. Sperlingsgröße. Es ist noch nicht bekannt, wie weit er sich über Südafrika verbreitet und ebenso fehlt noch jede Auskunft über sein Freileben. Buffon gibt nur die Beschreibung und stellt ihn als anspruchslos gefärbten Vogel in Gegensatz zu dem ungleich schönern gelbbäuchigen Ammer. Im zoologischen Garten von London ist er seit dem Jahre 1869 vorhanden; in unseren Vogelhandlungen oder zoologischen Gärten sieht man ihn höchst selten und in den Vogelstuben ist er wol noch garnicht vorhanden gewesen. Kafferammer (Br.) — [Kap'scher Ammer oder Ortolan, nach alten Autoren.] — Ortolan du Cap; Cape Bunting. — Emberiza capensis, *L.*; E. erythroptera, *Tmm.*; E. caffrariensis, *Stph.* [Hortulanus capitis Bonae spei, *Brss.*; L'Ortolan du Cape de bonne Espérance, *Buff.*].

Der Maskenammer [Emberiza personata, *Tmm.*] aus Japan ist an Kopf, Hinterhals und Halsseiten schmutziggraugrün, Kopfmitte fein schwärzlich schaftstreifig; Augenbrauen= und Bartstreif gelb, Gesicht schwarz; Mantel und Schultern roströthlichbraun, breit dunkelschaftstreifig; Schwingen dunkelbraun, röthlichbraun außengesäumt, zwei gelblichbraune Querbinden über den Flügel; Bürzel und obere Schwanzdecken rothbraun; Schwanz düsterrothbraun, Kehle gelb, fein dunkel= schaftstreifig; ganze übrige Unterseite reingelb; Körperseiten gelbbraun, breit dunkelschaftstreifig; Schnabel bräunlichgrau; Unterschnabel am Grunde röthlich; Auge braun; Füße röthlichbraun. Das Weibchen soll übereinstimmend sein, nur ohne den gelben Augenbrauenstreif, das Schwarz am Gesicht von geringerer Ausdehnung und an der ganzen Unterseite braun schaftstreifig. Größe nahezu der des Goldammers gleich. Wie E. v. Homeyer mittheilt, kommt er auch in Ost= sibirien vor, denn Schrenck erlegte zwei Weibchen der bisher nur aus Japan bekannten Art dort am 3. September in einem Gesträuch von Erlen, Birken und Weiden. Obwol er in Japan gefangen gehalten werden soll, so gelangt er doch nur höchst selten in den Handel. Von Herrn Chs. Jamrach erhielt ich im Jahre 1875 mit anderen japanesischen Vögeln zusammen auch ein Männchen dieser Art, welches ich, nachdem es sogleich gestorben, an das zoologische Museum von Berlin abgab. Ob er sonst noch jemals eingeführt worden, weiß ich nicht zu sagen. L'Ortolan masqué; Masked Bunting. — Der grauköpfige Ammer [Emberiza spodocéphala] ist nach v. Middendorf dem vorigen verwandt, jedoch von allen Reisenden als selbständige Art angesehen. Taczanowski, welcher in der hier schon oft erwähnten Sammlung der Vögel aus dem süd= lichen Ussurilande und namentlich an den Küsten des japanischen Meeres von Dybowski und Godlewski mehrere Pärchen vor sich hatte, sagt, daß kein einziges Exemplar mit jenem Verwandten irgendwelche Aehnlichkeit habe. Er ist an Kopf und Hals bis zur Brust dunkel= grünlichgrau, Gesicht schwarz; Augenbrauen= und Bartstreif gelb, Oberseite röthlichbraun, schwärzlich schaftstreifig, über den Flügel zwei fahlgelbe Querbinden; unterhalb weißlichgelb, Seiten schwarz schaftstreifig. Das Weibchen ist am Kopf grünlichbraun, das Gesicht mehr bräunlich, Unterseite gelblichweiß. Größe bedeutend geringer als die des Goldammers. In Daurien fanden ihn

Dybowski und Parrex häufig vorbeiziehend, doch selten nistend, im Amurlande ist er nach Middendorf der gemeinste Ammer. Dr. Dybowski gibt aus Ostsibirien eine ausführliche Schilderung der Lebensweise und des Nistens. Da dieselbe aber einerseits mit denen der verwandten Ammern übereinstimmt, da andrerseits dieser als Stubenvogel noch keine Bedeutung hat und eine solche voraussichtlich auch nicht gewinnen wird, so muß ich dieselbe übergehen. Nur die Bemerkung, daß das Männchen mit ziemlich melodischer Stimme ein kurzes Lied singe, sei angefügt. Buschammer (Br.) Emberiza spodocephala, *Pll.*; E. mélanops, *Blth.*; E. chlorocephala, *Hdgs.* — Der zierliche Ammer [Emberiza elegans, *Tmm.*] aus Japan. An Oberkopf nebst =Seiten und Nacken schwarz, Hinterkopf gelb, Augenbrauenstreif weiß; ganze Oberseite rothbraun, an Mantel und Schultern die Federn schwarz schaftfleckig und fahlröthlich gesäumt; Schwingen dunkelbraun, fahl außengesäumt, über den Flügel zwei breite fahle Querbinden, Schwanzfedern schwarz, die äußersten weiß, schwarz gezeichnet; Kehle gelb; großer dreieckiger Fleck an der Oberbrust schwarz; ganze übrige Unterseite weiß, Körperseiten röthlichgrau, rothbraun gestrichelt; Schnabel dunkelbraun, Unterschnabel heller röthlich; Auge braun; Füße gelbgrau. Das Weibchen ist am Oberkopf roströthlichbraun, dunkel schaftstreifig; Augenbrauenstreif röthlichgelb, Kopfseiten bräunlichschwarz; die gelbe Kehle und die schwarze Zeichnung an der Oberbrust fehlen. Die Größe kommt der des Maskenammers gleich. Radde beobachtete diesen Ammer auch im Burejagebirge in Ostsibirien nistend und auf dem Durchzuge, während man ihn bis dahin nur in Japan und im Amurlande gefunden hatte. Dybowski und Godlewski erlegten ein Männchen im südlichen Ussurilande. Der erstere Reisende sagt, daß er in Japan um seines Gesangs willen im Käfige gehalten werde, und so dürfen wir wol erwarten, daß er demnächst auch bei uns im Handel erscheine. Da die ganze Lebensweise, Brut u. s. w., soweit eben bis jetzt bekannt, der aller übrigen Ammern gleicht, so wird er als Singvogel wol keinen besondern Werth erlangen, als Schmuckvogel dagegen willkommen sein. Zierammer (Br.) L'Ortolan élégant; Elegant Bunting.

Der Ammer mit gelbem Augenbrauenstreif [Emberiza chrysophrys, *Pll.*]. Am Oberkopf bis zum Nacken schwarz, mit weißem Streif über die Kopfmitte, Augenbrauenstreif bis zum Hinterkopf gelb, Zügel und Wange schwarz; ganze Oberseite schwärzlichbraun, jede Feder heller rothbraun gesäumt; Schwingen bräunlichschwarz, ebenfalls rothbraun außengesäumt, Schwanzfedern schwarzbraun, die äußersten am Ende weiß; ganze Unterseite graulichweiß, an Brust und Seiten braun schaftstreifig; Schnabel dunkelgrau, Unterschnabel heller röthlichgrau; Auge braun; Füße röthlichbraun. Das Weibchen ist an Oberkopf und Wangen bräunlichrostroth, mit gelbem Zügelstreif; ganze Oberseite fahlbräunlich, Wangen und Kehle weißlich; sparsam dunkel schaftstreifig; Oberbrust fahl bräunlichroth, breit dunkel schaftstreifig; übrige Unterseite düstergrauweiß. Sperlingsgröße. Man hat ihn in Mittel=, Süd= und Ostsibirien und Nordchina gefunden und nach Gloger's Angabe ist er auch im südwestlichen Frankreich vorgekommen. Für die Liebhaberei hat er insofern Interesse, als bereits seit dem Jahre 1873 im zoologischen Garten von London zwei Köpfe sich befinden und also weitere Einführung sich wol erwarten läßt. Goldbrauenammer (Br.). [Ammer mit gelben Augenbrauen, Buff.] L'Ortolan à sourcils jaunes; Yellow-browed Bunting. — Stewart's Ammer [Emberiza Stewarti, *Blth.*] vom Himalaya. Oberkopf graulichweiß, breiter Augenbrauenstreif bis zum Nacken, Ohrgegend und Kehle schwarz, Wangen weiß; Rücken, Schultern, Bürzel und Oberschwanzdecken tief röthlich= kastanienbraun; Schwingen braun, schmal fahl gerandet, Flügeldecken dunkelbraun, heller gerandet; Schwanzfedern schwärzlichbraun, theils weiß gespitzt, theils gesäumt; unterhalb gelblich= weiß, über die Brust ein lebhaft kastanienbraunrothes Band; Schnabel und Füße bräunlich= fleischfarben; Auge braun. Das Weibchen ist oberhalb blaß olivengrünlichbraun, jede Feder mit dunkelbraunem Schaftstreif; unterhalb heller fahlbraun, dunkler gestreift. Die Größe stimmt mit der des europäischen Gartenammers überein. Dr. Stoliczka fand ihn im Winter an verschiedenen Orten im Himalaya und in Thibet. Irgend etwas näheres über den Vogel ist nicht angegeben. Grey-capped Bunting (*Gld.*). Emberiza caniceps, *Gld.*

### Der Fichtenammer [Emberiza pityornis].

Wir gelangen jetzt zu einem Vogel, welcher ebenso um seiner Lebensweise willen, wie auch als Stubenvogel unsere Aufmerksamkeit in Anspruch nehmen darf. Er ist am Oberkopf weiß; Stirn, Hinterkopf und Kopfseiten schwärzlichgrau; Zügel-, Augenbrauen- und Schläfenstreif rostroth, ebenso die Halsseiten und Kehle, an der Oberkehle aber ein weißlicher, schwärzlich eingefaßter Fleck; Wangenfleck weiß, schmal schwärzlichgrau umrandet; ganze Oberseite röthlichbraun, dunkel schaftfleckig, namentlich an Mantel und Rücken; Schwingen, Flügeldecken und Schwanzfedern schwarzbraun, die ersteren und letzteren fein hell und die oberen Flügeldecken breit rostroth außengesäumt; Bürzel und obere Schwanzdecken rostfarben, ungefleckt; an der Oberbrust eine weiße, halbmondförmige Zeichnung; Hals und Brustseiten, nebst einem Bande über die Oberbrust rothbraun, schwach weißlich gefleckt; ganze übrige Unterseite reinweiß; Schnabel dunkelbraun, Unterschnabel heller; Auge braun; Füße bräunlichgelb. Das Weibchen ist am Kopf einfarbig schwärzlichgrau ohne die weiße Zeichnung, ebenso sind Zügel-, Augenbrauen- und Seitenstreifen düsterer, auch der Wangenfleck ist grauweiß, die Kehle weiß, seitlich rostbraun gefleckt und die Zeichnung an der Brust matter, mehr verloschen; Kopf- und Halsseiten weißlich; die ganze Oberseite ist fahl bräunlichrostroth, dunkel schaftfleckig; Bürzel und obere Schwanzdecken einfarbig röthlichzimmtbraun; auch die ganze Unterseite ist nicht rein-, sondern düsterweiß. Die Größe ist der des Goldammers gleich. Seine Heimat erstreckt sich vom Norden Asiens und Europas aus über ein noch nicht bestimmtes Gebiet und sein Freileben ist ziemlich eingehend erkundet. Bereits Buffon erwähnt ihn, jedoch nur mit der kurzen Bemerkung, daß er sich in den Tannenwäldern Sibiriens aufhalte, dort zu anfang des Frühlings ankomme und wie ein Rohrammer pfeife. Nach Dybowski's Mittheilungen ist er in Ostsibirien auf dem Frühjahrsdurchzuge sehr häufig und kommt als der erste Ammer dort an; im Jahre 1868 wurde er bereits am 3. April gesehen. „Er zeigt sich gesellig an waldigen Bergabhängen oder auf beackerten Feldern nahrungsuchend, niemals aber in den Steppen. In der Lebensweise hat er die größte Aehnlichkeit mit dem Goldammer, doch zieht er zum Winter hin gänzlich ab. Das Nest steht am Rande eines Waldes oder Gebüsches, immer an einem offnen Orte, auf der Erde in einer kleinen Vertiefung, unter einem Strauche, Baumstamm, am Boden liegenden Aste oder auch unter einem Rindenstück. Es ist von außen aus groben, trockenen Kräutern geschichtet und innen mit feinen zarten Gräsern und Roßharen glatt ausgelegt. Gegen Ende des Monats Mai werden 4 bis 6 Eier gelegt, welche mit denen des Goldammers die größte Aehnlichkeit haben, doch gewöhnlich mehr bunt sind. Während das Weibchen allein brütet, sitzt das Männchen in der Nähe auf einem dürren Ast und singt ähnlich, nur etwas rauher, als der erwähnte Verwandte. Wenn man dem Nest naht, so fliegt das Weibchen erst dicht unter den Füßen auf und stellt sich nach der Gewohnheit dieser Vögel krank und flügellahm, um den Feind von den Jungen fortzulocken. Sobald diese das Nest verlassen haben, werden sie nur vom Männchen gefüttert. Das Weibchen beginnt zum zweitenmale zu nisten und brütet in der Mitte d. M. Juni wiederum. Die Herbstdurchzüge dauern hier beinahe bis zu Ende Septembers; einzelne Köpfe sah man sogar noch am 18. Oktober. In dieser Zeit hatten sie sich in kleinen Scharen beisammen und suchen ihre Nahrung besonders auf den abgeernteten Hafer= und Buchweizenfeldern." Auch in Daurien fanden der Genannte und Parrey ihn sehr häufig und nistend. Dr. Severzow traf ihn in Turkestan im Gebirge nistend und zwar in der vierten Höhenzone. Nach der Richtung des Durchzugs sei zu vermuthen, daß die Vögel hierher nicht aus Sibirien, sondern aus einer noch nicht festgestellten Gegend kommen. Es ist übrigens noch nicht bekannt, welchen Weg sie und die verwandten Ammern, die im Norden Rußlands, bzl. in Sibirien über Sommer weilen und nisten, auf dem Zuge nehmen und wo sie überhaupt zur Winterruhe sich hinwenden. Homeyer weist darauf hin, daß derartige Verhältnisse bei vielen im Nordosten wohnenden Vögeln nicht aufgeklärt seien und daß sichere Nachrichten darüber sehr erwünscht sein würden. Radde fand den Fichtenammer bereits gegen Ende d. M. März und sagt, daß er in fast ganz Sibirien und dem Amurlande gemein sei. Auffallend spät erscheint er dagegen nach Middendorf auf dem Stanowoy=Gebirge, wo er nicht vor dem 23. Mai eintrifft. Schrenck sah ihn im Frühjahr 1855 vom 11. bis 23. April im Amurlande. Nach Angaben von Gloger und Fritsch ist er sodann in Böhmen beobachtet und nach letzterm ebenso in Ungarn und Oberösterreich. Dr. v. Müller verzeichnet ihn unter den Vögeln, welche er in Südfrankreich gesehen und zwar zeige er sich von Zeit zu Zeit in der Provence im Herbst und stets im Jugendkleide, wie denn überhaupt eine beträchtliche Anzahl von Vögeln des hohen Nordostens nach den Ländern am Mittelmeerbecken zur Ueberwinterung gehen. Auch in Italien und zwar bei Cascine in der Nähe von Pisa und in der Sumpfgegend von Grosseto in Toskana beobachtete ihn Schalow, und im Museum von Genua befinden sich Exemplare von mehreren Arten asiatischer Ammer, welche in der dortigen Gegend erlegt worden.

Ueberaus interessant ist die Schilderung des Gefangenlebens, welche Viktor Ritter v. Tschusi gibt. Er hatte i. J. 1866 ein Männchen auf dem Wiener Vogelmarkt, wo es als Rohrammer ausgeboten wurde, gekauft. Dasselbe war einige Tage vorher in der Nähe von Wien gefangen. "Als ich den Vogel in einen geräumigen Käfig setzte, war er sehr scheu und flog fortwährend gegen die Drähte, sodaß ich ihn, um Verletzungen vorzubeugen, verdecken mußte. Im beginnenden Frühling mäßigte sich sein ungestümes Wesen und zuletzt wurde er recht zahm. Im Sommer hielt ich ihn mit anderen Körner= und Insektenfressern in einem geräumigen Gesellschaftsbauer, wo er als ein ruhiger, wenig lebhafter und verträglicher Vogel lebt. Der Lockruf, den man häufig auch während des Singens hört, gleicht vollständig dem des Goldammers; da ich im Winter des genannten Jahres beide Arten im Käfige in meinem Zimmer hatte, so konnte ich mich täglich davon überzeugen. Nicht selten geschah es, daß vorbeiziehende Gold=

ammern durch seinen Ruf herbeigelockt, im Garten einfielen. · Der Gesang hat beinahe nichts ammerartiges; er erinnert vielmehr lebhaft an den des Stiglitz und des Rothkehlchens, namentlich an die feinen langgezogenen schwermüthigen Töne des letztern, welche von ihm jedoch niemals so laut vorgetragen werden, wie dies bei guten Sängern jener Art der Fall ist, sondern eher denen eines jungen sich übenden Rothkehlchens gleichen. Es ist mir daher unbegreiflich, wie Radde, der diesen Ammer doch häufig zu beobachten Gelegenheit hatte, von ihm sagen kann: ‚der angenehme Gesang erinnert wol einigermaßen an den des Edelfink, nur verräth sich auch in ihm der bekannte Ammer-Rhythmus'. — Im Mai, Juni und in der ersten Hälfte des Juli sang er fleißig sein einfaches Liedchen. Der vollständige Federwechsel begann im August; Mitte Septembers hatte er bereits das vollkommene Winterkleid angelegt. Ich glaube, es dürfte nicht überflüssig sein, zu bemerken, daß das Sommerkleid, da es unter dem Winterkleide verborgen ist, durch Abnutzung der anders gefärbten Ränder entsteht.

„Inbetreff des Vorkommens dieses Vogels in Niederösterreich konnte ich nur wenige Angaben auffinden. Temminck bemerkt, daß er i. J. 1824 bei Wien erlegt sei. Graf Gourcy-Droitaumont, der sorgsame Beobachter der Vogelwelt, führt in Oken's „Isis", Jahrgang 1848, zwei Fälle an: ‚das erste Männchen, welches ich beobachtete, war jung und befand sich mit vielen Vögeln von allerlei Arten in einem geräumigen großen Gitter, wo es recht vergnügt zu sein schien. Das andre aber war ein alter, ganz ausgefärbter Vogel, der sehr schön aussah. Auch dieser wurde anfangs in einem großen Vogelhause mit Kanarienvögeln zusammengehalten und zeigte sich sehr verträglich und ebenso munter, als ich ihn späterhin in demselben Käfige allein fand. Diesmal fiel mir seine geringe Wildheit auf, die es mir möglich machte, ihn recht genau anzusehen und mich an seiner schönen Kopfzeichnung zu erfreuen. Er wurde mit Hirse, Hanf u. drgl. ernährt und befand sich dabei recht wohl. Im April sang er fein, leise und noch nicht ganz verständlich und lockte äußerst selten. Doch versicherte sein Besitzer, der Lockton scheine mehr ammerartig zu klingen, als der Gesang, in welchem, wenigstens so lange er leise sang, nichts einem Ammerliede ähnliches zu finden sei. Der Vogel war zu Ende Februars bei Wien gefangen.' Ich bin fest davon überzeugt, daß diese Ammerart zuweilen bei uns gefangen wird, sie fällt dann aber meistens Unkundigen in die Hände, die sie ihres unansehnlichen Winterkleides wegen übersehen oder mit dem Rohrammer verwechseln, dem sie in demselben nicht unähnlich ist, wie dies ja auch mit dem meinigen geschehen war." Irgendwelche anderweitigen Angaben über das Gefangenleben oder auch nur über die Einführung kann ich nirgends finden und ich glaube daher, daß dieser Ammer bis jetzt außerdem noch nicht lebend in den Handel gelangt ist. Sollte ein Liebhaber für ihn sich besonders interessiren, vielleicht eine Sammlung aller

Ammer anlegen wollen, so dürfte es gerathen sein, einem Wiener Händler, also Herrn Karl Gudera, Fräulein Lübke, vielleicht auch Herrn Karl Baudisch in Triest, Herrn F. Zivsa in Troppau oder Herrn Gleitzmann in Moskau, Auftrag zu geben. Alle diese Adressen füge ich für den etwaigen Bezug sibirischer, norb= und südrussischer Vögel u. a. beiläufig hier an. Ein Preis ist natürlich nicht anzugeben.

Der Fichtenammer hat keine weiteren Namen. [Ammer Pityornis, Buff.].

Nomenclatur: Emberiza pityornis*), Pll., Gml., Gld., Gr., Bp., Cb., Tschs.; E. leucocéphala, S. G. Gml.; Fringilla dalmatica, Gml., Lth.; Emberiza Bonapartei, Brthlm.; E. albida, Blth. [Passer sclavonicus, Brss.; Emberiza esclavonica, Dgl.].

Wissenschaftliche Beschreibung s. S. 584. — Winterkleid: Kopfplatte und Nacken graubraun; Wangen schmutzigweiß; Kehle, Halsseiten und Streif durchs Auge rost= braun, weiß gerändert; weißer Halsring mit schwärzlichen Spitzen; Rücken graubraun, schwarz= braun längsgefleckt; große Schwingen schwärzlich, kleine Schwingen schwarzbraun, breit roth= braun gerandet, über jeden Flügel zwei weiße Binden; Schwanzfedern schwarzbraun, schwach hell gesäumt, die beiden äußersten mit reinweißem Keilfleck; Bürzel rostroth, jede Feder weiß gesäumt; Oberbrust und Seiten hellrostroth, jede Feder mit breitem hellern Saum; der übrige Unterkörper weiß; Schnabel hornbraun, Unterschnabel düstergelb; Füße hellgelblichbraun (Tschusi).

Emberiza pityornis: pileo albo; fronte, occipite capitisque lateribus nigricante cinereis; loris, superciliis, stria temporali, colli lateribus gulaque ferrugineo-rufis, hac superiore maculam albidam, subnigro-circumscriptam ostendente; macula genarum anguste nigricante cinereo-cincta; notaeo toto badio, eoque prae- sertim verum interscapilio dorsoque obscure vittatis; tectricibus al., remigibus rectricibusque nigro-fuscis, hoc utroque subtiliter dilute, et tectricibus minoribus late exterius ferrugineo-limbatis; uropygio et supracaudalibus ferrugineis, im- maculatis; pictura gutturis semilunari alba; collo pectorisque lateribus fasciaque gutturis rufis, albido-submaculatis; subtus omnino albissima; rostro fusco, man- dibula pallidiore; iride fusca; pedibus fulvis. — ♀ capite nigricante cinereo, picturae albae vacuo; loris, stria superciliari et temporali luridioribus; macula genarum incana; lateribus gulae albae badio-maculatis; pectoris notis elutioribus; lateribus capitis colli- que albidis; notaeo toto livide badio, obscure vittato; uropygio et supracaudalibus unicoloribus rubente cinnamomeis; subtus sordide alba. — Vest. hiem. pileo cervice- que fumidis; genis luride albis; gula, colli lateribus striaque trans oculum ferrugineo- fuscis, albo-marginatis; torque albo, subnigro-limitato; dorso fumido, nigro-fusco-vittato; remigibus primoribus nigricantibus, secundariis nigro-fuscis, dilute sublimbatis, ambabus extimis maculam cuneiformem albam offerentibus; pluma uropygii ferrugineo-rufi qua- que albo-limbata; plumis et gutturis et pleurarum ruforum late dilutius marginatis; subtus alba; rostro fuscato-corneo, mandibula gilva; pedibus ochraceis.

Länge 18 cm.; Flügel 9,6 cm. (Flügelbreite 18 cm.); Schwanz 8,3 cm.

Der röthliche Ammer [Emberiza rútila, Pll.] ist oberhalb lebhaft zimmtröthlichbraun; Kopf heller, schwachgelblich; Schwingen und Schwanzfedern olivengrünlich außengesäumt; ganze Unterseite schwefelgelb; Körperseiten ins Grünlichgraue übergehend, matt dunkelschaftstreifig; untere Flügelseite gelblichweiß; Schnabel und Füße röthlichbraun; Auge braun. Das Weibchen

*) Pityornus statt Pityornis kann ursprünglich nur auf einem Druckfehler beruhen, der sich dann fortgeschleppt hat; ὄρνος ist garkein griechisches Wort; Ornus lateinisch = Esche (Fráxinus ornus, L.) paßt am wenigsten; wäre vox hybrida und widersinnig.

Dr. L.

ift oberhalb fahlbraun, dunkelbraun schaftstreifig, am Bürzel einfarbig röthlichdunkelbraun; Bartstreif braun; Wangen und Kehle fahl röthlich; Oberbrust mattrostroth, dunkelschaftstreifig, ganze Unterseite weißlichgelb. Sperlingsgröße. Die Heimat stimmt mit der des vorigen überein und ebenso dürfte er in der Lebensweise, Brutentwicklung u. s. w. nicht abweichen. Nach Pallas u. A. gehört er zu den selteneren sibirischen Ammern. In Ostsibirien fand ihn Dr. Dybowski jedoch ziemlich häufig, auch nistend; ebenso in Daurien im Vorbeizuge. Für uns gewährt er dadurch ein besondres Interesse, daß ein Exemplar im Jahre 1873 in den zoologischen Garten von London gelangte. Röthelammer (Br.). Red-backed Bunting. — Der Bauernammer [Emberiza rústica, Pll.] gehört wiederum zu den nordischen Ammern, welche auf ihren Wanderungen gelegentlich auch bis nach dem westlichen und südlichen Europa gelangen. Er ist an Oberkopf und Kopfseiten schwarz mit breiter weißer Binde längs des Scheitels; oberhalb rothbraun, Mantel und Schultern breit schwarz schaftfleckig, Schwingen dunkelbraun, fahl außengesäumt und zwei weiße Querbinden über den Flügel; Schwanzfedern schwarz mit weißem Fleck; Kehle weiß, Oberbrust und Seiten rothbraun; unterhalb nebst der untern Flügelseite reinweiß, Schnabel bräunlichroth mit schwärzlicher First; Auge braun; Füße gelbgrau. Das Weibchen ist am Oberkopf dunkelgrau; Scheitel- und Augenbrauenstreif hellgrau; Schläfenstreif röthlichgelb; Bartstreif schwärzlich; Kehle und Oberbrust fahl röthlichweiß, letztere fahlgelb schaftstreifig, Brust braunroth gefleckt; Seiten rothbraun längsgefleckt. Größe nahezu mit der des Goldammers übereinstimmend. Die Heimat erstreckt sich über Nordasien und Nordeuropa und die bei den vorhergegangenen nordischen Ammern erwähnten Reisenden und Naturforscher berichten, daß sie auch ihn im Bereiche ihrer Reisen gefunden haben. Nach Blasius hält er sich im Nordwesten Rußlands zahlreich in Wäldern an freien Stellen und an Waldrändern auf. Die Brut gleicht nach seinen und Radde's Angaben der des Rohrammers. Letzterer fand das Nest in den Weidengebüschen der Flußufer oder in sumpfigen Wäldern und sagt, daß er im südöstlichen Sibirien unter allen Ammern zuerst, bereits zu Ende des März ankomme, dort aber nicht niste. In Ostsibirien erscheint er nach Dybowski ganz regelmäßig Mitte Aprils, bleibt bis zur ersten Hälfte des Mai, kommi wieder im September und verschwindet im letzten Drittel des Oktober. Ebenso ist er in Daurien häufig im Vorbeizuge, nach Middendorf östlich vom Baikalsee. Mewes fand ihn an der Onegabucht, v. Nordmann auf einer Fußreise nach dem weißen Meere, v. Kittlitz u. A. in Kamtschatka und Schrader in Lappland. Ferner ist er in Schweden nicht selten, nach Swinhoë in Nordchina, wo er nach Angabe des Kapitän Przewalski überwintert. Gätke zählt ihn unter den Gästen Helgolands mit; nach Paeßler wurde ein Exemplar im Altenburgischen erlegt und im Berliner Museum steht ein solches aus dem Voigtlande. Dr. v. Müller sagt, daß er in der französischen Provence fast regelmäßig in jedem Jahre zu Ende Oktobers noch im Jugendkleide sich zeige und im übrigen sich gut in der Gefangenschaft halte. Auch unter den in Italien beobachteten Vögeln wird er mitgezählt. In der ganzen Lebensweise soll er dem Rohrammer, nach anderen Forschern auch dem Zipammer gleichen; Pallas sagt, daß sein Gesang zwischen in der Mitte stehe. Im Jahre 1870 brachte der Händler Stader aus Moskau nebst Lasurmeisen u. a. auch einen sibirischen Bauernammer mit. Derselbe ist jedoch bald gestorben. Waldammer (Br.). Emberiza rustica, Pll.; E. borealis, Zttrstd.; E. lesbia, Gml. — Der Zwergammer [Emberiza pusilla], wie der Name sagt, wol der kleinste von allen, fast noch geringer als der Feldsperling. Am Oberkopf und Kopfseiten bräunlichroth, über den Kopf vom Nasenloch bis zum Nacken je ein schwarzer Streif, Zügelstreif rothbraun, am Hinterkopf ein schwarzer Fleck; ganze Oberseite braun, an Mantel und Oberrücken jede Feder breit schwarzbraun schaftfleckig; Schwingen und Schwanzfedern dunkelbraun, fahlbraun außengesäumt, über den Flügel eine fahlröthliche Querbinde; Unterseite weißlich, an Hals und Brust schwarz schaftstreifig; Schnabel, Auge und Füße braun; letztere heller. Das Weibchen ist matter gefärbt, mit einem fahlen Streif über die Kopfmitte, je einem braunen an jeder Kopfseite; Zügel und Augenbrauenstreif matt rostroth; Wangen bräunlichroth; die Heimat ist Asien und das östliche Europa. Nordmann fand ihn häufig an der Dwina und auch Liljeborg im nördlichen Rußland. Nach Middendorf kommt er nur wenig im Amurlande vor. Schrenck entdeckte ein Nest dort in einer Lichtung des Nadelwaldes zwischen dem See von Kidsi und der Meeresküste und zwar auf der Erde zwischen Mortümpeln, kunstlos aus Grashalmen mit Lärchen- und Tannennadeln gebaut. Es enthielt am 17. Juni, zu welcher Zeit freilich noch Ueberreste von Schnee lagen, fünf unbebrütete Eier. An der Onegabucht fand ihn W. Mewes mit Verwandten zusammen. In Ostsibirien ist er nach Dybowski ziemlich häufig, erscheint zu Anfang d. M. Mai, hält sich über Sommer auf ziemlich bedeutenden Bergeshöhen, geht zu Anfang Septembers in die Thäler hinab, bleibt dort bis Ende d. M., einzeln sogar bis zum 23. Oktober, und wandert dann bis nach dem Himalaya. Bei Darasun in Daurien ist er nach dem Genannten und Parrex häufig im Vorbeizuge. Dr. Krüper sagt, daß Herr v. Gonzenbach ein Exemplar aus Smyrna erhalten und daß ein andres bei Beyrut von einem Vogelsteller gefangen sei. In Nordchina lebt er nach Swinhoë und zieht im Winter südwärts. Gätke und Blasius zählen ihn unter den Wandergästen Helgolands mit. Ebenso erscheint er nach Dr. v. Müller in der Umgegend von Marseille und wird in jedem Jahre weit regelmäßiger gefangen, als die übrigen seltenen Ammern, und schließlich gehört er auch zu den in Italien beobachteten Vögeln. Ueber das Freileben ist nur bekannt, daß die Brut und alles übrige denen der Verwandten gleichen. [Kleiner Ammer, Buff.], Emberiza pusilla, *Pll.*; E. sordida et oinops et Ocyris oinopus, *Hdgs.* — **Der terchengraue Ammer** [Emberiza impetuani, *Smth.*], bisher nur aus Angola bekannt und von Hartlaub nach einem Exemplare der Pariser Sammlung beschrieben, ist oberhalb isabellfarben, braunstreifig, ein Streifen oberhalb des Auges und ein solcher durch dasselbe fahl, unterhalb heller, röthlichgrau und ungefleckt; Bauch und Hinterleib weißlich. Fringillaria anthoides, *Swns.* — **Tristram's Ammer** [Emberiza Tristrami, *Swnh.*], von Dybowski und Godlewski im Amurlande und vom Missionär David in China gefunden, bedarf ebenfalls nur der Erwähnung. Emberiza quinquelineata, *Dvd.* — **Der veränderliche Ammer** [Emberiza variabilis, *Tmm.*] aus Japan; dunkelgrau, an Mantel und Schultern breit schwarz schaftstreifig; Schwingen schwarzbraun, fahl außengesäumt; Schwanzfedern bräunlichgrau; unterhalb heller; Schnabel rothbraun; Auge braun; Füße röthlichbraun. Das Weibchen hat einen röthlichgelbbraunen Augenbrauenstreif, einen rothbraunen Wangenstreif, darunter einen röthlichweißen und dann einen dunkelbraunen Bartstreif; ganze Oberseite rothbraun; Kehle düsterweiß; Unterseite fahl bräunlichgelb, matt dunkel schaftfleckig. Näheres ist nicht bekannt. Wechselammer (!Br.).

**Der rostbärtige Ammer** [Emberiza caesia] ist, obgleich dem Gartenammer überaus ähnlich, doch wol von ihm sicher verschieden. Dr. Krüper, der ihn in Kleinasien beobachtete, sagt: „Er ist lange Zeit hindurch von Stubenornithologen als eine unbegründete Art angesehen worden, da man meinte, daß er nur ein durch klimatischen Einfluß etwas veränderter Ortolan sei. Wer sich von dieser Ungereimtheit überzeugen will, mag sich von Mitte März bis Mitte April nach Smyrna begeben und täglich im Freien umherjagen." Leider gibt er aber nicht an, in welchen Kennzeichen die Unterscheidungsmerkmale bestehen. Brehm sagt, daß die „allgemeine Färbung wie beim Gartenammer, die Kopfquerbinden aber deutlicher grau" seien. Meines wissens hat jedoch der Ortolan keine Kopfquerbinde und Naumann, nach dessen Beschreibung der Genannte die seinige aufgestellt haben will, sagt davon ebenfalls nichts; im übrigen ist die Kehle anstatt gelb, blaß rostroth und die Unterseite dunkler zimmtbraun; der Schnabel ist mehr und lebhafter roth. Nähere Merkzeichen dürften bis jetzt wol nicht festgestellt sein. Heuglin, der ihn ebenfalls als selbständige Art betrachtet, beobachtete ihn in kleinen Flügen in Unterägypten im März und zu Anfang des April. „Die Vögel halten sich dann meistens am Rande der Wüste und des Kulturlandes auf, namentlich auf Dünen, kahlen Schutthügeln, Tennen und im Rohrdickicht, zuweilen mit dem Rohrammer zusammen. Vom Anfang des Monats September an begegnet man ihm längs des Nil, in Arabien und Abessinien, ebenfalls meistens gesellig; nach v. d. Mühle ist er die häufigste Ammerart in Griechenland, wo er im April ankommt und nebst Steinschmätzern, Blaudrosseln [und Käuzen] die unwirtlichen felsigen Hügel bewohnt; sein Gesang sei viel zarter und weniger flötend als der des Verwandten.

Das Nest fand ich einzeln im Nildelta und in Kairo um Olivengärten." Krüper fährt in seinen Angaben wie folgt fort: „Der Hauptzug dieser Ammern kommt am 24. und 25. März an und fällt nur an steinigen Anhöhen ein. Merkwürdig ist es, daß man in den Scharen so sehr viele Männchen und nur wenige Weibchen bemerkt. Im April vertheilen sich die Pärchen zum Nestbau. Sie sind nicht besonders scheu und können daher leicht erlegt werden. Auf einem größern Steine sitzend, läßt das Männchen sein kurzes Lied in verschiedenen Tonarten erklingen. Das Nest steht immer auf dem Boden, gewöhnlich hinter einem größern Steine oder auch unter niedrigen stacheligen Pflanzen verborgen; es enthält ein Gelege von 5 bis 6 Eiern, welche denen des Gartenammers ähnlich, doch sicher zu unterscheiden sind. Wahrscheinlich brütet er in Kleinasien und Griechenland zweimal im Jahre." Auch auf Naxos nistet er nach Mittheilung desselben Forschers an öden Stellen der Berge. In der Krimm hat ihn v. Nordmann gefunden und unter den Wanderern, welche auf Helgoland einkehren, wird er von Blasius ebenfalls mitgezählt; nach Dr. v. Müller kommt er schließlich auch in der Provence vor. Rostammer (Br.); blaugrauköpfiger Ammer (Krüper). Emberiza caesia, *Crtschm.*; E. rufibarba, *Hmpr.* et *Ehrnbg.*; E. hortulana, var., *Bls.*; E. rufigularis, *Br.*

**Der gelbkehlige Ammer** [Emberiza cinérea], welcher sowol in Asien als auch in Afrika heimisch ist, gehört zu den selbst in den Museen noch seltenen Vögeln. Er ist am Scheitel einfarbig gelbgrün, am übrigen Kopf mehr graugelb, sein dunkel schaftstreifig, Kopfseiten und Kehle hellgelb; Oberseite über den Rücken lichtgrau, braun schaftstreifig, Flügel braun mit zwei weißen Querbinden; Schwingen schwarzbraun, schmal fahlweiß gekantet, die hinteren breit fahlweiß gesäumt; Schwanzfedern dunkelbraun, die beiden äußersten mit weißem Keilfleck auf der Endhälfte; Bürzel grau; ganze Unterseite weißgrau, Brust- und Bauchmitte mehr weißlich. Im Herbst ist das Gefieder gelb überflogen, besonders stark auf der Unterseite. Das Weibchen ist am Kopf grünlich überflogen, Scheitel braun schaftstreifig; Kehle gelb; Unterseite weißgrau. Im Herbst ist das Gefieder grüngelb überflogen, besonders stark an der Unterseite. (Nach Professor Blasius). Größe des Gersten- oder Grauammers. In Afrika fand Heuglin nur ein einziges Exemplar. Auch G. E. Shelley hat diese Art auf seiner Reise in Unteregypten nur einmal gelegentlich angetroffen. „Am 7. April", erzählt Dr. Krüper in seinen Beiträgen zur Ornithologie Kleinasiens, „kletterte ich bei Burnova einen Berg hinauf, von dessen Höhe her die Töne dieser seltenen Ammerart erschallten. Dieselbe wurde zuerst von Strickland bei Smyrna aufgefunden und mit dem nur halbpassenden (oben angeführten) lateinischen Namen belegt. Späterhin schoß ich ein schönes Männchen und dann bald noch mehrere. Wie bei allen Ammern, kommen auch von diesen die Männchen zuerst, etwa zehn Tage vor den Weibchen an, und zwar die ersteren in überwiegender Anzahl. Beim alten Männchen erstreckt sich die gelbe Färbung von der Kehle über den ganzen Bauch." Das Nest hat der Reisende nicht gefunden, doch meint er, daß die Fortpflanzung und die Lebensweise mit der des rostbärtigen Ammers übereinstimmen. Sein Lockton ist ein kurzes tüp und der Gesang besteht in den Strofen dir dir dir bibi bi, welche verschieden modulirt werden. Es unterliegt wol keinem Zweifel, daß er auch in Europa vorkommt; er soll in den letzten Jahren in Rußland gefunden sein, und es wäre nicht undenkbar, daß er auch in Griechenland alljährlich sich einfindet. Zedernammer (Br.). Emberiza cinerea, *Strckl.*; E. cinerácea, *Br.* — **Der Gimpelammer** [Emberiza pyrrhuloides] aus Nordafrika und dem südlichen Osteuropa ist dem Rohrammer überaus ähnlich und soll eigentlich nur durch einen auffallend starken, aufgetriebnen und gekrümmten Schnabel verschieden sein, weshalb er auch von manchen Vogelkundigen nur als klimatische Abart angesehen wird. Dr. Eversmann fand ihn am Ausfluß des Ural und der Wolga, an den mit Rohr bewachsenen Ufern des kaspischen Meeres, am Aralsee und am Sir Darja; Blasius zählt ihn unter den auf Helgoland vorkommenden Vögeln mit. Päßler fand ein Nest in Anhalt; doch weiß er nicht sicher anzugeben, ob es wirklich diese Art gewesen. In der Provence hat ihn v. Müller gesehen und ebenso soll im Museum zu Pisa ein in der Umgebung der Stadt erlegtes Exemplar vorhanden sein. Das Freileben dürfte, wie alles übrige, mit dem des

Rohrammers übereinſtimmen. Gimpelammer (Br.); Sumpfrohrammer (Bäßler). Emberiza
pyrrhuloides, *Pll.*; E. palustris, *Sv.* [nec *Tmm.*]. E. caspia, *Ménétr.* — Außerdem werden
noch einige andere Rohrammern aufgeſtellt, ein Sumpfammer [Emberiza palustris, *Tmm.*;
nec *Sv.*] und ein graubürzeliger Ammer [E. intermedia, *Mchhlls.*], von denen es jedoch
keineswegs feſtſteht, ob ſie als ſelbſtändige Arten gelten dürfen. — Pallas' Ammer [Emberiza
Pallasi], wiederum dem Rohrammer überaus ähnlich und nach Cabanis nur durch den Mangel
aller rothbraunen Färbung, ſowol an den kleineren Flügeldecken, als auch an den Rändern der
Schwingen und den Federn des Rückens verſchieden; der weiße Spitzenfleck an der zweiten
Schwanzfeder erſcheint nicht keilförmig, ſondern kürzer und gerundeter. Taczanowski hält die
Artbeſtändigkeit dieſes Ammers entſchieden aufrecht und berichtigt die obwaltenden Irrthümer
inbetreff einer beträchtlichen Anzahl von Synonymen. Ueber die Lebensweiſe und Brut iſt
nichts näheres bekannt, doch wird alles ſicherlich denen des europäiſchen Verwandten gleichen.
Swinhoë fand ihn in China in Amoy am Yangtzefluß. Emberiza schoeniclus, var. β.,
*Pll.*; Cýnchramus Pallasi, *Cb.*; Emberiza schoeniclus, var. minor, *Mddndrf.*, *Schrnck.*;
E. polaris, *Mddndrf.*; E. Alleoni, *Vn.* — Der Sperlingsammer [Emberiza passerina,
*Gml.*] iſt als ſelbſtändige Art noch nicht entſchieden feſtgeſtellt und könnte ebenſowol eine ſolche
als auch nur eine klimatiſche Abänderung des Rohrammers ſein. Aus den Mittheilungen von
Middendorf, Taczanowski u. A. ergibt es ſich mit Sicherheit nicht. (Er ſoll mehr braun-
röthlichfahl ſein; Ohrfleck roſtroth; Bürzel und Oberſchwanzdecken fahlweißlich, braun ſchaftfleckig.
— Hutton's Ammer [Emberiza Huttoni, *Blth.*] aus Indien und Perſien, dem europäiſchen
Gartenammer überaus ähnlich und nur in einzelnen Zeichnungen verſchieden, braucht blos erwähnt zu werden. (Emberiza Buchanani, *Blth.*; E. Cerruti, *De Flpp.*). — Es dürfte wol
kaum mit Sicherheit zu entſcheiden ſein, ob dieſer, ſowie die nächſtfolgenden, nicht blos als
klimatiſche Verſchiedenheiten der europäiſchen Ammern, oder ob ſie wirklich als feſtſtehende Arten
anzuſehen ſind; ſo namentlich ein perſiſcher Ammer [Emberiza shah, *Bp.*], welchen Gray
mit dem in der Synonymik des vorigen erwähnten De Filippi'ſchen Vogel als eine Art
zuſammenwirft und der als ſelbſtändige Art alſo Schahammer heißen müßte; ferner gehören
hierher: Strachey's Ammer [Emberiza Stracheyi, *Mer.*], welcher dem Zipammer bis auf
geringe Unterſcheidungsmerkmale ähnlich und in Indien heimiſch ſein ſoll; der braunkäppige
Ammer [Emberiza castaniceps, *Gld.*] aus China und ebenfalls dem Zipammer überaus
naheſtehend, ebenſo wie auch Giglioli's Ammer [Emberiza Gigliolii, *Swnh.*] und der
braunohrige Ammer [Emberiza cioides, *Brndt.*, nec *Tmm.* et *Schlg.*], beide aus Oſtſibirien; der ſchwarzohrige Ammer [Emberiza ciopsis, *Bp.*] aus Japan, welcher ſich von
dem vorigen im weſentlichen nur durch ſchwarze Ohrenflecke unterſcheiden ſoll, während jener
braunrothe habe. (Emberiza cioides, *Tmm.* et *Schlg.*, nec *Brndt.*). — Der Ammer vom
Libanon [Emberiza meridionalis, *Cb.*], wiederum dem Zipammer ſehr ähnlich und nach
Cabanis nur durch dunklere Zeichnung des Kopfes, breitere und kräftiger gefärbte Längsbinden
über den Scheitel und an den Kopfſeiten, ſowie dadurch, daß die Färbung der grauen Kehle
ſich nicht bis zur Bruſt herab erſtreckt, von ihm verſchieden.

## Der braunköpfige Ammer [Emberiza lutéola].

Bisher noch ziemlich ſelten, neuerdings aber von den Großhändlern, Fräulein Hagenbeck und Chs. Jamrach, meiſtens jedoch nur in einzelnen Männchen
eingeführt, findet man ihn hier und da in den Vogelſtuben, ohne daß er jedoch
einer beſondern Beliebtheit ſich erfreuen kann. Er iſt an Kopf und Kehle im ſpitzen
Winkel bis zur Oberbruſt lebhaft rothbraun; Nacken olivengrünlichgelb, Hals und Bürzel zitrongelb; ganze übrige Oberſeite graubraun, jede Feder mit ſchwärzlichem Schaftſtrich und gelbem
Außenſaum; Flügel dunkelbraun mit fahlbrauner Querbinde und ebenſo wie die dunkelbraunen
Schwanzfedern fahl außengeſäumt; unterhalb lebhaft zitrongelb; Auge braun; Schnabel gelb-

lichgrau; Füße gelbbraun. Das Weibchen soll nach Jerdon oberhalb fahlbraun, dunkel ge=
strichelt, an Kopf und Seiten bräunlich und unterhalb gelb sein. Nachdem ich jedoch im
Laufe der Jahre etwa acht Köpfe beherbergt, welche sämmtlich gleichmäßig gefärbt
waren, bin ich zu der Ueberzeugung gekommen, daß beide Geschlechter in der
Färbung übereinstimmend sind und daß die Beschreibung des genannten Forschers
das Winterkleid betrifft. Der braunköpfige Ammer gehört nämlich zu den Vögeln,
die nur während der milden Jahreszeit ein Prachtkleid tragen, zum Winter hin
dagegen in ein unscheinbares Gefieder sich verfärben, welche Thatsache ich von
keinem Vogelkundigen bisher angegeben gefunden. Seine Größe kommt etwa der
des Goldammers gleich. Als Heimat ist Sibirien und Indien bekannt. Dr. N.
Severzow fand ihn in Turkestan, jedoch nur stellenweise, häufig und in großen
Scharen. In der Steppe bemerkte er ihn, wo dieselbe feucht und wiesenartig
war. Die hübschen gelbbäuchigen Männchen saßen auf starken hohen Grashalmen
und sangen; wie, ist leider nicht gesagt. Im übrigen ist er vorzugsweise Gebüsch=
vogel. Er erscheint dort spät, zwischen dem 24. bis 27. April, wenn die Blätter
aus den Bäumen schlagen und zieht früh ab. Bei Tschimkent, wo er etwa eine
Woche später anlangt, nistet er in großer Anzahl. Näheres über die Brut hat
der Reisende jedoch leider nicht mitgetheilt. In Indien überwintert er. Griffith
sagt, daß sein Lockton dem Ruf der gemeinen Wachtel ähnlich sei. Nach H. Gätke
und Seebohm soll er auf Helgoland vorgekommen sein. Obwol immerhin hübsch,
sowie auch harmlos und friedlich in der Vogelstube, zeigt er sich doch in jeder
Hinsicht reizlos und sein fleißig vorgetragner Gesang ist unbedeutend.

Der braunköpfige Ammer ist auch Gelbammer (Br.) benannt. — L'Ortolan à tête
brune. Brown-headed Bunting and Red-headed Bunting. — Nomenclatur: Emberiza luteola, *Lth.*; Loxia flavicans, var. A., *Lth., Sprrm.*;
Euspiza luteola, *Blth., Bp., Cb., Hrsf. et Mr.*; Emberiza personata, *Blth.* [nec *Tmm.*],
Emberiza icterica, *Evrsm., Blth., Httn., Br.*; Emberiza brunniceps, *Brndt.*; Euspiza
icterica, *Gr.*
Wissenschaftliche Beschreibung siehe S. 591.
Emberiza luteola: colore capitis gulaeque in angulum acutum ad guttur
usque decurrente laete castaneo; cervice olivaceo-virente flavo; collo uropygioque citrinis; scapo plumae cujusque notaei totius reliqui flavidi exterius flavo-mar-
ginatae subnigro; fascia trans alam fusca vel livide fuscata; remigibus retricibus-
que fuscis, exterius livide marginatis; subtus laete citrina; rostro gilvo-cano; iride
fusca; pedibus ochraceis. — ♀ a mare vix distincta; vestimento hiemali indata (sec.
Jerdon) supra livide umbrina, obscurius striata; capite lateribusque subfuscis.

## Der schwarzköpfige Ammer [Emberiza melanocéphala].

Bekannt unter dem Namen Kappenammer, wird er für den schönsten unter
allen gehalten. Er ist oberhalb dunkel bräunlichroftroth; Oberkopf und Backen tiefschwarz;
Flügel und Schwanz dunkelbraun, jede Feder fahl außengesäumt, über die ersteren eine fahl
bräunlichweiße Querbinde; ganze Unterseite lebhaft goldgelb. Schnabel bleigrau; Auge dunkel=
braun; Füße fahlbraun. Das Weibchen ist unscheinbar röthlichgrau; Kopf ebenso ohne schwarze

Kappe; Kehle weiß; ganze Unterseite düster röthlichweiß. Größe etwas bedeutender als die des Goldammers. Die Heimat erstreckt sich über Südosteuropa und das westliche Asien, auch über den Nordwesten von Indien. Die älteren Schriftsteller kannten ihn bereits, doch geben sie nichts bemerkenswerthes über ihn an. Der Reisende Dr. Th. Krüper beobachtete ihn in Kleinasien bei Smyrna, wo er sehr häufig sein soll. „Von allen Ammern kommt er am spätesten an. Zu Ende des April kehren die ersten Vorläufer ein, welche jedoch wieder verschwinden; mit den ersten Tagen des Mai erscheint der Haupttrupp, der dann alle Bäume, Sträucher und Hecken belebt, und zwar sind dies sämmtlich Männchen. Die Weibchen kommen einige Tage später in geschlossenen Scharen an, von denen sich die zerstreuen, welche ihre Nistplätze erreicht haben und von den Männchen erwartet werden, während die übrigen unaufhaltsam weiter wandern. Dieser Durchzug gewährt dem Jäger gute und leicht zu erlangende Beute, denn mit einem Schuß kann er mitunter eine beträchtliche Zahl dieser garnicht scheuen Vögel herabschießen. Gleich nach der Ankunft paren sie sich und die Weibchen erbauen in großer Hast ihre Nester; am 14. Mai fand ich bereits vollständige Gelege. Das Nest wird ohne besonders sorgsame Wahl und Vorsicht in einem beliebigen Busch oder Anwuchs an einem Baume errichtet und ist so groß, daß man es schon aus der Ferne erkennen kann. Vier bis fünf Eier bilden das Gelege; nimmt man dieses fort, so wird in aller Eile mit einer neuen Brut begonnen. Nähert man sich dem Nest, so stellt sich das von den Eiern flüchtende Weibchen flügellahm und schleppt sich am Boden fort, um den Ruhestörer zum haschen zu verleiten und ihn vom Nest fortzulenken. Sobald die Jungen herangewachsen sind, gehen alle zusammen auf die Wanderschaft.“ Im übrigen gleicht sein Freileben dem aller Ammern überhaupt. Nach de Filippi zeigt er sich in Persien in buschreichen Thälern und auf den Feldern am Fuße der Berge sehr häufig. In Südeuropa, Griechenland und in der Türkei ist er überaus zahlreich. Professor A. Fritsch beobachtete ihn im Vinodaler Thale in Kroatien, auch soll nach dessen Angaben ein Exemplar im Budweiser Kreise in Böhmen erlegt sein. In Frankreich, und zwar in der Provence, kommt er nach Baron Dr. v. Müller, wenn auch nur selten, vor, und zwar im Hochzeitskleide; doch wurde auch ein Exemplar im Herbstkleide gefangen. Professor Dr. J. H. Blasius führt ihn als Wandergast von Helgoland an und Herr H. Gätke berichtet, daß er dort zweimal im Jugendkleide angetroffen worden, während schon früher über sein Vorkommen auf der Insel Herr Dr. W. Schilling folgendes mitgetheilt hatte: „Aus gewichtigen Gründen vermuthe ich, daß der schwarzköpfige Ammer sogar hier nistet. Ich beobachtete nämlich ein altes Pärchen mit einem noch wenig entwickelten Jungen, von welchem letztern nicht gut anzunehmen war, daß es bereits eine weite Reise gemacht hätte.“ In Triest war er i. J. 1858 nach

Dr. Bolle's Angabe um 3 bis 4 Gulden verkäuflich und Herr C. Baudisch bestätigt i. J. 1875, daß er garnicht selten zu erlangen sei, während ein jüngerer Reisender neuerdings behauptet hat, daß er ihn dort vergeblich gesucht. Bei uns wird er ziemlich regelmäßig alljährlich, wenn auch niemals in großer Anzahl, eingeführt und für Gesellschaftskäfige ist er als hübscher Vogel recht beliebt. Als Sänger hat er freilich garkeine Bedeutung, denn er läßt nur ein nichts weniger als kunstvolles Flöten hören, das er allerdings unermüdlich zum besten gibt. Gezüchtet ist er in der Gefangenschaft noch nicht. Doch ist dies eigentlich ver= wunderlich, da man ihn vielfach in den zoologischen Gärten sieht. Der Preis ist gering, zwischen 6 bis 12 Mark für das Pärchen.

Der schwarzköpfige Ammer wird im Handel allgemein Kappenammer genannt und heißt auch noch Ortolankönig und Prachtammer. — L'Ortolan à tête noire; Black-headed Bunting.

Nomenclatur: Emberiza melanocephala, *Scp.*; Tanagra melanictera, *Gldst.*; Xanthornis caucasicus, *Pll.*; Fringilla crócea et Passerina melanocephala, *Vll.*; Em= beriza granatívora, *Ménétr.*, *Gld.*; Euspiza melanocephala, *Bp.*, *Cb.*, *Br.*; Euspiza simillima, *Blth.*, *Hrsf.* et *Mr.*

Wissenschaftliche Beschreibung siehe oben.

Emberiza melanocéphala: supra subfusco-ferruginea; pileo genisque aterrimis; remigibus rectricibusque fuscis, exterius livide limbatis; fascia trans alam luride albida; subtus laete aurea; rostro plumbeo; iride fusca; pedibus umbrinis. — ♀ livide rubente cinerea; pileo atro carens; subtus sordide rubide alba.

### Der schwarzkehlige Ammer mit gelber Brust [Emberiza americana].

Unter den unfreiwilligen Wanderern, welche nach weiter, beschwerlicher See= reise in den Vogelhandlungen einkehren, sieht man diesen Ammer hin und wieder, fast regelmäßig einzeln und dann gewöhnlich lange Zeit hindurch, da er nur selten das Wohlgefallen der Liebhaber findet, obgleich er ein stattlicher, keineswegs un= schöner Vogel ist. Kopf nebst Kopfseiten und Hinterhals sind bräunlichaschgrau, auf dem Scheitel gelbgrünlich scheinend und fein schwärzlich schaftstreifig, Augenbrauenstreif gelb; Wangen= streif schwach gelblichweiß, Wangen fast reinweiß; ganze Oberseite bräunlichgrau, Schultern und Oberrücken breit schwarz schaftfleckig, der übrige Rücken ungestreift; Schwingen und Schwanz= federn dunkelbraun, fahl außengesäumt, obere Flügeldecken rothbraun; Oberkehle weiß, ein länglich eiförmiger nach unten bis zur Oberbrust spitz zulaufender Kehl= und Halsfleck reinschwarz; Brust lebhaft gelb, Unterbrust, Bauch, Hinterleib und untere Schwanzdecken reinweiß; Flügel= rand an den Schultern gelb; Seiten bräunlichweiß, fein dunkel schaftstreifig, untere Flügelseite fahlweiß; Schnabel bräunlichgrau; Auge braun; Füße bräunlichgrau. Beim Weibchen sind die Zeichnungen matter, Kopf und Hals düster fahlbraun, Augenbrauen= und Bartstreif gelblich, Kehlfleck nicht schwarz, sondern gelb. Schnabel bräunlichhorngrau. Die Größe stimmt mit der unsres Goldammers überein. Die Heimat erstreckt sich über Nordamerika, vornäm= lich die südlicheren Staten und Texas, wo er hier und da ziemlich zahlreich sein soll, sodaß es wunderlich erscheint, weshalb er nicht öfter eingeführt wird. Baird sagt, daß er in den Vereinigten Staten vom atlantischen Ozean bis zur Grenze der hohen Zentralebene zu finden sei. Prinz v. Wied beobachtete ihn in den Prärien am Mississippi gegenüber von St. Louis. „Er erscheint sehr ruhig und sitzt wol stundenlang unbeweglich auf einem Baume oder Strauch.“ Nach Angabe des erstern Gelehrten soll er auch auf dem Isthmus von Panama und Daurien vorkommen, auf Kuba jedoch nicht; auf Kostarika dagegen hat ihn Dr. v. Frantzius gesammelt. Ueber das Freileben haben alle amerikanischen Forscher berichtet. Im wesentlichen gleicht dasselbe dem aller übrigen Ammer, welche zur kalten Jahreszeit die Heimat verlassen; er kommt in dem größten Theile Nordamerikas im ersten Drittel bis zur Hälfte des Monats Mai an und streicht vom September bis zum Oktober hin wieder ab und zwar nach Mittel= und selbst bis Südamerika.

Die ausführlichsten Nachrichten gibt uns, wie über viele andere nordamerikanische Vögel, so auch über diesen Ammer, Gentry in seinem hier bereits mehrfach genannten Werkchen: „In Ostpennsylvanien ist er ziemlich häufig und hält sich namentlich auf Wiesen und wüstliegenden Feldern auf. Immer nur parweise, niemals in Scharen beisammen, zeigt er sich außerordentlich zutraulich, sodaß man sich ihm dreist nähern kann; aufgescheucht kehrt er nach wenigen Minuten zu derselben Stelle zurück. Nur vor dem Abzuge sammelt er sich zu großen Schwärmen an, in denen jedoch andere Vogelarten die größte Anzahl bilden. Der Flug ist niedrig, wellenförmig und leicht getragen. In dem unbedeutenden Gesange muß der Eifer die Kunst ersetzen; zwei Monate nach der Ankunft erschallt derselbe an seinen Lieblingsaufenthaltsorten vom Sonnenaufbis zum Sonnenuntergang unermüdlich uns entgegen. Nach Wilson erklingt derselbe etwa wie: tschip=tschip=tschi=tschi=tschi [chip-chip-chē-chē-chē] und im übrigen ist er dem des Goldammers ähnlich; Audubon vergleicht ihn mit dem des Grauammers. Die Nahrung besteht in allerlei Sämereien, Beren und Insekten, welche er am Boden sucht, während er sich sonst vorzugsweise im Gebüsch und auf niedrigen Bäumen aufhält. Etwa im letzten Drittel des Monats Mai oder zu Anfang des Monats Juni, gewöhnlich fünf Tage nach der Parung, beginnt die Brut. Das Nest steht nach den Beobachtungen von Ridgway, Baird und mir fast immer auf der Erde und nur sehr selten ist es im Gebüsch, doch nur niedrig oberhalb des Bodens, erbaut; aus verschiedenen Gräsern und Pflanzenstengeln geschichtet, ist es mit feinen Stoffen ausgepolstert. Beide Gatten des Pärchens errichten es gemeinsam. Das Gelege besteht in vier bis fünf einfarbig lichtblauen Eiern, von denen täglich eins gelegt wird. Das Weibchen brütet allein; Brutdauer 12 Tage. Bei einer Störung schlüpft dieses geräuschlos vom Nest, läßt dasselbe berauben, ohne jene listigen Verstellungskünste, welche andere Ammern zeigen, zu üben und ohne eine Klage hören zu lassen. Die Jungen werden mit Raupen, Blattläusen und allerlei anderen weichen Kerbthieren gefüttert. Nach 13 Tagen verlassen sie das Nest und werden dann noch neun oder zehn Tage hindurch von den Alten versorgt. Es dürfte nur eine Brut im Jahre erfolgen." Nehrling ergänzt diese Mittheilungen in folgendem: „In Illinois ist er ein echter Prärievogel, denn man sieht dort einzelne Pärchen regelmäßig, wennschon nicht häufig. Auch in Wiskonsin ist er nur selten; in manchen anderen Gegenden scheint er jedoch zahlreich vorzukommen. Sein Lieblingsaufenthalt sind trockene, mit Klee und hohen Gräsern bewachsene Wiesen und Saatfelder, doch meidet er die ersteren, wenn sie naß sind und Niederungen überhaupt. An gewisse Oertlichkeiten scheint er nicht gebunden zu sein. Während man ihn in Illinois in Gebüschen und an Waldsäumen nicht sieht, bevorzugt er solche in Wiskonsin. Auch das Nest wird wechselnd an verschiedenen Orten angelegt; ich fand ein solches auf einer ganz freien Stelle im Walde, wo der Boden keinerlei Pflanzenwuchs zeigte, dann eins in einem Erbsenfelde und noch ein andres im Obstgarten in einem dichten Grasbüschel. Nach meiner Beobachtung stellt sich das Weibchen, wenn man dem Neste naht, wol flügellahm, doch huscht es davon ins Dickicht und läßt sich nicht mehr blicken. Auch zur Zugzeit habe ich diesen Ammer niemals in großen Scharen, sondern stets nur in kleinen Flügen gesehen. Seine Hauptnahrung besteht im Sommer in Kerbthieren; Schaden an Sämereien oder dergleichen verursacht er niemals. Der Gesang, welcher von einem Baum, Strauch oder Pfosten herab erschallt, ist kurz, leise und einfach und wird in seiner Einförmigkeit unermüdlich bis zum Ueberdruß vorgetragen. Im Käfige erscheint er als ein recht hübscher und munterer, ausdauernder und leicht zu erhaltender Vogel." Mit diesen Darstellungen stimmen die Mittheilungen der Naturforscher Audubon, Wilson, Nuttall u. A. überein; während aber meine beiden Gewährsmänner nach eigener Anschauung und gleichlautend angeben, daß das Ei einfarbig blau sei, behauptet Brehm, freilich ohne Angabe einer Quelle, daß es schmutzigweiß mit umberbraunen Flecken gezeichnet sei. Alle Genannten sagen, daß der Gesang durchaus einfach und eintönig sei und dies bestätigen auch die Angaben aus den Vogelstuben; immerhin kommt es jedoch auf die Auffassung und die durch die Oertlichkeit u. a. Einflüsse hervorgerufene Stimmung an; so sagt L. Straubenmüller von seinem ‚Schwarzhals‘, natürlich nur nach Beobachtung im Freien, daß er mit seinem Gesange jeden Zuhörer erfreue. In den Handel gelangt er durch Herrn K. Reiche in Alfeld oder Fräulein Hagenbeck in Hamburg, und im zoologischen Garten von London ist er seit dem Jahre 1873 vorhanden, während er auch im Berliner zoologischen Garten und Aquarium, im letztern gleich nach der Eröffnung, mehrmals erschien. Der Preis pflegt etwa 12 bis 15 Mark für das Männchen zu sein; das Weibchen kommt kaum mit und deshalb ist er bis jetzt auch noch nicht gezüchtet.

Der schwarzkehlige Ammer mit gelber Brust heißt auch Schildammer und Schwarzbrüstchen (Br.); schwarzbrüstiger Ammer (Ruß' „Handbuch"); Schwarzhals (Straubenmüller).
L'Ortolan à gorge noire; Black-throated or American Bunting.

Nomenclatur: Emberiza americana, *Gml.*, *Wls.*, *Audb.*; Fringilla flavicollis, *Gml.*; Passerina nigricolis, *Vll.*; Fringilla americana, *Bp.*; Euspiza americana, *Bp.*, *Brd.*, *Br.*; Euspina americana, *Cb.*; Emberiza mexicana, *Lth.* [Yellow-throated Finch, *Penn.*].

Emberiza americana: capite, ejus lateribus cerviceque fumigato-cinereis; vertice flavo-virente imbuto et subnigro-striato; stria superciliari flava, altera genarum flavido-alba; genis albidis; notaeo toto fumido; humeris dorso-que late nigro-vittatis, tergo immaculato; remigibus rectricibusque fuscis, exterius livide limbatis; tectricibus al. minoribus rufis; macula oblongo-ovata a gula alba usque ad guttur in apicem desinente atra; pectore flavissimo; crisso et infracaudalibus albis; campterio humerali flavo, hypochondriis fuscato-albis, obscure striolatis; subalaribus sordide albis; rostro fumide cano; iride fusca; pedibus fumigatis. — ♀ lividius notata; capite colloque luride umbrinis; stria super-ciliari et mystacali flavida; macula gulari flava (haud nigra); rostro fuscato-corneo.

**Townsend's Ammer** [Emberiza Townsendi, *Audb.*] aus Pennsylvanien, der vorigen Art so ähnlich, daß die Ornithologen ihn bisher fast alle nur als eine Spielart desselben angesehen haben. Auch Baird sagt, er wage nicht die Streitfrage zu entscheiden. Gentry hat ihn in Ostpennsylvanien niemals gesehen. Für die Liebhaberei hat es ja garkeine Bedeutung, ob ein solcher Ammer in zwei verschiedenen Arten oder auch nur außer der feststehenden Art noch in einer besondern Lokalrasse vorkommt; daher lasse ich es bei dieser Erwähnung bewenden. — **Der zweifarbige Ammer** [Emberiza bicolor, *Twnsd.*] ist schwarz mit großem weißen Bande über die Flügel, Schwingen dunkelbraun, Schwanzfedern schwarz, die äußersten weiß gesäumt und die nächsten mit weißem Endfleck; Schnabel schwarz; Auge braun; Füße horngrau. Das Weibchen ist oberhalb blaßbraun, dunkler gestreift, eine breite bräunlichweiße Querbinde über die Flügel; ganze Unterseite weiß, fein schwarzbraun schaftstreifig. Die Größe ist wenig ge-ringer als die des schwarzkehligen Ammers mit gelber Brust. Seine Heimat erstreckt sich nach Baird im Westen Nordamerikas über die Hochebene des Felsengebirges bis Mexiko. Im Frei-leben gleicht er den Verwandten, doch schwärmt er zu Zeiten in großen Scharen umher. Nuttall rühmt seinen Gesang und hält ihn dem der europäischen Feldlerche ähnlich. Das Nest steht auf dem Boden zwischen Gräsern und enthält gewöhnlich vier blaue nur spärlich roth gezeichnete Eier. Zweifarbenammer (Br.); Lerchenammer bei den Amerikanern. Lark Bunting or White-winged Bunting (*Brd.*).

## Der Schopfammer [Emberiza melanictera].

Nach meinem Geschmack dürfte er der schönste und zugleich anmuthigste unter allen hierher gehörenden Vögeln sein. Er ist an Kopf, Hals und Flügeln glänzendschwarz, metallisch blauschillernd; Schwingen und Schwanzfedern schön kastanienrothbraun; der übrige Körper wiederum reinschwarz. Den Kopf schmückt ein zierlicher, spitzer Federschopf. Der Schnabel ist röthlichbraun; Auge dunkelbraun; Füße bräunlichroth. Das Weibchen ist dunkel-braun, jede Feder heller gesäumt; Flügel und Schwanz fahler braun; unterseits rothbraun, jede Feder mit schwärzlichem Schaftstrich. Der Schopf ist kürzer und kleiner. Die Größe ist etwa der des Haussperlings gleich, doch erscheint er schlanker und zierlicher. Seine Heimat erstreckt sich über Mittel- und Südindien, besonders China. Ueber das Freileben ist nur äußerst wenig bekannt, doch dürfte er in demselben von anderen Ammern sich nicht besonders unterscheiden. Jerdon hat ihn in hügeligen Gebieten, auf Felsgehängen im spärlichen Gebüsch, doch auch in der Nähe von Feldern gefunden, in Indien aber nicht nistend. Der Gesang sei ein angenehmes Gezwitscher. Swinhoë sah ihn in China im Winter sehr zahlreich, nistend jedoch nur selten.

In seinen Aufzeichnungen über einige Vögel Burmesiens sagt Wardlaw Ramsay: „Ich beobachtete ihn sehr häufig in den Karen-Bergen bis zu einer Höhe von etwa 1000 Metern im März d. J. 1874. Er ist der beiweitem gemeinste Ammer in dem Karen-nee-Lande, wo die felsigen, mit Strauchwerk bedeckten Bergabhänge ihm zu behagen scheinen. Besonders liebt er die Nähe der Wasserläufe in offenen Gegenden, deren Ufer mit Gebüsch bedeckt sind. Sein Gesang, welchen er im Fluge schmettert, ist ein melodisches Flöten, ganz unähnlich dem irgend eines andern Ammers." Er gehört zu den im Himalaya und in Thibet von Dr. Stoliczka gesammelten Vögeln und ebenso zu denen, welche die amerikanische Expedition unter Perry aus China mitgebracht hatte. Im Jahre 1876 schickte mir Herr Gaetano Alpi aus Triest ein Männchen und dies dürfte sicherlich die erste Einführung dieser Art bei uns gewesen sein, während freilich nach dem zoologischen Garten von London schon im Jahre 1873 ein Pärchen gelangt war. Nachdem ich mich vergeblich bemüht hatte, ein Weibchen zu erlangen, überließ ich das erwähnte Männchen Herrn Regierungsrath v. Schlechtendal, dessen großartige Sammlung eine beträchtliche Anzahl seltener und interessanter Vogelarten auch in einzelnen Köpfen beherbergt. Der Genannte berichtete über den Vogel dann späterhin in folgendem: „Als der Ammer bei mir eintraf, brachte ich ihn in einen sehr geräumigen Käfig, welcher nur noch von einem Pärchen Sonnenvögel bewohnt wurde. Diese letzteren liebenswürdigen Vögel schienen über den neuen Mitbewohner zwar sehr erstaunt zu sein, enthielten sich aber jeder Feindseligkeit und der schüchterne Ammer dachte nicht daran, seinerseits eine solche zu eröffnen. Die Sonnenvögel erhalten das gewöhnliche Weichfutter, dazu etwas Mohnsamen und hin und wieder einige Mehlwürmer. Daneben reichte ich ihnen eine Mischung von Reismehl und gestoßenem Eierbrot in etwas angefeuchtetem Zustande. Letztres Futter ziehe ich dem eingeweichten Weißbrot vor und gebe es neben dem Körnerfutter allen meinen kleinen Sperlingsvögeln. Des Ammers wegen setzte ich diesen verschiedenen Futtermitteln nun noch mehrere Hirsearten, sowie etwas Reis und Kanariensamen zu; er verschmähte aber die letzteren Sämereien und hielt sich fast ausschließlich an die weiße Hirse und das Weichfutter; mit großer Gier fraß er auch die ihm gereichten Mehlwürmer. Der etwas kränkliche Vogel erholte sich ziemlich schnell und auch die Mauser ging rasch und glücklich vonstatten, sodaß er bald in seiner ganzen, höchst eigenthümlichen Schönheit prangte. Der zierliche Federschopf wird angelegt, wenn der Vogel ruht oder frißt, aufgerichtet aber sobald er in Bewegung kommt. Durch seine seltsame Färbung muß er auch dem Nichtkenner sogleich als ein schöner Vogel auffallen. Mit seinen Käfiggenossen lebt er im tiefsten Frieden. Gewöhnlich sitzt er hoch oben im Bauer auf einem Zweige, während die Sonnenvögel ihre lustigen Flugkünste üben. Fliegt er aber von seinem hohen Sitze herab, so geschieht es leicht und gewandt; anmuthig bewegt er sich dann mit aufgerichteter Haube am Boden umher, hier und da ein Sandkörnchen aufpickend, bis er auf den Rand des Futternapfs sich setzt, um Hirse zu fressen. Einen andern Laut, als den ziemlich leisen, aber scharf klingenden Lockruf habe ich von ihm noch nicht gehört. Es wäre wol zu wünschen, daß dieser wirklich prächtige Vogel demnächst mehrfach eingeführt würde." Ein Preis läßt sich erklärlicherweise nicht angeben.

Der **Schopfammer** ist auch Haubenammer (Br.) oder indischer Haubenammer (Schlechtendal) benannt.

L'Ortolan à crête noire; Black-crested Bunting.

Nomenclatur: Fringilla melanictera, *Gml.*; Mélophus melanicterus, *Bp.*, *Hrsf.* et *Mr.*, *Br.*; Emberiza cristata, *Vgrs.*, *Sks.*, *Blth.*; E. Lathami, *Gr.*, *Hdgs.*, *Blth.*; Euspiza Lathami, *Gr.*, *Blth.*; Emberiza erythroptera, *Jard.* et *Slb.*; Mélophus erythropterus, *Swns.*; Emberiza subcristata, *Sks.*; E. nipalensis, *Hdgs.* [Goura Finch, *Lath.*; Goura Bunting, *J. E. Gr.*; Crested Black Bunting, *Jerd.*; Putthur Chira in Hindostan, *Hamilt.*].

Emberiza melanictera: capite, collo alisque atris, metallice coeruleo-micantibus; remigibus rectricibusque laete rufo-castaneis; corpore reliquo atro; crista capitis eleganter acuminata; rostro badio; iride fusca; pedibus rufis. ♀ fusca, pluma quaque dilutius limbata; alis caudaque livide umbrinis; subtus badia, subnigro-vittata; crista breviore minoreque.

**Der Schneeammer** [Emberiza nivalis]. Mit diesem Wintergast aus dem hohen Norden beginnt die kleine Gruppe der Sporenammer oder Sporner (Plectróphanes, *Meyer*), deren Hinterzehe lerchenartig verlängert ist, während sie im übrigen jedoch wenig von den anderen Ammern verschieden sind. Der Schneeammer ist an der Kopfmitte schwarzbraun, mit röthlich-brauner Einfassung, Augenbrauenstreif röthlichgraubraun, Wangen dunkelgraubraun, Nacken röth-lichgelbgrau; Rücken und Schultern schwarz, jede Feder rothbraun gesäumt, Flügelfedern schwarz, breit rostbraun gerandet, über den Flügel zwei weiße Querbinden; Schwanzfedern schwarzbraun, röthlichbraun gesäumt, doch mit schwarzem Ende; Kehle düster gelblichweißgrau; Oberbrust mit großer rostrothbrauner Binde; ganze Unterseite fahl weißlichrothgelb; Schnabel düster wachsgelb; Auge dunkelbraun; Füße bräunlichschwarz. Diese Färbung ist nach dem Alter und den Jahres-zeiten recht veränderlich. Das Weibchen ist wenig matter und am Oberkopf mehr grau. Im Winter ist beim Männchen Kopf, Hals und die ganze Unterseite nebst dem größten Theile der Flügel reinweiß; Mantel, Schultern, Flügelbug, kleine Schwingen und die mittleren Steuer-federn tiefschwarz; Schnabel und Füße schwarz. Das Weibchen ist weniger rein in den beiden Farben, mit Braun und Grau gemischt. Größe des Goldammers. Die Verbreitung erstreckt sich über den hohen Norden von Europa, Asien und Amerika und in kalten Wintern wandert er bis zum südlichen Norden zum Norden Chinas und den mittleren Staten von Nordamerika. Er kommt nach Deutschland im Dezember und geht zum März zurück. Sein Aufenthalt soll vorzugs-weise niederes Gesträpp in Gebirgsgegenden sein, in rauhen, baumlosen Einöden, nicht aber in zusammenhängenden Waldungen; er setzt sich nicht auf Baum und Strauch, sondern nur auf Stein und Fels. Auch das Nest steht in Felsspalten, unter Steinen und Gesträpp und ist aus Grashalmen, Mos und Flechten geschichtet und mit Federn und Haren gepolstert. Vier bis fünf bläulichweiße, röthlichgrau und rothbraun gefleckte, gepunktete und gestrichelte Eier bilden das Gelege. In der Entwicklung der Brut, sowie in der ganzen Lebensweise gleicht er nebst den folgenden allen anderen Ammern; doch nähern sie sich darin auch bereits bemerkbar den Lerchen. Seine Nahrung besteht im Sommer vorzugsweise in Kerbthieren, vornämlich den zahl-losen Mücken der erwähnten Gegenden und deren Bruten, späterhin in allerlei Sämereien. Wenn die harte Noth eines rauhen Winters ihn aus seinen nordischen Heimatsgegenden vertreibt und er auch auf unseren schneebedeckten Feldern vergeblich nach Körnern umhersucht, so kommt er nicht selten vor die Ställe und Scheunen. Der Lockton klingt hellflötend zöt und klirrend zirr; der Gesang ist nur ein unbedeutendes Zwitschern, doch lauttönend und nicht unangenehm; er läßt ihn das ganze Jahr hindurch erschallen, selbst im Winter, wenn nur die Sonne ein wenig scheint. Man fängt ihn in Schlingen, Leimruten und Schlaggarn neben den Landstraßen, angelockt durch Pferdedung und mit Mehlwürmern geködert, in seiner Harmlosigkeit noch leichter als den Goldammer. Obwol anfangs sehr unbändig, geht seine Eingewöhnung doch überaus leicht vonstatten. Neben allerlei Sämereien, namentlich Hafer muß man ihn auch mit etwas Ameisenpuppengemisch versorgen. Still, ruhig und verträglich, dauert er wol mehrere Jahre hindurch im Käfige aus, doch kann er Hitze nicht gut vertragen und muß im Sommer oft mit Badewasser versorgt werden. — Da diese Anleitungen zur Pflege für alle nordischen Ammern Geltung haben, so durfte ich diesen etwas ausführlicher behandeln, während man ihn eigentlich als europäischen oder doch in Europa sehr häufigen Vogel betrachten muß, weshalb ich ihn auch im „Handbuch für Vogelliebhaber" ll geschildert und hier nur beiläufig eingefügt habe. — Berg=, Eis= und Spornammer, Schneeammerling, Schneefink, Schneelerche, Schneeortolan, Schnee= und Wintersperling, Neu=, Schnee= und Strietvogel, Winterling, Schneesporner, Schneespornammer. — Emberiza nivalis, *L.*; E. mustelina et E. montana, *Gml.*; E. glacialis, *Lth.*

**Der Spornammer** [Emberiza lapponica]; dem vorigen ähnlich, sowol im Ansehen, als auch im Wesen, unterscheidet er sich trotzdem bedeutsam. Er ist an Kopf und Kehle schwarz, unterseits halbkreisförmig bis zur Brust; Augenbrauen= und Schläfenstreif bräunlichweiß; über den Hinterhals ein breites kastanienbraunes Band; ganze übrige Oberseite dunkelgelblichbraun, schwärzlich schaftstreifig; Schwingen bräunlichschwarz, fahl außengesäumt, eine weißliche Querbinde über den Flügel; Schwanzfedern schwarz, an der Innenfahne mehr oder weniger weiß; Unterkörper weiß, an den Seiten schwarz schaftstreifig; Schnabel gelb mit schwärzlicher Spitze und schwarzblauer First; Füße schwarz. Weibchen oberhalb fahl bräunlichroth, dunkel schaftstreifig, Schläfenstreif röthlichgelb, Bartstreif schwach schwärzlich, Wangen bräunlich, fein gestreift; Nacken matt gelblichroth; Unterseite fahl gelblichroth, mattbräunlich schaftfleckig; Schnabel dunkelbraun; Auge und Füße übereinstimmend. Bemerkbar kleiner als der Schneeammer, etwa von Sperlingsgröße. Die Heimat stimmt mit der des genannten Verwandten überein. „In Nordamerika", sagt Baird, „kommt er winters in die nördlichen Theile der Vereinigten Staten, aber nicht weit westlich über den Missouri hinaus. Im vollen prächtig ausgefärbten Gefieder erscheint er hier selten." Schrader fand ihn in Lappland an feuchten Stellen in den Thälern überall (wodurch er sich also, wie auch andere Forscher hervorheben, von dem Verwandten unterscheidet), auch als Brutvogel. Sein Gesang sei sehr angenehm und habe flötende, denen des Hänflings nicht unähnliche Töne. Ebenso ist er von den hier schon vielfach genannten Reisenden in Sibirien u. a. Theilen Rußlands gefunden worden. Nach Przewalski kommt er in Mongolien und im nördlichen China allenthalben vor und auch auf Helgoland ist er von Gätke beobachtet. Ebenso führen ihn Vangerow u. A. unter den Vögeln der Mark Brandenburg auf; doch erscheint er in Deutschland seltener als der vorige. In dem Urtheil über den Gesang stimmen die Beobachter überein, indem sie denselben als kurz und einfach, doch angenehm bezeichnen; er läßt ihn nur im Fluge in der Weise der Lerchen erschallen. Alles übrige ist wie beim Schneeammer angegeben. — Berg=, Lerchen=, Sporenammer= und Sporenfink, Lappländer, Lerchensporner, Lerchenspornammer und Schneesporner. — Lapland Longspur (*Brd.*). — Fringilla lapponica, *L.*; F. calcarata, *Pll.*

**Der gemalte Ammer** [Emberiza picta] ist in den nördlichsten Theilen der Vereinigten Staten von Nordamerika heimisch und wandert zum Winter bis in die mittleren hinab. Er ist an Oberkopf nebst Haube schwarz, Augenbrauenstreif und kleiner Fleck im Nacken weiß, Ohrfleck schwarz; ganze Oberseite schwarzbraun, jede Feder fahl gesäumt; Schwingen dunkelbraun, fahl gesäumt, auf dem Flügel ein großer weißer Fleck und eine fahle schmale Querbinde; Schwanzfedern schwarzbraun, fahl gesäumt, die beiden äußersten fast ganz weiß; Kehle gelb=

röthlichbraun, ganze übrige Unterseite etwas heller bräunlichgelbroth; Schnabel braun, Unter=
schnabel heller röthlichbraun; Auge braun; Füße fleischfarben. Das Weibchen ist unbeschrieben.
Größe des Goldammers. Nach Baird ist seine eigentliche Heimat der Norden von Saskatschevan,
und im Winter erscheint er sehr häufig in den Prärien von Illinois. Ueber sein Freileben ist nichts
bekannt; es wird von dem der Verwandten jedoch wol nicht abweichen. Er gelangt mit anderen
nordamerikanischen Vögeln, freilich nur einzeln und höchst selten in den Handel und, obwol er
ein recht hübscher Vogel ist, so verdient er seinen prahlerischen Namen doch wol nicht. Ich sah
ihn zuerst im zoologischen Garten von Hamburg im Jahre 1870 und dann drei Jahre später
auch ein Männchen im zoologischen Garten von Berlin; im zoologischen Garten von London ist
er jedoch noch nicht vorhanden gewesen. Schmuckammer (Br.); Bildammer (Muß' „Hand=
buch"). Smith' Bunting (Brd.). Plectrophanes pictus, Swns.; P. Smithi, Audb. —
Der Schmuckammer [Emberiza ornata], von Nordamerika; Oberkopf, ein kleiner Halbmond=
fleck an den Kopfseiten und ein Streif vom Auge bis zu jenem schwarz; Kehle und Kopfseiten
weiß; Hinterhals mit kastanienbraunem Bande; übrige Oberseite fahlgraubraun, dunkler ge=
streift; Brust und Oberbauch schwarz; ganze übrige Unterseite weiß; Schnabel bleigrau; Auge
braun; Füße grau. (Weibchen unbeschrieben). Sperlingsgröße. Heimat die Ebenen des obern
Missouri. (Nach Baird). Näheres ist nicht bekannt. Chestnut-collared Bunting (Brd.).
Plectrophanes ornatus, Twnsnd. — Der schwarzschultrige Ammer [Emberiza melanóma,
Brd.], dem vorigen sehr ähnlich, nur wenig größer; das Kastanienbraun auf dem Hinterhalse
ist düsterer; die Brustfedern sind röthlich gerandet; Flügel mit weißen Querbinden; das haupt=
sächlichste Unterscheidungszeichen besteht jedoch darin, daß die Schulterfedern nicht braun, sondern
schwarz und fahl gerandet sind; Schnabel gelblich mit dunkelgelber First. Die Heimat sind
die Abhänge des Felsengebirges, von wo er zum Winter südwärts bis nach Mexiko wandert.
Latzammer (Br.). — Maccown's Ammer [Emberiza Maccowni, Lwrnz.] aus Nordamerika;
Oberkopf, Kinnbackenstreif, Kehle und ein scharf abgegrenzter halbmondförmiger Fleck auf der
Oberbrust schwarz; Augenbrauenstreif weiß; Oberseite gelblichbraun, dunkel schaftstreifig; Schul=
tern kastanienbraun; unterhalb reinweiß. Größe des Goldammers. Er zeichnet sich vor allen
Verwandten durch einen auffallend großen und starken Schnabel aus. Sein Aufenthalt sind
die östlichen Abhänge des Felsengebirges, vom Fort Thorn in Neu=Mexiko bis zu den schwarzen
Bergen. Näheres ist auch über ihn nicht angegeben.

# Die Lerchen [Alaudinae].

Im Freileben sind sie allbeliebte und geschätzte Vögel, welche uns vom
Beginn der milden bis zur rauhen Jahreszeit durch herrlichen, meistens im Fluge
erschallenden Gesang und durch ihre Anmuth erfreuen. Kräftig und etwas groß=
köpfig haben sie einen schmalen und dünnen, kurzen oder mittellangen, fast walzen=
runden, nur bei wenigen Arten von dieser Gestalt bedeutend abweichenden, dicken
oder sogar gekrümmten Schnabel. Die Flügel sind lang und breit, der Schwanz
ist kurz, gewöhnlich gerade abgeschnitten; die Füße mittelhoch mit langem geraden
Spornnagel am Hinterzeh. Vermöge dieses Lauffußes können sie nur ausnahms=
weise auf Baumästen sitzen. Auf dem Boden aber hüpfen sie nicht wie die
Sperlinge u. a., sondern rennen flink und geschickt. Das Gefieder ist dicht und
voll, in der Regel schlicht gefärbt (lerchengrau) und erst bei genauer Betrachtung
angenehm erscheinend; beim Männchen und Weibchen übereinstimmend. Es sind
meistens Zug= oder Strichvögel, welche sehr früh im Jahre ankommen und erst
spät wieder fortwandern. Zum Aufenthalt wählen sie freie baumlose Gegenden,
besonders fruchtbare Felder; nur wenige Arten wohnen am oder im Walde, doch
stets auf freien Stellen, manche dagegen in den baum= und selbst pflanzenlosen
Wüsten. Sie sind lebhaft und beweglich im Fluge, erheben sich singend, manche
sogar sehr hoch in die Luft. Gegen die Nistzeit hin gerathen die Männchen in
heftige Fehde. Das Nest steht immer nur am Boden, ist aus dürren Halmen
und Gräsern zu einer offenen Mulde geformt und enthält ein Gelege von vier
bis sechs farbigen, gefleckten und gepunkteten Eiern. In jedem Jahre werden
zwei Bruten gemacht. Die Nahrung bilden allerlei Gräser und andere kleine
Sämereien, ferner zarte grüne Pflanzenstoffe, sowie auch Kerbthiere in allen deren
Verwandlungszuständen. Im Herbst sammeln sie sich, manchmal auch mit Ammern
und verschiedenen Finken zusammen, zu großen Schwärmen an, welche anfangs
umherstreichen und dann südwärts wandern; nur wenige Arten bleiben zum
Winter als Standvögel in der Heimat. Ihre Verbreitung erstreckt sich über
alle Welttheile, beschränkt sich jedoch vorzugsweise auf den Norden, wo sie in
überaus zahlreichen Arten vorkommen.

Fast alle oder doch die meisten dürfen als hervorragende Sänger gelten,
verhältnißmäßig wenige aber sind allbeliebte Stubenvögel. Zunächst lassen sich
die meisten in der Gefangenschaft schwierig erhalten, da sie bis zur vollen Ein=

gewöhnung sich überaus weichlich und schädlichen Einflüssen zugänglich zeigen, bei Vermeidung solcher aber und sobald sie vollständig eingewöhnt sind, können sie doch als recht ausdauernd bezeichnet werden. In der Vogelstube erscheinen sie insofern fast immer als unangenehme Gäste, als sie ganz auffallend an Ungeziefer leiden und mit der Milbenbrut leicht die gesammte Bewohnerschaft übersäen; daher findet man sie hier überaus wenig; vielmehr werden sie nur einzeln in Käfigen beherbergt. Das Bauer, in welchem eine Lerche eingewöhnt wird, muß anstatt der Holz= oder Drahtdecke eine solche aus Leinewand haben, weil der wildstürmische Vogel bei jedem Erschrecken und selbst späterhin während des Singens immer plötzlich emporhüpft und sich nur zu leicht den Kopf zerstößt. Züchtungserfolge hat man bis jetzt noch mit keiner Lerche erreicht und eigentlich sind mit ihnen noch garkeine derartigen Versuche angestellt worden. Die Er= nährung besteht in Mohn= und mancherlei anderen öligen und mehligen Sämereien und Zugabe von Nachtigalfutter, irgendwelchem Ameisenpuppengemisch nebst Mehl= würmern oder auch anderen weichen Kerbthieren. Der Preis ist im allgemeinen schwierig anzugeben, da die Lerchen mit wenigen Ausnahmen nicht als ständige, sondern nur als zufällige Gäste im Vogelhandel zu betrachten sind.

### Die Kalanderlerche [Alauda calandra].

Bereits Oppian, der im zweiten Jahrhundert n. Chr. lebte, schildert diesen Vogel und gibt an, wie man ihn fange; und seit jener Zeit her kennen, beschreiben oder erwähnen ihn wenigstens fast alle übrigen ornithologischen Schrift= steller bis zu unsrer Gegenwart herab. Seit altersher ist er auch beliebt und geschätzt und in Paris hat man sogar eine Straße nach seinem Namen benannt.

Die Kalanderlerche ist oberhalb röthlichgraubraun, jede Feder fahl außengesäumt und schwärzlich schaftfleckig; Zügel und schwacher Augenbrauenstreif fahl röthlichgelb, Wangen und schwacher Bartstreif bräunlichgrau, an jeder Halsseite ein großer schwarzer oder schwarzbrauner Fleck; Schwingen schwärzlichbraun, fahl außengesäumt, über den Flügel eine schmale weiße Quer= binde; Schwanzfedern bräunlichschwarz, fahl außengesäumt; Kehle in der Mitte weiß, an den Seiten, sowie die Brust fahl röthlichgelb überhaucht, letzre bräunlichschwarz schaftfleckig; ganze übrige Unterseite weiß. Schnabel gelblich= bis bräunlichfleischroth; Auge dunkelbraun; Füße düster fleischroth. Das Weibchen soll nur an dem kleinern und mehr bräunlichschwarzen Hals= fleck und kaum bemerkbar geringerer Größe zu erkennen sein. Die letztre ist überhaupt noch etwas beträchtlicher als die der Haubenlerche. Ihre Heimat erstreckt sich über das ganze nörd= liche Afrika, das wärmere Asien und Südeuropa. Als Wandervogel geht sie tief bis ins innere Afrika und Südasien hinab. Sie lebt auf Getreidefeldern und Wiesen, großen Haiden und Steppen und gleicht in ihren Gewohnheiten der schon erwähnten mehr als jeder andern verwandten Lerche, namentlich auch darin, daß sie an den Wegen und auf den Triften nahrungsuchend umherläuft und daß sie nicht gleich der Feldlerche sich singend emporschwingt, sondern auf der Erde oder von irgend einem erhöhten Punkte aus ihren Gesang erschallen läßt.

Trotzdem sie also bereits aus dem Alterthum bekannt ist, so sind über ihr Freileben im allgemeinen doch außerordentlich wenige Angaben vorhanden. Eben nur so viel, daß dasselbe dem aller Lerchen gleiche. Das an der Erde aus Gräserhalmen gebaute, innen mit Grasblättern, Würzelchen und Haren gerundete Nest steht im hohen Grase oder im Kornfelde versteckt, niemals aber im Gebüsch; es enthält 5 bis 6 Eier. In ihren meisten Heimatsstrichen soll sie alljährlich zwei Bruten machen.

Der Naturforscher Radde sagt, daß sie in Südrußland sehr früh ankomme und zu Ende d. M. April zu nisten beginne, gegen Ende des Mai seien die Jungen flügge. „Sie ist ziemlich scheu, fliegt immer nur im kleinen Bogen, legt niemals eine weite Strecke auf einmal zurück und überwintert hier auch." Nach Mittheilung des Pastor Paeßler belebt sie die Steppen Tauriens zur Frühlingszeit in unabsehbaren Zügen, in denen freilich auch andere Arten vertreten sind. Oberforstmeister Goebel fand sie nistend in der Gegend von Odessa, Dr. Severzow als Zugvogel in Turkestan, wo sie bereits zwischen dem 8. bis 20. Januar anlangt. Modest Bogdanow sah im aralo-kaspischen Gebiet zahllose Scharen der Kalander- und verwandten Lerchen; Dr. Th. Krüper traf die erstere in Kleinasien im Februar und März auf den Feldern, jedoch nicht im Sommer; nach de Filippi ist sie in Persien in öden Gegenden überall häufig. Ebenso beobachtete sie A. v. Homeyer allenthalben in Algier, namentlich in der Mitidja und L. Taczanowski dort in der Provinz Konstantine, wo sie sehr gemein auf bebauten Feldern des Gebirgslandes, ebenso wie in der Wüste rings um die Oasen, minder zahlreich aber in den näher am Meere gelegenen Gegenden und auf weiten Weideplätzen am See Fezzara war. Sie hielt sich hier stets in großen Scharen auf und war im allgemeinen ziemlich vorsichtig. „Im März hatten sich die einzelnen Pärchen noch nicht abgesondert, doch fingen die Männchen bereits an, hoch aufzufliegen und zu singen." Heuglin sagt über sie nur folgendes: „Nach Dr. Rüppell soll sie häufig als Wintergast in Nubien und Egypten vorkommen, von mir wurde sie nur einzeln, einmal im März in Gesellschaft von Haubenlerchen und Bachstelzen am Ufer einer Lagune bei Alexandrien, wo sich ein Pärchen auf frisch umgebrochnem Ackerland umhertrieb, und im November auf der Poststraße zwischen Kairo und Suez angetroffen. Hemperich und Ehrenberg sammelten sie im peträischen Arabien und Hedjas, unter anderen jungen Herbstvögeln, welche sehr düster gefärbt sind." Die Gebrüder Sintenis bemerkten sie in der Dobrudscha in den Steppen sehr häufig; ebenso lebt sie nach Dr. Finsch in den Ebenen Bulgariens, auch als Nistvogel. Ob sie in Böhmen wirklich vorkomme, vermag Professor Fritsch nicht mit Sicherheit anzugeben. In der Nähe der Stadt Löwen in Belgien wurde, wie Ch. F. Dubois mittheilt, im Oktober 1855 eine lebende Kalanderlerche gefangen und dort dürfte sie wol nur als höchste Seltenheit vorkommen. Dr. v. Müller zählt sie unter den in der französischen Provence beobachteten Vögeln mit und sagt, daß sie dort in der steinreichen Ebene der Crau das ganze Jahr hindurch häufig, in der Camargue dagegen selten sei. Man halte sie ihres vorzüglichen Gesangs halber oft in Käfige. Nach Salvadori ist sie in Sardinien gemein und nicht so mißtrauisch wie um Rom und anderwärts, vielleicht weil sie hier nicht ver= folgt wird. Außerdem gehört sie zu den auf den Märkten von Pisa, Rom und Triest in beträchtlicher Anzahl ausgebotenen Vögeln. In Portugal beobachtete Dr. Rey eine große Schar am 5. April, später aber nur einzelne; in Deutsch= land ist sie an verschiedenen Orten, jedoch nur selten als Wandergast gesehen worden.

Sie kommt in mancherlei Abänderungen vor, namentlich in sehr wechselnder Größe, sowie auch inhinsicht der Gefiederfärbung. „Die Untersuchung der Ka= landerlerchen“, sagt E. F. v. Homeyer, „von der Wolga, aus Südrußland, Kleinasien, Griechenland, Dalmatien, Toskana, Spanien, Portugal, Algier und Egypten ergibt fast überall eine bedeutende Veränderlichkeit. Die aus Portugal ziehen ein wenig ins Rostfarbne, die aus Toskana zeigen den schwarzen Fleck am Halse am größten; aus Kleinasien sind sie am lichtesten, von der Wolga meistens einfarbig dunkelgrau. Selbst in einundderselben Gegend und größten= theils unabhängig vom Geschlecht, wenn auch die Weibchen stets kleiner sind, kommen bedeutende Größenunterschiede vor. Beständiger sind die Abweichungen in den Farben, und bei einiger Uebung läßt sich mit ziemlicher Sicherheit das Vaterland einer jeden einzelnen bestimmen.“ Auch v. Nordmann fand in den großen Scharen ebenso auffallend große, wie merkwürdig kleine Exemplare, nicht minder aber zugleich viele Farbenspielarten, weiße, weißgefleckte und gelbliche und viele bloße Abänderungen der gewöhnlichen Färbung.

Inbetreff des Gesangs gehen die Meinungen und Urtheile der Schriftsteller auch bei diesem Vogel überaus weit auseinander. Die alten Autoren loben ihn rückhaltlos. Cetti (Naturgeschichte von Sardinien) spricht von demselben mit Begeisterung: „So wie die Kalandra die anderen Lerchen an Größe übertrifft, ist dies auch im Gesange der Fall; ja, sie kann mit jedem andern Vogel um den Vorrang wetteifern. Ihre natürliche Stimme ist ein Geschwätz von nicht besondrer Annehmlichkeit; aber sie faßt mit staunenswerther Kunstfertigkeit alles auf, was sie hört und wiederholt es. Auf dem Lande bildet sie gleichsam ein Echo der Stimmen aller übrigen Vögel und man braucht eigentlich nur sie allein zu hören anstatt alle anderen. Sie ahmt ebenso das Geschrei der Raubvögel wie die Lieder der Singvögel nach und läßt, in der Luft schwebend, Tausende von Rufen, Strofen und Weisen unter einander erschallen. Auch lernt sie, was man ihr vorspielt, und das Flageolet kann keine Schülerin haben, welche schneller

aufzufaſſen und vollkommener nachzuahmen verſtände. Dabei ſingt ſie unermüd=
lich vom Morgen bis zum Abend. Eine am Fenſter hängende Kalanderlerche
vermag alle umwohnenden Leute zu erheitern, und die Vorübergehenden bleiben
nicht ſelten ſtehen, um ſie anzuhören; ſie iſt beſonders die Freude der Handwerker,
bei denen man ſie häufig findet." Ein neuerer Schriftſteller, Graf Gourcy,
lobt dann nicht minder ihre Begabung, mit welcher ſie die Stimmen aller an=
deren Vögel nachzuahmen vermag. Sie könne nicht allein Strofen aus dem
Liede des Gartenlaubvogels, ſondern auch den tiefen Ruf der Amſel, nicht ſelten
ſogar die Weiſen von Schwalbe, Singdroſſel, Stiglitz, Wachtel, Meiſe, Grünfink,
Hänfling, Feld= und Haubenlerche, Fink und Sperling, ferner die Rufe der
Spechte, das Kreiſchen der Reiher und ſelbſt menſchliche Laute, wie Schnalzen
u. drgl. außerordentlich täuſchend wiedergeben. Herr Albin Groß in Göppingen
ſchreibt: „Meine Kalanderlerche iſt wegen ihrer Leiſtungen als Spötter in der
ganzen Gegend berühmt; allein vom Ende des Januar an ſingt ſie ſchon ſo laut,
daß man es in dem Zimmer, in welchem ſie hängt, nicht aushalten kann. Sie
iſt übrigens in einem ungeheizten Raum überwintert worden und ſingt dennoch."
Derartige Urtheile betreffen erklärlicherweiſe immer nur den im Käfige gehaltnen
Vogel, deſſen Geſang ſich bereits bedeutſam vervollkommnet hat. Im Freileben
findet derſelbe nicht ſolchen vollen Beifall, erklärlicherweiſe, weil ſie zu den ſog.
Spottvögeln gehört und erſt im Käfige die Gelegenheit findet, ſich zur hervorragen=
den Künſtlerin auszubilden. Radde ſagt nur, daß ihr Geſang dem der Hauben=
lerche ähnlich ſei und Göbel fügt nichts weiter hinzu, als daß ſie nicht fliegend,
ſondern nur im Sitzen ſinge. Alexander v. Homeyer ſagt, das Lied dieſer
ſo hoch gefeierten Sängerin des Südens habe auf ihn nicht den Eindruck gemacht,
welchen er erwartet, denn trotz vieler Melodie, trotz lauter, weitſchallender Stimme
gehe demſelben doch die Zartheit völlig ab und der Vogel müſſe viel mehr als
ein Schreier erſten Ranges gelten. Dennoch eigne er ſich ſeines vorzüglichen
Nachahmungstalents halber ſehr für die Gefangenſchaft. Wenn man ihn aber
ſelten im Beſitz der Liebhaber finde, ſo liege dies, ſagt Dr. Golz, daran, daß
das Einfangen und Eingewöhnen der alten Vögel große Schwierigkeiten habe.

In Spanien, Italien und anderen ſüd= und weſteuropäiſchen Ländern, nament=
lich auch in der Schweiz, iſt ſie als Stubenvogel recht beliebt; bei uns, beſonders
im Norden Deutſchlands, wurde ſie jedoch erſt in letzter Zeit eingeführt. Züch=
tungsverſuche ſind meines wiſſens bisher noch nicht angeſtellt, doch wäre es
wol wünſchenswerth, daß man ſolche auch mit den Lerchen machen möchte. Hier
in dieſem Falle könnte ein Erfolg von großer Wichtigkeit ſein, denn bis jetzt iſt
das Jugendkleid des Vogels noch nicht beſchrieben. Dr. Bolle erzählt, daß ein
Schiff gegen hundert Kalanderlerchen aus Kadix nach Kanaria gebracht hatte, wo
ſie als treffliche Sänger verkauft werden ſollten. Durch einen Zufall ging jedoch

die Thür ihres Käfigs auf und sie entkamen sämmtlich, noch ehe man sie ans Land geschafft hatte. Es wäre nicht unmöglich, sagt er, daß dies die Veranlassung zu ihrer Ansiedlung auf den kanarischen Inseln würde und dies ließe sich umso= eher erwarten, da sie in den Nachbarländern doch sehr häufig seien. Im übrigen warnte er im Jahre 1858: „Man hüte sich, aus der Ferne her, in Triest Calandras zu bestellen, denn man würde theure Feldlerchen erhalten, welche dort diesen Namen haben, während die Kalanderlerche selbst Calandron heißt"; gegen= wärtig aber braucht man derartige Befürchtungen nicht mehr zu hegen; denn von Baudisch, Alpi und Crevatin in Triest, Zivsa in Troppau und Hromada in Dresden, Karl Gudera und den übrigen Händlern in Wien sind sie immer zu beziehen. Der Preis beträgt für frisch eingeführte Vögel 12 bis 18 Mark für das Männchen und für ein solches gut singendes bis zu 30 Mark.

Die Kalanderlerche hat keinen weitern Namen. [Kalandralerche, große Lerche, Ga= lander und große Ringlerche, nach alten Autoren].

L'Alouette-calandra; Calandra Lark.

Nomenclatur: Alauda calandra, *L.* (nec *Bnll.*); Alauda undata, *Gml.*; Alauda matutina, *Bdd.*; Melanocorypha calandra, *Boie*; M. calandra, subcalandra et albigularis, *Br.*, *Gld.*, *Nmn.*, *Bp.*, *Cb.*, *Lndrm.*, *v. d. Mhl.*, *Mlhb.*, *Sv.*, *Cr.*, *Slvd.*, *De Flp.*, *Drk.*, *Trstr.*, *Rpp.*, *Hgl.*, *Hrsf.* et *Mr.*, *Bree*, *Wrght.*; Londra calandra, *Sks.* [Corydalus galerita, *Belon*; Alauda major s. calandra, *Brss.* — La Calandre, *Edw.*, *Buff.*; The Calandra, *Edw.* — Chalandra, Chalandria (italienisch und spanisch) und Corydalos (in Venedig), nach *Geßner*; Culassade (in der Provence), Alouette de bruyère (bei Orleans) nach *Buffon*.

Wissenschaftliche Beschreibung siehe S. 603.

Alauda calandra: supra rubente fumida scapo cujusque plumae exterius livide limbatae subnigro; loris striaque superciliari tenui livide fulvis; genis striaque mysta- cali tenui subfumidis; macula magna lateris colli nigra vel nigro-fusca, remigibus fuscis, exterius livide limbatis; fascia trans aiam augusta alba; rectricibus subfusco- nigris, exterius livide limbatis; gula media alba, ejusque lateribus cum pectore sub- nigro-vittato, ochraceo-afflatis; gastraeo reliquo albo; rostro gilvo-, ipso fuscato- carneo; iride fusca; pedibus livide carneis. — ♀ macula gulari minore, magis fus- cato-nigra differens atque statura paulo minore.

Länge 18,5 cm.; Flügelbreite 39,5 cm.; Schwanz 6 cm.

Die zweifleckige Lerche [Alauda bimaculata], eine der vorigen sehr nahestehende Art, welche von manchen Ornithologen in drei besondere Arten geschieden wird, ob mit Recht, muß dahingestellt bleiben und hat für die Liebhaberei keine Bedeutung. Sie stimmt im allgemeinen mit der eigentlichen Kalanderlerche überein, soll jedoch oberhalb einen mehr rostgrauen Ton haben und dunkler schaftfleckig sein; das Schwarz auf der Halsseite zieht sich gegen die Ober= brust hin zusammen; die Schwingen haben keine weiße Binde und jede Schwanzfeder hat einen weißen dreieckigen Fleck, sodaß der Schwanz von unten eine breite weiße Endbinde zeigt; außer= dem ist sie auch beträchtlich kleiner. Ihre Heimat erstreckt sich über Arabien und Nordostafrika, südwärts bis zum blauen Nil. In Abessinien ist sie Wintergast. Betrachtet man alle drei Arten als zusammenfallend, so ist als Heimat auch Palästina und ganz Mittelasien bis Sibirien zu erachten. Sharpe und Dresser haben in den „Birds of Europe" eine eingehende Be= schreibung gegeben; näheres über das Freileben ist zwar nicht bekannt, doch wird dasselbe jeden= falls dem der vorigen in jeder Hinsicht gleichen. — Halsbandlerche (Br.) und röthliche Kalander=

lerche. — Alauda bimaculata, *Ménétr.*; Melanocórypha torquata, *Blth.*; M. albo-termi-nata, *Cb.*; M. rufescens, *Br.*

## Die Mohrenlerche [Alauda tatarica].

Im Jahre 1875 brachte der Händler **Staber** aus Moskau eine kleine An=zahl dieser überaus interessanten Vögel nach Berlin, wo sie theils in den zoologi=schen Garten, theils in das Aquarium gelangten und auch an Liebhaber zu dem allerdings hohen Preise von 45 Mark für den Kopf verkauft wurden. Ich zögerte einige Tage, bevor ich mich entschließen konnte, gerade für Lerchen eine solche Summe auszugeben und gleich darauf hatte ich Ursache, mein Säumen zu be=dauern, denn die wirklich sehr schönen Vögel waren rasch vergriffen. Das Hoch=zeitskleid ist einfarbig tiefschwarz, oberhalb, besonders an Rücken, Flügeln und Schwanz jede Feder fein fahlweiß gesäumt; Auge braun; Schnabel und Füße schwarz. Das Männchen im Herbstkleide und das Weibchen ist fahlbräunlich, schwärzlichbraun schaftfleckig, Flügel= und Schwanzfedern schwarzbraun, fahl außengesäumt, erste Schwung= oder Schwanzfeder mit weißer Außenfahne; an jeder Halsseite ein schwärzlicher Fleck; unterseits bräunlichweiß, Hals und Brust schwärzlichbraun gestrichelt, Seiten bräunlichweiß, matt dunkelschaftstreifig. Das Jugendkleid soll fahlbräunlich sein, jede Feder breit schwärzlich schaftstreifig; Zügel= und Augenbrauenstreif weiß; Wangen bis zum Ohr fahlröthlichbraun; Flügel schwarzbraun, jede Feder fahl gesäumt; Schwanzfedern ebenso, etwas dunkler, fahl gesäumt und die äußerste mit weißer Außenfahne; ganze Unterseite weiß, Brust breit dunkelbraun schaftfleckig, Körperseiten fahl röthlichbraun ge=strichelt; untere Flügelseite schwarz. Bedeutend größer als die Feldlerche, eine der größten Lerchen überhaupt. Die Heimat erstreckt sich über das mittlere Asien, von wo sie zur Winterzeit südlich und westlich wandert und daher auch, freilich nur einzeln, bis zum Südwesten Europas vorkommt. Den alten Schriftstellern war sie bereits be=kannt, und sie geben mehr oder minder zutreffende Beschreibungen und Abbildungen, deren beste wol die von **Pallas** ist, welcher sogar schon ihr Freileben in den Salzsteppen an der Wolga und der tatarischen Wüste schildert und angibt, daß sie zum Winter hin südwärts wandere. **Forster**, der sie jeltonische Lerche nennt, sagt, daß sie scharenweise jenseits der Wolga in der Nähe des Jelton-Sees lebe und im August sehr fett und von vortrefflichem Geschmack sei. Da sie im Frühlinge und Winter verschiedene Kleider trägt, so nannte sie **Gmelin** veränderliche Lerche (s. Nomenklatur). Die neueren Schriftsteller wie **Bechstein** und **Bolle** haben sie nicht aufzuweisen. Dr. **Eversmann** traf sie hin und wieder in den östlichen russischen Steppen an, vorzugsweise jedoch in den Salzgegenden. Im Winter sah er sie in Schwärmen von vielen Tausenden in den südlichen Kirgisen=steppen umherwandernd, auf den Salzflächen und an den Ufern der Salzmore, wo der Schnee noch liegen bleibt, ihr Futter, welches dann in den Samen der Salzpflanzen besteht, suchend. Nach F. W. **Bädeker** erscheint sie bei Sarepta an der Wolga im Januar, verschwindet bald wieder für einige Wochen und wird zwar im März in Scharen umherstreichend, aber nur für kürzere Zeit gesehen. Gibt es keinen Schnee, so verbleibt sie auf der hohen Steppe; bei Schneefall aber kommt sie herab und sucht an den Wegen nach Futter umher, wo sie dann gefangen oder erlegt werden kann. Rabbe fand sie nebst Berg= und Kalander= lerche in Südrußland in den Bazaren der Städte, namentlich in Odessa, wo sie nicht gefangen, sondern mit Schrot geschossen, feilgehalten werden. Middendorf beobachtete sie im Februar in der Barabasteppe, nahe an der Heerstraße in großen Schwärmen und Göbel erhielt eine, welche unter einem Schwarm von Kalander= lerchen in der Nähe von Odessa gesehen und erlegt worden. „Sie ist Bewohnerin der Steppen Mittelasiens", sagt E. F. v. Homeyer, „und scheint ihre Wege fast ausschließlich westlich mit einer leichten südlichen Richtung zu nehmen. Die Süd= und Südostgegenden Rußlands sehen sie in jedem Winter zahlreich." Der= selbe Schriftsteller fügt dann hinzu, daß kein sichrer Nachweis ihres Vorkommens in Deutschland vorliege, während sie in der Nachbarschaft von Brüssel im März 1850 in etwa fünf Köpfen erlegt sein soll. Während der Expedition der geographischen Gesellschaft von Bremen unter Führung des Herrn Dr. Otto Finsch nach Westsibirien i. J. 1876 beobachtete der genannte Gelehrte diese Lerche in verschiedenen Gegenden und zwar auch in der wüstenartigen Steppe von Taril, wo stundenweit kein Wasser vorhanden. Im übrigen ist über ihr Freileben fast garnichts angegeben, doch dürfte dasselbe wol dem unsrer Feld= lerche im allgemeinen gleichen. Nach Dubois soll sie nur einen ganz geringen Gesang haben.

Ueber ihr Benehmen in der Gefangenschaft ist leider nicht viel zu berichten. Im Berliner Aquarium gingen alle Mohrenlerchen bald zugrunde; im zoologischen Garten dagegen ist noch jetzt ein schönes Pärchen vorhanden, und damit ist wol der Beweis gegeben, daß sie in der Gefangenschaft sich ausdauernd zeigen. Einen Gesang habe ich nicht vernehmen können, doch sagte mir der Futtermeister Meusel, daß derselbe laut und klingend, dem der Haubenlerche ähnlich, doch wol noch an= genehmer erschalle.

Die Mohrenlerche hieß bei den alten Autoren schwarze Steppenlerche und tatarische Lerche. L'Alouette noire; Black Lark.

Nomenclatur: Alauda tatarica, *Pll.*; Tanagra sibirica, *Sprrm.*; Alauda yelto- niensis, *Frstr.*, *Rss.* [„Hndb."]; Alauda mutabilis, *Gml.*; Alauda nigra, *Sph.*; Saxilauda tatarica, *Lss.*; Melanocorypha tatarica, *Bp.*, *Cb.*; Calandra nigra, *Dbs.*; Melanocorypha yeltoniensis, *Shrp.* et *Drss.*, *Br.*

Wissenschaftliche Beschreibung siehe S. 608.

Alauda tatarica: vestimento nuptiali unicolore atro; supra pluma quaque imprimis dorsi, alarum caudaeque subtiliter albido-limbata; iride fusca; rostro pedi- busque nigris. — Femella et vestimentum maris autumnale subfumida, e nigro fusco- maculata; remigibus rectricibusque nigricante fuscis, exterius livide limbatis; pogonio primae hujus utriusque pennae extero albo; macula lateris colli nigrescente; gastraeo fuscato-albo; collo pectoreque subnigro-fusco-striolatis; hypochondriis luride albis, obscure substriatis. — Juv.: livide umbrina, subnigro-vittata; loris striaque super- ciliari albis; genis ad aurem usque livide badiis; pluma quaque alarum nigro-fuscarum livide limbata; pogonio extimae rectricum obscuriorum, livide limbatarum extero albo; pectore fusco-vittato; hypochondriis livide badio-striolatis; subalaribus nigris.

Länge 18 bis 19 cm.; Flügel 13,5 cm.; Schwanz 7,5 cm.

Die mongolische Lerche [Alauda mongolica] aus Mittelasien bewohnt die östlichen Steppen und wandert zum Winter — wohin, weiß man jedoch noch nicht mit Bestimmtheit. Radde beobachtete sie bei der Grenzwacht am Kuluffutajeßk in 10 bis 30 Köpfen und bemerkt als auffällig, daß sie einerseits alle bewaldeten oder bestrauchten Gegenden und andrerseits salzhaltigen Boden vermieden. Er meint, daß sie einzeln in den Hochwaldsteppen brüte, doch fand er das Nest nicht. Sie sei sehr scheu, laufe sehr schnell auf der Erde und lasse sich vom Jäger nicht leicht ankommen. Da er zeitweise ein Männchen erlegte, so meint er, daß sie in den Geschlechtern getrennt wandere. Ihren Gesang lasse sie ebenso wie die Feldlerche, doch nur im niedrigen Fluge erschallen, aber recht anhaltend; nach Beendigung desselben senke sie sich wie jene plötzlich zur Erde herab. Ein Urtheil über den Gesang ist jedoch nicht angegeben. Nach Dr. Dybowski ist sie in den Steppen von Ostsibirien sehr gemein, kommt im Frühling zeitig an, nistet mit der gemeinen Feldlerche völlig übereinstimmend und brütet überaus fest auf dem Gelege. Auch diese Lerche erwähnen die alten Schriftsteller gleich der vorigen, und Pallas sagt, daß sie ein eignes, zuweilen plötzlich abgebrochnes Zwitschern hören lasse. Im Juni brüte sie. Näheres ist weder von den älteren, noch von den neueren Vogelkundigen mitgetheilt worden. Sie ist oberhalb roströthlich zimmtbraun; über die Kopfmitte ein fahlröthliches breites Band, ein ebensolches quer über den Hinterkopf; Zügel- und Schläfenstreif weiß, unterhalb des letztern ein zimmtbrauner Streif; Wangen reinweiß; an jeder Halsseite ein großer schwarzer Fleck; an Rücken und Schultern jede Feder fahl röthlichweiß gerandet; Schwingen und übrige Flügelfedern schwarzbraun, fahlweißlich gesäumt und mit weißer Querbinde über den Flügel; Schwanzfedern schwarz, die mittelsten heller braun und mit weißer Außenfahne; ganze Unterseite weiß; Brust- und Bauchseiten bräunlichweiß, rothbraun schaftstreifig; Schnabel gelblichhorngrau mit dunkler First; Auge braun; Füße röthlichgrau; das Weibchen ist nicht beschrieben. Größe der vorigen. Obwol sie in China ein nicht seltner Stubenvogel sein soll und auch in den Jahren 1866 und 1867 in je einem Exemplar in den zoologischen Garten von London gelangt ist, so ist sie doch bei uns in Deutschland noch nicht eingeführt. Steppenlerche und Mongolenlerche; Bai=Ling, d. h. hundert Geister, bei den Chinesen (nach Br.). Alauda mongolica, Pll.; A. sinensis, Wtrhs.

Die sibirische Lerche [Alauda sibirica] ist am Oberkopf röthlichzimmtbraun, Zügel- und Augenbrauenstreif nebst Kopfseiten weiß, untere Wangenhälfte bräunlichfahl, matt dunkel gepunktet, ganze übrige Oberseite dunkelbraun, jede Feder fahlbraun außengesäumt; Schwingen schwarzbraun, fahl außengesäumt, über den Flügel eine sehr breite weiße Querbinde, Flügelrand und obere Schwanzdecken röthlichzimmtbraun, Schwanzfedern schwarz, heller gesäumt, die äußerste ganz weiß; Oberbrust fahl röthlichweiß, verloschen dunkel gepunktet; ganze übrige Unterseite weiß; Brustseiten röthlichzimmtbraun; Bauchseiten bräunlich, dunkelschaftstreifig; Schnabel bräunlichgelb mit dunklerer First; Auge braun; Füße röthlichbraun. Das Weibchen soll nur matter gefärbt sein. Die Größe ist ein wenig beträchtlicher als die der Feldlerche. Ihre Heimat erstreckt sich über den Osten Europas und Nordasien. Von Radde wurde sie in der Barabasteppe gefunden, und Dr. Eversmann gibt an, daß sie bewachsene kräuterreiche Flächen und Anhöhen der Steppe liebe; sie gehe nordwärts bis Orenburg und sei namentlich in der Gegend von Jleßk noch sehr häufig. Sie wähle stets gelblichen oder röthlichen Lehmboden ohne Dammerde zu ihrem Aufenthalt. Dr. Finsch beobachtete sie auf dem Wege von Omsk nach Semipalatinsk in Sibirien. In der Dobrudscha erlegten sie die Gebrüder Sintenis auf dem Frühlingszuge unter Kalanderlerchen, doch ist sie dort sehr selten. „Von verschiedenen Schriftstellern", sagt E. v. Homeyer, „bald in diese, bald jene Gattung umhergeworfen, paßt sie eben in keine; sie ist weder eine Kalander-, noch eine Alpen= oder gar eine Isabellerche, mit der mongolischen Lerche dagegen paßt sie ganz ausgezeichnet zusammen. Sie geht östlich, wie Radde beobachtet hat, nicht über das Jenisseigebiet hinaus, nistet bereits in der Wolgagegend und kommt alljährlich im Winter nach Südrußland. Einzelne haben sich bis Belgien verflogen und obwol man in neuerer Zeit ihr Vorkommen in Deutschland nicht festgestellt, sondern vielmehr angezweifelt hat, während bei ihrer westlichen Zugrichtung die in Belgien gefundenen weißflügeligen oder sibirischen Lerchen doch nothwendigerweise durch Deutschland gewandert sein müssen, so ist es dennoch fraglose Thatsache, und zwar wurde diese Art schon seit langer Zeit in unserm Vaterlande beobachtet. Bechstein erzählt: ‚Von dieser Varietät fing ich im März 1789 bei hohem Schnee sieben Köpfe vor meiner Thür unter einem Siebe. Sie hielten sich in einer Gesellschaft von Baum= lerchen auf, und unter den anderen Lerchen, die damals in meiner Gegend zu tausenden gefangen worden, war keine mehr von dieser Spielart zu treffen. Ich hielt sie anfangs für eine besondre Art, bis mir ihr ganzes Wesen, Locktöne, Geschrei u. s. w., da ich sie lange Zeit in der Stube hatte, zeigten, daß es Feldlerchen waren. Doch hatten sie keine Kappe. Vielleicht waren es Feld= lerchen, die in weit südlicheren Gegenden zu Hause gehören, denn meine Beobachtungen haben ge= zeigt, daß es eine beständige Varietät sein muß.‘ (Er gibt dann eine genaue Beschreibung und v. H. fährt fort): An eine bloße Spielart ist bei sieben gleichgefärbten Köpfen von vornherein nicht zu denken, und die Beschreibung paßt so durchaus zu der Weißflügellerche, daß man über die Zugehörigkeit garnicht im Zweifel sein kann. Nach den Beobachtungen des Grafen Wodzycki kommt sie übrigens nicht selten bis nach Polen und Galizien." Ueber das erwähnte Erscheinen in Belgien berichtet Herr Ch. F. Dubois: „Im Oktober 1855 wurde eine solche Lerche bei Lüttich gefangen, dann im Oktober des nächsten Jahres eine bei Mecheln." Inbetreff des Freilebens ist fast garnichts bekannt. Sie soll im ganzen Wesen der Feldlerche ähnlich, aber noch viel weniger scheu sein und auch in gleicher Weise nisten. Nach Angabe der wenigen Beobachter ist ihr Gesang unbedeutend, beiweitem geringer und minder klangreich, als der anderer Verwandten. Ob sie bereits in den Handel gelangt ist, vermag ich mit Sicherheit nicht anzugeben, obwol ich glaube, sie im zoologischen Garten von Hamburg vor einigen Jahren gesehen zu haben. — Spiegellerche (Br.); weißflügelige Lerche (Hmr.). — Alauda sibirica, Gml.; A. leucóptera, Pll.; A. arvensis ruficeps, Bchst.; Calandritis sibirica, Cb.; Pallasia (!) leucoptera, Hmr.

Die aschgraue Lerche [Alauda cinérea, Gml.] vom Vorgebirge der guten Hoffnung; oberhalb dunkelbraun, jede Feder fahl röthlichbraun außengesäumt; Oberkopf dunkelröthlich= braun, Augenbrauenstreif und Kopfseiten reinweiß; kleiner Wangenfleck röthlichfahl; Schwingen dunkelbraun, die erste weiß und die anderen röthlich außengesäumt; obere Schwanzdecken bräunlich= dunkelroth; Schwanzfedern schwärzlichbraun, die äußerste mit weißer Außenfahne; an jeder Brust= seite ein großer braunrother Fleck; ganzer Unterkörper weiß; Brust=, Bauch= und untere Flügel= seiten hellröthlichbraun; Schnabel dunkelbraun; Auge braun; Füße bräunlichgrau. Das Weibchen ist nicht bekannt. Die Größe ist etwas geringer als die der Feldlerche. Nach Layard's An= gabe ist sie im Kaplande überall häufig und im Freileben gleicht sie den Verwandten, doch hat der Forscher näheres leider nicht mitgetheilt. Lebend eingeführt ist sie bis jetzt noch nicht, und wenn dies über kurz oder lang auch geschehen sollte, so wird sie doch für die Liebhaberei schwerlich eine besondre Bedeutung gewinnen, weil man von ihr fast allen folgenden Lerchen annehmen läßt. Graulerche (Br.). Alauda ruficapilla, Smth.; A. spleniata, Strckl.; Calandrella ruficeps, Br. [nec Rpp.]. — Die rothköpfige Lerche [Alauda ruficeps, Rpp., nec Br.] aus Abessinien ist nach Cabanis kleiner als die vorige, an der Brust mehr oder weniger rothbraun und an der ganzen übrigen Unterseite, namentlich an den Bauchseiten, ebenso angeflogen und verloschen gestreift; die äußerste Steuerfeder zeigt nur einen schmalen weißen Saum. „Sie vertritt", sagt Heuglin, „in den Hochgebirgen Abessiniens, zwischen 2000 bis etwa 3600 Meter Meereshöhe unsre Feldlerche, mit der sie im Benehmen ungemein viele Aehn= lichkeit hat. Parweise findet man sie das ganze Jahr hindurch auf Stoppelfeldern, steinigen Brachäckern, an Wegen, um Gehöfte, namentlich auf eisenhaltigem Boden. Das Männchen singt häufig steigend in der Luft oder auf einer Erdscholle, seltener sieht man es auf kleinen Büschen sitzend. Nordwärts trafen wir sie noch in Hamasién, südwärts bis in den Wolo=Gala=

Gebirgen, jedoch nicht westlich vom Tanasee." Nach Barboza du Bocage befindet sich ein Exemplar aus Westafrika im Museum von Lissabon. In allem übrigen stimmt sie mit den vorigen überein. Rothköpfige Berglerche (Hgl.). — **Die Finkenlerche** [Alauda deva] aus dem südlichen Indien ist oberhalb dunkelbraun, jede Feder fahl gesäumt; Augenbrauen= und Zügel= streif roströthlichfahlgelb, Bartstreif dunkelbräunlich, Kopfseiten röthlichbraun; Schwingen und Flügeldecken dunkelbraun, fahl außengesäumt; Schwanzfedern schwarzbraun, die äußersten fahl= röthlich außengesäumt; Kehle, Brust und Seiten fahlröthlichgelb, fein dunkelschaftstreifig, ganze übrige Unterseite hell roströthlichgelb; Schnabel bräunlichgelb; Auge dunkelbraun; Füße gelblichgrau. Das Weibchen soll nicht verschieden sein. Größe etwa der Haidelerche gleich. Nach Jerdon's Mittheilungen ist sie in der Lebensweise und allen sonstigen Eigenthümlichkeiten der europäischen Feldlerche überaus ähnlich. Man hält sie dort nicht allein um ihres sehr ange= nehmen Gesangs willen, sondern auch weil sie in vorzüglicher Weise die Lieder verschiedener Vögel nachahmen lernt, häufig in der Gefangenschaft und hoffentlich wird sie nebst anderen indischen Vögeln demnächst in den Handel gelangen. Kleine Haubenlerche (Hmr.). Mirafra Hayi, *Jerd.*

**Die kurzzehige Lerche** [Alauda brachydáctyla] gehört jedenfalls zu den am weitesten ver= breiteten unter allen überhaupt, denn ihre Heimat erstreckt sich über den Südwesten Asiens, das nordöstliche Afrika und über das südliche bis mittlere Europa; auf Zeylon kommt sie nicht vor, dagegen gehört sie nach Blasius zu den auf Helgoland beobachteten Vögeln. Sie ist oberhalb fahlgelblicherdgrau (bis deutlich rostfarben), schwärzlich schaftfleckig, namentlich an Oberkopf und Rücken; Zügelstreif weiß, Schläfenstreif weiß und darunter ein schwärzlicher; Wangen fahl= röthlichgelb, schwärzlich schaftstreifig; an jeder Halsseite ein schwärzlichgrauer Fleck; Flügel fahl= gelblichbraun, mit fahlgelblichweißer Querbinde; Schwingen schwarzbraun, röthlichfahl außen= gesäumt; Schwanzfedern dunkelbraun, fahlröthlichgelb außengesäumt; ganze Unterseite weiß, Brust= und Bauchseiten nebst unteren Flügeldecken fahlröthlichgelb; Schnabel gelbgrau mit schwärzlicher Spitze; Auge braun; Füße graugelb. Das Weibchen soll übereinstimmend sein, nur mit matter gefärbtem und kleinerm Halsfleck. Das Jugendkleid ist nach A. v. Homeyer schön gelb gefleckt. Die Größe ist beträchtlich geringer als die der Haidelerche. Sie zeichnet sich vor den Verwandten dadurch aus, daß sie nicht den langen Spornagel an der Hinterzehe hat. „Wie weit ihre Verbreitung sich eigentlich ausdehnt", sagt E. F. v. Homeyer, „läßt sich noch nicht feststellen, da sie bis zur neuesten Zeit hinauf mit anderen nahestehenden Arten verwechselt worden und auch gegenwärtig noch eine sichre Scheidung und Begrenzung aller hierher gehörenden Lerchen zweifelhaft bleibt. Sie neigt ganz außerordentlich zu Abweichungen, und ich muß ge= stehen, daß ich auf desto größere Schwierigkeiten stieß, je mehrere Exemplare ich aus den ver= schiedensten Gegenden in Händen hatte; meine Untersuchung erstreckte sich über solche aus Süd= rußland, Griechenland, Dalmatien, Spanien, Portugal, Algier und Egypten, welche sich größten= theils in meiner Sammlung befinden." Die Unterschiede liegen nach demselben Schriftsteller vornehmlich darin, daß die Rostfarbe mehr oder minder deutlich, am meisten bei den portu= gisischen und am geringsten bei den südrussischen ist. Ferner schwankt die Größe sehr beträchtlich und ebenso die Länge der Schwingen selbst um zwei bis drei Linien. Schließlich gibt es auch mancherlei Spielarten, ganz rostfarbene, reinweiße und gescheckte. Die Literatur über ihr Vor= kommen ist eine reichhaltige und nach derselben gleicht ihre Lebensweise in wesentlichen der aller nahestehenden, besonders der Feldlerche. Dr. Bolle spricht in seiner geistvollen Weise über ihr Freileben auf den kanarischen Inseln. Zunächst berichtigt er den Irrthum, nach welchem die dort vorkommende Art die Feldlerche sei; „es ist vielmehr", sagt er, „die kurzzehige. Als Standvogel ist sie wol über alle jene Inseln verbreitet. Schon auf jedem Saatfelde in der Nähe von Santacruz ist sie zahlreich anzutreffen und nicht allein auf kornreichen Strichen, sondern auch auf wüstenartigen kahlen Flächen und Hügeln, deren weißer Tuff oder gelber Kalkboden nur geringen, manchmal garkeinen Pflanzenwuchs aufkommen läßt, wie es deren zumal im Osten von Kanaria viele gibt. Im Sommer, mehr aber noch im Herbst, liegt sie schaarenweise in den Stoppelfeldern, auf denen die Halme fußhoch stehen bleiben; auch läßt sie sich gern auf Steinen nieder. Im Frühlinge singen die Männchen, in der Luft einander jagend, abgebrochene Lerchenstrofen. Ueberhaupt hat ihr Gesang mit dem der Feldlerche Aehnlichkeit und wird wie von dieser meistens im Fluge vernommen; er ist jedoch weniger anhaltend und laut. Das Jugendkleid ist, wie bei allen mir bekannten Lerchen, weißbunt gesprenkelt. Gäbe es auf den Inseln Vorrichtungen zum Lerchenfange, so könnte derselbe gewiß lohnend betrieben werden. Selbst als Stubenvogel wird sie trotz ihrer angenehmen Stimme kaum jemals gehalten." Das Obige ergänzt durch die nachstehende Schilderung Herr Major Alexander v. Homeyer von den Balearen: „Diese hübsche kleine Lerche ist hier in einer überraschenden Anzahl vorhanden; allenthalben findet man sie, auf jedem Felde, selbst wenn dasselbe ziemlich zahlreich mit Bäumen besetzt ist, auf den wenigen nassen Süß- und Brackwasserwiesen, in den dürftigen Sandgegenden des südöstlichen Strandes, auf den Felsen der Vorberge, in den fruchtbaren Getreide-, Mais- und Oelfruchtgeländen, kurz überall, nur nicht im eigentlichen Gebirge und im Walde. Sind jedoch die kultivirten muldenförmigen Thaleinschnitte nicht zu klein und eng, so zeigen sich selbst hier einige Pärchen. Bald singt sie aus der Luft, bald von einem Stein oder einer Ackerscholle herab, namentlich abends bei untergehender Sonne oder morgens, während sie gleichzeitig das Gefieder ordnet. Wird irgendwo gepflügt, so finden sich ihrer hunderte aus der ganzen Nachbarschaft der Nahrung halber ein, welche ungefähr dieselbe ist wie bei der Feldlerche. Der Gesang ist lerchenartig. Man erkennt ihn als solchen sogleich, ersieht aber auch, daß er bedeutend schlechter als der unserer deutschen Lerchenarten ist und zwar lauter Stückwerk, nichts Zusammenhängendes, stets mit Pausen zwischen den einzelnen Strofen. Letztere haben mit denen der Feldlerche die meiste Aehnlichkeit, doch sind sie viel unbedeutender; langgezogene Töne gehen voran, während schnellgegebene Nachsätze folgen, welche weder im Wohllaut noch Tempo zum Gesang passen. Die langgezogenen Flötentöne sind schreiend, die Schlußstrofen hölzern und ohne Klang. Einzelne Strofen werden genau ebenso oder nur mit Abänderung des Schlußes bis zum Ueberdruß wol zehn- bis zwanzigmal wiederholt, wodurch man an die langweilige Weise mancher schlechten Sänger unter den Haubenlerchen erinnert wird. Trotzdem besitzt sie aber eine große Fertigkeit im Nachahmen fremder Vogelstimmen. So hörte ich z. B. Strofen vom schwarzkehligen Wiesenschmätzer, Grünfink und Hänfling; ja, selbst das tit, tittit des Grauammers schwirrt sie wol zwanzigmal hintereinander. In dieser Nachahmungsfähigkeit, den Pausen zwischen den einzelnen Strofen, wie endlich auch inhinsicht des schreienden Tons, ist ihr Gesang dem der Kalanderlerche sehr ähnlich, welcher sie auch im übrigen am nächsten steht. Ihr aufsteigender Flug geschieht sehr schnell, unmittelbar in schrägsteiler Linie; das Herabkommen erfolgt fast senkrecht. Mit außerordentlicher Geschwindigkeit erhebt sie sich lautlos und beginnt erst in der Höhe ihr Lied, in der Luft singend ihren Bogen beschreibt. Ihre Bewegungen sind denen der Feldlerche ähnlich, ebenso fast alle Locktöne, mit Ausnahme eines haidelerchenartigen Rufs, welcher wie slpüi lautet." In Nordostafrika ist sie nach Heuglin Zugvogel, erscheint oft schon zu anfang Septembers, meistens in größeren Scharen auf Brachfeldern, trockenen Viehweiden und namentlich in der Wüste und Steppe. Die einzelnen Flüge sammeln sich im Winter in Kordofan, Senar und Taka zu ungeheuren Scharen an und ziehen im Februar und März wieder in kleineren Schwärmen nordwärts. Auch in Nordarabien und im abessinischen Küstenland ist sie zur Zugzeit zu finden. Jerdon berichtet über ihr Vorkommen im Flachlande Südindiens, wo sie als Zugvogel vom Oktober bis März an Wasserrändern u. a. feuchten Stellen zuweilen so zahlreich ist, daß man wol mehrere Dutzend auf einen Schuß erlegen kann; auch wird sie hier in manchen Gegenden in großer Anzahl gefangen und als Leckerbissen verspeist, so nach Blyth namentlich bei Kalkutta. Phillips, Hutton, Dickson u. A. bestätigen jene Mittheilungen, ohne näheres hinzuzufügen. Dr. Finsch sagt, daß sie selbst auf den höchsten Wiesen des Altai und in der Steppe von Tarif, auch wenn stundenweit kein Wasser vorhanden war, überall vorkam, während er sie auf dem Wege von Omst bis Semipalatinst kaum bemerkte. Da sie schon im Jahre 1864 von Algier aus in den zoologischen Garten von London gelangte, so läßt sich wol annehmen, daß sie über kurz oder lang auch bei

uns eingeführt wird. Dann dürfte sie in ganz gleicher Weise wie die Kalanderlerche als Spott=
vogel geschätzt sein; ob sie freilich jemals einen bedeutenden Werth für die Liebhaberei erlangen
wird, ist fraglich. — Gesellschaftslerche, Stummellerche, Kurzzehenlerche und Kalandrelle. —
Alauda brachydactyla, *Lssl.*; A. bagheira, *Hmlt.*; A. arenaria, *Stph.*; A. calandrella,
*Bnll.*; A. dukhunensis, *Sks.*, *Jrd.*; Emberiza olivácea, *Tckll.*; Melanocórypha itala, graeca,
tenui-rostris et gallica, *Br.* [Boag-geyra Lark or Short-toed Lark, *Lath.*; Kirwa Bunting,
*Tckll.*; Social Lark, *Jrd.*; Ortolan, in Indien von den Europäern genannt; Bagheiri, in
Hindustan nach *Blth.*, *Hmlt.*, *Jrd.*].

Die weißgraue Lerche [Alauda pispoletta, *Pll.*], den vorhergegangenen Verwandten, nament=
lich der kurzzehigen Lerche überaus ähnlich, ist sie nach E. v. Homeyer doch durch folgende
Merkmale wesentlich verschieden. Ihr ganzes Gefieder zeichnet sich durch weißgraue Färbung
aus; der Hals ist gestrichelt; sie hat kürzere Vorderarmschwingen, sodaß die übrigen über diese
weit hinaustreten, und besonders auffallend ist die bedeutende Länge des Schwanzes. Heuglin
fügt hinzu, daß sie am Oberkörper und an der Brust kräftiger und dunkler gefleckt sei; die
Weichen sind rauchbräunlich mit einem geringen Stich ins rostfarbne. Während sie von
manchen Schriftstellern nur als Spielart der vorigen hingestellt wird, erklären andere sie für
eine selbständige sichre Art, und dies wird wol richtig sein. Ihre Verbreitung ist bis jetzt noch
nicht festgestellt, doch dürfte sich dieselbe über große Gebiete erstrecken. Radde erlegte sie in
Südrußland; Eversmann in den Steppen am Kaspischen Meere; Goebel erhielt zwei Gelege
aus der Umgebung von Odessa; Przewalski fand sie in Ostasien; Bogdanow im aralo=
kaspischen Gebiet in großen Wanderscharen; nach Shelley kommt sie in Egypten vor, nach
de Filippi in Armenien. — Heine's Lerche [Alauda Heinei, *Hmr.*], welche bisher immer
mit der weißgrauen verwechselt worden, stellt E. v. Homeyer als bestimmte Art hin und
benennt sie zu Ehren des Oberamtmann Heine zu St. Burkhard, welcher eine der größten
Sammlungen ausgestopfter Vögel aus allen Welttheilen besitzt und durch dieselbe sich bekanntlich
ein außerordentlich hohes Verdienst um die Ornithologie erworben hat. „Sie ist dunkellerchen=
grau, ins rostfarbne spielend, an Hinterhals, Brust= und Bauchseiten fein dunkelgestrichelt;
Mittelschwingen nur weißlich gesäumt; äußere Schwanzfedern ziemlich ausgedehnt weiß und ohne
jede Spur von Rostfarbe. Kehle und Bauch weiß. Sie ist nicht selten in der Wolgagegend,
kommt auch in das südliche Rußland und vermuthlich ins westliche Asien." Obwol andere
Forscher, wie namentlich H. E. Dresser, sie nicht als selbständige Art anerkennen, hält der
erstre sie doch als solche mit aller Entschiedenheit aufrecht. Die Zukunft wird ja alle derartigen
Streitigkeiten entscheiden. — Die ungefleckte Lerche [Alauda immaculata, *C. L. Br.*]
aus Spanien „zeichnet sich durch den Mangel der Seitenflecke am Halse und durch einen dunklen
Fleck seitlich der Schnabelwurzel von der kurzzehigen Lerche aus". (E. v. Homeyer). — Auch
eine hermonische Lerche [Alauda hermónensis, *Trstr.*] will man von der kurzzehigen Lerche als
besondre Art abzweigen, „indem sie sich durch längern und schlankern Schnabel, bedeutendere
Größe, rostrothe Färbung und deutlichern schwärzlichen Halsfleck unterscheidet, in der höhern
Bergregion lebt und drei Wochen später nistet" (Homeyer). — Buckley's Lerche [Alauda
Buckleyi, *Shll.*] „gleicht in ihrem Wesen der Feldlerche, schwingt sich oft zu bedeutender Höhe
empor und läßt aus der Luft ihren kurzen, aber angenehmen Gesang erschallen. Außerdem
vernimmt man von ihr ein eigenthümliches Knappen, welches sie durch schnelles Flügelschlagen
zu bewirken scheint" (Reichenow). Ueber dasselbe wird weiterhin bei der Bienenlerche eine
Erklärung gegeben. Der Genannte sah sie häufig bei Affra in Westafrika. Die großflügelige
Lerche [Alauda macróptera, *Br.*]. „Diese Lerche ist von Alfred Edmund Brehm im
Innern Afrikas aufgefunden und unterschieden worden. Solche Unterscheidung im Leben hat
allerdings viel Gewicht. Bälge unter allen Umständen mit Sicherheit zu erkennen, ist dagegen
sehr schwierig, zumal die nördlichen (egyptischen Vögel) etwas kleiner sind als die von Senar.
Die Zeichnung der Oberseite ist etwas kräftiger durch die größeren dunkleren Flecke auf der
Mitte jeder Feder als bei der kurzzehigen Lerche. Die Klaue der Hinterzehe ist jedoch länger

Cabanis stellt sie als besondre Art, Alauda Kollyi, *Tmm.*, hin (welche jedoch mit dieser zusammenfällt). Man bemühte sich, einen Vogel zu finden, der zu der Brehm'schen Beschreibung paßte, und so hat man den verschiedensten Lerchen diesen Namen gegeben, der wol am besten aus der Liste der Vögel zu streichen ist." (E. v. Homeyer). Auch Heuglin zweifelt an der Artbeständigkeit — und es ist ganz merkwürdig, daß gerade die besten Freunde jenes Afrikareisenden bei allen Angaben und Behauptungen, welche er nach eigenen Beobachtungen gemacht, Fragezeichen oder gar Ausrufungszeichen nicht unterdrücken können. — Andersson's Lerche [Alauda Anderssoni, *Frstr.*], der aschgrauen und rothköppigen Lerche anscheinend nahe verwandt und bis jetzt noch keineswegs so weit bekannt, daß es sicher feststeht, zu welcher Gruppe der Lerchen sie eigentlich gehört. Blanford, der sie im östlichen Abessinien in steinigen Gegenden häufig fand, hat sie beschrieben; hier müssen wir uns mit ihrer Erwähnung begnügen. — **Die kleinste Lerche** [Alauda minor, *Cb.*], sagt Cabanis, „ist der weißgrauen äußerst ähnlich, nur daß letztre größer ist, mehr grünen Ton an der Oberseite hat, kräftiger und dunkler gefleckt ist, längere Flügel, längern Schwanz und stärkern, mehr geraden Sporn an der Hinterzehe hat. Von der kurzzehigen Lerche unterscheidet sie sich wesentlich durch die feinere dunklere Strichelung der Oberseite; der dunkle, durch dichtstehende Striche gebildete Fleck an den Seiten der Kehle fehlt ihr fast völlig, dagegen ist die ganze Brust gleichmäßig mit schmalen dunkelbraunen Strichen besetzt; die äußerste Schwanzfeder ist größtentheils und die übrigen sind an den äußeren Rändern weiß." E. v. Homeyer fügt noch als wesentlich zu, daß sie sehr klein aber gedrungen sei, einen kürzern Schnabel habe; vom untern Schnabelwinkel gehe jederseits eine feine, doch deutliche Linie abwärts, eine andre im Bogen unter dem Auge und noch eine durch das Auge. Sie scheint den ganzen Norden Afrikas in angemessenen Oertlichkeiten zu bewohnen. Heuglin sagt, daß sie als Zugvogel im Frühjahr und Herbst in Arabien, Egypten und Nubien in den Wüsten und im Steppenlande unstät umherschweife. Barboza du Bocage theilt mit, daß ein Exemplar im Herbstkleide aus Benguela sich im Museum von Lissabon befinde. Von einigen Ornithologen wird eine nahe verwandte oder übereinstimmende Art unter der Bezeichnung Alauda Rebaudia, *Loche*, als abweichend unterschieden. Loche, A. v. Homeyer und Taczanowski machten Angaben über ihr Vorkommen in Algier, ohne stichhaltige Unterscheidungszeichen anzugeben. E. v. Homeyer wirft sie ohne weiteres mit der vorigen zusammen.

Die **Malabar=Lerche** [Alauda malabarica] aus Ostindien und von Zeylon, ist der Feldlerche sehr ähnlich und nur durch geringe Merkmale, namentlich durch sein dunkelschaftstreifige Unterseite und fahlröthlichgelbe untere Flügeldecken von ihr verschieden. E. v. Homeyer hält sie für übereinstimmend mit der Feldlerche. Blyth sagt, sie sei in Bengalen besonders im Februar sehr gemein und werde in großer Anzahl in die Bazare gebracht und als Ortolan verspeist. Jerdon fand sie über ganz Indien weit verbreitet. Auf Zeylon beobachtete sie Layard in gleicher Weise überall im offnen Lande, auf bebauten Feldern, wie in unfruchtbaren sandigen Ebenen. Ihre ganze Lebensweise und Brut (im April) gleiche der europäischen Feldlerche, doch singe sie, wenn auch recht angenehm, keineswegs so schön, wie die erwähnte Verwandte. Dr. Stoliczka sammelte sie im September im östlichen Kaschmir und nach Sewerzow nistet sie in Turkestan. Im zoologischen Garten von London ist sie seit 1872 vorhanden und daher läßt sich wol annehmen, daß wir sie über kurz oder lang auch bei uns im Vogelhandel erwarten dürfen. Trillerlerche (Br.). Alauda malabarica, *Scpl.*, *Gml.*, *Lth.*, *Gr.*, *Blth.*; A. gulgula, *Frnkl.*, *Jerd.*, *Blth.*, *Ctsb.*, *Bp.*, *Lrd.*; A. gracilis et A. gangetica, *Blth.*; A. leiopus v. orientalis, *Hdgs.*; A. arvensis, *Sndvll.* [Common Indian Lark. Poolloo in Zeylon nach Layard]. — **Die kleinschnäblige Lerche** [Alauda triborrhyncha, *Hdgs.*] von Horsfield und E. Moore im „Catalogue of the Birds in the Museum of the East-India-Company" zwar als eine besondre Art aufgeführt, die sich freilich nur durch unwesentliche Merkmale von der europäischen Feldlerche unterscheide, während sie nach einigen anderen Autoren, z. B. Sharpe und Dresser, mit ihr auch zusammengeworfen wird. — **Die japanische Lerche** [Alauda japonica, *Tmm.* et *Schlgl.*] ist ebenfalls der Feldlerche sehr ähnlich, doch an der

ganzen Oberseite bräunlichschwarz, jede Feder fahl gesäumt; Brust und Seiten gelblichroth=
braun; breit schwarz schaftstreifig; auch ist die Größe bemerkbar geringer. Die meisten Schrift=
steller geben jedoch an, daß sie der europäischen Verwandten viel zu sehr gleiche, als daß man
sie als selbständige Art gelten lassen könne; geschieht dies jedoch, so erstreckt sich ihre Verbreitung
über Japan, den Süden von China und die Inseln Hainan und Formosa. Sie soll bei den
Japanesen und Chinesen auch als Stubenvogel beliebt sein, und obwol sie bis jetzt noch nicht
einmal im zoologischen Garten von London vorhanden gewesen, so läßt sich doch annehmen, daß
sie demnächst eingeführt werde. Himmelslerche (Br.). Alauda coelivox, Swnh. — Die braune
Lerche [Alauda infuscata, Hgl.], die rothsteißige Lerche [Alauda erythropýga, Strckl.] und
Blanfords Lerche [Alauda praetermissa, Blnf.] sind afrikanische Lerchen, über welche leider
nichts näheres bekannt geworden und die ich daher nur aufzählen kann, mit dem Wunsche, daß
die späteren Afrikareisenden sie wieder auffinden, genau beschreiben und schildern mögen. — Die
rothschäblige Lerche [Alauda conirostris, Sndvll.] wurde nach Ayres in zwei Exemplaren
(wahrscheinlich in einem Pärchen) in der Transvaal-Republik erlegt, während sie auf den offenen
Sandbänken im kurzen Grase nach Nahrung umhersuchten. Diese Art zeichnet sich vor allen
anderen durch lebhaft röthlichbraunen Schnabel aus. Näheres ist noch wol nicht bekannt.
Pink-billed Lark, Ayres.

Die Wüstenlerche [Alauda deserti], deren Verbreitung sich über den Norden und Nord=
osten Afrikas, das westliche und südliche Asien erstreckt und die auch zuweilen in Südeuropa
vorkommt, ist oberhalb gelbbräunlichgrau; Zügel fahlweißlich, Wangen röthlichisabellfarben;
Flügel dunkler, graugelblichbraun; Schwingen dunkler, fahlröthlich gesäumt; Bürzel fahlröthlich=
gelbbraun; Schwanzfedern fahlröthlichbraun, die beiden äußersten röthlichisabellfarben; Kehle
und Brustseiten weiß, röthlichisabellfarben überhaucht; ganze Unterseite düstergelblichweiß;
Schnabel bräunlichgrau, Unterschnabel röthlichgrau; Auge braun; Füße bräunlichgrau. Das
Weibchen soll übereinstimmend sein. Größe bedeutender geringer als die der Feldlerche. „Manche“,
sagt Heuglin, „zeigen eine deutliche schwärzliche Fleckenzeichnung der Kehlseiten, bei anderen
fehlt dieselbe jedoch gänzlich; Zügel und Augenkreis, zuweilen auch ein Streif über dem Auge
sind isabellweißlich. Sie scheint in Egypten Standvogel zu sein, ebenso im nördlichen Arabien
und Nubien, wie im abessinischen Küstengebiet, möglicherweise bis zum Somaliland, dagegen
nicht in den Gebirgen von Habesch. Sie bewohnt parweise die Grenze zwischen dem Kultur=
lande und der Wüste, die letztre selber, namentlich die Umgebung der Karawanenstraßen. Ihr
Gesang ist unbedeutend, der Lockton lispelnd.“ Im übrigen gleicht ihre Lebensweise der ver=
wandter Arten. E. v. Homeyer sagt, daß sie weit verbreitet und überaus veränderlich in der
Färbung sei. Gelegentlich gelangt sie wol gleich den Verwandten einzeln in den Handel, ohne
daß man ihr jedoch irgend welche Bedeutung beimessen darf. Isabelllerche (Hgl.). Alauda
deserti, Lchtst.; A. isabellina, Tmm. [nec Loche]; A. lusitanica, Dgl.; Melanocórypha
arabs et galeritata, Br. — Die rückenstreifige Lerche [Alauda cincta] „ist“, sagt Heuglin,
„durch geringere Größe, kleineren zierlichen Schnabel, viel lebhaftere Färbung und besondre
Schwingen= und Schwanzzeichnung von der vorigen durchaus verschieden. Während der vor=
herrschende Farbenton bei jener roströthlichgrau ins Rauchfarbne geht, ist er bei dieser reiner,
roströthlichisabellfarben; die Schwingen und Steuerfedern sind bei ihr lebhaft hell rostfarben,
erstere nur mit rauchschwärzlicher Spitze, ihre Ränder und die Deckfedern sind schärfer abgegrenzt
weißlich; die Unterseite ist reiner weiß. Sie lebt gewöhnlich parweise im wärmeren Arabien,
dem mittleren und südlichen Nubien, am Rande des Kulturlandes und in der Steppe, nament=
lich auf steinigem Boden; sie scheint nicht zu wandern.“ Dr. Dohrn traf sie auf einer der
kapverdischen Inseln, Santjago, an, wo sie auf der Hochebene um Porto Praya nicht selten
vorkommt. E. v. Homeyer scheidet sie in zwei Arten, die fahle oder Sandlerche (Alauda
pallida, Lchtst.) und die rückenstreifige Lerche (Alauda cincta*), Gld.), welche jedoch

---

*) Cinctura = Gürtel; das entsprechende Adjectiv ist cinctuta.

nach der Meinung der meisten anderen Autoren als übereinstimmend zusammenfallen. Heuglin stellt dann noch eine Alauda fraterculus, *Trstr.*, als bestimmte Art hin, wahrscheinlich bilden sie jedoch alle drei zusammen eine Art. Sandlerche (*Br.*). Alauda cinctura, *Gld.*; A. regulus et Ammómanes fraterculus, *Trstr.*; Alauda pallida, *Lchtst.*; A. arenicolor, *Sndvll.*; A. elegans, *Br.* — **Die rothbäuchige Lerche** [Alauda phoenicura] wird nach Jerdon auf der ganzen indischen Halbinsel gefunden und zwar in offenen Ebenen, gepflügtem Lande, Stoppel-feldern, auch an öden Stellen, Flußbetten u. a. „Nur selten setzt sie sich auf Gebüsch. Ihr angenehmes, lautes, flötendes Lied, dessen Grundton wie tu-whii (to-whee) erklingt, läßt sie in die Luft steigend erschallen, setzt es, herabgekommen, als leises Gezwitscher auf der Erde fort und wiederholt dies Spiel mehrmals. Sie ernährt sich hauptsächlich von verschiedenen Sämereien und frißt gelegentlich auch Insekten." Ebenso schildert Sykes das Flugspiel des Auf- und Niedersteigens. Das Nest wird nach Tickell auf Wiesen zwischen hohem Grase sehr versteckt als eine flache Mulde angelegt und enthält vier längliche stumpfspitze, grünlichweiße, hell- und dunkelbraun gepunktete Eier. Der Genannte fand es im Juni. Sie soll der Wüsten- und der rückenstreifigen Lerche sehr ähnlich sein, sich jedoch namentlich durch einen überaus langen und starken Schnabel unterscheiden. Ammómanes phoenicura, *Frnkl.* [Red-bellied Lark, *Jerd.* — Ageea, in Hindostan, nach *Blyth.*; Koowan Leepee, in den Ebenen, nach *Tick.*]. — Eine nahverwandte Lerche, Alauda phoenicuroides, *Blth.*, führen Horsfield und Moore als selbständige Art auf, während andere Schriftsteller sie neuerdings ohne weiteres mit der Wüsten-lerche zusammenwerfen.

**Die Theklalerche** [Alauda Theklae], in Spanien und Portugal heimisch, ist unserer Haubenlerche ähnlich, doch so verschieden, daß sie als besondre Art erachtet wird, was freilich mit voller Sicherheit nicht festgestellt worden. „Ihre Färbung ist der der Baumlerche ähnlicher als der irgend einer Haubenlerche mit Ausnahme der abessinischen. Oberseits ist sie tief schwarz-braun mit schmalen rostgelblichen und roströthlichen Rändern, sodaß sie fast eintönig dunkel erscheinen mit Ausnahme des Hinterhalses, dessen Federränder breiter hell sind. Die Unterseite ist rostgelblichweiß mit vielen ziemlich großen braunschwarzen Längsstreifen; Schwanzfedern tief bräunlichschwarz, die beiden ersten lebhaft rostroth, die beiden mittelsten schwarzbraun; Füße fleischbraun. In der Lebensweise weicht sie von der Haubenlerche ab, indem sie die Wege ver-meidet und dagegen bebuschte Berge liebt, auf denen sie bis zu etwa 1600 Meter Meereshöhe ansteigt." (E. F. v. Homeyer). Zu Ehren seiner verstorbnen Tochter gab ihr Christian Ludwig Brehm den lateinischen Namen, welchen der jüngere Brehm dann in Lorbeerlerche verwandelt hat. Auf den Balearen beobachtete sie Alex. v. Homeyer und schildert sie in folgender Weise: „In der Ebene, namentlich auf dem fruchtbaren Felde kannte ich sie nicht; am Fuße des Gebirges zeigt sie sich zuerst, an den Abhängen ist sie überall häufig und selbst auf den kahlen Kamm der höchsten Ketien steigt sie hinauf, um auf Felsblöcken sitzend ebenso wie die Felsendrosseln ihren traurig erklingenden Gesang hören zu lassen; man trifft sie hier allenthalben im Gebüsch, an kleinen offenen Stellen. So wie in Deutschland die Haubenlerche auf der Dachfirste läuft und die Bewohner des Gehöfts durch ihren Gesang erfreut, also singt sie hier wie eine Haidelerche vom Baum herab, aber ihr Gesang ist ein ganz andrer. In den klagenden Tönen übertrifft ihr Gesang den der letztern noch bedeutend; auch ist derselbe durchaus verschieden von dem der Haubenlerche, er erklingt so weich, klagend und silberrein wie bei jener, aber noch melancholischer und dann, was den ganzen Vortrag anbetrifft, stehen die Strofen zur Tonweise in engster Harmonie. Ich kenne kaum etwas schöneres, als den gefühlvollen Gesang dieser Lerche, während im Vergleich dazu der oft schreiende Ton und die Sangweise unsrer Haubenlerche mir oft zuwider war. Den schreienden Lockton, der ja hier zu Lande auf Regen deuten soll, hörte ich niemals, dafür eine wehmüthige Klage, trüi, trüi, trüii ähnlich, aber nicht so stark und schreiend wie bei der Kalanderlerche. Schließlich bemerke ich noch, daß ich den Gesang, als ich ihn zuerst hörte, durchaus nicht für den einer Haubenlerche halten wollte." Gleichviel ob sie als selbständige Art oder blos als eine Spielart betrachtet werden darf, so hat sie für die Liebhaberei nur das Interesse, daß sie wol über kurz oder lang von Reisenden oder Händlern eingeführt werden und dann durch ihren absonderlich schönen Gesang die Lieb= haber erfreuen kann. Deshalb habe ich sie hier mitgezählt. Galerita Theklae, *L. et A. Br.* — **Die abessinische Lerche** [Alauda abyssinica, *Rpp.*, nec *Vrrx.*] „ist der vorigen sehr ähnlich, doch dunkler, fast schwarzbraun, jederseits zwei sehr deutliche Bartstreifen; unterseits rostgelblich= weiß. In der Gestalt und Befiederung gleicht sie mehr der Haubenlerche; der Schnabel und die Füße sind im Verhältniß zur Größe außerordentlich stark; erstere ist zugleich sanft und gleich= mäßig gebogen." (E. F. v. Homeyer). Es ist ebenfalls nicht mit Sicherheit nachgewiesen, ob sie als feststehende Art betrachtet werden darf. — Die kleinhäubige Lerche [Alauda micró- lopha, *Rss.*] aus Abessinien; auch der Theklalerche ähnlich, doch in der Gestalt mehr der Haide= lerche; oberseits dunkel, unterseits schmutzigrostgrau. Ein Exemplar befindet sich im Heine'schen Museum; sonst ist nichts bekannt. Galerita microcristata, *Hmr.* — **Die gelbe Lerche** [Alauda flava, *Br.*] „ist oberhalb lebhaft wüstengelb mit sehr wenig bemerkbarer dunkler Federmitte auf dem Kopfe; Schwanzfedern roströthlichdunkelbraun, an der Außenfahne bräunlichrostgelb; unter= seits wenig lichter mit großen dunklen Flecken auf Unterhals und Brust; Füße und Schnabel hell." (E. v. Homeyer). „Sie scheint", sagt Heuglin, „im Gegensatz zur gemeinen Haubenlerche die eigentlichen Wüsten Nordostafrikas, namentlich Nubiens und Kordofans zu bewohnen." Sie soll übrigens eine sehr angenehme Sängerin sein. Bisher ist sie lebend noch nicht eingeführt. — Die isabellfarbne Lerche [Alauda isabellina, *Loche*] aus Ostafrika, „der vorigen wiederum ähn= lich, doch die Rückenfedern mit etwas dunklerer Mitte und die Kopffedern oft sehr dunkel, nament= lich bei den Exemplaren aus Nordostafrika, weniger bei denen aus Algier. Bei den letzteren ist die Unterseite der Flügel weißgrau, bei den abessinischen rostgelb; die eigenthümliche Haube ist kurz." (E. v. H.). Nach Taczanowski findet man sie selten tief in der Wüste, sondern meistens auf Sanddünen, an den mit Steinen bedeckten Hügeln, und A. L. Adams sagt, daß sie an steinigen Plätzen, so z. B. in der Todtenstätte von Theben und in dem Thale, welches zu den dortigen Königsgräbern führt, gemein sei. Sie ist bisher weder eingeführt, noch hat sie in irgend einer Beziehung die Aussicht, Bedeutung für die Liebhaberei zu gewinnen. Galerita abyssinica, *Vrrx.* [nec *Rpp.*]. — **Die sandfarbige Lerche** [Alauda arenicola, *Trstr.*] aus den algerischen und tunesi= schen Wüsten ist ziemlich dunkelgrau, nur schwach rostgelblich angeflogen, mit fast reinweißer, leicht roströthlich überhauchter Unterseite, mit schwarzbraunen scharfen Brust= und Halsflecken und sehr rostfarbner Schwanzzeichnung, welche auch die Spitzen der tiefschwärzen Steuerfedern in sehr deut= lichem Endsaume einnimmt; um das Auge rings ein weißer Kreis (nach Tristram). „Am süd= lichen Abhange des Atlas von Batna findet man sie als die vorherrschende Lerche, welche sich durch helle sandähnliche Farbe auszeichnet, fleckig an der Brust, jedoch nicht auf dem Bauche, welcher sandfarben ist. Sie zeigt sich gemein und als die einzige Lerche auf der ganzen Anhöhe von Elkantara." (Taczanowski). — **Randon's Lerche** [Alauda Randoni, *Loche*] aus den Hoch= ebenen von Marokko und Algier; sehr kräftig und durch eine eigenthümliche Haube ausgezeichnet, welche aus sehr vielen langen, schmalen, dunklen, hinten gesäumten, sich bis auf den Vorderkopf ausdehnenden Federn besteht; ihre Oberseite ist bräunlichsandgelb, dunkler in der Mitte, lichter am Rande jeder Feder, die beiden äußersten Schwanzfedern im Sommer weiß, im Winter rost= roth gezeichnet; unterseits hell, fahl weiß, nur an Seiten und Brust zart rostroth; Unter= hals und Oberbrust rostgraubraun schaftfleckig. (Nach Hmr.). Die Exemplare, welche Drake in den Hochebenen Marokkos fand, waren dunkler und mehr rostfarben als die aus Algier, wo sie vornämlich wohnt. Galerita macrorrhyncha, *Trstr.* — **Dupont's Lerche** [Alauda Duponti, *Vll.*], heimisch in der Sahara u. a. Theilen des nordwestlichen Afrikas. Sie erscheint am Rücken buntgescheckt, indem die schwarzbraunen Federn rostgelbe und rostgraue Ränder haben; Streif über das Auge bis zum Hinterkopf rostgelblichweiß; Unterseite braun, Unterbrust rost= röthlich, Seiten roströthlichgrau; Brust und Hals schwarzbraun schaftstreifig; Schwanz braun= schwarz; Seitenfedern weiß gezeichnet (Hmr.). Bogenschnabellerche (Br.). Alauda ferruginea, *v. d. Mhl.* — **Die dickschnäblige Lerche** [Alauda crassirostris, *Vll.*] aus Südafrika, ober= halb fahl erdbraun, jede Feder schwarzbraun schaftfleckig; Zügel= und Schläfenstreif gelblich=

weiß, Bartstreif schwärzlich, Wangen bräunlich; Schwingen und Schwanzfedern schwarzbraun
fahl außengesäumt; ganze Unterseite gelblichweiß, an Kehle, Brust und Seiten breit schwarzbraun schaftfleckig. Der bräunlichhorngraue Schnabel ist viel dicker als der der näher verwandten gem. Haubenlerche. Sie ist am Vorgebirge der guten Hoffnung überall häufig und
auch bereits lebend nach Europa gebracht, indem sie im zoologischen Garten von London i. J.
1867 vorhanden war. Da sie eine angenehme Sängerin sein soll, so wäre ihre fernere Einführung immerhin erwünscht. Drossellerche, Dickschnabellerche (Br.).

Alle diese letzieren Vögel, von der Thekla- bis zur dickschnäbligen Lerche, zeigen einen mehr
oder weniger auffallenden Federschopf, und daher sind sie eigentlich als Haubenlerchen (Galerita)
einheitlich in eine Gruppe zusammenzufassen. Sie zeigen sich jedoch weder inhinsicht der Lebensweise, bzl. der Ernährung, Fortpflanzung, des Gesanges u. s. w., noch des Gefangenlebens abweichend von den Lerchen überhaupt.

## Die Alpenlerche [Alauda alpestris].

Im Jahre 1874 erhielt ich von Fräulein Hagenbeck sechs Lerchen, welche
mir in der Vogelstube große Schwierigkeiten bereiteten, da sie bei der geringsten
Veranlassung emporschnellend mit den Köpfen gegen die Decke flogen und sich erst
nach außerordentlich langer Zeit soweit beruhigten und eingewöhnten, daß man
ohne Befürchtung ihnen nahen durfte. Bevor ich sie im Gefangenleben weiter
schildere, sei ihre Beschreibung gegeben und zwar, da die Exemplare in meiner
Vogelstube anfangs entfiedert und abgestoßen waren, nach der Mauser aber viel
heller wurden, im wesentlichen nach der des Herrn Dr. Lazarus:

Auf den ersten Blick fällt die eigenthümliche Zeichnung des Kopfes und Halses auf. Die
Stirn ist hellgelb, ebenso ein breiter Streif über dem Auge; auf dem Scheitel verläuft ein noch
breiteres sammtschwarzes Band, welches sich an beiden Seiten in 0,5 cm. lange, hervorstehende
Spitzen verlängert, die dem Kopfe ein gehörntes Aussehen geben; Zügel und breiter Wangenstreif unterhalb des Auges ebenfalls sammtschwarz; der Oberkopf ist olivengrünlichgraubraun,
nußbraun schaftfleckig, Hinterhals matt zimmtrothbraun; Rücken olivengrünlichgraubraun, dunkel
nußbraun schaftfleckig; Schulterdeckfedern graulichweinroth, schmal weißlich endgesäumt, größere
Flügeldecken und Schwingen olivengrünlichgraubraun, ebenso schmal weißlich endgesäumt; obere
Schwanzdecken röthlichzimmtbraun, Schwanzfedern schwarz, bräunlich endgesäumt, die beiden
äußersten mit schmalem weißen Außensaum; Kehle und ein breiter Streif gegen den Oberhals
hin gelb, über den Hals ein breites sammtschwarzes Band, welches sich nach beiden Seiten zu
verschmälert und daher schildförmig erscheint; Oberbrust weiß, hellgraubraun gefleckt; Unterbrust
und Bauch silberweiß; die Federn der Brust- und Bauchseiten sind an der Wurzelhälfte schwarz;
untere Flügelseite gelblichweiß; untere Schwanzdecken graulichweinroth, schmal weißlich endgesäumt;
Schnabel schwärzlichgrau, Unterschnabel grünlichhorngrau mit schwarzer Spitze; Auge braun;
Füße bräunlichfleischroth. Größe etwas geringer als die der Feldlerche. Das Weibchen ist
am Oberkopf dunkelschaftstreifig, die schwarze Kopfbinde fehlt, der Fleck an den Kopfseiten und
das Schild an der Oberbrust sind kleiner und durch helle Federspitzen weniger reinschwarz; die
Brust ist matt schaftstreifig. Ihre Heimat erstreckt sich über den Norden von Europa,
Asien und Amerika und als Wandrer kommt sie bis ins südliche Rußland und
zur Mitte Europas vor.

Sie gehört zu den Vögeln, welche den ältesten Schriftstellern bereits bekannt
waren. Edwards, Seeligmann, Frisch, Klein, Brisson, Buffon,
Pennant, Latham und viele Andere geben Schilderungen, Abbildungen oder

wenigstens kurze Beschreibungen. Bechstein sagt nicht viel über sie; er hatte
keine lebendig erhalten können. Dr. Bolle zählt sie in seinem Verzeichniß garnicht mit.

Kaum ein andrer außereuropäischer Vogel bietet eine solche außerordentlich
reiche Fülle von Mittheilungen über das Freileben seitens der Reisenden und
Naturforscher bis zur neuesten Zeit herab. Heuglin sagt folgendes: „Die
Alpenlerche gehört zu den ziemlich häufigen Vögeln von Novaya Semlja und
Waigatsch. Wie weit sich ihr Verbreitungsbezirk auf der Nordinsel ausdehnt,
kann ich nicht angeben. Sie hält sich paar- und familienweise auf trockenen
sonnigen Gehängen in Schluchten und Wasserrinnen, selten auf Wiesenland und
unmittelbar am sandigen Meeresstrande auf. In der ersten Hälfte des September
sammeln sie sich zum Abzuge nach dem Süden. Die Mauser der Alten tritt zu
Ende des August und Anfang Septembers ein. Einzeln vorkommende fand ich sehr
flüchtig und lichtscheu. Der Lockton besteht in einem sanften Schwirren, das wie
wiriwit klingt." Nach Nilsson's Mittheilungen über die Vögel Skandinaviens
berichtet Gloger: „Diese Art liefert ein recht schlagendes Beispiel der Veränder-
rungen, welche innerhalb der Fauna vor sich gehen. Sie ist, soweit man ihre
Geschichte verfolgen kann, fortwährend weiter nach Westen vorgerückt. Pallas
gibt an, daß sie zu seiner Zeit in ganz Sibirien häufig war. Von dort hat sie
sich allmälig in die nordöstlichen Länder Europas hereingezogen und zwar durch
Rußland nach Lappland. Aber vor ungefähr 20 (jetzt also 40) Jahren war kaum
ein einziges Exemplar innerhalb der Grenzen der Skandinavischen Halbinsel gefunden. Der erste, welcher sie hier sah und schoß, scheint Professor S. Lovén
gewesen zu sein, der einen Flug bei Wadsö in der Ostfinnmark antraf. Nachher
wurde sie von Herrn Löwenhjelm bei Quickjock nistend gefunden und ebenso
in den Jahren 1841 bis 1843 auf sumpfigen Alpenhaiden zwischen Mortensnäs
und Wadsö. Seitdem sie ihre Sommerwohnplätze und Niststellen soweit nach
Westen verlegt, hat sie auch begonnen, sich während ihrer Wanderzeit in Land-
strichen zu zeigen, die weit südwärts von jenen liegen und in denen sie früher
nie wahrgenommen. Bereits i. J. 1840 wurden mehrmals einzelne bei Kalmar,
Ystadt, Lund u. a. geschossen, und 10 Jahre später fingen sie an, in Flügen von
50 bis 60 Köpfen in Schoonen zu erscheinen." Nach und nach verbreiteten sie
sich dann dort immer weiter und alle Beobachter stimmen darin überein, daß sie
stets nur sandigen, niemals aber lehmigen oder sonst fruchtbaren Boden aufsuche,
selbst dann nicht, wenn der eine wie der andre mit Schnee bedeckt ist. Mit
Recht gebührt ihr daher der Name Sandlerche, welchen die Bewohner der Ostfinnmark ihr beilegen. Ueber ihr Vorkommen in Lappland theilt nach Schrader's
Beobachtungen Pastor W. P. Paeßler mit, daß sie in den ersten Tagen des
Mai, sobald die Sonne das Land nur stellenweise vom Schnee befreit hat, in

kleinen Gesellschaften ankommt. Man trifft sie auf den freien großen trockenen
Flächen mittelhoher Gebirge, ebenso wie in den Thälern dicht an der Meeres-
küste; überall aber liebt sie sandige, mit kurzem Rasen bewachsene Stellen. Ihre
Nahrung besteht in Sämereien und Insekten und in ihrem Benehmen hat sie viel
Aehnlichkeit mit der Feldlerche, doch steigt sie nicht wie jene singend in die Luft.
Ueberhaupt hört man eigentlich nie einen rechten wirklichen Gesang, sondern blos
ein leises Zirpen. Kommt man in die Nähe des Nestes, so lassen sie einen sanft
klagenden Ruf erschallen, dem Tone des Seidenschwanz ähnlich. Etwa in der
Mitte des Juni steht das Nest meistens an einer unbewachsenen Stelle in einer
kleinen Vertiefung und es gleicht keineswegs den am wenigsten künstlichen ihrer
Gattungsverwandten, sondern es ist in der That schön zu nennen. Es besteht
aus groben, nach innen zu jedoch aus feineren Hälmchen und sein tiefer Napf ist
mit Pflanzenwolle und zarten Samenhülsen sorgsam ausgelegt. Fünf Eier bilden
gewöhnlich das Gelege. Man findet das Nest ebensowol am flachen Meeresufer
als auch in 160 bis 200 Meter Meereshöhe. Im Herbste schlagen die Vögel sich
zu Scharen von 40 Köpfen und darüber zusammen; dann sind sie in der Regel sehr
fett, wenig scheu und leicht zu fangen. Auch v. Nordmann fand sie brütend in
Lappland, im südlichen Finnland dagegen nur während des Durchzugs. Dybowski
und Parrex erlegten sie bei Darasun in Daurien auf dem Vorbeifluge im Herbst,
und Radde fand sie am Baikal in den Hochsteppen Dauriens im Selengathale am
Gänsesee und in den sajanischen Alpen nistend, im Amurlande dagegen nur durch-
ziehend; gleicherweise traf sie Schrenck dort wandernd. In Ostsibirien erscheint
sie nach Dybowski vom 9. bis 30. Mai und dann auf dem Durchzuge wiederum
vom 10. September bis 6. Oktober. Auf der Reise nach Westsibirien beobachtete
sie Dr. Finsch an mehreren Orten. Im Umanschen Kreise kommt sie nach
Goebel als regelmäßiger Wintergast zwischen Ende Oktobers bis Mitte Novembers an und dann ist sie auf jeder Landstraße in großen Scharen zu sehen.
Auf dem Markte von Odessa fand er sie im strengen Winter sehr zahlreich und
zwar in der Nähe der Stadt gefangen oder geschossen. Ebenso beobachtete sie
Radde im südlichen Bessarabien, selbst im schneereichen Winter sehr häufig,
während sie im Chersonschen Gouvernement fehlte. In der Krimm dagegen war
sie vorhanden. Eversmann traf sie nordwärts bis Orenburg, selbst in den
Vorgebirgen des Ural, soweit steppenartige Anhöhen vorhanden sind. Sie komme,
sagt er, im Altai in großer Anzahl vor, und überwintre auch dort, aber nur
in Steppen oder anderen baumlosen Gegenden. Im südlichen Ural und den an-
grenzenden nördlichen Orenburgischen Steppen bleibe sie nicht den Winter hindurch, weil dort gewöhnlich der Schnee zu tief liege; sie erscheine bereits im
März, sobald der Schnee zu thauen beginne, und späterhin finde man sie überall
in den Steppen, wo hinreichender Kräuterwuchs ist, jedoch in den östlichen häufiger

als in den westlichen. Die im Namen ausgesprochene Annahme, daß sie ein Gebirgsvogel sei, beruhe auf einem Irrthum; „ich habe zwischen der untern Wolga und dem Uralfluß und ebenso in südlicheren Gegenden im Mai bis August viele Exemplare erlegt, wo sie also zweifellos nisteten. Nach Dr. Krüper ist als Seltenheit bei Smyrna in Kleinasien ein altes Männchen erlegt worden. In China weilt sie während der kalten Jahreszeit nach Swinhoë's Angaben in den nördlichen Theilen der Provinz Chelee. Was Amerika anbetrifft, so gibt Baird eine Beschreibung seiner gehörnten Lerche nach Exemplaren, welche in Pennsylvanien und Wiskonsin gesammelt worden. Im letztern State brüte sie und vielleicht auch noch weiter südlich. Auf Grönland kommt sie nach J. Rein= hardt's Angaben vor, und auf den Bermudainseln hat sie E. v. Martens im Winter 1849—50 erlegt. Nicht selten ist sie auf Helgoland, wo sie nach Gätke gefangen und manchmal für wenige Groschen zum Kauf angeboten wird. Dr. Bolle erzählt über den dortigen Lerchenfang im allgemeinen folgendes      :

„Da der Winter schneelos und mild und die Erde fast immer grün ist, so überwintern die Lerchen massenweise auf der Insel. In dunklen regnigten Nächten, zumal während des Zuges stoßen sie mit dem Kopfe wie Nachtfalter gegen die hellschimmernden Scheiben des Leuchtthurms, fallen betäubt nieder und werden unten mit Käschern zu Tausenden gefangen. Die Lerchensuppen, welche man aus ihnen bereitet, sind nicht ohne Ruf. Mit den Feldlerchen zugleich finden sich auch in jedem Jahre eine Anzahl von Alpenlerchen ein. Ich habe in den Helgo= länder Naturalienkabineten viele von den letzteren ausgestopft gesehen." Gleicher= weise ist sie nach Ferdinand v. Droste=Hülshoff auf der Nordsee=Insel Borkum mehrmals beobachtet worden. Im April 1868 sah der Grenzaufseher Ahrens fünf Köpfe, von denen er zwei erlegte. Auch auf Husum überwintert sie. Ueberblicken wir nun ihr Vorkommen in Deutschland, so finden wir zu= nächst die Mittheilung des Herrn Professor Altum, daß bei Gimbte im Münster= lande im Januar 1861 ein Exemplar auf dem Schnee geschossen worden; der einzige bisher festgestellte Fall ihres Vorkommens in jener Gegend. E. Wüstney berichtet, daß in Mecklenburg nahe bei der Stadt Schwerin im Januar 1860 bei sehr strenger Kälte ein Pärchen mehrere Tage hindurch beobachtet worden, und Herr Steenbock legte der Versammlung der Ornithologen Mecklenburgs ein Pärchen vor, welches im Januar 1855 bei Rostock erlegt worden. Nach Professor Borggreve's Angaben erscheint sie fast allwinterlich in Flügen auf Rügen und Hiddensöe. Schon Naumann hatte angegeben, daß sie in der Umgebung von Berlin vorgekommen sei, und dies bestätigte Dr. Karl Bolle u. A., nachdem der Vogel in der Mark Brandenburg bei Neustadt=Ebers= walde und an anderen Orten mehrmals gesehen nnd erlegt worden. Dr. Luchs sagt, daß sie bei Warmbrunn im Gebirge in jedem Winter erscheine, und

A. v. Homeyer erlegte ein Exemplar bei Görlitz und schenkte es der dortigen naturforschenden Gesellschaft, worauf bekannt wurde, daß R. Tobias im Januar 1828 ebenfalls drei Köpfe geschossen, daß dies aber in der Zwischenzeit von 40 Jahren nicht geschehen sei, doch soll sie mehrfach in der Gegend von Herrenhut gefunden sein. Professor Fritsch, R. v. Tschusi-Schmidhofen u. A. bestreiten, daß sie im Riesengebirge regelmäßig erscheine oder gar niste. Sie werde von den Bewohnern mit dem Wasserpieper verwechselt, welchen man dort allgemein als Schneelerche bezeichne. Unter den Vögeln Böhmens, sagt der Erstre, sei sie nur als seltner Gast zu betrachten. Im Jahre 1877 soll sie im Februar seit Menschengedenken zum erstenmale in der Bukowina vorgekommen sein, indem nach Mittheilung des Herrn Dr. Lazarus ein Vogelfänger mehrere Köpfe in Czernowitz auf den Markt brachte. Wie die Gebrüder Sintenis angeben, kommt sie in der Dobrudscha auf dem Frühlingszuge mit Kalanderlerchen zusammen vor, jedoch nur selten. In der Gefangenschaft ist sie erst in der letztern Zeit beobachtet worden. Dr. Lazarus, der sie eine der schönsten Lerchen nennt, sagt folgendes: „Im Käfige zeigt sie ein ebenso scheues Wesen, wie die frischgefangene Feldlerche; sie läuft unermüdlich in demselben umher und schnellt bei menschlicher Annäherung gegen die obere Decke empor. Nicht jede geht sogleich ans Futter, sondern manche verhungert, wenn sie nicht gestopft wird. Ich habe sie einzugewöhnen versucht mit lebenden Mehlwürmern, Hafer und weißer Hirse. Gegenwärtig reiche ich als Futter ein Gemenge aus trockenen Ameisenpuppen und frischem Käse oder Quark, ferner die genannten Sämereien und gequetschten Hanf. Der Gesang, den manche fleißig vortragen, ist sehr zart und angenehm und nicht so gellend wie der von der Feldlerche, wodurch wenigstens für mich die erste werthvoller erscheint." Herr Prediger Böck in Danzig klagt ebenfalls darüber, daß ein im großen Käfige mit anderen Vögeln zusammengehaltnes Männchen anfangs außerordentlich wild sich zeigte und auch späterhin niemals so zahm wurde wie die Genossen. Es überschlug die Herbstmauser und starb dann im Frühjahr beim Beginn eines unregelmäßigen Federwechsels — wie dies bei vielen Vögeln in der Gefangenschaft bekanntlich leider nicht selten geschieht. In meiner Vogelstube hielten sie sich vortrefflich. Trotzdem ich sie pärchenweise trennte, ihnen alle möglichen Nistvorrichtungen, die mannigfaltigste Nahrung, auch Grünkraut u. drgl. bot, gelangten sie jedoch nicht zur Brut, ja nicht einmal einen Nistversuch habe ich wahrnehmen können. Nachdem ich sie etwa ein Jahr hindurch beherbergt, gab ich sie an Fräulein Hagenbeck zurück. Sie sind nach meinen Erfahrungen wol ausdauernd in der Gefangenschaft und werden mit der Zeit auch ruhiger; hält man sie jedoch in Gesellschaft oder parweise zusammen, so singen sie fast garnicht, indem immer eine die andre unterbricht. Nur das einzeln im zweckmäßig eingerichteten Käfige verpflegte Männchen läßt sich als fleißiger Sänger hören und man darf das freilich sehr leise ertönende Lied zu den besten unter denen aller Verwandten zählen. Da in letztrer Zeit alljährlich ziemlich regelmäßig größere Transporte russischer Vögel von Gleitzmann u. a. Händlern zu uns gelangen, so wird hoffentlich auch dieser hervorragende Sänger für die Liebhaber mehr zugänglich sein. Im zoologischen Garten von London ist er seit dem Jahre 1868 vorhanden. Sonst findet man ihn freilich nur selten in den derartigen Naturanstalten; das Berliner Aquarium hatte zur Zeit der ersten Direktion vom Händler Staber einmal vierzehn Köpfe erhalten, welche jedoch sämmtlich bald starben. Noch weniger aber dürften sie bisher schon in die Vogelstuben gelangt sein, während sich andrerseits Züchtungsversuche mit solchen Lerchen freilich so undankbar zeigen, daß die meisten Liebhaber darauf verzichten, solche anzustellen. Der Preis ist trotz der Seltenheit gering, etwa 6, höchstens 9 Mart für den Kopf.

Die Alpenlerche heißt auch Berg-, Gürtel-, Priester-, Schnee- und Winterlerche und russische Berglerche. [Gelbbärtige Lerche aus Virginien und Karolina, gelbköpfige Lerche, vir= ginische Lerche, gelbbärtige nordische Schneelerche, türkische Lerche und Uferlerche, nach alten Autoren].

L'Alouette des Alpes; Shore Lark or Sky Lark.

Nomenclatur: Alauda alpestris, *L.*, *Frstr.*, *Wls.*, *Bp.*, *Nttll.*, *Audb.*, *Jard.*; Alauda flava, *Gml.*; Alauda cornuta, *Wls.*, *Rchrds.*, *Swns.*; Alauda nivalis, *Pll.*; Eremóphila cornuta, *Boie*, *Brd.*; Philéremus cornutus, *Bp.*; Ph. alpestris, *Bls.* et *Ksl.*, *Gld.*, *Hrtl.*; Otócorys alpestris, *Bp.*, *Gr.*, *Cb.*, *Br.* [Alauda hyemalis seu nivalis, *Frsch.*; A. gutture flavo Virginiae et Carolinae, *Kln.*; A. virginiana, *Brss.* — L'Alou- ette de Virginie, *Briss.*, *Buff.*; le Hausse-col noir, *Buff.*]

Wissenschaftliche Beschreibung s. S. 619.

Alauda alpestris: fronte striaque supra oculum sulfureis; vitta lata trans verticem atra, utrinque in apices 0,5 cm. prominentes decurrente, caput quasi cornu- tum simulante; loris striaque lata genarum subter oculum aterrimis; pileo olivaceo- viride fumido, umbrino-maculato; collo postico subcinnamomeo; dorso olivaceo- viride fumido, fusco-striolato; scapularibus griseo-rubiginosis; albido-terminatis; tectricibus al. majoribus remigibusque olivaceo-viride fumigatis, albido-terminatis; supracaudalibus rubente cinnamomeis; rectricibus nigris, subfusco-terminatis, ambabus extimis exterius albicante limbatis; gula striaque ad collum versus flavis, fascia lata trans collum scutiformi aterrima; gutture albo fumigato-maculato; epi- gastrio ventreque albissimis; dimidio plumarum pleurarum et hypochondriorum basali nigro; subalaribus ex gilvo albis; supracaudalibus griseo-rubiginosis, albicante terminatis; rostro subnigro-cinereo, apice mandibulae virente corneae nigro; iride fusca; pedibus subfusco-carneis. — ♀ pileo obscure striato; fascia capitis nigra nulla; macula capitis laterali scutoque pectorali minoribus, subnigris; pectore elute vittato.

Länge 16,4 — 16,6 cm.; Flügel 8,9 — 10,3 cm.; Schwanz 6,1 — 6,4 cm.

Jugendkleid: Die Federn des Kopfes, der Halsseiten, des Nackens, Oberrückens und Bürzels, wie auch die Flügeldeckfedern sind matt graubraun mit blaßgelber Einfassung; Schwung- und Schwanzfedern einfarbig matt bräunlich; Unterkörper weiß, jede Feder blaßgelb eingefaßt (Schrader).

Juvenis: plumis capitis, colli lateralis, cervicis, dorsi, uropygii alarumque tectri- cum subfumidis, gilvo-limbatis; remigibus et rectricibus unicoloribus subfuscis; subtus alba plumis singulis flavido-marginatis (*Schrd.*).

Beschreibung des Eies: Grundfarbe gelblich mit unendlich feinen dunkler gelben Strichelchen, am dickern Ende nicht selten einen Fleckenkranz bildend. An manchen Eiern, die mit weniger in einander verschwimmenden Flecken gezeichnet sind, sodaß ihre Grundfarbe licht durchscheint, bemerkt man außerdem noch matte, schiefergraue Schalenflecke; viele Exemplare zeigen auch dunkelbraune Harzzüge. Die gelblich aussehenden sind am häufigsten. Es gibt aber auch noch andere, von weißgrauer Grundfarbe mit grauen matt ins Bräunliche ziehenden feinsten Pünktchen, manchen Baumlercheneiern nicht unähnlich. Noch andere sehen grünlich aus und die nur etwas dunklere Fleckenzeichnung sticht wenig vom Grunde ab. (Schrader).

Ovum: discolor; plerumque flavicans lineolis subtilissimis flavis, circa basin interdum coronulam maculosam fingentibus, nonnunquam dilutius coloratum, parcius elute maculatum, maculis nonnullis schistaceis ipsum lineolis capillaceis fuscis notatum; modo etiam canum punctulis subfumidis conspersum (ovis quibusdam Al. arboreae simile); modo virescens, vix obscurius maculatum (Schrd.).

Die Indianer-Lerche [Alauda chrysolaema] ist der vorigen sehr ähnlich, aber bemerkbar kleiner und von ungleich lebhafterer gelber Färbung an Kopf und Kehle. Baird will sie daher auch kaum als besondre Art betrachtet wissen. Ihre Heimat erstreckt sich über den Westen von Nordamerika und Kalifornien. „Diese westliche Prärielerche", sagt Prinz Max v. Wied, „habe ich in allen Gegenden des obern Missouri häufig beobachtet; bei Sioux Agenzy bemerkte ich sie zuerst. Sie lebt parweise, vereinigt sich jedoch im Herbst zu vielköpfigen Flügen, welche in den Prärien umherstreifen, vor Eintritt der Kälte aber südwärts wandern', und zwar nach Dr. Finsch bis Neu Granada. Im Jahre 1875 führte Herr Schöbel in Grünau eine kleine Anzahl ein, welche wol nicht in Vogelstuben, sondern in einen zoologischen Garten gelangt sind; ich habe inbetreff ihrer nichts weiter erfahren können. Sie ist sicherlich in allem der vorigen gleich. Kleinere gehörnte Lerche (Prinz Wied). Hornlerche (Br.). Alauda chrysolaema, Wgl.; A. minor, Grd.; A. rufa, Audb.; Otocorys chrysolaema, Cb. — Die zwei-schopfige Lerche [Alauda bilopha] aus dem nordöstlichen Afrika und südwestlichen Asien ist oberhalb hellröthlichbraun; Scheitelstreif, eine Querbinde über die Stirn, welche an jeder Seite in eine hervorragende Spitze sich verlängert, Zügelstreif, Fleck an jeder Kopfseite schwarz, Vorder-kopf und Augenbrauenstreif reinweiß; Schwingen und Schwanzfedern dunkler röthlichbraun, die ersteren heller außengesäumt, die beiden mittleren Schwanzfedern lebhaft rothbraun; Kehle weiß; an der Oberbrust ein großes schwarzes Schild; die ganze Unterseite weiß, röthlichbraun an-gehaucht; Schnabel graubraun, Unterschnabel gelbgrau; Auge und Füße braun. Größe der Haidelerche. Heuglin berichtet über sie wie folgt: „Sie ist ein Bewohner felsiger Gegenden und parweise oder in kleinen Scharen im peträischen und glücklichen Arabien, namentlich um die meist steil abfallenden Felsgebilde am Golf von Agabah zu finden, aber wie alle hierher ge-hörenden Arten nicht ein eigentlicher Gebirgsvogel. Ich beobachtete sie im Monat April. Die Männchen treiben sich selbst während der heißesten Tageszeit in den öden und glühenden Klüften der Steinwüsten umher. Ob sie Standvogel ist, kann ich nicht mit Sicherheit angeben; während der kalten Jahreszeit habe ich sie wenigstens in den westlichen und südlichen Theilen der sinaiti-schen Halbinsel niemals gesehen." A. v. Homeyer, der sie in Algier beobachtete, sagt mir, daß ihre Aehnlichkeit mit der Alpenlerche überraschend sei, und Taczanowski fügt hinzu: „Eine Schar von 8 Köpfen sah ich nahrungsuchend in einem kleinen mit Pflanzen bedeckten Thale in-mitten der steinigen Wüste. Sie waren so wenig scheu, daß ich sechs einzeln erlegte, während die lebendiggebliebenen nach jedem Schusse nur einige hundert Schritt weit fortflogen, sich dort aber wieder auf Schußweite ankommen ließen." Näheres ist über diesen Vogel nicht bekannt. Ohrenlerche (Heuglin); Doppelhornlerche (Br.). Alauda bilopha, Tmm.; A. bicornis, Hmpr. — Die Ohrlerche [Alauda penicillata, Gld.] aus dem südwestlichen Asien, ist wiederum der Alpenlerche sehr ähnlich, nur oberseits mehr bräunlichgrau; Stirn, Augenbrauenstreif und vordere Wangen sind nicht gelb, sondern weiß; ein Hauptunterscheidungszeichen ist aber, daß der breite schwarze Stirnrand sich mit der gleichen Färbung der Kopfseiten und dem Schilde

an der Oberbruſt vereinigt. Schnabel ſchwarz; Auge braun; Füße ſchwarz. Größe der Ver=
wandten gleich. Das Weibchen iſt matter gefärbt, namentlich die Kopfbinde und die übrigen
Zeichnungen. Nach Dickſon und Roß, welche ſie bei Erzerum beobachteten, ſtimmt ſie in
der Lebensweiſe mit den vorhergegangenen überein. Im Winter kommt ſie aus den Bergen
in die Thäler herab und zeigt ſich dann auf den Wegen in kleinen Scharen von drei bis zwölf
Köpfen nahrungſuchend ſo dreiſt, daß man ſie mit einer Peitſche erſchlagen könnte. Dr. Stoliczka
ſammelte ſie im Himalaya und in Thibet; Dybowski und Parrex fanden ſie in Daurien
im Winter häufig, während des Sommers jedoch ſelten; erſtrer auch in den Steppen nahe beim
See Koſogol brütend und in der Gegend von Daraſun in Oſtſibirien. Przewalski beobachtete
ſie in Oſtaſien auf dem Wege nach Peking hundert Werſte nördlich von Kirachta, ſpäter in
größerer Zahl in Ohowi, in geringerer im nördlichen China. Otócorys scriba, Bp.; O. albigula, Brndt.; O. larvata, De Flpp. — Die langſchnäblige Lerche [Alauda longirostris, Gld.],
welche namentlich durch bedeutendere Größe, längeren Schnabel und durch breite braune Schaft=
ſtriche der Rückenfedern verſchieden ſein ſoll, ſtellen Horsfield und Moore als eine beſondre
Art hin. Ebenſo wird von Severzow eine gelbkehlige Lerche [Alauda — Otocorys —
petróphila] als etwaige ſelbſtändige Art bezeichnet, welche mit der Ohrlerche faſt völlig über=
einſtimmend und nur durch eine gelbe Kehle verſchieden ſein ſoll; ſchließlich ſtellt letztrer auch
noch eine weißkehlige Lerche [Alauda albigula, Bp. nec Brndt.] der Erwägung anheim.
Sie ſeien ſämmtlich nebſt noch einer im „Ibis" 1876, S. 181 genannten Art, Brandt's
Lerche [Alauda Brandti, Drss.], nur erwähnt.

Die aſſamiſche Lerche [Alauda assamica, Mc. Cll.] aus Indien iſt oberhalb fahlbraun,
jede Feder mit dunkler Mitte und hellem Außenſaum; Schläfenſtreif ſchwach gelblichweiß,
Wangen matt roſtröthlich; Schwingen olivengrünlichbraun, roſtroth innen= und außengeſäumt,
Flügeldecken fahl gelblichroſtroth geſäumt, Schwanzfedern dunkelbraun, ſchmal fahl geſäumt;
Oberbruſt hell gelblichroſtroth, dunkler ſchaftfleckig; ganze übrige Unterſeite fahl rothgelblichweiß;
Schnabel graubraun, Unterſchnabel graugelb; Auge braun; Füße graugelb. Das Weibchen ſoll
nicht verſchieden ſein. Die Größe iſt etwas geringer als die der Haidelerche. In der Nähe
von Kalkutta iſt ſie nach Blyth gemein; ebenſo in Nepal. In der Gefangenſchaft zeigt ſie
ſich nicht ſo lebhaft wie die Feldlerche und deren Verwandte, ſondern ſie erſcheint als ein
ſchwerfälliger und träger Vogel, welcher ſich gern hinter anderen verbirgt, ſowie jedes Verſteck
aufſucht. (Nach Horsfield und Moore). Auch um Muttra iſt ſie nach Phillips häufig zu
finden, das Männchen gewöhnlich auf einer kahlen Erhöhung, von wo aus es ſeinen Geſang
erſchallen läßt. Derſelbe beſteht in etwa acht Tönen, deren erſtere ſehr ſchnell, die letzteren aber
langſam erklingen, etwa wie: twĭi twĭi twĭi twĭi twĭi twĭi twĭii twĭii (twĕe twĕe twĕe
twĕe twĕe twĕe twĕē twĕēē). Der Genannte ſah ſie dort auch niſtend. Sie läuft flink auf
dem Boden, ſich hurtig verbergend, wo ſie nur irgend kann. Singend erhebt ſie ſich, jedoch nur
bis zu geringer Höhe, in die Luft, ſchwebt langſam hernieder und ſetzt ſich dann auch wol auf
Gebüſch. Nach Jerdon ſoll ſie bis in die Gärten der Stadt kommen, aber auch hier ſtets
verborgen leben. Hoffentlich wird ſie gleich anderen indiſchen Verwandten über kurz oder lang
lebend eingeführt werden. Buſchwaldlerche (Br.). Plocealauda typica, Hdgs.; Mirafra javanica,
Hdgs. [nec Horsf.]; Alauda Aggia, Hmlt. [Finch Lark et Aggia Lark, Lath.; Aggia in
Hindoſtan, nach Hmlt.; Bhatul in Muttra, nach Phillips]. — Die rothbrüſtige Lerche [Alauda
affinis] ebenfalls von Indien und auch auf Zeylon. Sie ſoll der vorigen ſehr ähnlich, aber
oberſeits dunkler erſcheinen, indem jede Feder einen breiten ſchwärzlichen Schaftſtreif hat; Oberbruſt
und Seiten ſind fahl roſtroth und der Flügel hat eine roſtrothe Querbinde. Nach Jerdon's
Mittheilungen iſt ſie auf Lichtungen an der Weſtküſte Indiens ſehr häufig zwiſchen Dſchungle=
Dickichten und in Gärten zu finden. Ihr Neſt ſteht, wie Tickell angibt, gewöhnlich unter
Grasbüſcheln auf Brachfeldern, auch an lichten Stellen im Dſchungle und gleicht im Bau, wie
in der Färbung der Eier dem anderer Lerchen. „Auf Zeylon", ſagt Layard, „iſt ſie bei
Tangalla nicht ſelten, niemals ſah ich ſie jedoch in den Bergen. Sie iſt von den anderen

Lerchen, bevor man sie in die Hand nimmt und genau betrachtet, nicht leicht zu unterscheiden; eine Gewohnheit im Freileben läßt sich jedoch sogleich erkennen. Aufgescheucht steigt sie nämlich empor, eine angenehme Melodie singend und richtet ihren Flug nach einem Baume, auf welchen sie sich, die Füße aufsetzend und stark mit den Flügeln schlagend niederläßt, während noch mit aller Kraft ihre Laute erschallen. In dem Augenblick jedoch, in welchem sie den Sitz, gewöhnlich den höchsten kahlen Zweig, mit den Füßen erfaßt, hört der Gesang auf und sie steht umschauend und zum Fluge bereit, um beim geringsten Geräusch davonzueilen." Sie ist seit dem Jahre 1872 bereits im Londoner zoologischen Garten vorhanden und wird daher gelegentlich auch wol mehr eingeführt werden. Buschlerche (Br.). Madras Bush Lark. Mirafra affinis, *Jerd.*; Alauda coromandelica, *Kv.*, *Hrtl.* [Leepee, in den Ebenen, nach *Tckll.*]. — Die roth= flügelige Lerche [Alauda erythróptera, *Jerd.*] aus Indien, von den vorigen hauptsächlich durch ihre lebhaft rothen Schwingen verschieden, fand Jerdon im niedrigen Dschunglegebüsch in der Nähe von Jaulnah ziemlich gemein; ebenso ist sie außer in anderen ähnlichen Oertlich= keiten am Fuße der östlichen Ghats auch nicht selten in den Bergregionen. Niemals wird sie aber an offenen Stellen oder in den Gärten gesehen. Beim Niedersetzen auf einen Baum bemerkt man am ausgebreiteten Flügel ihre auffallend rothen Schwingen. Immer nur einzeln oder parweise vorkommend, verbirgt sie sich bei jeder Annäherung sogleich im Gebüsch. Ihre Nahrung besteht wie die anderer Lerchen in verschiedenen Sämereien. Der heimatliche Name Chinna Eely-jitta ist von ihrem Gesange abgeleitet, welcher nur in einem gedehnten Flötenton besteht. Näheres ist nicht bekannt, daher genügt diese beiläufige Erwähnung. Mirafra javanica, *Jerd.*, nec *Hrsf.*, nec *Hdgs.* [Red-winged Lark, *Jerd.* — Ageea und Junglee Ageea in Hindostan, Chinna Eeli-jitta in Telugu, nach *Jerd.*]. — Die weißwangige Lerche [Alauda cantillans, *Jerd.*] von Indien ist dunkelbraun, jede Feder röthlichbraun gesäumt; Augenbrauen= streif und Kopfseiten röthlichgelb, Wangen weiß; Flügel dunkelbraun, jede Feder schmal rost= roth außen= und breit gelblichroth innengesäumt; Schwanzfedern bräunlichschwarz, die äußeren weiß gesäumt; Oberkehle reinweiß, Unterkehle weiß, breit dunkelschaftfleckig, ganze Unterseite fahlgelblich, zart röthlich überhaucht. Schnabel dunkelbräunlichgrau, Unterschnabel heller, gelb= grau; Auge braun; Füße düster gelbgrau. Das Weibchen soll übereinstimmend gefärbt sein. Größe etwa der Haidelerche gleich. Nach Jerdon ist sie sehr gemein in Carnatic, und wahr= scheinlich auch im nördlichen Circars; selten jedoch im großen Flachlande von Südindien. Ihres besonders süßen und anmuthigen Gesanges wegen wird sie dort viel gefangen und im Käfige gehalten, namentlich geschieht dies mit den Jungen, welche auch die Lieder anderer Vögel nachahmen lernen. Ebenso ist sie, wie Blyth sagt, in Bengalen ein beliebter Käfigvogel, um ihres angenehmen, klagenden, wenn auch nicht wechselreichen Gesangs willen. In der Ernährung und Lebensweise gleicht sie der Feldlerche, auch schwingt sie sich wie jene singend in die Höhe. Weshalb sie Singlerche (Br.) heißen soll, ist mir unverständlich, da sie allerdings gleich allen Verwandten singt, jedoch keineswegs schöner, noch mit irgendwelcher Auszeichnung; ich glaube daher nicht, daß eine Uebersetzung des lateinischen Namens hier durchaus geboten ist. Alauda Cheendola, *Jerd.* [Agghun, in Hindostan, nach *Jerd.*]. — Die javanische Lerche [Alauda javanica, *Hrsf.*, nec *Jerd.*, nec *Hdgs.*] wird von einigen Forschern nur als eine örtliche Spielart, von anderen als selbständige Art bezeichnet. Bernstein sagt, sie komme sowol in den bergigen, als auch in den niedrig gelegenen Gegenden Javas vor, jedoch ebensowenig im Hochgebirge, wie im Innern der Wälder. Ihre Lebensweise gleiche der verwandter Arten; ihr Gesang, den sie niemals im Fluge, sondern stets auf einem niedrigen Strauch sitzend erschallen lasse, könne sich am wenigsten mit dem der Feldlerche messen, kaum mit dem der Haubenlerche, mit welchem er noch am meisten Aehnlichkeit habe. Uebrigens sei sie die einzige Lerchenart im indischen Archipel. — Horsfield's Lerche [Alauda Horsfieldi, *Gld.*] von Australien ist oberhalb bräunlichaschgrau, jede Feder breit dunkelbraun schaftstreifig, namentlich an Kopf und Rücken; Augenbrauenstreif fahl; Schwingen braun, fahlröthlich gerandet; Oberkehle weiß, Unterkehle und Oberbrust dunkel= schaftfleckig (diese Zeichnung bildet fast einen Halbmond); ganze übrige Unterseite fahl bräunlich= aschgrau; untere Flügelseite röthlichgrau; Schnabel bräunlichfleischroth, am Grunde und an der

40*

Spitze dunkelbraun; Auge braun; Füße röthlichdunkelbraun. Das Weibchen soll übereinstimmend sein. Gould, nach dessen Beschreibung ich die vorstehende gegeben, stellt sie als Art hin (und zwar als die einzige australische Lerche), während andere Forscher sie nur als Spielart betrachtet wissen wollen. „Sie ist über die Ebenen und offenen Gegenden von Neusüdwales spärlich ver= breitet, aber häufiger nach dem Innern zu in den Gebirgen als nach der See hin. Ein Exem= plar aus der Gegend der Moreton=Bay von Leichardt's Expedition mitgebracht und ein solches aus der Nähe von Port=Essington unterscheiden sich von denen aus Neusüdwales durch bedeutendere Größe, sowie stärkeren Schnabel und mehr rothe Farbe; sie dürften vielleicht artlich verschieden sein und stehen der javanischen Lerche sehr nahe. Der erst beschriebne Vogel aber aus Neusüdwales, wo ich ihn in den Liverpoolebenen am häufigsten fand, lebt mehr am Boden als auf Bäumen, ist so dreist, daß er sich fast treten läßt, bevor er sich erhebt und eine kurze Strecke fliegt. Häufig steigt er auch in der Weise der europäischen Feldlerche, doch nicht so kräftig singend, hoch in die Luft; zuweilen aber schmettert er seinen angenehmen, doch schwachen Gesang auch von dem Zweige eines Baumes herab. Dr. Zuchold stellt diese Lerche ebenfalls als eine der javanischen nahe verwandte, jedoch kleinere und selbständige Art hin. Horsfield's Bush Lark (Gld.). — Die Hofalerche [Alauda hofa, Hrtl.] von Madagaskar bedarf nur der Erwähnung, da blos ein Exemplar, welches Herr Professor Dr. Peters mitgebracht hat, in Spiritus im Berliner zoologischen Museum vorhanden ist.

Die Lerche von Kordofan [Alauda cordofanica] bezeichnet Heuglin als einen sehr seltenen oder vielleicht nur zufälligen Bewohner der ebenen Gegenden von Senar und Kordofan. Sie soll in der Lebensweise der Feldlerche ähnlich sein und nach Antinori auch hochsteigend wie jene sehr laut singen. Durch lebhaft gelbrothe Oberseite ist sie von anderen Lerchen zu unterscheiden. Ueber ihre weitere Verbreitung ist nichts genaueres bekannt. Mirafra cordo= fanica, Strckl.; Galerida rutila, v. Mll.; Alauda praestigiatrix, Hgl.; Melanocorypha ferruginea, Br.; Annomanes (!) cinnamomea, Bp. — Die einfache Lerche [Alauda simplex, Cb.) wurde von Hemperich und Ehrenberg an der arabischen Küste eingesammelt und ist nur in einem Exemplar im Berliner Museum vorhanden. — Die zierlichste Lerche [Alauda elegantissima], eine von Heuglin im Hügellande nördlich vom Tanasee im Monat Mai 1862 gefundne prächtige Art, „welche dort ziemlich selten an buschigen Gehängen lebt, viel auf kleinen Feldsteinen sitzt und der Haubenlerche ähnlich singt; sich hoch in die Lüfte erhebend, läßt sie ein schnarrendes Geräusch hören, welches wol vom raschen Zusammenklatschen und einer zittern= den Bewegung der Flügel herrührt." Der genannte Forscher hatte nur zwei, vielleicht jüngere Vögel mitgebracht, welche oberhalb dunkelroströthbraun, unterhalb heller rothbraun sind, mit weißem Augenbrauenstreif und ebensolcher Kehle; eine ausreichende Beschreibung der Art muß allerdings erst erwartet werden. Geocóraphus elegantissimus, Hgl. — Eine zimmtrothe Lerche [Alauda rufocinnamomea, Slvd.] wird noch mitgezählt, doch steht es nicht fest, ob sie wirklich eine selbständige Art ist, oder ob sie mit einer der vorigen zusammenfalle. — Die bescheidne Lerche [Alauda modesta, Hgl.] ist etwas kleiner als die kurzzehige, ihr aber in Gesang und Benehmen ähnlich, mit schwärzlichbraunem Oberkopf und Haube, das ganze übrige Gefieder hellbraun, schwärzlich gestrichelt, Halsseiten und Kehle weiß. Sie ist Standvogel in Bongo und am Kosangofluß, lebt meistens parweise auf steinigen Lichtungen in der Wald= gegend, sitzt auf Steinen und Termitenbauen, selten an Stellen mit höherem Graswuchs. Näheres hat Heuglin nicht angegeben.

Die Bienenlerche [Alauda apiata] aus Südafrika ist oberhalb röthlichkastanienbraun, jede Feder aschgrau gesäumt und mit schwarzem Querstreif, wodurch das ganze Gefieder sein schwarz gebändert erscheint; Zügel, Wangen und Kehle sind gelblichroströth und die ganze Unterseite ist bräunlichroströth, dunkel schaftfleckig; der Schnabel ist bräunlichschwarz, Unterschnabel am Grunde heller; Auge braun; Füße gelbgrau. Das Weibchen soll matter gefärbt und ein wenig kleiner sein. Nach Layard bewohnt sie besonders die warmen sonnigen Stellen der hochgelegenen

Ebenen, und daher ist sie besonders in den westlichen Theilen des Kaplands häufig zu finden. „Sie erregt ebensowol durch die Schönheit ihres Gefieders Aufmerksamkeit, als auch durch ein wunderlich knisterndes Geräusch, welches sie während des senkrechten Emporsteigens, 5 bis 10 Meter hoch in die Luft, mit ihren Flügeln hervorbringt. Während sie bis dahin ihren einfachen Ge= sang erschallen läßt, stößt sie dann plötzlich einen langgezognen schrillen Ruf aus und läßt sich wie ein Stein zum Boden herabfallen. Nach wenigen Minuten wiederholt sie dasselbe Spiel und fährt so namentlich frühmorgens oder abends stundenlang fort." Ritter Georg v. Frauen= feld erzählt über diese Lerche folgendes von der Novara=Expedition her: „Wir waren im Oktober, also zur Zeit des Frühlings, am Kap der guten Hoffnung angelangt und fanden eine große Anzahl von Vögeln mit Nestbauen und Eierlegen beschäftigt. In den niederen Buschwäldern aus immergrünen Protaceen von 2—2,₆₀ Meter Höhe war diese Lerche schon häufig. Sie steht im Wesen der europäischen Baumlerche sehr nahe. Die Männchen saßen auf den Spitzen der Gebüsche und waren meistens so zutraulich, daß man in der Entfernung von wenigen Schritten ihren Liebesspielen zuschauen konnte. Sie erhoben sich 2 bis 3 Klafter hoch in die Luft, dann ließen sie einen schnurrenden Laut hören, welcher mit den Flügeln hervorgebracht wird und an das Meckern der Sumpfschnepfe erinnert, doch weit schwächer als jenes ist. Nach der Rückkehr aus der Höhe läßt sich der Vogel, ein zartes hüüüt ausstoßend, auf seinen frühern Sitz nieder. Dies Auf= und Abschwingen erfolgt in kurzer Frist sechs= bis achtmal; ich konnte bequem den Vorgang beobachten und deutlich wahrnehmen, wie der Vogel willkürlich den einen oder andern Flügel stärker schnurrend mehr aufwärts richtete, wodurch sodann jedesmal die Flugrichtung etwas verändert ward." Da die Lerche vom Kapland, ihres Flugspiels halber auch Gaukellerche oder Gauklerlerche (Br.) benannt, hin und wieder einzeln in den Handel ge= langt, so habe ich die Schilderung dieser Eigenthümlichkeit in ihrer Lebensweise (welche übrigens auch einige der vorherbeschriebenen afrikanischen Verwandten zeigen), hier beiläufig aufgenommen. Ich sah vor einigen Jahren fünf Köpfe im zoologischen Garten von Hamburg, welche, wie mir der damalige Direktor, Herr Dr. Hilgendorf, sagte, von Fräulein Hagenbeck eingeführt waren. Kaplandlerche (Ruß' „Handbuch"). Weshalb sie den wissenschaftlichen Namen Bienen= lerche (A. apiata) erhalten hat, ist mir nicht bekannt. Alauda apiata, *Vll.*; Megalophonus clamosa, *Stph.*; Bráchonyx crepitans, *Mrr.* — **Die roſtfarbige Lerche** [Alauda planicola, *Lchtst.*] ebenfalls aus Südafrika, sie kommt jedoch auch in West= und Ostafrika vor und soll nach Ayres und Smith in der Lebensweise durchaus mit den Verwandten übereinstimmen. Sie ist an der ganzen Oberseite roströthlichbraun, dunkel gestrichelt, der Oberkopf breit schwarz= braun schaftstreifig; Zügel= und ein schmaler Augenbrauenstreif roströthlichgelb, ebenso Kopf= und Halsseiten nebst Kehle, jedoch fein dunkel gefleckt; Brust und Seiten lebhaft roströthlich= zimmtbraun; ganze übrige Unterseite lebhaft roströthlichisabellgelb; Schnabel hellbraun, Unter= schnabel fahl; Auge braun; Füße gelblichgrau. Das Weibchen soll nur matter in den Farben sein. Größe der Feldlerche gleich. Brachlerche (Br.). Mirafra africana, *Smth.*, nec *Gml.*; Megalophónus occidentalis und M. rostratus, *Hrtl.* — **Gray's Lerche** [Alauda Grayi, *Whlbrg.*], im Damaralande von J. A. Wahlberg gefunden, ist grau isabellfarben, ungefleckt, Stirn und Gegend um den Schnabel weißlich, Halsseiten braun gefleckt, Schwingen blaßbraun, fahl gesäumt; ganze Unterseite weißlich. — **Die braungefleckte Lerche** [Alauda plebeja, *Cb.*] wurde von Dr. Falkenstein an der Loangoküste und dann auch von Dr. Reichenow dort bei Loanda erlegt. Sie ist oberseits lerchenartig gefärbt, jede Feder mit dunkelbraunem Schaftfleck und hell gerandet; Oberkopf einfarbig dunkelbraun; Augenbrauenstreif schmal weiß; ganze Unterseite milchweiß, Brust dunkelbraun gefleckt. Sie stimmt mit der vorigen im allgemeinen überein, weicht aber in mehreren Punkten, so namentlich in der Färbung der Oberseite, ab. (Nach Cab.).

Die zweibindige Wüstenlerche [Alauda desertorum], deren Heimat sich über Nordostafrika und Westasien erstreckt, ist oberhalb röthlichisabellgelb; Zügel= und Augenbrauenstreif, sowie die Kopfseiten sind weiß, durchs Auge aber ein schwarzer Strich; Bartstreif matt gelbgrau, Wangen isabellgelb; Schwingen schwarz mit breiter weißer, dann schwarzer und schmaler röthlicher Quer=

binde; Schwanzfedern schwarzbraun, fahl röthlich gesäumt, die äußersten mit weißer Außenfahne, die beiden mittelsten röthlichbraun; Kehle und Oberbrust hell isabellgelb, jede Feder mit feinem dunkeln Schaftstreif; ganze übrige Unterseite reinweiß.  Schnabel fahl horngrau; Auge braun; Füße gelblichgrau.  Das Weibchen soll nur etwas matter gefärbt sein.  Nahezu von Drossel= größe.  Heuglin sagt über sie folgendes: „Wie die meisten ihrer Verwandten ändert auch sie inbezug auf Schnabelform, Länge der Nägel und Farbentöne ungemein mannigfaltig ab.  Zu= weilen ist die Oberseite sehr lebhaft röthlichisabellfarben; Oberkopf, Nacken und Bürzel sind meistens heller, mehr ins Graue spielend; die Flecke auf der Brust und die Zeichnung der Kopf= seiten sind bei einigen scharf ausgeprägt, bei anderen aber auch ganz verschwommen und ver= wischt.  Nubische Vögel sind im allgemeinen kleiner und lebhafter gezeichnet als egyptische, andere, die ich an der Somaliküste einsammelte, wiederum größer, ihr Schnabel ist hornbläulich mit hellen Schneiden, die Oberseite ist sattbräunlichgrau, die weiße von den Spitzen der kleineren Schwingen gebildete Binde ist schmäler u. s. w.  In den Nilländern habe ich sie nur nördlich vom 16. Breitegrad angetroffen, ferner lebt sie in Nordarabien und längs der ganzen afrikani= schen Küste des rothen Meers und des Golfs von Aden.  Sie liebt sandige ebene Flächen mit wenig Pflanzenwuchs, besucht gern die Karawanenstraßen und wandert nicht.  In vielen Be= ziehungen, namentlich im Fluge und Gesange, weicht sie von ihren Verwandten sehr ab; sie hält sich meistens an der Erde auf, läuft emsig hin und her, um Insekten, welche die Haupt= nahrung bilden, zu jagen.  Im raschen Lauf geradeaus hält sie plötzlich inne, jedoch nur auf Augenblicke, um sich umzuschauen oder die Richtung zu ändern.  Der Flug ist kurz, leicht, weich, aber flatternd unruhig.  Die Stimme ist ein melancholisch klagendes, flötendes Pfeifen; diese Lerche steigt während des Singens nicht, auch zeigt sie wenig Vorliebe für erhöhte Plätze, Steine u. drgl. oder Büsche; ihren Standort verläßt sie nicht leicht.  Sie lebt meistens in der ausge= brannten trockensten Wüste, oft in Gegenden, wo jahrelang kein Regentropfen fällt.  Ueber das Brutgeschäft habe ich keine eigenen Beobachtungen.  Die Eier sollen denen des großen Würgers manchmal gleichen."  Gould bezeichnet sie als einen guten Sänger, und Griffith, der sie eben= falls kennen gelernt, sagt nur, daß sie sehr schnell laufe und sich von Sämereien ernähre.  Auch Professor Robert Hartmann sah sie in Nordostafrika auf wüstem kiesigen Boden sehr schnell= füßig umherlaufen.  Eingeführt ist sie bis jetzt noch nicht, doch läßt sich dies über kurz oder lang erwarten.  Wüstenläuferlerche (Br.).  Alauda desertorum, Stnl.; A. bifasciata, Lchtst.; Saxicola pallida, Blth.; Certhilauda meridionalis, Br.; Alaemon Jessei, Fnsch. et Hrtl.; Certhilauda Doriae, Slvd. [Desert Lark, Stanl.].  —  Jesse's Lerche [Alauda Jessei, Fnsch. et Hrtl.] aus den Ländern am rothen Meere, dem abessinischen Küstenlande und der Somali= küste, wird gewöhnlich mit der vorigen zusammengeworfen, doch von Finsch und Hartlaub entschieden als selbständige Art hingestellt.  „Zunächst fällt der fahlgraubraune Färbungston der Oberseite sehr ins Auge, der von dem deutlich rostisabellfahlen, echt wüstenfarbnen jener ganz abweicht.  Noch wichtiger erscheint die dichte Fleckenzeichnung an Kropf und Brust.  Jene zeigt eine rein milchweiße Unterseite mit einzelnen verwaschenen dunklen Schnitzchen auf dem Kropfe.  Die Zeichnung der zweiten Schwingen ist bei dieser in der Mitte 2,2—2,6 cm. breit schwarz, während sie bei jener nur 9—11 mm. breit schwarz, an beiden Seiten aber weiß ist."  —  Die kleine zweibindige Wüstenlerche [Alauda africana, Gml.] soll in Südafrika sehr häufig sein; der zweibindigen Wüstenlerche überaus ähnlich, ist sie jedoch kleiner und an der Unterseite, mit Ausnahme der Kehle und Bauchmitte jede Feder mit dunklem Schaftstrich.  Ayres fand sie im Lydenburg=Gebiet der Transvaal=Republik spärlich einzeln oder parweise in den offenen Gras= ebenen.  Layard's Angaben besagen nur kurz, daß sie in allen ihren Eigenthümlichkeiten mit den nächstverwandten Lerchen übereinstimme.  Das Nest stehe unterhalb eines kleinen Busches oder Steins, sei aus Gräsern erbaut, mit Haaren und Federn ausgerundet und enthalte drei Eier.  Sichlerlerche (Br.).  Plainloving Lark, Ayres.

**Die weißbäckige Lerche** [Alauda leucótis].

Ein liebliches Vögelchen, die kleinste unter allen Lerchen, kaum von der Größe des Hänflings. Sie ist an Kopf und Hals schwarz; Ohrfleck, ein schmales Querband im Nacken, Bürzel und obere Schwanzdecken weiß; Mantel- und Schulterfedern roströthlichkastanienbraun, die ersteren an der Außenfahne weißlich gesäumt; Schwingen dunkelbraun, fahl außengesäumt; Deckfedern roströthlichkastanienbraun, eine braunschwarze Querbinde über den Flügel; Schwanzfedern dunkelbraun, die beiden äußersten längsgetheilt weiß, die beiden mittelsten heller, bräunlich außengesäumt; ganze Unterseite, nebst den unteren Schwanz- und Flügeldecken schwarz; Schnabel bleigrau; Auge braun; Füße fahlgelblichgrau. Das Weibchen ist oberhalb fahl gelblichrostroth; Zügel-, Augenbrauen- und Bartstreif weiß, Wangen röthlichgraubraun; Kehle und Brust fahlröthlichweiß, bräunlich schaftfleckig; Bauch und ganzer Hinterleib bräunlichschwarz. „Die weißohrige Gimpellerche", sagt Heuglin, nach dessen Beschreibung auch die obige aufgestellt, „ist ein häufiger Standvogel vom mittleren Nubien an längs des Nilthals und der benachbarten Regenstrombetten südwärts bis zum 13. Grad nördlicher Breite; im nordöstlichen Kordofan, im Küstenland des rothen Meeres und am Golf von Aden, von Suakin bis Berbera und Lasgori ist sie beobachtet. In Abessinien sah ich sie nur auf der Hochebene von Telemt (etwa 2600 Meter hoch) und zwar im Januar auf sandigen Flächen, zwischen den Urwäldern des Ghazal=Gebiets im November. Sie lebt pärchen- und familienweise gewöhnlich in Niederungen an der Grenze zwischen Kultur- und Niederland, niemals sehr fern vom Wasser, auf Brachfeldern und in steinigen Gegenden, wo sich einige spärliche Vegetation findet, ebenso auf Karawanenstraßen, an Hecken und um Dörfer. Was ihr Benehmen und ihre Lebensweise anbelangt, so ist sie eine vollkommene Lerche. Die einzelnen Familien bestehen in drei bis sechs Köpfen, von einem oder zwei alten Männchen geführt, seltener sind sie in Flüge zu= sammengerottet. Sie treiben sich meist laufend und oft plötzlich anhaltend umher. Der zirpende Lockton, welcher wie dirli klingt und der Flug gleichen am meisten denen der kurzzehigen Lerche. Die Familie trennt sich ungern von dem einmal eingenommenen Standort; dort sieht man sie vom frühesten Mor= gen an und selbst während der glühendsten Mittagshitze sich munter umher= treiben. Sie baden gern im Sande und leben von kleinen Sämereien und In= sekten. Arglos gegen Menschen und Thiere, drücken sie sich bei Gefahr zuweilen hinter Steine und trockene Grasschöpfe und steigen in unruhig schwirrendem, niedrigem Fluge auf, um in der Entfernung von 20—30 Schritten wieder einzu= fallen und sich dann in eiligem Lauf, wenn möglich unter Deckung weiter zu flüchten. Die Männchen sind sehr lebhaft und streitsüchtig, raufen mit einander manchmal im Fluge oder kämpfen mit aufgerichteter Holle auf der Erde. Der Gesang erreicht den der Feldlerche u. a. weder an Fülle noch an Abwechselung, doch trägt er unverkennbar den Charakter eines Lerchenliedes. Während des Singens sitzen die Männchen entweder auf einem kleinen Stein oder auf einer

Erdſcholle, ſeltener auf niebrigen lahten Büſchen; auch ſteigen ſie gern empor, wie die Felblerche, aber unruhig, nicht ſo hoch und lange ſchwebend wie die letztre. Ihre Parungszeit fällt im öſtlichen Sudan in die Monate Junt und Juli; es iſt mir jedoch niemals gelungen, das Neſt aufzufinden. Dieſe Lerche läßt ſich leicht zähmen und hält ſehr lange im Käfige aus." Im Laufe der letzten Jahre wurde ſie mehrmals einzeln ober zu zwei bis brei Köpfen von Fräulein Hagen= beck, Herrn Chs. Jamrach und auch wol einmal von kleineren Hamburger Händlern eingeführt; gewöhnlich iſt ſie dann aber mit anderen Bögeln zuſammen nach irgend einem zoologiſchen Garten abgegeben worden; ſo war ſie i. J. 1872 in dem von Frankfurt am Main und 1874 in Hamburg; im Berliner habe ich ſie noch nicht gefunden, ebenſo iſt ſie im Verzeichniß des Londoner Gartens auf= fallenderweiſe nicht vorhanden. Gleich allen übrigen Lerchen finbet man ſie in den Vogelſtuben kaum.

Die weißbäckige Lerche heißt auch weißohrige, Weißohr=, Schellen= und weißohrige Gimpellerche.

L'Alouette à joues blanches; White-cheeked Lark.

Nomenclatur: Loxia leucotis, *Stnl.*; Alauda melanocephala, *Lchtst.*; Fringilla otoleuca, *Tmm.*; Pyrrhulauda und Pyrrhualauda leucotis, Auct. ex Afr. or. [nec *Smth.*], *Rpp.*, *Bp.*; P. leucotis, var. septentrionalis, *Sndvll.*, *Scl.*, *Hrtl.*, *Hgl.*, *Antn.*; Coraphites leucotis, *Cb.*, *Hgl.*, *Scl.*, *Fnsch.* et *Hrtl.*; ? Pyrrhulauda leucotis, *Hgl.*, *Br.*, *Blnf.*, *Fnsch.*

Wiſſenſchaftliche Beſchreibung ſiehe Seite 631.

Alauda leucótis: capite colloque nigris, macula auriculari, fascia angusta cer- vicali, uropygio et supracaudalibus albis; plumis interscapilii et scapularibus ferruginoso-castaneis, illis exterius albido-limbatis; remigibus fuscis, exterius livide limbatis; tectricibus al. ferruginoso-castaneis; fascia trans alam fusco-nigra; rec- tricibus fuscis; ambabus extimis utrinque oblique dimidiatis albis; ambabus mediis dilutioribus, exterius subfusco-limbatis; gastraeo toto cum infracaudalibus et subalaribus nigro; rostro plumbeo; iride fusca; pedibus livide canis. — ♀ supra livide ferruginea; loris, stria superciliari et mystacali albis; genis rubente fumidis; gula pectoreque sor- dide rubide albis, subfusco maculatis; abdomine crissoque fuscato-nigris.

Länge 11,₈ cm.; Flügel 7,₂ bis 7,₄ cm.; Schwanz 4,₃ cm.

Smith' Lerche [Alauda Smithi, *Bp.*] ſtellen Finſch und Hartlaub als eine ſelbſt= ſtändige Art hin. Sie unterſcheidet ſich leicht durch die bräunliche Färbung der beiden äußeren Schwanzfedern jederſeits und durch die verſchiedne Zeichnung der oberen Flügeldecken; im übrigen aber ſtimmt ſie faſt mit der vorigen überein. Smith fand die Art in kleinen Flügen von fünf bis ſechs Köpfen unter dem Wendekreiſe des Steinbocks in Südafrika; Livingſtone ſandte ſie in zahlreichen Exemplaren vom Sambeſi an das britiſche Muſeum ein. Nähere Nach= richten fehlen. Pyrrhulalauda leucotis, *Smth.* [nec *Stnl.*]. — Die weißſtirnige Lerche [Alauda frontalis]. „Sie kommt", ſagt Heuglin, „in den Steppen und dem Hügellande Kordofans vor, wahrſcheinlich auch auf der Halbinſel Senar; ſie dürfte nicht wandern; freilich habe ich ihre Wohnplätze nur während und nach der Regenzeit, zwiſchen den Monaten Auguſt und Dezember, beſucht. Sie iſt viel ſeltner als die weißbäckige Lerche, lebt auch im allgemeinen viel mehr vereinzelt und entfernt vom Nil, gewöhnlich auf lichteren Stellen im Hochgras, um Gehöfte und Viehparke, in Dochen= und Büſchelmaisfeldern. Wenn Brehm angibt, man treffe eine Lerche, welche ohne allen Zweifel dieſe ſein ſoll, gewöhnlich am Nil, während die weiß= bäckige ein echter Steppenvogel zu ſein ſcheine, ferner daß beide Arten gemeinſchaftlich leben

fich aber im Fluge fondern, fo ftimmt dies durchaus nicht mit meinen Beobachtungen und Auf=
zeichnungen überein." Auch Dr. Dohrn bezeichnet fie als einen echten Steppenvogel. Mehrere
von verfchiedenen Autoren als befondere Arten aufgeftellte Lerchen fallen, wie die folgende Nomen=
clatur ergibt, mit diefer zufammen. Für die Liebhaberei hat fie bis jetzt noch keine Bedeutung,
da fie wol noch nicht eingeführt worden. Weißftirnige Gimpellerche (Hgl.); Kappenlerche (Br.).
Alauda frontalis, *Lchtst.*; Pyrrhulalauda crucigera, *Rpp.* [nec *Tmm.*]; Coraphites nigriceps,
*Cb.* [nec *Gld.*]; C. albifrons, *Sndvll.* — Die fchwarznackige Lerche [Alauda melanauchen,
*Cb.*], von den Küften des rothen Meeres, welche fie ausfchließlich zu bewohnen fcheint, „ift der
vorigen fehr ähnlich, nur dehnt fich die weiße Färbung der Stirn weniger aus und an den
Wangen ift fie fchärfer abgegrenzt; Nacken hell röthlichgrau mit fchwärzlichem querftehenden
Mittelfleck, welcher fich zuweilen mit der fchwarzen Zeichnung der unteren Vorderhalsfeiten ver=
einigt; erfte Schwanzfeder weißlich und nur an der Innenfahne nach dem Grunde zu hell rauch=
farben. Ich beobachtete fie längs der afrikanifchen Küfte des rothen Meeres und auf den Infeln
von Dahlat, wo fie meiftens parweife als Standvogel in den glühendften Niederungen, die ge=
wöhnlich garkein füßes Waffer enthalten, lebt; aber auch um die Gärten und Brunnen von
Mekulu und Arkifo und im benachbarten Hügelland ift fie nicht felten. Sie kommt ohne
Zweifel auch an der Küfte von Hedjas und bei Berbera im Somallande vor. In ihrem Wefen
hat fie viele Aehnlichkeit mit der weißbäckigen Lerche, doch lebt fie mehr vereinzelt." (Heuglin).
Cabanis führt noch eine fchwarzköppige Lerche [Alauda nigriceps, *Gld.*] an, welche
wahrfcheinlich mit diefer zufammenfällt, wie auch die von Finfch aufgeftellte Lerche von den
kanarifchen Infeln [Alauda modesta, *Fnsch.* nec *Hgl.*]. — Die graue Lerche [Alauda grisea,
*Scpl.*] von Indien und Zeylon, ift oberhalb fahl bräunlichgrau; Zügel= und Augenbrauenftreif
fchwarz; Wangen und Kopffeiten weißlich; Schwingen und Schwanzfedern olivengrünlichbraun,
hell außengefäumt; ganze Unterfeite fchwarz. Schnabel weißlichgrau; Auge braun; Füße gelb.
Das Weibchen ift oberhalb fahl bräunlichgrau; Augenbrauenftreif weiß, Schwingen und Schwanz=
federn dunkelbraun, heller gefäumt; ganze Unterfeite matt grauweiß. Die Größe ift kaum be=
deutender als die der weißbäckigen Lerche. „Diefer fonderbare kleine Vogel“, fagt Jerdon, „ift
in ganz Indien fehr gemein in den offenen Ebenen, auf angebautem Boden, an Wegen u. f. w.
In feiner Lebensweife gleicht er durchaus anderen Lerchen und befonders zeichnet er fich durch
das plötzliche Auf= und Niederfteigen im Fluge aus. Im allgemeinen fliegt er nur eine kurze
Strecke und herabgekommen drückt er fich dicht an den Boden. Gelegentlich fieht man ihn auch
wol auf einem Hausgiebel fitzen, aber nur ein einzigesmal bemerkte ich, daß ihrer 12 oder
15 Köpfe auf einem niedrigen Baum dicht neben einem Haufe während der größten Hitze ruhten.
Das Neft und die Eier erhielt ich im Februar; erfteres war aus Federn und Gräfern geformt,
unter deren erfteren fich fogar einige kleine Tuchftückchen fanden. Es ftand in einer geringen
Vertiefung in der offnen Ebene nahe bei einem Fluß und enthielt zwei fchwach grünlichweiße,
buntgefleckte Eier." Aehnlich berichtet Sykes: „Diefe Lerche fei fo zahm, daß fie fich faft über=
reiten laffe, ehe fie davonfliege. In Maden u. a. Infekten und kleinen Sämereien beftehe ihre
Nahrung." Sundewall fagt, daß fie auf dem Boden fitzend, die Flügel ausbreitend finge.
Im Fliegen und Laufen gleiche fie völlig einer Feldlerche. Nach Blyth niftet fie in der Nähe
von Kalkutta; in Bengalen foll fie das ganze Jahr hindurch zu finden fein. Im weftlichen
Indien niftet fie, wie Burgeß mittheilt, im Januar und Februar. Nach Layard kommt fie
im nördlichen und öftlichen Zeylon in Scharen von 50 bis 60 Köpfen, wahrfcheinlich als Zug=
vogel, vor. Ueberaus fchnell an der Erde laufend, drückt fie fich, wie Tytler angibt, um fich
im offnen Felde vor feinen Feinde zu verbergen, flach auf den Boden. Hiermit find die Nach=
richten über fie erfchöpft. Lebend eingeführt ift fie bis jetzt noch nicht, doch dürfte dies wol
demnächft gefchehen, da fie in ihrer Heimat nicht felten ift. Kreuzlerche (Br.). Alauda gingica,
*Gml.*; Pyrrhulauda crucigera, *Tmm.* [uec *Rpp.*]. — [Gingi Lark, Duree Finch, *Lth.*,
*Hmlt.*]; Black-bellied Finch-lark, *Jerd.*; Squat Finch-ortolan, bei einigen Europäern in
Indien, nach *Jerd.* — Duree, in Bengalen, nach *Hamilt.*; Chak Bharai and *Dhulo* Chata,
in Bengalen, nach *Blyth.*; Dhubuk Chari (d. h. Squat Sparrow) und Decora, in Hindoftan,

nach *Jerd.*]. — **Die Falkenlerche** [Alauda Clót-Béki, *Tmm.*], von den Hochebenen der Sáhara, ist oberhalb fahl bräunlichisabellgelb, am Oberkopf dunkelschafistreifig; Zügel und Strich unter dem Auge weiß; Wangen und Kopfseiten schwarz; Schwingen schwarzbraun, fahl außengesäumt, über dem Flügel eine düstre Binde; Schwanzfedern röthlichzimmtbraun, die äußersten weiß, ganze Unterseite weiß, breit schwarz schaftfleckig, an der Brust eine schwärzliche Binde; der riesige, fast papageienartige Schnabel, durch welchen sie sich von allen anderen Lerchen unterscheidet, ist gelblichgrau mit schwärzlicher Spitze; Auge braun; Füße fahlgrau. Sie ist beträchtlich größer als die Feldlerche. „Im Leydener Museum", sagt Heuglin, „befindet sich die von Clot=Bek, dem Leibarzte Mehemed Ali's, aus Egypten eingesandte Originaltype, und wahrscheinlich stammt dies Exemplar aus den westlichen an die lybische Wüste grenzenden Bezirken. Längs des Nils habe ich sie nicht beobachtet. In den westlichen Sahara bewohnt sie in kleinen Flügen steiniges Hügelland. Sie ist sehr scheu und fliegt und läuft mit großer Schnelligkeit. Bis jetzt ist sie in den Sammlungen noch äußerst selten." Tristram fand sie auf steinigem Hügellande in el Aghuat nur allein und konnte nicht erfahren, ob sie auch in Algier und anderen Theilen Afrikas vorkomme. Die Brut zeigt nichts besondres, sondern gleicht denen verwandter Arten. Taczanowski sah einige Köpfe neben den Oasen Tolga und Seriana im Januar und März und erlegte zwei Männchen. Sie sei nicht sehr vorsichtig, sondern setze sich bald wieder, nachdem man sie aufgescheucht habe. Knacker= oder Klapperlerche (Br.). Alauda Clot-Bey, *Tmm.*; Jerapterhina Cavaignaci, *O. Ds. Mrs.*; Hierapterhina [!] Clot-Bekii, *Hgl.*

# Die Tangaren [Tanagrinae].

Farbenreiche Vögel mit glänzendem Gefieder sind es, welche uns auf den ersten Blick als ganz besonders verlockend für die Liebhaberei dünken und inderthat auch vor allem andern fremdländischen Gefieder geschätzt sein würden, wenn sie nicht zugleich bedeutsame Mängel zeigten. Die vorzüglichste Gabe der Vögel, der Gesang, fehlt ihnen; nur leise, rauhe, nicht angenehme Töne lassen sie hören. Sodann entfalten sie keineswegs eine ihrem rothen, grünen, blauen u. a. Prachtfarben entsprechende Anmuth und Liebenswürdigkeit; sie erscheinen vielmehr plump, stürmisch, scheu und sind nicht leicht zu zähmen. Ferner sind sie nicht friedfertig, sondern manchmal recht bösartig und daher dürfen sie weder im Gesellschaftskäfige noch in der Vogelstube gehalten werden.

Ihre Verbreitung beschränkt sich auf Amerika, erstreckt sich aber auch nahezu über den ganzen Welttheil. Hinsichtlich der Lebensweise gleichen sie im allgemeinen den Finken. In den nördlichen Gegenden sind sie Zugvögel, welche im Frühlinge spät ankommen und zum Herbst zeitig wieder abziehen; im Süden leben sie als Strichvögel, indem sie immer den zu ihrer Ernährung dienenden reiferen Beeren u. a. Früchten nachgehen. Zur Nistzeit trifft man sie parweise und jedes Pärchen bewohnt und vertheidigt sein bestimmtes Gebiet. Späterhin streichen sie in Familien oder kleinen Scharen umher. Die Nahrung besteht in verschiedenartigen Stoffen, denn eine Anzahl von ihnen frißt vorzugsweise Sämereien, daneben wenige Kerbthiere und nur zuweilen naschen sie an Früchten, während andere fast ausschließlich von Früchten und Beeren sich ernähren. Theils in niedrigem Gebüsch, theils mannshoch und darüber auf Bäumen steht das Nest, welches in der Gestalt einer offnen Mulde aus dünnen Reisern, Stengeln, Ranken und Würzelchen geschichtet, mit Mos, Halmen, Fasern, Pflanzenwolle und Thierhaaren sorgsam ausgerundet ist und ein Gelege von 3 bis 5 Eiern enthält, die vom Weibchen allein in 12 Tagen erbrütet werden, während die beiden Alten gemeinsam die Jungen großfüttern. Im Norden machen sie alljährlich nur eine, in südlichen Gegenden dagegen wol zwei und mehrere Bruten. Obgleich mehrere Naturforscher, welche sie in der Heimat kennen gelernt, vom Gesange dieser oder jener Art schwärmen, so dürfte durch anhaltende Beobachtung in der Gefangenschaft doch festgestellt sein, daß keine einzige zu den namhaften Sängern zu zählen ist. Die meisten dieser Vögel machen außer der Mauser, also der Erneuerung des gesammten Gefieders, auch alljährlich noch eine Verfärbung durch, indem sie zum

Winter hin ein unscheinbares gelbgrünes Kleid anlegen. Die Weibchen sind durch=
gängig schlicht gefärbt und bei manchen Arten nur von Sachverständigen zu er=
kennen. In der Gefangenschaft sollen ihre Farben an Glanz und Pracht ver=
lieren, ich habe dies jedoch, freilich bei sorgsamer entsprechender Pflege, an keiner
Art bestätigt gefunden. Wie schon angedeutet, zeigen sie sich mit wenigen Aus=
nahmen — welche eigentlich nur die zarteren, ausschließlich fruchtfressenden bilden
— durchaus unverträglich, und zum Theil sogar sehr bösartig unter ihren Ge=
nossen; jeder schwächliche, junge oder kranke Vogel wird von den Schwarztangaren
entschieden umgebracht, während die Rothtangaren vornämlich die kleinen Jungen
aus den Nestern stehlen. Auf eine nur zu oberflächliche Beobachtung, welche aus
dem Berliner Aquarium veröffentlicht worden, bauend, mußte ich leider die em=
pfindliche Erfahrung machen, daß ein Par Krontangaren mir Ringelastrilde, Aurora=
astrilde und die letzte Rothkopfamandine, welche ich besaß, zutode jagten, bevor
ich die Missethäter erkannte und zu entfernen vermochte. In dieser Bösartigkeit
mag es wol begründet liegen, daß man bis jetzt erst gar wenige Züchtungsversuche
mit ihnen angestellt hat. Im übrigen glaube ich, daß ihre Züchtung keineswegs
große Schwierigkeiten haben wird, wenn man nämlich einerseits richtige Pärchen
zu beschaffen und diesen andrerseits ausreichende Räumlichkeiten zu bieten vermag.
Denn gerade bei ihrer Zucht will jedes Par ganz entschieden seinen besondern
abgegitterten Raum, bzl. einen Käfig für sich haben. Die Ernährung in der
Gefangenschaft besteht nur bei den schwarzgefärbten Arten in mannigfaltigen
Sämereien nebst wenig Ameisenpuppengemisch, Mehlwürmern und Früchten, bei
allen anderen fast ausschließlich in süßen Beeren und Früchten nebst Ameisen=
puppengemisch; an gesottnen Reis, eingeweichtes Eierbrot, gekochte Kartoffeln
oder Morrübe u. drgl. lassen sie sich alle gewöhnen, und diese Zugaben scheinen
ihnen gut zu bekommen. Was man inhinsicht ihrer Ausdauer in der Gefangenschaft
geschrieben, beruht keineswegs in zuverlässigen Erfahrungen; wol zeigen sich alle
samenfressenden Arten, wie besonders die schwarzen und sodann auch die Purpur=,
Scharlach= und Feuertangara nebst deren nächsten Verwandten wirklich recht
kräftig, allein die ausschließlich fruchtfressenden, besonders die buntfarbigen, ge=
hören entschieden zu den weichlichsten unter allen Stubenvögeln; sie sterben infolge
der geringsten ungünstigen Einflüsse, durch den Genuß einer sauer gewordnen
Birne, irgend eines andern verdorbnen Futtermittels u. drgl. Ihre Preise stehen
bis jetzt noch sehr hoch; wol werden die schwarzen und namentlich deren braune
Weibchen von kleinen Händlern in den Hafenstädten manchmal aus Unkenntniß
zu geringen Preisen fortgegeben, in der Regel aber muß man für ein Pärchen
der farbenreichen Arten 45, 75 bis 100 Mark bezahlen.

Bis jetzt ist es noch keineswegs völlig klar, welche Stellung im System
die Tangaren einnehmen sollen; einerseits erscheinen sie den Finkenvögeln nahe

verwandt und manche Schriftsteller reihen sie ohne weitres unter diesen ein, andrerseits aber zählen manche Ornithologen sie zu den Waldsängern (Sylvicolidae), also zu einer Gruppe der eigentlichen Kerbthierfresser. In der Verlegenheit nun — da sie in ein= und derselben Familie theils fast ausschließlich Samen=, theils ebenso, wenn auch nicht Insekten=, doch Fruchtfresser sind — glaube ich den ob= waltenden Verhältnissen dahin Rechnung tragen zu müssen, daß ich diese erst neuer= dings bekannter werdenden und steigernder Beliebtheit sich erfreuenden Vögel hier vorläufig wenigstens soweit berücksichtige, als sie bisher lebend eingeführt worden. Ich schildere sie daher nach den bisherigen Erfahrungen über ihre Pflege und Züchtung, selbstverständlich jedoch mit dem Vorbehalt, daß ich sie späterhin in einem andern Bande eingehender darstelle.

### Die Krontangara [Tanagra coronata].

Vor etwa acht Jahren erhielt ich in einer Sendung aus London, welche in Finken von verschiedenen Welttheilen bestand, auch einen einzelnen einfarbig braunen Vogel mit ein wenig gekrümmtem Schnabel, den weder Händler noch Liebhaber kannten und der sich selbst im zoologischen Museum nicht sogleich feststellen ließ. Er zeigte sich in der Vogelstube außerordentlich bösartig, indem er in der Weise der Graukardinäle einen Vogel nach dem andern zutode jagte. Deshalb gab ich ihn fort und zwar an Herrn Dr. Bodinus für den Berliner zoologischen Garten, in welchem er sich jahrelang vortrefflich erhalten hat. Erst nach geraumer Zeit gelangte ich zu der Einsicht, daß es das Weibchen der Krontangara sei, nach= dem mir das Männchen schon hin und wieder vorgekommen. Dasselbe ist tiefschwarz mit purpurrothem Fleck auf dem Scheitel. Seine Größe ist etwa die des europäi= schen Kernbeißers, doch erscheint die Tangara ungleich schlanker, zierlicher und anmuthiger.

Ihre Heimat erstreckt sich über das südliche und südöstliche Brasilien, wo sie nach Burmeister's Angaben in allen Waldungen, besonders aber in denen von St. Paulo und St. Katharina gemein ist. Azara beobachtete sie auch in Paraguay und Karl Euler in Kantagallo in der Provinz Rio de Janeiro. Letzterer schildert sie in folgendem: „Sie ist eine der gewöhnlichsten Tangaren, lebt in allen Gärten, Pflanzungen, niederen Gehölzen und hält sich viel an der Erde auf. Ihr Nest erbaut sie an den verborgensten Stellen im Dickicht. Ich fand es im Oktober auf dem etwa 65cm· hohen Stumpfe eines abgehauenen Baumes in der Nähe des Baches, wo es zwischen den dicht emporgeschossenen Sprößlingen versteckt war. Die sehr lockre Nestunterlage besteht in Pflanzenstengeln und dürren Blättern und die Mulde ist mit wenigen Wurzelfasern ausgelegt und ge= glättet und von etwa 7cm· Durchmesser. Drei außerordentlich angenehm gefärbte Eier bilden das Gelege." Näheres über das Freileben ist leider nicht angegeben.

In letztrer Zeit gelangt diese Art vielfach in den Handel, und im Vertrauen auf Brehm's Angabe, daß sie friedlich mit anderen zusammen lebe, hat man sie mehrfach für die Vogelstuben angeschafft. Auch ich erhielt ein Pärchen von Herrn H. Möller in Hamburg, und da ich annehmen mußte, daß die Bösartigkeit des ersten Weibchens in meinem Besitz nur eine individuelle gewesen, so ließ ich jene nebst Purpur= und Scharlachtangaren in die mit den seltensten und werthvollsten Prachtfinken reich besetzte Vogelstube. Hier zeigten sie sich alle anfangs sehr harmlos, sodaß ich obige Behauptung mit gutem Gewissen in der „Gefiederten Welt" bestätigen konnte. Bald aber, nachdem sie sich wahrscheinlich erst von den Reisebeschwerden völlig erholt und nistlustig geworden, begannen sie ihre unheil= volle Thätigkeit. Zunächst wurden alle jungen Vögel, sobald sie die Nester ver= ließen, umgebracht, und nicht lange, da fand ich auch einen alten Prachtfink nach dem andern, selbst einen Bayaweber, einen Sonnenvogel u. a. todt am Boden. Während ich zuerst die Bülbüls, welche in drei Arten ebenfalls die Vogelstube bewohnten, in Verdacht hatte, stellte es sich bei aufmerksamer Beobachtung bald heraus, daß jene allerdings arge Raufbolde, daß aber die Tangaren und vor allem das Weibchen der Krontangara die bösartigsten seien. Mir mangelte dann leider der Raum, um weitere Züchtungsversuche mit ihnen anzustellen und ich mußte sie daher fortgeben. Anderweitige Versuche oder gar Erfolge sind leider nicht bekannt geworden. Im Berliner Aquarium soll ein Pärchen genistet haben, doch ist darüber sichres nicht verlautet. Kräftig und ausdauernd, hält sich diese Tangara vortrefflich und darf als ein besonders schöner Käfigvogel gelten. Einen Gesang hat sie nicht, Männchen und Weibchen lassen vielmehr nur rauhe heisere, manchmal weberähnlich zischende Laute hören. Sie frißt vorzugsweise Sämereien und zwar Kanariensamen, Hirse, auch etwas Mohn und Hanf; dagegen weniger Früchte und Kerbthiere, als andere Arten. Ihre Farben wechseln nicht mit den Jahreszeiten. Der Preis steht auf 45 bis 50 Mark für das Pärchen und nur selten niedriger.

Die Krontangara hat wol keine weiteren Namen. — Le Tangara ou Tachyphone couronné; Crowned Tanager. — Tschá, Heimatsname in Brasilien, nach *Eul.*

Nomenclatur: Agelaius coronatus, *Vll.*; Tanagra coryphaea, *Lchtst.*; T. brunnea, *Spx.*; Tachyphónus Vigorsii, *Swns., Jard* et *Selb.*; T. coryphaeus, *Gr.*; T. coronatus, *Cb.*, *Brmst., Br.*; Tanagra nigerrima, *Eul.* [nec *L.*]. — [Tordo de bosque coronado y negro, *Azr.*].

Wissenschaftliche Beschreibung: Einfarbig schwarz, stahlblau glänzend; ein purpur= rother Fleck auf dem Scheitel, welcher jedoch nur dann zur Geltung kommt, wenn der Vogel in der Erregung die Kopffedern sträubt; Schwingen und untere Flügeldecken am Grunde der Innen= seite weiß. Schnabel schwarz; Auge braun; Füße braun. — Das Weibchen ist lebhaft rost= röthlichbraun; Oberkopf bis zum Nacken graubraun, Wangen braun, fein grau gestreift; Bürzel und Schwanz heller zimmtroth; ganze Unterseite roströthlichbraun. Schnabel braun Auge dunkelbraun; Füße bräunlichfleischroth.

Tanagra coronata: unicolor nigra, chalybaeo-nitens; plumis verticis nonnisi erectis maculam purpuream offerentibus; basi pogonii interioris remigum et tectricum sub alarium alba; rostro nigro; iride fusca; pedibus fuscis, — ♀ laete ferruginosa; pileo ad cervicem usque fumido; genis umbrinis, subtiliter cano-vittatis; uropygio caudaque dilutius cinnamomeis; subtus ferruginea; rostro umbrino; iride fusca; pedibus c fusco carneis.

Länge 18,4ᶜᵐ·; Flügel 8,7 — 8,9ᶜᵐ·; Schwanz 6,5ᶜᵐ.

Das Jugendkleid ist nach Burmeister dem des Weibchens gleich; das junge Männchen erhält in der ersten Mauser am Oberkopf einige schwarze stahlblauglänzende Federn; Schnabel schwarzbraun; Unterschnabel am Grunde weiß; Füße fleischbraun. Nach Schlüter zeigt das junge Männchen späterhin, selbst wenn bereits die rothe Scheitelmitte vorhanden ist, noch überall roſtrothe Federn zwiſchen den ſchwarzen, ſo daß es ein ſcheckiges Ausſehen hat.

Juvenis: cum femella conveniens; ♂ juv. plumas primas mutans plumis pilei nonnullis chalybaeo-nitentibus ornatus; rostro nigro-fusco, basi mandibulae alba; pedibus carneis. Secund. Schlüter ♂ juv. serius plumis inter nigras ferrugineis, quare macu. losa apparens.

Beschreibung des Eies: Grundfarbe kräftig und hell fleischroth, mit großen, breiten, dunkelrothen Zeichnungen, welche in weiten Abſtänden vertheilt ſind, theils verwachſene, theils ſcharfbegrenzte Ränder haben und mit kräftigen ſepiabraunen Tüpfeln und Kritzeln vermiſcht ſind; am dickern Ende ſteht die Zeichnung etwas gedrängter. Die Geſtalt iſt länglichoval und beide Enden ſind faſt gleich ſtumpf. Länge 23,5ᵐᵐ·; Dicke 17ᵐᵐ·; Schneidepunkt etwa 12,5ᵐᵐ. (Euler).

Ovum: saturate carneum striis magnis latisque ruberrimis, ample divaricatis margines parte lavatos, parte circumscriptos ostendentibus notatum, nec non punctillis lineolisque distincte umbrinis intermixtis, usque circa basin magis coacervatis; ceteroquin oblongo-ovatum apice utroque fere aequabiliter obtuso.

## Die Trauertangara [Tanagra melaleuca].
### Tafel XIV. Vogel 72.

Der vorigen faſt völlig gleich, doch ohne den rothen Schopf, vielmehr rein bläulichſchwarz und mit weißem Schulterſtreif, iſt ſie mehr im Norden Braſiliens, beſonders in den Gegenden am Amazonenſtrom, Guiana und Kolumbien, ſowie auch in Venezuela und Trinidad heimiſch. Sie war bereits den alten Autoren bekannt, und Buffon, der Beſchreibung und Abbildung von beiden Geſchlechtern gibt, ſagt, daß Sonnini de Manoncourt die verſchiedene Färbung des Männchens und Weibchens zuerſt nachgewieſen hat. Letzterer beobachtete ſie in der Heimat am Neſt und fand ſie auch außer der Niſtzeit ſtets parweiſe im dichten Gebüſch lebend, niemals aber zahlreich vereinigt. Er gibt bereits an, daß ſie durchaus keinen Geſang, ſondern nur ſchrille durchdringende Lockrufe hören laſſe. Ihre Nahrung beſtehe in kleinen Früchten und Inſekten. Näheres iſt über ihr Freileben ſeither leider nicht veröffentlicht worden. Die Beobachtung in der Vogelſtube hat ergeben, daß ſie ſowol in der Lebensweiſe, als auch in der Er= nährung der vorigen durchaus gleich iſt. Sie kommt übrigens viel ſeltner in den Handel, wird nur einzeln von Fräulein Hagenbeck, Herren K. Reiche, Ch s. Jamrach, H. Möller u. A. eingeführt und iſt daher noch weniger bei den Liebhabern zu finden. Der Preis beträgt etwa 45 Mark für das Pärchen. Im Berliner Aquarium hatte zur Zeit der erſten Direktion ein Pärchen dieſer

Art geniſtet, und nach den Angaben des Oberwärters Seidel berichtete der „Führer", daß die eifrigen Alten „ſich garnicht damit begnügen, ihre eigenen Jungen zu füttern, ſondern daß ſie die ihnen gereichten Mehlwürmer auch barmherzig jedem andern Vogel bieten, welcher darum bettelt". Ich will über ſolche Fantaſieſchilderungen keine Worte verlieren; nur darauf ſei hingewieſen, daß Erfahrungen von zahlreichen Seiten mit voller Entſchiedenheit eine Bösartigkeit dieſes Vogels feſtgeſtellt haben, welche der des vorigen durchaus gleich iſt. Ueber die Brut der Trauertangara im Aquarium hat Herr Dr. Brehm keinerlei Mittheilung gemacht, während eine eingehende Beobachtung doch umſomehr dankenswerth geweſen wäre, da, wie ſchon vorhin bemerkt, das Freileben dieſer Vögel noch völlig unbekannt iſt. Darin liegt doch eben die höchſte Wichtigkeit aller Vogelzüchtung, daß durch die gewiſſenhafte Feſtſtellung und Angabe aller obwaltenden Verhältniſſe die Naturgeſchichte des betreffenden Vogels bereichert werde.

Die Trauertangara iſt von Br. Schwarztangara benannt. [Schwarze und braunrothe Tangara, Buff.]. — Tangara noir; Black Tanager.

Nomenclatur: Tanagra nigerrima, *Gml.*, *Lchtst.*, *Pr. Wd.*, *Dsm.*; Oriolus leucopterus, *Gml.*, *Buff.*, *Lth.*; Tanagra melaleuca, *Sprrm.*; Tachyphónus leucópterus, *Vll.*, *Orb.*; T. nigerrimus, *Cb.*, *Brmst.*; T. melaleucus, *Br.* — [Tordo di bosco negro cobijas blancas, *Arz.*].

Wiſſenſchaftliche Beſchreibung: Einfarbig ſchwarz, lebhaft ſtahlblau glänzend, namentlich an Hinterkopf, Oberrücken, Flügeln und Schwanz, wo alle Federn faſt rein dunkelblaue Außenſäume haben; Bruſtſeiten unterhalb des Flügels, untere Flügelſeite nebſt Innenfahne der Schwingen und Schulterrand reinweiß (in der Ruhe iſt der weiße Flügelrand jedoch garnicht zu bemerken); Schnabel glänzend ſchwarz, am Grunde, ſowie faſt der ganze Unterſchnabel heller blaugrau; Auge braun; Füße ſchwärzlichgrau. — Das Weibchen iſt einfarbig roſtröthlichbraun, dunkler als das des vorigen; die dunkelbraunen Schwingen ſind röthlichfahl geſäumt; Schwanzfedern lebhaft röthlichbraun; ganze Unterſeite hell gelblichbraun; Schnabel bräunlichgrau; Auge braun; Füße bräunlichfleiſchroth. Das Jugendkleid iſt nach Burmeiſter dem des Weibchens gleich, nach der erſten Mauſer ſchwarz gefleckt, ſpäterhin mattſchwarz, nur wenig glänzend.

Tanagra melaleuca: colore omnino nigro, laete chalybaea-nitente, praesertim occiput, tergum, alas caudamque occupante, eorumque plumis exterius subcyaneolimbatis; pleuris subalaribus, latere alarium inferiore, pogoni oremigum interiore et campterio albis; basi rostri nitide nigri et mandibula caesiis; iride fusca; pedibus e nigro cinereis. — ♀ unicolor ferruginosa, priore obscurior; remigibus fuscis, subrufo-limbatis; cauda laeta castanea; subtus livide fuscata; rostro fumide cinereo; iride fusca; pedibus fuscato-carneis. — Juvenis: (sec. *Brmst.*) femellae persimilis; post mutationem plumarum primam nigro-maculata, serius nigra, parum nitens.

Länge 18,3 ᶜᵐ·; Flügel 8,7 ᶜᵐ·; Schwanz 6,3 ᶜᵐ·

## Die rothhäubige Tangara [Tanagra cristata]

iſt der Krontangara ſehr ähnlich, doch mehr bläulichſchwarz mit beträchtlichem rothem Federbuſch auf dem Kopfe und an Kehle und Bürzel faſt röthlichgelb, auch von bemerkbar geringerer Größe. Sie war den alten Vogelkundigen ebenfalls bereits bekannt und Buffon ſagt, daß ſie in Guiana ſehr gemein ſei, von kleinen Früchten lebe, ein schrilles finkenähnliches Geschrei, aber keinen solchen Gesang erschallen lasse und niemals in großen Wäldern, sondern nur im Freien auf beackerten Feldern zu finden sei. Nach Burmeister's Angaben ist sie im Waldgebiet des ganzen Brasilien heimisch und nirgends selten, bei Rio de Janeiro sogar häufig, doch mehr an den Ufern als in den Gebirgsthälern. Auch von Euler wurde sie in der Provinz Rio de Janeiro gesammelt und ihre Verbreitung dürfte sich außer Brasilien und Guiana auch noch auf Neu-Granada erstrecken. Da sie in allen diesen Gegenden keineswegs selten vorkommt, so ist es verwunderlich, daß der Vogelhandel sie nicht oft und in größrer Anzahl zu bieten hat, umsomehr, da solche Tangaren immer gern und zu hohen Preisen gekauft werden; sie wird nur hin und wieder einmal von Bekemans in Antwerpen in einzelnen Köpfen eingeführt. In ihrem ganzen Wesen und in allen Eigenthümlichkeiten dürfte sie der Krontangara völlig gleichen.

Die rothhäubige Tangara hat Br. Rothhaubentangara benannt. [Gehäubte oder kappige Tangara und Haubenmerle, nach den alten Autoren]. — Houpette; Crested Tanager. Nomenclatur: Tanagra cristata, L., Bff., Pr. Wd.; T. cirrhómelas, Vll.; Lanio Vieilloti, Lfrsn.; Tachyphónus cristatus, Vll., Cb., Brmst., Br. [Tanagra cayanensis nigra cristata, Brss. — Houpette, Tangara de la Guyane et Tangara de Cayenne, Buff.].

Wissenschaftliche Beschreibung: Einfarbig mattschwarz; Oberkopf mit einer feuerrothen Holle, welche wol auf- und niedergeklappt, doch keineswegs völlig verdeckt werden kann; Unterrücken und Bürzel hell gelblichrostroth, ebenso ein Fleck an der Oberkehle; Schulterstreif und ganze innere Flügelseite reinweiß. Schnabel schwarz; Auge dunkelbraun; Füße bläulich-fleischroth. Das Weibchen ist olivengrünlichröthlichbraun, ohne Haube; Bürzel gelblichbraun; ganze Unterseite hellgelblichrostroth; Schnabel braun; Auge dunkelbraun; Füße bräunlichfleischroth. — Das Jugendkleid gleicht nach Burmeister ebenfalls dem des Weibchens, das Uebergangskleid ist schwarz gefleckt mit durchscheinendem rothen Scheitel und etwas verlängerten Kopffedern.

Tanagra cristata: unicolor subnigra, crista pilei ignea erectili; macula gulari, tergo et uropygio gilvo-ferrugineis; campterio et subalaribus albis; rostro nigro; iride fusca, pedibus subcoeruleo-carneis. — ♀ olivaceo-virente badia; cristae vacua; uropygio gilvo-umbrino; subtus gilvo-ferruginea; rostro umbrino; iride fusca; pedibus fuscato-carneis. — Juvenis (sec. Burm.): femellae persimilis, post plumarum mutationem nigro-maculata, pileo rubro-tincto plumas subelongatas offerente.

Länge 17 cm.; Flügel 7,8 cm.; Schwanz 6,5 cm.

## Die kleine Trauertangara [Tanagra luctuosa].

Der großen Trauertangara fast völlig gleich, nur bedeutend kleiner und mit viel breiterer weißer Binde über den Flügel, erscheint sie als ein ungleich zarteres und vielmehr harmloses Vögelchen im Vergleich zu allen Verwandten. Ihre Heimat erstreckt sich über die kleinen Republiken Südamerikas von Neugranada bis Peru und auch über die Inseln Trinidad und Tabago; Dr. Frantzius beobachtete sie auf Kostarika. Ueber die Lebensweise ist leider garnichts bekannt. Nur höchst selten und einzeln wird sie von Bekemans eingeführt, auch hatte einmal Gubera, damals in Leipzig, einen Schub von fünf Köpfen, leider lauter Männchen, von einem kleinen Händler aus Bordeaux gekauft, von denen ich ein solches für meine Vogelstube entnahm. Das zarte Vögelchen musterte sich sehr schön heraus, konnte dann aber die nächste Mauser nicht überstehen, und nachdem es lange gekränkelt, fand ich es im Gebüsch bereits in Verwesung übergegangen. Da ich es jedoch etwa neun Monate vor mir gesehen, so kann ich behaupten, daß es im Gegensatz zu allen übrigen schwarzen Tangaren überaus sanft und verträglich sich zeigte. Wenn wir diese kleinere Art, die bei ihrer weiten Verbreitung doch wol nicht schwierig zu erlangen sein dürfte, häufiger erhielten, so würde sie gewiß eine sehr schätzenswerthe Bereicherung unserer Vogelstuben bilden.

Die kleine Trauertangara nennt Br. blos Trauertangara. — Petit Tangara noir; Little Black Tanager.

Nomenclatur: Pyranga luctuosa, *Orb.*; Lanio tenuirostris, *Gr.*; L. albispecularis, *Léot.*

Wissenschaftliche Beschreibung: Ganzes Gefieder tiefschwarz, lebhaft glänzend, doch nur mit schwachem bläulichen Schein; obere und untere Flügeldecken und Innensäume der Schwingen weiß, wodurch eine breite weiße Querbinde über den Flügel gebildet wird. Schnabel schwarz, Unterschnabel nur am Grunde heller bläulich; Auge dunkelbraun; Füße schwärzlichgrau — Das Weibchen soll nach Orbigny's Angaben olivengrünlichbraun und an den Seiten des Halses, sowie an der Kehle düsterbräunlichweiß sein.

Tanagra luctuosa: aterrima, laete subcoeruleo-nitens; tectricibus al. superioribus et inferioribus limbisque remigum interioribus albis, quare fascia trans alas alba; rostro nigro, basi mandibulae tantum subcoerulea; iride fusca; pedibus subnigro-cinereis. — ♀ (sec. *d'Orbigny*) olivaceo-viride fusca, colli lateribus gulaque sordide albidis.

Länge 14,4 cm.; Flügelbreite etwa 21 cm.; Schwanz 2,6 cm.

Die vierfarbige Tangara [Tanagra quadricolor] ist größer als die meisten verwandten und kommt einem Star fast gleich. Stirn und Vorderkopf schwarz, Oberkopf mit einem kurzen Schopfe lebhaft goldgelb; Flügel und Schwanz schwärzlich, erstere mit breiter weißer Querbinde; ganze übrige Oberseite olivengrünlichgraubraun, beim ganz alten Vogel mehr reingrau; ganze Unterseite fahl bräunlichgelb, Brust- und Bauchseiten grünlichgrau; Schnabel bleigrau, Unterschnabel an Grund und Spitze weißlich; Auge braun; Füße bleigrau. Das Weibchen ist einfarbig olivengrünlichgraubraun, nur an Flügeln und Schwanz schwarz. (Nach H. v. Berlepsch und Reinhardt dürften die Weibchen doch eine düster goldgelbe Scheitelmitte haben, an Stirn, Zügel und Augengegend aber nicht schwarz sein. Die Vögel ganz ohne gelben Scheitel sollen Junge sein). „Im Walde bei Rio de Janeiro", sagt Burmeister, „und Neu-Freiburg nicht selten, an letzterem Orte sogar häufig. Sie folgt den Zügen der großen Ameise, deren ungeflügelte Arbeiter ihre Lieblingsnahrung bilden." Karl Euler beobachtete sie in Kantagallo und fand auch das Nest am 10. November mit drei nackten Jungen aus der zweiten Brut. Er sagt, daß sie dort im Walde durchaus nicht selten ist. Trotzdem wird sie leider nur höchst selten lebend eingeführt; auf der ersten Ausstellung des Vereins „Aegintha" hatte Herr Möller aus Hamburg ein Männchen. Meines wissens ist sie jedoch weder vor- noch nachher im Handel vorhanden gewesen. Hartangara (Br.). — Le Tangara quadricolor ou le Quadricolor; Quadricolored Tanager. — Tachyphónus quadricolor, *Vll.*, *Cb.*, *Hrtl.*, *Bp.*, *Brmst.*, *Br.*; Tanagra auricapilla, *Spx.*, *Pr.Wd.*; T. Suchii; *Swns.*; Muscicapa galeata, *Lchtst.*; Trichothraupis quadricolor, *Azr.*, *Brlpsch.* [Lindo pardo copete amarillo (♂), Lindo pardo y canela alas y cola negras (♀) *Azr.*].

## Die purpurrothe Tangara [Tanagra brasilia].
### Tafel XIV. Vogel 68.

Mit ganz besonderm Vergnügen darf ich diese Tangara schildern, denn sie
vereinigt nicht allein viele Vorzüge, sondern sie ist auch bereits in einer Vogelstube mit Glück gezüchtet. Sie erscheint am ganzen Körper glänzend purpurroth
bis auf Flügel und Schwanz, welche schwarz sind, und ihr vornämlichstes Kennzeichen ist der breit weiße Unterschnabel. Ihr Gefieder bleibt unverändert und
verfärbt sich nicht wie das aller übrigen rothen Tangaren in ein unscheinbares
Winterkleid; es blaßt jedoch in der Gefangenschaft manchmal merklich ab. In
der Größe ist sie der Krontangara gleich.

Sie erfreut sich in den zoologischen Gärten außerordentlicher Beliebtheit und
wird in denselben als herrlicher Schmuckvogel gern gehalten. Unter allen Tangaren gelangt sie am zahlreichsten zu uns und darf als eine regelmäßige Erscheinung des Vogelmarkts gelten. Ihre Heimat erstreckt sich über den Süden
Brasiliens.

Zu den Vögeln gehörend, welche bereits den ältesten Schriftstellern bekannt
waren, findet man inbetreff ihrer von Aldrovandi und noch weit früheren her
bis zu Buffon mancherlei Angaben, in denen freilich viel Irrthum und Ver-
worrenheit herrschen, während über die eigentliche Naturgeschichte des Vogels kaum
etwas bestimmtes vorhanden ist. Schon Belon erzählt übrigens, daß zu seiner
Zeit Kaufleute die rothen Tangaren in großer Anzahl von Brasilien aus in den
Handel gebracht haben und zwar um sie für Kleiderbesatz und andern Schmuck zu
benutzen. Man ersieht also, daß bereits damals die menschliche Eitelkeit und
Putzsucht solche Vögel für ihre Zwecke tödten ließ. Buffon meint, man müsse
vermuthen, daß sie vor einer solchen barbarischen Verwendung in ihren Heimatsstrichen ungleich häufiger gewesen sei. Spätere Vogelkundige verwechseln mancherlei
rothe Vögel unter einander und stellen namentlich auch den virginischen Kardinal
unter die Tangaren. Dann wiederum in späterer Zeit, als die Liebhaberei für
lebende Vögel beginnt, ist die Purpurtangara völlig verschwunden; weder Bechstein
noch Bolle haben sie mitgezählt und die Verzeichnisse der Händler bis zum Anfang der siebenziger Jahre hatten sie ebenfalls nicht aufzuweisen; selbst in den
zoologischen Garten von London ist ein einzelnes Männchen erst im Juli 1863
gelangt.

Burmeister fand sie in den Gebüschen der Sumpfländer an den Mündungen
der Flüsse oder im Flußthale selbst, aber stets auf nassen mit Schilf und Gebüsch
besetztem Grunde durch ganz Brasilien und zwar in kleinen Schwärmen zusammen,
aber nicht ganz dicht neben einander; „man sieht immer nur einzelne hier und
da im Buschwerk herumhüpfen, bald Männchen, bald Weibchen. Die höheren

Gebirgsthäler besucht sie nicht. Das Nest steht im Gebüsch, nicht hoch, ist aus
Mos und trockenen Halmen geformt und enthält zwei bis drei Eier." Diese An=
gaben ergänzt Euler, der sie an ähnlichen Oertlichkeiten, namentlich auch in den
angeschwemmten Bezirken neben der Seeküste häufig sah, dahin, daß das Nest ge=
wöhnlich in den Riedgrasbüschen kleiner von Sumpf umgebener Hügel stand. Es
bildet einen offnen Napf aus Binsen und Schilfblättern, welche sorgfältig in ein=
ander gesteckt und geflochten, jedoch in Ermanglung jedes Bindemittels schlecht
zusammenhalten und beim Emporheben gewöhnlich auseinanderfallen. Die flache
Nestmulde ist aus feinen zarten Blütenstengeln gemacht, doch ziemlich kunstlos;
ihr Durchmesser beträgt 7$^{cm}$·, ihre Tiefe kaum 3$^{cm}$· Das Material ist nach außen
hin verschwenderisch angebracht, einen großen Büschel bildend, der in dem über
ihm sich schließenden hohen Grase versteckt liegt. Auch Prinz Wied berichtet,
daß das Nest auf mittelhohen Bäumen oder dicht über dem Boden im Gebüsch
stand, aus Würzelchen, Halmen und Mos gebaut war und zwei bis drei Eier
enthielt. Hiermit sind sodann aber alle Angaben über das Freileben abgeschlossen.

        Im allgemeinen wird auch dieser prächtige Vogel wenig und namentlich
pärchenweise nur höchst selten bei uns in Vogelstuben und Käfigen gefunden und
dies mag allerdings einerseits in seinem recht hohen Preise, und andrerseits in
seiner Unverträglichkeit begründet liegen. Sie sind zwar nicht ganz so bösartig
wie die schwarzen Arten, allein immerhin zeigen sie sich für manche Vögel ge=
fährlich genug; so jagte das Pärchen bei mir jeden rothen Vogel, also zunächst
einen australischen Amarant oder Sonnenastrild, dann einen Purpurgimpel und
späterhin auch einen reinweißen Reisvogel, dessen Weibchen gerade auf sechs Eiern
brütete, zutode.

        Die erste und einzige Zucht, welche bisher geglückt ist, hat Frau Prinzessin
v. Croy auf Schloß Roeulx zu Hainaut in Belgien erzielt, und sie schildert
dieselbe in folgendem: „Das Männchen besaß ich seit vier Jahren, das Weibchen
seit zwei Jahren und erst dann begannen sie zu nisten. Ich hatte für sie ein
offnes Korbnest in einer sehr geschützten Ecke des Gartens aufgehängt, in welches
sie nur wenige Niststoffe trugen und dann zwei blaugrünliche Eier legten.
Dieselben wurden vom Weibchen allein ungefähr 13 Tage emsig bebrütet; während
dieser Zeit wurde das erstre vom Männchen gefüttert, und als die Jungen aus=
geschlüpft, wurden sie von beiden Alten gemeinsam sorgfältig gepflegt. Die anfangs
schwärzlich und sehr häßlich aussehenden Kleinen befiederten sich bald und erschienen
dann schwärzlichbraun und röthlichbraun an Brust und Rücken; da das eine
in dieser Farbe kräftiger, das andre matter war, so hielt ich sie für ein Pärchen.
Die Alten sowie auch die Jungen sind recht zahm, wie alle meine Vögel über=
haupt, was ich für das gute Gedeihen der Bruten als sehr zuträglich erachte.
Ich reichte ihnen wol zwölfmal täglich viele recht kleingeschnittene Mehlwürmer

mit frischen Ameisenpuppen und hartgekochtem Eigelb vermischt, an verschiedenen Plätzen des Gartens und der Vogelstube. Außerdem suchten sie sich eifrig allerlei Insekten und namentlich kleine Würmer, welche alle vor der Verfütterung immer erst in Stücke zerhackt wurden. Nebenbei raubten sie sodann die eben aus den Eiern geschlüpften Jungen einer grauen Bachstelze, welche mit einer gelben zusammen genistet hatte. Auch die kleinen Vögel wurden sorgsam zer= kleinert. Selbstverständlich fütterte ich zugleich täglich viel Obst."

Das Männchen von dem vorhin erwähnten Par hatte sich seit längrer Zeit in meiner Vogelstube, theils freifliegend, theils im Käfige befunden, ohne daß es mir gelang, ein Weibchen für dasselbe zu beschaffen. Diese prächtige Tangara er= hielt sich bei dreimaligem Federwechsel immer in gleichem feurigen Farbenglanz und dies mag wol einerseits in der sorgsamen Verpflegung mit guten süßen Früchten nebst Mehlwürmern, Ameisenpuppen und Eierbrot und andrerseits darin begründet gewesen sein, daß sie bei Sonnenschein und Regen ins Gitterfenster hinaus an die freie Luft gelangen konnte. Als ich dann von Herrn H. Möller in Hamburg eine Anzahl mittelamerikanischer Vögel zur Bestimmung empfing, war darunter ein röthlichbrauner, den ich für ein Weibchen dieser Art erachtete, ohne dies jedoch mit voller Sicherheit zu wissen. Ich brachte ihn nebst den anderen in die Vogel= stube in einen geräumigen Käfig und jetzt entfaltete sich ein gar reizendes Bild. Die braune Tangara stieß leise zirpende Töne aus, während sie sehnsüchtig mit den Flügeln zitterte, und das glänzendschöne Männchen kam schwanz= und flügelschwippend herbei und umtanzte den Käfig mit schrillem Jubelgeschrei. Nun durfte ich mich davon überzeugt halten, daß ich ein richtiges Pärchen besaß; als sie dann jedoch freifliegend in der Vogelstube die vorhin geschilderte Bösartigkeit entwickelten, mußte ich sie abschaffen. Nachher hatte ich freilich Ursache, dies umsomehr zu bedauern, da es mir nicht gelingen wollte, ein richtiges Pärchen wieder in meinen Besitz zu bringen; die als angebliche Weibchen gekauften zeigten sich stets als junge Männchen, indem sie sich nach längerer oder kürzerer Zeit zum Prachtgefieder verfärbten. Der Preis beträgt 60 bis 75 Mark für das Pärchen.

Die purpurrothe Tangara heißt auch Purpurtangara, brasilische Tangara, Immer= rothvogel und Tapiranga (nach ihrem brasil. Namen, Br.). — [Scharlachfarbige Merle oder Tangara, Schwarzflügler, Scharlachsperling, karminfarbener Kernbeißer und brasilianische Amsel nach alten Autoren].

Le Tangara du Brésil ou le Tangara rouge du Brésil; Brazilian Tanager.

Nomenclatur: Tanagra brasilia, *L.*, *Buff.*, *Lth.*, *Pr. Wd.*; Rhamphocélus coccineus, *Vll.*, *Lss.*, *Dsm.*; Rhamphópis coccineus, *Swns.*; Rhamphocélus brasilius, *b.*, *Brmst.*; R. brasiliensis, *Hrtl.* [nec L.], *Br.*; Rss. [„Hndb."]. [Tanagra Cardinalis, *Brss.*; Passer indicus erythromelanus sine uropygio et P. indicus porphyromelanus, *Inst.*; P. erythromelanus indicus sine uropygio et P. indicus caudatus porphyromelanus, *Aldvr.*; Tijepiranga brasiliensis, *Mrkgr.*, *Wllghb.*; Mérula brasilica, *Bln.*, *Aldr.*, *Inst.*, *Chrl.*, *Wllghb.*, *Ray.* — Scarlet Sparrow et Moineau écarlate, *Edw.*; Red and blac

Kumploset, *Charl.*; Merle du Brésil, *Bgl.*; le Scarlatte ou Tangara du Mexique, *Buff.*
— Tijé-piranga in Brafilien, *Markg.*; Chilchiltototl und Hauhtototl in Mexiko, *Fern.*].

Wiſſenſchaftliche Beſchreibung: Gleichmäßig glänzend dunkelpurpurroth, an Schultern und Oberrücken noch etwas dunkler, an Bürzel und Unterſchwanzdecken lichter und an der ganzen untern Körperſeite ein wenig heller und matter; Flügel und Schwanz rein- und tiefſchwarz, Schwingen und große Flügeldecken ſchmal fahl braunroth außengeſäumt. Schnabel ſchwarz, Unterſchnabel am Grunde breit bläulichweiß; Auge hochroth; Füße bräunlichſchwarz. — Weibchen am Oberkopf und Oberrücken dunkelbraun mit rothem Schein; übrige Oberſeite ſchwärzlichbraun; Schwingen und Schwanzfedern ſchwarzbraun mit lebhaft rothem Schein; Bürzel glänzendroth; Kehle matt bräunlichgrau; ganze übrige Unterſeite düſterbraun, röthlich ſcheinend. Schnabel heller braun mit blaſſem Unterſchnabel; Auge roth; Füße fahlbraun. (Dieſe Beſchreibung iſt von mir nach zahlreichen lebenden Exemplaren gegeben; in folgendem füge ich noch Bur-meiſter's an): „Glänzend gleichmäßig kochenilleroth; Flügel, Schwanz und Unterſchenkel ſchwarz; Beine fleiſchbraun. Weibchen an Kopf, Hals und Rücken graubraun; Flügel oliven-braun; Unterrücken kochenilleroth; Schwanz ſchwarzbraun; Bruſt, Bauch und Bürzel trübe röthlichgrau.“

*Tanagra brasilia*: nitide purpurea; humeris dorsoque paulo obscuriori-bus, uropygio, infracaudalibus totoque gastraeo subpallidioribus, alis cauda-que aterrimis; remigibus tectricibusque al. majoribus exterius anguste sub-fusco-limbatis; rostro nigro, basi mandibulae late subcoeruleo-alba; iride ruberrima; pedibus e fusco nigris. — ♀ pileo dorsoque fuscis, rubro-micantibus; notaeo reliquo fuliginoso; remigibus caudaque fuliginosis, rubente micantibus; uropygio nitide rubro; gula subfumida; subtus luride fusca, rubente imbuta; rostro dilutius fusco, mandibula pallida; iride rubra; pedibus livide umbrinis (*Rss.*) ♂ omnino nitide coccinea; alis, cauda tibiisque nigris; pedibus fuscato-carneis. ♀ capite, collo dorsoque fumidis; alis olivaceo-umbrinis; tergo coccineo; cauda fuliginosa; pectore, abdomine et uropygio fumide rubiginosis (*Brmstr.*).

Länge 17cm.; Flügel 8,2cm.; Schwanz 7cm.

Beſchreibung des Eies: Bläulichgrün, braun beſpritzt und geſtrichelt (Pr. Wied). Blaugrün, dunkler beſprengt, am ſtumpfen Ende ſchwarz bekritzelt (Brmſt.). Schön blaugrün mit weit abſtehenden, ſcharf begrenzten runden pechſchwarzen, gleichmäßig vertheilten Flecken und Punkten, zwiſchen denen einige ſehr feine ſchwarze Kritzel; glattſchalig und glänzend; Geſtalt normal mit ſchmal zulaufendem Vorderende und ſanft abgerundetem Hinterende. Länge 22mm.; Breite 16mm.; Schneidepunkt 13mm. (Euler).

Ovum: subaerugineum'fusco-adspersum et lineolatum (*Pr. Wd.*). O. aeruginosum, obscurius adspersum, basi nigro-lineolatum (*Brmst.*). O. pulchre aeruginosum maculis punctisque late distantibus, circumscripte rotundis, piceis, regulariter distributis, non-nullisque lineolis nigris subtilissimis interjectis; laeve nitidumque; apice anguste decur-rente basique leniter rotundata (*Euler*).

## Die ſchwarzbraune Tangara [Tanagra jacapa]

zeigt gleich manchen anderen fremdländiſchen Vögeln die Erſcheinung, daß ſie nicht allein nach der Beſchreibung des Federkleides, ſondern auch ſogar nach dem Freileben den alten Autoren bekannt war. Sie iſt glänzendkirſchroth; Rucken, Flügel und Schwanz ſchwärzlich, jede Feder matt roth gerändert; Oberkopf lebhafter bräunlich roth; ganze Unterſeite wenig heller purpurbräunlichroth, an der Bruſt am lebhafteſten, Bauch und Hinterleib mehr ſchwärzlichbraun. Schnabel dunkelbraun, und der am Grunde ſehr dicke Unterſchnabel iſt gelblichbleifarben, nur an der Spitze dunkelbraun; Auge braun; Füße bräunlichfleischfarben. Das Weibchen ist braun mit röthlichem Schein, letzterer besonders an Brust und Bürzel; Schwingen und Schwanzfedern bräunlichschwarz. Schnabel braun, Unterschnabel am Grunde wenig heller; Auge braun; Füße bräunlichfleischfarben. Sie ist kleiner als die vorigen, nur etwa von Finkengröße. Ihre Verbreitung erstreckt sich über das nördliche Brasilien, Guiana, Kolumbia und Peru, und da sie überall häufig erscheint, so läßt sich auch wol erwarten, daß sie demnächst mehr in den Handel gelangen werde. Die wenigen einzelnen Köpfe, welche noch dazu nur selten von Händlern in Bordeaux unter dem uralten Namen Silberschnabel ausgeboten werden, gelten in den deutschen Handlungen und selbst in Antwerpen gewöhnlich als Weibchen anderer Arten. Buffon sagt, daß die erwähnte volksthümliche Bezeichnung ihr von den Kolonisten beigelegt und umsomehr zutreffend sei, da der Unterschnabel am Grunde wie von blankem Silber erglänze; nach dem Tode verlösche dieser Schiller. Da Edwards die Abbildung seiner ‚Amsel mit rother Brust' nach einem ausgestopften Exemplare gegeben, so habe er den glänzenden Schnabel nicht zur Geltung gebracht. In ihrem Freileben schildert sie bereits Sonnini, der sie in der Heimat beobachtet hat: „Sie hält sich meistens in freien Gegenden auf, zeigt sich nicht scheu, sondern kommt dreist bis in die Gärten, doch ist sie auch in menschenleeren Gegenden häufig und namentlich inmitten der Wälder an freien Stellen oder solchen, in denen der Wind viele Bäume umgeworfen hat, zu finden. Ihre Ernährung besteht in kleinen oder auch in großen weichen Früchten, welche letzteren sie anhackt; dagegen verschmäht sie dann die Insekten völlig. Niemals lebt sie in Scharen, sondern stets parweise. Das Nest steht auf mittelhohen Bäumen, auf einem wagerechten Zweige, ist gewölbt und mit dem Schlupfloch von unten, aus trockenen Gräsern, Halmen und Rohrblättern gewebt und innen mit breiten Blattstückchen ausgepolstert." (Da nach den übereinstimmenden Angaben aller neueren Reisenden sämmtliche Tangaren offene, denen der Finken ähnliche Nester erbauen, so dürfte hier wol ein Irrthum, bzl. eine Verwechselung vorliegen). „Das Gelege besteht in zwei länglichrunden weißen, am dickern Ende schwachroth gefleckten Eiern." Weder Burmeister noch die übrigen neueren Ornithologen haben etwas näheres hinzugefügt.

Die schwarzbraune Tangara ist von Br. Purpurtangara genannt. — [Silberschnabel, schwarze Merte, Amsel mit rother Brust, nach alten Autoren]. — Le Ramphocèle à bec d'argent; Red-breasted Tanager or Red-breasted Blackbird. Nomenclatur: Tanagra jacapa, L., Bff., Lth.; Rhamphocélus purpúreus, Vll., Lss.; Rhamphópis atrococcíneus, Swns., Dsmr.; Rhamphocélus jacapa, Lss., Cb., Brmst., Br. [Chilchiltototl tepazcullula, Fern.; Cardinalis purpureus, Brss. — Red-breasted Black-bird, Merle à gorge rouge, Edw.; Cardinal pourpre-foncé, Sal. — Chilchiltototl, in Mexiko, Bec d'argent, bei den Einwohnern von Kayenne, Buff.]. Länge 15,7 cm.; Flügel 7,8 cm.; Schwanz 5,9 cm.

Die blutrothe Tangara [Tanagra sanguinolenta] ist am ganzen Kopf, an Nacken, Halsseiten, Bürzel, Oberschwanzdecken, Kehle, Brust und Unterschwanzdecken glänzend blutroth und an den übrigen Körpertheilen glänzendschwarz; der Schnabel ist bleigrau, am Grunde weißlich;

das Auge ist röthlichbraun und die Füße sind schwärzlichgrau. Das Weibchen soll blos düsterer gefärbt sein. In der Größe gleicht sie der Purpurtangara. Ihre Heimat erstreckt sich über fast ganz Mittelamerika und Südmexiko. Irgend welche näheren Angaben sind leider nicht zu finden. Im Laufe der Jahre erhielt ich nur einmal ein Männchen von Herrn Karl Gudera; im übrigen habe ich nicht erfahren können, ob sie jemals lebend eingeführt worden. Im Verzeichniß der Vögel des zoologischen Gartens von London ist sie nicht vorhanden und ebenso wenig in denen der übrigen. Hoffentlich wird auch sie über kurz oder lang mehr eingeführt werden, da sie weit verbreitet und in ihrer Heimat nicht selten ist. Bluttangara (Br.). — Le Tangara sanguin; Sanguinous Tanager. — Tanagra sanguinolenta, *Lss.*; Tachyphónus sanguinolentus, *Lss.*, *Gr.*; Rhamphocélus sanguinolentus, *Cb.*, *Br.*

## Die scharlachrothe Tangara [Tanagra rubra].
### Tafel XIV. Vogel 69.

Endlich tritt uns nun eine Tangara entgegen, über deren Freileben mehrfache eingehende Berichte vorhanden sind. Dieselben werde ich möglichst ausführlich mittheilen, damit meine Leser dadurch ein Gesammtbild der Lebensweise aller dieser Prachtvögel gewinnen. Denn ich darf wol voraussetzen, daß das Freileben bei ihnen sämmtlich im wesentlichen übereinstimmend sein wird.

Sie ist heller scharlachroth als die brasilische Purpurtangara, ihr aber sehr ähnlich, an Flügeln und Schwanz tiefschwarz. Im ganzen Gefieder prachtvoll glänzend und mit bläulichgrauem Schnabel. Auch das Weibchen erscheint von dem jener Art verschieden, indem es nicht von brauner, sondern von olivengrüner Grundfarbe ist, am Unterkörper heller gelblich, an Flügeln und Schwanz schwarzbraun. Zum Winter hin verliert das Männchen sein Prachtkleid und verfärbt sich zu dem schlichten des Weibchens. Sie ist ein wenig größer als die Purpurtangara. Ihre Verbreitung erstreckt sich über fast ganz Nordamerika und selbst in Texas kommt sie noch als Brutvogel vor. Zum Winter hin wandert sie nach Westindien und bis zum Norden von Südamerika.

In den Angaben der alten Schriftsteller wird sie vielfach Kardinal genannt und mit dem S. 524 beschriebnen eigentlichen verwechselt. Buffon aber unterschied sie schon mit Sicherheit und wußte auch, daß sie im Norden, der Silberschnabel dagegen nur im Süden heimisch sei.

„Schon im Monat August", sagt Prinz Wied, „waren die männlichen Vögel sehr schön roth und dabei noch grün, in welchem gescheckten Gefieder sie recht hübsch aussehen. Diese Art lebt in allen Gegenden Nordamerikas, welche ich bereist habe. In Pennsylvanien fand ich sie häufig, noch mehr am Ohio und untern Missouri, wo sie als eine Zierde der herrlichen Waldungen zu betrachten ist. Sie gleicht in der Lebensweise völlig den verwandten brasilischen Tangaren, ist ein stiller Vogel und hat, wie es scheint, wenig Stimme; ich hörte nur einen kurzen Lockton. Gewöhnlich sieht man sie hoch auf den Spitzen der Bäume, wo ich sie manchmal mit einem Gewehrschuß nicht erreichen konnte. Als ich im

Frühjahr 1834 den Missouri wieder hinabreiste und im Monat Mai die großen
Waldungen an seinem untern Lauf erreichte, nachdem ich die offenen Gegenden
mit ihren endlosen Prärien im Rücken hatte, durchstreifte ich jene hohen,
geschlossenen und wildgedrängten Forsten aus mancherlei Baumarten, besonders
vielerlei Wallnußbäumen, Eichen, Eschen, Ulmen, Ahorn=, Sassafras=, Tulpen=
bäumen u. a. m., wo eine einsame Ruhe herrschte und mancherlei fremdartige
Vogelstimmen sich vernehmen ließen. Hier hatte der Schütze freies Spiel.
Unter zahlreichen Vögeln sah ich hier häufig auf der Spitze der höchsten Bäume
die scharlachrothe Tangara im hellen Sonnenlicht glänzen, wo sie sich nett gegen
den blauen Himmel malte; ich war entzückt von diesem Anblick. Bei einigen
einsamen Pflanzerwohnungen am untern Missouri kam sie bis in den Garten,
unmittelbar am Hause und die Hausfrauen versicherten, daß sie an den Flachs=
knoten vielen Schaden verursache, weshalb sie hier am Missouri auch Flachsvogel
genannt werde (der eigentliche Flachsvogel ist übrigens eine andre Art, nämlich
die nächstfolgende feuerrothe Tangara). Nach Audubon ist sie in den südlichen
Staten Louisiana, Florida, Texas, Mexiko und selbst auf den westindischen
Inseln häufig zu finden; nördlich soll sie im Sommer bis über den Huronsee
hinauf beobachtet sein. Die Abbildungen Wilson's und Audubon's lassen
viel zu wünschen übrig, denn sie stellen den Vogel ganz roth dar, wie angestrichen
und bei der des letztern Forschers ist diese Farbe viel zu dunkel und unansehnlich,
beiweitem nicht brennend genug. Das Weibchen ist richtiger gegeben."

Am ausführlichsten berichtet Thomas Gentry: „Unter unseren Sommer=
gästen ist die Scharlachtangara der vorzüglichste und herrlichste. Von ihrem
Erscheinen im frühen Mai bis zum Abzuge in der letzten Septemberwoche, bei
ungewöhnlich rauher Witterung auch wol schon früher, zeigt sie sich zugleich
überaus nützlich durch die Vertilgung von Insekten und allerlei anderm Unge=
ziefer. In ferngelegenen menschenleren Gegenden ist sie scheu und furchtsam, in
der Nähe der menschlichen Wohnungen dagegen dreist und zutraulich; man kann
sich ihr hier bis auf wenige Schritte nähern. Sie geht in Waldgegenden auf
den äußersten Aesten der höchsten Bäume stundenlang ihrer Nahrung nach.
Apfel= und Birnbäume locken sie vorzugsweise an. Man sieht sie auch mit
Wanderdrosseln und Purpurgrakeln gemeinschaftlich auf dem Felde hinter dem
Pflüger das Ungeziefer auflesen. Samen, gleichviel von welchen Pflanzen, frißt
sie niemals. Nach der Brutzeit trennen sich die Pärchen und Familien und
treiben sich einzeln umher. Vielleicht darf man annehmen, daß im Frühjahr bei
der Rückkehr die Geschlechter getrennt und zwar die Männchen früher ankommen.
Dieselben sitzen dann auf den Spitzen der höchsten Bäume stundenlang singend,
zweifellos in der Absicht, vorüberfliegende Weibchen herbeizulocken; hier und da
sieht man ein Männchen hoch oben auf einem großen Baume dicht an einem

vielbelebten Wege, unbekümmert um den Verkehr und ebenso wie hier sucht es
sich auch im weiten Walde stets die höchsten Baumspitzen aus. Sein hin und
wieder erschallender Ruf klingt wie tschitschar (chichar) und zwar sehr täuschend
wie aus der Ferne, selbst wenn der Vogel dicht neben uns sich befindet. Später=
hin, wenn die Bäume mit Laub bedeckt sind, weiß sich diese Tangara trotz ihrer
prächtigen Farbe gut zu verbergen, wenigstens im Walde, während sie in den
Obst= und anderen Gärten sich immer frei zeigt, gleichsam als wisse sie wol,
daß sie hier vor den Raubvögeln sicherer sei. Der Gesang des Männchens,
welcher förmlich bauchrednerisch erklingt und in ziemlich langsamem Tempo
vorgetragen wird, läßt sich etwa durch folgende Silben ausdrücken: tschí=tschí=
tschí = tschar=ii=tscharr=ii=tschi (chĭ-chĭ-chĭ-char-éé-charr-éé-chĭ). Man hat
ihn mit dem des Baltimorevogels verglichen. Ich kann jedoch nicht die ge=
ringste Aehnlichkeit zwischen beiden herausfinden. Die Brutzeit fällt zuenbe
Mai oder anfangs Juni, und das Männchen hält sich, gleichsam als wolle es
vermeiden, durch sein auffallendes Farbenkleid das Nest zu verrathen, immer in
einer gewissen Entfernung auf. Beim Herannahen einer Gefahr lassen beide
Vögel ein leise flüsterndes Gezwitscher hören, welches in zarten anmuthigen
Tönen besteht, während sie durch das dichteste Gewirr von Zweigen und Blättern
schlüpfen, und wenn jemand die Brut rauben will, so stürzt sich das Weibchen
ihm muthig entgegen, fast auf den Kopf. Das Nest wird vom letztern allein
immer auf einem horizontalen Zweige eines Tulpenbaums oder einer Eiche in
einem Hain oder lichten Gehölz oder auch wol auf einem Apfelbaum im Garten
und zwar in nur vier Tagen erbaut. Es besteht aus Stengeln, Halmen,
Blättern u. drgl. Stoffen, ist lose geschichtet und mit Würzelchen, Gräsern, Bast
und Fasern ausgerundet. Täglich wird ein Ei gelegt, bis das Gelege von
4—5 Eiern vollzählig ist; das Weibchen brütet auch allein und wird nicht ein=
mal vom Männchen gefüttert. Ebenso muß es die nach zwölf Tagen ent=
schlüpfenden Jungen allein ernähren und zwar mit allerlei weichen Insekten, deren
Eiern und Larven. Nach etwa zwei Wochen verlassen die Jungen das Nest und
schon eine Woche später sind sie auf sich selbst angewiesen. Nur eine Brut wird
in jedem Jahre gemacht. Noch sei bemerkt, daß diese Art ungemein empfindlich
gegen Kälte ist. Wenn im Mai nach den heißen Tagen des April noch eisige
Tage eintreten, wie das hier gewöhnlich geschieht, so leiden diese Vögel sehr und
manche gehen zugrunde."

Auch Herr Nehrling gibt eine hübsche Schilderung: „Die Scharlachtan=
gara, welche in ihrem prächtigen Gefieder mit den schönsten Tropenvögeln ver=
glichen werden kann, ist ein wahrer Edelstein der Vogelwelt in den Nordstaten
der Union. Kein andrer gereicht den Wäldern so zur Zierde wie sie. Man
kann sich kaum etwas prächtigeres denken, als einige dieser einfachen und doch

ſo wundervoll geſchmückten Vögel im friſchen Grün der Bäume ſitzen oder lang=
ſam umherfliegen zu ſehen. Sie lebt ſtill und verborgen; niemals ſucht ſie durch
lautes lebhaftes Weſen Aufmerkſamkeit zu erregen. Dem Menſchen gegenüber
zeigt ſie ſich wenig furchtſam, ſo daß man ſie genau betrachten kann. In der
Regel ſiedelt ſie ſich an den Waldrändern, welche wenig oder garnicht mit
Gebüſch oder Unterholz beſtanden ſind, an, manchmal aber auch in dichten Baum=
pflanzungen oder großen Gärten. Freie mit einzelnen Bäumen bepflanzte Stellen
und Gebüſche meidet ſie. Ihre Nahrung beſteht meiſtens in allerlei Inſekten
und Würmern, im Herbſt auch in wilden Beren, und um die erſteren zu ſuchen,
kommt ſie oft auf den Boden herab. Doch nur aus den luftigen Höhen der
Baumkronen, wo ſie ſich vorzugsweiſe aufhält, ertönt ihr Geſang, den nur einige
ziemlich melodiſche Laute bilden. Der Flug iſt ſchnell und gewandt. In Wis=
konſin und Illinois iſt ſie ein recht bekannter Vogel, da ſie durch ihre rothe
Farbe leicht in die Augen fällt; ſie kommt nicht gerade ſelten, doch ebenſowenig
häufig vor. In der Mitte des Juni 1873 entdeckte ich in Adiſſon du page Co.,
Illinois, ein Neſt und zwar auf dem wagerechten Aſt einer Eiche am Waldſaum
etwa 6,60 ᵐ· hoch vom Boden. Es war aus Baſt und Halmen ziemlich loſe
und nachläſſig gebaut, ſodaß man an einigen Stellen das Blau des Himmels
hindurchſchimmern ſah. Das Gelege beſtand in vier Eiern und außerdem befand
ſich in dem Neſt auch ein Ei des Kuhſtars (Sturnus pécoris, *Gml.*).
Durchſtreift man zu Anfang des Monats Auguſt unſere Wälder, ſo wird man
wol ſehr regelmäßig dieſer Tangara begegnen, aber es iſt nicht mehr der pracht=
volle Waldvogel, den wir vorhin bewunderten. Sie hat das männliche Pracht=
kleid ab= und das unſcheinbare des Weibchens und der Jungen angelegt, ſodaß
man nun die Geſchlechter nicht mehr zu unterſcheiden vermag. Im Frühlinge iſt
ſie einer der ſpäteſten Ankömmlinge aus dem Süden; nach meinen Beobachtungen
erſcheint ſie hier in der Regel erſt in den letzten Tagen des Mai. Die Zeit des
Abzugs nach dem Süden kann ich nicht genau angeben, glaube aber mit Beſtimmt=
heit annehmen zu dürfen, daß derſelbe ſchon in den erſten Tagen des Monats
September vorſichgeht. Im Käfige hält man ſie hier nicht, theils weil es ſehr
ſchwierig iſt, ſie einzugewöhnen, theils auch, weil die Fänger einen fabelhaft
hohen Preis für ſie fordern.“

Nach Gundlach’s Mittheilungen kommt ſie auf Kuba im Oktober aus dem
Norden an und verſchwindet dann; im April erſcheint ſie wiederum, aber aus
dem Süden, um nach dem nördlichen Feſtlande zurückzuwandern: „Man kann
ſie faſt alljährlich beobachten, und in den Jahren, in denen man ſie nicht ſieht,
mag ſie dennoch durchziehen, nur in anderen Gegenden. Bei Habaña, Cardenas
und den zwiſchenliegenden Orten iſt ſie bisher oft beobachtet worden, ich habe jedoch
keine ſichre Nachricht darüber erhalten können, ob ſie auch weiter öſtlich durchzieht,

und auf meiner dreijährigen Reise durch den Osten der Insel habe ich von ihr
wie von so manchen anderen Zugvögeln nichts gesehen. Hier ernährt sie sich von
allerlei Beren und man sieht sie gewöhnlich in kleinen Trupps, oft auch mit
Feuertangaren oder Sommerrothvögeln, rosenbrüstigen Kernbeißern, Baltimore-
Trupialen u. a. in Gesellschaft." D'Orbigny hatte behauptet, daß sie auf
Kuba überwintere. Jamaika berührt sie nach R. Albrecht nur bisweilen
auf dem Frühlingszuge und auch Baird führt sie unter den dort vorkommenden
Vögeln auf. Von Webberburn und Hurdis wurde sie im April und Mai
auf den Bermudainseln gesehen und dies bestätigt Baird ebenfalls. Auf Kosta-
rila hat sie Dr. v. Frantzius beobachtet und gleicherweise gehört sie zu den
Wanderern, welche nach Hartlaub gelegentlich in Neugranada vorkommen. Ueberaus interessant muß es für jeden Freund der gefiederten Welt erscheinen, daß
unter den Vögeln, welche F. W. Hutton auf Neuseeland als eingeführt durch
europäische Kolonisten aufzählt und unter denen europäische, amerikanische, afrikanische und asiatische sich befinden, auch diese Tangara verzeichnet ist und zwar
unter denen, die sich bereits in der Freiheit fortgepflanzt haben und anfangen,
zahlreich zu werden.

Was sodann das Gefangenleben anbetrifft, so dürfen wir ihr freilich nicht
ganz den Werth zumessen, welchen die brasilische Verwandte hat, einerseits weil
jene beständig im Prachtgefieder bleibt und andrerseits auch, weil die Farben
dieser regelmäßig ausbleichen und mit jeder Mauser matter und fahler werden.
Sodann erscheint sie seltener als die anderen rothen Tangaren im Handel und
namentlich sind die Weibchen schwierig zu erlangen. Einzeln wird sie von Herrn
Reiche und Fräulein Hagenbeck eingeführt. Herr L. Nesmirak in Karolin-
thal bei Prag schreibt, daß er ein Pärchen längere Zeit im Käfige hielt und sie
mit einem zusammengeriebnen Gemisch aus Mören, Weizenbrot, Ameisenpuppen
und grünem Salat und dazu täglich einigen Mehlwürmern und Apfelschnitten,
welche letzteren sie mit Vorliebe verzehrten, ernährte. Sie badeten täglich einigemal und wurden so zahm, daß sie das dargereichte Futter gern aus der Hand
nahmen. Trotz aller möglichen günstigen Nistvorrichtungen im Käfige gelangten sie jedoch zu keiner Brut. Ich erhielt ein Männchen im Winterkleide unter mehreren anderen amerikanischen Vögeln zur Bestimmung von
Herrn H. Möller in Hamburg und dann erst nach zwei Jahren zufällig ein
Weibchen zur Feststellung von Herrn Linz dem jüngeren. In ihrem Wesen
und allen übrigen Eigenthümlichkeiten dürfte sie der Purpurtangara vollständig
gleichen, doch keineswegs so bösartig in der Vogelstube sein, da sie beiweitem
ruhiger, ja vielmehr gleichgiltig sich zeigt. Aus der Seite 638 mitgetheilten Ursache
mußte ich sämmtliche Tangaren abschaffen, und ich verspreche hiermit, daß ich in
einem späteren Bande dieses Werks, und sei es auch nur in den Nachträgen, vor

dem Schluß nähere Mittheilungen über sie bringen werde, wenn es mir gelingt, was ich mit voller Bestimmtheit hoffe, sie zu züchten. Der Preis ist etwas höher als für andere verwandte Arten und beträgt mindestens 30, meistens 45 Mark für den Kopf.

Die scharlachrothe Tangara heißt auch Scharlachtangara und schwarzflügeliger Flachsvogel (Pr. Wied). — [Kanadische Tangara, Buff.].

Le Rhamphocèle scarlatte ou Scarlatte; Scarlet Tanager or Scarlet Sparrow. — Cardenal de alas negras, auf Kuba, nach Gundl.; Flax-bird, am Missouri, nach Pr. Wied.

Nomenclatur: Tanagra rubra, L., Gml., Wls., Audb.; Pyranga rubra, Vll.. Swns., Bp., Audb., Scl., Brd., Br.; P. erythrómelas, Vll.; Phoenisoma [!] rubra, Swns.; Phoenicosóma rubra, Cb. [Cardinalis canadensis, Brss. — Le Tangara du Canada, Buff.].

Wissenschaftliche Beschreibung: Prachtvoll scharlachroth, jede Feder am Grunde weiß; Flügel und Schwanz tiefschwarz; Schnabel graubräunlichhornfarben, an den Schneiden heller; Auge lebhaftbraun, von einem merklich helleren Rande umgeben; Füße röthlichbraungrau. Weibchen an der ganzen Oberseite zeisiggrün; Flügel und Schwanzfedern dunkler schwärzlich= grün; Kehle und Oberbrust lebhaft und die ganze übrige Unterseite mattgelblichgrün. — (Baird beschreibt sie wie folgt: Hauptfarbe lebhaft karminroth; Flügel und Schwanz sammt= schwarz, Schwingen innen gegen die Basis hin weiß gerandet. Das Weibchen ist oberhalb olivengrün; Schwingen und Schwanzfedern braun, olivenfarben gerandet; unterhalb gelblich= grün. Das junge Männchen ist wie das Weibchen gefärbt, zeigt jedoch gewöhnlich mehr oder weniger rothe Federn zwischen den grünen; zuweilen ist das Gefieder mit einigen gelben vermischt oder die Federn an den Flügeln zeigen olivenfarbene Ränder, auch hat der Flügel wol eine verborgene rothe oder gelbe Binde. In der Verfärbung erscheinen die jungen Männ= chen überhaupt sehr sonderbar, indem das Gefieder manchmal mehr dem Männchen gleicht, manch= mal mehr dem Weibchen).

Tanagra rubra: magnifice scarlatina basi cujusque plumae alba; alis caudaque atris; tomiis rostri fumide cornei pallidioribus; margine dilutiore iridi cinnamomeae circumdato; pedibus rubente fumidis. ♀ supra omnino flavo-virens; alis caudaque nigrescente viridibus; gula guttureque laetius, gastraeo reliquo dilutius e flavo viridibus. (Sec. Baird: laete coccinea, alis caudaque aterrimis; remigibus prope basin albo-marginatis. — ♀ supra olivaceo-viridis; remigibus rectricibusque umbrinis, olivaceo-marginatis; subtus flavido-viridis. — ♂ juv. femellae similis plumis rubris, etiam flavis magis minus interjectis; interdum remigibus olivaceo-marginatis, atque fascia trans alam occulta rubra vel flava).

Länge 17,2 cm.; Flügelbreite 28 cm.; Schwanz 6,7 cm.

Beschreibung des Eies: Die Grundfarbe ist veränderlich, von mattweiß bis grün= lichblau mit röthlichen oder röthlichbraunen Flecken, welche am dickeren Ende mehr oder weniger zusammenlaufen (Gentry); auf hellgrünem Grunde mit vielen kleinen dunkel= und hellbraunen Flecken übersät; Gestalt sehr länglich; zartschalig (Nehrling).

Ovum: varie coloratum, a sordide albo ad subaeruginosum usque maculis rufis vel badiis, circa basin magis minus confluentibus (Gntr.). O. virescens, maculis par- vis numerosis obscurius et dilutius fuscis conspersum; forma valde oblonga; testa tenera (Nhrl.).

### Die feuerrothe Tangara [Tanagra aestiva]
(Tafel XIV. Vogel 71.)

unterscheidet sich von den vorigen dadurch, daß sie keine schwarzen Flügel hat, sondern im ganzen Gefieder roth erscheint. Das Weibchen ist olivengrünlichgelb und ihm gleicht das Männchen im Winterkleide. Ihre Größe stimmt mit der der vorigen überein und ebenso ist auch ihre Verbreitung eine ganz gleiche; sie lebt gleicherweise als Zugvogel. Unter den alten Schriftstellern hat sie Buffon wol zuerst mit Sicherheit gekennzeichnet, doch gibt er nichts näheres an; seine Abbildung war nach einem ausgestopften Exemplare hergestellt. Uebrigens sei hier noch bemerkt, daß die Angaben inbetreff des angenehmen Gesangs, welche die alten Autoren mehrmals machen, sich nicht etwa wirklich auf eine Tangara, sondern immer nur auf den virginischen rothen Kardinal beziehen. Ueberhaupt wird über diese Vögel in den alten Schriften viel gefabelt. So sagt z. B. Du Praz: „Im Sommer hört man häufig den Gesang des Kardinals (womit diese Tangara gemeint sein soll, in Wirklichkeit aber jedenfalls der erwähnte Kernbeißerfink) in den Wäldern und des Winters blos an den Ufern der Flüsse, wenn er getrunken hat. In dieser Jahreszeit verläßt er seine Heimat nicht, wo er beständig den Vorrath bewacht, welchen er im Sommer gesammelt. Man hat in solchen Vorrathskammern wirklich bis zu einem Par Pariser Scheffel Mais gefunden. Dieses Korn ist künstlich zuerst mit Blättern und darauf mit kleinen Aesten bedeckt und es bleibt nur eine Oeffnung, durch welche der Vogel in sein Vorrathshaus gelangen kann." (Von Buffon mitgetheilt nach der Histoire de la Louisiane par Page du Praz). Woher sich solche komischen Angaben schreiben, ist wol schwer zu ergründen. Prinz Max v. Wied schildert diese Tangara in folgendem: „Sie lebt in den südlichen Staten Nordamerikas, wo sie sich aber nach Audubon nicht länger als vier Monate aufhalten und dann wieder nach dem Süden ziehen soll. Ob sie schon am Wabasch vorkommt, kann ich nicht sagen. Ich fand sie in den großen Waldungen am südlichen Ohio und am Mississippi, wo sie still auf einem etwa 2 bis 3 Meter hohen Strauche saß, ruhig und lautlos, ohne einen Ton hören zu lassen, wie die meisten brasilischen Tangaren. Der schön rothe Vogel fällt angenehm ins Auge und ist durchaus nicht schüchtern. An der Stelle, wo sich der Ohio mit dem Mississippi vereinigt, waren an beiden Ufern große geschlossene Waldungen, in denen nur eine kleine Ansiedlung von wenigen Gebäuden den Holzwuchs unterbrach. Hier sahen wir lebende junge Bären, deren Mütter ganz in der Nähe erschossen worden und gegenüber am andern Ufer vertieften wir uns in den am Boden zwar ziemlich freien, im übrigen aber dunkelschattigen, erfrischenden Hochwald. Während schöne Schmetterlinge in großer Zahl flogen, fiel unser Blick doch zunächst auf die vielen zinnoberrothen Tangaren, welche still auf einem niedern Zweige sitzend uns nahe herankommen ließen. Mehrere Pärchen wurden erlegt und es währte nicht lange, so fand sich auch ein Nest derselben, auf welchem der weibliche Vogel gemüthlich sitzen blieb und sich ganz in der Nähe betrachten ließ. Das Nest stand 3,3 bis 4 Meter hoch vom Boden in einer Astgabel, und da das Stämmchen zu dünn war, so konnten wir es leider nicht näher betrachten, zumal die Schiffsglocke bereits die zerstreuten Passagiere zurückrief. Die Vögel hatten nur einen kurzen Lockton. Am Missouri habe ich diese Art nicht wieder bemerkt." Audubon sowol als auch Wilson haben auch von dieser Tangara kurze Beschreibungen und Abbildungen gegeben. Ueber ihr Vorkommen auf Kuba berichtet Gundlach genau das über die Scharlachtangara gesagte, und ich brauche seine Worte daher hier nicht zu wiederholen. Auf den Bermudainseln wurde sie von Wedderburn und Hurdis im April erlegt und nachher nicht mehr gesehen, was wiederum Baird bestätigt. Ob sie auf Jamaika vorkommt, ist noch nicht festgestellt. Auf Kostarika findet sie sich nach Dr. v. Frantzius' Angaben in der Trockenzeit vom Dezember bis März in der Gesellschaft einer andern Art, doch nicht häufig und auch stets fern von menschlichen Wohnungen. Ihres schönen Gefieders halber wird sie dort oft im Käfige gehalten. Wie die vorige soll sie nach Hartlaub gelegentlich auch nach Neugranada kommen. Hiermit sind die Angaben über ihr Freileben abgeschlossen.

Sie gelangt gleich der vorigen nur selten und meistens einzeln in den Handel. Auf der großen Berliner Vogelausstellung im Herbst 1876 war ein einzelnes Männchen im Besitz eines Händlers zweiter Hand, des Herrn Lemm, und hin und wieder wird sie in einigen Köpfen von den Großhändlern Reiche in Alfeld und Möller in Hamburg eingeführt. Herr Vogelhändler Dufour hat seit mehreren Jahren ebenfalls ein Männchen und an demselben konnte ich die Verfärbung zum Prachtgefieder und zurück zum Winterkleide recht eingehend beobachten. Es sei hier nebenbei bemerkt, daß ich späterhin im letzten Bande außer der Verpflegung und Zucht im allgemeinen auch alle derartigen Verhältnisse insbesondre ausführlich behandeln werde. Obwol nur ausnahmsweise, so ist doch in manchen Vogelstuben ein Pärchen von dieser Art zu finden, so namentlich bei Herrn Karl Masius in Schwerin, der hoffentlich noch vor dem Schluß dieses Werks nähere Mittheilungen über Züchtungserfolge u. s. w. machen kann. In den zoologischen Gärten ist sie kaum vorhanden, selbst der Londoner hat sie nicht aufzuweisen. Der Preis beträgt etwa 30 Mark für das Männchen und da Weibchen nur höchst selten zu haben sind, so weiß ich ihn für diese nicht anzugeben.

Die feuerrothe Tangara heißt auch Feuertangara, Sommerrothvogel und Mississippi-Flachsvogel (Pr. Wied). — [Mississippische Tangara, Buff.].

Le Tangara du Mississippi; Summer-Redbird or Mississippi Tanager. — Cardenal acamindo, auf Kuba nach Gundl.

Nomenclatur: [Muscicapa rubra, L.]; Tanagra aestiva et T. mississippiensis, Gml.; T. aestiva, Wls., Audb.; T. variegata, Lth.; Pyranga aestiva, Vll., Bp., Audb., Scl., Brd., Br.; Phoenisoma! aestiva et Pyranga livida, Swns.; Phoenicosóma aestiva Cb. [Tangara du Mississippi, Buff.].

Wissenschaftliche Beschreibung: Das Männchen ist hell zinnoberroth, oberhalb ein wenig dunkler, am lebhaftesten auf dem Kopf; Schwingen braun mit rothen Außensäumen; Schwanzfedern nur am Schaft braun. Schnabel hell hornfarben, mit gelben Schneidenrändern, Auge dunkelbraun; Füße fahl gelblichbraun. — Das Weibchen ist oberhalb düster gelblich= olivengrün, unterhalb heller; Flügel braun, iede Feder mit olivengrünlichgelbem Außensaum; Schnabel, Augen und Füße wie beim Männchen. — Das Männchen im Winterkleide gleicht völlig dem Weibchen, nur ist beim kräftigen Vogel an Stirn und Brust hier und da ein rothes Federchen vorhanden. — Das Jugendkleid stimmt ebenfalls mit dem des Weibchens überein und bei der ersten Verfärbung erscheint es wie das der verwandten roth und grüngelb gemischt. (Das Jugendkleid ist nach Baird beschrieben).

Tanagra aestiva: ♂ dilute cinnabarina, supra paulo obscurior; capite laetissime colorato; remigibus umbrinis, exterius rubro-marginatis; basi rectricum umbrina; tomiis rostri subcornei flavis; iride fusca; pedibus livide umbrinis. — ♀ supra subolivaceo-virens, subtus dilutior; alis fuscis, pluma quaque exterius olivaceo-virente marginata; colore rostri, iridis pedumque aeque ac in mare. — ♂ vest. hiem. cum femella conveniens plumulis nonnullis fronti pectorique rubris inspersis.

Länge 17 cm.; Flügelbreite 27 cm.; Schwanz 6,5 cm.

Juvenis: etiam femellae persimilis, post mutationem plumarum primam rubro- et galbino-variegata (sec. *Baird*).

Die goldgelbe Tangara [Tanagra ludoviciana] von Nordamerika und Kalifornien, wo sie gleich den vorhergegangenen als Zugvogel lebt und zum Winter ebenfalls nach Mittelamerika und bis ins nördliche Südamerika wandert. Baird sagt, daß sich ihre Heimat von den schwarzen Bergen bis zum stillen Ozean und südlich bis Mexiko erstrecke. Sie ist am Oberkopf, Nacken und Hals zinnoberroth, Gesicht heller roth; Rücken, Schultern, Flügel und Schwanz sind schwarz, über den Flügel zwei gelbe Binden und darunter noch eine weißliche. Alle übrigen Körpertheile sind glänzend zitrongelb; der Schnabel ist hellbraun mit gelben Schneidenrändern; Auge dunkelbraun, Füße schwärzlichbraun. Das Weibchen ist oberhalb lichter gelblicholivengrün; Zügelstreif schwefelgelb; Flügel und Schwanz schwärzlichbraun, jede Feder schmal olivengrün außengesäumt und über den Flügel eine weißliche und grüngelbliche Querbinde; ganze Unterseite reingelb; Schnabel gelbgrau mit hellem Unterschnabel. Ebenso gefärbt ist das Männchen im Winterkleide, und nach Baird weicht auch das Jugendkleid wenig ab. In der Größe ist sie mit der Purpurtangara übereinstimmend. Ueber das Freileben ist garnichts bekannt. Sie wird seltner als alle anderen vorhergehenden Arten eingeführt. Im Jahre 1873 erhielt ich von Herrn Karl Gudera ein Männchen, welches nach einigen Monaten im Prachtgefieder plötzlich starb; es steht im zoologischen Museum von Berlin. Meines wissens ist sie weder vorher noch nachher lebend zu uns gelangt; in den Verzeichnissen der zoologischen Gärten ist sie ebenfalls nicht vorhanden. Es ist schade, daß der sehr schöne Vogel, welcher eine weite Verbreitung hat und mancherorts auch wol recht häufig ist, nicht öfter auf den Markt gekommen; hoffentlich geschieht dies demnächst. — Goldtangara (Br.). — Le Tangara de la Louisiane; Louisiana Tanager. — Tanagra ludoviciana, *Wls., Bp., Ntll., Audb.*; Tanagra columbiana, *Jard. et Scl.*; Pyranga erythrópis, *Vll.*; Pyranga ludoviciana, *Bp., Ntll., Rchrds., Audb., Scl., Brd., Br.*

Die zinnoberrothe Tangara [Tanagra saira] ist in fast ganz Südamerika, Paraguay und den Laplatastaaten heimisch und gelangt trotzdem kaum häufiger als die vorhergehende in den Handel. Sie ist lebhaft scharlachroth oder richtiger zinnoberroth, am Rücken dunkler mit bräunlichem Ton; Zügelstreif, Schwingen und Schwanzfedern schwarzbraun mit düsterrothem Außen= und blaßrothem Innensaum. Schnabel tief bräunlichgrauschwarz, Unterschnabel am Grunde bleigrau, in der Mitte weißlich; Auge braun; Füße schwärzlichbraun. Das Weibchen ist oberhalb düster olivengrünlichgelb; Schwingen und Schwanzfedern außen heller olivengrün, innen grünlichgelb gesäumt; ganze Unterseite lebhaft gelb. — (Nach Burmstr. sind Stirn

Oberkopf, Kehle, Vorderhals bis zur Brust und Steiß rothgelb, Ohrgegend und Hinterkopf braungelb). Sie ist etwas größer als die vorigen: Länge 18,3 $^{cm}$; Flügel 10,5 $^{cm}$; Schwanz 7,2 $^{cm}$. Sie soll nach Angabe des Genannten häufig und überall auf dem Kamposgebiet des innern Brasiliens, aber nur einzeln oder parweise zu finden sein; „ein stummer, wenig scheuer, an seiner Farbe leicht kenntlicher Vogel, der zu den täglichen Erscheinungen für den Reisenden in Minas geraes gehört". Näheres ist weder über das Frei- noch Gefangenleben bekannt. — Zinnobertangara (Br.). — Le Tangara d'Azara; Azara's Tanager. — Saltator ruber et S. flavus, *Vll.*; Tanagra saira, *Spx.*; T. mississippiensis, *Lchtst.*, *Pr. Wd.* [nec *Gml.*]; Pyranga Azarae, *Lfrsn.* et *Orb.*; P. coccinea, *Gr.*, *Brmst.*; Phoenicosoma Azarae, *Cb.*, *r. Tschd.*; Pyranga saira, Br. [Habia amarillo et H. punzo, *Azr.*].

## Die Schmucktangara [Tanagra ornata].

Ein hübscher Vogel, welcher jedoch, wenigstens im Verhältniß zu den übrigen Tangaren, den obigen Namen keineswegs ausschließlich verdienen dürfte. Er ist am Oberkopf lebhaft blau, der übrige Kopf und Hals glänzend dunkelblau; Zügel schwarz; Mantel und Schultern bläulichschwarz; Flügel und Schwanz schwarzbraun, jede Feder grünlich außen- und weiß innengesäumt, obere Flügeldecken gelb, kleinste blau, untere Flügeldecken gelblichweiß; Bürzel und Steiß grünlichgrau; die ganze untre Seite düsterblau, die Brust aber glänzend graulichhellblau und der Bauch schwärzlichblaugrau; Schnabel schwarzgrau; Auge rothbraun; Füße schwärzlichbraungrau. Das Weibchen soll an Kopf, Hals und Brust mehr mattgraublau, im übrigen dem Männchen gleich sein. In der Größe ist sie mit der purpurrothen Tangara übereinstimmend. Burmeister sagt, daß sie in den Waldungen der mittleren Küstenstrecke Brasiliens, besonders bei Bahia und in der Umgegend häufig sei, und zwar leben sie wie alle Tangaren in der Nähe der Ansiedlungen, komme in die Gärten und sei wenig scheu. Im südlichen Brasilien und im Gebiet seiner Reise habe er sie nicht mehr gesehen, dagegen sei sie noch nordwärts vom Amazonenstrom über Guiana verbreitet. Im Widerspruch hiermit steht, daß sie Schlüter in der Kolonie Blumenau in der Provinz Sta. Katharina sammelte, während sie Euler in Kantagallo in der Provinz Rio de Janeiro fand. Näheres ist über das Freileben nicht angegeben und auch in der Gefangenschaft ist sie sehr wenig bekannt, denn sie gelangt nur einzeln und selten in den Handel, durch Fräulein Hagenbeck oder die Herren Möller und Linz von den Seeleuten angekauft, welche sie auf den großen Dampfschiffen, die regelmäßig nach Brasilien fahren, mitgebracht haben. Es ist sehr zu bedauern, daß letztres mit den vielen überaus prachtvollen Vögeln jenes Wunderlandes nicht häufiger geschieht. Ein Preis ist angesichts der geringen Einführung nicht anzugeben.

Die Schmucktangara nennt Br. Ziertangara. — Archbishop Tanager; Tangara Archevêque.

Nomenclatur: Tanagra ornata, *Sprrm.*, *Swns.*, *Brmst.*, *Scl.*, *Plzln.*, *Rnhrd.*; *Hmlt.*, *Brlpsch.*; T. archiepiscopus, *Dsmr.*, *Pr. Wd.*, *Spx.*, *Schmb.*; Thraupis ornata, *Cb.*

Wissenschaftliche Beschreibung s. oben. (Nach H. v. Berlepsch ist noch hinzuzufügen, daß bei den Männchen fast die ganze Unterseite schön purpurblau gefärbt und der Rücken stark blau überflogen ist. Die Weibchen sollen in der Färbung viel matter und nur an der Oberbrust pupurblau angehaucht sein).

Tanagra ornata: pileo laete coeruleo, capite reliquo colloque nitide cyaneis;
loris nigris; interscapilio humerisque subcoeruleo - nigris; pluma quaque alarum caudaeque fumidarum exterius virente, interius albente limbata; tectricibus al. minoribus flavis,
minimis coeruleis, inferioribus flavide albis; uropygio crissoque virescente canis; gastraeo
toto sordide coeruleo; pectore nitide caesio; rostro e nigro cinereo; iride rufa; pedibus
fuliginosis. — ♀ mari simillima, tantum collo pectoreque opacius caesiis.

Länge 17,2—18,2 cm.; Flügel 9,6—9,7 cm.; Schwanz 7,3—7,4 cm.

**Die Palmtangara** [Tanagra palmarum] muß ich hier mitzählen, weil sie sich seit d. J.
1875 im zoologischen Garten von London befindet, während sie außerdem kaum eingeführt,
bzl. in den Handel gelangt sein dürfte. „Sie ist graulicholivengrün; Kopf bis zum Nacken
und eine schiefe Binde über die Flügel lebhafter grün, desgleichen der Grund und Rand der
Handschwingen, sowie der Rand der Schwanzfedern, letztere sowie die Schwingen übrigens
schwärzlichbraun und am Grunde innen weiß gesäumt; Rücken etwas brauner, Brust mehr
grau; Schnabel schieferschwarz; Auge dunkelbraun; Füße dunkelgraubraun. Das Weibchen ist
in allen Theilen ähnlich, aber matter gefärbt, die Farbe des Oberkopfs ist von der des Nackens
weniger verschieden, die Flügelbinde undeutlicher. Ich fand sie mehr als die vorige im Innern
an offenen Stellen und häufig in den Gärten bei Lagoa Santa, wo sie besonders in den
Kronen der hohen Makauba=Palmen sich aufhält und in denselben auch nistet. Leider brütete
sie zur Zeit meiner Anwesenheit nicht und daher sind mir die Eier entgangen." (Burmeister).
Auf Kuba kommt sie, wie Gundlach angibt, nicht vor, dagegen hat Euler sie in Kantagallo
gesammelt. „Sie scheint", sagt Berlepsch, „zu den weitverbreiteten Arten zu gehören, deren
am weitesten von einander entfernt lebende Exemplare wol manchmal so sehr von einander
abweichen, daß man versucht ist, sie als verschiedene Arten festzustellen, während dies doch
nach meiner Ueberzeugung unmöglich ist." Da Dr. Finsch zwischen ihr und der als besondre
Art hingestellten schwarzflügeligen Tangara (T. melanóptera, Hrtl.) Mittelformen nachgewiesen
hat, so ist die Uebereinstimmung beider wol als fraglos anzusehen, und dann hat diese Art
allerdings eine außerordentlich weite Verbreitung, denn dieselbe erstreckt sich über fast ganz
Brasilien, mehrere westindische Inseln und einen Theil von Südamerika. Umsomehr erscheint
es verwunderlich, daß sie bisher kaum eingeführt worden, doch läßt sich dies mit Bestimmtheit
erwarten. — Tangara palme; Palm Tanager. — Tanagra olivascens, Lchtst., Swns.,
Schmb., Brmst.; T. palmarum, Pr. Wd., Br.; T. praelatus, Lss.; Thraupis olivascens,
Cb., Tanagra melanóptera, Hrtl., Plzln.

## Die blauflügelige Tangara [Tanagra cyanóptera].

Auf den ersten Blick unscheinbar, zeigt sie sich bei näherer Betrachtung doch
recht hübsch. Ihre Grundfarbe ist zart grünlichblau, oberhalb dunkler, an der Stirn reiner
glänzendblau, an Kopfseiten und Kehle mehr blaugrau; Schwingen und Schwanzfedern bräun=
lichschwarz mit schwachen bläulichen Außensäumen, kleine Flügeldecken glänzend grünlichblau;
ganze Unterseite schwach graulichgrünblau; Bauchmitte weißlichgrünblau; Schnabel bleigrau;
Auge dunkelbraun, Füße schwärzlichbraun. Das Weibchen ist oberhalb fahler graulichblau;
die kleinen Flügeldecken sind nicht blau, sondern mit dem übrigen Flügel gleich, schwärzlich=
braun, die ganze Unterseite ist hellbläulichgrau, Bauchmitte fast reinweiß. Als Unterschei=
dungszeichen von der nächstfolgenden nahverwandten und sehr ähnlichen Art
gibt Cabanis an: „Die ganze Oberseite von der Stirn an ist meergrün ange=
flogen, ebenso die Unterseite von der Brust an; die Ränder der Schwingen sind
lebhafter und etwas ins bläuliche ziehend gerandet, die kleinen Flügeldecken sind
lebhaft glänzend blau gefärbt; nur die Kehle und die Mitte des Bauches sind

grau." Herr Professor Dr. von Pelzeln schreibt, daß ein Pärchen im Wiener Museum an beiden, Männchen wie Weibchen, den blauen Schulterfleck zeigen und daß sie mit den Exemplaren, welche Herr H. von Berlepsch aus der Schlüter'schen Sammlung von Blumenau an ihn eingeschickt, durchaus übereinstimmen. Die Vaterlandsangabe von Kuba sei jedenfalls irrig, doch wäre es ja möglich, daß die Vögel dort im Käfige gehalten worden. Die Verbreitung erstreckt sich über Südbrasilien und Paraguay; die Größe ist etwas bedeutender als die der Purpurtangara. Da die meisten Schriftsteller nicht mit Sicherheit erkennen lassen, welche von den beiden nahestehenden Arten sie meinen und da dieselben wie in der Färbung so doch auch wol in der Lebensweise miteinander übereinstimmend sein dürften, so bitte ich, die folgende von Burmeister gegebne kurze Bemerkung über das Freileben auch auf die nächste zu beziehen. „Sie ist im Innern Brasiliens auf dem Kamposgebiet und weiter südlich oder westlich bis nach Paraguay und an den Fuß der Kordilleren verbreitet, lebt gleich den ver= wandten Arten in den Gipfeln der Palmen, nährt sich von fleischigen Beeren und weichen Insekten, kommt viel in die Nähe der Ansiedlungen und ist dort nicht selten, besonders in Gärten, wo Palmen stehen." Im Handel ist sie, gleich den vorhergegangenen, selten. Jamrach in London hat im Laufe der letzten Jahre wol hin und wieder ein Exemplar eingeführt. Ich erhielt das erste 1872 und ein zweites 1876; beide blieben eine zeitlang recht munter und das eine gelangte in die Vogelstube des Herrn Graf Rödern in Breslau, wo es mehrere Jahre ausdauernd sich gezeigt. Vor längerer Zeit sollen auch einige Köpfe dieser Art im Berliner Aquarium vorhanden gewesen sein. Ein Preis läßt sich nicht angeben.

Die blauflügelige Tangara nennt Br. Blauflügeltangara und in Ruß' „Handbuch" heißt sie blauschulterige Tangara. — Tangara à épaulettes bleues; Blue-shouldered Tanager. Nomenclatur: Tanagra cyanóptera, *Vll., Azr., Bp., Scl. et Slv., Hds., Plzn., Rnhrdt., Hmlt., Brlpsch.*; T. epíscopus, *Swns.* [nec *L.*]; T. virens, *Strckl.*; T. inor- nata, *Swns.*; T. argentata, *Gr.*; Thraupis cyanoptera, *Cb., Fnsch.*; Tanagra coelestis, mas., *Brmst.* [nec *Spx.*, nec *Swns.*]; T. sayaca, *Pr. Wd., Bp., Brmst.* [Lindo saihobi, *Azr.*; Sangaço der Brasilianer, *Brmst.*]. Länge 17 bis 19,5 cm.; Flügel 9, bis 10,6 cm.; Schwanz 6,8 bis 8₉ cm.

## Die meerblaue Tangara [Tanagra sayaca].

Bisher fast immer mit der vorigen verwechselt und zwar nicht allein in den Beschreibungen der Ornithologen von Fach, sondern auch im Handel, ist sie an Kopf, Hals und der ganzen Oberseite aschgraubläulich und auf dem Rücken meer= grünlichblau scheinend; Schwingen und Schwanz schwarz, jede Feder düstermeerblau außen= und weißlich innengerandet, über den Flügel eine meerbläulichgraue Querbinde; ganze Unter= seite bläulichgrau. Schnabel schwärzlichgrau, am Grunde heller bleigrau; Auge dunkelbraun; Füße bläulichschiefergrau. Das Weibchen soll im ganzen Gefieder matter gefärbt sein und garkeine Flügelbinde haben; ich bitte indessen, das von Herrn von Pelzeln bei der vorigen Art Festgestellte zu beachten. Beide gehören zu den Vögeln, welche sich zum Winter hin

42*

nicht verfärben, sondern das Schmuckgefieder einfürallemal behalten. „Diese Art", sagt
Cabanis, „erreicht niemals die hohe Ausfärbung wie die blauflügelige, und
da die Jugendkleider beider einander sehr ähnlich sind, so hat man diese immer
für das noch unvollständige Kleid jener genommen und als Alters= und Geschlechts=
unterschied betrachtet. Sie ist die am meisten einförmig gefärbte Art der Gruppe
und zwar vorherrschend grau, wie Brisson sie beschreibt, an der Oberseite
dunkler, an der Unterseite heller, die Bauchmitte ins weißliche ziehend, die
Weichen kaum merklich grün angehaucht; nur der ganze Rücken mit den oberen
Schwanzdecken, die Flügel und der Schwanz sind meergrün angeflogen; die
kleinen Flügeldecken sind kaum etwas lebhafter grün, als die Ränder der
Schwung= und Steuerfedern, wodurch der ganze Flügel eine ziemlich einförmige
Zeichnung zeigt, während bei den anderen Arten das lebhafte Blau, Weiß,
Violett der kleinen Flügeldecken eine abstechende Zierde bildet. Die Annahme,
daß dieser Vogel eine blauflügelige Tangara im unfertigen Kleide sein könne,
wird schon durch den großen Unterschied in der Schnabelform entschieden wider=
legt. Vergleicht man die Schnäbel beider Arten, so muß man auf den ersten
Blick finden, daß die graue den längern seitlich zusammengedrückten Schnabel
mit den anderen gemein hat, während die blauflügelige durch einen kürzern, breitern,
dickern, mithin nicht gestreckten Schnabel auffallend von allen ähnlichen Arten ab=
weicht." Die Größe ist auch ein wenig geringer. Ihre Verbreitung dürfte sich
über den ganzen Norden und Osten Brasiliens erstrecken, doch ist dieselbe noch
keineswegs mit Sicherheit festgestellt.

In seinen „Beiträgen zur Naturgeschichte der Vögel Brasiliens" gibt Euler
an, daß er sie in den Monaten September bis Dezember beobachtet und daß sie
jährlich drei Bruten mit etwa 3 Eiern mache. Er schildert sie dann in folgendem:
„In allen offenen Gegenden ist sie gemein. Ihre Nester fand ich in jedem Jahre
im Garten, in den Kaffeepflanzungen oder auf den das Haus umgebenden Bäumen,
in wechselnder Höhe von $1_{/60}$ bis etwa 10 Meter, wo sie dieselben gern in die
Blätter der äußeren Zweige verstecken. Sie bestehen hauptsächlich aus den Blüten=
stengeln nesselartiger Gewächse, von denen hier oft große Strecken ausschließlich
bewachsen sind. Die trockenen Blüten hängen meist noch daran und sind an der
Nestwand nach außen gekehrt. Die Stengel sind schön und sorgfältig durcheinander=
gewebt und mit mancherlei Wurzelfasern und Gräsern fest verbunden. Die ganze
Außenseite ist mit Mos, Flechten, verwitterten Rindenstückchen und großen Baum=
wollflocken geschmückt; letztere sind an manchen Stellen sorgfältig in die Nestwand
eingesponnen. Die tiefe Nestmulde ist mit breiten Binsenblättern dicht ausgelegt
und schön glatt gedrückt. Auf ihrem Grunde liegt eine leichte Lage feiner Wurzeln."
Auch die alten Schriftsteller Edwards, Brisson, Buffon u. A. kannten diese
Tangara, geben jedoch nichts bemerkenswerthes über sie an.

Als die Vogelsammlung des Berliner Aquarium im vollsten Glanze war, hatte man unter mehreren anderen auch die meerblaue Tangara angeschafft, doch kannte ich damals diese Vögel noch nicht ausreichend, um die beiden nahe ver= wandten Arten unterscheiden zu können. Späterhin erhielt ich sie mehrmals in einzelnen Köpfen von dem alten erfahrenen Händler Herrn Lintz in Hamburg. Leider zeigten sie sich bei mir nicht besonders ausdauernd, während sie es nach den Erfahrungen des Futtermeisters Seydel in der erwähnten Naturanstalt in vollem Maße gewesen sein sollen; ob sich letztres anderweitig bestätigt hat, weiß ich nicht anzugeben, doch läßt es sich annehmen, da die nächstverwandte Art nicht weichlich ist. Der Preis beträgt 24 bis 30 Mark für den Kopf.

Die meerblaue Tangara heißt Sangaßu [bei Br.] und graue Tangara (Ruß' „Handbuch"). — [Gesprenkelte Merle, grüngefleckte Meise, graue Merle und Sayacu nach alten Autoren]. — Grey Tanager; Tangara gris.

Nomenclatur: Tanagra sayaca, L.; T. coelestis, Swns. [nec Spx.]; T. Swain‑ soni, Gr.; Thraupis sayaca, Cb. [Sayacu brasiliensibus, Mrkg., Instn.; Tanagra brasiliensis varia, Brss. — Spotted green Titmouse, Mésange verte tachetée, Edw.; Le Cyacu, Tangara tacheté des Indes, Tangara de Cayenne, Buff.; Sayacu, Sal., Edw.].

Wissenschaftliche Beschreibung siehe oben.

Tanagra sayaca: capite, collo totoque notaeo caesiis, dorso subglauco; remigibus rectricibusque nigris, exterius luride glauco‑, interius albido‑margi‑ natis; fascia trans alam subglauca; subtus omnino caesia; basi rostri subnigro‑ cinerei dilute plumbea; iride fusca; pedibus schistaceis. — ♀ dilutior, fasciae trans alam vacua.

Länge 17 cm.; Flügel 9,5 cm.; Schwanz 6,5 cm.

Jugendkleid unbekannt.

Beschreibung des Eies: Grundfarbe gelblichweiß mit zahlreichen leberbraunen Flätschen und Punkten, auf denen hin und wieder dunklere Stellen vorkommen. Am dicken Ende steht ein verborgener Kranz von feinen schwarzen Kritzeln. Die ganze Zeichnung ist buntscheckig und dicht über die ganze Oberfläche verbreitet, sodaß die Grundfarbe nur an wenigen Stellen zutage tritt. Gestalt länglich; Vorderende lang gestreckt, mit abgestumpfter Spitze. Länge 24,5 mm.; Breite 17 mm.; Schneidepunkt 15 mm. (Brmstr.).

Ovum: flavide-album maculis punctisque valde numerosis hepaticis, singula includentibus obscuriora, necnon lineolis subtilissimis coronulam obliteratam circa basin fingentibus; forma oblongiuscula; apice porrecto, obtuso.

Die graue Tangara [Tanagra cana]. Auch diese Art gehörte zu den Vögeln, welche im Berliner Aquarium gleich nach der Eröffnung vorhanden waren und die Direktion stellte inbetreff ihrer ebenfalls die Behauptung auf, daß sie friedlich und ausdauernd sei. In neuerer Zeit ist sie nur höchst selten in den Handel gelangt, und da ich sie damals noch nicht genau kannte, so habe ich sie mit der vorigen verwechselt. Sie ist an Kopf, Hals und Brust hellbleigrau; Rücken dunkler bläulichgrau; Schwingen nebst großen Flügeldecken und Schwanzfedern schwarzbraun, breit grünlichblau außengesäumt, kleine Flügeldecken glänzend zyanblau; ganze Unterseite blau‑ grau mit grünlichem Schein; Schnabel schwärzlichgrau mit hellerm Grunde; Auge gelbgrau; Füße schwärzlichgrau. Das Weibchen soll nicht verschieden, nur düstrer und von matterm Blau sein. Ammergröße. Die Verbreitung erstreckt sich über das nördliche Brasilien, Kolumbien, Guiana, Venezuela und Trinidad. Näheres über ihr Freileben ist nicht bekannt, doch wird sie in demselben wol mit den vorigen übereinstimmen. Im Londoner zoologischen Garten befindet sie sich seit d. J. 1864; in anderen habe ich sie nicht gesehen. Ein Preis läßt sich des seltenen Vorkommens wegen nicht angeben. — Grautangara (Br.) und blaue Tangara (Ruß' „Handbuch"). Tangara évêque; Bishop Tanager or Silver-blue Tanager. — Tanagra cana, *Swns.*; Thraupis cana, *Cb.*

**Die blaue Tangara** [Tanagra episcopus]. Herr Direktor Vekemans in Antwerpen pflegt in den Ankündigungen zur alljährlichen Versteigerung unter den zahlreichen und kostbaren Vögeln auch gewöhnlich die Taugare evêque, den Episcopus der alten Autoren aufzuzählen, und ich war neugierig, ob es denn wirklich auch diese Art sei. Als ich mir zuerst im Jahre 1873 einen solchen Vogel schicken ließ, erhielt ich den freilich auch Bischof genannten, S. 554 beschriebnen dunkelblauen Kernbeißerfink, dann aber hatte ein Liebhaber, Herr F. Weiße in Berlin, wirklich ein Exemplar jener Tangara, leider in zerlumptem Gefieder und mit abge= stoßenem Schwanz, von der kleinen Versteigerung im Frühjahr 1877 mitgebracht. Der Vogel ist hell und schwach grünlich glänzend blaugrau; Flügel und Schwanzfedern an der untern Hälfte schwärzlichgrau, an der obern blau und die Schwingen mit weißen Innensäumen, die großen Deckfedern bilden eine weißliche und darunter eine violettblaue Querbinde; der Schnabel ist schwarz, Unterschnabel am Grunde heller; Auge braun; Füße schwärzlich. Das Weibchen soll düstrer und mehr grünblau gefärbt sein und keine weiße Binde am Flügelbug haben. Buffon äußert sich entrüstet über die unpassende Benutzung des Namens Bischof für einen Vogel und noch mehr unschicklich sei es, daß man sogar zwei Arten so benannt habe, ohne zu wissen warum, es sei denn, daß ein Theil ihres Gefieders blau gefärbt ist. Dieser Vogel sei übrigens bei den Kolonisten in seiner Heimat als Tangara von Kayenne bekannt. Dort sei er sehr häufig, halte sich auf Bäumen an den Waldrändern auf, komme auch auf frischgepflügten Acker und ernähre sich von Sämereien. Man sehe ihn niemals in großen Scharen, sondern immer nur parweise; Abends sitzen sie zwischen den Blättern der Palmbäume nahe am Stamm und machen dort ähnlichen Lärm, wie unsere Sperlinge in den Wäldern; denn sie haben keinen Gesang, sondern nur ein unangenehmes durchdringendes Geschrei. Nach Burmeister's kurzen Angaben ist sie im Innern des nördlichen Brasiliens am Amazonenstrom und Rionegro, sowie abwärts bis Para heimisch, besonders aber in Guiana häufig. Sie hält sich vorzugsweise in den Kronen der Palmbäume auf und kommt auch gern in die Gärten der Ansiedlungen. Näheres ist nicht bekannt. Ein Preis läßt sich der seltnen Einführung halber nicht angeben — [Blaue Tangara oder Bischof nach alten Autoren]. — Tanagra episcopus, *L., Lth., Buff.*; T. coe- lestis, *Spx.*; Thraupis episcopus, *Cb.* [Episcopus avis, *Briss.* — Le Bluet et L'Evêque de Cayenne, *Buff.*].

## Die vielfarbige Tangara [Tanagra fastuosa].
### Tafel XIV. Vogel 70.

(Diese, eine der farbenprächtigsten unter allen, macht den Anfang in einer Sippschaft kleinerer Tangaren, welche sich durch besondern Reichthum und Glanz in der Färbung auszeichnen und daher großer Beliebtheit erfreuen, zumal manche von ihnen auch ziemlich regelmäßig alljährlich eingeführt werden. Sie zeigen leider jedoch einige erhebliche Schattenseiten. Alle fressen vorzugsweise Früchte und manche verschmähen sogar die Beigabe von Ameisenpuppen, Mehlwürmern, Eier= brot und gesottenem Reis; alle Sämereien lassen sie unberührt liegen. Da sie geradezu fabelhaft schmutzen, so sind sie schwierig reinlich zu halten. Gar bedauerlich aber ist ihre Hinfälligkeit; jeder, der sie längere Zeit gepflegt, wird sicherlich erfahren haben, daß sie durch die geringsten ungünstigen Einflüsse, z. B.

durch die Fütterung mit zu früh abgenommenem und säuerlich gewordnem Obst überraschend leicht erkranken und daher selbst in der sorgsamsten Pflege regel=mäßig frühzeitig zugrunde gehen. Am längsten dauern sie aus, wenn man sie an eingeweichtes und dann gut ausgedrücktes Eierbrot und in Wasser abgesottenen Reis gewöhnt und sie mit süßen saftigen und weichen Früchten reichlich futtert. Jede einzelne Frucht muß aber vorher sorgfältig gekostet werden, damit sie nicht irgend=wie verdorben oder auch nur im Beginn der Verderbniß sich befinde, also bereits weich oder säuerlich oder gar molsch zu werden anfängt. Sie haben sämmtlich etwa Finkengröße).

Die vielfarbige Tangara ist am ganzen Kopf, an Hinterhals, Oberkehle und Schultern glän=zend bläulichgrün; Oberrücken und ein breites Band über den Vorderhals tiefschwarz; Mittel= und Unterrücken glänzend orangegelb; Schwingen und große Deckfedern schwarz, breit glänzend dunkelblau außengesäumt, kleine Flügeldecken glänzendblau, die letzten kleinen Schwingen schwarz breit gelb gerandet; Schwanzfedern schwarz, breit glänzend blau außengesäumt; Oberbrust hell, lilablau, ganze übrige Unterseite tief und glänzend blau; untere Flügelseite schwärzlichgrau; Schnabel und Füße schwarz; Auge lebhaft braun. — Das Weibchen soll übereinstimmend und nur matter gefärbt sein; ich glaube jedoch, daß es nicht den gelben Unterrücken hat, denn ich besaß einst einen solchen Vogel, der bei kaum bemerkbar düsterem Farben das lebhafte Gelb garnicht und anstatt dessen einen fahlbräunlich schwarzen Unterrücken zeigte. Die Größe ist etwa der des Kanarienvogels gleich. Ihre Heimat erstreckt sich über ganz Nord=brasilien. Näheres über ihre Lebensweise ist leider nicht bekannt; auch Sclater gibt nichts an. Das überaus buntfarbige Vögelchen entspricht in seinem Wesen dieser schönen äußern Naturausstattung leider nicht; es zeigt sich still und ruhig, ja fast stumpfsinnig, und seine hervorragendste Eigenthümlichkeit ist die eines Fressers. Von früh bis abends sitzt es am Troge und schlingt staunenswerthe Massen von Früchten, süßem Reis und allerlei anderm Weichfutter hinunter — und ganz entsprechend sind auch seine Entleerungen, sodaß der Liebhaber solcher Vögel fortdauernd nur einen Riesenkampf mit der Futterbeschaffung einerseits und der Unreinlichkeit andrerseits zu bestehen hat. Vielleicht aber liegt die Ur=sache solcher unliebenswürdigen Eigenschaften eben nur in der schlechten Behand=lung begründet, welche diese Vögel vom Augenblick des Einfangens an und während des ganzen Transports erdulden mußten, und in solchem Falle würden sie also, sobald sie sich vollständig erholt haben, mäßiger und reinlich zugleich sein. Inanbetracht ihrer Farbenpracht würde es sich verlohnen, Versuche dieser=halb mit ihnen anzustellen. Leider tritt dabei einerseits ihre erwähnte Hin=fälligkeit und andrerseits ihr wirklich recht hoher Preis störend entgegen; letztrer beträgt je nach dem Zustande, in welchem sie in den Handel gelangen, zwischen 45 bis 75 Mark für das Pärchen. Während sie bisher alljährlich immer nur in wenigen einzelnen Köpfen von Herrn Direktor Vekemans in Antwerpen und den Händlern Frau Poisson in Bordeaux und Herrn K. Gudera in Wien eingeführt worden, läßt sich wol erwarten, daß sie demnächst auch zahlreicher in

den Handel gelangen werden, sobald der Vogelhandel zwischen Europa und Bra=
silien erst besser geordnet ist.

Die vielfarbige Tangara heißt auch Prachttangara (Br.). — Le Tangara mul-
ticolor ou le Tangara superbe; Superb Tanager or Many-colored Tanager.
Nomenclatur: Tanagra fastuosa, Lss.; Calliste fastuosa, Scl., Br.
Wissenschaftliche Beschreibung s. oben.

Tanagra fastuosa: capite, cervice, gula humerisque nitide aeruginosis;
interscapilio fasciaque lata trans guttur atris; dorso tergoque nitide aurantiis;
remigibus tectricibusque al. majoribus nigris, exterius late nitideque cyaneo-limbatis; tectricibus minoribus nitide cyaneis; remigibus ultimis parvis nigris,
late flavo-marginatis; rectricibus nigris, exterius late nitideque cyaneo-limbatis;
gutture sublilaceo-coerulescente; gastraeo toto reliquo nitide cyaneo; subalaribus
fuliginosis; rostro pedibusque nigris; iride badia. — ♀ conveniens, tantum
opacior, tergo verosimiliter haud flavo, sed fumido.

Länge 13,9 cm.; Flügel 7,8 cm.; Schwanz 7 cm.

## Die siebenfarbige Tangara [Tanagra tatao].

Ebenso schön wie die vorige, erscheint sie leider fast noch seltner im Handel.
Sie ist an Mittelkopf, Backen und Augengegend glänzend meergrün, wie geschuppt erscheinend;
vorderster Stirnrand, ebenso Hinterkopf, Nacken, Rücken, Flügel, Schwanz, Steiß und Bauch=
mitte kohlschwarz; kleinste Deckfedern himmelblau, eine Querbinde über den Flügel bildend, die
ersten Handschwingen fein blau gerandet; Unterrücken feuerroth, Bürzel gelblichroth; Hals vom
Schnabelgrunde bis zur Oberbrust lasurblau, Brust=, Hals= und Bauchseiten himmelblau;
Unterschenkel und Hinterleib schwarz; Schnabel und Füße schwarz; Auge braun.   Das
Weibchen soll dem Männchen gleich, aber in den Farben matter, mehr graulich und am
Mittel= und Unterrücken gelb sein. „Diese Art bewohnt das Waldgebiet Brasiliens
am untern Amazonenstrom und geht südlich etwa bis Pernambuko, höchstens
ausnahmsweise bis Bahia; nordwärts verbreitet sie sich über Guiana, Venezuela,
Neugranada, aber nicht mehr nach Peru, dort trifft man den Vogel wol bei den
Händlern, aber nicht im Freien." Näheres ist nicht angegeben.   Auch sie wird
nur gelegentlich von den genannten Händlern eingeführt und hat dann gewöhnlich
denselben oder einen noch höhern Preis.   Den Namen hatte ihr übrigens
bereits Buffon beigelegt, der sie sehr eingehend beschreibt, aber fehlerhafte Ab=
bildungen bringt, weil der Aufseher des Naturalienkabinets dem getrockneten
Exemplare einen falschen Schwanz eingesetzt hatte.   Er hält sie für die schönste
unter allen Tangaren und meint, daß sie in mancherlei Abänderungen vorkomme,
doch liegt dies wol darin begründet, daß die alten Schriftsteller die einzelnen
Arten noch nicht mit Sicherheit zu unterscheiden vermochten, sondern vielfach zu=
sammenwarfen und mit einander verwechselten.

Die siebenfarbige Tangara nennt Br. Siebenfarb. — [Paradismerle und Parabis=
meise, nach alten Autoren]. — Le Tangara septicolor ou le Septicolor; Paradise Tanager.
Nomenclatur: Tanagra tatao, L., Bff., Lth., Edw., Dsm., Kttl., Cb.; Calliste
tatao, Scl., Brmst., Br.; Aglaja paradisea, Swns.; Callispiza tatao, Cb. [Tanagra
prima brasiliensibus, Mrkgr., Inst., Wllghb., Ray. — Mésange du Paradis, Titmouse

of Paradise, *Edw.*; Tangara, *Briss.*, *Buff.*; Le Septicolor ou le Tangara du Bresil, *Buff.* — Dos rouge ou Oiseau épinard, bei den Kreolen in Kayenne und Pavert bei einigen Vogelhändlern, nach *Buff.*].

Wissenschaftliche Beschreibung s. S. 664.

Tanagra tatao: pileo, genis, regioneque ophthalmica nitide aeruginosis, quasi squamosis visis; margine frontali antico, occipite, cervice, dorso, alis, cauda, crisso, abdomineque medio anthracinis; tectricibus al. minimis coeruleis, fasciam trans alam fingentibus; remigibus anterioribus subtiliter coeruleo-marginatis; tergo igneo; uropygio aurantio; collo a rostri basi usque ad guttur azureo; lateribus colli, pectoris abdominisque coeruleis; tibiis ventreque nigris; rostro pedibusque nigris; iride fusca. — ♀ similis, tantum opacior, magis cinerescens dorsoque flavo.

Länge 13,₉ cm.; Flügel 7,₈ cm.; Schwanz 7 cm.

Die dreifarbige Tangara [Tanagra tricolor], „im mittlern Brasilien von Rio de Janeiro aufwärts bis Bahia, ferner westwärts über die inneren Gegenden verbreitet, dort in kleinen Trupps im dichten Walde lebend, lassen sie nur zeitweise kurze Locktöne hören und verrathen sich sonst nicht; trotzdem sind sie wenig scheu und kommen selbst in die Gärten der Ansiedler. Ich erhielt einen solchen bunten Vogel in Neu=Freiburg. Er ist an Oberkopf, Backen und Kinnrand spahngrün, ziemlich stark himmelblau scheinend; Nacken, Halsseiten und Oberrücken gelbgrün, Mittelrücken schwarz, die Federn theilweise mit gelbgrünen Rändern, Unterrücken orange; Schwingen und Schwanzfedern schwarz, letztere und die Handschwingen schmal blau ge= randet, Armschwingen breit grün gesäumt, Flügeldeckfedern zyanblau, am Grunde schwarz; Vorder= hals schwarz, Brust himmelblau, oberer Theil mit einzelnen schwarzen Flecken; Bauch, Steiß und Bürzel grün, Unterschenkel himmelblau; Schnabel glänzend schwarz; Auge braun; Füße schwarzbraun. Das Weibchen unterscheidet sich nur durch etwas mattere Farben, gleichmäßig grün geflecten Rücken und nicht ganz reinblaue, sondern mehr blaugrüne kleinste Flügeldecken. Die Größe ist etwas geringer als die der siebenfarbigen." Die obige kurze Schilderung und eingehende Beschreibung habe ich von Burmeister entlehnt. Euler fügt hinzu, daß er sie in Kantagallo im Oktober, November und Februar nistend gefunden und zwar Gelege mit 2 bis 3 Eiern. Er sagt, sie sei dort sehr häufig, halte sich jedoch im Gebüsch mehr als andere Arten auf. „Das Nest stand ausschließlich auf Bananenbäumen, bald zwischen Blattstiel und Stamm, bald zwischen die unreifen Früchte des herabhängenden Fruchtkolbens oder auch auf den Stumpf eines abgehauenen Stamms gebaut; es gleicht dem der meerblauen Tangara." Da diese Art gleich den vorigen selten eingeführt wird, eigentlich noch seltner, nur beiläufig, so will ich auf die näheren Mittheilungen des letztgenannten Forschers vorläufig nicht weiter eingehen. Wie bereits bemerkt, werde ich eine ganz ausführliche Schilderung aller Tangaren noch in einem später folgenden Bande geben. Buffon warf diese und die blaukäppige Tangara als eine Art zu= sammen und stellte sie beide gemeinsam auf der 33. Kupfertafel dar. Er hielt sie für Abänderungen oder nur für verschiedene Geschlechter einundderselben Art, „weil sie sich blos durch die Farbe des Kopfs, der bei der einen grün und bei der andern blau ist, unterscheiden. Die Sitten dieser Vögel", sagt er weiter, „sind uns gänzlich unbekannt, wir haben sie von Kayenne erhalten, wo sie aber Herr Sonnini de Manoncourt garnicht gesehen. Ich benenne diese Art deswegen als dreifarbige Tangara, weil auf ihrem Gefieder die herrschenden Farben Roth, Grün und Blau sind und zwar alle drei sehr glänzend. In dem Kabinet des Herrn Aubri, Prediger zu St. Louis in Paris, findet man die blaukäppige Tangara unter dem Namen des magellanischen Papstes; es ist aber nicht glaublich, daß sie in den an jener Meer= enge gelegenen Ländern einheimisch sei, weil die im Königl. Kabinet befindlichen Vögel aus Kayenne gekommen sind." Im übrigen bitte ich, die nächstfolgende Art vergleichen zu wollen. Dreifarbentangara bei Br. [Geflecter grünköpfiger kayennischer Tangara, Bff.]. — Le Tan= gara tricolor ou le Tricolor; Green-headed Tanager or Tricolored Tanager. — Tanagra

tricolor, *Gml.*, *Bff.*, *Lth.*, *Tmm.*, *Dsm.*, *Kttl.*; T. tatao, *Pr. Wd.* [nec *L.*]; Calliste
tricolor, *Scl.*, *Brmst.*, *Br.*; Callispiza tricolor, *Gr.*, *Cb.* [Tangara cayenensis *variet.*
chlorocéphala, *Brss.* — Le Tricolor; Tangara varié à tête verte de Cayenne, *Buff.*].

Die blaukäppige Tangara [Tangara festiva] ist überaus zierlich gebaut und anmuthig
im Wesen. Streif rings um den Schnabel und also auch das sog. Kinn, sowie der Zügel
tiefschwarz, ein breiter Streif quer über die Stirn von einem Auge zum andern grünlichblau;
Ober- und Hinterkopf zyanblau; im Nacken eine breite hellzinnoberrothe Binde, welche sich vorn
über die Ohrdecke bis zum Kinn fortsetzt; Oberrücken tiefschwarz, Unterrücken, Bürzel und obere
Schwanzdecken glänzend grün; Flügel- und Schwanzfedern schwarz, die kleinsten Deckfedern am
Bug einfarbig schwarz, darunter eine orangefarbige Binde, alle übrigen mit breitem grüngelben
Außenrande, die Schwingen schmaler grüngelb außengesäumt; Kehle zyanblau; Oberbrust glänzend
maigrün, ganze übrige Unterseite grün, untere Flügel- und Schwanzseite aschgrau; Schnabel
schwärzlichsilbergrau; Auge dunkelbraun; Füße bläulichschwarzgrau. Das Weibchen soll nach
Brmstr. dem Männchen gleich, nur wenig matter und auf dem Rücken nicht rein-, sondern
schwarz gefleckt sein. Die Größe stimmt mit der der vorigen überein. Die obige Beschreibung habe ich nach einem Männchen gegeben, welches ausgestopft vor mir steht. Ich erhielt
dasselbe unter einer Sendung kleiner afrikanischer Vögel, welche für mich in Bordeaux von
einem Kleinhändler angetauft waren und sonderbarerweise garkeine Angabe der Seltenheiten
enthielt, die sich darunter befanden. Für die Tangaren war leider keine entsprechende Fütterung
beigegeben und sie kamen daher, mit einigen Früchten versorgt, lebend nur gerade bis Berlin.
Im Verzeichniß der Thiere des zoologischen Gartens von London befindet sie sich in einem
Exemplar seit d. J. 1875; außerdem dürfte das überaus hübsche Vögelchen noch nirgends
eingeführt sein. Inbetreff der Lebensweise sagt Burmeister folgendes: „Im Waldgebiet der
Ostküste Brasiliens von St. Paulo bis nach dem Amazonenstrom ist sie verbreitet, auch jen-
seits desselben noch in Guiana ist sie heimisch, aber nicht häufig; sie liebt die Gebirgswaldungen
höher gelegener Gegenden und darum ist sie dem Prinzen von Wied nur einmal vorgekommen.
Bei Neu-Freiburg erhielt ich dagegen nach und nach mehrere Exemplare." Da dies hübsche
Vögelchen also auch in seiner Heimat nur selten vorkommt, so dürfen wir auf eine häufige
Einführung leider nicht hoffen. — Le Tangara à tête bleue; Festive Tanager. — Tanagra tricolor, var β., *L.*, *Bff.*; T. festiva, *Sh.*; T. trichroa, *Lchtst.*; T. cyanocephala,
*Vll.*, *Dsm.*; T. rubricollis, *Tmm.*, *Pr. Wd.*, *Kttl.*; Aglája cyanocephala, *Swns.*; Calliste
festiva, *Gr.*, *Scl.*, *Brmst.*; Callispiza festiva, *Cb.*

Die schwarzrückige Tangara [Tanagra melanóta] aus dem Waldgebiet des mittleren
Brasiliens, besonders nördlich von Bahia und im Innern am Amazonenstrom; sie ist an
Oberkopf, Backen und Hinterhals bis zum Rücken rothbraun; Zügel schwarz; Rücken schwarz,
kleine Flügeldecken ockergelb, große Flügeldecken und Schwingen, sowie Schwanzfedern schwarz,
himmelblau außengesäumt, Unterrücken grünlich; Bürzel gelblichrostroth; die ganze Unterseite
vom Schnabel bis zum Bauch grün; Hinterleib und untere Schwanzdecken roströthlichgelb;
Schnabel schwarzbraun; Auge braun; Füße bräunlichfleischfarben. Das Weibchen ist matter
gefärbt, besonders am Rücken trüber schwarzbraun; Flügeldecken und Unterrücken grün;
Schwingen und Schwanzfedern schwarzbraun, grün gerändert; Kehle und Vorderhals grünlich
überlaufen, ganze übrige Unterseite blaßgelblichweiß. Größe kaum bemerkbar bedeutender als
die der dreifarbigen. Sie ist im Oktober 1873 in den zoologischen Garten von London
gelangt; außerdem dürfte sie kaum eingeführt sein. — Le Tangara à dos noir; Black-
shouldered Tanager. — Aglaja melanota, *Swns.*; Tanagra gyrola, *Pr. Wd.* [nec *L.*];
T. peruviana, *Dsmr.*; Calliste peruviana, *Scl.*; C. melanóta. *Brmst.*

Die gelbe Tangara [Tanagra flava] aus dem Osten Brasiliens. Im Jahre 1874 sandte
mir Herr Lintz aus Hamburg zwei Männchen und ein Weibchen dieser überaus seltnen,
schönen Tangara, und ich glaube behaupten zu dürfen, daß die Art außer einer gelegentlichen

Sendung im Berliner Aquarium, welche ebenfalls in zwei Männchen bestand und bald nach der Eröffnung anlangte, weder vor= noch nachher jemals wieder eingeführt worden; selbst im zoolo= gischen Garten von London war sie bisher noch nicht vorhanden. Sie ist an Ober= und Hin= terkopf röthlichgelb, Stirnrand etwas dunkler; Zügel und ganzes Gesicht nebst Hals und Brust, Bauchmitte und Hinterleib tiefschwarz; Schulter= und alle übrigen Flügelfedern schwarz mit breiten bläulichgrünen Außensäumen, Schwingen reiner blau gesäumt, am Innenrande weißlich; Schwanzfedern schwarzbraun, himmelblau scheinend und grünlichblau außengesäumt; Brust= und Bauchseiten nebst Ober= und Unterschwanzdecken fahlröthlichgelb; Schnabel braungrau; Auge braun; Füße bräunlichgrau. Das Weibchen ist nach Burmeister am ganzen Rumpfe aschgrau; Stirn und Oberkopf rostgelblich; Rücken grünlich überlaufen, Flügel und Schwanz wie beim Männchen, nur matter graugrünlich; Kehle und Vorderhals weißlich; Bauch und Steiß rostgelblich; Schnabel und Füße heller als beim Männchen. Die Größe ist· etwas bedeutender als die der vorigen. „Bei Neu=Freiburg, aber auch nordwärts bis Bahia und südwärts bis Paraguay verbreitet." Näheres ist nirgends angegeben. Nach meinen Erfah= rungen erhält sie sich vortrefflich und zeigt sich als ein anmuthiger und lebhafter, nicht unver= träglicher, aber sehr gefräßiger Vogel. Das Pärchen gelangte in die Vogelstube des Herrn Graf Rödern in Breslau, und nach den Erfahrungen desselben kann ich hoffentlich später hin eingehende Mittheilungen machen. Isabelltangara (Br.). — Le Tangara jaune; Yellow Tanager. — Tanagra flava, *Gml.*, *Lth.*, *Pr. Wd.*; T. formosa, *Vll.*; Callispiza flava, *Cb.*; Calliste flava, *Brmst.*, *Br.* [Lindo bello, *Azr.*; Guirapera, *Mrkgr.*].

Die schwarzkäppige Tangara [Tanagra brasiliensis], welche nach Burmeister im Wald= gebiet Brasiliens nicht selten, von ihm bei Neu=Freiburg gesammelt, nordwärts aber seltner und kaum über Bahia hinaus vorkommt, ist in folgender Weise gefärbt: Stirn bis über die Augen hinauf, Backen, Kehle, Brust, Bauchseiten, kleine Flügeldecken und Bürzel hellbläulich= violett; übriges Gefieder größtentheils schwarz, große Flügeldecken und Handschwingen ebenso fein gerandet, alle Schwingen innen weiß gesäumt; Bauchmitte, Steiß und untere Schwanz= mitte weiß; Schnabel schwarz; Auge braun; Füße glänzend schwarzbraun. Weibchen dem Männchen gleichgefärbt, aber die blauviolette Farbe matter weißlich und mehr auf die Spitzen der Federn beschränkt. Größe der der vorigen gleich. Brisson, Buffon u. a. alte Schrift= steller bringen nur ihre Beschreibung ohne alle weiteren Angaben. Näheres über sie ist über= haupt nicht zu finden, da sie ebenso zu den am wenigsten bekannten, als auch am seltensten ein= geführten gehört. Ich hätte sie hier nicht mitzuzählen brauchen, wenn sie nicht im Laufe der Jahre einmal von Herrn Gudera und dann von Herrn Möller mir zur Bestimmung zugesandt worden. Beidemale freilich in so kläglichem Zustande, daß sie nicht am Leben blieb. Im Londoner zoologischen Garten ist sie bisher noch nicht vorhanden gewesen und meines Wissens auch überhaupt nicht weiter eingeführt. — Türkistangara bei Br. [Dunkelblauer brasilischer oder türkisblauer Tangara und brasilische Merle, nach alten Autoren]. — Le Tangare à calotte noire; Black=bonnet Tanager. — Tanagra brasiliensis, *L.*, *Bff.*, *Lth.*, *Pr. Wd.* [nec *Hrtl.*]; Calliste brasiliensis, *Sel.*, *Brmst.*, *Br.*; Tanagra barba= doёnsis, *Khl.*, *Rss.* [„*Hndb.*"]; Callispiza brasiliensis, *Cb.* [Tangara brasiliensis coerulea, *Brss.* — Tangara bleu du Brésil, *Brss.*; Le Turquin, *Buff.*].

# Nachträge und Ergänzungen.

**Der Bügelaſtrild** [Aegintha rhodopýga]. (Ergänzung zu S. 50.) Ein Exemplar, nach dem Wiener zoologiſchen Muſeum beſtimmt, befand ſich in der Sammlung des Prinzen Ferdinand von Koburg-Gotha in Wien und erhielt ſich längere Zeit am Leben.

## Der Bronze-Aſtrild [Aegintha Russi].

Im Spätherbſt d. J. 1873 empfing ich in einer größern Vogelſendung von Herrn Ch. Jamrach aus London einen kleinen Aſtrild, welchen ich vorläufig nicht feſtzuſtellen ver= mochte. Er war ſo kahl und beſchmutzt im Gefieder, daß nur der Kopf und Oberrücken ſich deutlich erkennen ließen. In der Größe, Geſtalt, in ſeinem ganzen Benehmen, im Lockton und namentlich in der Schwanzbewegung glich er durchaus dem S. 82 beſchriebnen kleinen rothen Aſtrild (Aegintha minima), dem allbekannten kleinen Amarant; die Färbung zeigte ſich aber nicht dunkelroth, ſondern röthlichorange oder vielmehr echt goldbronzebraun. Ich bewahrte ihn ſorgfältig mit anderen ſeltenen zuſammen in einem Käfige. Er entkam mir jedoch aus dem= ſelben in die Vogelſtube und da ich damals mehrere große Starvögel hatte, ſo iſt er entweder getödtet worden oder hat ſich auf Nimmerwiederſehn verkrochen.

Als im September d. J. 1875 Herr Vogelhändler W. Mieth in Berlin eine Sen= dung kleiner afrikaniſcher Prachtfinken aus Antwerpen erhielt, befand ſich unter dieſen wiederum ein ſolches goldbronzefarbnes Vögelchen und zwar im vollen Gefieder, jedoch krank, ſodaß es nach wenigen Tagen ſtarb. Herr Mieth übergab es mir und trotzdem wir, Herr Dr. Reichenow und ich, uns ebenſowol im Berliner Muſeum als auch in der geſammten Literatur ſorgfältig umſahen, vermochten wir es nirgends aufzufinden, und ſomit blieb uns kein Zweifel daran, daß wir in demſelben eine neuentdeckte Art vor uns hatten. Herr Dr. Reichenow hat derſelben meinen Namen beigelegt und ich habe ihr die obenſtehende deutſche Benennung gegeben. Vielleicht wird der hübſche Prachtfink, deſſen einziges vorhandnes Exemplar ausgeſtopft im Berliner zoologi= ſchen Muſeum ſteht, über kurz oder lang wieder einmal und dann hoffentlich in größerer Anzahl eingeführt. In den nahezu drei Jahren iſt unter den Tauſenden der kleinen Amaranten, welche der Spätſommer alljährlich in den Handel bringt, freilich noch kein zweites Exemplar mitgekommen.

Der Bronze-Aſtrild hat keine weiteren Namen.

Nomenclatur: Estrelda (Lagonosticta) Russi, *Rchn.*

Wiſſenſchaftliche Beſchreibung: Vorderkopf, Kopfſeiten und ganze Unterſeite orange (gelbroth); Oberſeite dunkelbraun, orange überfloſſen; Bürzel orange; Schwanzfedern ſchwarz, mit breiten orangefarbenen Außenſäumen am Grunde; Unterſchwanzdecken und Hinter= leib dunkelbraun, ſchwach orange überfloſſen. Schnabel mennigroth mit ſchwarzer Firſte und Dillenkante und blaßhornbraunen Schneidenrändern; Auge dunkelbraun; Füße blaßhornbraun. Der Vogel gleicht hinſichtlich der Größe und Farbenvertheilung ſehr dem rothbrüſtigen Aſtrild (Aegintha rufopicta) und iſt nur dadurch verſchieden, daß die weinrothe Färbung jenes bei ihm orangefarben iſt. (Rchn.).

Aegintha Russi: sincipite, capitis lateribus totoque gastraeo aurantiis; supra fusca, aurantio-lavata; uropygio aurantio; basi pogonii rectricum extero late aurantio-limbata; infracaudalibus ventreque fuscis, subaurantio-afflatis; cul- mine gonateque rostri miniati nigris, tomiis subcorneis; iride fusca; pedibus sub- corneis. Persimilis Aeg. rufopictae, sed colore aurantio (illius vinaceo) distincta.

Länge 9,5 cm.; Flügel 4,5 cm.; Schwanz 3,5 cm. [Schnabelfirſt 0,8 cm.; Mundſpalte 0,9 cm.; Lauf 1,2 cm.]. Rchn.

### Der gepunktete rothe Astrild [Aegintha rufopicta].

(Nachtrag zu dem rothbrüstigen Astrild S. 88).

Im Juni 1878 sandte mir Fräulein Chr. Hagenbeck zwei Männchen zur Bestimmung und ich will zunächst die vorn gegebne oberflächliche Beschreibung nach dem lebenden Vogel vervollständigen: Oberseite von der Stirn bis zum Bürzel nebst Nacken und Flügeln dunkel, aschgrau, kaum schwachgrünlich und an den Schultern röthlich scheinend; Oberkopf bemerkbar heller reingrau; Stirnstreif, Zügel, Augenbrauen, Kopf= und Halsseiten, Brust, oberer Theil des Bauchs, Bürzel und obere Schwanzdecken dunkelweinroth; Schwanzfedern schwärzlichbraun, die äußersten am Grunde schwach roth außengesäumt; Hinterbauch, Brust= und Bauchseiten schwach roth, indem die bräunlichaschgraue Grundfarbe der Federn durchscheint; Hinterleib und untere Schwanzdecken fahl gelblichgrau; die ganze Brust ist mit feinen weißen querstehenden Pünktchen, welche oberseits einen sehr schmalen dunklen Saum haben, übersäet; innere Flügelseite hellaschgrau, untere Flügeldecken hellgelblichgrau. Schnabel glänzend dunkelroth, vom Grunde des Unterschnabels bis hinauf zum Nasenloch zart weißlich, First des Ober= und Unterschnabels schwärzlichbraun; Auge grau, von einem sehr schmalen gelben Ring umgeben; Füße bräunlichfleischroth. Das Weibchen ist an Stirn, Hinterkopf und ganzer übriger Oberseite bräunlichaschgrau; Zügel und Wangen zart roth; Oberschwanzdecken und Schwanzfedern roth wie beim Männchen; Kehle und ganze übrige Unterseite schwach roth; Bauch und Hinterleib isabellaschgrau; Brust= und Bauchseiten aschgrau, röthlich überhaucht; nur hier und da ein weißes Pünktchen auf der Brust; Unterschwanz= und Unterflügeldecken fahl isabellgelb, untere Flügelseite aschgrau; Schnabel wie beim Männchen; Auge grau. Die Größe ist kaum bemerkbar beträchtlicher als die des kleinen rothen Astrild, welchem er auch im Wesen völlig gleicht. Nach den Erfahrungen des Herrn L. van der Snitt gehört er zu den zartesten Astrilde. „Der Liebes= sang des Männchens ist recht angenehm, hoch und laut und besteht in einer ziemlich langen Strofe. Während des Singens tanzt jenes neben dem Weibchen, streckt in rascher Bewegung den Schnabel gegen die Sitzstange, zwischen die Füße des letztern, spreizt den Schwanz, sich hin= und herwindend, gerade wie ein Goldfasan."

So haben wir also abermals einen schönen, bisher im Handel noch nicht vorhanden ge= wesenen Prachtfink vor uns, der es wol verdient, daß wir ihm unsere Aufmerksamkeit zuwenden. Der Händler Herr Fockelmann in Hamburg, welcher mittheilt, daß er die Art bereits i. J. 1876 auf der Ausstellung in Kiel hatte, führte in diesem Jahre etwa 20 Köpfe ein, unter denen jedoch nur wenige Weibchen waren. Dieselben wurden sämmtlich durch Fräulein Hagenbeck in den Handel gebracht und die Liebhaber, in deren Vogelstuben nur Männchen gelangt sind, werden dieselben hoffentlich mit Weibchen des nächststehenden kleinen rothen Astrild zusammen Züchtungen vornehmen. Auch Fräulein Hagenbeck hatte schon vor etwa einem halben Jahre einige Köpfe erhalten, da dieselben aber entfiedert waren; nicht besonders beachtet, sondern als kleine rothe Astrilde fortgegeben.

Inbetreff des Namens sei übrigens noch bemerkt, daß die Bezeichnung rothbrüstiger Astrild oder Amarant, ja sogar Rothbrustamarant (Br.) durchaus unzutreffend ist. Der Vogel hat keineswegs eine auffallender rothe Brust, als der kleine, der dunkle, der australische und alle übrigen dieser Astrilde, welche man Amaranten nennt; sein hauptsächlichstes Merkmal sind die Punkte, welche nicht wie bei den anderen an den Seiten und nur einzeln vorhanden, sondern vielmehr die ganze Brust bedecken. Ich will ihn daher wie oben angegeben neu benennen. Auch der lateinische Name A. rufopicta, *Frs.*, ist nichts weniger als glücklich gewählt.

Aegintha rufopicta: a fronte ad uropygium usque cum dorso alisque obscure cinerea, virente lavata, humeris rubente micantibus; pileo purius cano; stria frontali, loris, superciliis, lateribus capitis collique, pectore, epigastrio, uropygio et supracaudalibus obscure vinaceis; rectricibus fuliginosis, basi po- gonii extimarum exteri rubente limbata; ventre, pleuris et hypochondriis sordide canis, subrubro-imbutis; crisso et infracaudalibus luride gilvis; punctulis albis transversis, superne obscurius sublimbatis, supra pectus totùm conspersis; subalaribus incanis; tectricibus al. inferioribus subgilvis; basi rostri nitide corallini ad nares usque albida; culmine maxillae mandibulaeque fuliginoso. — ♀ fronte, occipite totoque notaeo luride canis; loris genisque subrubris; supracaudalibus aeque ac in mare rubris; gula totoque gastraeo rubentibus; abdomine ventreque livide canis; pleuris et hypochondriis cinereis, rubente afflatis; pectore rarius albopunctulato; tectricibus subalaribus et infracaudalibus sordide isabellinis; subalaribus cinereis; rostro aeque ac in mare picto; iride cinerea.

Länge 9,₁ cm·; Flügel 4,₄ cm·; Schwanz 3,₃ cm·

### Der dunkelrothe Aſtrild [Aegintha rubricata].

(Ergänzung zu Seite 89).

Nachdem ich im Laufe der Jahre eine beträchtliche Anzahl dunkelrother Aſtrilde in beiden Geſchlechtern und verſchiedenen Altersſtufen vor mir gehabt, muß ich die S. 2 gegebne wiſſenſchaftliche Beſchreibung in folgendem berichtigen: Oberkopf und Nacken graubraun, kaum bemerkbar olivengrünlich ſcheinend, aber ganz deutlich roth überflogen; übrige Oberſeite ſchwach olivengrünlichdunkelbraun; Schwingen bräunlichaſchgrau, breit fahl außengeſäumt; Schwanz ſchwarz, jede Feder in der Mitte der Außenfahne dunkelroth geſäumt, die äußerſten einfarbig ſchwarz; obere Schwanzdecken dunkelpurpurroth; Zügel, Kopf- und Halsſeiten, Kehle und ganze Bruſt, Bruſt- und Bauchſeiten dunkelweinroth, an der Bruſtſeite einzelne weiße Pünktchen, Bruſt- und Bauchmitte ſchwärzlichbraun; Schenkel und Hinterleib ſchwarzbraun; untere Schwanzdecken rußſchwarz; untere Flügelſeite hellaſchgrau; untere Flügeldecken bräunlichiſabellfarben. Schnabel bleigrau mit ſchwärzlicher Spitze und Schneidenrändern; Auge dunkelbraun von gelblichem Rande umgeben; Füße dunkelbleigrau. Das Weibchen (welches bis jetzt noch garnicht beſchrieben war) iſt an der ganzen Oberſeite einfarbig fahl graubraun; Stirn und Oberkopf düſter aſchgrau, ſchwacholivengrünlich ſcheinend; breiter Zügelſtreif, Augenbrauen und Kinn hellweinroth, Kopfſeiten röthlichgrau, Hals, Bruſt, Bruſt- und Bauchſeiten röthlichdunkelbraun, an der Bruſtſeite weiße Pünktchen; Schwingen bräunlichgrau; Schwanzfedern ſchwarz, in der Mitte der Außenfahne breit düſterroth; obere Schwanzdecken dunkelpurpurroth; Bauchmitte dunkelgelblichbraun, Hinterleib und untere Schwanzdecken ſchwarz; untere Schwanz- und Flügelſeite aſchgrau. Schnabel bleigrau mit ſchwärzlicher Spitze; Auge dunkelbraun von ganz feinem gelblichen Rande umgeben; Füße dunkelbleigrau.

Aegintha rubricata: pileo cerviceque fumidis, parum olivaceo-virente micantibus, at distincte rubro-afflatis; notaeo toto olivaceo-virente fusco; remigibus subfumidis, exterius livide lateque limbatis; pogonio externo medio rectricum nigrarum rubro-limbato; extimis earum unicoloribus nigris; supracaudalibus obscure purpureis; loris, lateribus capitis collique, gula, pectore toto, pleuris et hypochondriis obscure vinaceis; punctulis pleurarum albis; pectore abdomineque mediis castaneis; tibiis crissoque e nigro fuscis; infracaudalibus fuliginosis; subalaribus incanis; tectricibus al. inferioribus luride isabellinis; apice tomiisque rostri plumbei nigrescentibus; iride fusca, flavide circumcincta; pedibus osbcure plumbeis. — ♀ supra unicolor subfumida; fronte pileoque obscure cinereis, olivaceo-virente micantibus; stria lororum lata, superciliis mentoque subvinaceis; capitis lateribus rubicunde cinereis; collo, pectore, pleuris albo-punctulatis et hypochondriis badiis; remigibus subfumidis; pogonio externo medio rectricum nigrarum late sordide rubro; supracaudalibus obscure purpureis; abdomine medio flavide fusco; crisso et infracaudalibus nigris; latere alarum caudaeque inferiore canis; apice rostri plumbei late nigro; iride fusca, subflavide circumcincta; pedibus e nigro plumbeis.

### Dühring's rother Aftrild.

„Im Herbste d. J. 1876 erhielt ich durch einen Freund, welcher mit seinem Schiffe von einer Reise nach der Küste Benguelas zurückkehrte, mehrere Prachtfinken und unter ihnen einige, welche bis jetzt, wenn auch vielleicht schon nach Europa gebracht, doch noch in keinem wissen= schaftlichen Werke beschrieben sein dürften. Vor kurzem bemerkte ich nun, daß diese Vögel, ein Männchen und zwei Weibchen, sich zu einer Brut rüsteten, indem das erste Niststoffe in ein von Helenafasänchen angefangnes und wieder verlassenes Nest, welches sich in einem oben zu= sammengebundnen freihängenden Nistkorbe befand, hineintrug. Die beiden Weibchen sind sehr leicht von einander zu unterscheiden, da das eine etwas kahl auf dem Rücken ist. Ich beobachtete nun, daß das eine morgens um 5—6 Uhr das andre ablöste und zwar ungefähr bis 9 Uhr; dann ging das Männchen aufs Nest, saß bis um 2 Uhr, wurde für kurze Zeit vom erstern Weibchen, um zu fressen und zu trinken, abgelöst und saß dann bis abends gegen 8 Uhr, zu welcher Zeit das zweite Weibchen seine Stelle wieder einnahm. Dieser Vorgang wiederholte sich ganz regel= mäßig an jedem Tage. Leider wurde meine Freude und Hoffnung auf betrübende Weise ge= stört. Wie ich schon erwähnt, hatten die Vögel in einem freistehenden Nistkörbchen gebaut, und zwar ein rundes herunterhängendes Nest, aus Halmen, Fasern, Zeugläppchen, Fäden u. drgl., mit einer sorgsam gerundeten Eingangsöffnung. Es war kaum fertig, als auch schon ein Par Schmetterlingsfinken anfingen, dasselbe zu zerstören. Das brütende Weibchen beachtete dies jedoch nicht und ich bemerkte nur, daß das Männchen sehr emsig sich mit dem Ausbessern des Schadens zu schaffen machte. Herr Hald, dem ich meine Noth klagte, rieth mir, die übrigen in der Voliere befindlichen Vögel herauszufangen, indem ich sonst kaum darauf rechnen könne, die Brut glücklich großzuziehen. Da ich an jenem Tage davon abgehalten wurde, diesem Rathe folgezugeben, so verschob ich die Ausführung desselben bis zum nächsten Morgen, mußte aber die Erfahrung machen, daß ich durch den Aufschub die Zeit dazu leider schon versäumt hatte. Als ich am andern Morgen ganz früh nach der Voliere sah, bemerkte ich gleich, daß alle drei Vögel außerhalb des Nestes waren und als ich genauer untersuchte, fand ich denn auch das gänzlich zerstörte Nest und auf dem Boden im Sande fünf bereits ziemlich stark angebrütete Eier. Dieselben sind nicht von gleicher Größe (vielleicht weil beide Weibchen gelegt haben); sie waren länglich, weiß, ganz hell rosa schimmernd. Seitdem habe ich wieder die Freude, daß das Männchen dasselbe Nest neuzubauen beginnt und zwar in der Weise, daß es ganz allein thätig ist, während die beiden Weibchen sich anscheinend garnicht darum bekümmern.“

Herr F. H. Dühring in Hamburg, der mir die obige Mittheilung zukommen ließ, schickte mir die geschilderten Vögel freundlichst zu und ich will nun über sie folgendes berichten. Im äußern Ansehen, in der Gestalt und Färbung gleichen sie dem dunkelrothen Astrild oder dunklen Ama= rant (Aegintha rubricata, *Lchtst.*); bei näherer Betrachtung aber weichen sie doch ganz er= heblich von demselben ab. Ich gebe nun zunächst eine genaue Beschreibung: Oberkopf rein aschgrau, Hinterkopf, Nacken und ganze Oberseite bräunlichgrau mit gelblichem, aber nicht olivengrünlichem Schein; schmaler Stirnstreif, Zügel, Kopf= und Halsseiten, Kinn, Kehle, Brust und Bauchseiten lebhaft hell todtenkopfroth; obere Schwanzdecken ebenso, doch wenig heller; an den Brustseiten einige weiße Pünktchen; Brust= und Bauchmitte schwärzlichbraun, hinter Unter= leib und untere Schwanzdecken rauchschwarz, jede Feder breit roth gesäumt; untere Flügelseite silbergrau, untere Flügeldecken isabellgrau; Schwanz schwarz, jede Feder in der Mitte der Außenfahne breit schwach roth gesäumt, die äußersten Federn einfarbig schwarz. Schnabel dunkel bleiblau, mit schwärzlicher Spitze; Auge braun, von feinem röthlichen Rand umgeben; Füße blaugrau. Das Weibchen ist an der ganzen Oberseite einfarbig graubraun, mit lebhaft gelbgrauem Schein, Stirn bis Oberkopf fast rein aschgrau; breiter Zügel, Augenbrauenstreif und Kinn todtenkopfroth, Kopfseiten aschgrau, zart röthlich überflogen. Schwingen bräunlich= aschgrau mit breiten hellen Innensäumen; Schwanzfedern reinschwarz, in der Mitte der Außen= fahne breit mattroth; die beiden äußersten reinschwarz; Hals, Brust und ganze Unterseite hell= gelblichbraun, lebhaft roth überflogen, an den Brustseiten weiße Pünktchen, Unterbauch gelblich=

grau, jede Feder heller gesäumt, untere Schwanzdecken schwarz, ebenfalls fein hell gesäumt; untere Flügelseite fein aschgrau, untere Flügeldecken bräunlichgelbgrau; Schnabel glänzend bleigrau mit schwärzlicher Spitze; Auge dunkelbraun von ganz feinem weißlichgelben Rand umgeben; Füße bleigrau.

Da der Vogel auf den ersten Blick, wie gesagt, dem dunkelrothen Astrild gleicht, so sandte Herr Dühring mir auch ein Exemplar dieses letztern mit und die Vergleichung ergab allerdings bedeutsame Unterschiede. Zunächst ist das Roth keineswegs dunkelpurpurn, sondern ganz entschieden viel heller todtenkopfroth, mit auffallend gelblichem Stich. Die Schattirung der Oberseite ist durchaus nicht olivengrünlichbraun, sondern schwach ins gelbliche scheinend. Der Oberkopf ist nicht roth überflogen, sondern reinaschgrau; während als Hauptkennzeichen aber die unteren Schwanzdecken des dunkelrothen Astrild rein rußschwarz sind, erscheinen sie bei diesem rothgesäumt; der Schnabel ist ebenfalls heller, mehr blau. Auffallend unterscheidet sich zugleich das Weibchen, indem es eine viel heller gelbrothe Schattirung hat.\*) Ich habe nun überall in der betreffenden Literatur umhergesucht, und schon glaubte ich, daß der Vogel die Aegintha—Lagonosticta—rhodopareia Heuglin's sei, doch wird von dieser behauptet, daß der Unterleib sowol, als auch die unteren Schwanzdecken schwarz seien, während dies bei dem vor mir stehenden Vogel nicht der Fall ist. Mit Bestimmtheit kann ich nun freilich nicht behaupten, daß die Abweichungen bedeutsam genug sind, um eine gute Art darauf zu begründen; jedenfalls aber ist der Vogel interessant genug, um ihn hier zu besprechen. Hoffentlich wird es Herrn Dühring gelingen, ihn zu züchten und dann, oder im ungünstigen Falle nach dem Tode dieses Pärchens, wird sich immerhin die Gelegenheit finden, ihn endgiltig festzustellen. Sollte er eine neue, bisher noch nicht beschriebne Art sein, so benenne ich ihn hiermit: Dührings rother Astrild (Aegintha Dühringi, Rss.) und überlasse das weitere der Zukunft.

### Der Larvenastrild [Aegintha larvata].
#### (Nachtrag zu S. 91).

Unter den vielen seltenen Vögeln, welche ich in der Sammlung des Prinzen Ferdinand von Koburg-Gotha sah, befanden sich auch zwei Männchen und ein Weibchen des schönen Larvenamarant, leider freilich bereits im ausgestopften Zustande, doch hatten sich dieselben mehr oder minder lange Zeit dort lebend erhalten. Der Vogel ist so selten, daß ihn selbst das Berliner zoologische Museum nicht besitzt, und umsogrößer war daher meine Freude, ihn hier zum erstenmal vor mir zu erblicken. Zu meiner Ueberraschung aber bot ihn wenige Wochen später Herr L. van der Snickt in Brüssel in der „Gefiederten Welt" aus, Herr R. Schuster, Inhaber der Lüderitz'schen Kunstverlagshandlung in Berlin erhielt zwei Pärchen, und ich bin in der glücklichen Lage, nicht allein ebenfalls ein Par vor mir zu haben, sondern auch die bisher garnicht vorhandne Beschreibung des Weibchens geben zu können. Bemerkt sei zunächst nur noch, daß er im Wesen viel weniger dem kleinen rothen, als dem rothschwänzigen Astrild ähnelt. Das eigenthümliche Schwanzwippen des erstern, auf und nieder, hat er nicht; er thut es vielmehr wie der letzte seitwärts. Auch er gehört nach L. van der Snickt zu den weichlichsten Astrilde. Das prachtvolle Männchen in meinem Besitz ist am Ober- und Hinterkopf schwärzlichgrau; Wangen, Augengegend, Zügel und Kehle schwarz; Nacken und Rücken röthlichgrau (jede Feder an der untern Hälfte und der ganzen Innenseite rein aschgrau, an der obern Hälfte der Außenseite schön dunkel weinroth); Schwingen aschgrau, die letzten mit schwachröthlichem Außensaum; große Flügeldecken aschgrau, breit roth gesäumt; Schwanzfedern schwarz, mit dunkelweinrother Außenfahne, beiderseitig die zwei letzten Federn ganz roth; Brust und Bauch schön weinroth, an beiden Brustseiten weiße, fein schwärzlich gerandete Pünktchen; Unterbauch, Bürzel,

---

\*) Herr Maler Paul Meyerheim gab mir die Farbenunterschiede freundlichst in folgender Weise an: Der dunkelrothe Astrild ist purpurn, eigentlich van Dyck-roth; das Männchen dieser Art oder Varietät Caput mortuum-roth, das Weibchen ocker- (gebrannt) gelbbraun.

untere Schwanzdecken rauchschwarz; untere Schwanzseite schwarzgrau. Oberschnabel schwarzblau, Unterschnabel heller, röthlichsilberblau; Auge schön rothbraun, von schmalem blauen Rand um= geben; Füße schwach röthlichblaugrau. — Das Weibchen ist am Oberkopf bis zum Nacken reinaschgrau mit schwachbläulichem Schein; Kopfseiten und Oberkehle mattgelblichaschgrau; Nacken und ganzer Rücken zart röthlichgrau·(wie beim Männchen jede Feder aschgrau und nur an der obern Hälfte der Außenseite roth); Schwingen aschgrau, breit fahlgrau außengesäumt, die letzten mit breiten gelblichweißen Innensäumen; große Flügeldecken grau, röthlich überhauchte Schwanzfedern dunkelgrau, mit breiten rothen Außensäumen, die beiden mittleren ganz roth; Brust und ganze übrige Unterseite hell weinroth, nur wie überhaucht (jede Feder isabellgrau, nur an der Außenseite der obern Hälfte zart roth; an beiden Brustseiten ebenfalls die weißen Pünktchen); untere Schwanzdecken fahlröthlich; untere Schwanz= und Flügelseite aschgrau; Schnabel schwärzlichblau, Unterschnabel am Grunde heller, röthlich; Auge braun, von einem blauen Rande umgeben; Füße bläulichgrau.

Aegintha larvata: pileo occipiteque fuliginosis; genis, regione ophthal-mica, loris gulaque nigris; cervice dorsoque rubente cinereis (dimidio inferiore pogonioque interno cujusque plumae cinereis, dimidio pogonii exteri intense vinaceo); remigibus cinereis, ultimis exterius rubente sublimbatis; tectricibus al. majoribus cinereis; late rubro-limbatis; pogonio rectricum nigrarum extero obscure vinaceo, ultimis ambabus utrinque totis rubris; pectore, abdomineque laete vinaceis; maculis pleurarum albis, nigrescente submarginatis; crisso, uropygio et infra-caudalibus fuliginosis; cauda subtus nigro-cinerea; maxilla nigro-coerulea, man-dibula dilutiore, rubente subcaesia; margine anguste coeruleo iridi castaneae circum-dato; pedibus rubiginoso-caesiis. — ♀ pileo occipiteque pure cinereis, subcoeruleo-micantibus; capitis lateribus gulaque superiore livide canis; cervice dorsoque toto rubicunde canis (dimidio pogonii tantum extero plumae cujusque basali aeque ac in mare rubro); remigibus cinereis, exterius livide lateque limbatis, ultimis interius flavide albo-limbatis; tectricibus al. majoribus canis, rubente afflatis; rectricibus cinereis, exterius late rubro-limbatis, ambabus intermediis totis rubris; pectore et gastraeo reliquo subvinaceis (dimidio pogonii externi plumae cujusque gilvae basali rubro; punctulis pleurae utriusque etiam albis); infracaudalibus livide rubentibus; latere alarum caudaeque inferiore canis; rostro e nigro coeruleo, basi mandibulae dilutiore; iride fusca, coeruleo-circumcincta; pedibus plumbeis.

Länge 11,8 ᶜᵐ·; Flügel 4,8 ᶜᵐ·; Schwanz 3,9 bis 4,4 ᶜᵐ·

Der weinrothe Astrild [Aegintha vinacea], welcher S. 92 erwähnt ist, befindet sich in dem Verzeichniß der Vogelsammlung des Prinzen von Koburg=Gotha, und in den Anmerkungen von der Hand des Prinzen selber, welche ich neben jenem erhielt, ist folgendes gesagt: „er ist wol der reizendste aller Astrilde; im Benehmen gleicht er sehr dem Schönbürzel. Ich erhielt drei Exemplare von Monsieur Geoffroy de Saint Hilaire, dem Direktor des Jardin d'Acclimatation in Paris, die einzigen, welche er hatte, als Estrelda margaritata. Leider starben sie im Dezember d. J. Einer derselben befindet sich im Wiener Naturalienkabinet, wo die Art bis dahin noch nicht vorhanden war." In dieser Bemerkung des Prinzen sind die bei der vorigen Art erwähnten drei Exemplare gemeint, denn nach meiner Ueberzeugung fallen der Larvenastrild und der weinrothe Astrild als übereinstimmend zusammen. Die oben beschriebenen vor mir befindlichen Vögel sind einerseits sicherlich dieselben, welche der Prinz besessen und andrerseits weichen sie von der Beschreibung, welche Heuglin vom Larvenastrild gegeben, durchaus nicht ab. Der graue oder bräunlichgraue Oberkopf und die mehr oder minder wein= bis purpur= weinrothe Färbung können unmöglich ein stichhaltiges Unterscheidungszeichen sein. Die Größe dürfte nahezu übereinstimmen, denn sie beträgt Länge 11,3 ᶜᵐ·; Flügel 4,8 ᶜᵐ·; Schwanz 4,4 ᶜᵐ·. Hoffentlich ergibt weitere Forschung demnächst mit Sicherheit, ob meine Ansicht richtig ist oder auf Irrthum beruht.

**Der granatrothe Astrild** [Aegintha granátina]. (Ergänzung zu S. 100). Zu Bechstein's Zeit war diese Art bereits lebend eingeführt, doch mit den älteren Ornithologen irrt auch der Genannte, indem er sagt: „Dieser schöne Vogel ist in Brasilien zuhause." Dann aber fügt er hinzu, daß er nach Europa als Stubenvogel gebracht werde, aber sehr theuer sei, denn das Stück koste 4 bis 6 Louisd'or. „Er ist in der Gestalt seines Schnabels dem Stiglitz ähnlich und nimmt auch mit dessen Nahrungsmitteln vorlieb. Seine Bewegungen sind lebhaft und sein Gesang ist ungemein angenehm." In diesem überschwenglichen Lobe schießt der alte Schriftsteller freilich weit über das Ziel hinaus, denn der Granatfink gleicht inhinsicht des Gesangs doch nur allen übrigen Astrilde. Herr Dr. W. Jantzen in Hamburg schreibt mir sodann folgendes: In Ihrem „Handbuch für Vogelliebhaber" las ich die Beschreibung des Granatfink und erinnerte mich, ein Pärchen dieser Vögel besessen zu haben. Als ich im Winter 1869/70 zur Herstellung meiner Gesundheit auf Madeira weilte, pflegte ich oft an Bord der von Kap und von Westafrika ankommenden Schiffe zu gehen, um die reichen Vogelschätze zu betrachten welche sie regelmäßig mitbrachten und aus denen ich dann und wann einen Vogel für billigen Preis kaufte. So erstand ich auch ein Par der mir damals unbekannten Granatfinken und erhielt sie längere Zeit hindurch im Käfige. Sie zeigten sich als ebenso angenehme, ruhige, wie farbenprächtige Vögel. Bestimmt kann ich versichern, daß ich unter den Tausenden von Vögeln, die ich damals auf den Dampfern sah, nur dies einzige Pärchen gefunden habe. Seine Füße sind übrigens schwarz und nicht, wie in manchen Naturgeschichten und auch in Ihrem Werke angegeben, fleischfarben." Von der Richtigkeit dieser letztern Bemerkung habe ich mich an den vor mir stehenden, leider bereits ausgestopften Exemplaren allerdings überzeugt. Herr Aug. F. Wiener in London erließ zu Anfang d. J. 1877 in der „Gefiederten Welt" eine Aufforderung an die Liebhaber der Prachtfinken, daß man eine Subscription veranstalten möge, um einen Preis von 200 Mark als Prämie für den zusammenzubringen, welcher 10 Par Granatfinken einführen, bzl. in den Handel bringen werde. Leider ist dieselbe bis jetzt noch nicht ermöglicht worden. Dagegen hatten auf der „Aegintha"=Ausstellung d. J. 1877 in Berlin Fräulein Ch. Hagenbeck ein Par und Herr H. Möller drei Männchen Granataſtrilde aufzuweisen und beide erhielten für dieselben einen ersten Preis. Auch in der Sammlung des Prinzen Ferdinand von Koburg=Gotha befindet sich diese Art. Bechstein nennt ihn brasilischer Fink, Granatvogel und rothschnäbliger Diſtelfink.

**Der Buntaſtrild** [Aegintha melba]. (Ergänzung zu S. 102). Bechstein nennt ihn grüner Stiglitz (nach dem Chardonneret vert Buffon's und dem Green Goldfinch Latham's). Wie jene läßt auch er ihn aus Brasilien herstammen und sagt: „das Männchen singt lieblich und ergötzt durch seine schöne Farbe. Man steckt es in ein Vogelbauer und gibt ihm Kanarien= und Rübsamen, wobei es sich viele Jahre wohlbefindet." In den letztern Jahren wurde er mehrfach eingeführt. So befand er sich in den Sammlungen des Prinzen Ferdinand von Koburg=Gotha und des Herrn Aug. F. Wiener in London. Herr F. H. Dühring in Hamburg erhielt ein Par durch einen Freund von der Küste von Benguela; Herr Dr. Franken hatte ein Männchen auf der „Aegintha"=Ausstellung i. J. 1876 und Fräulein Chr. Hagenbeck ein Pärchen auf derselben i. J. 1877. Somit läßt sich erwarten, daß die Art hinfort immer zahlreicher in den Vogelstuben erscheinen werde.

### Wiener's Aſtrild [Aegintha Wieneri].

Herr Aug. F. Wiener in London schrieb mir folgendes: „Ich brachte kürzlich viele Stunden im britischen Museum zu, indem ich sämmtliche Vogelbälge der Prachtfinkenarten, welche in den zahlreichen Schubläden noch unaufgestellt ruhen, durchging, ohne den betreffenden oder auch nur einen ähnlichen Vogel zu finden. Schließlich brachte ich die lebenden Vögel selber dorthin, um sie zur genauen Untersuchung vor Augen zu haben — und als Ergebniß zeigt sich, daß mir als Liebhaber der Zufall vier Köpfe einer Art zugeführt hat, von welcher die Wissenschaft bis jetzt noch nichts weiß. Mir wurden die Vögel im Geschäftslokal zum Kauf an=

geboten und ich konnte nichts näheres über sie erfahren. Für den Todesfall mußte ich die Bälge der Verwaltung des britischen Museum versprechen." Als ich dann ein von Frau Wiener gemaltes Aquarellbild des Vogels erhielt, legte ich der Art den obigen Namen bei, und Herr Dr. Otto Finsch, dem ich späterhin ein von Herrn W. gesandtes Exemplar vorlegte, gab die erste wissenschaftliche Beschreibung:

„Gesicht, Stirn, einschließlich Vorderkopf, Backen bis Ohrgegend, Kinn und Oberkehle scharlachroth, Grund der Federn olivenbräunlich durchscheinend; Oberkopf, Halsseiten und Kehle olivenbräunlich mit olivengelbem Anfluge; Außensäume der braunschwarzen, innen heller gerandeten Schwingen orangezinnober, wie die Außensäume der Armdecken; Bürzel und die mittelsten Schwanzfedern tief scharlachroth, die übrigen braunschwarz mit rother Außenfahne; Unterseite auf düster olivengrünlichgelbem Grunde mit undeutlichen ockergelblichen schmalen Wellenlinien; Bauchmitte und After ockergelblich, untere Schwanzdecken ockerweißlich mit dunklem Randmittelfleck und Grunde; die einzelnen Federn der Unterseite weiß mit ein bis zwei düster olivenfarbenen hufeisenförmigen Binden und olivengelblicher Spitze, welche den Anflug der Unterseite verursacht; untere Flügeldecken weißlich, schwach orange angeflogen. Schnabel blutroth; Auge braun; Füße hellroth."

(„Diese zunächst mit dem Buntastrild [Aegintha — Pytelia — melba, L.] verwandte Art unterscheidet sich von letzterer durch die Verschiedenheit in der Querzeichnung der Unterseite, den ockergelblichen Anflug der Bauchmitte und des Hinterleibs, sowie hauptsächlich durch die orangezinnoberrothen Außensäume der Schwingen. Offenbar bezieht sich auf diese Art der bisher nicht mehr zur Untersuchung gelangte ‚Green Goldfinch' von Edwards, auf dessen Darstellung Linné's Fringilla melba theilweise mit beruht und nach der Gmelin jedenfalls seine Beschreibung entwarf. P. hypogrammica, Shrp., unterscheidet sich durch den schwarzen Schnabel und die dunkelschiefergraue mit weißen Quervermiculationen gezeichnete Unterseite. Eine andre hier inbetracht kommende Art ist mir nicht bekannt").

Herr Wiener ist nun im Besitz von noch drei Köpfen dieser ganz neuen bis dahin nicht eingeführten und völlig unbekannten Art, welche eine wichtige Bereicherung der Wissenschaft Ornithologie bildet, umsomehr, da sie eine Erklärung zu den Beschreibungen und Abbildungen, so wie sie gegeben, bietet.

Der Prinz von Koburg schrieb mir sodann folgendes: „Ueber diese Art bin ich noch immer nicht im Klaren. Im zoologischen Museum hier befindet sich ein Weibchen desselben Vogels, welches Pytelia afra, Gml., benannt ist und das vor Jahren in der kaiserlichen Menagerie lebend vorhanden war. Es ähnelt ganz dem in meinem Besitz befindlichen, welches ich Ihnen zeigte. Ebenfalls im Museum ist eine Pytelia hypogrammica, Shrp. ♀ vorhanden, welche mit meinem zweiten Exemplar, das ich für das Männchen ansah, große Aehnlichkeit hat. Somit scheinen P. afra, Gml. und P. Wieneri, Fnsch. übereinstimmend zu sein, was auch durch die Beschreibung der erstern Art in Reichenbach's „Singvögel" einigermaßen angedeutet ist. Mein Pärchen erhielt ich i. J. 1872 von Monsieur Geoffroy. Im Benehmen gleicht es ganz dem Auroraastrild. Das Weibchen legte mehrmals Eier, welche aber alle unbefruchtet waren. Merkwürdig ist es, daß mein angebliches Männchen keinen rothen Kopf und viel grauere Unterseite hatte und auch mehr fein gewellt war als P. hypogrammica. War es vielleicht auch ein Weibchen? Beide aber hatten die olivengelbe Oberseite und die orangebraunen Flügel."

Herr Dr. Finsch hält die Art als selbständige aufrecht, indem er mir noch kürzlich mittheilte: „Meine Vermuthung, daß der Vogel unbedingt aus Afrika herstammen müsse, hat sich bestätigt; ich sah ihn in der neuesten Sammlung des Herrn Hildebrandt aus Afrika." Hoffentlich wird sie demnächst häufiger eingeführt und mein Werk kann dann auf den späteren Tafeln auch eine Abbildung bringen.

Nomenclatur: Aegintha Wieneri, Rss.; Pytelia (richtig Pitylia) Wieneri, Fnsch.

Wissenschaftliche Beschreibung: Durch die Freundlichkeit des Herrn Wiener selbst bin ich in der Lage, noch eine, die obige in etwas ergänzende Beschreibung geben zu können: Breiter

Stirnstreif, breiter Augenbrauenstreif und Streif von einer Backe übers Kinn zur andern karmoisin=
roth; Oberkopf und Rücken dunkel olivengrünlichgrau; Flügel heller, gelblicholivengrün; Schwingen
aschgrau, breit gelbroth außengerandet, erste einfarbig aschgrau, blos mit hellem breiten Innen=
saum; große und kleine Flügeldecken gelblicholivengrün mit breitem rothen Außensaum; Unter=
rücken, Bürzel und obere Schwanzseite dunkelgelbroth (jede Feder dunkelaschgrau mit rother
Außenfahne), die beiden äußersten Schwanzfedern einfarbig roth; Kehle und Oberbrust oliven=
grünlichgelbgrau, jede Feder fahlweiß marmorirt; Brust, Brust= und Bauchseiten weiß, bräunlich
und gelb marmorirt; Bauch gelbweiß; untere Schwanzdecken bräunlichweiß und braungrau
gebändert; Schulterfedern rothgelb gesäumt, Achsel röthlichfahlweiß; untere Flügel= und Schwanz=
seite aschgrau. Schnabel roth, Ober= und Unterschnabel am Grunde schwach bläulich; Auge
braun; Füße hell hornfarben. Die Gestalt gleicht der des Auroraastrild, doch ist Wiener's
Astrild gedrungener und auch ein wenig kleiner; der Schnabel ist lang gestreckt, der Schwanz
kurz, gerundet.

Aegintha Wieneri: stria frontali et superciliari lata, striaque circumcirca
mentum ad genas usque coccineis; pileo cerviceque olivaceo-fumidis; alis dilutioribus,
subolivaceo-fumidis; remigibus cinereis, exterius late subfulvo-marginatis, primo unicolore, tantum interius late dilutiusque marginato; tectricibus al. majoribus et minoribus
flavide olivaceo-viridibus, exterius late rubro-marginatis; tergo, uropygio et supracaudalibus fulvis (pogonio plumae cujusque cinereae extero rubro); rectricibus ambabus
extimis unicoloribus rubris; pluma quaque gulae gutturisque olivaceo-gilvorum sordide
albo-marmorata; pectore, pleuris et hypochondriis albis, subfusco flavoque marmoratis;
abdomine flavide albo; infracaudalibus sordide albis, fumide fasciatis; scapularibus
fulvo-limbatis; axilla rubente albida; latere alarum caudaeque inferiore cinereo, basi
rostri rubri subcoerulea; iride fusca; pedibus dilute corneis.

**Der Sonnenastrild** [Aegintha Phaëthon]. (Ergänzung zu S. 111). Die S. 113 aus=
gesprochene Voraussetzung, daß der Sonnenastrild unschwer in der Gefangenschaft nisten werde,
hat sich überraschend bald bewahrheitet. Im Jahre 1876 erhielt ich durch einen Zufall endlich
ein Weibchen und zwar nicht wie es mir bereits mehrfach vorgekommen, einen jungen Vogel,
der sich dann zum Männchen ausfärbte, sondern ein älteres bereits vollständig nistfähiges
Weibchen. Da ich zu jener Zeit aber kein Männchen erlangen konnte, so überließ ich dasselbe
auf besondern Wunsch Fräulein Christiane Hagenbeck, welche ein Pärchen für Herrn
F. Schmidt in Hamburg bestimmt hatte. Diesem letztern ist nun eine glückliche Zucht ge=
lungen und er schreibt über dieselbe wie folgt: „Sie und alle Leser werden gewiß meine Freude
über einen solchen Erfolg theilen und ich will daher den Verlauf dieser höchst interessanten Brut
schildern. Zu Anfang des Sommers brachte ich das Pärchen in ein großes Heckbauer, in welchem
es bald nistete; leider starben jedoch im Alter von etwa acht Tagen die Jungen, wie ich ver=
muthe infolge der Fütterung mit nassem Grünkraut. Um die Mitte des Monats Juli ließ ich
die Sonnenastrilde in die Vogelstube fliegen, wo sie freilich die kleineren Astrilde in arger Weise
tyrannisirten. Nach vierzehn Tagen schritten sie aber schon zur zweiten Brut, bauten in einem
offnen Kästchen ihr Nest aus Agavefasern und Grashalmen mit langer Eingangsröhre und
innen mit Federn ausgepolstert. Die Brutdauer beträgt 11 bis 12 Tage und die Eier sind
reinweiß. Aus Furcht, zu stören, habe ich die Jungen in der ersten Entwicklung nicht besehen,
nur kann ich versichern, daß sie im Alter von 23 Tagen ausgeflogen sind. Ich war gerade auf
meinem Beobachtungsposten, als sie das Nest verließen. Das alte Weibchen saß vor demselben
und lockte und heraus kamen ein, zwei, drei, vier, fünf reizende bewegliche Vögelchen, hurtig wie
kleine Kubafinken. Das Gefieder ist schmutzig hellbraun, die Brust heller; eine röthliche Färbung
des Bürzels und der Deckfedern läßt die Art erkennen. Ein Junges ist leider gestorben, die
andern entwickelten sich aber in erfreulicher Weise. Erwähnen will ich noch, daß die Alten
wenigstens 25 Mehlwürmer täglich verzehrt haben, welche sie mir fast aus der Hand holten.
Ihr Nest vertheidigten sie muthvoll, indem sie mich mit fächerartig ausgebreiteten Schwänzen

umkreisten, sobald ich mich zu sehr näherte." Herr Schmidt sandte mir im September das todte junge Vögelchen und dasselbe steht im Berliner zoologischen Museum.

Jugendkleid: Kopf, Rücken, Wangen und Hals fahl erdbraun; Flügel graubraun, Schwingen dunkler schwärzlichbraun mit feinen fahlen Außensäumen, die letzten und ebenso die großen Flügeldecken fahl röthlich angehaucht; obere Schwanzdecken fahl röthlich; Schwanzfedern rothbraun; Kehle und Oberbrust heller fahlbraun als der Kopf; ganze Unterseite düster bräunlich₋ gelb; untere Flügeldecken fahl bräunlichgelb, Schwingen unterseits aschgrau mit breitem fahlen Innensaum, untere Schwanzdecken fahlgelb, Unterseite der Schwanzfedern fahl röthlichbraun; Schnabel glänzendschwarz, Wachshaut weißlichgelb; Auge schwarz; Füße bräunlichhorngrau, Sohlen und Unterseite der Knöchel hell gelblichhorngrau.

Juvenis: capite, genis, collo dorsoque livide umbrinis; gula guttureque palli. dioribus; alis fumidis; remigibus nigrescente fuscis, exterius livide limbatis; remigibus ultimis et tectricibus al. majoribus rubicunde afflatis; supracaudalibus livide rubentibus; cauda rufa; gastraeo toto luride ochraceo; subalaribus livide ochraceis; latere inferiore remigum interius late livide limbatorum cinereo; infracaudalibus gilvis; latere rectricum inferiore livide badio; rostro nitide nigro; cera albide flava, iride nigra; pedibus e fusco corneis; plantis latereque malleolorum inferiore flavescentibus.

**Der Ringelastrild** [Aegintha Bichenovi]. (Ergänzung zu S. 119). Ein altes sehr kräftiges und garnicht scheues Pärchen erbaute in meiner Vogelstube mehrere Nester mit großem Eifer und zwar in einer von der anderer Pärchen durchaus verschiednen Weise. Als Baustoff nahmen sie nur Agavefasern, wenige Baststreifen, Fäden und Rispen von Rohr. Das Nest bildet einen Beutel in Gestalt einer Börse mit langgestreckter und dann plötzlich nach unten ausmündender Flugröhre. Es ist von ähnlichem Gefüge wie das Gewebe der ostindischen Bayaweber und weicht also von den Nestern aller übrigen Prachtfinken ganz entschieden ab. Solcher Nester standen fünf oder sechs nebeneinander, doch nur das eine war vollendet. Im übrigen glich die Brut völlig der S. 121 geschilderten.

**Der gemalte Astrild** [Aegintha picta]. (Ergänzung zu S. 122). Im März 1877 sandte mir Herr Wiener aus London ein todtes Männchen, welches ich dem zoologischen Museum von Berlin übermachte. Der Kustos, Herr Dr. Reichenow schrieb mir: „Es ist ein junges Männchen. Wir haben erst ein Exemplar, etwas älter, aber noch nicht ausgefärbt; welches wir auch Ihrer Güte verdanken (ebenfalls von Herrn Wiener). Schade, daß das vorliegende durch die Versendung mit der Post so sehr mitgenommen ist. Vielleicht erhalten Sie wieder einmal ein Exemplar und bedenken dann unser Museum." In irgend einer andern Sammlung außer der des Herrn Wiener dürfte sich der Vogel lebend nicht befinden.

**Die Rothkopfamandine** [Spermestes erythrocéphala]. (Ergänzung zu S. 133). Die Art an und für sich ist bis jetzt meines wissens nicht weiter eingeführt, und da die in der Vogelstube des Herrn Graf Rödern wie in der meinigen befindlichen Pärchen gestorben, bevor sie genistet haben, so läßt sich nichts näheres berichten. Die S. 134 erwähnten Bastarde nisteten niemals unter sich, sondern nur mit Bandfinken gepart weiter. Es zeigte sich aber die sonderbare Erscheinung, daß die dann erzeugten Jungen schon in der nächsten Generation von den gewöhnlichen Bandfinken nicht mehr zu unterscheiden waren; auch längere Züchtung ergab niemals Rückschläge.

**Die braune Reisamandine** [Spermestes fuscata]. (Ergänzung zu S. 142). Auf der Aus= stellung des Ornithologischen Vereins in Wien im Jahre 1878 hatte der Prinz von Koburg auch einen einzelnen Vogel, welchen man im ersten Augenblick wirklich für jene verloren gegan= gene, gleichsam mystische Art, den Padda brun Vieillot's, hätte halten können. Nach meiner Ueberzeugung war es jedoch ein Bastard von dem gemeinen Reisvogel (Spermestes oryzi- vora, L.) und dem Schilffink (S. castanóthorax, Gld.), also staunenswertherweise von einer ostindischen und einer australischen Art und zwar wird der Schilffink jedenfalls das Männchen gewesen sein.

**Die größte Elſteramandine** [Spermestes fringillína]. Seitdem ich die Schilderung S. 143 geſchrieben, iſt dieſe Art ſo häufig eingeführt, daß ſie keineswegs mehr zu den ſelteneren Vögeln des Handels gehört, und obwol im Jahre 1868 noch nicht einmal im Berliner zoologiſchen Muſeum vorhanden, geſchweige denn in den Vogelſtuben, iſt ſie gegenwärtig bereits in unzäh= ligen Fällen gezüchtet. Bedürfte es überhaupt noch eines Beweiſes, wohin dieſe Art im Syſtem zu ſtellen iſt, ſo könnte derſelbe in folgendem geliefert ſein. Nachdem ich die Rieſenelſterchen in großer Anzahl gezüchtet, gab ich die ganze Geſellſchaft ab, um Platz für andere Ankömmlinge zu gewinnen. Nur ein altes Heckweibchen blieb zurück, weil ihm einſt von einem Papagei ein Flügel zerbiſſen und ſchief geheilt war, ſodaß es zwar fliegen konnte, aber nicht verkäuflich erſchien. Zu demſelben ſetzte ich ein Männchen kleiner Elſterchen (Spermestes cucullata, *Swns.*), mit welchem es ſich ſogleich parte und zu niſten begann, ohne daß ich im Ernſt an einen Erfolg glaubte, weil die beiden Vögel inhinſicht der Größe doch zu verſchieden ſind. Trotzdem wurden vier Junge ausgebrütet und glücklich flügge. Das Jugendkleid gleicht dem des Rieſenelſterchens durchaus und die jungen Vögel waren beim Neſtverlaſſen bereits bemerkbar größer als das alte Männchen. Nach der Verfärbung zeigten ſie eine intereſſante Miſchung der charakteriſtiſchen Merkmale beider Arten. Einen der Miſchlinge gab ich an das zoologiſche Muſeum von Berlin.

**Die japaneſiſchen Mövchen** [Spermestes acuticaúda, var.]. (Ergänzung zu S. 154). Bisher iſt es noch immer nicht mit voller Sicherheit feſtgeſtellt worden, ob dieſe wunderlichen Kulturvögel wirklich von dem ſpitzſchwänzigen Bronzemännchen (Spermestes acuticauda, *Hdgs.* oder von dem geſtreiften B. (S. striata, *L.*) herſtammen. Inzwiſchen züchtet man ſie mit immer größeren Erfolgen und auch Baſtarde von den verſchiedenſten Prachtfinken werden mit ihnen gezogen. Vorzugsweiſe intereſſant erſcheint der Erfolg des Herrn E. Hald in Hamburg, welcher Miſchlinge vom Mövchen und der weißköpfigen Nonne (S. Maja, *L.*) züchtete; ferner die des Herrn Buchdruckereidirektor W. Elsner in Berlin, in Miſchlingen vom Mövchen und Silberfaſänchen (S. cantans, *L.*) beſtehend u. ſ. w. Dergleichen Miſchlingszucht iſt bis jetzt jedoch reine Spielerei geblieben, einerſeits weil die Parungen, bzl. Ergebniſſe faſt regelmäßig nur vom Zufall abhängen und andrerſeits weil es bisher noch nicht gelungen iſt, ſachgemäß weiter zu züchten.

**Die weißköpfige Nonnen = Amandine** [Spermestes Maja]. (Zuſatz zu S. 163). Während es bis jetzt noch nicht ermöglicht worden, die Nonnenvögel überhaupt zu züchten, ſo hat Herr Fabrikdirektor Linke in Lariſch einen geradezu ans wunderbare grenzenden Erfolg erreicht, indem er Miſchlinge von der weißköpfigen Nonne und dem Schilffink (Spermestes castanó- thorax, *Gld.*) in mehreren Bruten erzielte, alſo von einer Art, die noch garnicht in der Ge= ſangenſchaft geniſtet hatte, während die andre in der letztern Zeit freilich in einzelnen, jedoch immer nur ſehr ſeltenen Fällen gezüchtet worden.

**Die Zebra = Amandine** [Spermestes castanótis]. (Bemerkung zu S. 172). Eine der intereſſanteſten aller Miſchlingszüchten hat Herr Graf York von Wartenburg erreicht, indem er Miſchlinge vom Zebrafink und Diamantfink (Spermestes guttata, *Shw.*) in der Vogelſtube zog. Ein Männchen derſelben in meinem Beſitz zeigt die ſchönen charakteriſtiſchen Kennzeichen beider Arten in einer Vereinigung, welche es als einen bewundernswürdig ſchönen Vogel erſcheinen läßt.

**Die Feuerſchwanz=Amandine** [Spermestes nitida] iſt ſeither von Abrahams in London und H. Möller in Hamburg eingeführt worden. Ich erhielt ein Pärchen und ſah ein ſolches in der Sammlung des Prinzen von Koburg-Gotha. Die Vögel waren im Gegenſatz zu dem S. 181 geſchilderten überaus kräftig und munter, trotzdem ſind die des Prinzen laut brieflicher Nachricht „in räthſelhafter Weiſe" eingegangen; ebenſo ſtarben die meinigen einer nach dem andern plötzlich, ohne daß ich eine Veranlaſſung ermitteln konnte.

**Die lauchgrüne Papagei=Amandine** [Spermestes práſina]. (Zuſatz zu S. 190). In letzter Zeit (1878) iſt ſie mehrmals und zwar von Herrn Abrahams in London ſogar in 40 Pärchen eingeführt worden. Ein Pärchen, welches ich im Sommer 1877 in der Vogelſtube hielt, hatte während meiner Sommerreise geniſtet, dann aber war das Männchen eingegangen. Als die Vogelſtube im Herbſt ausgeräumt wurde, fand ich das Neſt mit den nahezu flüggen, vertrockneten Jungen, an deren zarter Befiederung, namentlich an Flügel und Schwanz, ſich die Art ſchon mit Sicherheit feſtſtellen ließ.

## Die eigentliche Papagei-Amandine [Spermestes psittácea].
### (Nachtrag zu S. 192).

„Während ich im Mai 1877 von London abweſend war", ſchrieb mir Herr Wiener, „hatte Jamrach neueingeführte grüne ‚Bartvögel‘ angezeigt, und als ich im Juni zurückkam, fand ich noch ein Exemplar übrig, welches, weil es kahl war und blos ein Auge hatte, unverkauft geblieben. Dieſen Vogel erſtand ich ſofort mit der Bedingung, daß mir der Käufer der anderen zwei tadelloſen genannt werde. Letztere hatten ſchon mehrfach den Beſitzer gewechſelt und waren dabei nicht billiger geworden, aber ich fand ſie heraus und taufte ſie anfangs Juni; ſo kam ich in den Beſitz von drei eigentlichen Papageiamandinen. Eine gründliche Unterſuchung der Vogelbälge im britiſchen Muſeum, welche nicht aufgeſtellt ſind, führte mir endlich zwei Exem= plare in die Hand, deren Vergleichung mit meinen drei lebenden alle Zweifel löſte. Die erſteren ſind nach der Unterſuchung als Männchen und Weibchen bezeichnet, doch erſcheinen ſie einander ungemein ähnlich. Das Scharlachroth des Kopfes und der Bruſt iſt bei dem einen Exemplar ein wenig lebhafter und ausgedehnter, aber der Unterſchied zeigt ſich ſo gering, daß er vielleicht eher auf Verſchiedenheit im Alter oder Zufall, als auf Geſchlechtsmerkmalen beruhen dürfte. Auch bei meinen lebenden Vögeln kann ich die Geſchlechter nicht unterſcheiden. Die Beſchrei= bung in Ihrem Werke iſt richtig, nur iſt das Auge ſchwarz und die Füße ſind ſchwärzlichgrau= braun. Meine drei Papageiamandinen bewohnen eine Abtheilung einer großen Flugvolière mit zwei Par Wiener's Aſtrilde und einem Par Ringelaſtrilde gemeinſchaftlich. Sie fühlten ſich bald heimiſch, waren ſehr munter und verträglich, behender, lebhafter und anmuthiger als die lauchgrünen Papagei-Amandinen. Während ich wieder verreiſen mußte und bis zu Anfang des Auguſt fort war, wurde ich durch die Nachricht erfreut, daß meine grün und rothen Finken, wie wir ſie damals nannten, ein Neſt gebaut und vier Eier gelegt hatten; die zweite Nachricht ſagte, die Eier ſeien ausgebrütet und eine dritte, es ſeien vier Junge aus= geflogen. Bei meiner Rückkehr fand ich den kleinen Schwarm von vier ſehr kräftigen, ſchön ent= wickelten jungen Papageiamandinen neben den drei Alten, ſowie das Neſt vor. Letztres war in ein hochhängendes Harzerbauerchen mit Flugloch an der Seite gebaut. Das Bauerchen hatten die Vögel mit Aloëfaſern ganz gefüllt und in einer tiefen überwölbten Mulde waren die Jungen herangewachſen. Inzwiſchen war von den Alten ſchon ein neues Neſt aus Aloëfaſern frei auf das Harzerbauerchen hergeſtellt und abermals waren vier Eier gelegt. Daſſelbe ſchien mir jedoch nicht feſt genug gebaut, die noch nicht ganz ſelbſtändigen Jungen ſetzten ſich manchmal zu den brütenden Alten mit ins neue Neſt hinein oder darauf, wodurch es noch loſer wurde. Ich hielt es für rathſam, daſſelbe zu zerſtören, einerſeits damit die Alten ihre Jungen ſolange als möglich füttern ſollten und andrerſeits um ſie zu veranlaſſen, ein neues, Ausſicht auf Erfolg verſprechendes zu errichten. Von den vier weißen und ziemlich großen Eiern waren drei befruchtet und eins untauglich. An die Stelle des erſten Neſtes wurde nun ein friſches leeres Harzerbauerchen gehängt, und alsbald bauten die Vögel ein drittes in daſſelbe genau wie jenes. Wie viele Eier ſie legten, konnte ich mit Beſtimmtheit nicht ermitteln, weil die Neſtmulde zu tief war, um ſie überſehen zu können. Bis das Brüten begann, waren die vier Jungen ganz ſelbſtändig geworden und das Gefieder an Kopf und Bruſt zeigte Sproſſen kleiner ſcharlachrother Federn, der obere Schnabel war bereits ſchwarz. Ich ließ nun die Jungen ein= fangen und von den Alten trennen, wobei mir leider das Unglück geſchah, daß der Käfig von einem kleinen, auf Mäuſe abgerichteten Rattenfänger (Terrier), der noch niemals einen Vogel berührt oder auch nur beläſtigt hatte, überfallen und drei der unerſetzlichen Jungen todt= gebiſſen wurden. Das noch lebende vierte verfärbt ſich ganz ſchön, es iſt jetzt etwa drei Monate alt und hat an Kopf, Hals und Brust scharlachrothe Fleckchen, welche von Woche zu Woche mehr hervortreten. Wie lange die Alten auf dem letzten Gelege brüteten, kann ich nicht bestimmt sagen, es schien mir aber länger als vierzehn Tage. Am 2. September bemerkte ich Junge, welche ein oder zwei Tage alt sein mochten. Am 22. September flogen drei solche recht schön entwickelte aus dem Neste. Eine merkwürdige Erscheinung an den jungen Vögeln sind zwei kleine Bläschen an der Schnabelwurzel, das eine am Ober-, das andre am Unterkiefer, erstres etwas weiter zurück, sodaß beide, wenn der Schnabel geschlossen ist, vor einander stehen. Diese Bläschen sind von der Größe eines sehr kleinen Stecknadelkopfs und glänzen wie die schönsten Perlen, verlieren sich aber bald nach dem Ausfliegen. — Die Vögel erhalten Kanariensamen, Hirse (französische, geschälte und Kolbenhirse), Grünkraut, Eierbrot und Eikonserve. Mehlwürmer habe ich ganz vermieden. Falls es den Alten belieben sollte, im Winter weiter zu nisten, gedenke ich sie darin nicht zu stören. Seit ich am 22. Dezember vorigen Jahres eine Brut Safranfinken ausfliegen sah, welche glücklich groß wurde, bin ich überzeugt davon, daß es möglich ist, mit Hülfe von Petroleumlampen auch im Winter Vögel zu züchten und großzuziehen.

Das von der ersten Brut übrig gebliebene Junge sandte Herr Wiener im noch unausgefärbten Zustande zur „Aegintha"-Ausstellung 1877 nach Berlin und ich behielt es dann als werthvolles Geschenk in meiner Vogelstube, wo es sich prächtig ausfärbte. Hoffentlich wird die weitere Zucht ihm demnächst noch reiche Erfolge bringen. Der Prinz von Koburg theilte mir mit, daß er die eigentliche Papageiamandine in einem Exemplar bereits im Jahre 1873 bei Monsieur Geoffroy de St. Hilaire in Paris gesehen, doch sei der Vogel dort unverkäuflich gewesen.

Das Jugendkleid ist matt grünlichbraun ohne rothe Färbung an Kopf und Brust, nur an der Schnabelwurzel zeigt sich mattes Roth. Schnabel gelb; Füße hell gelbgrau. — Das Nest besteht gleich denen naheverwandter Prachtfinken in einer geräumigen Kugel aus sehr weichen Aloëfasern in der Größe eines Kinderkopfs, mit einem weiten Schlupfloch. Mehr zum Schmuck als etwa zur Auspolsterung sind einige Papageienfedern eingewebt.

Juvenis: sordide virente umbrina, colore capitis pectorisque rubro carens; basi rostri flavi sola rubente; pedibus gilvo-canis.

Beschreibung des Eies: Schneeweiß, ohne Glanz; Länge 18 mm, Breite 13 mm (Nehrkorn).

Ovum niveum, opacum.

Die rothbrüstige und die geschuppte Samenknacker-Amandine [Spermestes haemátiña et S. Luchsi] wurden im Frühjahr 1878 durch den Händler Herrn Fockelmann in Hamburg in größerer Anzahl eingeführt und dann von Fräulein Hagenbeck in den Handel gebracht. Leider waren es nur Männchen und Herr Fockelmann, welcher angibt, daß die Weibchen auf dem Rücken kaffeebraun und der Brust grau seien, sagt: „dieselben kommen sehr selten vor und werden wahrscheinlich in der Heimat von den Fängern aus Unkenntniß getödtet." (Zu S. 193).

### Der Rodriguez-Webervogel [Ploceus flávicans].
#### (Ergänzung zu S. 254).

Nachdem ich diesen Weber nur beiläufig erwähnt, bin ich jetzt veranlaßt, eine ausführliche Beschreibung geben zu müssen, da er seitdem im Besitz der Herren Pfarrer Winckler in Fischenthal bei Zürich, des Prinzen Ferdinand von Koburg-Gotha und im zoologischen Garten von Berlin sich befunden. Herr Dr. Stölker machte mich zuerst darauf aufmerksam, daß diese Art bereits eingeführt sei und Herr Winckler bestätigte seine Angabe. Im zoologischen Garten konnte ich das vorhandene einzelne Männchen beobachten, indem es mit einem Madagaskarweberweibchen nistete. Es gleicht in seinem ganzen Wesen durchaus der letztern Art. Der Prinz von Koburg schreibt: „Es ist möglich, daß der Vogel in meinem Besitz eine gelbe Varietät des Madagaskarwebers war, doch verfärbte er sich regelmäßig in ein dunkel chromgelbes Prachtkleid und auch sein Winterkleid war mehr gelbbraun. (Er wurde von großen Webervögeln getödtet."

Wissenschaftliche Beschreibung: Oberhalb düster olivengrünlichbraun; Stirn und ein breiter Streif rings um den Schnabel lebhaft röthlichgelb; Oberkopf, Kehle und Oberbrust hochgelb; an Rücken und Schultern jede Feder mit breitem dunkelbraunen Mittelfleck; Schwingen und Schwanzfedern olivengrünlichbraun, schmal fahl außengesäumt, über den Flügel zwei breite weißliche Querbinden; Brust, Bauch und Hinterleib gelblichweiß, Brustseiten fahler gelblich; Bauchseiten und untere Schwanzdecken fahl olivengrünlichbraun; Schnabel glänzendschwarz; Auge braun, fein schwarz umrandet; Füße röthlichbraun. — Das Weibchen (welches ich nicht gesehen habe) ist oberhalb düster olivengrünlichgraubraun und dunkler schaftfleckig; Augenbrauenstreif grüngelblichgrau; über den Flügel ebenfalls zwei breite fahlweiße Binden; ganze Unterseite olivengrünlichgelbgrau, Brust- und Bauchseiten bräunlich; Schnabel röthlich-braun, Unterschnabel heller. Auge dunkelbraun; Füße fahlröthlichbraun.

Ploceus flavicans: supra olivaceo-virente fuscus, fronte striaque lata circa rostrum laete fulvis; pileo, gula guttureque luteis; pluma quaque dorsi et scapularum maculam mediam latam ostendente fuscam; remigibus et rectricibus olivaceo-virente umbrinis, exterius livide sublimbatis; fasciis duabus trans alam albidis; pectore abdomine crissoque flavide albis; pleuris livide flavidis; hypochondriis et infracaudalibus olivaceo-virescente umbrinis; rostro nitide nigro; iride fusca, subnigro-circumcincta, pedibus castaneis. ♀ supra olivaceo-virente fumida, obscurius maculata; stria superciliari viride gilva; fasciis duabus latis trans alam albidis; subtus olivaceo-virescens, pleuris et hypochondriis subfuscis; rostro badio, mandibula pallidiore; iride fusca; pedibus livide badiis.

### Ruß' rothschnäbliger Webervogel [Ploceus Russi].
#### Tafel VIII. Vogel 40.

Seit Jahren bereits war in den Vogelhandlungen ein Webervogel vorhanden, welcher mit dem S. 255 geschilderten rothschnäbligen Webervogel als übereinstimmend zusammenge-worfen und niemals beschrieben worden. Als ich die letzte Art, also den allbekannten Blutschnabel-weber schilderte, wagte ich noch nicht zu behaupten, daß der unter Nr. 40 abgebildete Vogel eine selbständige Art sei. Zur vollen Gewißheit, daß der in meinem Besitz befindliche Vogel kein ein-zelner zufällig abweichender Blutschnabelweber sei, gelangte ich dadurch, daß einerseits in den Zucht-stuben der Herren Schriftsteller B. Dürigen, Buchdruckereidirektor W. Elsner, U. Sauter und der Frau Kommerzienrath Borsig gleiche Exemplare sich befanden und daß andrerseits solche auch in den Handlungen von Fräulein Hagenbeck, H. Möller und W. Mieth im Herbst 1877 in zahlreichen Köpfen vorhanden waren; auch in der Vogelstube des Prinzen von Koburg-Gotha sah ich ein Par. Ein Männchen, welches ich seit nahezu fünf Jahren besitze und das sich stets in gleicher Weise zum Prachtgefieder verfärbt, sandte ich an Herrn Dr. O. Finsch, welcher die erste wissenschaftliche Beschreibung gegeben: „Größe des gem. Blutschnabelwebers. Oberkopf, Nacken, Halsseiten, Brust und Bauch lebhaft rosapfirsichroth; Stirn, Kopfseiten bis zur Ohrgegend, Kinn und Oberkehle strohisabellgelb; Kinn schwarz im Gesicht (um die gelben Wangen und überm Auge bis zum Nasenloch im höhern Alter ein feiner schwärzlicher Streif); Brust- und Bauchseiten hellbraun, untrer Hinterleib und untere Schwanzdecken gelblich-weiß, ersterer rosa angehaucht; Rückenfärbung wie beim Blutschnabel, doch die Nacken- und Rückenfedern schwach rosenroth angehaucht. Schnabel blutroth; Auge braun mit schön rothem, feingeperlten Ring; Füße hellroth." Das Wbch. ist mit dem des gem. Blutschnabelwebers durchaus übereinstimmend und hat zur Brutzeit auch denselben wachsgelben Schnabel.

(„Diese durch die isabellgelbliche Färbung der Kopfseiten ausgezeichnete Art weiß ich mit keiner bekannten in Einklang zu bringen und muß dieselbe für neu halten. Sie unterscheidet sich von den Nächstverwandten, gem. Blutschnabelweber (Ploceus sanguinirostris, L.) und äthiopischen Blutschnabelweber (P. aethiopicus, Sndvll.) schon genügend durch den Mangel des schwarzen Gesichts. Die Heimat ist jedenfalls Afrika, doch wäre eine Sicherstellung der Oertlichkeit sehr zu wünschen." Dr. O. Finsch). Die Vögel kommen mit den gem. Blut=schnäbeln zugleich in den Handel; Heimat, Freileben, Ernährung wie alles übrige werden daher wol übereinstimmend sein. Gegenwärtig bauen fünf Pärchen in meiner Vogelstube eifrig ihre Nester und hoffentlich wird es gelingen, sie glücklich zu züchten.

Ruß' rothschnäbliger Webervogel heißt auch gelbwangiger rothschnäbliger Weber=vogel (Finsch), rosenrother Webervogel (Ruß) und Rußweber (bei den Händlern).

Nomenclatur: Ploceus Russi, *Fnsch.*

Wissenschaftliche Beschreibung: Gestalt und Größe des gem. Blutschnabelwebers; breiter Stirnrand und Kehle rothgelb; Zügel und Wangen fahlröthlichgelb; Oberkopf, Nacken bis zum Hinterhals, Halsseiten und Oberbrust prächtig rosenroth; Oberrücken grünlichgrau, jede Feder zart rosenroth gesäumt; Rücken schwarzbraun, jede Feder breitfahl gesäumt; Schwingen und Schwanzfedern schwärzlichbraun mit schmalem röthlichgelben Außensaum; Schulterrand hell röthlichgelb, Achsel fahlgelb; am Unterrücken tritt die schwärzliche Farbe der Federn immer mehr zurück, sodaß dieselben bräunlichfahl sind mit verschwimmenden dunklen Rippen; Brust= und Bauchseiten bräunlichgelbroth; hinterer Unterleib rosenröthlichweiß; untere Schwanzdecken bräunlichweiß; untere Flügel= und Schwanzseite rein aschgrau; Schnabel glänzend blutroth; Auge braun, mit schön purpurrothem geperlten Rand umgeben; Füße orangeroth. — Männchen im Winterkleide und Weibchen: Stirn und Oberkopf aschgrau, jede Feder fein heller gesäumt, nach hinten zu jede Feder isabellbräunlich gespitzt, Augenbrauenstreif, Streif unterm Auge und Bartstreif, wie die Kehle fahlweiß, oberhalb des Auges ist der Streif rosenroth angehaucht (und dies dürfte ein sicheres Unterscheidungszeichen sein). Wangengegend vom Auge zum Nacken und ebenso ein kurzer Streif am Mundwinkel aschgrau; Mantel, Ober= und Unterrücken isabellfarben, jede Feder mit breitem schwarzen Mittelstreif; große und kleine Flügeldecken schwarz, sehr breit isabellfarben gesäumt; Schwingen dunkelaschgrau mit schmalen fahl röthlichgelben Außensäumen, die erste und zweite Schwinge fast ohne dieselben; Schulter=rand schön hell orangegelb; Schwanzfedern schwärzlichaschgrau mit feinen orangegelben Außen=säumen und schmalen fahlen Innensäumen; Brust bräunlichweiß; Bauch isabellweiß, Unterbauch reinweiß, untere Schwanzdecken isabellfarben; untere Schwanz= und Flügelseite aschgrau; Körper=seiten dunkel isabellgrau; Schnabel blutroth; Auge dunkelbraun; Füße fahlroth.

Ploceus Russi: statura et magnitudine Pl. sanguinirostris; margine frontali lato gulaque fulvis; loris genisque livide subfulvis; pileo, nucha usque ad cer-vicem, colli lateribus gutture que laetissime roseis; pluma auchenii quaque subroseo-limbata; plumis singulis interscapilii dorsique nigro-fuscorum livide lateque limbatis; remigibus et rectricibus fuliginosis, exterius fulvescente marginatis; campterio subfulvo; axilla gilva; tergo livide umbrino, obscurius substriato; pleuris et hy-pochondriis sordide fulvis; crisso subroseo-albo; infracaudalibus sordide albis; latere alarum caudaeque inferiore cinereo; rostro nitide sanguineo; cingulo pur-pureo-punctulato iridi fuscae circumdato; pedibus aurantio-rubris. ♂ vest. hiem. et ♀: pluma frontis pileique cinereorum quaque dilutius sublimbata, post sordide ochraceo-terminata; striis superciliari, hypophthalmica et mystacali necnon gula albis, stria superciliari roseo-lavata (signo marem a femella verosimiliter discernente); genis ab oculo ad nucham usque, striaque brevi capistri cinereis; interscapilio, dorso tergoque isabellinis, nigro-vittatis; tectricibus al. majoribus et minoribus nigris, latissime isabellino-limbatis; remigibus obscure cinereis, exterius subfulvo-limbatis, primo se-cundoque fere unicoloribus; campterio laete aurantio; rectricibus fumidis exterius au-rantio-, interius livide limbatis; pectore sordide albo; abdomine gilvo-albido; crisso pure albo; infracaudalibus isabellinis; latere alarum caudaeque inferiore cinereo; pleuris et hypochondriis gilvo-cinereis; rostro sanguineo; iride fusca; pedibus livide rubris.

Länge 11,8 $^{cm.}$; Flügel 6,6 $^{cm.}$; Schwanz 3,6 $^{cm.}$

Der Baya-Webervogel [Ploceus baya], der Manyar-Webervogel [P. manyar], der Bengalen-Webervogel [P. bengalensis] und der gelbbrüstige Webervogel [P. hypoxanthus]. Nachdem ich die S. 265 ff. geschilderten ostindischen Weber mehrere Jahre hindurch in der Vogelstube gehalten und mit großem Glück gezüchtet hatte, fing ich sie sämmtlich heraus und bin nun imstande, die Beschreibung auch durch Darstellung der Winterkleider und Färbung der Weibchen zu ergänzen: Der Bayaweber im Winterkleide (und Weibchen) ist am Oberkopf und der ganzen Oberseite bräunlichgelb mit schwacholivengrünlichen Ton, jede Feder mit breitem schwarzbraunen Schaftstreif; Augenbrauen- und Bartstreif hellgelb; Gesicht und Kehle gelbgrau; ganze Unterseite bräunlichgrauweiß; Oberbrust und Seiten breit schwarzbraun schaftstreifig; Schnabel gelb; Füße gelbgrau (alle nicht genannten Theile stimmen mit dem Sommerkleide überein). Nestkleid: Flaum sehr spärlich, eigentlich nur am Kopf und den Schultern bemerkbar und wie der ganze Körper fleischfarbenweißlich; die hervorsprießenden Flügelfedern und das kaum hervorbrechende Schwänzchen silbergrau; Schnabel blaßfleisch-farben mit röthlicher Spitze, Unterschnabel beträchtlich länger als der obere, welcher letztere in den erstern gleichsam wie in ein Futteral paßt; Drüsen an beiden Schnabelseiten sehr groß, reinweiß; Füße weiß mit dunklen Nägeln (am 11. Juli 1877 aus dem Nest gefallen). — Der Manyarweber im Winterkleide (und Weibchen): Oberkopf dunkelbraun, breiter Augen-brauenstreif, Fleck an den Halsseiten und Kinn lebhaft gelb; Kopf- und Halsseiten schwärzlich-braun mit gelblichem Schein; Rücken und ganze Oberseite gelbbraun, jede Feder fahl gesäumt und dunkel schaftstreifig; Bauch und übrige Unterseite fahl bräunlichweiß; Schnabel gelblichbraun; Füße bräunlichgelb; alles übrige mit dem Prachtkleide übereinstimmend. — Der Bengalen-weber im Winterkleide (und Weibchen): am Oberkopf olivengrünlichbraun; Augenbrauen-streif fahlgelblich; Wangen, Kinn und Oberkehle bräunlichgelb; ganze Oberseite olivengrünlich-braun, jede Feder fahl gesäumt; Brust und übrige ganze Unterseite bräunlichweiß, beim Männchen an den Brustseiten einige dunkle Schaftstreifen; Schnabel immer grauweiß. — Der gelbbrüstige Webervogel im Winterkleide (und Weibchen): Oberkopf und ganze Oberseite dunkelbraun, jede Feder fahl gesäumt; Schwingen und Flügeldecken breit fahlbräunlich gesäumt; Kopfseiten, Kehle und Oberhals fahlbräunlichgelb; ganze Unterseite bräunlichweiß; Schnabel bräunlichgrau, Unterschnabel weißgrau. — Bemerkt sei noch, daß ich eine genaue Beschreibung der in der Vogelstube erbauten Nester nebst deren Abbildungen weiterhin in dem Theile dieses Werks bringen werde, welcher die Vogelpflege und Zucht behandelt. — Ploceus baya: ♂ vest. hiem. et ♀: pileo totoque notaeo ochraceis, olivaceo-virente lavatis, scapo plumae cujusque late fuliginoso; superciliis striaque mystacäli sulfureis; facie gulaque flavo-cinereis; gastraeo toto sordide albo; gutture, pleuris et hypochondriis nigro-vittatis; rostro flavo; pedibus flavo-cinereis (partibus omissis cum vestimento aestivali con-venientibus). Neonatus: lanugine flavido-albida, perpauca; plurima jam caput hume-rosque occupante; pennis alarum caudaeque progerminantibus incanis; apice rostri subcarnei rubicundo; mandibula maxillam multo superante; glandulis rostri lateralibus permagnis, albis; unguibus pedum alborum obscuris. — Ploceus manyar: ♂ vest. hiem. et ♀: pileo fusco; stria superciliari lata, mento maculaque lateris utriusque colli flavissimis; lateribus capitis collique fumidis, obscurius striatis, abdomine et gastraeo reliquo sordide albidis; rostro gilvo-umbrino; pedibus ochraceis; partibus reliquis a vestimento aestivali haud discrepantibus. — Ploceus bengalensis: ♂ vest. hiem. et. ♀: pileo olivaceo-umbrino; stria superciliari livide gilva; genis, mento gulaque superiore ochraceis; pluma quaque notaei totius olivaceo-umbrini livide limbata; pec-tore totoque gastraeo reliquo sordide albidis; pleuris maris strias obscuriores offerentibus nonnullas; rostro usque incano. — Ploceus hypoxanthus: ♂ vest. hiem. et ♀: plumis pilei totiusque notaei fuscorum singulis livide limbatis; remigibus rectricibusque al. late subumbrino-limbatis; capitis lateribus, gula gutture que livide ochraceis; gastraeo toto sordide albo; rostro subfumido, mandibula incana.

**Cabanis' Webervogel** [Ploceus Cabanisi]. (Ergänzung zu S. 293.) Wiederum hat sich eine meiner Voraussetzungen bewahrheitet, indem der Prinz von Koburg-Gotha auch diese Art besitzt und zwar befindet sich das Pärchen, während diese Nachträge gedruckt werden, gerade in der Brut. In der „Gefiederten Welt" und dann in den Schlußergänzungen dieses Werkes werde ich hoffentlich noch nähere Mittheilungen bringen können.

**Der schwarzkehlige Webervogel** [Ploceus atrogularis] ist ebenfalls in der Sammlung des Prinzen von Koburg-Gotha vorhanden und dies ist wol die erste und einzige Einführung, welche bis jetzt festgestellt worden. (Ergänzung zu S. 293).

**Den schulterfleckigen Webervogel** [Ploceus badius], S. 303 erwähnt, erhielt der Prinz von Koburg-Gotha vor sechs oder sieben Jahren in zwei Männchen, von denen das eine bis zum Frühjahr 1877 lebte. „Ich verglich sie mit den Exemplaren im Wiener zoologischen Museum und fand, daß sie mit denselben in Gestalt und Farbe bis auf den gelben, anstatt gelbbraunen Rücken übereinstimmen. Das Winterkleid ist dem des P. capitalis ähnlich." Ich kann nur meinen Wunsch und meine Erwartung wiederholt aussprechen, daß solche interessanten Vögel mit der weiteren Erschließung Afrikas immer mehr eingeführt werden.

**Der Pirol-Webervogel** [Ploceus galbulus] befindet sich ebenfalls in der oben genannten Sammlung und der Prinz sagt: „Er ist wol einer der seltensten Webervögel, denn seit acht Jahren habe ich kein andres Exemplar gesehen als das meinige; früher tauchte er allerdings zuweilen unter den eingeführten Vögeln auf. Sein Gesang erscheint eigenthümlich schnarrend."

**Hagenbeck's gelbköpfiger Girlitz** [Fringilla imberbis], welcher S. 400 kurz erwähnt ist, müßte auf S. 379 eingereiht werden. Das einzige bisher lebend eingeführte Exemplar dieser kaum in einigen zoologischen Museen vorhandnen Art, erhielt Herr Dr. F. Franken in Baden-Baden. „Er kam im trübseligen Zustande an, erholte sich jedoch und mauserte gut, starb dann aber plötzlich. Beim Ausstopfen ergab er sich als Weibchen." Der Genannte gibt sodann folgende Beschreibung: Weibchen: Oberkopf von der Stirn an gelbgrünlich, im Nacken immer mehr in das bräunliche Olivengrün des Mantels übergehend, jede Feder mit breitem dunklen Mittelstreif; Augengegend reiner gelblich; Ohrgegend dunkler streifig; Schultern und kleine Deckfedern bräunlichgelb, große Flügeldecken schwärzlichgrau, breit gelbgrün gerandet und fahl gespitzt; Schwingen mattschwarz, die äußersten mit schmalem gelben Außenrande, die inneren breiter gelblich gerandet und fahl weiß gespitzt; Schwanzfedern schwärzlich, schmal gelb gerandet und fahlweiß gespitzt; Kehle und Brust düstergelb; Unterleib düsterweiß; Seiten bräunlich über- flogen; Bürzel weißlicholivengelb; untere Schwanzdecken fast weiß; Schnabel hornfarben, Ober- schnabel mit dunklerer Spitze; Auge dunkelbraun; Füße bräunlichgrau. Länge 13 cm.; Schwanz 5,5 cm.; Flügel bis 2,5 cm. des Schwanzes.

**Der Magelhanzeisig** [Fringilla magelhanica] befand sich auch im Besitz des Prinzen von Koburg-Gotha. (S. S. 394).

**Der bärtige Zeisig** [Fringilla marginalis]. (Ergänzung zu S. 399). Das in der An- merkung S. 400 erwähnte Exemplar gelangte ebenfalls in den Besitz des Herrn Dr. Franken in Baden-Baden, wo es noch lebt, sich aber als ein Weibchen ergeben hat.

**Den chinesischen Grünfink** [Fringilla sinica], S. 400 kurz beschrieben, weil bisher noch nicht eingeführt, kaufte der Prinz von Koburg-Gotha in Paris von Monsieur Geoffroy de St. Hilaire in zwei Exemplaren, welche jedoch wahrscheinlich beide Weibchen waren. Sie erbauten ein Nest, legten auch Eier und brüteten sehr fleißig, jedoch ohne Erfolg. Ihr Be- nehmen ähnelte dem des europäischen Grünfink.

**Der Edelfink von Algier** [Fringilla spodiogenia], S. 402 kurz beschrieben, befand sich in der Sammlung des Prinzen von Koburg und war in Paris gekauft; er sang sehr schön.

**Der größere Kubafink** [Fringilla lepida] ist in letzterer Zeit auch mehrfach parweise ein- geführt; ein Pärchen befindet sich im Besitz des Herrn Regierungsrath von Schlechtendal. (Ergänzung zu S. 416).

**Der Kehlfperling** [Fringilla dentata], S. 444 behandelt, niftete i. J. 1873 in der Vogel= ftube des Prinzen von Koburg Gotha, erzog ein Junges und begann im Sommer 1878 wieder eine Brut.

**Der Goldfperling** [Fringilla lútca] zeigt in der Vogelftube des Prinzen von Koburg= Gotha die höchſt intereffante Erſcheinung, daß ein Weibchen in den Jahren 1872 bis 1877 mit einem Männchen europäiſcher Hausfperling zuſammen 25 Junge erzogen hat. Das alte Pärchen lebte bei meinem Dorfſein (1878) noch. Der Prinz ſchreibt, daß ſich die Baſtarde noch nicht weiter fortgepflanzt haben, daß er ſie aber wenn irgend möglich weiter züchten werde.

**Der fuchsrothe Ammerfperling** [Fringilla ilíaca]. (Anmerkung zu S. 474). Er iſt in der Sammlung des Prinzen von Koburg=Gotha vorhanden.

**Der Diuka=Ammerfperling** [Fringilla diuca]. (Ergänzung zu S. 477). „Von Monfieur Geoffroy de St. Hilaire", ſchreibt der Prinz von Koburg=Gotha, „erhielt ich vier Köpfe dieſer ſchönen Art. Sie erbauten theils frei im Gebüſch, theils in Harzerbauerchen ihre Neſter und erbrüteten mehrmals Junge, deren eins noch am Leben iſt."

**Der Hausgimpel** [Pýrrhula frontalis] befand ſich in der Sammlung des Prinzen von Koburg=Gotha, der ihn als herrlichen Sänger rühmt. (Ergänzung zu S. 492).

**Der ſchwarzſchwänzige Kernbeißer** [Coccothraustes melanurus] war in der Sammlung des Prinzen von Koburg=Gotha vorhanden. (Zu S. 515).

**Der purpurrothe · Kardinal** [Coccothraustes phoeníceus]. (Ergänzung zu S. 540). „Ein Männchen befindet ſich in meinem Beſitz und ich kann die von Ihnen gegebne Beſchrei= bung als völlig zutreffend nicht anerkennen. Mein Vogel iſt etwas kleiner und gedrungener ge= baut als der rothe Kardinal und ſeine Farbe iſt heller; ſie wird etwa mit hell ſcharlachroth bezeichnet werden können. Den Geſang habe ich noch nicht gehört; der Lockruf iſt ein ſcharfes, aber ziemlich leiſes zit. Sein dicker Schnabel und der hohe Schopf laſſen den hübſchen Vogel etwas dickköpfig erſcheinen. Es iſt übrigens derſelbe, welchen Fräulein Hagenbeck auf der großen Berliner Ausſtellung i. J. 1877 hatte." (v. Schlechtendal). Obwol ich zugeben will, daß ich mich geirrt haben kann, ſo wäre es doch auch möglich, daß die Färbung dieſes Vogels in der Gefangenſchaft ſeither bereits etwas verblichen iſt. Demnächſtige weitere Ein= führung wird ja mit Sicherheit den Sachverhalt feſtſtellen laſſen.

**Der hellblaue Biſchof** [Coccothraustes coerúleus] befindet ſich im Beſitz des Prinzen von Koburg=Gotha. Herr v. Schlechtendal theilt mit, daß das S. 537 erwähnte Männchen ſich wider Erwarten erholt hat und noch lebt, ſchön im Gefieder iſt und ſingt. (Zu S. 554).

**Das Schmuckpfäffchen** [Coccothraustes ornatus; S. 562], das bleigraue Pfäffchen [C. plumbeus; S. 564], das rothſchnäblige Pfäffchen [C. hypoleucus; S. 565], das Erz= pfäffchen [C. collarius; S. 566], das weißſtirnige Pfäffchen [C. linéola; S. 567], das weiß= kehlige Pfäffchen [C. albogularis; S. 569] und das Kragenpfäffchen [C. leucopsis; S. 572], waren ſämmtlich in der Sammlung des Prinzen von Koburg=Gotha und ſind zum Theil noch lebend vorhanden. Auf der Hamburger Ausſtellung im Juli 1878 fand ich bei Herrn H. Möller das bleigraue Pfäffchen und das blaugraue Pfäffchen (C. intermedius) [S. 154] in mehreren Köpfen.

**Der braunköpfige Ammer** [Emberiza lutéola]. (Ergänzung zu Seite 591). Herr Dr. Luchs iſt ſeit d. J. 1874 im Beſitz eines Pärchens und ſchreibt über daſſelbe folgendes: „Da ich Züchtungsverſuche mit den Vögeln nicht angeſtellt, ſo bieten ſie wenig bemerkenswerthes. Sie ſind harmlos, ruhig, durchaus nicht ſcheu und vertragen ſich mit einem Männchen Band= amandine in einem geräumigen Käfige zuſammen recht gut. Nur das letztere, trotzdem es ſchwächer iſt, benimmt ſich am Futterkäſtchen und bei der Wahl des Schlafplatzes oft unleidlich. Zu Zeiten, beſonders während der Mauſer im September, jagt das Männchen der erſteren ſich mit ſeinem Weibchen herum und ſeit Anfang Aprils läßt es jetzt einen nicht übel klingenden Ge= ſang hören. Es iſt der kurze deutlich artikulirte hell ſchrillende Ammerſang, der ſich etwa mit

„dschek, dschek drih, dreh, drah drih" wiedergeben läßt. Dies kurze zweistrofige Liedchen wird oft acht= bis zehnmal, nicht selten auch des Nachts, wiederholt. Zur Mauser bemerke ich noch, daß sie bei diesen wie bei vielen unserer einheimischen Vögel eine zweifache ist, im Frühjahr die kleine mit Abwerfen des Kleingefieders, zu Beginn des Herbstes die große mit Wechsel sämmtlicher Federn. Auch ich habe mich davon überzeugt, daß beide Geschlechter ein gleich gefärbtes, nur wenig von einander verschiednes Prachtkleid tragen und daß das Weibchen nur durch geringere Größe und wenig geringern Umfang der rothbraunen Kopffärbung verschieden ist."

Der **Spornammer** [Emberiza lapponica; zu S. 600] befindet sich nebst manchen anderen fremdländischen Ammern in der Sammlung des Prinzen von Koburg=Gotha.

Die **kurzzehige Lerche** [Alauda brachydáctyla; S. 612] hatte der Prinz von Koburg= Gotha in mehreren Köpfen aus Sizilien und Griechenland mitgebracht. Ebenso besitzt er die **gelbe Lerche** [A. flava; S. 618], welche er aus Athen erhalten und nur als eine Spielart der Haubenlerche betrachtet; auch die **weißbäckige Lerche** [A. leucótis; S. 631], von Monsieur Geoffroy de St. Hilaire bezogen, war in seiner Sammlung vorhanden.

Die **Indianer=Lerche** [Alauda chrysolaema]. (Ergänzung zu S. 625). Herr H. Nehr= ling sendet soeben noch folgende Schilderung: „Die Hornlerche ist einer der allerhäufigsten Vögel von Wiskonsin und Illinois. Ihre Färbung ist, wenn man sie in der Nähe betrachtet, wirklich prachtvoll, aber sehr schwer zu beschreiben. Im Sommer sieht man sie ungemein häufig auf den Landstraßen sich im Staube paddeln, und auch im Winter sucht sie hier den größten Theil ihrer Nahrung, meist aus dem Pferdemist, auf. Sie scheint Standvogel zu sein, denn sie ist jederzeit anzutreffen. Das Nest findet man schon sehr früh im Jahre. Nach meinen Beobachtungen ist sie der erste Brutvogel des nördlichen Illinois; ich sah das Nest sehr oft bereits anfangs April und Mitte Aprils sogar schon ausgeflogene Junge. Das erste steht immer auf der Erde an einem alten Grasbüschel oder an der Seite einer kleinen Erderhöhung. Es ist aus Halmen gebaut und enthält gewöhnlich fünf, manchmal auch nur vier Eier, welche auf weißlichem Grunde mit vielen kleinen bräunlichen Flecken übersät sind. Die Jungen verlassen, sobald sie flügge geworden, das Nest und laufen wie kleine Hühnchen auf dem Boden davon. Erst geraume Zeit nach dem Ausfliegen, versuchen sie es, ihre Flügel zu gebrauchen. Der Gesang der Hornlerche ist kurz, aber recht melodisch; beim Singen steigt sie hoch in die Luft. Im Käfige habe ich sie oft gehalten. Sie zeigte sich sehr zutraulich und ausdauernd und ließ auch ihren etwas leisen Gesang sehr eifrig ertönen."

# Berichtigungen.

S. 6 Z. 10 v. u. muß es anstatt Karminfinken heißen: Karminastrilbe.

S. 43 Z. 5 v. o. muß es heißen: Astrild.

S. 43. Der graue Astrild heißt bei den französischen Händlern noch Astrild à joues ronges; bei Jamrach Senegal Waxbill.

S. 45 Z. 5 v. o. muß es heißen: Sénégali.

S. 45 Z. 11 v. o. „ „ „ Gurney.

S. 45 Z. 20 v. o. „ „ „ längs der Gewässer.

S. 45 Z. 21 v. o. „ „ „ im Habeich.

S. 49 Z. 16 v. o. „ „ „ Astrild ondulé.

S. 49 Z. 17 v. o. „ „ „ Bec de corail ondulé.

S. 49 Z. 18 v. o. „ „ „ The Ondulé, richtiger The Undulate. (In ben Listen einiger Lond. Händler ist der Name wie an der angegebnen Stelle aufgeführt und wir berichtigen ihn hiermit für unsere Leser.)

S. 49 Z. 4 v. u. muß es heißen: Aegintha astrild.

S. 53 Z. 3 v. o. „ „ „ Bengali à joues oranges.

S. 55 Z. 3 v. o. „ „ „ Joue orange.

S. 55 Z. 5 v. o. „ „ „ Benguéli ou Melpoda à joues oranges.

S. 55 Z. 5 v. o. „ „ „ Orange - cheeked Melpoda.

S. 55 Z. 6 v. o. muß der holländische Name heißen: Oranje - bekje oder Oranje - wang.

S. 56 Z. 11 v. o. muß es heißen: Bécoeur.

S. 58 Z. 9 v. u. muß der holländische Name heißen: Zwart - bekje.

S. 58 Z. 5 v. u. muß es heißen: Weaver - finch.

S. 63 Z. 18 v. u. muß der holländische Name nur heißen: Kleine Roodstaart; das übrige fällt fort.

S. 63 Z. 17 u. 18 v. u. muß es heißen: Cul - beau cendré, C. - b. grison und C. - b. de Port Natal.

S. 63 Z. 17 v. u. muß es heißen: Cinereous fair - rump und Black - bellied fair - rump.

S. 63. Den rothschwänzigen Astrild nennt Jamrach noch Lavendel Finch.

S. 73. Den getigerten Astrild nennt Jamrach Aberdavat; ferner heißt er noch Havre de Vaz und Bengali moucheté (Vekemans).

S. 74 Z. 6 v. o. fehlt hinter album ]

S. 76 Z. 13 v. u. muß es heißen: Lefebvre.

S. 77 Z. 1 v. o. „ „ „ Sénégali aurore.

S. 81 Z. 18 v. o. „ „ „ Benguéli zébré ou Zébré.

S. 81 Z. 19 v. o. „ „ „ Sénégali à ventre orange, Astrild à ventre orange ou Ventre - orange.

S. 81 Z. 21 v. o. „ „ „ Oranje - buikje, Zebra - vogeltje of Zebra - senegali.

S. 81 Z. 5 v. u. fehlt hinter albo - terminata .

S. 82 Z. 5 v. u. muß es heißen: der kleine rothe Astrild: Tafel II, Vogel C.

S. 83 Z. 18 v. o. „ „ „ verfallenen.

S. 83 Z. 7 v. u. „ „ „ Petit Sénégali rouge.

S. 88 Z. 9 v. u. „ „ „ usque ad caudam.

S. 88 Z. 8 v. o. „ „ „ Le Sénégali, Buffon.

S. 90 Z. 14 v. o. „ „ „ Sénégali rouge.

S. 91 Z. 7 v. o. sind die Worte: dunkler oder, fortzulassen.

S. 91 Z. 17 v. u. muß es heißen: externa.

S. 91 Z. 2 v. u. „ „ „ Semién.

S. 95 Z. 6 v. u. „ „ „ Lawrence.

S. 99 Z. 24 v. u. „ „ „ Cordon bleu

S. 99 Z. 16 v. u. „ „ „ Mariposa à joues de carmin; The crimson - eared Benguéli.

S. 102 Z. 9 v. o. „ „ „ Granat Finch.

S. 103 Z. 3 v. u. „ „ „ Shaw.

S. 107 Z. 11 v. u. fehlt hinter gula ,

S. 111. Der Dornastrild heißt im Handel auch noch Bec de cire und Astrild à cinq couleurs.

S. 116 Z. 20 v. u. Der Zeresastrild heißt bei ten französischen Händlern auch noch Diamant ou Moineau modeste.

S. 116 Z. 2 v. u. muß es heißen: supracaudalibus.

S. 117 Z. 2 v. o.   „   „   „   harum in IV—V. etc.

S. 118 Z. 2 v. u.  Den Auroraastrild nennt Jamrach Crimson - winged Waxbill; sodann heißt er noch Diamant aurore und Aurora Finch.

S. 119 Z. 15 v. o. muß es heißen: inferiore statt interiore.

S. 122 Z. 2 v. o.   „   „   „   Double - banded Finch.

S. 122 Z. 6 v. o.   „   „   „   Aegintha Bichenovi.

S. 122 Z. 6 v. o. muß hinter fascia das , fortfallen.

S. 122 Z. 18 v. o. muß es heißen: canescens.

S. 127 Z. 10 v. u.   „   „   „   Korbofan.

S. 132 Z. 3 v. o.   „   „   „   sebnte.

S. 133 Z. 18 v. o.   „   „   „   fulvo - cervina.

S. 133 Z. 19 v. o.   „   „   „   variegata et fasciata.

S. 135 Z. 20 v. u.  Die Rothkopf-Amandine wird von englischen Händlern Red - headed Finch genannt.

S. 141 Z. 15 v. u. muß es heißen: adultae.

S. 142 Z. 13 v. o.   „   „   „   A. Preyer.

S. 143 Z. 5 v. u.   „   „   „   Webervögeln.

S. 144 Z. 17 v. o.  Die größte Elsteramandine heißt bei den französischen Händlern auch None grande.

S. 147 Z. 2 v. u. muß es heißen: None.

S. 147 Z. 1 v. u.   „   „   „   Hooded Finch.

S. 148 Z. 1 v. o.  Die kleine Elsteramandine heißt in England auch Little Pied Grassfinch.

S. 148 Z. 15 v. o. muß es heißen: übereinstimmend.

S. 148 Z. 1 v. u.   „   „   „   sahen im Jugendkleide völlig wie diese Jungen aus.

S. 149 Z. 20 v. u.  Die zweifarbige Elsteramandine nennt Jamrach Two - colored Bronze - Maniken.

S. 150 Z. 16 v. o. muß es heißen: Spermestes rufodorsualis.

S. 151 Z. 7 v. u.   „   „   „   nistete.

S. 151 Z. 2 v. u.  Die gestreifte Bronze=Amandine nennt Jamrach auch Large Bronze - Maniken

S. 152 Z. 3 v. o. muß es heißen: Grosbec de l'Isle de Bourbon.

S. 152 Z. 1 v. u.   „   „   „   fünfte Tafel.

S. 153 Z. 4 v. o.   „   „   „   Die schwarzbürzelige Bronze=Amandine heißt bei den französischen Händlern auch Hirondelle de Java.

S. 153 Z. 12 v. o. muß es heißen: tenuissime.

S. 153 Z 6 v. u.   „   „   „   Sharp - tailed Finch.

S. 153 Z. 4 v. u.   „   „   „   Sharp - tailed Munia.

S. 153 Z. 3 v. u.   „   „   „   Hdgs.

S. 154 Z. 6 v. o.   „   „   „   haud.

S. 154 Z. 21 v. o.   „   „   „   Preyer.

S. 155 Z. 16 v. o.  Die japanesischen Mövchen heißen bei den englischen Händlern: White, yellow or nanking and grey Japanese Bengalis und bei den französischen Händlern: Bengalis blancs et panachés du Japon, bei Poisson: B. blancs et panachés de la Chine.

S. 158 Z. 11 v. u. muß es heißen: flavido - pallescens, .

S. 160 Z. 5 v. o.   „   „   „   Lonchura Cheet, Syk.

S. 160 Z. 10 v. o.   „   „   „   hypochondriorum.

S. 162 Z. 10 v. u.  Die Muskatamandine nennen die französischen Händler auch Capucin pointillé.

S. 165 Z. 18 v. u. muß es heißen: etwa eine Minute.

S. 165 Z. 4 v. u.   „   „   „   Amadina Maja.

S. 166 Z. 7 v. o.   „   „   „   deorsum gulam cervicemque versus paulatim etc.

S. 166 Z. 10 v. o.   „   „   „   pedibus plumbeis.

S. 167 Z. 13 v. o.  Die schwarzbrüstige Nonnen=Amandine heißt in Frankreich auch Capucin à calotte blanche.

S. 169 Z. 18 v. o. muß es heißen: nach ihm.

S. 169 Z. 4 v. u.  Die dreifarbige Nonnen=Amandine nennen Londoner Händler auch Tricolored Finch.

S. 170 Z. 6 v. o. muß es heißen: priori.

S. 170 Z. 24 v. o.   „   „   „   braun, fein hell gestrichelt.

S. 171 Z. 13 v. o.  Die Schilfamandine heißt bei den französischen Händlern noch Donacole marron.

S. 171 Z. 18 v. o. muß es heißen: Donacola bivittata.

S. 171 Z. 19 v. u.   „   „   „   abdomen album.

S. 172 Z. 12 v. o.   „   „   „   incanus; .

S. 172 Z. 20 v. u. muß vor dem Titel „Die Zebra=Amantine" die Bezeichnung der nun folgenden kleinen Gruppe der Amandinen: Die australischen Prachtamandinen oder Diamantvögel eingeschaltet werden.

S. 172 Z. 17 v. u. muß es heißen: eingebürgert.

S. 173 Z. 9 v. u.   „   „   „   gekennzeichnet.

S. 174 Z. 5 v. o.   „   „   „   Junge.

S. 176 Z. 2 v. u.  Die Zebra=Amandine heißt bei den französischen Händlern auch Diamant à moustache Der richtige holländische Name ist Bruin - oor - vink.

S. 177 3. 14 v. o. fehlt hinter albida ,

S. 180 3. 21 v. u. muß es heißen: Diamond Sparrow.

S. 189 3. 2 v. o.  „  „  „  occipite.

S. 189 3. 12 v. u. muß hinter atra der Binbestrich fort.

S. 191 3. 15 v. o. Die lauchgrüne Papagei=Amanbine nennen franz. Händler auch Pape des prairies.

S. 191 3. 24 v. u. muß es heißen: Lonchura quadricolor, *Syk.*

S. 192 3. 9 v. u.  „  „  „  Geospiza cyanovirens, *Peale.*

S. 201 3. 9 v. u.  „  „  „  Chénu.

S. 202 3. 20 v. o.  „  „  „  obtuse.

S. 211 3. 12 v. o. muß hinter Fleck das , fort.

S. 213 3. 17 v. o. muß es heißen: Konings - Weduwe.

S. 215 3. 19 v. u. Der Hahnschweif=Wibafint heißt bei Jamrach auch Red - shouldered Whydahbird.

S. 218 3. 3 v. u. muß es heißen: Kosanga = Fluß.

S. 219 3. 14 v. o.  „  „  „  im Kamerun.

S. 225 3. 8 v. o.  „  „  „  Bambushäusern.

S. 236 3. 11 v. u. Der Sammt=Webervogel heißt bei den Londoner Händlern noch Cape - Weaverbird.

S. 240 3. 13 v. u. Der Orange=Webervogel heißt bei Jamrach auch Bishops - Bird.

S. 243 3. 21 v. u. und S. 262 3. 4 v. u. ibidem.

S. 254 sollte es im Titel heißen: Der Robriguez=Webervogel (Ploceus flavicans).

S. 265 3. 4 v. o. muß es heißen: superciliaribus.

S. 267 3. 6 v. o.  „  „  „  ein wenig kleiner.

S. 274 3. 5 v. u.  „  „  „  *Tür.*, nicht *Tltr.*

S. 275 3. 12 v. u.  „  „  „  ober braunhalsige Bahaweber.

S. 275 3. 12 v. u. Den gelbbrüstigen Baya=Webervogel nennt Jamrach Bottle - Weaver.

S. 288 3. 18 v. o. muß es heißen: Fringilla senegalensis, *Brss.*

S. 288 3. 19 v. o.  „  „  „  Loxia melanocephala, *Gml.*

S. 288 3. 23 v. u.  „  „  „  Pinson du Sénégal.

S. 288 3. 3 v. u.  „  „  „  flavissimis.

S. 289 3. 21 v. o.  „  „  „  epigastro.

S. 289 3. 30 v. o.  „  „  „  Pro aetate variabile.

S. 291 3. 9 v. o.  „  „  „  Great Masked Weaver - bird.

S. 291 3. 15 v. o.  „  „  „  Abyssinian Grosbeak, *Lth.*

S. 296 3. 3 v. o.  „  „  „  sulfureo - marginata.

S. 297 3. 15 v. o.  „  „  „  interscapilitii.

S. 300 3. 12 v. o.  „  „  „  fuscescente.

S. 300 3. 28 v. o.  „  „  „  aeruginosa.

S. 300 3. 29 v. o.  „  „  „  *(Hhn.).*

S. 301 3. 4 v. o. muß es heißen: H. concolor, *Hgl.*, *Fnsch.*

S. 301 3. 6 v. o.  „  „  „  Pomeranzengelbe Webervogel.

S. 311 3. 10 v. u.  „  „  „  P. melanogenys, *v. Mll.*

S. 314 3. 13 v. o.  „  „  „  Little Masked Weaver - bird.

S. 314 3. 14 v. u.  „  „  „  ibidem pictis.

S. 315 3. 14 v. o.  „  „  „  Ploceus Alecto.

S. 317 3. 2 v. u.  „  „  „  fuliginosus.

S. 322 3. 5 v. o.  „  „  „  Malimbe=Webervogel (Ploceus malimbe).

S. 326 3. 10 v. u.  „  „  „  Crithologus.

S. 336 3. 6 v. u.  „  „  „  Kreuzblütlersamen.

S. 340 3. 9 v. o.  „  „  „  Ich habe sie sogar in Canaria einzeln in Schlagnetzen, deren Locker 2c.

S. 341 3. 11 v. u.  „  „  „  die durch Schönheit 2c.

S. 351 3. 19 v. o.  „  „  „  dein fascia subnigra etc.

S. 352 3. 2 v. o.  „  „  „  tenuius.

S. 352 3. 11 v. o.  „  „  „  ventris.

S. 354 3. 10 v. o.  „  „  „  Der graue weißbürzelige Girlitz: Tafel XI, Vogel 53.

S. 362 3. 15 v. u.  „  „  „  albente.

S. 364 3. 3 v. u.  „  „  „  *Gml,*

S. 373 3. 12 v. o.  „  „  „  Haublettchen.

S. 374 3. 16 v. u. muß hinter gastraei das ; fort.

S. 376 3. 2 v. u. muß es heißen: ibidem.

S. 378 3. 2 v. u.  „  „  „  Serinus sp. et S. barbatus, *Hgl.*

S. 394 sollte es im Titel heißen: Der Magelhanzeisig [Fringilla magelhanica].

S. 396 3. 15 v. o. muß es heißen: Hypacanthis Stanleyi, *Cb.*

S. 408 3. 3 v. o.  „  „  „  epigastro ventreque medio albidis.

S. 408 3. 11 v. o.  „  „  „  Schneidepunkt.

S. 410. Unter den Titel: Der Kubafink muß: Tafel XII, Vogel 60.

S. 415 Z. 26 v. o. muß es heißen: Bauch weißlichgrau.

S. 415 Z. 27 v. o. „ „ „ Hinterleib.

S. 418 Z. 27 v. o. „ „ „ albidiarum.

S. 421 Z. 15 v. u. fehlt hinter gula ,

S. 425 Z. 30 v. o. muß es heißen: acuminatam.

S. 427 Z. 1 v. o. „ „ „ tsiwi = tsitsch = tsitsch 2c.

S. 430 Z. 4 v. u. „ „ „ Der Papstfink: Tafel XII, Vogel 57 a.

S. 435 Z. 23 v. o. „ „ „ China Bull - finch, Alb.

S. 445 Z. 16 v. o. „ „ „ Pyrgita fazoqlensis, ·Pr. Wrtb.

S. 445 Z. 19 v. o. „ „ „ röthlichbraungrau.

S. 445 Z. 14 v. u. „ „ „ umbrino cinerescens.

S. 445 Z. 5 v. u. „ „ „ lateque.

S. 448 fehlt unter dem Titel Der schuppenköpfige Sperling [Fringilla frontalis]: Tafel XII, Vogel 62.

S. 460 Z. 1. Der Zwergsperling muß, da eine Fringilla pusilla S. 253 bereits vorhanden ist, Fringilla juncorum, Nttll., heißen und unter den Synonymen (Nomenclatur) muß an Stelle des letztern Namens der erstre, Fringilla pusilla, Wls., treten.

S. 467 Z. 10 v. u. muß es heißen: Gambel's Ammersperling [Fringilla Gambeli, Nttll.].

S. 471 Z. 6 v. u. „ „ „ olivengrünlichbraun.

S. 473 Z. 23 v. u. „ „ „ ·Boll's Finch.

S. 473 Z. 4 v. u. „ „ „ Heimat Südbrasilien.

S. 478 Z. 20 v. o. „ „ „ unzählige.

S. 494 Z. 22 v. o. „ „ „ Oregongebiet.

S. 506 Z. 7 v. u. „ „ „ namentlich den Ziegenhirten 2c.

S. 507 Z. 7 v. o. „ „ „ Bevor ich die Bolle'sche Darstellung fortsetze 2c.

S. 511 Z. 18 v. u. „ „ „ Trstr. nicht Frstr.

S. 512 Z. 3 v. u. „ „ „ mit dem Verwandten 2c.

S. 516 Z. 9 v. u. „ „ „ Der rosenbrüstige Kernbeißer, Tafel XIII, Vogel 67.

S. 530 Z. 15 v. u. „ „ „ Vorbau.

S. 544 Z. 14 v. o. „ „ „ jedenfalls zuerst Herr Dr. Bobinus 2c.

S. 550 Z. 11 v. u. „ „ „ Der grüne Kardinal: Taf. XIII, Vogel 66.

S. 551 Z. 6 v. o. „ „ „ Lesson.

S. 553 Z. 17 v. u. „ „ „ olivaceo - viridibus.

S. 554 Z. 12 v. o. „ „ „ Coccothraustes cristatellinus, Rss.

S. 554 Z. 19 v. o. „ „ „ S. 352.

S. 566 Z. 16 v. u. „ „ „ Pico grueso variable.

S. 569 in der Kolumnenüberschrift muß es heißen: Das schwarzkäppige Pfäffchen; ebenso Z. 15 von oben: Das schwarzkäppige Pfäffchen [Coccothraustes gutturalis].

S. 572 Z. 17 v. o. muß es heißen: s. S. 571.

S. 574 ist als Seitenzahl fälschlich 374 gedruckt.

S. 582 Z. 24 v. o. muß es heißen: L'Ortolan du Cap de bonne espérance.

S. 582 Z. 10 v. u. „ „ „ Emberiza spodiocephala.

S. 585 Z. 14 v. u., S. 587 Z. 1 v. o. und S. 595 Z. 6 v. o. muß es heißen: Ammern.

S. 597 Z. 2 v. o. muß es heißen: Passerina nigricollis.

S. 612 Z. 5 v. o. „ „ „ Bartstreif.

S. 614 Z. 6 v. o. „ „ , tenuirostris et gallica.

S. 615 Z. 25 v. u. „ „ „ Alauda Reboudia.

S. 616 Z. 31 v. o. „ „ „ rothschnäblige Lerche.

S. 620 Z. 7 v. o. „ „ „ Novaja Semlja.

S. 625 Z. 15 v. o. „ „ „ Band will sie 2c.

S. 635 Z. 7 v. o. „ „ „ eine ihren rothen 2c.

S. 639 Z. 17 v. o. „ „ „ verwaschene.

S. 640 Z. 19 v. o. „ „ „ Azr.

S. 640 Z. 12 v. u. „ „ „ pogonio remigum interiore etc.

S. 643 Z. 4 v. u. „ „ „ nassem 2c.

S. 644 Z. 1 v. u. „ „ „ recht klein geschnittene Mehlwürmer.

S. 645 Z. 5 v. u. muß b., fort.

S. 661 Z. 21 v. u. muß es heißen: leberbraunen Flatschen.

# Sachregister.

45 *

Bemerkung für den Buchbinder inbetreff des Einreihens der Tafeln.

☛ Beim Binden des Werkes ist dies Blatt abzuschneiden!

Chrom. Lith Th Fischer. Cassel.

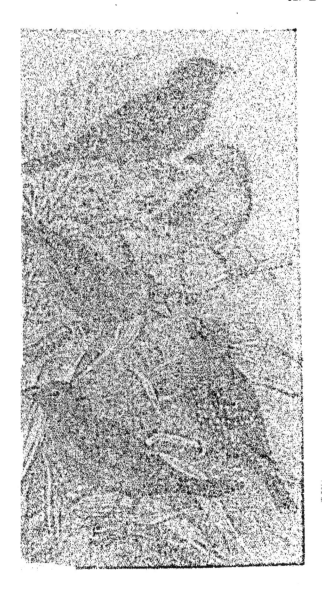

Chrom: Lith: Th. Fischer. Cassel

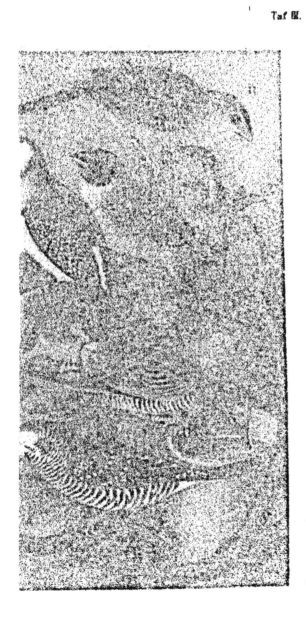

Chrom. Lith Th. Fischer. Cassel.

16.

18.

17.

19.

20.

Chrom. Lith Th Fischer. Cassel.

Chrom: Lith: Th. Fischer Cassel.

Chrom:Lith. Th Fischer, Cassel.

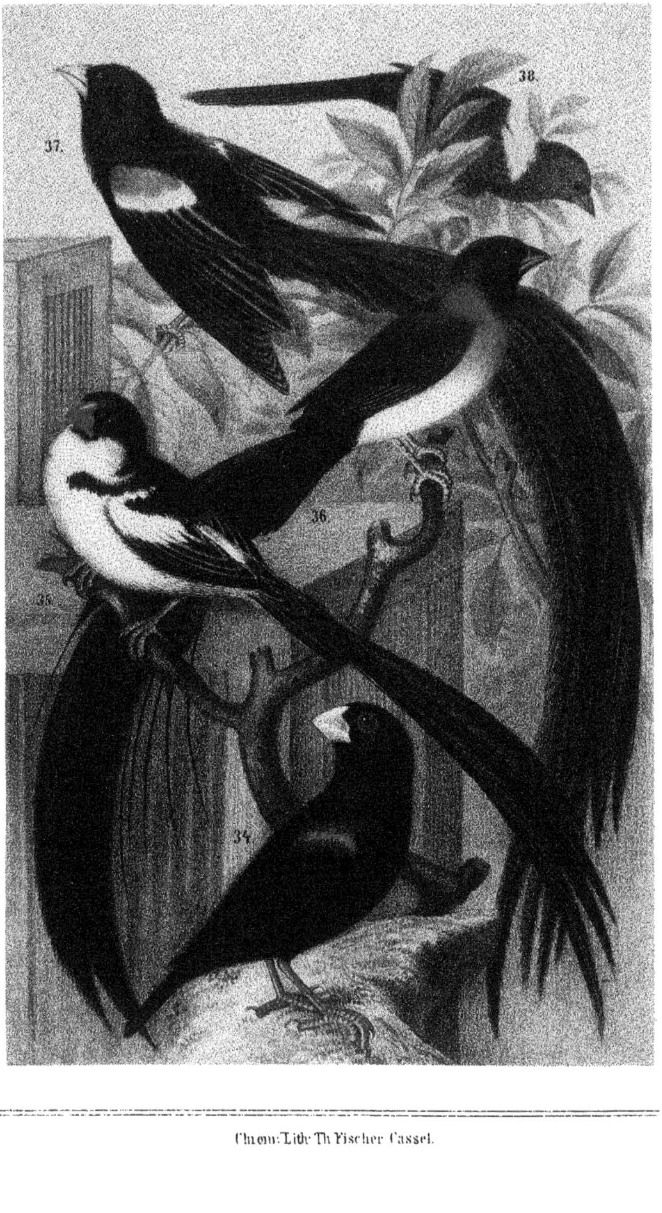


Chem: Lith: Th. Fischer Cassel.

Chrom · Lith · Th. Fischer Cassel.

Chrom- Lith: Th. Fischer Cassel

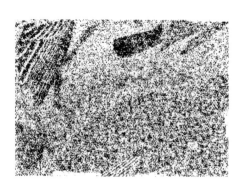

Chrom·Lith·Th. Fischer Cassel.

Chrom: Lith: Th. Fischer, Cassel.

Chrom: Lith: Th. Fischer. Cassel.

Chrom: Lith. Th. Fischer Cassel

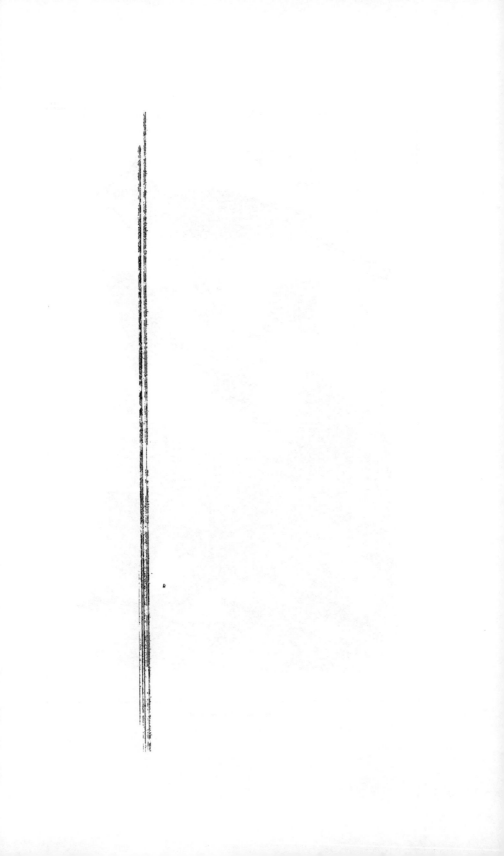

Chrom: Lith: Th. Fischer. Cassel.

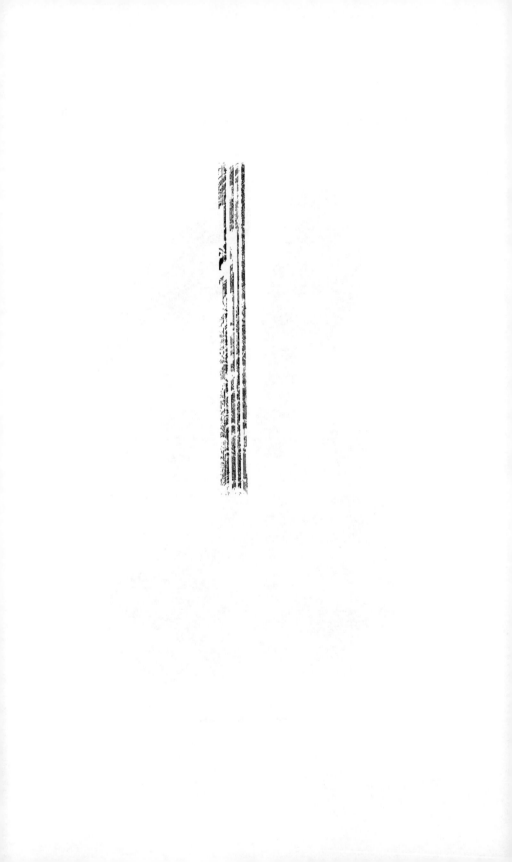

# Die
# fremdländischen Stubenvögel,

ihre

## Naturgeschichte, Pflege und Zucht.

Von

# Dr. Karl Ruß,

Verfasser von „Der Kanarienvogel", „Handbuch für Vogelliebhaber", „In der
freien Natur", „Durch Feld und Wald", „Natur- und Kulturbilder",
„Deutsche Heimatsbilder" u. s w.
Herausgeber der Zeitschrift für Vogelliebhaber
**„Die gefiederte Welt".**

### Erste Lieferung.

Mit 2 Tafeln in Farbendruck.

pp. 1-64.

## Hannover.

### Carl Rümpler.

1875.

# PROSPECT.

## Die
# fremdländischen Stubenvögel,
### ihre
### Naturgeschichte, Pflege und Zucht.

### Von Dr. Karl Ruß.

Zwei Bände in Groß-Lexikonformat. Mit 30 Tafeln Abbildungen in prachtvollem
Farbendruck der beliebtesten fremdländischen Vögel, ausgeführt von Emil Schmidt und
Farbendruck der artistischen Anstalt von Th. Fischer in Kassel.

An Lehrbüchern der Vogelkunde ist in Deutschland kein Mangel; auch
Handbücher, welche in Hinsicht der Verpflegung der Stubenvögel Rathschläge
und Anleitung geben, sind genug vorhanden. Die neuesten derartigen Werke
behandeln zugleich die Züchtung der Vögel in der Gefangenschaft mit der gebührenden Sorgfalt.

Dennoch blieb bisher eine fühlbare Lücke, da es kein Buch giebt, welches
die in immer zunehmender Kopfzahl und Mannigfaltigkeit eingeführten fremdländischen Vögel eingehend schildert und in lebensvollen farbigen Abbildungen zeigt.

Ein solches Werk legen wir den Liebhabern vor, und um für dasselbe das
Vertrauen der Leser zu gewinnen, sei es gestattet, zunächst zu berichten, wie es
entstanden und in welcher Weise der reiche Stoff für seinen Inhalt gesammelt ist.

Seit seiner Jugendzeit hat der Verfasser mit der einheimischen Vogelwelt
sich beschäftigt; ebenso wie Vater Bechstein und die meisten anderen Vogelkundigen, welche Schriften über praktische Stubenvogel-Pflege herausgegeben, hat
auch er viele Jahre hindurch zahlreiche Vögel beherbergt. In neuerer Zeit
wandte er seine Aufmerksamkeit ausschließlich den fremdländischen Stubenvögeln
zu. Eine beträchtliche Anzahl derselben hielt er anfangs in Käfigen, dann aber
richtete er eine Vogelstube ein, von vornherein in der Absicht, möglichst viele
fremdländische Vögel andauernd zu hegen, um sie zu züchten. Selbstverständlich
suchte er dabei ihre Lebensweise und alle Eigenthümlichkeiten, das ganze Wesen,
die Liebesspiele, den Nestbau, die Form und Farbe der Eier, den Nestflaum
und das Jugendkleid der Jungen, deren Verfärbung und Benehmen bis zur
vollendeten Entwickelung kennen zu lernen.

Bis jetzt sind über die meisten der zu uns gelangenden fremdländischen
Vögel hinsichtlich ihres Freilebens in der Heimat erst sehr geringe Nachrichten
bekannt geworden, weil die Reisenden und Forscher in den ferngelegenen unwirthlichen Gegenden nur selten Muße gehabt, diese Thiere ausreichend zu sehen
und zu studiren. Da der Verfasser aber alle diejenigen Vögel, welche in seiner
Vogelstube zur Brut geschritten sind, auf das gewissenhafteste beobachtet hat,

wie ihm auch von vielen anderen erfahrenen und kenntnißreichen Vogelzüchtern derartige Mittheilungen immerfort sehr reichlich zutheil geworden, so ist zweifellos zu erwarten, daß in diesem Buche die Naturgeschichte vieler fremden Vögel eine bedeutende Erweiterung finden wird.

Vor allen Dingen aber sollen die Liebhaber auf die Vögel aufmerksam gemacht werden, welche unschwer, ohne große Mühe und Kosten, zur Vermehrung zu bringen und zugleich in allen ihren Eigenschaften so liebenswürdig sind, daß sie allgemeine Verbreitung als Stubenvögel verdienen. Für ihre Pflege in Käfigen und Gesellschaftsbauern, sowie für ihre Zucht, einerseits freifliegend in einer Vogelstube und andererseits in Heckgebauern sollen hier Rathschläge gegeben werden, die also auf die Erfahrungen der bewährtesten deutschen Vogelwirthe (deren Namen am Schlusse dieses Werkes als Mitarbeiter dankbar genannt werden) gegründet sind.

Wol ist die Liebhaberei für die fremdländischen Vögel in Deutschland ebenso, wie bei fast allen gebildeten Völkern überhaupt, bereits seit geraumer Zeit zuhause; manche Vogelarten, namentlich Papageien, werden ja schon seit Jahrhunderten eingeführt. Trotzdem war diese Liebhaberei bis vor kurzem noch gleichsam in den Kinderschuhen; denn der deutsche Vogelhandel bot noch keine beachtenswerthe Fülle und Reichhaltigkeit, und von der Züchtung dieser Vögel war kaum irgendwo die Rede. Nach einem Verzeichniß, welches Dr. Karl Bolle in der „Naumania" gegeben, gelangten bis zum Ende der fünfziger Jahre nur etwa ein halbes Hundert Arten auf unsern Vogelmarkt und seltsamerweise sind seitdem fünf Arten aus dem Handel wieder völlig verschwunden. Die Züchtung fremdländischer Vögel versuchten damals nur wenige wohlhabende Freunde und Kenner dieses Gefieders. Im übrigen wurden solche Vögel gleichsam nur als Schmuck- und Ziergegenstände gekauft, und man entnahm daher die minder farbenreichen Weibchen, wie von dem Nonpareil- oder Papstfink, dem rothen Kardinal, dem Paradies-Widahfink u. a. niemals mit.

Seitdem Dr. **Karl Ruß** Schilderungen fremdländischer Vögel in der „Gartenlaube", „Kölnischen Zeitung", Wiener „Neuen Freien Presse" und vielen anderen Zeitungen und Zeitschriften veröffentlicht, gewann die Liebhaberei einen außerordentlichen Aufschwung und zugleich lenkte sie in eine ganz neue Bahn. Man legte Vogelstuben an oder richtete Käfige ein, lediglich für den Zweck der Züchtung in größerem oder geringerem Maßstabe. Aufgefordert durch Hunderte, ja bald Tausende von Briefen, ein Werk über die fremdländischen Vögel zu schreiben, konnte er sich um so mehr dazu berufen fühlen, da ein Buch, welches ausreichende und wirklich zuverlässige Anleitung zur Kenntniß und zum Einkauf, zur Verpflegung und Zucht aller dieser Stubenvögel bietet, damals, wenigstens in deutscher Sprache, noch nicht vorhanden war. Die größeren oder kleineren Naturgeschichten der Vögel, Hand- und Lehrbücher waren theils bereits veraltet, mindestens in Bezug auf die fremdländischen Stubenvögel, theils aber auch nicht stichhaltig genug; so z. B. das sonst mit Recht geschätzte Werk „Illustrirtes Thierleben" (Hildburghausen, 1864).

Somit durfte sowol der Verfasser, als auch die Verlagshandlung mit dem vollen Vertrauen, welches für die Ausführung eines solchen großartig angelegten Unternehmens durchaus nothwendig ist, an dasselbe gehen.

Durch die Verzögerung, welche das Erscheinen infolge der Erkrankung und des leider inzwischen eingetretenen Todes des genialen Malers Robert Kretschmer erlitten, sind für dies Buch aber bedeutende Vortheile erwachsen. In jene Zeit fiel nämlich die Gründung des Berliner Aquarium, die Neugestaltung des zoologischen Gartens von Berlin und die Neuschöpfung oder Vergrößerung ähnlicher Naturanstalten an mehreren anderen Orten, und durch dieselben wurde die Empfänglichkeit für die Vogelliebhaberei in erfreulicher Weise geweckt, während das von Dr. Ruß verfaßte „Handbuch für Vogelliebhaber" zu ihrer Verbreitung bis in die weitesten Kreise viel beigetragen. Namentlich aber durch die Wechselbeziehungen, welche die von demselben Schriftsteller herausgegebene „Gefiederte Welt" unter allen Vogelfreunden und Züchtern wachgerufen, ist auch der Vogelhandel zu einer unglaublich lebhaften Entwickelung gelangt. Er hat in den letzten Jahren eine überraschend reiche Anzahl bisher noch nicht herübergebrachter, größtentheils sehr prächtiger Vogelarten geboten, uns diese sämmtlich kennen zu lernen und zu schildern, der Verfasser nun Muße gefunden.

Die bildliche Darstellung der lieblichsten und interessantesten Vögel hat jetzt Herr **Emil Schmidt**, der Schüler und Schwiegersohn Roßmäßler's, übernommen und die bereits vorliegenden Tafeln geben den Beweis, daß dieser Künstler in durchaus lebensvoller und naturtreuer Ausführung dem verstorbenen Genossen auf diesem Gebiete wahrlich nicht nachsteht. Der Farbendruck der Tafeln wird von Herrn **Theodor Fischer** in Kassel hergestellt. Der große Ruf, den die Leistungen dieser Kunstanstalt für die höchststehenden wissenschaftlichen Werke sich erworben, bürgt dafür, daß die Leser die fremdländische Vogelwelt ebenso schön als lebenswahr vor sich sehen werden. —

In letzterer Zeit erschienene Werke, welche wol recht Vorzügliches bieten, zeigen doch einige Mißgriffe, durch die ihr Werth für den praktischen Gebrauch bedeutsam verringert wird. Man hat, im Eifer einer neueren Richtung folgend, eine fabelhafte Zersplitterung der Familien, Gattungen, Arten hervorgerufen, so daß der gebildete, jedoch nicht streng wissenschaftlich unterrichtete Liebhaber schwerlich in einem solchen Buche sich zurechtfinden kann. Auch bemühte man sich nur zu sehr, durch mehr oder minder glückliche Erfindung von neuen Namen die schon herrschende Verwirrung noch ungleich größer zu machen. Dergleichen Uebelstände glaubt der Verfasser vermeiden zu können.

In Hinsicht der Eintheilung aller fremdländischen Stubenvögel sei bemerkt, daß jede unnöthige Zersplitterung unterlassen wird. Auf dem wissenschaftlichen Grunde aller Forschungen der hervorragendsten unserer zeitgenössischen Ornithologen fußend, hat der Verfasser die Anordnung der Gruppen, Ordnungen, Familien und Arten so einfach und übersichtlich als möglich getroffen und die zweckmäßigsten Benennungen gewählt. Den deutschen Namen gegenüber erachtet er es als eine Pflicht, die doch einmal vorhandenen und eingebürgerten nicht etwa in blinder Verbesserungsucht zu vernichten. Im Gegentheil bemüht er sich, die Bezeichnungen des Vogelhandels zu erhalten, soweit dieselben nur zutreffend und verständig sind. Wo es jedoch nothwendig ist, neue Namen zu geben, wird jeder gewissenhafte Vogelkundige einerseits thunlichst den bezeichnenden Merkmalen, welche gewöhnlich auch in der lateinischen Benennung ausgedrückt sind, und andererseits dem Aeußerungen des Volksmundes vorzugsweise Rechnung zu tragen suchen. Einen Vortheil, sei es für den Einkauf bei Großhändlern, sei es bei Gelegenheit von Reisen oder schriftlichen Aufträgen an Freunde und Bekannte in der Ferne, soll dies Buch noch bieten, den nämlich, daß es, außer dem wissenschaftlichen lateinischen und dem passendsten deutschen, nicht allein sämmtliche überhaupt noch vorhandenen deutschen, sondern auch die englischen, französischen und sonstigen fremden Namen anführen wird.

Der Plan dieses Werkes zerfällt in drei Abtheilungen:

I. Die Beschreibung der Gruppen, Familien und jeder einzelnen Art aller fremdländischen Stubenvögel, nebst Schilderung ihrer Eigenthümlichkeiten im Freileben wie in der Gefangenschaft. In der ersteren Hinsicht wird der Verfasser nur auf die Mittheilungen solcher Forscher sich verlassen, welche in dem durchaus unangetasteten Rufe der strengsten Wahrheitsliebe und voller Ehrenhaftigkeit stehen. Berichte, welche aus verschiedenen Reisewerken zusammengetragen und dann wol gar als eigene Beobachtungen hingestellt sind, weiß er zu vermeiden. Ebenso dürfen die Leser davon überzeugt sein, daß in den Darstellungen des Gefangenlebens der Vögel jede Angabe, deren Thatsächlichkeit zweifelhaft sein könnte, von vornherein ausgeschlossen bleibt.

II. Rathschläge für den Einkauf, die Verpflegung und Züchtung aller fremdländischen Stubenvögel, nebst Beschreibung der Käfige, Züchtungsanlagen, Vogelstuben und Vogelhäuser und aller erforderlichen Geräthschaften und Hülfsmittel überhaupt, mit Angabe der besten Quellen für die Beschaffung derselben. Es ist wol überflüssig, zu versichern, daß der Verfasser bestrebt ist, vorzugsweise in diesem Theile nur zuverlässige Anleitungen zu geben. Für dieselben sollen außer den Ergebnissen der eigenen Erfahrungen und derer aller Herren Mitarbeiter, auch die vorzüglichsten Schriften auf diesem Gebiete zurathe gezogen werden.

III. Eine Uebersicht, in welcher aus der großen Fülle der wissenschaftlichen Literatur wenigstens auf die hauptsächlichsten Werke zur weiteren Belehrung über jeden einzelnen Vogel hingewiesen ist. In dem ausführlichen Sachregister sodann soll jede Vogelart unter allen ihren Benennungen leicht aufzufinden sein.

Hiernach dürfen wir die Zuversicht aussprechen, daß das Buch: „Die fremdländischen Stubenvögel", als ein verläßlicher Rathgeber nach allen Richtungen hin sich zeigen werde.

---

Die unterzeichnete Verlagshandlung hat den Verlag des bedeutenden Werkes übernommen und wird dasselbe mit größter Sorgfalt ausstatten. „Die fremdländischen Stubenvögel" von Dr. Karl Ruß werden in Zwei Bänden in Groß-Lexikonformat erscheinen und in 12—15 Heften ausgegeben, deren jedes 3 Reichs-Mark kostet. Das Werk wird etwa 50 Bogen Text und 30 fein kolorirte Tafeln enthalten mit mehr als 200 Abbildungen fremdländischer Vögel.

Alle Buchhandlungen nehmen Bestellungen an.

**Hannover.** Verlagshandlung von **Carl Rümpler.**

---

Bei der Buchhandlung .................................................

Anzahl der Exempl. | bestelle

**Ruß, Die fremdländischen Stubenvögel.** Elegante Ausstattung in Lexikonformat. Circa 12—15 Hefte à 3 R.-Mark.

Ort: | Name und Stand:

# Die

# fremdländischen Stubenvögel,

ihre

## Naturgeschichte, Pflege und Zucht.

Von

## Dr. Karl Ruß,

Verfasser von „Der Kanarienvogel“, „Handbuch für Vogelliebhaber“, „In der
freien Natur“, „Durch Feld und Wald“, „Natur- und Kulturbilder“,
„Deutsche Heimatsbilder“ u.s.w.
Herausgeber der Zeitschrift für Vogelliebhaber
„Die gefiederte Welt“.

Zweite Lieferung.
Mit 2 Tafeln in Farbendruck.

pp. 65-128

Hannover.
Carl Rümpler.
1875.

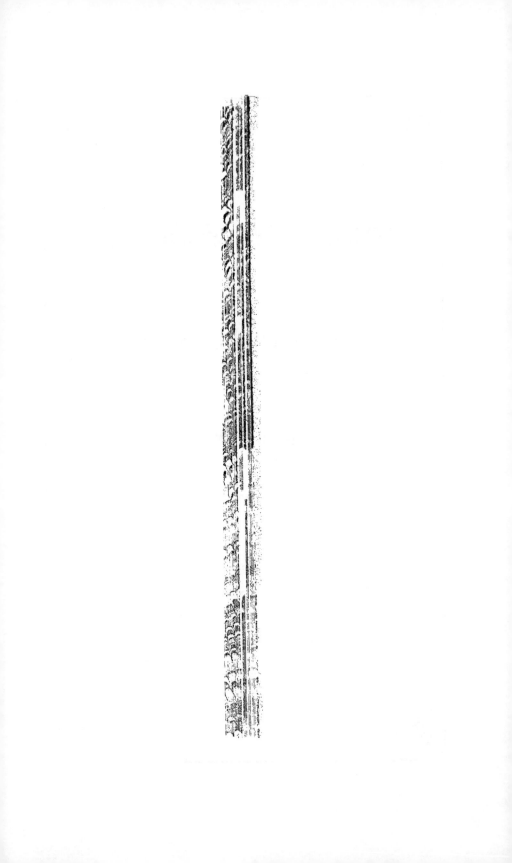

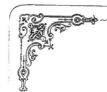

# Die

# fremdländischen Stubenvögel,

ihre

## Naturgeschichte, Pflege und Zucht.

Von

## Dr. Karl Ruß,

Verfasser von „Der Kanarienvogel", „Handbuch für Vogelliebhaber", „In der
freien Natur", „Durch Feld und Wald", „Natur- und Kulturbilder",
„Deutsche Heimatsbilder" u.s.w.
Herausgeber der Zeitschrift für Vogelliebhaber
„Die gefiederte Welt".

Dritte Lieferung.

Mit 2 Tafeln in Farbendruck.

pp. 129-192

Hannover.

Carl Rümpler.

1875.

In dieser Lieferung ist die Schilderung der **Prachtfinken** (Aeginthinen und Amandinen) im Wesentlichen beendet. Eingehende Angaben über die Verpflegung und Zucht derselben erfolgen weiterhin in besonderen Abschnitten.

In Anbetracht dessen, daß die Herstellungskosten der farbigen Abbildungen eine nur zu beträchtliche Höhe erreichen, mußten wir uns vorläufig auf die im Prospekt angegebene Zahl der darzustellenden Vögel beschränken. Auf viele Anfragen und Vorstellungen erklären wir jedoch, **daß wir jedenfalls sämmtliche fremdländische Stuben-vögel, welche lebend nach Europa eingeführt werden, in Ab-bildungen bringen wollen,** wenn die lebhafte Theilnahme der Sub-skribenten uns dazu in den Stand setzt. Und bereits jetzt dürfen wir die begründete Hoffnung der Erreichung dieses Zieles aussprechen.

Schließlich sei noch bemerkt, daß die Lieferungen des Werkes demnächst in rascherer, regelmäßiger Folge erscheinen werden. Nach-dem die umfangreichen Vorarbeiten vollendet und die Thätigkeit aller Herren Mitarbeiter organisirt ist, sind die größten Schwierigkeiten soweit überwunden, daß wir die obige Versicherung geben dürfen.

Die Verlagshandlung.

Im Verlage von **Carl Rümpler** in Hannover sind erschienen und durch alle Buchhandlungen zu beziehen:

# Mein Leben und Streben

## im Verkehr mit der Natur und dem Volke.

Von **E. A. Roßmäßler.**

Nach dem Tode des Verfassers herausgegeben

von **Karl Ruß.**

Octav. Geheftet 7 *M.*

# Handbuch

für

## Vogelliebhaber, =Züchter und =Händler.

Von Dr. **Karl Ruß.**

Erster Band: Fremdländische Vögel. Geheftet 3 *M.* 75 ₰.
Zweiter Band: Einheimische Stubenvögel. Geheftet 5 *M.* 25 ₰.

# Der Kanarienvogel.

Seine Naturgeschichte, Pflege und Zucht.

Von Dr. **Karl Ruß.**

Geheftet 1 *M.* 50 ₰.

# Das Pflanzenleben der Erde.

Eine Pflanzengeographie für Laien und Naturforscher.

Von Dr. **Wilhelm Kabsch.**

Mit 59 Holzschnitten. Zweite Auflage.

Royal=Octav. Broschirt 7 *M.* 50 ₰. In elegantem Einbande 9 *M.*

# Naturforschung und Kulturleben

in ihren neuesten Ergebnissen.

Zeugniß der Thatsachen über Christenthum und Materialismus, Geist und Stoff.

Von Dr. **A. N. Böhner.**

Dritte vervollständigte Auflage.

Mit 3 lithogr. Tafeln. Groß Octav. 4 *M.* 50 ₰. In eleg. Einbande 6 *M.*

# Leben und Weben der Natur.

## Volksausgabe des „Kosmos" für Schule und Haus.

Von Dr. **August Nathanael Böhner.**

Verfasser der „Bibel der Natur", „Naturforschung und Kulturleben".

Ein Band in Lexicon=Octav. Mit 15 lithogr. farbigen und schwarzen Tafeln und 6 Illustrationen.

Elegant geheftet 6 *M.* 75 ₰. In elegantem Einbande 8 *M.*

------------------------------

Druck von August Grimpe in Hannover.

# Die

# fremdländischen Stubenvögel,

ihre

## Naturgeschichte, Pflege und Zucht.

Von

## Dr. Karl Ruß,

Verfasser von „Der Kanarienvogel", „Handbuch für Vogelliebhaber", „In der
freien Natur", „Durch Feld und Wald", „Natur- und Kulturbilder",
„Deutsche Heimatsbilder" u.s.w.
Herausgeber der Zeitschrift für Vogelliebhaber
„Die gefiederte Welt".

Vierte Lieferung.
Mit 2 Tafeln in Farbendruck.

pp. 193-256

Hannover.
Carl Rümpler.
1876.

# Die

# fremdländischen Stubenvögel,

ihre

## Naturgeschichte, Pflege und Zucht.

Von

## Dr. Karl Ruß,

Verfasser von „Der Kanarienvogel", „Handbuch für Vogelliebhaber", „In der
freien Natur", „Durch Feld und Wald", „Natur- und Kulturbilder",
„Deutsche Heimatsbilder" u. s. w.
Herausgeber der Zeitschrift für Vogelliebhaber
„Die gefiederte Welt".

Fünfte Lieferung.

Mit 2 Tafeln in Farbendruck.

pp. 257-320

Hannover.

Carl Rümpler.

1877.

# Inhalts-Verzeichniß.

Die der fünften Lieferung beigegebenen Abbildungen zeigen:

Der Text schildert die Gruppen Sperlings=Webervögel (auch Baya-weber), Gelb=Webervögel, Büffel=Webervögel, Pracht=Webervögel und bringt die Darstellung der Webervögel bis auf wenige Seiten, die in der nächsten Lieferung folgen, zum Abschluß.

Im Verlage von **Carl Rümpler** in Hannover sind erschienen und durch alle Buchhandlungen zu beziehen:

# Bilder aus dem Aquarium.

### Von Dr. W. Heß.

**Die wirbellosen Thiere des Meeres.** Mit 126 Abbildungen.
Groß Lexicon-Format. Elegant geheftet 8 M.

# Mein Leben und Streben

## im Verkehr mit der Natur und dem Volke.

### Von E. A. Roßmäßler.

Nach dem Tode des Verfassers herausgegeben von **Karl Ruß**.
Octav. Geheftet 4 M.

# Handbuch

für

# Vogelliebhaber, -Züchter und -Händler.

### Von Dr. **Karl Ruß**.

Erster Band: Fremdländische Vögel. Wird neu gedruckt.
Zweiter Band: Einheimische Stubenvögel. Geheftet 5 M. 25 Z.

# Der Kanarienvogel.

## Seine Naturgeschichte, Pflege und Zucht.

### Von Dr. **Karl Ruß**.

Zweite Auflage. Geheftet 2 M. 40 Z.

# Das Pflanzenleben der Erde.

## Eine Pflanzengeographie für Laien und Naturforscher.

### Von Dr. **Wilhelm Kabsch**.

Mit 59 Holzschnitten. Zweite Auflage.
Royal-Octav. Broschirt 7 M. 50 Z. In elegantem Einbande 9 M.

# Naturforschung und Kulturleben

## in ihren neuesten Ergebnissen.

Zeugniß der Thatsachen über Christenthum und Materialismus, Geist und Stoff.
### Von Dr. **A. N. Böhner**.

Dritte vervollständigte Auflage.
Mit 3 lithogr. Tafeln. Groß Octav. 4 M. 50 Z. In eleg. Einbande 6 M.

# Leben und Weben der Natur.

## Volksausgabe des „Kosmos" für gebildete Familien.

### Von Dr. **August Nathanael Böhner**.

Verfasser der „Bibel der Natur", „Naturforschung und Kulturleben".
Zweite vervollständigte Auflage.
Ein Band in Lexicon-Octav. Mit 15 lithogr. farbigen und schwarzen Tafeln und 6 Illustrationen.
Elegant geheftet 6 M. In elegantem Einbande 7 M. 50 Z

Druck von August Grimpe in Hannover.

# Die

# fremdländischen Stubenvögel,

ihre

## Naturgeschichte, Pflege und Zucht.

Von

## Dr. Karl Ruß,

Verfasser von „Der Kanarienvogel", „Handbuch für Vogelliebhaber", „In der
freien Natur", „Durch Feld und Wald", „Natur- und Kulturbilder",
„Deutsche Heimatsbilder" u. s. w.
Herausgeber der Zeitschrift für Vogelliebhaber
„Die gefiederte Welt".

Sechste Lieferung.

Mit 2 Tafeln in Farbendruck.

pp. 321-384

Hannover.

Carl Rümpler.

1877.

# Inhalts-Verzeichniß.

Die der sechsten Lieferung beigegebenen Abbildungen zeigen folgende
Vögel:

Der Text führt die Webervögel zum Abschluß und beginnt dann die
Schilderung der Finken und zwar des Kanarienwildlings nebst den
nächsten Verwandten: des orangestirnigen Girlitz, Graugirlitz oder
Grauedelfink, gelbbürzeligen Girlitz oder Angolahänfling, graukehligen
Girlitz oder Kapkanarienvogel, weißkehligen Girlitz, buttergelben
Girlitz oder Hartlaubszeisig, gelbstirnigen Girlitz, schwefelgelben
Girlitz, mehrerer noch nicht eingeführten Girlitze, des schwarzköpfigen
Rothgirlitz oder Alariofink, Tottagirlitz und schwarzköpfigen Zeisig.

Die

# fremdländischen Stubenvögel,

ihre

## Naturgeschichte, Pflege und Zucht.

Von

## Dr. Karl Ruß,

Verfasser von „Der Kanarienvogel", „Handbuch für Vogelliebhaber", „In der
freien Natur", „Durch Feld und Wald", „Natur= und Kulturbilder",
„Deutsche Heimatsbilder" u. s. w.
Herausgeber der Zeitschrift für Vogelliebhaber
„Die gefiederte Welt".

Siebente Lieferung.

Mit 2 Tafeln in Farbendruck.

pp. 385-448

Hannover.

Carl Rümpler.

1878.

# Inhalts-Verzeichniß.

Die der siebenten Lieferung beigegebenen Abbildungen zeigen folgende Vögel:

Der Text führt zunächst die **Zeisige** weiter (Trauerzeisig, Fichten-zeisig, Magellanzeisig, Arkansas-, Kordilleren-, Stanley-, Mönchs-, schwarzbrüstiger, schwarzer, Kolumbien-, mexikanischer, Parrell's, kalifornischer, Gebirgs-, bärtiger, abessinischer, Zitron- und Maskenzeisig, chinesischer und algerischer Grünfink); schildert dann die **Finken** (Kanarien-, Teyde-, algerischer Fink, Himalayastiglitz, Safranfink, kleiner Safranfink, gelbbäuchiger Girlitz, Kubafink, größerer Kubafink, Venezuela- und Jamaikafink, Kronfink von Südamerika, Kronfinken von Brasilien, Ekuador und Bolivia, Jakarinifink, gehäubter Springfink, Indigofink, Papstfink, lieblicher und vielfarbiger Papstfink), dann beginnt die Gruppe der **Sperlinge,** in welcher bisher Kap-, Swainson's, Stein-, Kehl- und Gold-sperling ausführlich behandelt wurden.

————◆————
,

## Druckfehler.

Seite 418, Zeile 3 von oben, lies statt albidiorum — albidiarum.

" 425 " 30 " " " " acuminatum — acuminatam.

# Die

# fremdländischen Stubenvögel,

ihre

## Naturgeschichte, Pflege und Zucht.

Von

## Dr. Karl Ruß,

Verfasser von „Der Kanarienvogel", „Handbuch für Vogelliebhaber", „In der
freien Natur", „Durch Feld und Wald", „Natur- und Kulturbilder",
„Deutsche Heimatsbilder" u.s.w.
Herausgeber der Zeitschrift für Vogelliebhaber
„Die gefiederte Welt".

Achte Lieferung.

pp. 449-560

Hannover.

Carl Rümpler.

1878.

# Inhalts-Verzeichniß.

Die achte Lieferung führt zunächst die Finken weiter und zwar die **Ammersperlinge,** welche den Beschluß in dieser Familie machen (Winterfink oder Winter-, Gesellschafts-, Sing-, weißkehliger, Morgen-, Savanuen- und Diuka-Ammersperling, nebst den zahlreichen bisher noch garnicht oder nur höchst selten einmal eingeführten Verwandten, Grundröthel oder rothäugiger nebst den übrigen Grundammersperlingen). Dann folgen die **Gimpel** (Karmin-, Rosen-, Purpur-, kalifornischer Purpur-, Haus-, Haken-, langschwänzige, Wüsten- und eine Anzahl nur kurz erwähnter, weil noch nicht eingeführter Gimpel); darauf beginnen die **Kernbeißer** und **Kernbeißerfinken** (Masken-, schwarzschwänziger, rosenbrüstiger und wiederum einige minder bedeutende; rother, Purpur- und spitzhäubiger Kardinal, gehäubter, Dominikaner, braunkehliger und schwarzkehliger grauer Kardinal, grüner Kardinal und kleiner grüner Kardinal, hellblauer, dunkelblauer und schwarzer Kernbeißerfink oder Bischof, schwarzköpfiger Kernbeißerfink oder Reisknacker).

# Die
# fremdländischen Stubenvögel,

ihre

## Naturgeschichte, Pflege und Zucht.

Von

## Dr. Karl Ruß,

Verfasser von „Der Kanarienvogel", „Handbuch für Vogelliebhaber", „In der freien Natur", „Durch Feld und Wald", „Natur- und Kulturbilder", „Deutsche Heimatsbilder" u. s. w.
Herausgeber der Zeitschrift für Vogelliebhaber „Die gefiederte Welt".

Neunte Lieferung.

pp. i-xxiii - 561-710.

Hannover.
Carl Rümpler.
1878.

# Inhalts-Verzeichniß.

Die neunte Lieferung bildet den Beschluß des ersten Bandes. Sie führt zunächst die **Kernbeißer und Kernbeißerfinken** zu Ende (Schmuck-, blaugraues, bleigraues, rothschnäbliges, Erz-, weißstirniges, pomeranzengelbes, schwarzkäppiges und Riesenpfäffchen, nebst einer Anzahl nur kurzerwähnter, weil noch garnicht oder höchst selten eingeführter Arten; den Beschluß der Kernbeißerfinken machen die Ruder- oder Papageifinken). Dann folgen die **Ammern** (Weiden-, Fichten-, braunköpfiger, schwarzköpfiger, schwarzkehliger gelbbrüstiger und Schopfammer, sowie zahlreiche andere nur beiläufig behandelte Arten); ferner die **Lerchen** (Kalander-, Mohren-, Alpen-, weißbäckige und wiederum eine sehr große Anzahl noch garnicht oder kaum in den Handel gekommener Lerchen. Der eigentliche Text schließt mit den **Tangaren** (Kron-, Trauer-, rothhäubige, purpurrothe, schwarzbraune, scharlachrothe, feuerrothe, Schmuck-, blauflügelige, meerblaue, vielfarbige, siebenfarbige Tangara und ebenfalls eine beträchtliche Zahl nur beiläufig erwähnter Arten). Hieran reihen sich die **Nachträge und Ergänzungen**, welche inbetreff der interessantesten und seltensten Vogelarten noch neuerdings gewonnene Aufschlüsse geben, schließlich **Berichtigungen, Vorwort, Verzeichniß der Abbildungen, Inhaltsverzeichniß, Sachregister** und eine Anleitung für den Buchbinder zum Einreihen der Farbentafeln.

Prospect.

— ⋆⋅•⋅⋆ —

Die

# fremdländischen Stubenvögel,

ihre

## Naturgeschichte, Pflege und Zucht.

### Von Dr. **Karl Ruß.**

Drei Bände in Groß=Lexikonformat. Mit 30 Tafeln Abbildungen der beliebtesten fremd=
ländischen Vögel in prachtvollem Farbendruck, gemalt von Emil Schmidt und ausgeführt
in der artistischen Anstalt von Th. Fischer in Kassel.

I. Band. **Die körnerfressenden Vögel** (Hartfutter= oder Samenfresser), neun
Lieferungen mit XIV Tafeln und 46 Bogen Text. In elegantem Um=
schlage. Preis 27 ℳ. Ist complet erschienen.

II. Band, erste Hälfte: **Die kerbthierfressenden Vögel** (Weichfutter= und
Fruchtfresser); zweite Hälfte: **Die gesammte Vogelpflege und -Zucht.**
Erscheint nach dem dritten Bande.

III. Band. **Die Papageien.** Erscheint im Laufe des Jahres 1878.

An Lehrbüchern der Vogelkunde ist in Deutschland kein Mangel; auch Handbücher,
welche inhinsicht der Verpflegung der Stubenvögel Anleitungen und Rathschläge geben, sind
in ausreichender Zahl vorhanden. Dennoch blieb bisher eine fühlbare Lücke, indem es
nämlich kein Buch gibt, welches die in immer zunehmender Kopfzahl und Mannigfaltigkeit
eingeführten fremdländischen Vögel eingehend schildert und in lebensvollen farbigen Ab=
bildungen zeigt.

Ein solches Werk legen wir den Liebhabern vor und um für dasselbe das Vertrauen
der Leser zu gewinnen, sei es gestattet, zunächst zu berichten, wie es entstanden und in
welcher Weise der reiche Stoff für seinen Inhalt gesammelt ist.

Seit seiner Jugendzeit hat der Verfasser mit der einheimischen Vogelwelt sich beschäftigt;
ebenso wie Bechstein und die meisten anderen Vogelkundigen, welche Schriften über prak=
tische Stubenvogelpflege herausgegeben, hat auch er fortdauernd zahlreiche Vögel beherbergt.
In neuerer Zeit wandte er seine Aufmerksamkeit ausschließlich den fremdländischen Stuben=
vögeln zu. Anfangs hielt er eine Anzahl derselben in Käfigen, doch bereits seit länger als
zehn Jahren hat er seine Vogelstube eingerichtet und zwar lediglich in der Absicht, das in
den Handel gelangende kleine fremdländische Gefieder, soweit es zu den Stubenvögeln zu
rechnen ist, nach und nach anzuschaffen, andauernd zu beobachten und zu züchten, und das
ganze Wesen und alle besonderen Eigenthümlichkeiten, also die Lebensweise, die Liebesspiele,
den Nestbau, die Gestalt und Farbe der Eier, den Nestflaum der Jungen, deren Jugend=
kleid, Verfärbung und Benehmen bis zur vollendeten Entwickelung kennen zu lernen.

Bis jetzt sind über die meisten der zu uns gelangten fremdländischen Vögel hin=
sichtlich des Freilebens in der Heimat erst sehr geringe Nachrichten bekannt geworden, weil

die reifenden Naturforfcher in den ferngelegenen unwirthlichen Gegenden nur felten Muße gehabt, ausreichend zu beobachten. Der Verfaffer diefes Werks hat es fich nun angelegen fein laffen, alles vorhandne Material zufammenzutragen, forgfältig zu fichten und daraus foweit als irgend möglich ein Lebensbild jedes betreffenden Vogels zu geben. Da er fodann alle Vögel, welche vor feinen Augen zur Brut gefchritten, auf das gewiffenhaftefte beobachtet und zugleich die Erfahrungen anderer Züchter forgfam gefammelt, fo wird das Werk eine fo vollftändige Naturgefchichte aller lebend eingeführten fremdländifchen Vögel fein, wie eine folche bisher noch nicht vorhanden war.

Vor allen Dingen aber galt es, Erfahrungen für die praktifche Pflege und Zucht der Vögel zu gewinnen.

Wol ift die Liebhaberei für die fremdländifchen Vögel in Deutfchland, ebenfo wie bei faft allen gebildeten Völkern überhaupt, bereits feit geraumer Zeit zuhaufe; manche Vogel= arten, namentlich Papageien, werden ja fchon feit Jahrhunderten eingeführt. Trotzdem war diefe Liebhaberei bis vor kurzem noch völlig in den Kinderfchuhen; der Vogelhandel bot feine beachtenswerthe Fülle und Reichhaltigkeit und von der Züchtung war kaum die Rede; nur wenige wohlhabende Freunde und Kenner ftellten derartige Verfuche an. Im übrigen wurden folche Vögel gleichfam als bloße Schmuck= und Ziergegenftände getauft und man entnahm daher die minder farbenreichen Weibchen, wie vom Papftfink oder Nonpareil, rothen Kardinal, Paradis=Widafink u. a., niemals mit.

Eine Reihe zufammenwirkender Verhältniffe übten fehr günftigen Einfluß auf die Ent= wickelung der Liebhaberei für die fremdländifchen Vögel aus. Durch die Gründung des Berliner Aquarium, die Neugeftaltung des zoologifchen Gartens von Berlin und die Neu= fchöpfung oder Vergrößerung zahlreicher anderen derartigen Naturanftalten wurde die Empfänglichkeit für die Vogelliebhaberei in erfreulicher Weife angeregt; durch Dr. Ruß' Schilderungen fremdländifcher Vögel in den verbreitetften Unterhaltungsfchriften und Zeitungen und durch das von demfelben Schriftfteller verfaßte „Handbuch für Vogelliebhaber", nament= lich aber durch die Wechfelbeziehungen, welche die von ihm herausgegebene Zeitfchrift „Die gefiederte Welt" unter allen Vogelfreunden und =Züchtern wachgerufen, ift die Liebhaberei zu einem unglaublich lebhaften Auffchwunge gelangt, und zugleich lenkte fie in ganz neue Bahnen. Man legte Vogelftuben an und richtete Käfige ein, lediglich für den Zweck der Züchtung im größern oder geringern Maßftabe. Viele Hunderte von Vogelliebhaber-Ver= einen bildeten fich durch ganz Deutfchland und Oefterreich, in der Schweiz, in den Nieder= fanden, England, Frankreich u. f. w., und bald wetteiferte man allenthalben darin, glänzende und großartige Vogelausftellungen zu veranftalten.

Immermehr trat nun das Bedürfniß eines ftichhaltigen Führers auf dem Gebiete diefer Vogelliebhaberei und Zucht hervor, und Dr. Ruß fah fich dazu gezwungen, nach und nach feine ganze Thätigkeit dem weitern Ausbau diefer Liebhaberei zu widmen. Ein um= faffendes Werk, welches ausreichende und wirklich zuverläffige Anleitung zum Kennenlernen und Einkauf, zur Verpflegung und Zucht aller diefer Stubenvögel bietet, war in feiner Sprache vorhanden. Die größeren oder kleineren Naturgefchichten der Vögel, Hand= und Lehrbücher waren theils bereits veraltet, mindeftens inbezug auf die fremdländifchen Vögel, theils aber auch von vornherein nicht verläßlich genug.

Somit durfte fowol der Verfaffer, als auch die Verlagshandlung mit dem vollen Vertrauen, welches für die Ausführung eines folchen großartig angelegten Unternehmens durchaus nothwendig ift, an daffelbe gehen, und der Erfolg in der Aufnahme, ebenfo feitens der Subfkribenten wie der Kritik, hat bewiefen, daß wir uns feinen Täufchungen hingegeben.

Zur Zeit des alten Bechftein (gegen Ende des vorigen Jahrhunderts) waren in Deutfch= land 72 Arten fremdländifcher Vögel eingeführt; das Verzeichniß, welches Dr. Karl Bolle (1858) gegeben, hat nur 51 Arten aufzuweifen, von denen noch dazu fpäterhin 5 Arten wieder verfchwunden waren. Die erfte Auflage des von Dr. Ruß herausgegebenen „Hand= buch für Vogelliebhaber" (1871) enthält 230 Vögel und die zweite Auflage deffelben Werks

(1878) beschreibt deren nahezu 700 Arten. In diesem überaus erfreuenden Aufschwunge der Liebhaberei und des Handels ergab sich einerseits ein großer Vortheil für das vorliegende Werk, andrerseits aber auch eine folgenschwere Erweiterung desselben. Da der Schriftsteller keineswegs eine bloße Aufzählung oder kurze Beschreibung der Vögel im Stil eines Konversations-Lexikon geben wollte, so mußte er nothwendigerweise sämmtliche oder doch die beiweitem größte Mehrzahl aller neu eingeführten Vögel nach und nach anschaffen, beobachten, züchten. Die Vermehrung von 230 bis gegen 700 Arten führte erklärlicherweise eine nur zu bedeutende Verzögerung herbei; zwischen der ersten Lieferung und dem Schluß des ersten Bandes liegt ein Zeitraum von etwa vier Jahren. Da Dr. Ruß in dieser Zeit sich aber keineswegs auf das Halten blos gewisser Arten beschränkt hat, sondern stets eine mannigfaltige Bevölkerung der Vogelstube gehabt, so ist das Material auch für die übrigen Bände bereits vollständig vorhanden und es braucht nun durchaus keine Verzögerung mehr im regelmäßigen Erscheinen der Lieferungen einzutreten.

Da das Anwachsen der Zahl von nahezu 700 Arten (und die Berücksichtigung der nächsten Verwandten derselben, mindestens in beiläufiger Erwähnung) den Stoff für das Werk in nur zu umfangreicher Weise vermehrt hatte, so mußte auch der ursprüngliche Plan entsprechend erweitert werden. Dasselbe wird jetzt drei Bände umfassen, deren erster die körnerfressenden Vögel (Hartfutter- und Samenfresser), deren zweiter in der ersten Hälfte die kerbthierfressenden Vögel (Weichfutter- und Fruchtfresser) und in der zweiten Hälfte die gesammte Vogelpflege und -Zucht, deren dritter die Papageien darstellt. Jeder dieser Bände und Halbbände wird nach Bequemlichkeit der Liebhaber auch einzeln zu beziehen sein.

Inhinsicht der Eintheilung aller fremdländischen Stubenvögel sei bemerkt, daß hier jede unnöthige Zersplitterung vermieden wird. Auf dem wissenschaftlichen Grunde aller Forschungen der hervorragendsten unserer zeitgenössischen Ornithologen fußend, hat der Verfasser die Anordnung der Gruppen, Ordnungen, Familien und Arten so übersichtlich als irgend möglich getroffen und stets die zweckmäßigsten Benennungen zu wählen sich bemüht. Den deutschen Namen gegenüber erachtet er es als Pflicht, die doch einmal vorhandenen und eingebürgerten nicht etwa in blinder Verbesserungssucht zu vernichten. Im Gegentheil läßt er es sich angelegen sein, die Bezeichnungen des Vogelhandels zu erhalten, soweit dieselben nur zutreffend und verständlich sind. Wo es jedoch nothwendig ist, neue Namen zu geben, wird seder gewissenhafte Vogelkundige einerseits thunlichst den bezeichnendsten Merkmalen, welche gewöhnlich auch in der lateinischen Benennung ausgedrückt sind und andrerseits den Aeußerungen des Volksmunds vorzugsweise Rechnung zu tragen suchen. Einen Vortheil, sei es für den Einkauf bei den Großhändlern, sei es bei Gelegenheit von Reisen oder von schriftlichen Aufträgen an Freunde und Bekannte in der Ferne, soll dies Buch noch bieten, den nämlich, daß es außer einer vollständigen wissenschaftlichen Nomenklatur, nebst sämmtlichen deutschen, auch die englischen, französischen, holländischen und namentlich die Heimats-namen der Vögel bringt.

Der Gesammtinhalt des Werkes umfaßt Folgendes:

I. Die Beschreibung der Gruppen, Familien und seder einzelnen Art aller fremdländischen Stubenvögel (sowie der nächsten Verwandten, wenn solche auch noch nicht eingeführt sind), nebst Schilderung ihrer Eigenthümlichkeiten im Freileben wie in der Gefangenschaft. In der ersten Hinsicht wird sich der Verfasser nur auf die Mittheilungen solcher Forscher verlassen, an deren strengster Wahrheitsliebe und Ehrenhaftigkeit nicht zu zweifeln ist. Berichte, welche aus verschiedenen Reisewerken zusammengetragen und dann wol gar als eigene Beobachtungen hingestellt sind, weiß er zu vermeiden. Ebenso dürfen die Leser davon überzeugt sein, daß in den Darstellungen des Gefangenlebens der Vögel sede Angabe, deren Thatsächlichkeit zweifelhaft sein könnte, von vornherein ausgeschlossen sein wird.

II. Rathschläge für den Einkauf, die Verpflegung und Züchtung aller fremdländischen Vögel, nebst Beschreibung der Käfige, Züchtungsanlagen, Vogelstuben und Vogelhäuser, sowie aller erforderlichen Geräthschaften und Hilfsmittel überhaupt, schließlich auch der gesammten Futter- und Verpflegungsmittel mit Angabe der besten Quellen für die Beschaffung derselben. Es ist wol überflüssig, zu versichern, daß der Verfasser bestrebt ist, in diesem Theile vorzugsweise nur durchaus zuverlässige Anleitungen zu geben. Für dieselben sollen außer den Ergebnissen der eigenen Erfahrungen und derer aller Herren Mitarbeiter auch die Mittheilungen in der „Gefiederten Welt" und den übrigen Zeitschriften auf diesem Gebiete zu Rathe gezogen werden.

Hiernach dürfen wir die Zuversicht aussprechen, daß das Werk „Die fremdländischen Stubenvögel" als ein verläßlicher Rathgeber nach allen Richtungen hin sich zeigen werde.

Die bildliche Darstellung der lieblichsten und interessantesten Vögel hat Herr Emil Schmidt, der Schüler und Schwiegersohn Roßmäßler's, übernommen und die Ausführung dürfte in naturtreuer und durchaus lebensvoller Auffassung wol unübertroffen dastehen. Der Farbendruck der Tafeln ist von der Kunstanstalt des Herrn Fischer in Kassel herge= stellt und die letztere hat den Ruf, welchen ihre derartigen Leistungen schon längst sich er= worben, auch hier Ehre gemacht, so daß die Leser die bunte Vogelwelt ebenso schön als lebenswahr vor sich sehen.

Die unterzeichnete Verlagshandlung hat den Verlag des bedeutenden Werkes über= nommen und wird dasselbe mit größter Sorgfalt ausstatten. „Die fremdländischen Stubenvögel" von Dr. Karl Ruß werden in drei Bänden in Großlexikonformat erscheinen und in Lieferungen ausgegeben, deren jede 3 Mark kostet. Das ganze Werk wird etwa 100 bis 115 Bogen Text und vorläufig 30 fein kolorirte Tafeln enthalten mit mehr als 200 Abbildungen fremdländischer Vögel. Sollte die Theilnahme der Subskribenten bis zum Schluß auf gleicher Höhe sich erhalten, so werden noch eine Anzahl Tafeln zu sehr mäßigem Preise nachgeliefert.

Alle Buchhandlungen nehmen Bestellungen an.

Hannover.    Verlagshandlung von **Carl Rümpler.**

---

Bei der Buchhandlung................................................................

| Anzahl der Exempl. | bestelle |
|---|---|
| | **Ruß, Die fremdländischen Stubenvögel.** Elegante Aus= stattung in Lexikonformat. In Heften à 3 ℳ |
| —— | —— **Erster Band. Die körnerfressenden Vögel** (Hart= futter= oder Samenfresser). 46 Bogen Text und 14 fein ·kolorirte Tafeln mit 72 Abbildungen von Vögeln. Preis 27 ℳ. |
| —— | —— **Zweiter Band. Die kerbthierfressenden Vögel** (Weichfutter= und Fruchtfresser). **Die gesammte Vogelpflege und -Zucht.** Wird nach dem dritten Bande erscheinen. |
| —— | —— **Dritter Band. Die Papageien.** Mit 10 fein kolo= rirten Tafeln. Die erste Lieferung davon ist unter der Presse. |

Ort:    Name und Stand: